BIBLIOTHECA «EPHEMERIDES LITURGICAE»
«SUBSIDIA»

COLLECTIO CURA A. PISTOIA, C.M. ET A.M. TRIACCA, S.D.B. RECTA

43

DE LICENTIA SUPERIORUM

VIRGO FIDELIS

MISCELLANEA DI STUDI MARIANI
IN ONORE DI
DON DOMENICO BERTETTO, S.D.B.

a cura di

Ferdinando Bergamelli e Mario Cimosa

C.L.V. — EDIZIONI LITURGICHE - 00192 ROMA
Via Pompeo Magno, 21
1988

ISBN 88-85918-33-6

Finito di stampare nel febbraio 1988
Tipografia Giammarioli, via Enrico Fermi, 10 - Frascati

D. Domenico Bertetto, S.D.B.

Molto Reverendo e Carissimo
Prof. Don Domenico Bertetto,

Il lungo, ininterrotto e fedelissimo servizio ch'Ella ha reso alla nostra Congregazione e alla Chiesa nella Facoltà di S. Teologia dell'Università Pontificia Salesiana, — la quale La annovera tra i suoi Docenti a partire dal lontano autunno 1942, — è per noi tutti, che ne siamo testimoni e che ne abbiamo tratto copioso vantaggio, motivo di particolare gioia e di profonda riconoscenza.

Mentre, dunque, al compiersi dei Suoi 70 anni, ci apprestiamo ad adempiere il prescritto degli Statuti, art. 22 § 4, sul conferimento dell'Emeritato, ci è caro anzitutto esprimere a Dio, largitore di ogni bene, il ringraziamento sentito per tutto ciò che, attraverso la Sua persona e la Sua opera, Egli ha donato a tante generazioni di studenti, nella scuola e nel ministero sacerdotale, soprattutto nel confessionale e nella direzione spirituale.

E' del tutto naturale che, di fronte allo studioso di Mariologia di fama internazionale, e all'indefesso Segretario dell'Accademia Mariana Salesiana, diamo voce alla nostra riconoscenza con sentimenti che riecheggiano quelli espressi nel Cantico della Vergine Santissima, mentre ripercorriamo in sintesi il cammino per il quale la Provvidenza L'ha condotto.

Dal natio Canavese, L'accolse la Casa di Don Bosco, e, dopo la prima formazione religiosa, fu inviato alla Gregoriana per gli studi di Filosofia e di Teologia. Durante le vacanze poté godere il contatto familiare con quello straordinario Salesiano che fu Don Antonio Cojazzi, al quale presta l'opera di segretario. E, dopo il Dottorato in Teologia, nel pieno della guerra, fu alla Crocetta, dove vide gli ultimissimi anni di vita di Don Eusebio M. Vismara, del quale, in certa misura, raccolse l'eredità dell'insegnamento della Teologia Dogmatica, come, appena finita la guerra, raccolse l'eredità di Don Girolamo Luzi nel servizio delle confessioni dei Confratelli.

Alla scuola donò il meglio delle Sue energie giovanili, fornendo ai Suoi allievi, in un periodo in cui le risorse bibliografiche erano scarse, le preziose dispense che li aiutavano a familiarizzarsi con il Dogma cattolico. E quando, alla fine dell'ottobre 1950 il Congresso Mariologico e Mariano Internazionale tenutosi alla vigilia della proclamazione del Dogma dell'Assunzione della Vergine, fu occasione che sorgesse l'Accademia Mariana Salesiana, Ella se ne fece personalmente carico. Da allora quanto l'Accademia ha pubblicato è passato per le Sue mani, ed in parte notevole è Sua opera.

Arrivato a piena maturità, all'insegnamento in Facoltà, per parecchi anni moltiplicato con il servizio reso allo Studentato affiliato di Cremisan, Ella aggiunse regolarmente nelle vacanze estive la predicazione di Esercizi Spirituali che si estese, ben possiamo dire, alla maggior parte del mondo salesiano, nelle aree soprattutto di lingua castigliana e di lingua inglese.

Con tutto questo, non vi fu anno che non abbia veduto qualche Sua opera uscire nelle Editrici d'Italia; parecchie di esse verranno anche pubblicate all'estero.

L'Università dunque, e in primo luogo la Facoltà di S. Teologia, ha ogni ragione di EsserLe grata, e di pregare perché il Signore Le conservi ancora la vita e la salute, per poter continuare la Sua feconda e multiforme opera.

A coronamento di una dedizione così encomiabile, in esecuzione del prescritto degli Statuti, art. 22 § 4, in forza dell'autorità che gli stessi statuti mi conferiscono come Gran Cancelliere, La nomino

DOCENTE EMERITO DELLA FACOLTA' DI S. TEOLOGIA
DELL'UNIVERSITA' PONTIFICIA SALESIANA

In vista però del bene della stessa Facoltà e dei suoi studenti La prego di voler continuare a prestare la Sua opera, nei modi con cui le Autorità Accademiche, in accordo con il Gran Cancelliere, Le potranno richiedere.

Gradisca intanto, un'altra volta, l'espressione della riconoscenza dell'intera Università, specialmente della Facoltà di S. Teologia, e mia personale. Veda in quest'espressione la gratitudine di tutti coloro che hanno goduto della Sua attività, e sia certo che la preghiera di tutti L'accompagna, con il desiderio che il Signore Le sia largo di benedizioni e La conservi a lungo ancora in mezzo a noi.

Università Pontificia Salesiana
24 ottobre 1984

Don Egidio Viganò
Gran Cancelliere

NOTA BIO-BIBLIOGRAFICA

I - CENNI BIOGRAFICI

D. Bertetto è nato a S. Giusto Canavese (Torino) il 30 ottobre 1914, da ottimi genitori: Giuseppe e Odello Maria, terzo di nove fratelli.

Ha fatto gli studi primari nelle scuole del paese e il ginnasio nell'Oratorio di Valdocco a Torino.

Dopo il noviziato, coronato dalla prima professione a Monte Oliveto (Pinerolo) il 17 settembre 1931, nelle mani del Servo di Dio Don Filippo Rinaldi, ha fatto gli studi filosofici nella Pontificia Università Gregoriana di Roma, conseguendo la licenza in filosofia nel 1934.

Ha compiuto il suo tirocinio pratico nello studentato filosofico di Foglizzo (Torino) dal 1934 al 1937, facendo anche la sua professione salesiana perpetua il 14 luglio 1936 nelle mani del Rettor Maggiore Don Pietro Ricaldone.

Ha atteso poi agli studi teologici nella Pontificia Università Gregoriana di Roma dal 1937 al 1942, ricevendo l'ordinazione sacerdotale il 9 giugno 1940 da S.E. Mons. Luigi Traglia, Vicegerente di Roma, e conseguendo la laurea in Teologia il 30 giugno 1942, sotto la guida del Prof. Carlo Boyer S.J.

Dal 1942 insegna Teologia Dogmatica nella Università Pontificia Salesiana.

Oltre le molte cose già dette dal Rettor Maggiore nella lettera per l'emeritato, vogliamo ricordare che D. Bertetto è tra i Soci fondatori dell'Accademia Mariana Salesiana, nel 1950, di cui è segretario; ed è pure membro effettivo della Pontificia Accademia Mariana Internazionale, della Pontificia Accademia Teologica Romana e della Accademia Archeologica Italiana.

E' stato consultore della Commissione Teologica preparatoria del Concilio Ecumenico Vaticano II.

A queste notizie biografiche facciamo seguire la serie dei libri e degli articoli pubblicati da D. Bertetto nella sua lunga carriera scientifica.

II - BIBLIOGRAFIA

I titoli preceduti da 1 solo asterisco (*) si riferiscono ai volumi pubblicati; quelli con 2 asterischi (**), agli articoli di studio; quelli con 3 asterischi (***), agli articoli di volgarizzazione teologica e pastorale.

1941

1. *** *La S. Messa e la celebrazione del matrimonio,* in « Rivista del Clero Italiano » 22 (1941) 304-309.

1943

2. * *Caludio di Seyssel e il « Tractatus de triplici statu viatoris ». Un maestro di vita spirituale e pastorale all'inizio del 1500,* Società Editrice Internazionale, Torino 1943, pp. 46 (Estratto dal Dattiloscritto di pp. 200 della Dissertazione Dottorale in S. Teologia, difesa il 30 giugno 1942 nella Pontificia Università Gregoriana di Roma).

3. * *L'Amico* (*Il Sacerdote*), in Collana *Lux* per la formazione cristiana degli Operai, promossa da D. Pietro Ricaldone, Rettor Maggiore dei Salesiani, Ed. Libreria Dottrina Cristiana, Colle Don Bosco (Asti) 1943, pp. 32; 2ª ed. 1944.

4. ** *Claudio di Seyssel, Arcivescovo di Torino, maestro di vita spirituale all'inizio del '500,* in « Salesianum » 5 (1943) 116-156.

5. *** *Iniziative ed esperienze: proposte per la Pasqua e la prima Comunione,* in « Rivista del Clero italiano » 24 (1943) 63-67.

6. *** *La provvidenza di Dio e il sacerdote,* in « Rivista del Clero Italiano » 24 (1943) 113-118.

1944

7. * *Guai!* (*Lo scandalo*), in Collana *Lux,* Ed. Libreria Dottrina Cristiana, Colle Don Bosco (Asti) 1944, pp. 32.

1945

8. * *La Chiesa di Gesù Cristo,* nella Collana *Fides,* promossa da D. Pietro Ricaldone, Rettor Maggiore dei Salesiani, Ed. Libreria Dottrina Cristiana, Colle Don Bosco (Asti) 1945, pp. 318.

1946

9. * *De Beata Maria Vergine,* Tecnograph E. Gili, Torino 1946, pp. 505.

10. * *De Deo Trino,* Tecnograph E. Gili, Torino 1946; 2ª ed. aucta, Tecnograph E. Gili 1951; 3ª ed., Tecnograph 1956, pp. 432.

11. * *Maggio di un'anima.* Il Chierico Salesiano Renato Pozza, allievo del Pontificio Ateneo Salesiano, Ed. Libreria Dottrina Cristiana, Colle Don Bosco (Asti) 1946, pp. 380; 2ª ed. rifusa, Genova Sampierdarena 1956, pp. 289.

1947

12. * *La rivelazione basilare: la Trinità,* Società Editrice Internazionale, Torino 1947, pp. 106.

13. * *Il Mistero di Dio,* nella Collana *Fides,* Ed. Libreria Dottrina Cristiana, Colle Don Bosco (Asti) 1947, pp. 231.

14. * *De Verbo Incarnato et Redemptore,* Tecnograph E. Gili, Torino 1947; 2ª ed. Tecnograph E. Gili, Torino 1952; 3ª ed. revisa, Tecnograph E. Gili, Torino 1954, pp. 491.

15. ** *Maria Auxilium Christianorum,* in « Salesianum » 9 (1947) 406-420.

1948

16. * *De SS. Eucharistia,* Tecnograph E. Gili, Torino 1948, pp. 260; 2ª ed. Tecnograph E. Gili, Torino 1953, pp. 260; 3ª ed. Tecnograph E. Gili Torino 1957, pp. 260 (riunito in un solo volume di pp. 585 con De Sacramentis in genere, De Baptismo, De Confirmatione, De Ordine).

17. * *Il Significato e le prove del titolo Maria Auxilium Christianorum,* Ed. Libreria Dottrina Cristiana, Colle Don Bosco (Asti) 1948, pp. 47.

18. * *Il Gregge benedetto (La Chiesa),* in Collana *Lux,* Ed. Libreria Dottrina Cristiana, Colle Don Bosco (Asti) 1948, pp. 26.

19. ** *La causalità dei Sacramenti secondo San Tommaso ed i suoi interpreti,* in « Salesianum » 10 (1948) 543-563.

1949

20. * *Note sulla causalità sacramentaria presso i teologi cattolici moderni,* in « Biblioteca del Salesianum » n. 8, Società Editrice Internazionale, Torino 1949, pp. 69.
    In questo opuscolo (che raccoglie gli articoli 19, 25, 26) ho sfruttato la documentazione raccolta per la preparazione della tesi di laurea in teologia dal mio carissimo allievo e confratello D. Alessandro Grazioli, stroncato da morte prematura a Vendrogno (Italia) il 23 novembre 1945, a 29 anni di età.
    A lui il mio commosso ricordo e ringraziamento per aver potuto valorizzare e completare la sua diligente fatica, alla quale prego il premio eterno.

21. * *Ai Giovani, Rifletti ed opera* (Meditazioni), nella Collana « Quaderni di Predicazione per Categorie », promossa da D. Pietro Ricaldone, Rettor Maggiore dei Salesiani, Ed. Libreria Dottrina Cristiana, Colle Don Bosco (Asti) 1949, pp. 106; 2ª ed. 1954.

2. * *Ai Giovani. Impara ed opera* (Istruzioni), nella Collana « Quaderni di Predicazione per Categorie », Ed. Libreria Dottrina Cristiana, Colle Don Bosco (Asti) 1949, pp. 124; 2ª ed. 1954.

23. ** *La dottrina mariana di Pio XII,* in « Salesianum » 11 (1949) 1-24.

24. ** *I fondamenti teologici della morte e Assunzione di Maria,* in « Salesianum » 11 (1949) 513-540.

25. ** *La causalità fisica perfettiva dei Sacramenti della Nuova Legge,* in « Salesianum » 11 (1949) 185-205.

26. ** *La grazia sacramentale,* in « Salesianum » 11 (1949) 397-413.

1950

27. * *Maria nel domma cattolico. Trattato di Mariologia,* Società Editrice Internazionale, Torino 1950, pp. XV-528; 2ª ed. riveduta e ampliata SEI, Torino 1955, pp. 724.

28. * *Ecco la tua Madre! Istruzioni mariane con esempi per il mese di maggio e le feste ilturgiche in onore di Maria Santissima,* nella Collana « Quaderni di predicazione per categorie », Ed. Libreria Dottrina Cristiana, Colle Don Bosco (Asti), 1950, pp. 278; 2ª ed. riveduta con nuova raccolta di esempi, 1954, pp. 257.

29. * *Lezioni di Sacra Predicazione,* Tecnograph E. Gili, Torino 1950, pp. 326; 2ª ed. 1953; 3ª ed. 1955.

30. ** *Valore sociale del titolo Maria Auxilium Christianorum,* in « Salesianum » 12 (1950) 487-518.

1951

31. * *Maria corredentrice. La cooperazione prossima e immediata di Maria alla redenzione cristiana.* Edizioni Paoline, Alba 1951, pp. 141.

32. * Glorieux Paul, *Introduzione allo studio del domma* (Traduzione italiana, presentazione e aggiornamento bibliografico di Domenico Bertetto), Edizioni Paoline, Alba 1951, pp. 307.

33. * *De Sacramentis Novae Legis in genere,* Tecnograph E. Gili, Torino 1951; 2ª ed. Tecnograph E. Gili, Torino 1954; 3ª ed. Tecnograph E. Gili, Torino 1957, pp. 190. Nella edizione del 1957 il De Sacramentis in genere, De Baptismo, De Confirmatione, De SS. Eucharistia, De Ordine sono riuniti in un solo volume di pp. 585.

34. * *De Baptismo, Confirmatione et Ordine,* Tecnograph E. Gili, Torino 1951; 2ª ed. Tecnograph E. Gili, Torino 1954; 3ª ed. Tecnograph E. Gili, Torino 1957; pp. 200 (riuniti in un solo volume di pp. 585 con De Sacramentis in genere, De SS. Eucharistia).

35. * *La preghiera secondo l'insegnamento di San Tommaso,* Edizioni Paoline, Alba 1951, pp. 200.

36. ** *La dottrina eucaristica del Beato Pio X,* in « Perfice munus », 26 (1951) 198-208; 242-253.

37. ** *L'aspetto sacrificale e sacerdotale della corredenzione mariana,* in « Salesianum » 13 (1951) 361-380.

38. *** *La nostra divinizzazione per mezzo della grazia,* in « Perfice munus » 26 (1951) 154-163.

1952

39. * *De Deo Uno. Adnotationes ad usum auditorum,* Tecnograph E. Gili, Torino 1952; 2ª ed., Tecnograph E. Gili, Torino pp. 273.

40. * *Il mistero della colpa. La natura, le cause e i rimedi della colpa secondo l'insegnamento di San Tommaso,* Edizioni Paoline, Alba 1952, pp. 265.

41. ** *De marialis sacerdotii natura,* in « Ephemerides mariologicae » 2 (1952) 401-407; e in « Maria et Ecclesia », vol. VII, Pontificia Academia Mariana Internationalis, Roma 1962, pp. 181-189.

42. ** *La partecipazione di Maria SS. al sacrificio e al sacerdozio di Gesù,* in « Perfice munus » 27 (1952) 74-81.

43. ** *Il sacerdozio mistico dei fedeli,* in « Perfice munus » 27 (1952) 196-208.

1953

44. * *Maria Immacolata. Il domma della Concezione Immacolata di Maria nel centenario della sua definizione,* Edizioni Paoline, Roma 1953, pp. 305.

45. ** *Maria Santissima Madre di Gesù,* in « Dizionario ecclesiastico UTET », Torino 1953, vol. I, pp. 828-836.

46. ** *Il patrocinio di Maria sulla Chiesa nelle testimonianze dell'Oriente Cristiano,* in « L'Ausiliatrice della Chiesa e del Papa », Società Editrice Internazionale, Torino 1953, pp. 63-75.

47. ** *Il pensiero e l'azione di San Giovanni Bosco nel problema della vocazione,* in « Salesianum » 15 (1953) 431-462.

48. ** *La natura e l'obbligatorietà della vocazione secondo Leonardo Lessio S.I.,* in « Salesianum » 15 (1953) 284-308.

49. *** *Il domma dell'Assunzione di Maria SS. al cielo,* in « Perfice munus » 27 (1953) 403-408.

50. *** *Principi catechistici per coltivare nei giovani la purezza,* in « Catechesi », Libreria Dottrina Cristiana, Torino 1953, 113-117.

51. *** *Principi catechistici di formazione giovanile,* in « Catechesi », Libreria Dottrina Cristiana, Torino 1953, 287-290.

1954

52. * *Le prove del domma dell'Immacolata Concezione negli Atti preparatori alla definizione e nel magistero pontificio,* in « Biblioteca del Salesianum » n. 33, Società Editrice Internazionale, Torino 1954, pp. 39.

53. * *San Giovanni Bosco maestro e guida del sacerdote,* Ed. Libreria Dottrina Cristiana, Colle Don Bosco (Asti) 1954, pp. 444.

54. ** *Le prove del domma dell'Immacolata Concezione negli Atti preparatori alla definizione e nel magistero pontificio,* in « Salesianum » 16 (1954) 586-621.

55. ** *L'Immacolata nella S. Scrittura,* in « Perfice munus » 29 (1954) 481-501.

56. ** *Il centenario della definizione dommatica dell'Immacolata Concezione,* in « Ragguaglio Librario », Milano 1954, 541-552.

57. ** *Verginità di Maria,* in « Enciclopedia Cattolica », Città del Vaticano 1954, vol. XII col. 1269-1272.

58. ** *La dottrina eucaristica di San Bernardo,* in « Salesianum » 16 (1954) 258-293.

1955

59. * *Maria Regina,* Ed. Berruti, Torino 1955, pp. 60.

60. * *L'Immacolata e San Giovanni Bosco,* in « Atti dell'Accademia Mariana Salesiana », Società Editrice Internazionale, Torino 1955, pp. VIII-117.

61. * *San Giovanni Bosco.* Meditazioni per la novena, le commemorazioni mensili e la formazione salesiana, Ed. Salesiani, Villa Moglia, Chieri 1955, pp. 210; 2ª ed. nella Collana « Meditazioni Salesiane » n. 1, ed. Libreria Dottrina Cristiana, Torino 1957, pp. 208. Versione in inglese, spagnolo, portoghese e cinese [1].

62. ** *La mediazione sociale di Maria secondo i Padri della Chiesa,* in « L'Immacolata Ausiliatrice », Società Editrice Internazionale, Torino 1955, 131-180.

63. *** *L'invito alla penitenza nelle apparizioni mariane,* in « Tabor » 9 (1955) 220-230.

1956

64. * *Il Magistero mariano di Pio XII.* Edizione italiana di tutti i documenti mariani di Pio XII con introduzione, sintesi dottrinale e indici,

[1] Alcuni autori, in dipendenza l'uno dall'altro senza andare alla fonte, hanno fatto riserve su alcune espressioni di questo volumetto, ove si parla del Papa, quasi suonino papolatria. Afferma infatti, non S. Giovanni Bosco, ma l'Autore delle meditazioni, riferendo espressioni colte da altri, che Gesù ha posto il Papa su un piano divino, è come Dio in terra, avendo detto a Pietro e ai Successori: « Chi ascolta voi ascolta me e chi disprezza voi disprezza me e chi disprezza me disprezza Colui che mi ha mandato » (Lc 10,16).

Dal testo e contesto tuttavia è chiaro che questo è affermato semplicemente in ordine ai poteri, alla rappresentanza visibile, alla vicarietà, come si deve dire di tutti i ministri sacri e in certo modo anche di tutti i cristiani, diventati per dono divino « partecipi della divina natura » (2 Pt 1,4), chiamati e veramente figli di Dio (cf 1 Gv 3,1).

La cosa è già stata ripetutamente chiarita in altra sede e spero in modo efficace e definitivo.

Comunque, in successive edizioni di tale testo le espressioni sono state sostituite con altre che riproducono chiaramente il senso, comunemente accettato, che riecheggia le parole di S. Caterina da Siena circa il Papa « dolce Cristo in terra ».

Mi consola che la citazione a sproposito del mio testo ha suscitato come reazione una più chiara affermazione della autorità suprema del Papa nel tema conciliare della collegialità (*N. d. A.*).

Edizioni Paoline, Roma 1956, pp. 1015; 2ª ed. completata fino alla fine del pontificato di Pio XII, Edizioni Paoline, Roma 1960, pp. 1050.

65. * *Sacerdozio cattolico e Sacramento dell'Ordine,* nella Collana « Catholica » n. 9, Edizioni Paoline, Roma 1956, pp. 170.

66. * *Maria Immacolata Ausiliatrice.* Meditazioni per tutte le ricorrenze mariane dell'anno liturgico. Ed. Salesiani, Villa Maglia, Chieri 1956, pp. 444; 2ª ed. nella Collana « Meditazioni Salesiane » n. 2, Libreria Dottrina Cristiana, Torino 1961, pp. 389. Versione in spagnolo e portoghese.

67. ** *La mediazione celeste di Maria nel magistero di Pio XII,* in « Euntes docete» 9 (1956) 134-159.

68. ** *La morte e l'assunzione di Maria nel magistero di Pio XII,* in « Salesianum » 18 (1956) 280-296.

69. *** *La trasfigurazione in Maria SS.*, in « Tabor » 10 (1956) 423-434.

70. ** *La questione della morte di Maria SS. dopo la Bolla « Munificentissimus Deus »*, in « Perfice munus » 31 (1956) 78-81.

1957

71. * *Il Magistero eucaristico di Pio XII.* Edizione italiana di tutti i documenti eucaristici di Pio XII con introduzione, sintesi dottrinale e indici, Società Editrice Internazionale, Torino 1957, pp. 616.

72. * *Maria e i Protestanti,* Desclée, Roma 1957, pp. 282.

73. * *San Francesco di Sales.* Meditazioni tratte dalle sue opere, vol. I, *La perfezione e la pratica dell'amor di Dio,* nella Collana « Meditazioni Salesiane » n. 3, Libreria Dottrina Cristiana, Torino 1957, pp. VIII-770.

74. * *San Francesco di Sales.* Meditazioni tratte dalle sue opere, vol. II, *La vocazione, i voti, la pietà, le virtù cristiane e religiose,* Libreria Dottrina Cristiana, Torino 1957, pp. VIII-604.

75. * *Santa Maria Domenica Mazzarello.* Meditazioni per la novena, le commemorazioni mensili e la formazione religiosa, Istituto Figlie di Maria Ausiliatrice, Torino 1957, pp. 235.

76. * *Lo Spirito Santo.* Meditazioni per una vera e fruttuosa devozione al divino Ospite dell'anima, nella Collana « Meditazioni Salesiane », n. 6, Libreria Dottrina Cristiana, Torino 1957, pp. VIII-257.

77. * *Maria,* nella Collana « Con Roma » n. 7, Libreria Dottrina Cristiana, Torino 1957, pp. 81.

78. * *L'Ordine Sacro,* nella Collana « Con Roma » n. 8, Libreria Dottrina Cristiana, Torino 1957, pp. 79.

79. * *Il Papa,* nella Collana « Con Roma » n. 9, Libreria Dottrina Cristiana, Torino 1957, pp. 63.

80. * *La Provvidenza,* nella Collana « Con Roma » n. 10, Libreria Dottrina Cristiana, Torino 1957, pp. 65.

81. * *La Trinità.* Risposta ai Testimoni di Geova, nella Collana « Con Roma » n. 11, Libreria Dottrina Cristiana, Torino 1957, pp. 96.

82. ** *La problematica eucaristica in Pier Lombardo,* in « Miscellanea Lombardiana » Ed. De Agostini, Novara 1957, 149-164.

1958

83. * *Il Santo Rosario nel Magistero Pontificio,* Libreria Dottrina Cristiana, Torino 1958, pp. VIII-231.

84. * *Maria Madre Universale. Mariologia,* in « Nuovo Corso di Teologia Cattolica » n. 5, Libreria Editrice Fiorentina, Firenze 1958, pp. 791; 2ª ed. aggiornata e rifusa, Libreria Editrice Fiorentina, Firenze 1965, pp. 700.

85. * *Gesù Redentore. Cristologia,* in « Nuovo Corso di Teologia Cattolica » n. 4, Libreria Editrice Fiorentina, Firenze 1958, pp. 858; 2ª ed. rifusa, Libreria Editrice Fiorentina, Firenze 1962, pp. 774.

86. * *Il Sacro Cuore di Gesù.* Meditazioni per il mese di giugno, il primo venerdì di ogni mese e la pratica dei nove Uffici, nella Collana « Meditazioni Salesiane » n. 5, Libreria Dottrina Cristiana, Torino 1958; pp. VII-279.

87. ** *Maria nell'insegnamento di Pio XI,* in « Salesianum » 20 (1958) 596-647.

88. ** *La intercessione di Maria,* in R. Spiazzi « Somma del Cristianesimo », Edizioni Paoline, Roma 1958, vol. I, pp. 1086-1090.

89. ** *La Madre di Gesù,* in « Protestantesimo di ieri e oggi », Ed. Ferrari, Roma 1958, 837-927.

90. ** *La dialettica del peccato e della Redenzione nel Regno di Dio,* in R. Spiazzi « Somma del Cristianesimo », Edizioni Paoline, Roma 1958, vol. I, pp. 1125-1150.

1959

91. * *Vi presento la Madonna,* Ed. Pozzo, Torino 1959, pp. 84 (per il pellegrinaggio degli operai della *Fiat* a Lourdes).

92. ** *La dottrina mariana di Pio XII nei documenti pubblicati dal 2 marzo 1956 alla fine del pontificato,* in « Salesianum » 21 (1959) 254-282.

93. ** *Il parallelismo « Maria e Chiesa » alla luce delle altre verità mariologiche,* in « Maria et Ecclesia », Roma, 3 (1959) 547-567.

1960

94. * *Discorsi di Pio XI.* Edizione italiana a cura di Domenico Bertetto: vol. I (1922-1928), SEI, Torino 1960, pp. XXVIII-887; vol. II (1929-1933), SEI, Torino 1961), pp. VIII-1103; vol. II (1934-1939), SEI, Torino 1961, pp. VIII-1128. Seconda edizione anastatica, Libreria Editrice Vaticana, Città del Vaticano, 1985.

95. * *La risurrezione e l'ascensione di Gesù,* nella Collana « Credo » n. 8, Morcelliana, Brescia 1960, pp. 163.

1961

96. * *Pio XII e l'umana sofferenza.* Edizione italiana del Magistero di Pio XII sul dolore, a cura di D. Bertetto, Edizioni Paoline, Roma 1961, pp. 874.

97. * *La vita religiosa nel Magistero di Pio XII,* Edizioni Paoline, Alba 1961, pp. 765.

98. * *La pratica della vita cristiana secondo San Giovanni Bosco,* Libreria Dottrina Cristiana, Torino 1961, pp. 347.

99. * *La pratica della vita religiosa secondo San Giovanni Bosco,* Libreria Dottrina Cristiana, Torino 1961, pp. 331.

100. ** *La predicazione sociale nel magistero pontificio,* in « Predicazione sociale », Ed. Domenicane, Napoli 1961, 11-24.

101. ** *La natura della verginità di Maria SS. nel parto,* in « Salesianum » 23 (1961) 7-42.

102. ** *La verginità di Maria nel parto,* in «Perfice munus» 36 (1961) 604-615.

103. ** *La Chiesa dei Fratelli separati,* in « Chiesa e mondo contemporaneo », Queriniana, Brescia 1961, 71-94.

104. *** *Teologia della Famiglia,* in « Perfice munus » 36 (1961) 325-328.

105. *** *Consacrazione e spiritualità religiosa,* in « Perfice munus » 36 (1961) 548-554.

1962

106. ** *Maria e la Chiesa,* in « De Ecclesia », Ed. Pontificio Ateneo Salesiano, Torino 1962, 241-285.

107. ** *Sacerdozio e vita religiosa,* in « Salesianum » 24 (1962) 3-30.

1963

108. * *Maria SS. e la Chiesa.* Saggio di sintesi positiva e dottrina, Ed. Presbyterium, Roma 1963, pp. 340.

109. ** *Maria Madre di Gesù e Madre nostra nel magistero di Giovanni XXIII,* in « Salesianum » 25 (1963) 519-578.

110. ** *De primaeva Traditione mariali,* in « De Scriptura et Traditione », Pontificia Academia Mariana Internationalis, Roma 1963, 591-611.

111. ** *Il valore salvifico della risurrezione di Cristo,* in « De Christo », Ed. Pontificio Ateneo Salesiano, Torino 1963, 339-376.

112. ** *Sacra Scriptura et Traditio,* in « Salesianum » 25 (1963) 278-294.

113. *** *La Madonna e il Sangue di Gesù,* in « Tabor » 17 (1963) 428-435.

114. *** *L'opera salvifica di Gesù,* in « Perfice munus » 38 (1963) 211-215.

115. *** *L'applicazione dell'opera salvifica di Gesù,* in « Perfice munus » 38 (1963) 263-267.

1964

116. * *Acta Mariana Joannis PP. XXIII.* Series chronologica documentorum marialium Joannis PP. XXIII. Documenta e fontibus collegit et indicibus instruxit Dominicus Bertetto, Pas Verlag, Zurich 1964, pp. 541.

117. ** *La devozione mariana di Pio XI,* in « Salesianum » 26 (1964) 334-349.

118. ** *La natura del sacerdozio secondo Eb 5, 1-4 e le sue realizzazioni nel Nuovo Testamento,* in « Salesianum » 26 (1964) 395-440; ripubblicato in « Acta de la XXVI Semana española de Teología », Madrid 1970, 67-117.

119. *** *Maria e Gesù sacerdote,* in « Perfice munus » 39 (1964) 26-30.

120. *** *Maria SS. e la Chiesa,* in « Perfice munus » 39 (1964) 289-293.

121. *** *Il posto di Maria SS. nella storia della salvezza,* in « Perfice munus » 39 (1964) 644-652.

1965

122. * *Maria Madre della Chiesa,* Edizioni Paoline, Catania 1965, pp. 150.

123. * *La Madonna e la Chiesa,* Ed. Opera del Divino Amore, Roma 1965, pp. 19-182 (in Atti della IV Settimana nazionale di Studi Mariani per il Clero, pp. 304).

124. * *Maria Madre della Chiesa.* 31 Schemi di Predicazione sulla Dottrina mariana del Concilio Vaticano II e sul titolo « Maria Mater Ecclesiae » per il mese mariano 1965, in « Temi di Predicazione », n. 51-52, Edizioni Domenicane, Napoli 1965, pp. 110.

125. ** *Maria Mater Ecclesiae,* in « Salesianum » 27 (1965) 1-65 (in italiano).

126. ** *Il CD Anniversario della istituzione della festa di Maria Auxilium Christianorum,* in « Rivista di Pedagogia e Scienze Religiose », Torino 1965, 295-315.

127. ** *Maria SS. nei Concili ecumenici,* in « La Madonna », Roma 14 (1965), novembre-dicembre, 1-9.

128. ** *Commento al capo VIII della Costituzione « Lumen Gentium »,* in « La Costituzione dommatica sulla Chiesa », Libreria Dottrina Cristiana, Leumann (Torino) 1965, 825-878.

129. ** *Dio in noi. Saggio di Teologia cherigmatica,* in « De Deo », Ed. Pontificio Ateneo Salesiano, Torino 1965, 525-545.

130. *** *Maria Mater Ecclesiae,* in « Perfice munus » 40 (1965) 328-333.

131. *** *Il mistero della maternità divina,* in « Perfice munus » 40 (1965) 459-466.

132. *** *Maria SS. nel Concilio Ecumenico Vaticano II,* in « La Madonna » Periodico del Collegamento mariano nazionale, Roma, 13 (1965) maggio-giugno, 6-12.

133. *** *Il posto di Maria SS. nella Chiesa,* in « La Madonna », Roma, 13 (1965), luglio-agosto, 1-6.

134. *** *Il culto di Maria SS. nella Chiesa,* in « La Madonna », Roma, 13 (1965), settembre-ottobre, 3-8.

1966

135. * *La Madonna e l'Ecumenismo,* Ed. Opera del Divino Amore, Roma 1966, pp. 17-158 (in Atti della V Settimana nazionale di Studi mariani per il Clero, pp. 217).

136. * *Maria nel Concilio Vaticano II,* Ed. Opera del Divino Amore, Roma 1966, pp. 13-168 (in Atti della VI Settimana nazionale di Studi mariani per il clero, pp. 269).

137. ** *Pio VII e la festa liturgica di Maria Auxilium Christianorum,* in « Salesianum » 28 (1966) 130-149.

138. ** *Maria SS. nel Concilio Ecumenico Vaticano II,* in « Salesianum » 28 (1966) 247-323.

139. ** *Il magistero mariano di Paolo VI nei primi tre anni di Pontificato,* in « Salesianum » 28 (1966) 435-494.

140. ** *Assunta Regina,* in « La Madonna », Teologia per laici, Ed. Coletti, Roma 1966, 139-166.

141. *** *La Madre del sacerdote,* in « Perfice munus » 41 (1966) 31-36.

142. *** *L'Ausiliatrice delle Missioni,* in « La Madonna » 14 (1966), gennaio-febbraio, 15-17.

143. *** *Le linee dottrinali e pastorali del capo VIII della Costituzione « Lumen Gentium »,* in « La Madonna » 14 (1966), marzo-aprile, 12-16.

144. *** *Maria e la Chiesa nel Concilio Vaticano II,* in « Perfice munus » 41 (1966) 219-223.

145. *** *Il culto mariano nella Chiesa Cattolica,* in « Via, Veritas et Vita », Ed. Paoline, Roma 1966, maggio-giugno, 72-78.

146. *** *Si celebra da 150 anni la festa di Maria Auxilium Christianorum,* in « L'Osservatore Romano » 25 maggio 1966, n. 19, p. 6, col. 5-7.

147. *** *Maria e la Chiesa secondo la Costituzione « Lumen Gentium »,* in « La Madonna » 14 (1966), luglio-agosto, 6-9.

148. *** *Il mistero di Maria alla luce del aVticano II,* in « La Madonna » 14 (1966), maggio-giugno, 3-7.

149. *** *Maria SS. e il sacerdozio,* in « La Madonna » 14 (1966), settembre-ottobre, 8-14.

150. *** *Maria SS. segno di certa speranza e di consolazione per il peregrinante popolo di Dio,* in « La Madonna » 14 (1966) n. 6, novembre-dicembre, 35-40.

151. *** *Maria SS. e il sacerdozio della Chiesa,* in « Perfice munus » 41 (1966) 616-618.

1967

152. * *Chiesa viva. Meditazioni Conciliari,* Libreria Editrice Salesiana, Via Marsala 40, Roma 1967, pp. 890.

153. ** *Beata Virgo Maria et testamentum Domini in Cruce,* in « Maria in Sacra Scriptura », vol. V, Academia Mariana Internationalis, Roma 1967, 181-199.

154. ** *Efficacia del culto mariano,* in « Perfice munus » 42 (1967) 477-487.

155. ** *La Madonna in Lutero,* in « Salesianum » 29 (1967) 695-700.

156. *** *Maria SS. vincolo di unione nella Chiesa e nel genere umano,* in « Perfice munus » 42 (1967) 92-98.

157. *** *Maria SS. nel Magistero di Paolo VI,* in « La Madonna » 15 (1967) 11-17.

158. *** *La Madonna in Lutero,* in « L'Osservatore Romano » 9 aprile 1967, n. 83, p. 7, col. 1-4.

159. *** *Maria e il sacerdozio nel Magistero di Paolo VI,* in « La Madonna » 15 (1967) marzo-aprile, 4-8.

160. *** *Il culto mariano secondo le direttive di Paolo VI,* in « Perfice munus » 42 (1967) 273-281.

161. *** *La Madre del Verbo Incarnato nel Magistero di Paolo VI,* in « La Madonna » 15 (1967) maggio-giugno, 15-18.

162. *** *L'Assunta nel Magistero di Paolo VI,* in « La Madonna » 15 (1967) luglio-agosto, 24-27.

163. *** *San Francesco di Sales, gemma della Savoia,* in « Perfice munus » 42 (1967) 549-552.

164. *** *Maria e il Concilio Vaticano II,* in « La Madonna » 15 (1967), settembre-ottobre, 10-14.

165. *** *L'Immacolata nel Magistero di Paolo VI,* in « La Madonna » 15 (1967), novembre-dicembre, 4-8.

166. *** *La missione di Maria,* in « La Madonna », 15 (1967), novembre-dicembre, 20-23.

1968

167. * *Eucaristia nostra Pasqua.* Dodici schemi sull'Eucaristia per conferenze mensili, Ed. Ufficio Nazionale dei Cooperatori Salesiani, Via dei Salesiani 9, Roma 1968, pp. 55-136, in *Il Magistero Eucaristico,* Guida per la Campagna annuale 1968-1969, Roma 1968, pp. 136.

168. * *Aiuto dei Cristiani Madre della Chiesa,* (a cura), in « Atti dell'Accademia Mariana Salesiana », vol. VII, Libreria Ateneo Salesiano, Roma 1968, pp. 200.

169. ** *Maria Aiuto dei Cristiani e Madre della Chiesa nella luce del Concilio Vaticano II,* in « Aiuto dei Cristiani Madre della Chiesa », Atti dell'Accademia Mariana Salesiana, vol. VII, Libreria Ateneo Salesiano, Roma 1968, 29-86.

170. ** *Il titolo « Auxilium Christianorum » nel magistero pontificio da Pio IX a Paolo VI,* in « Salesianum » 30 (1968) 696-709.

171. ** *Maria et Sacerdotium Ecclesiae,* in « Acta Congressus internationalis de theologia Concilii Documenici Vaticani II », Roma 1968, 225-237.

172. *** *L'idea centrale della dottrina mariana conciliare,* in « Perfice munus » 43 (1968) 267-275.

173. *** *Maria nella vita cristiana,* in « Miles Immaculatae », Roma 5 (1968) 32-41.

1969

174. * *Il Magistero mariano di Papa Giovanni,* Ed. Gribaudi, Torino 1969, pp. 166.

175. * *Maria con Cristo e con la Chiesa,* Libreria Editrice Redenzione, Napoli 1969, pp. 212.

176. * *Maria Madre universale nella storia della salvezza,* 3ª ed. aggiornata e rifusa secondo la dottrina del Concilio Vaticano II, Libreria Editrice Fiorentina, Firenze 1969, pp. VIII-365.

177. *** *Maria modello di fede,* in « Perfice munus » 44 (1969) 194-203.

178. *** *Maria modello di santità,* in « Perfice munus » 44 (1969) 417-421.

179. *** *La Madonna e lo Spirito Santo,* in « Perfice munus » 44 (1969) 488-493.

180. *** *Il posto di Maria nel nuovo Calendario liturgico,* in « Madre e Regina », novembre 1969, 261-265.

181. *** *Madre della Chiesa e Aiuto dei Cristiani,* in « Miles Immaculatae » 5 (1969) 162-165.

182. *** *Messa Cattolica e Cena luterana,* in « L'Osservatore Romano », 18 dicembre 1969, n. 291, p. 5, col. 5-7.

1970

183. * *Pensieri di San Giovanni Bosco per tutti i giorni dell'anno,* Libreria Editrice Redenzione, Napoli 1970, pp. 160 (formato tascabile).

184. * *La Madonna nel nuovo Calendario liturgico.* Meditazioni mariane secondo il Concilio Vaticano II e la Liturgia, Libreria Editrice Redenzione, Napoli 1970, pp. 359.

185. * *Trenta Meditazioni sulla vita religiosa,* Libreria Editrice Redenzione, Napoli 1970, pp. 159; 2ª ed. 1975.

186. ** *Il magistero mariano di Paolo VI nel secondo triennio di Pontificato,* in « Salesianum » 32 (1970) 283-324.

187. ** *Il rinnovamento mariologico promosso dal Concilio Vaticano II,* in « Antonianum » 45 (1974) 34-43; e in « Salesianum » 33 (1971) 667-680.

188. *** *La Madonna e il Concilio: Maria nel piano della salvezza,* in « Perfice munus » 45 (1970) 529-536.

189. *** *Il principio fondamentale della dottrina mariana del Vaticano II,* in « La Madonna » 18 (1970), gennaio-febbraio, 3-10; e in « Rivista del Clero Italiano » 56 (1975) 321-330.

190. *** *Maria Madre e Sorella elettissima della Chiesa,* in « Miles Immaculatae » 6 (1970) 420-427.

191. *** *La speranza della Chiesa pellegrina,* in « Miles Immaculatae » 6 (1970) 166-171.

1971

192. * *La Madonna nella nostra vita,* (a cura), in « Atti dell'Accademia Mariana Salesiana» n. 8, Libreria Ateneo Salesiano, Roma 1971, pp. 400.

193. * *La via della gioia,* Libreria Editrice Redenzione, Napoli 1971, pp. 32.

194. * *Maria con Cristo e con noi.* Mese Mariano, in « Temi di predicazione » n. 90, Edizioni Domenicane, Napoli 1971, pp. 150.

195. ** *La devozione mariana promossa dal Concilio Vaticano II,* in « La Madonna nella nostra vita », Atti dell'Accademia Mariana Salesiana, vol. VIII, Libreria Ateneo Salesiano, Roma 1971, 51-69.

1960. ** *La Madonna nel nuovo Calendario e nel nuovo Rito della Messa,* in « Fons Vivus », Miscellanea liturgica in memoria di Don E. M. Vismara, Libreria Ateneo Salesiano, Roma 1971, 393-412.

197. ** *De cultu imitationis B.M. Virginis apud Patres Latinos,* in « De primordiis cultus mariani », Pontificia Academia Mariana Internationalis, Roma 1971, 99-128.

198. ** *Il sacerdozio cristiano nel piano salvifico,* in « Corso introduttivo al mistero della Salvezza », Libreria Ateneo Salesiano, Roma, 1971, 159-195.

199. ** *L'imitazione della B. V. Maria secondo S. Ambrogio,* in « La Madonna » 19 (1971) novembre-dicembre, 9-17.

200. *** *La presentazione di Gesù al Tempio,* in « La Madonna » 19 (1971) 9-13.

201. *** *Catechesi mariana,* in « Ministero pastorale » Padova, 1 (1971) 414-419.

1972

202. * *La Madonna nella parola di Paolo VI,* Ed. Cor Unum, Roma 1972, pp. 240; 2ª ed. aggiornata fino alla fine del pontificato di Paolo VI, Libreria Ateneo Salesiano, Roma 1980, pp. 562.

203. * *Il Papa dell'Immacolata Pio IX*, Ed. Civiltà, Brescia 1972, pp. 94.

204. ** *S. Modesto Dottore dell'Assunzione,* in « Mater Ecclesiae », Roma 1972, 154-162.

205. *** *Maria e la SS. Eucaristia,* in « Miles Immaculatae » 8 (1972) 61-65.

206. *** *Il servizio pastorale dei Santuari mariani nella formazione cristiana oggi,* in « La Madonna » 20 (1972) gennaio-febbraio, 7-26.

207. *** *La Madonna nella vita e nelle opere di Paolo VI,* in « Mater Ecclesiae », Roma 1972, 24-30.

1973

208. **La vita salesiana oggi nella luce di Maria,* in « Atti dell'Accademia Mariana Salesiana» n. 9, Libreria Ateneo Salesiano, Roma 1973, pp. 350.

209. **Il Pane di vita.* Venti schemi di predicazione eucaristica, in « Temi di predicazione » n. 110, Edizioni Domenicane, Napoli 1973, pp. 114; 2ª ed. 1973.

210. ** *Il culto mariano in S. Modesto di Gerusalemme* († *634*), in « De cultu mariano saec. VI-XI », Acta Congressus Mariologici Mariani in Croatia anno 1971 celebrati, Pontificia Academia Mariana Internationalis, Roma 1973, vol. III, 127-159.

211. ** *Maria Auxiliadora en la obra educativa salesiana,* in « Actas del I congreso nacional de Maria Auxiliadora de España », Sevilla 1973, 95-113.

212. *** *L'identità del sacerdote, oggi,* in « Rivista del Clero Italiano », Milano, 53 (1973) 258-260.

213. *** *Il rinnovamento mariologico del Vaticano II,* in « Rivista del Clero Italiano » 53 (1973) 396-400.

214. *** *Il valore delle prove dell'Assunzione corporea,* in « La Madonna » 21 (1973), marzo-aprile, 3-9.

215. *** *Il mistero del Cuore trafitto,* in « Rivista del Clero Italiano » 53 (1973) 415-420.

1974

216. * *Spiritualità Salesiana.* Meditazioni per tutti i giorni dell'anno, Libreria Ateneo Salesiano, Roma 1974, pp. VI-1168.

217. ** *L'Esortazione apostolica di Paolo VI sul culto mariano,* in « Salesianum » 36 (1974) 407-430; e in « Rivista del Clero Italiano » 54 (1974) 555-568.

218. ** *La Madonna nella vita religiosa secondo il Concilio Vaticano II e Paolo VI,* in « Vita consacrata » 10 (1974) 257-265.

219. ** *San Tommaso e la questione circa il fine prossimo primario dell'Incarnazione,* in « San Tommaso e l'odierna problematica teologica », Studi Tomistici 2, Pontificia Accademia di San Tommaso, Ed. Città Nuova, Roma 1974, 70-81.

220. ** *Ricerca spirituale e incontro ecumenico,* in « Seminarium » 1974, 176-190.

221. *** *Le assemblee religiose comunitarie,* in « Vita consacrata », Ancora, Milano 10 (1974) 41-46.

222. *** *La Comunità religiosa, piccola Chiesa,* in « Vita consacrata », Ancora, Milano 10 (1974) 240-245.

223. *** *La consacrazione religiosa,* in « Vita consacrata » 10 (1974) 321-326.

224. *** *Il Sacro Cuore e l'Anno Santo,* in « L'Osservatore Romano », 2 marzo 1974, p. 2, col. 1-4.

225. *** *Maria la Vergine Madre di Cristo,* in « Rivista del Clero Italiano » 54 (1974) 337-343.

226. *** *Ll Terzo centenario a Paray-le-Monial. Il S. Cuore di Gesù,* in « Tabor » 48 (1974) 79-85.

227. *** *Le Tentazioni di Gesù nei Vangeli Sinottici,* in « Tabor » 28 (1974) 216-220.

228. ** *Maria la sempre Vergine,* in « Rivista del Clero Italiano » 55 (1974) 750-758.

229. *** *Maria SS. porta dell'Anno Santo,* in « Tabor » 28 (1974) 330-333.

1975

230. * *La Madonna oggi. Sintesi mariana attuale,* in « Atti dell'Accademia Mariana Salesiana » vol. X, Libreria Ateneo Salesiano, Roma 1975, pp. 470; Edizione spagnola: *La SS. Virgen Maria Hoy. Sintesis mariana.* La Prensa, Mexico 1982, pp. 588.

231. * *Gesù Cristo autore della salvezza. Cristologia,* Edizioni « Pro Sanctitate », Piazza S. Andrea della Valle 3, 00186 Roma, 1975, pp. 577.

232. * *Penitenza e Unzione degli Infermi,* in « Temi di predicazione » n. 138, Edizioni Domenicane, Napoli 1975, pp. 144.

233. * *Siate Santi.* Meditazioni liturgiche per tutti i giorni dell'anno liturgico, Edizioni « Pro Sanctitate », Piazza S. Andrea della Valle 3, 00186 Roma 1975, 2 voll. pp. 1555 (numerazione progressiva).

234. ** *La Madre di Dio nelle iscrizioni dei Crociati di Terra Santa,* in « Salesianum » 37 (1975) 645-660; e in « La Terra Santa », Franciscan Printing Press, Jerusalem, maggio 1979, 98-109.

235. ** *Il culto mariano secondo Teofane Niceno* († *1381*), in « De cultu mariano saeculis XII-XV », Acta Congressus Mariologici Mariani Romae anno 1975 celebrati, vol. V, 139-169.

236. *** *Seguire Cristo oggi,* in « Vita consacrata » 11 (1975) 113-129.

237. *** *L'Anno Santo è anno di santità,* in « Vita consacrata » 11 (1975) 256-261.

238. *** *La comunità consacrata è comunità orante,* in « Vita consacrata » 11 (1975) 514-520.

239. *** *La Madonna nel nuovo Calendario liturgico,* in « Rivista del Clero Italiano » 56 (1975) 687-689.

240. *** *La Madonna nel nuovo Messale,* in « Rivista del Clero Italiano » 56 (1975) 939-944.

1976

241. * *Il mistero di Dio,* in « Temi di predicazione » n. 154, Edizioni Domenicane, Napoli 1976, pp. 154.
[Debbo uno speciale ringraziamento al Prof. Giorgio Gozzelino SDB per l'apporto dottrinale a vari temi di questo fascicolo, mediante le sue ottime dispense litografiche *Il Mistero di Dio,* di cui sollecito la pubblicazione].

242. ** *La solennità dell'Assunzione corporea di Maria,* in « La Rivista del Clero Italiano », 56 (1976) 629-638.

243. ** *Maria presso la Croce,* in « La Sapienza della Croce », Libreria Dottrina Cristiana, Leumann (TO) 1976, vol. I, 404-418.

244. ** *La Madonna nel nuovo Lezionario e nel nuovo Breviario,* in « Rivista del Clero Italiano » 57 (1976) 260-266.

245. *** « *Fate penitenza* », in « Vita consacrata » 12 (1976) 123-127.

246. *** *Betania, la casa dell'amicizia,* in « Tabor » 30 (1976) 44-46.

1977

247. * *Lo Spirito Santo e Santificatore. Pneumatologia,* Ed. « Pro Sanctitate », Piazza S. Andrea della Valle 3, 00186 Roma 1977, pp. 405.

248. * *Maria Ausiliatrice e le Missioni,* (a cura), in « Atti dell'Accademia Salesiana » vol. XI, Libreria Ateneo Salesiano, Roma 1977, pp. 364.

249. * *Giglio insanguinato. La Serva di Dio Suor Teresina di Gesù Obbediente,* Ed. « Pro Sanctitate », Piazza S. Andrea della Valle 3, 00186 Roma 1977, pp. 278.

250. * *Maria Patrona e Madre delle Missioni,* in « Temi di predicazione » n. 167, Ed. Domenicane, Napoli 1977, pp. 168.

251. ** *Maria proclamata da Paolo VI Madre della Chiesa,* in « In Ecclesia », Libreria Ateneo Salesiano, Roma 1977, 311-333.

252. ** *Il mistero salvifico della gloriosa ascensione di Cristo,* in « Tabor » 31 (1977) 19-36.

253. *** *Lo Spirito Santo e i compiti dei religiosi,* in « Vita consacrata » 13 (1977) 437-442.

254. *** *Il triplice dono dell'umanità* [Eucaristia], in « L'Osservatore Romano », Giovedì Santo 7 aprile 1977, n. 80, p. 3, col. 6-7.

255. *** *Essere degni del Capo sostenendo la propria parte dei dolori,* in « L'Osservatore Romano » Venerdì Santo 8 aprile 1977, p. 5, col. 2-3.

256. *** *Risorgendo stabilì la vita,* in « L'Osservatore Romano », 12-13 aprile 1977, n. 84, p. 5, col. 5-7.

257. *** *Ausiliatrice dei Missionari,* in « Bollettino Salesiano » 1977, maggio, 6-9.

258. *** *Il mistero di Nazareth,* in « Tabor » 31 (1977) 23-25.

259. *** *Maria aiuto dei Cristiani,* in « L'Osservatore Romano » 25 maggio 1977, n. 119, p. 5, col. 1-2.

260. ** *Maria Immacolata e le Missioni,* in « Miles Immaculatae » 13 (1977) 59-65.

261. *** *Il senso della mediazione mariana,* in « Tabor » 31 (1977) 11-16.

262. ** *Il titolo « Maria Madre della Chiesa »,* in « Miles Immaculatae » 13 (1977) 59-65.

263. ** *Lo Spirito Santo e Maria,* in « Miles Immaculatae » 13 (1977) 212-223.

264. *** *Il Natale a Betlemme,* in « Tabor » 31 (1977) 13-17.

1978

265. ** *La dottrina mariana in Paolo VI,* in « Miles Immaculatae » 14 1978) 176-215.

266. ** *Il culto mariano in Paolo VI,* in « Miles Immaculatae » 14 (1978) 244-273.

267. ** *L'Immacolata Assunta nell'insegnamento di Paolo VI,* in « Mater Ecclesiae » Ed. Cor Unum, Roma 1978, 149-162.

268. ** *Maria e la Chiesa,* in « Liturgia », Centro Azione Liturgica, maggio 1978, n. 266, 305-313.

269. ** *L'Immacolata e la pratica della fede,* in « Miles Immaculatae » 14 (1978) 16-32.

270. *** *Perché sono cristiano?,* in « Il Messaggero di Gesù Bambino », Arenzano, 72 (1978) 8-10.

271. *** *La Madonna e il ministero pastorale,* in « Il ministero pastorale », Padova, 8 (1978), aprile, 44-47.

272. *** *Lo Spirito Santo e Santificatore,* in « Rivista del Clero Italiano » 59 (1978) 436-440.

273. *** *Ruolo di Maria nella Chiesa missionaria,* in « L'Osservatore Romano » 31 maggio 1978, n. 123, p. 5, col. 1-3.

274. *** *La Madonna nella vita e nel Magistero di Paolo VI,* in « Madre di Dio », Edizioni Paoline, Roma 46 (1978), giugno, 8-10.

275. *** *Maria Madre della Chiesa,* in «Madre di Dio» 46 (1978), luglio, 12-13.

276. *** *Il Culto mariano nell'insegnamento del Vaticano II,* in « Il Messaggero di Gesù Bambino », Arenzano, 72 (1978), luglio-agosto, 8-9.

277. *** *L'Assunta nel Magistero di Paolo VI,* in « Madre di Dio », Roma, 46 (1978), agosto-settembre, 8-9.

1979

278. ** *Maria, la fulgida stella del pontificato di Giovanni Paolo I,* in « Mater Ecclesiae », Roma, 1979, 130-139; e in « Miles Immaculatae », Roma, 15 (1979) 279-287.

279. ** *Il compito di Maria nella vita spirituale,* in « Miles Immaculatae » 1 (1979) 70-77.

280. ** *La Madonna nella vita mistica di S. Gemma Galgani,* in « Miles Immaculatae » 15 (1979) 90-108.

281. ** *L'azione propria dello Spirito Santo in Maria,* in « Marianum », Roma, 41 (1979) 400-444.

282. *** *Ha partecipato al mondo i tesori della Vergine,* (in onore di S. Bernadette Soubirous), in « L'Osservatore Romano » 20 aprile 1979, n. 90, p. 5, col. 5-7.

283. *** *Maria Madre e Ausiliatrice del popolo cristiano,* in « L'Osservatore Romano » 20 giugno 1979, n. 139, p. 5, col. 1-5.

1980

284. * *Maria nel Magistero di Giovanni Paolo II.* Primo anno di pontificato (1978-1979), in « Atti dell'Accademia Mariana Salesiana » vol. XIV, Libreria Ateneo Salesiano, Roma 1980, pp. 224.

285. ** *Perché la Chiesa è anche mariana,* in « Miles Immaculatae » 16 (1980) 238-258.

286. *** *Suor Teresina di Gesù obbediente vittima per i sacerdoti,* in « L'Osservatore Romano » 1 marzo 1980, n. 51, p. 5, col. 2-4.

287. *** *Il Rosario nel Magistero di Paolo VI,* in « Madre di Dio », Roma, 46 (1980), ottobre, 22-24.

288. *** *Maria nel Magistero di Giovanni Paolo II,* in « Madre di Dio » 50 (1980), marzo 26-28; 50 (1980), aprile, 18-19; 50 (1980), maggio 13-14; 50 (1980), giugno 14-15.

289. *** *Giovanni Paolo II, il Papa tutto di Maria,* in « Maria Ausiliatrice » Torino, 1 (1980) n. 1, 22-23.

1981

290. * *Maria nel Magistero di Giovanni Paolo II.* Secondo anno di Pontificato (1979-1980), in « Atti dell'Accademia Mariana Salesiana », vol. XV, Roma 1981, pp. 200.

291. ** *Il rapporto di efficienza tra Maria e la Chiesa secondo gli Atti del Concilio Vaticano II,* in « Salesianum » 43 (1981) 237-274.

292. ** *Efficienza di Maria sulla Chiesa nel magistero del Concilio Vaticano II,* in « Il Salvatore e la Vergine Madre », Atti del III Simposio mariologico internazionale, Ed. Marianum, Roma 1981, 395-405.

293. ** *Maria SS. e il Sacerdozio della Chiesa,* in « Lateranum », Roma, 47 (1981) 233-236.

294. *** *Esaltò la Vergine Maria Madre di Dio e Madre nostra* (Giovanni XXIII), in « L'Osservatore Romano » 27-28 aprile 1981, n. 97, p. 9, col. 2-4.

295. ** *Catechesi sui misteri del Rosario: I. Annunciazione e vita cristiana oggi; Visitazione e vita cristiana,* in « Miles Immaculatae » 17 (1981) 246-257.

296. *** *Nostra Signora di Guadalupe,* in « Maria Ausiliatrice » 2 (1981) n. 2, 13-15.

297. *** *Il mistero di Maria,* in « Maria Ausiliatrice » 2 (1981) n. 3, 6-8.

298. ** *L'efficienza ecclesiale della maternità divina. Nel ricordo del Concilio di Efeso,* in « L'Osservatore Romano » 10 giugno 1981, n. 132, p. 2, col. 1-5.

299. *** *Maria associata a Cristo e alla Chiesa, nella luce del Vaticano II,* in « L'Osservatore Romano » 21 giugno 1981, n. 141, p. 5, col. 1-3.

300. ** *Come presentare nella Catechesi l'insostituibile ruolo di Maria SS.,* in « Miles Immaculatae » 17 (1981) 94-106.

301. *** *Maria maternamente presente nella vita della Chiesa. Il Magistero di Giovanni Paolo II,* in « L'Osservatore Romano » 11 luglio 1981, n. 157, p. 5, col. 1-3.

302. *** *Maria nell'insegnamento di Giovanni Paolo II,* in « L'Osservatore Romano » 5 agosto 1981, n. 178, p. 5, col. 1-4.

303. *** *L'influsso di Maria sul Corpo mistico* (secondo Giovanni XXIII), in « L'Osservatore Romano » 25 novembre 1981, n. 273, p. 3, col. 5-7.

304. *** *Il ministero materno della Vergine Maria* (Maria Madre della misericordia), in « L'Osservatore Romano » 27 novembre 1981, n. 275, p. 5, col. 5-7.

305. *** *La Vergine Maria nella vita del Cristiano,* in « Maria Ausiliatrice » 2 (1981), dicembre, 17-20.

306. *** *Il senso di Maria Aiuto dei Cristiani,* in « Maria Ausiliatrice » 2 (1981) n. 5, 20-21; 3 (1982) n. 2, 8. 17-18.

1982

307. * *La Parola che salva. Omelie liturgiche festive,* anno C, Edizioni Dehoniane, Napoli 1982, pp. 588.

308. * *Maria nel Magistero mariano di Giovanni Paolo II.* Terzo anno di Pontificato (1980-81), in « Atti dell'Accademia Mariana Salesiana » vol. XVIII, Libreria Ateneo Salesiano, Roma 1983, pp. 196.

309. * *Maria Maestra di vita spirituale.* Edizioni dell'Immacolata, Borgonovo di Pontecchio Marconi (Bologna), 1982, pp. 170.

310. * *La Madonna nella vita pastorale* (a cura), in « Atti dell'Accademia Salesiana Mariana », vol. XVII, Libreria Ateneo Salesiano, Roma 1982, pp. 206.

311. ** *Il magistero mariano di Giovanni Paolo II nel primo biennio di Pontificato (16 ottobre 1978 - 21 ottobre 1980)*, in « Salesianum » 44 (1982) 163-192.

312. *** *I Sommi Pontefici nell'evento di Fatima*, in « L'Osservatore Romano » 12 maggio 1982, n. 109, p. 5, col. 1-6.

313. ** *Madre sacerdotale*, in « Palestra del Clero » 64 (1982) 527-541; e in « Miles Immaculatae » 21 (1985) 205-220.

314. *** *Maria e la Chiesa nel Magistero di Giovanni XXIII*, in « Milizia mariana » Bologna, 36 (1982), marzo, 12-13.

315. *** *La dignità e il posto di Maria nel Corpo Mistico di Cristo*, in « L'Osservatore Romano » 20 ottobre 1982, n. 244, p. 5, col. 5-7.

316. *** *I Concili ecumenici e la Madonna*, in « Maria Ausiliatrice » 3 (1982) dicembre, 2-4.

1983

317. * *La Parola che salva. Omelie liturgiche festive*, Anno B, Ed. Dehoniane, Napoli 1983, pp. 567.

318. * *La Parola che salva. Omelie liturgiche festive*, Anno A, Ed. Dehoniane, Napoli 1983, pp. 570.

319. ** *Pio IX e la definizione del domma dell'Immacolata*, in « Pio IX » Roma 1-2 (1983) 231-268.

320. ** *Novena inedita dell'Immacolata Concezione del Can. Mastai Ferretti*, in « Pio IX » 12 (1983) 273-328.

321. *** *Maria Madre della Chiesa nel nuovo Codice di Diritto Canonico*, in « L'Osservatore Romano » 23 marzo 1983, n. 67, p. 6, col. 1-4; e in « Maria Ausiliatrice », 4 (1983) n. 11, 17-18.

322. ** *Lo Spirito Santificatore. Il compito proprio dello Spirito Santo nel dinamismo soprannaturale*, in « Credo in Spiritum Sanctum », Atti del Congresso teologico internazionale di Pneumatologia, vol. I, Libreria Editrice Vaticana, Città del Vaticano 1983, 563-570; e in « Theologie und Leben », Libreria Ateneo Salesiano, Roma 1983, 213-220.

323. *** *Maria e la Chiesa*, in «Maria Ausiliatrice» 4 (1983), febbraio 21-23.

324. *** *L'Eucaristia e Maria*, in « Maria Ausiliatrice » 4 (1983), maggio, 18-19.

325. *** *Maria Aiuto dei Cristiani*, in « L'Osservatore Romano » 27 maggio 1983, n. 121, p. 3, col. 1-2.

326. *** *In preparazione del XXV anniversario della consacrazione al Cuore Immacolato di Maria. Vivere con rinnovata fedeltà gli impegni assunti nel Battesimo*, in « L'Osservatore Romano » 7 luglio 1983, n. 154, p. 5, col. 1-5.

327. *** *L'Ausiliatrice è Madre dei non cristiani*, in « Madre di Dio » 51 (1983) ottobre 16-17.

328. *** *Consacrazione e affidamento,* in « Maria Ausiliatrice » 4 (1983) n. 7, agosto-settembre, 14-15; e in: « La Madonna delle lacrime », Siracusa, 30 (1983), ottobre, 17-18; e in « Milizia Mariana » 38 (1984), gennaio 18-19.

329. *** *Pio IX e l'Immacolata,* in « Maria Ausiliatrice » 4 (1983), dicembre, 22-24.

330. ** *Catechesi sui misteri del Rosario: 3, 4, 5 gaudiosi,* in « Miles Immaculatae » 19 (1983) 1-3; 107-117.

331. *** *Destinazione martirio* (Mons. L. Versiglia e Don Caravario), in « Milizia mariana » 37 (1983), settembre, 12-13.

332. *** *Ausiliatrice e Madre della Chiesa nel terzo Centenario della vittoria di Vienna* (12 settembre 1683), in « La Madonna delle lacrime » Siracusa, 30 (1983), settembre, 8-9.

1984

333. * *Maria nel Magistero di Giovanni Paolo II.* Quarto anno di Pontificato (1981-1982), in « Atti dell'Accademia Mariana Salesiana », vol. XX, Libreria Ateneo Salesiano, Roma 1984, pp. 328.

334. * *Il Mistero del Cuore trafitto.* La devozione al Cuore di Gesù nel magistero pontificio, nella teologia e nella pietà cattolica, Edizioni Dehoniane, Andria 1984, pp. 236.

335. * *L'Affidamento a Maria* (a cura), in « Atti dell'Accademia Mariana Salesiana » vol. XIX, Libreria Ateneo Salesiano, Roma 1984, pp. 150.

336. ** *La virtù della speranza nel magistero di Paolo VI, Giovanni Paolo I e Giovanni Paolo II,* in « Palestra del Clero » 63 (1984) 558-571.

337. ** *Vivere l'affidamento a Maria. Testimonianza di tre Papi,* in « L'Osservatore Romano » 11 aprile 1984, n. 85, p. 1, col. 6; p. 2, col. 2-7; in « Vivere l'affidamento a Maria », Ed. Logos, Roma 1984, 97-104; e in « Miles Immaculatae » 20 (1984) 1-7.

338. ** *La maternità spirituale di Maria negli scritti di S. Massimiliano Kolbe e negli Atti del Concilio Vaticano II,* in « Miles Immaculatae » 20 (1984) 328-358; e in « Atti del I Congresso internazionale su S. Massimiliano Kolbe », Ed. Miscellanea Francescana, Roma 1985, 531-563.

339. ** *La sinergia dello Spirito Santo con Maria. Approfondimenti teologici,* in « Maria e lo Spirito Santo », Atti del IV Simposio Mariologico Internazionale, Ed. Marianum, Roma 1984, 291-302.

340. ** *El Espíritu Santo actualiza la salvación en la Iglesia a través de los Sacramentos, sobre todo del Sacramento de la reconciliación,* in « Estudios trinitarios » vol. XVIII, n. 2, Salamanca 1984, 191-253.

341. *** *Il ruolo di Maria nella storia della salvezza,* in « Maria Ausiliatrice » 5 (1984) febbraio 6-8.

342. *** *La riflessione della Chiesa su Maria,* in « Jesus », Milano, marzo 1984, 72-77.

343. *** *Vaticano II: il posto di Maria nella Chiesa,* in « Jesus », Milano, marzo 1984, 78-79.

344. *** *Un grande aiuto. La B. V. del Rosario,* in « Maria Ausiliatrice » 5 (1984), settembre 25-26.

345. *** *Annunciazione e vita cristiana,* in « Maria Ausiliatrice » 5 (1984) settembre, 25-26.

346. *** *La Visitazione e la vita cristiana,* in « Maria Ausiliatrice » 5 (2984), ottobre, 16-20.

347. *** *Alla luce dell'Immacolata,* in « Maria Ausiliatrice » 5 (1984), novembre, 20-21.

348. *** *Natale e vita cristiana,* in « Maria Ausiliatrice » 5 (1984), dicembre 2-3.

1985

349. * *Maria nel Magistero di Giovanni Paolo II.* Quinto anno di Pontificato (1982-1983), in « Atti dell'Accademia Mariana Salesiana », vol. XXI, Libreria Ateneo Salesiano, Roma 1985, pp. 348.

350. * *Maria nella vita cristiana,* Ed. Dehoniane, Napoli 1985, pp. 172.

351. * *Il Rosario nella vita cristiana e missionaria,* Ed. Dehoniane, Andria 1985, pp. 116.

352. * *Maria Mediatrice e Madre della Chiesa,* Ed. Dehoniane, Andria 1985, pp. 60.

353. ** *Discorsi inediti del Can. Giovanni Maria Mastai Ferretti. Triduo in onore di Maria SS. sotto il titolo di « Refugium peccatorum »* (agosto 1826), in « Pio IX » 14 (1985) 90-101.

354. ** *Omelie inedite di Mons. Giovanni Maria Mastai Ferretti, arcivescovo di Spoleto, sull'Assunzione,* in « Pio IX » 14 (1985) 173-193.

355. ** *I rapporti tra Maria e la Chiesa nel Concilio Vaticano* II, in « Maria e la Chiesa oggi », Atti del V Simposio mariologico internazionale, Ed. Marianum, Roma 1985, 373-399.

356. ** *Maria nel Concilio Vaticano II,* in « Palestra del Clero » 64 (1985) 527-541.

357. ** *Magistero,* in « Nuovo Dizionario di Mariologia », Ed. Paoline, Cinisello Balsamo (Milano) 1985, pp. 842-852.

358. ** *Il mistero eucaristico. Sviluppi organici di teologia eucaristica,* in « L'Osservatore Romano » 22 febbraio 1985, n. 44, p. 4, col. 5-7.

359. ** « *Maria con Cristo nel disegno di Dio* ». *Una nuova opera del Card. Pietro Parente,* in « Palestra del Clero » 64 (1985) 505-508.

360. ** *Maria e l'attività missionaria di Gesù Cristo e della Chiesa,* in « Miles Immaculatae » 21 (1985) 285-292.

361. ** *Maria nella comunità umana: nuova Eva,* in « Come vivere l'impegno cristiano con Maria », Centro di cultura mariana « Mater Ecclesiae », Roma 1985, pp. 28-69.

362. ** *Maria la prima associata a Cristo Salvatore nell'opera della Salvezza redentrice,* in « Salvezza cristiana e cultura odierna », II volume degli Atti del II Congresso Internazionale « La Sapienza della Croce oggi »; Ed. LDC, Leumann-Torino 1985, pp. 81-96.

363. *** *La presentazione di Gesù al Tempio,* in « Maria Ausiliatrice » 6 (1985) febbraio, 6-7.

364. *** *Il ritrovamento di Gesù al Tempio,* in « Maria Ausiliatrice » 6 (1985) aprile, 12-13.

365. *** *Maria e l'attività missionaria di Gesù Cristo e della Chiesa,* in « Tabor » 39 (1985) 10-17.

366. *** *Maria la prima operaia di Cristo nell'opera della salvezza,* in « Tabor » 39 (1985) 10-17.

367. *** *Maria sempre con Cristo,* in « Maria Ausiliatrice » 6 (1985), ottobre, 28-29.

368. *** *Maria associata a Cristo,* in « Maria Ausiliatrice » 6 (1985) 22-23.

1986

369. * *Maria nel Magistero di Giovanni Paolo II.* Sesto anno di Pontificato (1983-1984), in « Atti dell'Accademia Mariana Salesiana », vol. XXII, Roma 1986, pp. 247.

370. * *Messaggio ai Giovani di Giovanni Paolo II.* I discorsi del Papa ai giovani e sui giovani, vol. I (1978-1979), Ed. Dehoniane, Napoli 1986, pp. 333.

371. ** *Il Concilio della Chiesa,* in « Palestra del Clero », 65 (1986) pp. 259-267.

372. ** *Hans Küng e la dottrina mariana della Chiesa,* in « Palestra del Clero », 65 (1986) pp. 435-442.

373. ** *Maria Madre dell'umanità,* in « Palestra del Clero », 65 (1986) pp. 660-665.

374. ** *Maria nella formazione delle vocazioni,* in « Palestra del Clero », 65 (1986) pp. 835-851.

375. ** *Il dogma dell'Assunzione di Maria rafforza la nostra fede nella vita eterna,* in « Miles Immaculatae », 22 (1986), pp. 286-304.

376. *** *La Madre di Cristo nella vita e nell'insegnamento di Giovanni Paolo II.* Intervista per « Avvenire », 10 dicembre 1986, n. 287, p. 11, col. 1-9.

377. ** *La presenza di Maria nell'educazione dei giovani,* in « Palestra del Clero », 65 (1986) pp. 218-223.

378. *** *Con Maria verso il 2000: l'Avvento Mariano,* in « L'Osservatore Romano », 8 maggio 1986, n. 108, col. 4-7.

379. *** *I laici nella Chiesa,* in « L'Osservatore Romano », 11-12 agosto 1986, n. 189, p. 6, col. 4-7.

380. *** *Il ruolo dei laici nella vita della Chiesa,* in « L'Osservatore Romano », 22 agosto 1986, n. 197, p. 5, col. 1-5.

381. *** *Il Magnificat di Maria cantico della vera liberazione,* in « Ministerium Verbi », 60 (1986), pp. 460-464.

382. ** *I laici nella Chiesa (alla scuola di Maria la prima « laica »)*, in « Palestra del Clero », 65 (1986), pp. 949-961.

383. *** *La Madre divina del Salvatore nella vita dei laici,* in « L'Osservatore Romano », 3 ottobre 1986, n. 233, p. 6, col. 1-3.

384. *** *Mariologia e laicato,* in « L'Osservatore Romano », 24 ottobre 1986, n. 252, p. 5, col. 4-7.

385. *** *L'Immacolata Concezione e i laici,* in « L'Osservatore Romano », 16 novembre 1986, n. 271, p. 4, col. 6-7.

386. *** *Promozione mariana nella Famiglia Salesiana,* Intervista per « Bollettino Salesiano », dicembre 1986, pp. 18-19.

387. *** *Orazione di Gesù nell'Orto,* in « Maria Ausiliatrice » 7 (1986), febbraio, pp. 19-20.

388. *** *La flagellazione,* in « Maria Ausiliatrice » 7 (1986) aprile, pp. 14-16.

389. *** *La visita di Maria ad Elisabetta,* in « Ministerium Verbi » 60 (1986) pp. 316-320.

390. *** *La prima Missionaria,* in « Maria Ausiliatrice » 7 (1986), ottobre, pp. 15-17.

391. *** *Maria e la SS. Eucaristia,* in « Maria Ausiliatrice » 7 (1986) novembre, pp. 24-25.

392. *** *La morte di Gesù in Croce: misteri del Rosario,* in « Maria Ausiliatrice » 7 (1986) dicembre, pp. 13-15.

393. * *Il culto mariano nella dottrina di S. Francesco di Sales,* in « Acta Congressus Mariologici-Mariani Internationalis Caesaraugustae anno 1979 celebrati: De cultu mariano apud Scriptores ecclesiasticos saeculi XVI », Pars altera, Romae, P.A.M.I., 1986, pp. 395-424.

SINTESI PER ARGOMENTI

I. *Mistero di Dio*: 6, 10, 12, 13, 32, 39, 80, 91, 129, 241.

II. *Spirito Santo*: 76, 179, 247, 263, 272, 281, 322, 339, 340.

III. *Cristologia*: 14, 42, 85, 86, 95, 111, 113, 114, 115, 121, 175, 176, 193, 194, 200, 215, 219, 224, 225, 226, 227, 231, 252, 255, 256, 258, 264, 299, 334, 348, 359, 362, 363, 364, 365, 366, 367, 368, 378, 388, 392.

IV. *Sacramenti*: 1, 5, 16, 19, 240, 25, 26, 33, 34, 36, 58, 65, 71, 78, 82, 167, 196, 205, 209, 232, 254, 323, 324, 340, 358, 391.

V. *Ecclesiologia*: 8, 18, 46, 79, 93, 103, 196, 108, 120, 122, 123, 124, 125, 130, 133, 134, 144, 145, 147, 150, 151, 152, 156, 168, 169, 171, 175, 180, 181, 184, 190, 191, 196, 239, 244, 248, 250, 251, 260, 262, 268, 273, 275, 283, 285, 291, 292, 298, 299, 301, 303, 314, 315, 321, 323, 332, 342, 352, 355, 360, 365, 371, 379, 380, 382, 383, 384, 385.

VI. *Mariologia*: 9, 15, 17 23, 27, 28, 30, 31, 37, 41, 42, 44, 45, 46, 49, 52, 54, 55, 56, 57, 59, 60, 62, 63, 64, 66, 67, 68, 69, 70, 72, 77, 83, 84, 87, 88, 89, 91, 92, 93, 101, 102, 106, 108, 109, 110, 113, 116, 117, 118, 119, 121, 122, 123, 124, 125, 126, 127, 128, 130, 131, 132, 133, 134, 135, 136, 137, 138, 139, 140, 141, 142, 143, 144, 145, 146, 147, 148, 149, 150, 151, 153, 154, 155, 156, 157, 158, 159, 160, 161, 162, 164, 165, 166, 168, 169, 170, 171,

172, 173, 174, 175, 176, 177, 178, 179, 180, 181, 184, 186, 187, 188, 189, 190, 191, 192, 194, 195, 196, 197, 199, 200, 201, 202, 203, 204, 205, 206, 207, 208, 210, 211, 213, 214, 217, 218, 225, 228, 229, 230, 234, 235, 239, 240, 242, 243, 244, 248, 250, 251, 257, 258, 259, 260, 261, 262, 263, 264, 265, 266, 267, 268, 269, 271, 273, 274, 275, 276, 277, 278, 279, 280, 281, 301, 302, 303, 304, 305, 306, 308, 309, 310, 311, 312, 313, 314, 315, 316, 319, 320, 321, 322, 323, 324, 325, 326, 327, 328, 329, 330, 332, 333, 335, 337, 338, 339, 341, 342, 343, 344, 345, 346, 347, 349, 350, 351, 352, 353, 354, 355, 356, 357, 359, 360, 361, 362, 363, 364, 365, 366, 367, 368, 369, 372, 373, 374, 375, 376, 377, 378, 381, 382, 383, 384, 385, 386, 387, 388, 389, 390, 391, 392, 393.

VII. *Sacerdozio*: 3, 6, 41, 42, 43, 53, 65, 78, 107, 118, 119, 141, 149, 151, 171, 198, 209, 212, 271, 286, 293, 313.

VIII. *Concilio Vaticano II*: 127, 128, 132, 138, 143, 144, 147, 148, 150, 152, 164, 169, 172, 187, 188, 189, 195, 213, 218, 276, 291, 292, 299, 316, 338, 343, 356, 371.

IX. *Magistero Pontificio*: 23, 36 52, 54, 64, 67, 68, 70, 71, 79, 83, 87, 92, 94, 96, 97, 100, 109, 116, 117, 137, 139, 156, 157, 159, 160, 161, 162, 165, 170, 174, 186, 202, 203, 207, 217, 218, 251, 265, 266, 267, 274, 277, 278, 284, 287, 288, 289, 290, 294, 301, 302, 303, 308, 311, 312, 314, 319, 320, 329, 333, 336, 337, 347, 349, 353, 354, 355, 357, 369, 370, 376.

X. *Vita religiosa*: 11, 48, 97, 99, 105, 107, 185, 218, 221, 222, 223, 236, 238, 245, 249, 253, 286, 374.

XI. *Vita spirituale*: 2, 4, 7, 35, 38, 40, 47, 48, 63, 90, 96, 98, 104, 173, 177, 178, 192, 193, 194, 206, 220, 233, 237, 245, 246, 269, 270, 279, 280, 305, 309, 328, 336, 345, 346, 348, 350, 351, 375.

XII. *Pastorale Giovanile*: 1, 5, 7, 11, 21, 22, 29, 48, 50, 51, 104, 192, 206, 270, 305, 310, 377.

XIII. *Catechesi*: 7, 28, 29, 35, 38, 40, 48, 50, 51, 90, 100, 112, 201, 270, 295, 300, 305, 307, 310, 317, 318, 330.

XIV. *Salesianità*: 11, 15, 17, 47, 53, 60, 61, 73, 74, 75, 98, 99, 146, 163, 183, 192, 203, 208, 211, 216, 280, 331, 386, 387.

COLLABORATORI

BERGAMELLI Ferdinando SDB
Università Pontificia Salesiana, Roma - Italia

BESUTTI M. Giuseppe OSM
Pontificia Facoltà Teologica Marianum, Roma - Italia

CASASNOVAS Rafael SDB
Parroquia San Joan Bosco, Barcelona - Espana

CASTELLANO CERVERA Jesús OCD
Pontificio Istituto di Spiritualità Teresianum, Roma - Italia

CHARBEL Antonio SDB
Instituto Salesiano Pio XI, São Paulo - Brasile

CIGNELLI Lino OFM
Studium Biblicum Franciscanum, Gerusalemme - Israele

CIMOSA Mario SDB
Università Pontificia Salesiana, Roma - Italia

CUVA Armando SDB
Università Pontificia Salesiana, Roma - Italia

DE SANDOLI Sabino OFM
St. Saviour's Monastery, Gerusalemme - Israele

GALLO Luis SDB
Università Pontificia Salesiana, Roma - Italia

GIANOLA Pietro SDB
Università Pontificia Salesiana, Roma - Italia

KAROTEMPREL Sebastian SDB
Sacred Heart Th. College, Shillong - India

KÖHLER Théodore SM
Marian Library - University of Dayton, Ohio - USA

LLAMAS Enrique OCD
Presidente de la Sociedad Mariológica Española - Università Pontificia de Salamanca - España

MOLONEY Francis SDB
Salesian Theological Institut, Oakleigh - Australia

PEDRINI Arnaldo SDB
Istituto Salesiano « Sacro Cuore », Roma - Italia

RECCHIA Vincenzo SDB
Università di Bari - Italia

RIGGI Calogero SDB
Università Pontificia Salesiana, Roma - Italia

SERRA Aristide OSM
Pontificia Facoltà Teologica Marianum, Roma - Italia

SODI Manlio SDB
Università Pontificia Salesiana, Roma - Italia

SÖLL Georg SDB
Phil.-Theol. Hochschule der Salesianer Don Boscos, Benediktbeuern - Germania

SPIAZZI Raimondo OP
Pontificia Università S. Tommaso Angelicum, Roma - Italia

TONIOLO E. Ermanno OSM
Pontificia Facoltà Teologica Marianum, Roma - Italia

TRIACCA M. Achille SDB
Università Pontificia Salesiana, Roma - Italia

WAHL Otto SDB
Phil.-Theol. Hochschule der Salesianer Don Boscos, Benediktbeuern - Germania

INTRODUZIONE

La presente Miscellanea in onore del prof. Domenico BERTETTO, in occasione del suo 70° genetliaco, raccoglie venticinque studi che qualificati studiosi ci hanno inviato da molte parti del mondo come affettuoso omaggio al nostro Festeggiato. Il presente volume è una tangibile dimostrazione che D. BERTETTO, in tanti anni di magistero esemplare e di attività scientifica assai feconda, ha raggiunto la fama di studioso di mariologia noto ormai anche a livello internazionale.

Il ricco materiale che ci è giunto è stato da noi vagliato attentamente e riesaminato in vista della pubblicazione. I criteri a cui ci siamo attenuti nella nostra opera di redazione sono quelli già indicati a suo tempo nella lettera inviata ai singoli Autori. Pertanto la responsabilità scientifica dei singoli studi rimane esclusiva di ciascun Autore che deve perciò dirsi l'unico garante del contenuto e della forma del proprio elaborato. Infatti i redattori sono intervenuti solo quando è stato veramente necessario, cioè per correggere refusi e sviste evidenti, eliminare talvolta ripetizioni inutili, completare lacune e uniformare le abbreviazioni secondo il metodo suggerito dal manuale internazionale di S. SCHWERTNER, *Internationales Abkürzungsverzeichnis für Theologie und Grenzgebiete. Zeitschriften, Serien, Lexica, Quellenwerke mit bibliographischen Angaben* (Berlin - New York 1974). Quando tuttavia la bibliografia veniva citata senza far uso delle abbreviazioni e nei vari modi consentiti dalla metodologia scientifica, abbiamo preferito lasciare ad ogni Autore il proprio metodo, senza costringerlo ad entrare nelle strettoie di un unico modo imposto da noi.

Inoltre, ci è parso conveniente e utile organizzare tutto il vasto materiale secondo un filo conduttore, per evitare la semplice giustapposizione dei vari elaborati. Così abbiamo introdotto le varie sezioni nelle quali l'elemento unificante è la figura di Maria che è la protagonista della presente Miscellanea « *Virgo fidelis* ».

In quest'ottica vorremmo pertanto offrire al lettore, prima che egli si addentri personalmente nella lettura del volume, una chiave di lettura che lo aiuti in qualche modo a cogliere in poche battute il contenuto mariologico assai denso e vario della Miscellanea.

1 - Anzitutto la sezione biblico-patristica mostra come D. BERTETTO nella sua ricerca teologica abbia avuto sempre come orizzonte la rivelazione biblica e la riflessione dei Padri. Ciò emerge dai contributi che si pongono su due filoni: uno soteriologico e il secondo mariologico. La breve nota di A. CHARBEL riflette sul testo giovanneo dell'apparizione del Risorto a Maria Maddalena e ne fa emergere la fede pasquale dei primi discepoli. M. CIMOSA alla luce dell'espres-

sione « secondo le Scritture ... », così frequente nel NT, mostra la redenzione cristiana come compimento-realizzazione dell'AT. F. MOLONEY ricordando che D. BERTETTO ha dedicato buona parte della sua attività scientifica allo studio e all'insegnamento dei misteri di Dio nella « donna » per eccellenza del NT, Maria di Nazareth, rilegge i testi del NT che hanno come protagonisti Gesù e le donne per dare nuova luce al ruolo della donna nella rivelazione biblica.

La tenerezza di Maria nell'infanzia di Gesù espressa nelle parole di Lc 2,7b: « ... lo avvolse in fasce ... » spinge A. SERRA a svolgere una riflessione piuttosto lunga su quel gesto della Vergine Madre, che avvolge in fasce il Bambino, tanto decantato dai Padri della Chiesa. Lo studio di O. WAHL sul titolo mariano « Virgo fidelis » nelle litanie lauretane nel suo sfondo biblico ha suggerito il titolo a tutta la Miscellanea che ha come filo conduttore l'amore filiale a Maria Vergine di D. BERTETTO, amore che si è tradotto in studi che privilegiano la linea mariologica.

Viene quindi illustrata l'appassionata confessione di fede mariana del più antico cantore di Maria, il mistico e martire Ignazio di Antiochia (F. BERGAMELLI). Segue la testimonianza di genuina pietà popolare di un apocrifo giudeo-cristiano del II secolo d.C.: la « Storia di Giuseppe il falegname », ove Maria, accanto a Giuseppe e Gesù, viene descritta con i tratti delicati di una tenera devozione (L. CIGNELLI). C. RIGGI mette in luce la mariologia della catechesi di Niceta di Remesiana e, come eco, di quella del grande Vescovo di Milano, Ambrogio. Infine V. RECCHIA approfondisce i presupposti teologici e l'ascetica della devozione mariana di papa Gregorio Magno.

2 - La sezione liturgica si sofferma a mettere in luce la centralità della figura e del ruolo di Maria nella liturgia. Anzitutto viene studiato l'inserimento della Vergine nella storia della salvezza così come viene cantato nelle sequenze mariane del Messale dei Servi di Maria del Codice Pal. Lat. 505 (G.M. BESUTTI) e nell'innario della « liturgia delle ore » (A. CUVA). Un terzo studio si propone di evidenziare le caratteristiche teologico-liturgiche della ricca mariologia contenuta nei nuovi testi eucologici del Messale romano per la Chiesa italiana (M. SODI). E.M. TONIOLO, poi, analizza la composizione del celebre inno *Akathistos* alla Madre di Dio scoprendovi come struttura portante la figura di Maria, tipo della Chiesa e Sposa dell'Agnello. Infine, l'articolo-monografia di A.M. TRIACCA approfondisce gli stretti rapporti esistenti tra la maternità feconda di Maria Vergine e quella della Chiesa nel *Corpus homileticum gallicanum.*

3 - La sezione storico-teologica sottolinea la devozione a Maria nella storia e mette in evidenza alcuni punti del dogma mariano. Se si percorre l'ampia bibliografia di D. BERTETTO, si nota il suo interesse per il titolo ecclesiale e salesiano di « Auxilium Christianorum ». Benché il Concilio Vaticano II non abbia dato ampio spazio a questo titolo, quando però lo usa, esplicitamente o implicitamente, ne raggiunge tutta la sostanza e il mariologo salesiano R. CASASNOVAS,

ripercorrendo i testi e gli atti della « Lumen Gentium » in uno studio assai documentato, ne mette in evidenza il valore. Vengono poi presentate la dottrina e la devozione mariana in tre personaggi caratteristici: il Beato Giacomo da Varazze († 1298) con la sua dottrina sulla mediazione di Maria (R. Spiazzi); S. Teresa d'Avila († 1582) nel suo rapporto mistico con la Vergine, ancora poco conosciuto dagli studiosi (J. Castellano Cervera); S. Margherita M. Alacoque († 1690) nella sua devozione a Maria, aspetto anche questo quasi del tutto ignorato dalla letteratura tradizionale (A. Pedrini). L. Gallo studia poi il Dio del « Magnificat » a partire dalla situazione latinoamericana e offre un suggestivo modello di riflessione su un testo biblico in cui veramente il presente appare come criterio ermeneutico di lettura della Bibbia.

La vocazione-missione di Maria appare a P. Gianola come un eccellente prototipo di modello vocazionale strutturale e dinamico nelle sue varie fasi di preparazione, formazione e maturazione. S. Karotemprel studia Maria come serva della Redenzione nei diversi momenti della sua vita e nel magistero della Chiesa: ne ricava un rinnovato modello di devozione a Maria. Non solo il mistero pasquale ma anche i misteri dell'infanzia del Signore sono stati sempre celebrati dalla Chiesa: ed ecco allora T. Köhler proporci una riflessione sul mistero della « presentazione al tempio ».

Oggi, poi, è necessario riflettere sull'autentica realtà di Maria, sull'importanza di una sua conoscenza precisa, sull'urgenza di presentare e mantenere l'immagine genuina di Maria in ogni elaborazione teologica e pastorale, come mezzo per superare le crisi della devozione mariana e prepararne l'accettazione da parte degli spiriti più critici ed esigenti. E' il tentativo del presidente dei mariologi spagnoli E. Llamas con il suo studio sull'immagine di Maria dinanzi alle interpellanze moderne.

Qual è il ruolo della mariologia nella teologia cattolica: fa parte dell'ecclesiologia o della cristologia? Il Concilio Vaticano II ha optato per la ecclesiologia (cf. c. VIII della « Lumen Gentium »), e G. Söll riflette brevemente sull'argomento offrendo agli studiosi prospettive assai stimolanti. S. De Sandoli ci conduce per mano in un ideale pellegrinaggio ai monumenti mariani di Terra Santa ad opera dei Crociati.

* * *

Anche da questa panoramica volutamente assai rapida e sommaria il lettore potrà constatare la varietà e la ricchezza dei contenuti mariologici della Miscellanea, come pure il filo conduttore che in certo qual modo li unisce insieme in sintesi: Maria è la *Virgo fidelis* collocata da Dio al centro della storia della salvezza perché Madre-Vergine di Colui che è il Capo del Corpo Mistico e Madre-Ausiliatrice delle membra che formano l'unica Chiesa in cammino verso la Patria Celeste.

Ci sia consentito, al termine di questa introduzione, rivolgere il grazie più vivo a tutti i collaboratori per i loro qualificati contributi. E' soprattutto grazie a loro se oggi possiamo presentare al nostro Festeggiato il presente volume come omaggio e segno di riconoscente affetto da parte di tanti allievi ed amici sparsi in tutto il mondo. Un grazie cordiale anche al Prof. A.M. TRIACCA S.D.B. e al Prof. A. PISTOIA C.M. nonché alle EDIZIONI LITURGICHE C.L.V. di Roma che hanno curato con vero intelletto d'amore la redazione tipografica dell'opera e l'hanno accolta nella « Bibliotheca "Ephemerides Liturgicae" - Subsidia ».

Infine formuliamo un augurio. Maria conceda al nostro Don BERTETTO, che tanto ha scritto e lavorato per Lei, di continuare ancora per lunghi anni ad esserne il fedele ed ispirato cantore.

F. BERGAMELLI - M. CIMOSA

SEZIONE
BIBLICO - PATRISTICA

LA FEDE PASQUALE NELL'APPARIZIONE DEL RISORTO A MARIA DI MAGDALA: Gv 20, 1-18

† ANTONIO CHARBEL, SDB

Il primo giorno della settimana, molto presto quando ancora era scuro — come narra Gv 20, 1-18 — Maria di Magdala si recò al sepolcro e vide che la pietra era ribaltata dalla tomba. Poi corse da Simon Pietro e dall'altro discepolo, quello che Gesù amava, e disse loro: « Hanno portato via il Signore dal sepolcro e non sappiamo dove l'hanno posto! ». Giunse intanto Pietro ed entrò nel sepolcro e vide i panni afflosciati e il sudario che circondava il volto di Gesù non afflosciato ma esattamente al suo posto [1]. Allora entrò anche l'altro discepolo, che era giunto per primo al sepolcro, vide e credette [2]. Non avevano infatti ancora compreso la Scrittura, secondo cui egli doveva risuscitare dai morti [3]. Maria, invece, stava all'esterno, vicino al sepolcro, e piangeva. Mentre piangeva, si chinò verso il sepolcro e vide due angeli in bianche vesti [4], ed essi le dissero: « Donna, perché piangi? ». Rispose loro: « Hanno portato via il mio Signore e non so dove l'hanno posto ». Detto questo, si voltò indietro e vide Gesù che stava lì in piedi; ma non sapeva che era Gesù. Le disse Gesù: « Donna, perché piangi? [5] Chi cerchi? ». Essa, pensando che fosse il custode del giardino, gli disse: « Signore, se l'hai portato via tu, dimmi dove l'hai posto e io andrò a prenderlo » [6].

---

[1] A. FEUILLET, *L'identification et la disposition des linges funéraires de la sépulture de Jésus d'après les données du quatrième Evangile*, in « Atti del II Congresso Internazionale di Sindonologia 1978 », 2ª ed., Edizioni Paoline, p. 260 (trad. italiana di M. Delfina Fusina).

[2] D. MOLLAT, S.J., *La foi pascale selon le chapitre 20 de l'Evangile de Saint Jean* (= « Resurrexit ». Symposium International), Libreria Editrice Vaticana 1974, pp. 316-339. H. Grass chiama questo salto nella fede alla sola vista della tomba vuota e dei lini afflosciati un « salto audace » (« ein kühner Sprung »). Questa fede pasquale è un dono dell'amore al discepolo che Gesù amava. Questa fede così rapida e intuitiva è la chiaroveggenza dell'amore, un dono dello Spirito.

[3] Questo versetto è spiegato da H. GRASS, *Ostergeschehen und Osterberichte* (Göttingen 1962, p. 236): « L'incontro col Risuscitato ha aperto le porte della Scrittura; non fu l'incontro col Risuscitato a derivare dalla meditazione delle Scritture ».

[4] P. BENOÎT, *Passion et Résurrection du Seigneur* (« Lire la Bible »), Paris 1969, p. 290: « La scène reprend de la vie lorsque Jésus apparaît ».

[5] E' la scena del pianto, richiamato tre volte. Dalla sua posizione Maria guarda sconsolata verso quel sepolcro, indubbiamente e inesorabilmente vuoto.

[6] H. STRATHMANN, *Il Vangelo secondo Giovanni* (« Nuovo Testamento », 4), Brescia 1973, p. 423: « Il fatto che Maria veda Gesù, ma sulle prime non lo

Gesù le disse: « Mariàm! »[7], non il generico « donna ». Essa, voltatasi allora verso di lui, gli disse in ebraico: « Rabbuni! », che significa « maestro »[8]. Da notare che il titolo « Rabbuni » è più deferente, più solenne che non « Rabbi » e sovente usato quando ci si rivolgeva a Dio, come dice Osty nella sua Bibbia[9]. Dal tono di voce, « Mariàm » riconosce colui che le sta alle spalle. Chiamata col nome dell'intimità personale: « Mariàm », e non col generico « donna », essa si sente interpellata. Quel nome sulla bocca di quell'uomo ricrea la comunione col Signore vivente[10]. I suoi occhi si aprono e allora nasce la fede in questa invocazione di amore « Rabbuni »[11]. La fede pasquale è un dialogo rinnovato con Gesù vivente al di là della morte[12].

Questa fede dev'essere radicalmente trasfigurata «dall'alto», come dice Westcott[13]. In questa rivelazione della fede pasquale Gesù non solo ha fatto i primi passi, ma si è mostrato vivo e presente col dono dello Spirito premiando la discepola fedele con la scoperta del mistero della salita gloriosa verso il Padre: « Ho visto il Signore » (Gv 20,18)[14].

Fu allora che il Risuscitato, vedendola prostrata ai suoi piedi, sull'esempio delle donne di cui parla Mt 28,9, le dà un avvertimento e una rivelazione straordinaria: « Non mi trattenere più, perché non sono ancora salito al Padre »[15]. Forse Giovanni scriveva questo pensando alla sposa del Cantico dei Cantici, che si mette alla ricerca dell'amato e, quando l'ha trovato, lo stringe forte e non vuol la-

---

riconosca, vuol dire certamente quanto sia affranta dal dolore, ma vuole anche esprimere quello che ha di strano e misterioso l'esistenza di Gesù dopo la risurrezione ».

[7] R.E. Brown, *The Gospel according to John,* New York 1970, vol. II, p. 990s; R. Schnackenburg, *III. Teil. Herders Theologischer Kommentar zum Neuen Testament,* IV, 3, Herder 1975, p. 375. Anche K. Aland (*The Greek New Testament*) in Gv 20,16 riporta la forma *Mariàm.* Commentando Gv 10,3 A. Feuillet preferisce « la traduction "il les appelle chacune par son nom" (Lagrange, TOB, Osty) à "il les appelle une à une" (Bible de Jérusalem) » (cf. *EeV<AmiCl* 88 [1978] 199).

[8] « Appellation plus solennelle que *rabbi* et souvent employée quand on s'adresse à Dieu. Elle se rapproche donc de la profession de foi de Thomas, v. 28 » (*Bible de Jérusalem,* Nouvelle Edition 1973, p. 1561).

[9] *Ibidem.*

[10] D. Mollat, *art. cit.*, p. 322.

[11] *Ibidem.*

[12] *The Gospel according to Saint John,* London 1889, p. 291.

[13] D. Mollat, *art. cit.*, p. 325.

[14] Citiamo due esempi che rafforzano la traduzione adottata nell'argomentazione: *oupō* e *anabebēka*: A. Charbel, *Io 20,17 a*: *Nondum enim ascendi ad Patrem,* in *BeO* 21 (1979) 79-83; A. Vanhoye, *Interrogation johannique et exégèse de Cana* (*Jn 2,4*), pubblicato in *Bib* 55 (1974) 157-167, annovera tra i principali difensori della tesi: Boismard, Michl, Knabenbauer, Durand. Anche A. Feuillet, ultimamente, ha fatto sua la teoria di Vanhoye sul passo di Gv 2,4 in *NRTh* 107 (1975) 586.

[15] A. Charbel, *Jo 20,17a*: *Não me detenhas mais, pois já não estou glorificado face ao Pai,* in *Communio* n° 15 (1984) 81-84 (edizione brasiliana).

sciarlo [16]. Gesù era passato ad una condizione nuova tutta spirituale [17], poiché, come insegnano i grandi teologi che collaborano alla collana teologica « Mysterium salutis », il *Risorto* è già in assenza l'*Esaltato;* in altri termini: *Risurrezione* s'identifica con *Ascensione* e costituisce, con essa, la *Glorificazione* [18].

E' degno di nota ciò che scrivono P. Benoît e M.E. Boismard: « Il y a eu l'entrée de Jésus dans le monde eschatologique, en Dieu, et ceci dès l'instant même de sa résurrection » [19]. In altri passi della Scrittura si conferma la medesima dottrina teologica secondo lo studio dei due professori dell'Ecole Biblique de Jérusalem.

Maria Maddalena (Gv 20,7a) fu rimproverata perché credeva di poter trattare familiarmente col Risorto, come aveva fatto prima col Cristo-Gesù. San Giovanni Crisostomo osserva [20]: « Un nuovo ordine di cose cominciò tra lui e i suoi amici sulla terra. Ai rapporti familiari dell'esperienza sensibile succede un regime di fede: col Maestro glorificato si tratterà spiritualmente » [21]. Già ai tempi di San Cirillo di Alessandria il testo giovanneo non era chiaro a tutti [22] e secoli più tardi il Lagrange, fondatore dell'Ecole Biblique, ancora più lo considera « une difficulté célèbre » [23].

C'è un'obiezione che esige una risposta: come potrebbe Gesù aver detto di essere già salito al Padre se subito dopo aggiunge: « Va' a dire ai miei fratelli: Io salgo al Padre mio e Padre vostro, Dio mio e Dio vostro »? Il perfetto *anabebēka* designa lo stato definitivo al quale Gesù è pervenuto salendo verso il Padre. Le apparizioni del Signore, sia quella alla Maddalena che le altre, sono un atto di « condiscendenza ». La condizione di Gesù è di fronte al Padre. Ogni apparizione suppone una *discesa* e termina in una *ascesa.* L'annuncio che la Maddalena doveva trasmettere ai discepoli doveva recare gioia e fiducia: Colui che era entrato nella gloria è loro fratello, e per mezzo suo tutti parteciperanno alla stessa gloria: « Vado a prepararvi un posto » (Gv 14,2).

---

[16] M. CAMBE, *L'influence du Cantique des Cantiques sur le Nouveau Testament,* in *RThom* 62 (1962) 17-19: « P. Benoît vient de retracer cette genèse d'une manière convaincante ».

[17] D. MOLLAT, *L'Evangile de Saint Jean* (« La Sainte Bible »), Paris 1953, p. 183: « il passe à une condition nouvelle, toute spirituelle ».

[18] *Mysterium Salutis,* vol. 3, 2, f. 265, Benziger Verlag 1969.

[19] P. BENOÎT e M.E. BOISMARD, *Synopse des Quatre Evangiles,* t. II, Les Editions du Cerf, Paris 1965, p. 451.

[20] A. DURAND, S.J., *Evangile selon Saint Jean* (« Verbum Salutis », IV), Paris 1927, p. 511.

[21] M. MIGUENS, O.F.M., *Nota exegética: Juan 20,17,* in *SBFIA* VII (1956-1957), p. 221 = PG 74,62.

[22] *Evangile selon Saint Jean,* Paris 1936, p. 511.

[23] A. CHARBEL, *Nondum enim ascendi ad Patrem,* in *BeO* 21 (1979) 79-83.

« SECONDO LE SCRITTURE ... »: LA REDENZIONE CRISTIANA COMPIMENTO-REALIZZAZIONE DELL'ANTICO TESTAMENTO

MARIO CIMOSA, SDB

0. In uno studio precedente [1] ho presentato Gesù Cristo « compimento delle Scritture » seguendo, in modo particolare, il Vangelo di Luca. Dicevo allora, documentandolo con passi lucani, che « per Luca ... Gesù stesso ha coscienza che in lui convergono tutte le Scritture » [2].

Vorrei ancora un momento riflettere su questo e mostrare come la redenzione cristiana è il compimento-realizzazione dell'Antico Testamento. Lo farò con lo stesso metodo inaugurato da Gesù, risalendo cioè dal Nuovo all'Antico Testamento.

I punti su cui voglio fermarmi sono i seguenti:

1. Che cosa significa « secondo le Scritture ... ».
2. In che senso il Nuovo Testamento è compimento dell'Antico.
3. Il mistero pasquale interpreta ed è interpretato dall'Antico Testamento.

1. CHE COSA SIGNIFICA « SECONDO LE SCRITTURE ... »

Un prezioso volumetto di C.H. Dodd (1972) porta proprio questo titolo biblico [3].

Rifacendosi al più antico credo della chiesa primitiva di 1Cor 15,3-5, l'autore mostra come gli apostoli e la Chiesa primitiva hanno riletto le Scritture dell'AT alla luce della vita e dell'opera di Gesù, soprattutto del suo mistero pasquale di morte e risurrezione, e hanno visto in esso una realizzazione-compimento del piano divino presentato nelle Scritture dell'A.T.

Quella ripetizione ritmica:

> « morto per i nostri peccati
> κατὰ τὰς γραφάς (secondo le Scritture),
> sepolto e risuscitato il terzo giorno
> κατὰ τὰς γραφάς (secondo le Scritture) »

---

[1] M. CIMOSA, *Gesù ermeneuta delle Scritture*, in: *Parole di Vita* 1 (1983) 22-36.
[2] M. CIMOSA, *Gesù ermeneuta*, 25-26.
[3] C.H. DODD, *Secondo le Scritture*. Struttura fondamentale della teologia del NT, Brescia 1972.

presenta come un orizzonte senza il quale l'avvenimento della morte e della risurrezione di Cristo non acquisterebbe tutta la sua luce e il suo significato. Perciò Paolo chiama questa professione di fede « il Vangelo ».

Quindi il Vangelo non è solo la proclamazione di un avvenimento, ma di quest'avvenimento in connessione con le Scritture. Non c'è Vangelo senza riferimento alle Scritture.

P. Grelot[4] fa giustamente notare che in questo testo paolino l'accenno alle Scritture, se riguarda tutto l'AT, si riferisce specialmente al solo passo della Bibbia dove la morte di un uomo è messa in relazione con i peccati di tutti per averne il perdono. Si tratta del canto del Servo del Signore di Is 53,1-12. E' là che si parla di un uomo morto per (ὑπὲρ) i peccati di tutti.

In un altro mio studio[5] ho dimostrato come « tutto il racconto evangelico della Passione ha come sfondo l'AT, il quale mostra il significato religioso dell'evento e il suo posto in tutta la storia della salvezza. Sono tanti filoni e tradizioni dell'AT che convergono nel racconto della Passione e trovano in esso una sintesi straordinaria ».

In quell'articolo ho descritto la tradizione messianica del figlio di Davide, la tradizione apocalittica del figlio dell'uomo, la tradizione del giusto sofferente, la tradizione profetica del Servo del Signore e la tradizione del tempio e scrivevo che « l'evento della Passione dà il senso ultimo a queste tradizioni, anzi a tutto l'AT, e ne mostra la piena realizzazione »[6].

2. In che modo il Nuovo Testamento è compimento dell'Antico

Qualcuno ha paragonato l'Antico e il NT a un unico grande fiume che un solo impulso spinge verso il mare. L'AT è un cammino animato da uno stesso impulso profetico e dalla speranza di un Altro, dalla presenza del Dio che viene[7].

E' l'insieme dell'AT che porta (come una donna porta in grembo il proprio bambino) il suo messaggio. Tutto l'insieme dell'AT, come fonte dell'economia della salvezza, ha una luce da portare all'uomo salvato da Cristo. Tutto l'AT concorre all'integrità della realizzazione del disegno di Dio. L'AT ci fa conoscere il Cristo e il legame tra l'AT e il Cristo è così stretto che non si può pensare solo a una qualche forma di religione pagana che Cristo sarebbe venuto a « completare ».

---

[4] Cf P. Grelot, *I canti del Servo del Signore,* Bologna 1983, 138.
[5] Cf M. Cimosa, *L'Antico Testamento sullo sfondo del racconto della Passione,* in: *Parole di Vita* 1 (1982) 33-45.
[6] M. Cimosa, *L'Antico Testamento* 34.
[7] Cf W. Zimmerli, *Verheissung und Erfüllung,* in: *EvTh* 12 (1952) 34-59.

L'AT contiene una parte del Vangelo [8].

« C'est parce que l'Ancienne et la Nouvelle constituent ensemble l'unique révélation de Dieu, que l'Ancienne a la même vérité que la Nouvelle; il y a ici identité, non analogie, et c'est la seule raison qui autorise les transpositions de l'Ancienne à la Nouvelle, comme du type à la realité, de la lettre à l'esprit et explique leurs réussites » [9].

Applicando questo al tema della redenzione L. Alonso-Schökel parte dall'AT e studia la redenzione come opera di solidarietà [10] valorizzando il simbolo della *ge'ullâ* (riscatto), preso dall'istituzione umana della famiglia e della tribù, e mostra il contributo che esso offre alla comprensione della redenzione nella Bibbia. Dopo aver studiato a fondo il problema egli arriva alla conclusione che:

1) Occorre insistere sul ruolo del Padre come protagonista della redenzione. Il Cristo nel NT è presentato come il realizzatore di quest'opera. Perciò la liturgia e la teologia possono applicarla a lui.

2) Occorre recuperare l'aspetto di solidarietà che ha le sue conseguenze anche nel NT nell'idea di *riscatto di proprietà* (la Chiesa popolo di Dio, proprietà di Dio, da lui riscattata); *riscatto degli schiavi* (l'uomo nell'incarnazione di Cristo è liberato dal peccato e diventa da schiavo uomo libero, figlio di Dio); *vendetta del sangue* (Cristo per compiere il suo ruolo di redentore a favore dei fratelli deve anche essere vendicatore del sangue).

Questi dati dell'AT devono essere letti alla luce di Cristo risuscitato, alla luce del NT. E' chiaro che Alonso-Schökel arriva a questi risultati partendo dall'AT per vedere come questi elementi sopravvivono nel NT. Risalire però anche dal NT all'AT è necessario per completare la comprensione del messaggio. Come dice bene T.W. Manson, sono necessari entrambi i procedimenti, che sono complementari: scrutare le Scritture e discernere i segni dei tempi [11].

Dei molti testi del NT citati da S. Lyonnet [12] sul significato di redenzione nel NT ne vorrei riprendere due: Mc 10,45 e Tt 2,14.

Il primo perché vi ricorre il termine greco λύτρον (che corrisponde all'*asham* di Is 53) e il secondo per la sua sinteticità.

Il primo testo è il celebre *loghion sul riscatto*: « Il Figlio dell'uomo non è venuto per essere servito ma per servire (διακονῆσαι) e dare la sua vita (lett.: la sua anima) in riscatto (λύτρον) per molti (ἀντὶ πολλῶν) ». Il testo del NT che gli è più vicino è 1Tm 2,6: Cristo « ha dato se stesso in riscatto (ἀντίλυτρον) per (ὑπὲρ) tutti ».

---

[8] Cf R. Le Déaut, *Continuité et discontinuité entre l'Ancien Testament et le Nouveau Testament,* in: *Christianisme et identité africaine,* Kinshasa 1980.

[9] Cf H. Urs von Balthasar, *La gloire et la croix,* I 548, Paris 1965.

[10] L. Alonso-Schökel, *La Rédemption œuvre de solidarité,* in: *NRth* 93 (1971) 449-472.

[11] Cf T.W. Manson, *The Argument from Profecy,* in: *JThS* 46 (1945) 129-136.

[12] Cf S. Lyonnet, *De peccato et redemptione,* Romae 1960.

Entrambi i *loghia* non si riferiscono tanto ai fatti dell'Esodo quanto piuttosto all'ultimo canto del Servo del Signore (Is 53). In tutti e due la formula « dare la propria vita (anima) per gli altri » richiama probabilmente Is 53,12. E Lyonnet [13] collegando questi due testi con molti altri, specie del Vangelo di Giovanni, conclude dicendo che certamente Cristo fu per tutti un λύτρον (riscatto) in quanto la sua morte fu *un atto supremo di amore,* fu davvero *un riscatto per tutti,* come anche Paolo dice in 1Tm 2,6 collegando i due elementi ἀντὶ e ὑπὲρ.

Il secondo testo, poi, che vorrei ricordare è quello di Tt 2,14 per la sua sinteticità: « Egli ha dato se stesso per noi, per riscattarci da ogni iniquità e formarsi un popolo puro che gli appartenga ... ».

La sua donazione completa d'amore ci ha riscattati dalla schiavitù del peccato (di cui la schiavitù in Egitto era figura, quindi c'è un riferimento all'Esodo); la sua morte è stata un sacrificio per noi (come quella del Servo del Signore: c'è un riferimento ai Canti del Servo); e ci ha acquistati come suo popolo particolare (c'è un riferimento al Sinai: in Es 19 si dice infatti che il Signore ha acquistato Israele come sua *s*ᵉ*gullâ*) [14].

3. Il mistero pasquale interpreta ed è interpretato dall'AT

F. Dreyfus [15] citando la Cost. « Dei Verbum » n. 19, dove si dice che gli Apostoli dopo l'Ascensione del Signore al cielo annunciarono il Vangelo con quella più piena comprensione dei fatti che veniva loro dal mistero pasquale e dal dono dello Spirito, mostra con una riflessione attenta come il mistero pasquale, avvenimento centrale della vita di Gesù e della storia della salvezza, mentre interpreta tutto quello che è scritto nel Nuovo e nell'AT è anche, a sua volta, interpretato da esso.

In che modo il mistero pasquale interpreta e attualizza l'AT lo ha espresso in modo riassuntivo Paolo nella sinagoga di Antiochia di Pisidia: « Poiché Dio l'ha attuata (la promessa fatta ai padri) per noi, loro figli, risuscitando Gesù, come anche sta scritto nel salmo secondo: Mio figlio sei tu, oggi ti ho generato » (At 13,33).

Non voglio qui riprendere le discussioni degli studiosi [16], ma sta il fatto che l'AT, come appare da queste parole di Paolo, è considerato come centrato su una promessa a cui corrisponde una attesa. E' chiaro che i vari testi dell'AT quando vengono ripresi nel Nuovo sono considerati per quella luce che essi ricevono dal mistero pasquale.

---

[13] S. Lyonnet, *De peccato* 45-46.
[14] S. Lyonnet, *De peccato* 48.
[15] Cf F. Dreyfus, *L'actualisation à l'intérieur de la Bible,* in: *RB* 2 (1976) 161-201.
[16] F. Dreyfus, *L'actualisation* 180.

C'è un solo criterio ermeneutico del disegno di Dio, delle Scritture antiche e del destino del popolo di Dio: è Cristo, unico salvatore di tutti gli uomini. Già nell'AT Cristo era fonte di salvezza perché promesso.

La fede nella promessa era fede in Cristo. E Dreyfus nota [17] come i testi della Bibbia sono stati capiti nel NT e attualizzati alla luce del mistero pasquale. E questa luce ha agito in modo selettivo, lasciando alcuni testi nella penombra, illuminandone invece altri che potevano sembrare secondari ai contemporanei dell'autore ma che esprimevano significati nuovi, presenti nel testo anche se a uno stadio embrionale.

Ma il mistero pasquale non solo interpreta l'AT, è anche interpretato da esso. Basti pensare al ruolo svolto dal Deuteroisaia e, in modo particolare da Is 53, nell'elaborazione di una dottrina della redenzione da parte degli autori ispirati.

Ne ho parlato ampiamente altrove ispirandomi soprattutto agli studi di C. Westermann [18].

Concludendo queste brevi riflessioni vorrei far mio quanto ha scritto P.M. Beaude [19] e che le riassume, mi pare, molto bene: « La Risurrezione di Gesù ha compiuto ogni promessa. L'esperienza pasquale ha questa radicale novità: Gesù servo fedele realizza il piano del Padre. E' risorto e siede alla destra di Dio. Ecco la novità del Nuovo Testamento: quello che attendete per la fine dei tempi è già avvenuto, si è realizzato in Gesù: è risorto! ».

Ecco il compimento escatologico di tutte le promesse.

[17] Cf F. Dreyfus, *L'actualisation* 185.
[18] Cf M. Cimosa, *Gesù ermeneuta* 29-30.
[19] P.-M. Beaude, « ... *selon les Ecritures* », Paris 1975.

JESUS AND WOMAN *

Francis J. Moloney, SDB

0. There are enormous difficulties involved in the correct interpretation of the nature of Jesus' personal relationships and psychological attitudes. There have been several recent and varied attempts to do this in the area of Jesus' sexuality,[1] but it is widely admitted that the evidence is scarce, and that care must be taken not to make too many decisions on the basis of scant material. The accounts of the life of Jesus, as we have them in our four canonical Gospels, are heavily conditioned by each Evangelist's theological point of view. As such, many would claim that it is simply impossible to glean any sort of portrait of Jesus which could provide us with an idea of his attitudes to and relationships with women.

In my opinion, this oft-repeated scepticism is too rapidly assumed. It is remarkable to discover just how much material in the Gospels touches upon such attitudes and relationships. I will attempt, through the pages which follow, to delve into some of the material available to us in the Gospels which indicates Jesus' attitude

---

* The reflection which follows had its origins as the first chapter of a simpler and less heavily documented work: Francis J. Moloney, *Woman: First among the Faithful. A New Testament Study* (London, Darton, Longman & Todd, 1985) pp. 8-25.

[1] See especially. W. E. Phipps, *The Sexuality of Jesus* (New York, Harper & Row, 1973). Phipps infers that Jesus had a positive attitude to his own sexuality because of his commendations of marriage and his considerate treatment of women. See the review of the book by J. H. Rhys in *The Anglican Theological Review* 56 (1974) 363-365. For a recent ill-founded interpretation of Jesus as the founder of a homosexual secret sect, see M. Smith, *The Secret Gospel. The Discovery and Interpretation of the Secret Gospel According to Mark* (New York, Harper & Row, 1973). See the convincing rebuttal of Smith's argument in Q. Quesnell, « The Mar Saba Clementine: A Question of Evidence », *The Catholic Biblical Quarterly* 37 (1975) 48-67 and H. Merkel, « Auf den Spüren des Urmarkus. Ein neuer Fund und seine Beurteilung », *Zeitschrift für Theologie und Kirche* 71 (1974) 123-144. Smith has since published a further work: *Jesus the Magician* (London, Victor Gollancz, 1978). Here he argues that the available « anti-Jesus » material from antiquity (generally suppressed by the Christian Church) shows that some of Jesus' contemporaries understood him as a *goēs* (a magician/a fraud). One of the aspects of such characters was that they gave themselves freely to irregular sexual activities. Despite the glowing praises of H. Trevor-Roper on the dust-jacket, the book is not good history. It suffers from a highly subjective and tendentious interpretation of both biblical and secular texts.

to, and relationships with, the women in his story. It is with great pleasure that I dedicate this study to one of my own esteemed teachers during my years at the Salesian Pontifical University, Don Domenico Bertetto, a man who has devoted so much of his scholarly life studying and teaching the mysteries of God's ways in « the woman » *par excellence* of the New Testament: Mary of Nazareth.

Although the following reflection cannot attempt a detailed study of all the relevant passages, it is of value to see just how much material — coming from a wide variety of traditions — is dedicated to the issue of Jesus' ways with and on behalf of women. It is quite possible that a great deal of the material, which I will now list, reaches back — in one form or another — into the life and experience of Jesus of Nazareth.[2]

---

[2] For surveys of this material, see J. Blank, « Frauen in den Jesusüberlieferungen », in G. DAUTZENBERG - H. MERKLEIN - K. MÜLLER (Hg.), *Die Frau im Urchristentum*, Quaestiones Disputatae 95 (Freiburgh, The Saint Andrew Press, F. STAGG, *Woman in the World of Jesus* (Edinburgh, The Saint Andrew Press, 1978) pp. 101-160; K.-H. SCHELKLE, *The Spirit and the Bride. Woman in the Bible* (Collegeville, The Liturgical Press, 1979) pp. 67-90. Most important of all, however, is E. S. FIORENZA, *In Memory of Her. A Feminist Reconstruction of Christian Origins* (London, SCM Press 1983) pp. 99-159. Fiorenza, as the sub-title of her book indicates, is asking a vitally important question: « Were women as well as men initiators of the Christian movement? » (p. xviii). She, like all scholars asking that question, is faced with the difficult task of first developing a hermeneutical approach and then applying that approach to the androcentric and patriarchal texts of the early Church. She does it very well (see pp. 3-95), and I believe that she comes very close to proving her contention that: « Regardless of how androcentric texts may erase women from historiography, they do not prove the actual absence of women from the center of patriarchal history and biblical revelation » (p. 29). She seeks a method to « transform androcentric historiography into our common history » (p. 70). Rosemary R. RUETHER, *Sexism and God-Talk. Towards a Feminist Theology* (London, SCM Press, 1983) p. 18, also writes of the need for such an approach: « To look back to some original base of meaning and truth before corruption is to know that truth is more basic than falsehood ... To find glimmers of this truth in submerged and alternative traditions through history is to assure oneself that one is not mad or duped. Only by finding an alternative historical community and tradition more deeply rooted than those that have become corrupted can one feel sure that in criticizing the dominant tradition one is not just subjectively criticizing the dominant tradition but is, rather, touching a deeper bedrock of authentic Being upon which to ground oneself. One cannot wield the lever of criticism without a place to stand ». See also E. MOLTMANN-WENDEL, *The Women around Jesus. Reflections on Authentic Personhood* (London, SCM Press, 1982) pp. 1-12. This position is in direct opposition to the work of such scholars as Mary Daly, who argue that we must now abandon the Christian tradition as a source for theology, and look to the experience of women. On this, with all relevant references to Daly, see E. S. FIORENZA, *In Memory of Her*, pp. 22-26. For a most recent and very satisfying study of the Gospel material, see BEN WITHERINGTON III, *Women in the Ministry of Jesus*, SNTS Monograph Series 51 (Cambridge, University Press, 1984). Witherington's study is a careful and optimistic historical approach to the Gospels. He also discovers the uniqueness of Jesus' ways: « Jesus' teaching relating to women and their roles is sometimes radical, sometimes reformational, and usually controversial in its original setting » (p. 52).

The texts can ben grouped in the following fashion:

I - *Women feature as the main protagonists in a series of miracle stories, all of which have their literary origins in the Gospel of Mark, and which have generally been retold by Matthew and Luke* [3]
(a) The healing of Peter's mother-in-law (Mark 5,24-34; Matt. 8,14-15; Luke 4,38-39).
(b) The healing of the woman with a hemorrhage (Mark 5, 24-34; Matt. 9,20-22; Luke 8,43-48).
(c) The raising of the daughter of Jairus (Mark 5,21-24.35-43; Matt. 9,18-19.23-26; Luke 8,40-42.49-55).
(d) The Syrophoenician woman (Mark 7,24-30; Matt. 15,21-26).

II - *Two important passages where women characters are used in a polemical situation with the religiously respectable. One of the passages is from Mark and is repeated by Luke, while the other — probably after a long, independent history in the growing traditions — has fortunately found its way into the Fourth Gospel.*
(a) The attack on the Pharisees, followed by the example of the poor widow who gives her all (Mark 12,38-44; Luke 20,45-21,4).
(b) Jesus and the woman caught in adultery (John 7,53-8,11).

III - *A series of parables, found in the « Q » Material or only in the Matthean tradition.*
(a) The parable of the yeast (Matt. 13,33).
(b) The parable of the two sons (Matt. 21,28-32).
(c) The parable of the wise and foolish virgins (Matt. 25,1-13).

IV - *The anointing of Jesus at Bethany, a narrative which can be found, in a variety of forms, in all four Gospel traditions* (Mark 14,3-9; Matt. 26,6-13; John 12,1-8. See also Luke 7,36-50).

V - *The presence of women at the cross, the burial and at the empty tomb of Jesus. This is again found, in a variety of forms, through all four Gospel traditions* (Mark 15,42-16,8; Matt. 27,57-28,10; Luke 23,50-24,11; John 20,1-2.11-18).

The sheer *quantity* of the material is impressive. Yet, it is important to notice that I have omitted all the specifically Lucan material (e.g. Mary in the Lucan infancy narrative: Luke 1-2; the widow of Nain: 7,11-17; Martha and Mary: 10,38-42; the cure of the crippled woman: 13,10-17 [4] and the famous Johannine woman characters (e.g.

[3] I am presupposing that Mark was the first Gospel to be written, and that it was one of the sources used by both Matthew and Luke. I am well aware that this presupposition, which had almost become a new dogma in New Testament source criticism, is now being questioned by William R. Farmer, Bernard Orchard, Hans-Herbert Stoldt and others. While this criticism of Marcan priority is very helpful, I would still stand by the value of the recent statement of the position which I have adopted by J. A. FITZMYER, « The Priority of Mark and the "Q" Source in Luke », in *To Advance the Gospel. New Testament Studies* (New York, Crossroad, 1981), pp. 3-40.

[4] As well as the commentaries, for an analysis of this material, see F. J. MOLONEY, *Woman: First among the Faithful*, pp. 40-64 and G. DAUTZENBERG, « Frauen », pp. 39-68.

the Mother of Jesus: John 2,1-11; 19,25-27; the Samaritan woman: 4,1-42; Martha and Mary in ch. 11; Mary Magdalene: 20,1-2.11-18.[5] It has been my experience that a study of all these uniquely Johannine or Lucan passages increases ones' understanding of Jesus' way with women ... but we will have to leave them to one side for the limited purposes of this study.

There is, however, more material from the synoptic tradition which merits our attention. Although female characters may not by actively involved in these narratives, there are some important indications in them which throw even further light upon Jesus' attitude to women: [6]

(a) Looking upon a woman lustfully (Matt. 5,28).
(b) The divorce material (Mark 10,1-12; Matt. 5,31-32 and 19,1-12; Luke 16,8).
(c) Jesus' true family (Mark 3,31-35; Matt. 12,46-50; Luke 8,19-21).

A full-scale study of all this material would lead us into a large volume in its own right. I merely intend to comment as concisely as I can on each text, linking the passages to our theme as I move from text to text. The reader will notice that similar themes emerge time and again. A short word on my « method » is necessary at this point. I have already indicated that there is sometimes undue scepticism about our ability to recover Jesus' attitudes and the nature of his personal relationships. Yet, I have just listed a large amount of material from the Gospels which in some way touches such attitudes and indicates just how he related to women. Our problem is, of course, that the material, as we have it now, is found in the Gospels. This means, inevitably, that we are using sources for our interpretation which are themselves interpretations.

As this is the case, the reader must be aware of what I am trying to do with this reflection. Most (but not all) of the material has its origins in Mark, and has been used by Matthew and/or Luke. Thus, in many cases, I will study the passage within the context of the Marcan (or Matthean, Lucan or Johannine) theological and literary structure. From this I hope to show that across the various Gospel *traditions*, there seems to be a core of solid *tradition*. I am perfectly well aware that *all* of the passages which I am about to discuss have been re-told, re-modelled and re-written in the developing traditions of the earliest Church. I am not arguing here that I am rediscovering the *ipsissima verba* or the *ipsissima facta* of Jesus of Nazareth. However, I believe that there is every reason to be quite confident that we are able to come into close contact

[5] Again, for an analysis of this material, with further bibliography, see F. J. MOLONEY, *Woman: First among the Faithful*, pp. 74-92 and G. DAUTZENBERG, « Frauen », pp. 68-88.

[6] For a useful analysis of this material, see E. & F. STAGG, *Woman in the World of Jesus*, pp. 126-143.

with the *ipsissima locutio* of Jesus through the analysis which follows.[7]

1. THE MIRACLES STORIES

1.1. *The cure of Simon's mother-in-law*: *Mark 1,29-31* (see also Matt. 8,14-15; Luke 4,38-39)

In Mark's Gospel Jesus' first public actions take place on a Sabbath (see the indications of 1,21). In fact, he heals a man (1,1-28) and a woman (1,29-31) in immediate succession. In this way, his public ministry opens with immediate evidence of his rejection of any taboos which might inhibit his ability to help those in need. This impression is further strengthened when one looks closely at just what it meant to heal Simon's mother-in-law through touch.

As Simon's mother-in-law lay sick with a fever, Jesus went to her and *touched* her. The fever departed, and she *served* them. There are two important details to be noticed, if we wish fully to appreciate all the implications of this passage. First, Jesus touches a woman by taking her by the hand, showing extraordinary internal freedom. Then, as perhaps even today, a respected religious leader would not take any woman by the hand. It is useless to speculate on his prior knowledge of Simon's mother-in-law. That sort of thinking goes beyond anything which is indicated in the text itself.

> Though there were precedents for rabbis taking the hand of another man and miraculously healing him, there are no examples of rabbis doing so for a woman, and certainly not on the Sabbath when the act could wait until after sundown. Indeed a man could be suspected of evil desires if he touched any woman other than his wife. This was true even if it was a cousin, and more true if the woman was no relation at all. At the very least, Jesus could be accused of contracting unleanness and violating the Sabbath.[8]

Consequently, he opens himself of further accusation by allowing himself to be served by this woman. This may appear normal enough to us, but no self-respecting Rabbi would allow such a thing. As Rabbi Samuel (died in 254 A.D.) had said: « One must

---

[7] I hope that this commonly used distinction is not confusing, as it is important. When one refers to the « locutio » one evades the necessity to pin down and prove every historical word and deed (an extremely difficult task). Yet, one is able to indicate an attitude or a way of life which shines through the various reports, no matter how far they may be from an accurate description of the actual words and events. On this issue, see J. JEREMIAS, *New Testament Theology* (London, SCM Press, 1971), pp. 36-37 and N. PERRIN, *Rediscovering the Teaching of Jesus* (London, SCM Press, 1967), pp. 15-33.

[8] B. WITHERINGTON, *Women in the Ministry of Jesus*, p. 67.

under no circumstances be served by a woman, be she adult or child ».[9]

In the Marcan version of the life of Jesus, the very « first day » of Jesus public ministry (see Mark 1,21-34) [10] is highlighted by this extraordinarily new approach to a woman. In fact, the episode of the curing of Simon's mother-in-law forms the centre of the day's activities: he cures the possessed man in the synagogue (1,21-28), raises the fever stricken woman (vv. 29-31) and then cures all who come to him (vv. 32-34). The « woman » episode is deliberately placed at the centre of the day's activities by the Evangelist Mark. In this way he highlights Jesus' unique new attitude and approach to women in the midst of the miraculous presence of the overpowering reign of God, vanquishing the reign of evil, symbolised by devil possession and physical illness.

1.1. *The realing of the woman with the hemorrhage and the raising of Jairus' daughter Mark 5,21-43* (see also Matt. 9,18-26; Luke 8,40-56)

Although I listed these two stories separately in my overall classification, it is obvious that in all three synoptic Gospels the story of the daughter of Jairus is used as a sort of « frame » around the account of the woman with the flow of blood. The technique of « pairing » and « framing » stories is a very common feature of Mark Gospel,[11] and it is extremely important to interpret the two

[9] For detail and further Jewish texts, see H. L. STRACK - P. BILLERBECK, *Kommentar zum Neuen Testament aus Talmud und Midrasch* (Munich, Beck, 1926-61). Vol. I, p. 480. See further the comments of B. WITHERINGTON, *Women in the Ministry of Jesus,* p. 67: « What is interesting about her act is that women, according to some rabbis, were not allowed to serve meals to men. It also appears that this may be a violation by the woman of the prohibition against working on the Sabbath. Perhaps she realized that if Jesus was free to heal her on the Sabbath, then she was free from the Sabbath restrictions preventing her from serving and helping others ».

[10] Commentators often point to this section of the opening « day » of Mark's Gospel as a literary construction around a typical day in which God's power breaks into the lives of the afflicted through the presence and the power of Jesus. See, for example, V. TAYLOR, *The Gospel according to St. Mark* (London, Macmillan, 1966), pp. 170-185; R. PESCH, *Das Markusevangelium,* Herders Theologischer Kommentar zum Neuen Testament II/1 (Freiburg, Herder, 1977), pp. 116-136; E. LOHMEYER, *Das Evangelium des Markus,* Meyers Kommentar I/2 (Göttingen, Vandenhoek & Ruprecht, 1967), pp. 34-40; D. E. NINEHAM, *Saint Mark,* The Pelican Gospel Commentaries (Harmondsworth, Penguin Books, 1969), pp. 73-83.

[11] This is a widely recognised feature of Marcan style, and the current climate of rhetorical studies of the Gospels is giving increasing consideration to these features. See, for example, D. RHOADS - D. MICHIE, *Mark as Story. An Introduction to the Narrative of a Gospel* (Philadelphia, Fortress Press, 1982), p. 51; J. R. DONAHUE, *Are you the Christ? The Trial Narrative in the Gospel of Mark,* SBL Dissertation Series 10 (Missoula, Scholars Press 1973), pp. 57-63; H. C. KEE, *Community of the New Age. Studies in Mark's Gospel* (London, SCM Press, 1977), pp. 54-56; J. DEWEY, *Marcan Public Debate. Literary Technique and Concentric Structure and Theology in Mark 2:1-3:6,* SBL Dissertation Series 48 (Chico, Scholars Press, 1980), pp. 21-22. Donahue (pp. 58-59) offers a comprehensive list.

accounts together. They have been put together by Mark (or by the tradition before Mark) as one throws light upon the other. It is a recognition of this principle which must direct our interpretion [12]

However, it is also important to look at the wider context of these passages, as we find that they play an important role in a deliberate gathering of « woman stories » to form the conclusion of a section of Mark's Gospel which has been dominated by Jesus' miraculous activitly. From Mark 5,35 onwards there has been a gradual crescendo of increasingly significant miracles:

— 4,35-41: A nature miracle as he calms the storm and the waters: « Even the wind and the sea obey him » (4,41).

— 5,1-20: A spectacular victory over the demons, as he drives out a legion of unclean spirits from the Gerasene demoniac.

— 5,21-24: The request from Jairus.

— 5,25-35: A victory over human illness, as he cures the woman with the hemorrhage.

— 5,35-43: A victory over death itself, in the raising of Jairus' daughter.

Notice the progression from natural disturbance, through the demonic into human illness, and finally to a victory over death itself. Once we have seen this logic at work, then it is significant to notice that *both* of the people involved in the final miracles are women.

There can be no doubt that a part of the message of these accounts is to throw into relief the littleness of the faith of the disciples over against the complete self-abandon of the woman with the hemorrhage and the ruler of the synagogue. This is especially clear in the « good sense » of the disciples who almost mock Jesus' question: « Who touched my garments? » (v. 31) with their reply: « You see the crowd pressing round you, and yet you say: "Who touched me?" » (v. 31). The mockery and laughter surrounding Jesus statement that the girl is only asleep (vv. 39-40) carry a similar message.

However, for our purposes, I would like to ask just why did Mark, or perhaps even a tradition before Mark, join the story of the woman with the hemorrhage with the reaising of the daughter of Jairus? The message about faith may have been one of the reasons, but some commentators point to the appearance of the number « twenve » in both stories: the illness had lasted twelve years (v. 25)

[12] This point is missed by B. WITHERINGTON, *Women in the Ministry of Jesus*, pp. 71-72 because of an unreasonable attempt to show the « historicity » of the basic sequence of events as we have them reported in Mark 5,21-34. As I have already indicated, an appreciation of an Evangelist's literary use of the tradition can be a help — and not a hindrance — in our rediscovery of Jesus' way with women.

and Jairus' daughter was twelve years old (v. 42).[13] It appears to me that this is important, but that the commentators do not make enough of the detail. For example, Vincent Taylor, followed by many other scholars, regards the reference to the twelve years in the case of the flow of blood as a « round number to describe an affliction of long standing »,[14] and the indication that the girl was twelve years old as « added to explain the walking, » so that it would be clear that she could walk! [15] In fact, Lagrange simply dismisses the whole issue by claiming: « Cette femme est malade depuis que la fille de Jaïre est au monde: simple coïncidence ».[16] I wonder?

It appears to me that, as well as the unifying theme of faith, there are two further elements in both stories which link them. We have already seen in the analysis of the healing of Simon's mother-in-law that Jesus' touching her was important. This theme emerges as important in the miracle of the woman with the flow of blood:

> If I *touch* even his garments I shall be made well (5,28) Who *touched* my garments? (v. 30).
> You see the crowd pressing around you, and yet you say, « Who *touched* me? » (v. 31).

Once we see the centrality of the theme of « touching, » we can find that same theme in the raising of Jairus' daughter as Jesus is described as taking her by the hand ... but here it is further linked with the strange indication that the girl was twelve years old:

> Taking her by the hand he said to her, « Talitha cum »; which means, « Little girl, I say to you, arise ». And immediately the girl got up and walked; for she was twelve years old. (vv. 41-42.[17]

Given the interest which Mark seems to show in Jesus' revolutionary « touching » of women, and given further the precise indication that she was twelve years of age, this may have been told in order to increase the shock created by Jesus' action: she was of marriageable age! As R. E. Brown has explained, in reference to Jewish marriage practices:

---

[13] For an excellent survey of the various suggestions which have been made, as well as his own hypothesis, regarding the « pairing » of these originally independent accounts, see R. PESCH, *Das Markusevangelium*, Vol. I, pp. 312-314, and the literature cited there.

[14] V. TAYLOR, *Mark*, 290.

[15] *Ibid.*, p. 294.

[16] M.-J. LAGRANGE, *Évangile selon Saint Marc*, Études Bibliques (Paris, Gabalda, 1920), p. 135.

[17] Although I am generally using the RSV text for English translations, I have had to change it here. The RSV read the textual variant *cumi*, which would be the proper Aramaic form of the feminine imperative. The best reading, therefore, should retain the more difficult masculine form *cum*. On this, see B. M. METZGER, *A Textual Commentary on the Greek New Testament* (Lodon/New York, United Bible Society, 1971) p. 87.

> The consent, usually entered into when the girl was between twelve and thirteen years old, would constitute a legally ratified marriage in our times, since it gave the young man rights over the girl. She was henceforth his wife.[18]

In such a situation, Jesus' « taking her by the hand » is an ambiguous gesture for a religious leader. There is just a hint in the text that she may not have been dead at all (v. 39), and this would excuse Jesus from the impurity which he would incur (according to Num. 19,11-13) by touching a dead body. However, he is shown to be not concerned in any way about such impurities, as he is quite prepared to take a twelve year old girl by the hand. Mark's point is that Jesus is prepared to cut through any danger of ritual impurity or taboo, when it is a case of giving life.

The affectionate gesture of touching is further enriched by the beautifully caring Aramic expression *talitha cum*. It is best translated as « My dearest little one, stand up, » and has been retained in the Greek version of Mark because of its powerful eloquence and its impact. Now the encounter between Jesus and this young woman takes on a very special significance, and a powerful link beteween these two miracle stories, so entwined in the Gospel tradition, becomes more obvious.

In *both* stories Jesus touches the unclean. He touches a woman in a pathological condition which renders her unclean (see Lev. 15,25; *Zabim* 5,1.6), and he touches the dead body (see Num. 19,11-13) of a young woman (see *Berakoth* 5b). *Both* touchings tell us that Jesus brings a new concept of wholeness and holiness. The power of the reigning presence of God, which he has brought in his person, in his word and in his touch, breaks through all barriers of cultic purity.

The girl of twelve years of age — now marriageable — gets up and walks. She rises to womanhood. The young woman, who now begins to pour forth her life in menstruation, and the older woman who experiences menstruation as a pathological condition, are both restored. They are « given » new life. Here we find that the life-giving powers of women, manifested in the flow of blood, are neither « bad » (the older woman and the « dangers » of touching the younger woman), nor can they be cut off in death (the younger woman). They are « restored » so that women can « go and live in Shalom, in the well-being and happiness of God's reigning presence, which has « touched » their lives in Jesus of Nazareth.[19]

---

[18] R. E. BROWN, *The Birth of the Messiah. A commentary on the Infancy Narratives of Matthew and Luke* (New York, Doubleday, 1977), p. 123. See further J. JEREMIAS, *Jerusalem in the Time of Jesus. An Investigation into Economic and Social Conditions during the New Testament Period* (London, SCM Press, 1969) pp. 364-368. See the summary of rabbinic opinion on this question in B. WITHERINGTON, *Women in the Ministry of Jesus*, pp. 2-6.

[19] See, for this suggestion, E. S. FIORENZA, *In Memory of Her*, pp. 122-124. See also R. C. WAHLBERG, *Jesus According to a Woman* (New York, Paulist Press, 1975), pp. 31-41.

1.3. *The Syro-phoenician woman*: *Mark 7,24-30* (See also Matt. 15,21-26) [20]

We are now glancing at a section of Mark's Gospel where the question of the Gentile mission is most clearly dealt with (see 7,24-8,10). This is made very clear through Mark's geographical indications in 7,24 and 31:

> He arose and went away through the region of Tyre and Sidon ... He returned from the region of Tyre, and went through Sidon to the Sea of Galilee, through the region of the Decapolis.

This would be an extraordinarily roundabout way of going from Tyre to the Lake of Galilee, but such a journey would keep Jesus always in Gentile territory. For these reasons, Mark constructs this roundabout journey. Further, there are several references to Gentile themes in the second multiplication of the bread, especially in 8,3:

> If I send them away hungry to their homes they will faint on the way; *and some of them have come a long way.*

A similar hint is given through the use of the number « seven » in vv. 5 and 8, in contrast to the use of the number « twelve » in the first multiplication (see 6,43).[21]

At the head of this section stands the vivid story of the faith of the Syro-phoenician woman. However, the shock which this narrative can create for the reader has already been prepared through the use of a severe encounter between Jesus and th traditional, but hypocritical, ways of Judaism in 7,1-23 (see particularly the punishing use of Isaiah 29,13 in vv. 6-7). Equally important is the virtual denial of one of the basic criteria for ritual cleanliness, addressed to his misunderstanding disciples in v. 18: « Then are you also without understanding? Do you not see that whatever goes into a man from outside cannot defile him? » [22] It is immediately

---

[20] For a detailed comparative study of the Marcan and Matthean versions of this account, see B. WITHERINGTON, *Women in the Ministry of Jesus*, pp. 63-66.

[21] The double use of a multiplication of bread and fishes in Mark 6 and 8 has been read as the same basic message aimed at a Jewish (6,31-44) and then a Gentile (8,1-10) audience from the time of Augustine. However, it has recently been strongly challenged by Morna D. HOOKER, *The Message of Mark* (London, Press, 1983) pp. 45-50. Robert M. FOWLER's recent doctoral dissertation, *Loaves and Fishes. The Function of the Feeding Stories in the Gospel of Mark*, SBL Dissertation Series 54 (Chico, Scholars Press, 1981) reasserts the importance of the need for the disciples to see more widely than their Jewish roots, and claims that the function of the double narrative in the Gospel to show the reader that he/she must not fail to understand such a message, as the disciples in the narrative did. He suggests that this message hinges around the ironic question of 8,4: « How can one man feed these men with bread here in the desert? » (see especially, pp. 91-148).

[22] See, on this, the remarks of E. SCHWEIZER, *The Good News According to Mark* (London, SPCK, 1971), pp. 146-147: « Vss. 17-18a, which are clearly Marcan

after this episode that a Gentile woman comes to petition Jesus on behalf of her daughter (another woman!) The point of the story as we now have it is to show (with considerable effect!) that she has no human rights, and that she can lay no claim to Jesus' power and authority. It is Jesus himself who tells her so (v. 27). Her answer: « Yes, Lord; yet even the dogs under the table eat the children's crumbs » (v. 28), shows her deep recognition of her nothingness. Hugh Anderson has commented well:

> She comes making no legal claims and pleading no special merits, but just as she is, empty-handed and in need, and dares only to accept God's gift in Jesus. Thereby is exemplified the contrast between Jewish legalism and the faith that waits on God.[23]

It is equally obvious that the faith of the woman is to be contrasted — not only to the self-righteousness of Judaism, but also to the hard-headed misunderstanding of the disciples. However, what must be further noticed is that *a woman* is used to indicate this first step of a non-Jew and a non-disciple into true faith, as she pleads that *her daughter* be cured.

Already, from this rapid analysis of four Marcan miracle stories where women play a leading role, we can see some common themes emerging:

(a) There was an extraordinarily deep inner peace and freedom in Jesus of Nazareth which shows that he was ultimately free from culturally, historically and even religiously conditioned constraints and prejudices. This has been made particularly clear through Jesus' allowing himself to both touch and to be touched by women of all conditions. It is also to be found in his allowing himself to be served by Simon's mother-in-law.

(b) There is the repeated use of a woman and a woman's faith in contrast to the lack of faith in the self-righteousness of legalistic Judaism (Jairus' daughter, the Syro-phoenician woman) and of his own disciples (the woman with the hemorrhage, the Syro-phoenician woman).

(c) Women are used in positions of primacy — at least in Mark's Gospel. The first Gentile to come to faith is the Syro-phoenician woman, and the culminating demonstration of the irresistable presence of the active reign of God made present in Jesus is shown in two great miracles which involve women who are deliberately

---

both in language and in content, show that what Mark considers the real point of the passage is the disciples' lack of understanding in spite of the clarity of Jesus' statement (vs. 15). Accordingly he has to conclude the controversy with that lack of understanding and with Jesus' reprimand. ... What is primarily important to Mark is this absurd Jewish legalism and Jesus' victory over it — a victory which is evident to everyone ».

[23] H. ANDERSON, *The Gospel of Mark,* New Century Bible (London, Oliphants 1976), pp. 191-192.

portrayed as having an intimate personal contact with Jesus: the woman with the hemorrhage and Jairus' daughter.

2. THE CONFLICT STORIES

2.1. *The widow's mite*: *Mark 12,38-44* (see also Luke 20,45-21,4) [24]

After the biting attack upon Jewish leadership (the group indicated in 11,27) through the parable about the false keepers of the vineyard (12,1-11), the rest of Mark 12 is dominated by a series of conflicts between Jesus and these same leaders. The Pharisees challenge him on taxes paid to a foreign power (vv. 13-17), the Sadducees debate the resurrection of the dead (vv. 18-27) while the scribes raise the issue of the first of all the commandments (vv. 28-34). These conflicts lead Jesus into a direct attack upon the hypocrisy of the scribes who have all the correct garb, and all the places of honour, but « who devour widow's houses and for a pretense make long prayers » (v. 40).

Here we are at a key issue in the teaching and the way of Jesus. He has no desire for pomp and ceremony; he wants his disciples, both women and men, to give their all. The Scribes, the Pharisees and the Sadducees, with whom Jesus has argued up to this point, are only pretentding to be « God-people. » This section of the Gospel therefore rounds of the condemnation of such a form of faith and religiosity with the other side of the medal: the story of the widow's mite.

The widow — so despised and above all, abused by the so-called « righteous ones » (see v. 40) — gives her all: « She has put in everything she had » (v. 44). She has lived out in practice the ideals expressed in the vocation of the first disciples, where Jesus has called them to leave all and to « follow » him (see 1,16-20; 2,13-14; 3,13-19).[25] After our study of the miracle stories, where we found that women were used quite regularly *over against* the recognised Jewish authorities, and also over against a lack of faith in Jesus' own disciples, it is interesting — and important — to see that this concluding section of Jesus' encounter with Judaism is rounded off with the use of a further woman character to show what it really means to be a disciple.[26]

---

[24] See the well documented and penetrating analysis of B. WITHERINGTON, *Women in the Ministry of Jesus*, pp. 16-18.

[25] On these vocation stories, and their implications for an understanding of Mark's Gospel, see F. J. MOLONEY, « The Vocation of the Disciples in the Gospel of Mark », *Salesianum* 43 (1981) 487-516 and IDEM, *Disciples and Prophets. A Biblical Model for the Religious Life* (London, Darton, Longman & Todd, 1980) pp. 135-140.

[26] W. KELBER, *Mark's Story of Jesus* (Philadelphia, Fortress Press, 1979), pp. 64-66, perceptively links the attitude of the woman to the incipient faith of the scribe in 12 32-34. He concludes his study of ch. 12 with the following remarks: « The Kingdom of God and the temple are irreconcilably opposed to

Mark makes it very clear that the issue at stake is discipleship through vv. 43-44:

> And he called his *disciples* to him and said to them ... « She has put in all she had ».

The passage is certainly an attack on the legalism of the Jewish authorities, but it is more than that. Mark is not happy to leave the teaching of Jesus merely in a negative key. It is to be a challenge to disciples. The Evangelist, therefore, tells his story for his own disciples, and for the disciples of all time. All are capable of thinking that faith and its practice can be controlled and measured by one's own performance. The message of Jesus, correcting such false views, comes to us through the example of a woman .. who gave her all.

2.2. *The woman taken in adultery*: *John 7,53-8,11*

This beautifully written passage breaks unexpectedly into the section of the Fourth Gospel devoted to the Feast of Tabernacles (John 7,1-10,21), and is universally recognised as a foreign insertion which has come into the Johannine text at a late stage. That such was the case is clearly shown by the history of the text as we now have it. It is absent from all important early manuscripts, and when it does begin to appear, it can be found in a variety of places throughout the Gospels.[27]

We cannot hope to examine all the historical and textual complexities of this passage. It is clearly a synoptic-type passage and — as should be clear from what we have already seen — it may well reflect an experience of the historical Jesus which has been kept alive in the tradition, and has eventually found its way (fortunately) into the text of the Fourth Gospel. We must now examine the story on its own right, and there are several features which merit our particular attention.

Once more we must notice that Jesus is presented in a situation of conflict. After setting the scene of Jesus' teaching « all the people » in the Temple (7,53-8,2), the author presents the Scribes and the Pharisees. They lead in a woman who has been caught in adultery. It is important that the reader put him/herself into the story. As B. Witherington has indicated:

---

each other. Only two persons, a male and a female, have endorsed Jesus' temple teaching — a scribe who adopts Jesus' fundamental article of faith and the widow who lives according to it. The acceptance of male and female into the new community bids defiance to the old all-male power structure of the chief priests, scribes, elders, Herodians, Pharisees and Sadducees » (p. 66).

[27] See, for a full discussion of the evidence, B. M. Metzger, *A Textual Commentary on the Greek New Testament,* pp. 219-222. For a good analysis of the passage, as well as the usual commentaries, see J. Blank, « Frauen in den Jesusüberlieferungen », pp. 82-88 and B. Witherington, *Women in the Ministry of Jesus,* pp. 21-23.

> In order to have the proof required by the rabbis for this crime, the woman must be caught *in coitu*. Thus, the evangelist depicts a highly suspicious situation: Where is her partner in crime? Did the husband hire spies to trap his wife? Did he wish to set aside his wife without giving her the *ketubah*, or did he want certain proof of her infidelity?[28]

We can now consider the dramatic nature of the scene: a woman in considerable disarray is dragged before Jesus for a series of reasons that could all be somewhat suspicious.

The Jewish leaders publicly accuse the woman, and then challenge Jesus. They know what Moses would think of such a situation, and what he would do, but they ask Jesus: « What do you say about her? » (v. 5). There is an obviously contrived use of the woman to pit Jesus against the teaching of Moses. To clarify this, the author adds an explanatory note:

> They said this to test him, that they might have some charge to bring against him (v. 6).

The polemic is very strong and very public ... and the confused, half-clad woman is a mere trapping in the conflict! In the « game » being played by the Scribes and the Pharisees the woman, as such, really has no place, except as an excuse to debate the Law. She will suit ideally for them to instrumentalise for their own purposes: to teach this Jesus of Nazareth a point or two about the Law of Moses.

In a first instance Jesus simply turns away from the discussion, as ashamed of them as they are pretenting to be of her. Then he issues his challenge — that the one without sin cast the first stone (v. 7). The « sin » referred to by Jesus probably touches the same area of sinfulness of which they accuse the woman, and thus they drift away. At the end of the account only Jesus and the woman remain upon the scene. She is now no longer an object, a necessary evil for the purposes of a discussion. Jesus neither condones nor condemns her sin. No one condemns her (v. 11), thus she can take up the challenge to sin no more, the challenge to look squarely at a new self-understanding, and thus to the possibilities of a new life which the « men » in the earlier part of the story would never have allowed for her. They would not even have dreamt of such a possibility, because they had the Law of Moses on their side. Jesus is not threatened or shocked by a sinner, as he is not « bound » by any law or tradition that kills. He is challenged by the need to lead that sinner, woman or man, into a newness of life .. something that traditional Judaism would not have allowed for this particular woman.

---

[28] B. Witherington, *Women in the Ministry of Jesus*, pp. 21-22.

Again, the background to this story is the extraordinary peace and inner security that seem to have marked the life-style of Jesus of Nazareth. It can be felt as he again shows his preparedness to stand traditional values upside down if they meant that a woman thereby became a « thing » ... in this case a necessary evil in a debate over a point of law. The issue is that all be given the chance for life, and in this Jesus succeeds, while the Scribes and the Pharisees disappear into failure.

Maria Boulding's incisive commentary on this incident is well worth recording:

> The Pharisees are tense, but he is calm and relaxed throughout; he accepts the woman openly and lovingly, as an adult and as a person. He has a sureness of touch; he can handle the situation and the relationship with her because he has nothing to be afraid of in himself. Not only had he no sin, but he must have completely accepted and integrated his own sexuality. Only a man who has done so, or at least begun to do so, can relate properly to women.[29]

3. THE PARABLES

It is generally recognised that the parables of Jesus put us into close contact with the teaching of Jesus, and there are three very short parables from the « Q » material or in Matthew alone, where women characters are used. Our study may be enriched through a brief examination of these few parables.

3.1. *The parable of the yeast: Matt. 13,33 / Luke 13,20-21*

This very brief parable is widely accepted as an excellent illustration of Jesus' authentic teaching on the kingdom of God. It stresses the initiative of God in that kingdom: the remarkable, rapid, unexpected and inevitable inbreak of his active reigning presence which can give life and vitality to all that it touches:

> The kingdom of heaven is like leaven which a woman took and hid in three measures of flour, till it was all leavened.

The use of the woman here probably reflects the simple fact that women were usually responsible for the baking. Still, as Jesus preaches the kingdom, again we find that a woman is at the centre of the parable.

There may be even more to it. Three measures of flour could feed one hundred people, so there may be a hint that this leavening

---

[29] D. REES and Others, *Consider your Call. A Theology of Monastic Life Today* (London, SPCK, 1978), p. 169. This volume, edited by Dom Daniel Rees, O.S.B. of Dowside Abbey is a collection of essays on the theme of the title. The chapter on Celibacy, from which the above citation was taken, was written by Dome Maria Boulding, O.S.B. of Stanbrook Abbey.

is associated with some special sort of meal. It has been suggested that this hint (and it is no more than a hint) indicates that the parable points to more than the surprising and bountiful inbreak of the kingdom. Is it significant that it is a woman who takes the place of the priest who would normally bake the unleavened cakes for the special offerings of a solemn festal occasion? It may well be that what we have here is not only a message of urgency, but also of the reversal of cultural criteria associated with the coming of the kingdom.[30]

3.2. *The parable of the two sons: Matt. 21,28-32*

There is some discussion over the original form of this parable, but it may well go back to Jesus himself, almost in the form in which Matthew has found it in his own traditions.[131] Its contents are well known. One son refuses to work in the vineyard, but repents and does what he was asked, while another is full of good words, but does nothing (vv. 28-30). The parable of the two sons leads Jesus to his point: it is the tax-collectors and the harlots who will enter the kingdom of heaven before the chief priests and the elders of the people (v. 31. See v. 23).

As the passage runs further, one of our ever-present themes reappers: it is not the righteous ones in the eyes of the world who are the « God-people »; it is to be those who are receptive to the extraordinary newness of the challenge of Jesus of Nazareth. Already with John the Baptist the harlots had shown the way to the hard-headed and self-righteous religious leaders of Israel (v. 32). This is the case because the latter were not prepared to *repent*, to turn away from their current way of life. They worked from the mistaken presupposition that there was absolutely no need for any radical re-assessment of their situation and their style of life. Only the sinner, aware of his or her nothingness, yet *receptive* to the life-giving power of God's reign offered in Jesus can ever hope to enter the kingdom which he proclaimed and lived. Tax collectors and prostitutes are those elected by Jesus as the sort of people who have such openness and receptivity.

3.3. *The parable of the wise and foolish virgins: Matt. 25,1-13*

In this famous parable we are dealing with what was originally a parable of Jesus, calling all to be ready to respond to the invitation

[30] For a fully detailed and documented exegesis, from hich I have taken this suggestion, see B. WITHERINGTON, *Women in the Ministry of Jesus,* pp. 40-41 and 156-157.

[31] See J. BLANK, « Frauen in den Jesusüberlieferungen », pp. 33; E. SCHWEIZER, *The Good News according to Matthew* (London, SPCK, 1976), pp. 410-411; J. JEREMIAS, *The Parables of Jesus* (London, SCM Press, 1972), pp. 80-81.

offered by God to mankind in the coming of Jesus and his preaching of the kingdom. The Matthean tradition and the Evangelist's use of the parable have shifted its sense slightly to make stronger reference to the end-time and to the final coming of the Son of Man (see especially vv. 5-6 and 13, and Matthew's situating of this parable within the overall context of teaching on the end-time in ch. 25).[32] Yet, the challenge issued by Jesus is still clearly present. The parable is directed to disciples of all times to be ready, open and receptive to the appearance of the kingdom of God.

Apocalypse 19,6-7.9 — again using marriage symbolism — has reinterpreted Jesus' original teaching very well:

> The Lord our God the almighty reigns.
> Let us rejoice and exult and give him the glory, for the marriage of the Lamb has come
> . . .
> Blessed are those who are invited to the marriage supper of the Lamb.

This is no *future invitation.* It is a *present reality.*[33]

Returning to the central theme of this reflection, it is again interesting to see Jesus' easy use of women characters to make his point. Here, however, the women are used to show *both* possibilities. Some are open, receptive and prepared for the coming of the kingdom, and they are wise. However, some are not prepared, and they are judged as foolish. While the use of these women is certainly closely linked to the way weddings were celebrated in the time of Jesus, and this would have certainly conditioned his use of them in his parable, their use shows the possibility of success or failure in discipleship. It appears to me that this theme appears very strongly in some later texts in the New Testament where woman symbolism is used, especially in John 16,21-24 and Apoc. 12, 17 and 21.[14]

4. THE ANOINTING OF JESUS IN BETHANY

This account is found, in a variety of forms, in all four Gospel traditions (see Mark 14,3-9; Matt. 26,6-13; John 12,1-8. Somewhat different, but clearly related is Luke 7,36-50). The Matthean version

---

[32] See, on this. E. SCHWEIZER, *Matthew*, pp. 465-466; J. JEREMIAS, *The Parables of Jesus*, pp. 51-53. See especially *ibid.*, pp. 171-175 for Jeremias' reconstruction of the *situation in the life of Jesus* which may have given birth to the original parable. For a full discussion of the possible tradition history of the parable, see B. WITHERINGTON, *Women in the Ministry of Jesus*, pp. 41-44.

[33] See especially, E. CORSINI, *The Apocalypse. The Perennial Revelation of Jesus Christ*, Good News Studies 5 (Wilmington, Michael Glazier, 1983), pp. 341-344.

[34] For my further reflections on those passages, see F. J. MOLONEY, *Woman: First among the Faithful*, pp. 65-73 and 82-87.

(Matt. 26,6-13) is clearly a re-writing of Mark 14,3-9, but both Luke (7,36-50) and John (12,1-8) appear to report a similar story which may have come to them via their own independent traditions.[35] There is, therefore, every possibility that we are dealing with an event which happened in Jesus' last days, and which has been passed down through a variety of traditions. Such a variety of ways through which the same basic story is told and re-told is generally a good guide to the historicity of the basic event.

It is quite clear, nevertheless, that Mark, followed by Matthew, has rewritten the story as a preparation for the death and burial of Jesus in a way that suited their purposes, given the lack of anointing in the urgent burial scenes in both Gospels. Through the anointing at Bethany they show that the manner of Jesus' burial was already foreseen, and that the body of Jesus had already received its due reverence, despite the violent death and rushed burial. In Luke, the theme of forgiveness is uppermost (see especially Luke 7,41-50).[36] In John we again find the theme of the preparation of the body for the burial (see especially John 12,7), although from a slightly different perspective, given the fact that in the Fourth Gospel Jesus is buried with a regal anointing (John 19,38-42).[37]

Thus, each evangelist has used an event, taken from their living traditions about Jesus, and has told it in his own way, to make his own particular point clear.

Through all this, however, is it possible to discover what the event tells us about Jesus and his attitude to and relationship with women? Through all the re-telling of the story, a series of features comes through very clearly:

(i) The event takes place in the presence of either Prasisees (Mark, Matthew and Luke) or disciples (John). Probably both groups were present: the Jewish and the future Christian religious leaders form the public for the scene.

(ii) The gesture is marked by a superabundance of both the quality and the quantity of the oils used. This is clearly an indication of affection, trust and abandon to the person of Jesus.

---

[35] For a good comparative study, see J. BLANK, *Frauen in den Jesusüberlieferungen*, pp. 22-28. On the complicated Lucan version, see B. WITHERINGTON, *Women in the Ministry of Jesus*, pp. 53-57. See also the reflective and moving commentary of E. MOLTMANN-WENDEL, *The Women around Jesus*, pp. 93-104, especially her important remarks on « corporeity » and touching on pp. 101-104.

[36] The Lucan account of this event is best understood when read within the context of an overarching Lucan use of the theme of Jesus and women, a theme which is important in the third Gospel. For a study of this material, see F. J. MOLONEY, *Woman: First among the Faithful*, pp. 40-64.

[37] For a more detailed study of this scene in the Fourth Gospel, with further bibliography, see F. J. MOLONEY, *The Johannine Son of Man*, Biblioteca di Scienze Religiose 14 (Rome, LAS, 1978), pp. 160-173. See also E. MOLTMANN-WENDEL, *The Women around Jesus*, pp. 51-58.

(iii) Jesus has again allowed himself to be touched quite intimately by a woman. In Mark and Matthew it is his head which is anointed, while in both Luke and John the feet are anointed. Luke goes even further into the intimacy of the woman' tears, her hair used to towel him, and her gentle kissing of Jesus. It is against this background of the intimacy of touch that the Lucan motif of the sinner has been developed. The remarkable freedom of Jesus is again found, this time in a quite spectacular fashion.

(iv) The whole event creates difficulty for « the righteous ones, » be they Pharisees (Synoptic Gospels) or disciples (Fourth Gospel). Whether it was because of Jesus' intimacy with a woman (Luke) or the problem of the excessive waste of the precious ointment (Matthew, Mark and John) need not concern us. They regarded both Jesus and the woman as in the wrong.[38]

(v) Turning their values upside down, Jesus insists upon her « beautiful deed » (Mark and Matthew) and upon her love (Luke). Ultimately, what matters above all is the recognition of Jesus and an all-encompassing love for him. She demonstrates both of these, and for that reason:

> Wherever the Gospel is preached in the whole world, what she has done will be told in memory of her (Mark 14,9).

Our brief survey of this account — as it is reported across all four Gospel accounts — shows that many of the themes which we have discovered in our earlier analysis of the Gospel material reappear:

(a) The superlative quality of the faith of a woman, over against the well-measured reactions of Jewish leaders and disciples.

(b) Jesus' extraordinary internal freedom and the complete absence of ambiguity in the intimacy of touch is again powerfully present throughout the whole of this encounter.

(c) The woman is clearly presented as a model, a person whose faith in Jesus and whose deeply felt affection for him is presented as a challenge to disciples of all times as « what she has done will be told in memory of her » (Mark 14,9).[39]

---

[38] This is made especially clear for Luke 7,36-50 in the study of B. Witherington, *Women in the Ministry of Jesus,* pp. 55-56.

[39] Several scholars, from Clement of Alexandria (*Paedagogus,* II, 8) onwards, have suggested that the spread of the fragrance of the perfume through the whole house, as it is reported in John 12,3, is the johannisation of the Marcan theme about the universal preaching of this quality of discipleship. For details, see F. J. Moloney, *The Johannine Son of Man,* p. 169. I personally feel that this is to argue a little too much « into » the Johannine text. However, the suggestion has a long pedigree, and is very interesting.

5. THE WOMEN AT THE TOMB OF JESUS

One of the most outstanding features of the Gospel's treatment of women characters is the universal presence of women at the empty tomb, and their being the first to proclaim the easter message. It is found in all four Gospels (See Mark 15,42-16,8 [although, for his own reasons, Mark does not have the women proclaim the easter message]; Mtt. 27,57-28,10; Luke 25,50-24,11; John 20,1-2.11-18). Once again, we do not have the space to discuss all the historical and theological issues which surround the scholarly assessment of these texts. I would like simply to reach back and attempt to indicate what stands behind the four different versions of these crucial events, as they are reported by the four evangelists.[40] I am again presupposing that the Marcan version of these narratives is the ultimate source for both Matthew and Luke.

Upon those presuppositions, one can list the following events as reasonably probable, and common to all accounts:

(i) Women remain close to the cross of Jesus, despite the absence of the disciples. This is found in all three Synoptic Gospels. The Fourth Evangelist has transformed this into a highly symbolic scene centred upon the mother-son relationship between the Mother of Jesus and the Beloved Disciple (John 19,25-27).[41] The women observe from afar, and know where Jesus is buried. All three Synoptics make this point.

(ii) One the morning of the third day, some women, or maybe only one woman (most probably Mary Magdalene) came to visit the tomb. The motivation for this visit is difficult to ascertain. The whole question of whether or not they came to anoint the body (see Mark 16,1, where it is given as the motive for the visit, but it is never mentioned again) is somewhat confused, and may well be secondary.

---

[40] The magisterial study of the *events* surrounding the empty tomb is still that of H. von CAMPENHAUSEN, « The Events of Easter and the Empty Tomb », in *Tradition and Life in the Church. Essays and Lectures in Church History* (London, Collins, 1968), pp. 42-89. For an excellent synthesis of current discussion, see R. E. BROWN, *The Virgin Birth and the Bodily Resurrection of Jesus* (London, Geoffrey Chapman, 1973), pp. 69-133 and, most recently (although a trifle angrily), W. L. CRAIG, « The Historicity of the Empty Tomb of Jesus », *New Testament Studies* 31 (1985) 39-67. For a perceptive study of Mark's use of women in his theology of discipleship, see E. S. FIORENZA, *In Memory of Her*, pp. 316-323. See also W. MUNRO, « Women Disciples in Mark? », *The Catholic Biblical Quarterly* 44 (1982) 225-241. A most useful study of each evangelist's presentation of the events at the empty tomb can be found in E. L. BODE, *The First Easter Morning. The Gospel Accounts of the Women's Visit to the Tomb of Jesus*, Analecta Biblica 45 (Rome, Biblical Institute Press, 1970). See also B. WITHERINGTON, *Women in the Ministry of Jesus*, pp. 118-123.

[41] For an analysis of this scene, with reference to further bibliography, see F. J. MOLONEY, *Woman: First among the Faithful*, pp. 90-92.

(iii) The women (woman) find the tomb empty, and they receive there some sort of revelation, explaining that Jesus has been raised, and that they are the ones who must announce this to the disciples.

(iv) Although Mark closes his Gospel by leaving the women in silence, it appears to me that this is a uniquely Marcan twist. The women (woman) almost certainly did proclaim something like Luke 24,34: « The Lord has been raised » (see also I Cor. 15,4-5).[42] This stands behind the accounts of Matthew and Luke, as they rewrote Marks version in the light of their own traditions, and it is also behind John's use of his Mary Magdalene tradition.

(v) The proclamation of the women is not believed by the disciples. The Gospels, including Mark (especially Mark!) are remarkable in their consistent presentation of the doubt and unfaith of the disciples, both at the proclamation of the resurrection, and at the appearances (see Mark 16,8; Matt. 28,16-17; Luke 24,10-12.13-35; John 20,2-10).

What I have listed as a « minimum » which could be distilled from our various accounts would be widely accepted. The interpretation of this « minimum » could be another matter! Nevertheless, pursuing our own themes, it appears to me that many of our now familiar themes once again appear to be close to the surface.

(a) The women's faith and loyalty to Jesus sees them through the trauma of his death and burial, and eventually leads them to proclaims: « The Lord has been raised ». There is a *primacy* in both the quality of the women's faith, and in their being the first to come to faith in the risen Lord.

(b) This takes place within the context of a group of disciples who have fled in fear (see especially Mark 14,50 and the parabolic commentary on their flight in vv. 51-52: the young man who « followed » but, when confronted with danger, ran away *naked in his nothingness*).[43] The same disciples are universally presented as refus-

---

[42] The actual confession which the women would have made is, of course, impossible to rediscover. However, the passive form, the brevity of the expression, the reference to Jesus as « kurios », a term which may well have been common to the disciples during his lifetime, but which took on a more exalted significance in the post-resurrection Church indicate that it may have been something like what we now find in Luke 24,34. The passage is widely recognised as « confessional » and (at least) pre-Lucan. See, on this, R. H. FULLER, *The Formation of the Resurrection Narratives* (London, SPCK, 1972), pp. 111-112; I. H. MARSHALL, *The Gospel of Luke. A Commentary on the Greek Text* (Exeter, Paternoster Press, 1978), pp. 899-900; P. PERKINS, *Resurrection: New Testament Witness and Contemporary Reflection* (New York, Doubleday, 1984), pp. 222-223.

[43] See, on this, H. FLEDDERMANN, « The Flight of a Naked Young Man (Mark 14:51-52) », *The Catholic Biblical Quarterly* 41 (1979) 412-417, and D. SENIOR, *The Passion of Jesus in the Gospel of Mark*, The Passion Series 2 (Wilmington, Michael Glazier, 1984), pp. 83-85.

ing to accept the easter proclamation of the women. The faith of women stands out in strong contrast to the lack of faith among the male disciples, including the « pillars » of the discipleship group.

The consistency of this theme across the whole of the Gospel tradition is a good indication that there was a strong recollection in the earliest Church that women were the first to witness the empty tomb, and that they were the primary witnesses to the resurrection. There is absolutely no reason why such an account would have been invented by Mark, and then followed by the subsequent traditions.

The fact that the experience of the women is not found in what is most probably the earliest *written* account of the easter events — the confession of faith in I Cor. 15,3-7 — does not destroy the evidence of the Gospels. We are dealing with two different forms of literature. Paul was not writing a « Gospel » in the strict literary sense of that word. He was making use of a confession of faith which had come to him from the pre-Pauline Churches, and adapting it both to his context and his purpose.[44] One of those purpose (perhaps the most important in the Corinthian situation?) was to include himself, « one untimely born » (15,8), among « the apostles, » a uniquely masculine group. It also appears to me that the reference to « on the third day » in 15,4 may well take us back to the experience of the women at the tomb, as that expression appears to have come to birth in the language of the early Church in the first moments of its resurrection experience: when, in fact, some women found an empty tomb « on the third day ».[45]

We should be able to draw a few conclusions from the material surveyed, where women play an active role in the narrative itself. There are good reasons to argue that somewhere behind all this important material from the Gospels there stands an authentic memory from the life of Jesus, no matter how much they may have been remodelled by the evangelists, or the traditions before them.[46] As this is the case, we can conclude that Jesus' contact

---

[44] See the discussion of E. & F. STAGG, *Woman in the World of Jesus*, pp. 144-160. Also excellent, and theologically perceptive, is H. RITT, « Die Frauen und die Osterbotschaft. Synopse der Grabesgeschichten (Mk 16,1-8; Mt 27,62-28,15; Lk 24,1-12; Joh 20,1-18) », in G. DAUTZENBERG - H. MERKLEIN - K.-H. MÜLLER (Hg.), *Die Frau im Urchristentum*, pp. 117-133. For a good survey of I Cor. 5,3-8, see again R. H. FULLER, *The Formation of the Resurrection Narratives*, pp. 8-49.

[45] See, for a brief discussion of this issue, F. J. MOLONEY, « Faith in the Risen Jesus », *Salesianum* 43 (1981) 305-316. See especially on the origins of « the third day » language, H. von CAMPENHAUSEN, « The Events of Easter and the Empty Tomb », esp. pp. 77-87.

[46] Most commentators would claim that this « woman » material plays no part in Mark's overall theological argument (but see below). If this is the case, then it has every claim to authenticity. Mark has used it because it came to him in this way in his traditions. See, for example, V. TAYLOR, *The Gospel according to St. Mark*, pp. 178; 347 etc. As I have already mentioned, BEN WITNERINGTON's most helpful book, *Women in the Ministry of Jesus*, suffers a

with women, his openness to them, his preparedness to share his life with them — even those considered least important and least worthy of consideration by the culture and the religious practice of his contemporaries — was something quite revolutionary. It is yet another indication that the reigning presence of God which broke into history in the person and teaching of Jesus of Nazareth could not be held within the bonds of human traditions and cultural expectations.

It is always possible, of course, that Mark did develop this use of women characters as a sophisticated literary technique to communicate a particular point of view, and that the later traditions merely picked up this tendency from his work. It could be claimed that he used women characters as a foil, to show the weakness of the supposedly strong, be they Jewish religious leaders (see Mark 12,41-43) or disciples of Jesus (see Mark 5,24-34 and 14,3-9). This appears most unlikely to me. Given the insignificant role of woman in first century Jewish society,[47] Mark has taken over something quite unique from the life of Jesus. We have seen, of course, that he is quite capable of using this material within literary contexts which he has constructed. This in no way detracts from the impact that Jesus' attitudes to women leaves with the careful reader of these passages. Of course, if all this began with Mark, how are we to explain an equally rich tradition dealing with Jesus' remarkable approach to the women in his life which we find in Luke and John, traditions which do not depend upon Mark?

It should be further pointed out that the theme of a reversal of values, exemplified by this continual use of women to show the strength of the weak and the weakness of the supposedly strong, is not a Marcan innovation into the biblical story. However important it may be for his theology, it is something which Mark and his community received from Jesus of Nazareth, and which Jesus

---

little from a desire to prove too much on this score. He strikes an excellent balance in his commentary on the story of the widow's mite: « It is irrelevant whether this is a story once told by Jesus and now transformed, or an actual incident in His life. In either case, it will reveal to us something of His attitude about widows », (p. 18. See also his similar remarks on John 8,1-11 on p. 21). There is a third possibility: the account was invented in its entirety by the earliest Church. But even if this were the case, I would still claim that the account « will reveal to us something of his attitude to widows ». E. S. FIORENZA, *In Memory of Her*, pp. 316-323, has shown that *despite* the powerful « patriarchalisation » of the late first century Church, the Gospel of Mark could still use women as « paradigms of true discipleship ». Again, I vould suggest that this is closely linked to the historical development of the Gospel « form ». A part of this development was a deeply-felt loyalty to the authentic memory of Jesus and his ways. See also E. MOLTMANN-WENDEL, *The Women around Jesus*, pp. 107-117.

[47] For a good general survey, see E. & F. STAGG, *Woman in the World of Jesus*, pp. 15-54. For a brief but concise analysis of relevant rabbinic material, see B. WITHERINGTON, *Women in the Ministry of Jesus*, pp. 1-10. An excellent bibliography of studies in this area can be found in *Ibid.*, pp. 198-199.

himself received from his deep involvement in God's plan as demonstrated to him through the sacred history of his people.[48]

From these narratives which have women as their protagonists, it appears that we can confidently claim that Jesus of Nazareth opened up a new era in the history of women. The later preaching of the Christian Church will go its various ways in the interpretation and application of the place and function of women within a Christian community. Already in the first two centuries, we find that sometimes it will be positive (see, for example, the Lucan and Johannine « woman » material), and sometimes it will be negative (see, for example, I Tim. 2,11-12; 3,9-11; Titus 2,4-6; 5,5, and especially the Gnostic *Gospel according to Thomas,* Logion 114). However, whichever way it went, it is of vital importance to appreciate that the later Church did not initiate the specifically Christian attitude to women. It had its authentic beginnings in the person, the teaching and the attitudes of Jesus of Nazareth.

6. SOME FURTHER TEXTS

There are a few further texts which merit some brief consideration before we conclude this reflection, texts from the Gospels where women do not actually appear in the narrative, but where the teaching of Jesus shows that he has initiated a whole new way of speaking about women.

Within the context of Jewish law and practice, all sins in the area of adultery were sins against man.[49] A man who had sexual relations with another man's wife committed adultery, but it was not adultery for a non married woman to have sexual relations with a married man. Judah was not regarded as guilty for taking Tamar, whom he thought was a prostitute. On the contrary, it was the already pregnant Tamar who was almost stoned to death (see Gen. 38,12-26). David was seen and judged as sinning against Uriah when he took Bathsheba. The woman and her experience are not

---

[48] The theme of « reversal » runs through the whole of the Old Testament. One need mention only some of the more outstanding examples: the choice of David (I Sam. 16,1-13), the vocation of some of the prophets (Jeremiah: see Jer. 1,6-8, and Amos: see Amos 7,14-15), the message to abandon the criteria of military and political power (Isaiah 7 and Daniel 7, for example). The great woman characters in the Old Testament can be seen in the same light, especially Ruth and Esther. The life and teaching of Jesus seems to be strongly marked by this idea (see, for example, Mark 8,34-9,1; 9,35-37; 10,42-45). For a moving reflection on this, see M. WINSTANLEY, *Come and See. An Exploration into Christian Discipleship* (London, Darton, Longman & Todd, 1985), pp. 74-82.

[49] For a good survey, see E. & F. STAGG, *Woman in the World of Jesus,* pp. 15-32. See also, M. GREENBERG, Article, « Crimes and Punishments », in *The Interpreter's Dictionary of the Bible* (Nashville/New York, Abingdon Press, 1962), Vol. I, pp. 739-740 on sexual crimes. The whole article runs from, pp. 733-744. For a brief but succinct presentation of the early rabbinic material, see WITHERINGTON, *Women in the Ministry of Jesus,* pp. 2-6.

even mentioned in the account of those events in II Sam. 11-12. When Nathan castigates David he says:

> Why have you despised the word of the Lord, to do what is evil in his sight? You have smitten Uriah the Hittite with your sword, and have taken his wife to be your wife, and have slain him with the sword of the Ammonites (II Sam. 12,9).

What Bathsheba made of all this is in no way indicated by the text, and would not have been regarded as significant enough to record by the author of II Samuel.

Although prostitution was regarded as a sin, it was not penalised (see Lev. 19,29; 21,7; Deut. 23,17). Of course, the sinfulness was only on the part of the woman. A man who visited a prostitute was not regarded in the same way as a woman who gave herself to prostitution. The same male-oriented legislation stands behind the law on rape. Rape was primarily a crime against the father whose daughter was raped (see Exod. 22,16-17; Deut. 22,28-29), just as adultery was a crime against the husband of the woman involved (see, on all this, the indications of Deut. 22,13-30 and Prov. 6,26-35).

Into this situation, Jesus speaks boldly:

> You have heard that it was said, « You shall not commit adultery ». But I say to you that anyone who so looks on a woman so that she shall become desirous has in his heart already committed adultery with her (Matt. 5,27-28).[50]

The rabbis warned men against looking at a woman, lest she lead them astray,[51] but Jesus reverses this position, if the translation proposed above is correct.

> What is being treated in our passage is not male instability in the face of the temptress, but male aggression which leads to sin.[52]

The woman is no longer a « thing » that somehow is caught up in a whole series of male-oriented rights and pleasures. A voman is a person to whom all respect, love and honour is due. There is to be no more aggressive male leering and joking about possible pleasures. They are to be replaced with relationships of mutual love and respect, where a man and a woman can be one — at all levels.

The discussions over divorce were also male-oriented.[53] In the time of Jesus, the divorce laws were discussed on the basis of Deut. 24,1:

---

[50] This translation is based upon the interpretation of K. Haacker, « Der Rechtssatz Jesu zum Thema Ehebruch (Mt 5,28) », *Biblische Zeitschrift* 21 (1977) 113-116.

[51] See H. L. Strack - P. Billerbeck, *Kommentar*, Vol. I, pp. 299-301.

[52] B. Witherington, *Women in the Ministry of Jesus*, p. 20.

[53] For a full discussion, see F. J. Moloney, « Matthew 19,1-12 and Celibacy. A Redactional and Form Critical Study », *Journal for the Study of the New*

> When a man takes a wife and marries her, if then she finds no favour in his eyes because he has found *some indecency* in her, and he writes her a bill of divorce and puts it in her hand she departs out of his house.

There were basically two schools of thought. Rabbi Shammai took a hard line, insisting that the all important expression « some indecency » had to refer to some serious moral defect *in the part of the woman.* In that case, the bill of divorce could be written, and she could be dismissed from the home. An easier line was argued by Rabbi Hillel. He claimed that any cause was good enough to fulfill the requirements of « some indecency ». The two examples given in the Mishnah for Hillel's persuasion are: if there is a more attractive woman available, or if the cooking is burnt (*Gittin* 9,10). Notice, yet again, that the giving of the bill of divorce depends entirely upon defects *on the part of the woman.*

Once one is aware of this debate, which was going on in the time of Jesus, the question of the Pharisees in the following discussion leads Jesus to speak out boldly against such a situation:

> And Pharisees came up to him and tested him by asking, « Is it lawful to divorce one's wife for any cause? » He answered, « Have you not read that he who made them from the beginning made them male and female, and said, "For this reason a man shall leave his father and mother, and be joined to his wife, and the two shall become one"? So they are no longer two but one. What therefore God has joined together, let no man put asunder » (Matt. 19,3-6).

This revolutionary teaching of Jesus is a extraordinary today as it was then.[54] Here we have an explicit contrast drawn between the ways of men, society, custom and culture: the bill of divorce ... and God's ways « from the beginning »: a quality of mutuality and love which is so intense that man and woman become one. The whole sexual situation must not be the imposition of the will and the body of a man upon the will and the body of a woman. God did not create man and woman to live in this way. Any legislation on divorce which made woman a « tennis ball » which could be struck from partner to partner had to be wrong — yet such was the case in the world of Jesus. This could not pass the critical presence of God's reign in the person of Jesus, and again we see the extraordinary freedom of Jesus of Nazareth, as he takes on the Law of Moses itself to assert that « the two shall become one », and that no man must dare to interfere in this oneness created by

---

Testament 2 (1979) 42-60. Most recently, see the very helpful and exhaustive study of W. A. HEATH - Gordon J. WENHAM, *Jesus and Divorce. Towards an Evangelical Understanding of New Testament Teaching* (London, Hodder & Stoughton, 1984). There are 20 pages of « selected bibliography » (pp. 253-272).

[54] B. WITHERINGTON, *Women in the Ministry of Jesus,* p. 125: « Jesus' rejection of divorce would have offended practically everyone of his day ».

mutual respect and love. Such a oneness is God-given — what right has man to interfere? [55]

7. CONCLUSION

As we close these reflection upon Jesus and woman, a nagging question raises its head. What is it in Jesus of Nazareth which creates such a revolutionary newness? The answer has to be found in his own conviction that in his presence there was the inauguration of a new « Kingdom », a new reigning presence of God where God was allowed to be God, and where men and women — children of the same God, Jesus' Father — were allowed to be men and woman ... brothers and sisters equally. Jesus announces that he came to establish such a situation:

> « Who are my mother and my brothers? » And looking around on those who sat about him, he said, « Here are my mother and my brothers! Whoever does the will of God is my brother, and sister and mother » (Mark 3,33-34. See also Matt. 12,46-50; Luke 8,19-21).

A new set of criteria have entered history in the person and message of Jesus of Nazareth.

Our society and the Christian Churches would be very different if we took seriously the ways of Jesus. Perhaps nowhere in the history of mankind has any man been to woman what Jesus was to woman. As in so many aspects of our Christian lives, the challenge of the life and teaching of Jesus stands largely unrealised:

---

[55] This message runs right across the New Testament (see Mark 10,1-12; Matt. 5,31-32; 19,3-12; Luke 16,18; I Cor 7,10-16). Even the « exception clauses » found only in Matthew (Matt. 5,32 and 19,9) are probably to be explained in terms of a need to dissolve an illegitimate marriage union (contracted while the couple were still pagans?) when a couple entered the largely Jewish-Christian Matthean community. See, for a full study of this issue, F. J. MOLONEY, « Matthew 19,3-12 and Celibacy », pp. 43-49. A due recognition for this is vital for a well-founded and healthy renewal of our « discipleship of equals » (Fiorenza). While I can understand some of the anger, it pains me to read the half-truths published by Rosemary RUETHER, *Sexism and God-Talk*, pp. 260-261: « The Christian Church teaches that birth is shameful, that from the sexual libido the corruption of the human race is passed on from generation to generation. Only trough the second birth of baptism, administered by the male clergy, is the filth of mother's birth remedied and the offspring of the woman's womb made fit to be a child of God. ... She must obediently accept the effects of these holy male acts upon her body, must not seek to control their effects, must not become a conscious decision maker about the destiny of her own body ». As a *male*, deeply committed to the Christian Church, I strongly object to her continual use of the present tense in this emotional passage. Whatever woman's experiences may have been, and perhaps still are in some places and under certain unchristian « Christian » Churches, we are on a journey *together*. It is the only Christian way to go, even though the light at the end of the tunnel may only be a faint glimmer.

(Woman) had never known a man like this Man — there never has been such another. A prophet and teacher who never nagged at them, never flattered or coaxed or patronized; who never made arch jokes about them ... who rebuked without querulousness and praised without condescension ...; who never mapped out their sphere for them, never urged them to be feminine or jeered at them for being female; who had no axe to grind and no uneasy male dignity to defend; who took them as he found them, and was completely unself-conscious. There is no act, no sermon, no parable in the whole Gospel that borrows its pungency from female perversity; nobody could possibly guess from the words and deeds of Jesus that there was anything "funny" about woman's nature.[56]

[56] D. L. SAYERS, « The Human-not-quite-Human », in *Unpopular Opinions* (London, Victor Gollancz, 1946), pp. 121-122, as quoted in D. REES and Others, *Consider Your Call,* p. 169.

« ... E LO AVVOLSE IN FASCE ... » (Lc 2,7b) UN SEGNO DA DECODIFICARE

ARISTIDE SERRA, OSM

0. ALCUNE PREMESSE

Il memoriale della nascita del Redentore è affidato a sette versetti appena del vangelo di Luca (2,1-7). L'ultimo di essi suona così: « [Maria] diede alla luce il suo figlio primogenito, *lo avvolse in fasce* (ἐσπαργάνωσεν αὐτόν) e lo depose in una mangiatoia, perché non c'era posto per loro nell'albergo » (Lc 2,7).

In omaggio affettuoso al confratello D. Domenico Bertetto (ardente servitore di s. Maria, con gli scritti e con la vita!), ho pensato di svolgere una riflessione alquanto prolungata su quel gesto della Vergine, che avvolge in fasce il Bambino (v. 7b). Lo faceva ogni mamma, anticamente, e anche nei nostri ambienti sino a qualche decennio fa era in vigore tale consuetudine.

In proposito, per quanto riguarda l'antichità, possiamo citare alcune referenze tratte dall'AT e dalla letteratura greco-latina.

L'Antico Testamento

L'usanza di avvolgere in fasce il corpicino di un neonato è menzionata in tre passi dell'AT.

Il primo è quello di Ez 16,4 (contesto: vv. 4-5). Il Signore dice a Gerusalemme:

> 4 « Alla tua nascita, quando fosti partorita, non ti fu tagliato l'ombelico e non fosti lavata con l'acqua per purificarti; non ti fecero le frizioni di sale, né *fosti avvolta in fasce* (LXX: καὶ σπαργάνοις οὐκ ἐσπαργανώθης).
> 5 Occhio pietoso non si volse su di te per farti una sola di queste cose e usarti compassione, ma come oggetto ripugnante fosti gettata via in piena campagna, il giorno della tua nascita ».

Il targum di questo passo, al v. 4, recita così: « E anche quando i vostri padri discesero in Egitto, come abitanti in una terra straniera, oppressi e afflitti dalla schiavitù, l'assemblea d'Israele era simile *ad un bambino* (« lwld ») gettato via in campagna, al quale non fu tagliato l'ombelico, non fu lavato con l'acqua per purificarlo, non gli fecero frizioni di sale, né *fu avvolto in fasce* (« *wb'swryn l' 't'sr* ») ».

Il secondo testo è quello di Sap 7,4 (contesto: vv. 1a.3-6), ove lo pseudo Salomone dice che anch'egli, nonostante la sua dignità regale, è nato a questo mondo alla stregua di qualsiasi altro pargoletto, debole, fragile, bisognoso di assistenza:

1 a « Anch'io sono un uomo mortale come tutti ...
. . .
3 Anch'io appena nato ho respirato l'aria comune
e sono caduto in una terra uguale per tutti,
levando nel pianto uguale a tutti il mio primo grido.
4 E *fui allevato in fasce* (ἐν σπαργάνοις ἀνετράφην)
e circondato di cure;
5 nessun re iniziò in modo diverso l'esistenza.
6 Si entra nella vita e si esce alla stessa maniera ».

V'è inoltre un terzo brano (Gb 38,9b; contesto: vv. 8-9), di natura poetico-figurativa. Con immaginazione colorita, infatti, Giobbe fa dire al Signore, a riguardo della formazione degli oceani:

8 « Chi ha chiuso tra due porte il mare,
quando erompeva uscendo dal seno materno,
9 quando lo circondavo di nubi per veste
e per *fasce* di caligine folta? (ὁμίχλῃ δὲ αὐτὴν ἐσπαργάνωσα) ».

L'autore del libro di Giobbe paragona qui la creazione del mare da parte di Dio alla nascita di un bimbo. Come una madre stringe in fasce il proprio neonato, così anche il mare, appena chiamato all'esistenza, è oggetto della sollecitudine paterna di Dio, il quale gli provvede le nubi per veste e la caligine come fasce in cui avvolgerlo.

0.1. *L'antichità greco-latina*

Ma anche nella letteratura antica della Grecia e di Roma è attestata frequentemente l'abitudine di irrobustire le tenere membra di un bimbo nei primi mesi di vita avvolgendo delle fasce attorno al suo corpo.

Ne parlano, o vi accennano [1]: l'inno omerico a Ermes (sec. VII-V a.C.) [2], Esiodo (prima del sec. VI a.C.) [3], Pindaro († 438 a.C.) [4], Eschilo

[1] Ho tratto le seguenti referenze, in massima parte, da: J.J. WETTSTEIN, *Novum Testamentum Graecum editionis receptae* ..., vol. I, Amsterdam 1751, p. 660; *Thesaurus Graecae Linguae ab Henrico Stephano constructus*, vol. II, Parisiis 1833, col. 688-689 (voce γνώρισμα); vol. VII, Parisiis [1851?], col. 553-554 (voci σπάργανον, σπαργανόω); FORCELLINI E., *Totius Latinitatis Lexicon* ..., t. II, Prati 1861, pp. 512-513 (voce « crepundia »); J.H. MOULTON - G. MILLIGAN, *The Vocabulary of the Greek Testament*, London 1930, p. 582 (voce σπαργανόω); H.G. LIDDELL - R. SCOTT, *A Greek-English Lexicon*, Oxford 1953 (ristampa della nona edizione), p. 1624 (voce σπαργανόω); J. PREUSS, *Biblisch-talmudische Medizin. Beiträge zur Geschichte der Heilkunde und der Kultur überhaupt*, Berlin 1923³, pp. 466-470 (citato da G. DALMAN, *Orte und Wege Jesu*, Gütersloh 1924, p. 45, nota 2).

[2] *Inni Omerici.* A Ermes, vv. 151, 237, 268, 306, 388 (cf l'edizione di F. CASSOLA, *Inni Omerici*, [Milano 1975], p. 197).

[3] *Teogonia*, 485.

[4] *Pitica IV*, v. 114; *Nemea I*, v. 38.

(† 456/455 a.C.) [5], Euripide († 406 a.C.) [6], Sofocle († 406 a.C.) [7], Ippocrate († 375/351 a.C.) [8], Platone († 348/347 a.C.) [9], Aristotele († 322 a.C.) [10], Menandro († 292 a.C.) [11], Plauto († 184 a.C.) [12], Plutarco († dopo il 120 a.C.) [13], Sorano (prima metà sec. II d.C.) [14], Galeno († 201 d.C.) [15], Longo († fine sec. II d.C.) [16], Erodiano lo storico († 250 ca. d.C.) [17], Temistio († 388 ca.d.C.) [18]...

Platone scrive che una mamma dovrà fasciare il suo piccino fino all'età di due anni [19]. Per tutti, possiamo citare i consigli codificati dal celebre medico greco-romano Claudio Galeno (129-201 d.C.). Per proteggere la salute di un bimbo appena nato, Galeno suggerisce di *avvolgere in fasce* il suo corpicino (... νεογενὲς παιδίον ... πρῶτον ... σπαργανούσθω). Prima, però, occorre frizionarlo tutto con una misura conveniente di sale, perché la pelle divenga più densa e più solida delle membra interne. A differenza, infatti, di quand'era nell'utero, ora che è venuto alla luce è posto a contatto col freddo, col caldo e con diversi altri corpi più robusti del suo. E' necessario, perciò, che gli si prepari un'adeguata copertura, che lo renda il più immune possibile. Quindi, dopo *aver fasciato* (σπαργανωθέντα) i neonati di integra costituzione, bisognerà dar loro il latte per cibo e lavarli in acque salubri [20].

0.2. *E quanto a Lc 2,7b?*

Se, dunque, era tanto diffuso il costume di avvolgere in fasce un bimbo appena venuto alla luce, non c'è pericolo di ricamare troppo su Lc 2,7b? Quale senso recondito potrebbe nascondersi nel gesto di Maria, quando strinse in pannolini il suo primogenito, subito dopo averlo partorito?

L'obiezione ha il suo peso. Eppure l'invito a soffermarci su questa tessera del mosaico natalizio ci viene dallo stesso Luca. Difatti, poco

---

[5] *Agamennone* (rappresentato nel 458), v. 1606; *Coefore* (del 458), v. 755.
[6] *Ione* (rappresentato nel 418 ca.), v. 955.
[7] *Edipo Re* (rappresentato tra il 415-412), v. 1035.
[8] *Sulle fratture*, 22; *Sulle arie, le acque, i luoghi*, 21.
[9] *Leggi* VII, 789.
[10] *Storie degli animali* VII, 4.
[11] *Perikeiromenê* I, 15.
[12] *Rudens* IV, 4.110; *Cistellaria* IV, 2.69.82.
[13] *Symposiakôn* II, 3; *De Alexandri Magni fortuna aut virtute oratio II, 5; Quaestiones Romanae* V; *Licurgo* 16.
[14] *Delle malattie delle donne* I, 29.83 (cf *Sorani Gynaeciorum vetus translatio latina nunc primum edita cum additis graeci textus reliquiis ...*, nunc recognitis a Valentino Rose, Lipsiae 1882, p. 30, 253-254).
[15] *De sanitate tuenda* I, cap. 7.
[16] *Pastorali*, proemio n. 2.
[17] *Storia dell'Impero* I, 5.5.
[18] *Orazione* I, 12a; III, 47d; IX, 121a.
[19] *Leggi* VII, 789.
[20] *De sanitate tuenda* I, cap. 7. Cf C.G. KÜHN, *Claudii Galeni opera omnia*, t. VI, Hildesheim 1965, p. 31-33.

più innanzi, al v. 12, l'evangelista fa dire all'angelo che appare ai pastori: « Questo per voi *il segno* (σημεῖον): troverete *un bambino avvolto in fasce* (βρέφος ἐσπαργανωμένον), che giace in una mangiatoia ».

Stando a queste parole, i pannolini di cui Maria ricoperse il Bambino assumono un valore di « segno »; rimandano, cioè, ad una realtà più profonda, che appartiene al messaggio del Natale.

Lo avvertiva recentemente R.E. Brown in questi termini: « ...I particolari sull'*avvolgimento in fasce* e la mangiatoia vengono ripetuti più avanti (vv. 12.16), per cui *devono avere un significato.* La maggior parte delle riflessioni popolari sul v. 7 *non* hanno, comunque, saputo cogliere l'intenzione di Luca » [21]. Analogo rilievo vien fatto da parte di S. Cantore: « Questo particolare non ricordato da Luca per Elisabetta nei riguardi di Giovanni, è ricordato invece due volte per Gesù: lo si riprenderà infatti nelle parole dell'angelo ai pastori: "Troverete un bambino avvolto in fasce, che giace in una mangiatoia" (2,12). La doppia sottolineatura sembra dare un significato più profondo a questa che potrebbe essere altrimenti considerata una normale, amorosa premura materna » [22].

E che Luca voglia annettere una portata anche figurativa ai pannolini della mangiatoia di Betlemme, lo potrebbe confermare indirettamente il simbolismo che la Bibbia in genere, e Luca in specie, riconoscono sovente all'abito, alla veste in quanto tale.

0.3. *Valore simbolico della « veste » nella Bibbia e, in particolare, negli scritti lucani*

In una pregevole monografia sul simbolismo delle vesti nella S. Scrittura, E. Haulotte afferma: « Dappertutto, in maniera esplicita o meno, dalle tuniche di pelle della Genesi fino agli abiti bianchi dell'Apocalisse, la veste nella Bibbia è il segno di situazioni spirituali dell'umanità » [23].

Del simbolismo variopinto connesso all'abito nella S. Scrittura, uno spicca tra gli altri. La veste, cioè, spesso *è il simbolo esteriore di una condizione materiale o spirituale della persona.* Dice bene R. Laurentin: « In questo ambiente culturale, il *nome* è l'*essere,* come l'*abito* è la *persona* » [24].

Non è questo il luogo per diffonderci sulla Bibbia tutta quanta per comprovare l'esattezza di questa conclusione. Il volume di

[21] R.E. Brown, *La nascita del Messia secondo Matteo e Luca,* Assisi [1981], pp. 567-568 (mio è il corsivo).

[22] S. Cantore, *Maria mette al mondo il Primogenito* (Lc 2,7), in *Parola, Spirito e Vita* 6 (luglio-dicembre 1982), p. 111.

[23] E. Haulotte, *Symbolique du vêtement dans la Bible,* [Paris 1966], p. 330. Vedere anche pp. 330-331.

[24] R. Laurentin, *I Vangeli dell'infanzia di Cristo. La verità del Natale al di là dei miti. Esegesi e semiotica. Storicità e teologia* [Roma-Milano 1985; ed. orig. Paris 1982], p. 213.

E. Haulotte la documenta a fondo. Sostiamo, invece, sugli scritti di Luca almeno per un momento, per rilevare come anche nel terzo Vangelo e negli Atti la veste sia il distintivo o il riflesso di uno stato particolare della persona che la porta. Veniamo agli esempi.

a) La veste può identificarsi con la virtù taumaturgica di colui che la indossa. Perciò l'emorroissa si accosta alle spalle di Gesù, tocca il lembo del suo mantello e si sente guarita (Lc 7,44): « Qualcuno mi ha toccato. Ho sentito che una forza è uscita da me », fa sapere Gesù (v. 46).

b) Il vestito è anche l'emblema di un comportamento abituale di vita: « Coloro che portano vesti sontuose e vivono nella lussuria, stanno nei palazzi dei re », diceva Gesù facendo l'elogio del Battista, il quale non era certo « ... un uomo avvolto in morbide vesti » (Lc 7,25).

c) Colpisce, inoltre, il passaggio da uno stato ad un altro. Si tratti di guarigione, di conversione, di trasmutazione dell'essere ..., l'abito vi è puntualmente implicato. L'indemoniato di Gerasa da molto tempo girava nudo. Ma dopo che Gesù lo guarì, la gente accorsa lo trovò *vestito* e sano di mente » (Lc 8,27.35). Quando il figliol prodigo si converte dal suo stato di abiezione, il padre dice ai servi: « Presto, portate qui *il vestito più bello e rivestitelo,* mettetegli l'anello al dito e i calzari ai piedi » (Lc 15,22). Nel momento in cui Gesù cambiò aspetto sul monte della Trasfigurazione, « ... la sua *veste* divenne candida e sfolgorante » (Lc 9,29; cf Mc 9,3 e Mt 17,2); quel nitore straordinario dell'abito era come il riflesso radioso della sua gloria (Lc 9,32), preludio profetico della gloria pasquale (Lc 24, 4.26). E anche lo Spirito Santo che Gesù Risorto invierà ai discepoli è concepito come una « veste », simbolo della forza che li invaderà per trasformarli in testimoni coraggiosi del loro Maestro: « Di queste cose voi siete testimoni. E io manderò su di voi quello che il Padre mio ha promesso; ma voi restate in città, finché non siate *rivestiti* (ἐνδύσεσθε) di potenza dall'alto » (Lc 24,48-49; cf At 1,8; 2,3-4 più Lc 3,16 e Mt 3,11). Altri passi paolini, volendo esprimere il cambiamento di personalità messo in atto dalla fede, impiegano frasi di questo tipo: « *rivestire* Cristo » (Rom 13,14; Gal 3,27), « *vestire* l'uomo nuovo » (Ef 4,22; Col 3,10), « *rivestire* viscere di misericordia ... » (Col 3,12); oppure l'Apostolo dice, in riferimento alla risurrezione finale, che « *rivestiremo* l'incorruzione ... l'immortalità » (1 Cor 15,53; cf 2 Cor 5,1-5).

d) Nell'opera di Luca sono poi contemplati altri gesti momentanei o circostanziali, il cui senso è sottolineato dall'uso degli abiti. Uno che dorme (come Pietro in carcere) si alleggerisce delle vesti (At 12,6.8); un condannato a morte (come Stefano) è spogliato (At 7,58; 22,20), e anche a Paolo e Barnaba, fatti fustigare dai magistrati romani a Filippi, sono strappati gli indumenti di dosso (At 16,22). Strapparsi i vestiti significa orrore, indignazione, come nel caso di

Paolo e Barnaba che vogliono scongiurare la folla di Listra a non scambiarli per dei (At 14,14). A Corinto, Paolo scuote le vesti per protestare la sua innocenza nei confronti dei Giudei oppositori (At 18,6). A Gerusalemme, saranno ancora i Giudei a reclamare la sua eliminazione: urlando, gettando via i mantelli e lanciando polvere in aria (At 22,23).

Di contro, sta la mansuetudine raccomandata da Gesù ai discepoli: « A chi ti percuote sulla guancia, porgi anche l'altra; a chi ti leva il mantello, non rifiutare la tunica » (Lc 6,29). Di questa mite fierezza darà prova Gesù medesimo nell'ora della passione; a coloro che lo hanno spogliato anche delle vesti, egli risponde invocando il perdono del Padre (Lc 23,34).

0.4. *Una dichiarazione di metodo*

Veniamo ora direttamente a Lc 2,7b. Per scoprirne la pregnanza semantica, ho creduto opportuno interpellare l'esegesi patristica, partendo dall'antichità cristiana fino al sec. XIII. Allo scopo di reperire il maggior numero di testi che commentano Lc 2,7b entro i secoli qui indicati, ho percorso al completo i cinque volumi del *Corpus Patristicum Marianum* compilati da S. Alvarez Campos, che vanno dal sec. II al sec. VII [25], e l'*Enchiridion Marianum Biblicum Patristicum* preparato da D. Casagrande (Roma 1974). Inoltre, ho consultato gli indici della *Biblia Patristica* [26] e delle seguenti collezioni: *Corpus Scriptorum Ecclesiasticorum Latinorum* (CSEL); *Corpus Christianorum*, serie latina e greca (CCL, CCG); *Patrologia Orientalis* (PO); *Corpus Scriptorum Christianorum Orientalium* (CSCO); *Sources Chrétiennes* (SC). In più ho integrato alcune altre mie ricerche personali liturgico-patristiche. I materiali emergenti da questa esplorazione sono stati ordinati secondo i temi espressi dai testi medesimi. Infine, a ciascun tema faccio seguire una nota intitolata « Fondamenti biblici? », nella quale mi domando se la dottrina intuita dai Padri e dagli Scrittori ecclesiastici abbia il debito radicamento nella Sacra Scrittura.

Si potrà discutere sulla validità di questa scelta metodologica, che parte dalla Tradizione per risalire alla Scrittura. Sta di fatto, però, che la dovizia dei temi toccati dai Padri è tale e tanta che obbliga a interrogare il testo biblico assai in profondità. Devo confessare francamente che l'esame della sola Scrittura (Antico e Nuovo

---

[25] S. Alvarez Campos, *Corpus Marianum Patristicum*, vol. I, Burgos [1970]; II, Burgos [1970]; III, Burgos [1974]; IV/1, Burgos [1976]; IV/2, Burgos [1979]; V, Burgos [1981].

[26] *Biblia Patristica. Index des citations et allusions bibliques dans la littérature patristique.* Vol. I, « Des origines à Clément d'Alexandrie et Tertullien » (Paris 1975); vol. II, « Le troisième siècle (Origène excepté) », Paris 1977; vol. III, « Origène » (Paris 1980).

Testamento) non mi avrebbe suggerito tutte le piste individuate poi dalla Tradizione viva della Chiesa dei primi tredici secoli circa.

Esaurita questa premessa, passiamo alla trattazione vera e propria, secondo l'impostazione or ora annunciata.

Lc 2,7b NELL'ESEGESI CRISTIANA DEI SECOLI IV-XIII. TRADIZIONE E SCRITTURA A CONFRONTO

Alcune referenze dei Padri qualificano le fasce del presepio di Betlemme come un « mistero » (Gregorio di Nissa, † 395 ca.[27]), un « sacramento » (Cromazio di Aquileia, † 407/408[28]; Omeliario Toledano del sec. VII[29]).

Oltre all'impiego di termini come questi, v'è il complesso della tradizione patristica dei secc. IV-XIII che mette a punto diverse angolazioni di questo « segno » rappresentato dalle fasce in cui Maria avvolse il Bambino. La tematica che ne risulta è ricca, e sempre ispirata alle Sacre Scritture. In quelle fasce i Padri ora vedono come l'emblema della condizione umana, povera e fragile, che il Verbo ha voluto assumere facendosi uno di noi; ora si compiacciono di contrapporre l'umiltà dell'Incarnazione, significata dalle fasce, ai titoli della Divinità che competono al Figlio di Dio. Cielo e terra coesistono sotto le sembianze dimesse del Bimbo di Betlem.

Ed ecco le principali risultanze dei loro scritti, messe a confronto — dicevamo — con la dottrina biblica.

1.1. *Le « fasce » e la « gloria del Signore »*

Sovente i Padri mettono a confronto *le fasce che avvolgono il Bambino* (Lc 2,7b: ἐσπαργάνωσεν) e *la gloria di Dio che circonda i pastori* (v. 9b: περιέλαμψεν).

S. Cirillo di Alessandria († 444) detta il seguente commento sul v. 7b:

> « Al vedere *il Bambino stretto in fasce*, guardati bene dal fissare la tua mente soltanto sulla nascita di lui secondo la carne! Cerca piuttosto di elevarti alla contemplazione della sua gloria, quella che conviene a Dio. Sali al cielo, e così lo vedrai nelle altezze superne, circondato di gloria sublime. Lo vedrai assiso su

---

[27] *In diem Natalem Christi*: « ... hortatur nos Evangelium ut in Bethleem oratione revertamur, et quae in antro sicut *mysteria* videamus. Quidnam est hoc? *Puer pannis involutus* et positus in presepio ... » (PG 46, 1141-1142B; cf ALVAREZ CAMPOS, *Corpus Marianum Patristicum*, II, Burgos [1970], p. 291, n. 971).

[28] *De Natale Domini Sermo* 32,3: « Habent tamen haec ipsa Domini gesta etiam *mystica sacramenta. Pannis involutus est* quia ... » (CCL 9A, p. 145).

[29] *Homiliare Toletanum* (*sec. VII*). *Homilia 6. Sermo de Nativitate Domini*: « Sed totum hoc, karissimi, via est, stabulum, *panni* et praesepium. Quatuor ista magna quatuor sunt nostra *sacramenta*: que quatuor velut quadrigam celestem ac divinam intelligendo, corde ascendamus, ut ad ipsum filium virginis perveniamus » (PL Supplementum, IV, 1939).

un trono eccelso. Udrai i serafini che inneggiano a lui, proclamando che il cielo e la terra sono pieni della sua gloria.

Ma anche sulla terra è accaduta la stessa cosa. Infatti "la gloria di Dio circonfuse (περιήστραψε) i pastori. E vi era una moltitudine dell'esercito celeste che glorificava Cristo" (cf Lc 2,9.14).

Invero, molti profeti nacquero al loro tempo; eppure nessuno di loro ebbe mai l'onore di essere glorificato da voce di angeli: erano, infatti, uomini e autentici servitori di Dio, ma sempre nell'ambito delle potenzialità umane.

Non così Cristo! Egli è Dio. Egli è Signore. Egli è colui che manda i santi profeti ... Lui è Figlio del Padre secondo natura, anche quando divenne carne: rimase infatti ciò che era e assunse ciò che non era »[30].

Per non discostarci dai confini dell'Oriente, ecco altre due testimonianze della liturgia bizantina, ispirate a Fil 2,5 ss.:

« Tu prendi la forma di Adamo, tu che sei di natura Divina ... Come potrò *rinchiuderti in fasce* a guisa di un infante? »[31].

« Il Figlio unigenito si mostra giacente come un mortale in una povera mangiatoia, e il Signore di gloria *è avvolto in fasce* »[32].

S. Leone Magno († 461) insegna che, fin dai suoi primordi, nell'unica e identica persona del Figlio di Dio si rende manifesta sia l'umiltà dell'uomo sia la maestà di Dio. Se la culla lo rivela Bambino, il cielo e gli esseri celesti lo riconoscono come loro Creatore[33]. Fin dal suo nascere, i cieli narrano la gloria di Dio, e in tutta la terra si diffuse il suono della verità; e questo avvenne quando l'esercito degli angeli apparve ai pastori per annunziare la nascita del Salvatore, e quando la stella precedette i Magi per condurli ad adorarlo[34]. I pastori sono circondati dal fulgore delle schiere celesti, perché non avessero dubbi circa la maestà del Bambino che avrebbero visto nel presepio, e non pensassero che fosse soltanto uomo colui a servizio del quale scendevano le schiere dall'alto[35]. Conclude il santo dottore, esortando:

« Riconosci la condizione dello schiavo, che *di panni si ricopre* e giace nella mangiatoia, ma confessa la condizione del Signore

---

[30] *Explanatio in Lucae Evangelium* (2,7), in PG 72,491-492AB.

[31] Liturgia del 30 dicembre, stichirà dei Vespri (*Anthológhion tû olû eniautû*, vol. I, Roma 1967, p. 1313).

[32] Vigilia di Natale, idiòmelon di Terza (citato da J. LEMARIÉ, *La manifestazione del Signore. La liturgia del Natale e dell'Epifania*, [Milano 1960], p. 90 nota 5). Cf *Anthológhion* ..., I, Roma 1967, p. 1238.

[33] *Tractatus 37,1. De Epiphania*. In CCL 138A, p. 200: « ... apparet in una eademque persona et humana humilitas et divina maiestas. Quem cunae testantur infantem, caelum et caelestia suum loquuntur auctorem ».

[34] *Tractatus 32,1. De Epiphania* (CCL 138, p. 165).

[35] *Tractatus 35,1. De Epiphania* (CCL 138, p. 188-189). Dirà s. Agostino († 430): « Per carnem tacet, per Angelos docet » (*Sermo* 190,3; PL 38,1008).

che gli Angeli annunziano, gli elementi dimostrano e i Magi adorano »[36].

Questi motivi della grande patristica ricompaiono nelle sintesi del tardo Medioevo. Ruperto di Deutz († 1130) condensa tutto in questa frase:

> « La gloria del Figlio di Dio è sempre preceduta dall'umiltà dell'unico e medesimo Figlio dell'uomo ... [Mentre] *è fasciato di panni,* è osannato dagli angeli che cantano: "Gloria nel più alto dei cieli". Posto a giacere in un angusto presepe, è annunciato nell'immensità della volta celeste dal fulgore della stella... »[37].

E s. Bernardo († 1153):

> « Il mediatore fra Dio e gli uomini, fin dai primi istanti della sua nascita congiunge l'umano al divino, il basso all'alto ... *E' stretto in fasce,* ma proprio quei pannolini godono l'onore delle lodi angeliche »[38].

Quattro secoli dopo, nell'opera compilatoria del Gaetano († 1533) incontriamo la stessa dottrina, ma in cornice mariana. Scrive infatti il card. De Vio che la Vergine esercitava la contemplazione confrontando le cose dette a lei con quelle dette dai pastori, e ponendo a raffronto *la povertà del presepio* con *la dignità eccelsa degli angeli* che annunziavano la nascita di Cristo[39].

1.2. *Fondamenti biblici?*

La contrapposizione che i Padri vedono tra la « gloria del Signore » e le « fasce » deriva effettivamente dal testo lucano stesso. Infatti, da una parte vi è « la gloria del Signore » che « avvolge » i pastori (Lc 2,9: περιέλαμψεν); dall'altra, vi sono le « fasce » che « avvolgono » il Bambino (v. 12: ἐσπαργανωμένον).

Quel Bambino è, sì, di natura divina, è il « Salvatore-Cristo-Signore » (Lc 2,11): tre titoli che Luca attribuisce chiaramente a Cristo Risorto (At 5,31 e 13,23: Salvatore; At 2,36: Signore-Cristo). E « la gloria del Signore » (Lc 2,9) nel vocabolario lucano è sempre connessa, in qualche modo, alla glorificazione pasquale di Gesù. Pertanto è « la sua gloria », cioè quella del Cristo Signore (Lc 9,26.

[36] *Tractatus 46. De ieunio Quadragesimae, 2* (CCL 138A, p. 271).

[37] *In Iohannis Evangelium II,* a 2,1-2 (CCL, Cont. Med. IX, p. 97).

[38] *Sermo 2. In Circumcisione,* 2. Cf *Sancti Bernardi opera,* vol. IV, Romae 1966, p. 279: « Mediator ... Dei et hominum, qui ab ipso nativitatis suae exordio divinis humana sociat, ima summis ... ».

[39] *Thomae a Vio Caietani Card. ..., In iiij Evangelia ... Commentarii luculentissimi, ad sensum literalem quam maxime accomodati ...,* Lugduni 1558, p. 215.

31.32[40]; 24,26), del Figlio dell'Uomo (Lc 21,27) esaltato alla destra del Padre (At 7,55); è la stessa gloria che in un altro giorno « investirà-circonderà » Paolo con una luce intensa, sulla via di Damasco (At 22,11.6: περιαστράψαι).

Eppure, della natura gloriosa del Bambino cosa traspare all'esterno? Nulla! Ora che egli è nato per noi, per tutto il popolo (Lc 2,10.11), si rende solidale con la nostra condizione. Non è circonfuso di « gloria », di « splendore ». Se, come Dio, egli si ammanta di luce (cf Sal 104,2), adesso, come figlio dell'uomo, è ricoperto di pannolini, alla stregua di ogni piccino, fragile e debole.

Di solito, probabilmente a seguito degli apocrifi, i nostri presepi ci hanno abituato a raffigurare gli angeli osannanti sulla grotta di Betlemme. Ma, a dire il vero, non è questa la scena suggerita dal racconto evangelico. Lo fa notare R. Laurentin (1982): « La gloria ... di Dio appare visibilmente in forma di luce nella notte *e avvolge i pastori nella campagna, ma non il Messia, adagiato nella greppia e privo di ogni irradiamento* »[41]. L'osservazione, come vedremo, conserva tutto il suo peso in ordine al messaggio racchiuso nel « segno » del Bimbo avvolto in fasce. La « gloria » di Dio si nasconde nella « povertà »[42]!

2.1. *La « ristrettezza delle fasce » e l'« immensità dei cieli »*

La volta celeste, sconfinata, e l'angusto ricettacolo delle fasce: ecco altri due poli opposti, che si toccano nel Bambino di Betlemme. Il paradosso è ripetuto in diverse formulazioni, ed ha lo scopo di rilevare che nulla potrebbe circoscrivere e delimitare Colui che è più grande dei cieli. Il finito non può contenere l'Infinito.

Ammonisce s. Ambrogio († 397):

> « Ma non dobbiamo confinare tutta la condizione della divinità entro le consuetudini del corpo. Altra cosa è la natura della carne,

---

[40] Il Maldonato, ad es., abbina Lc 2,9 con Lc 9,31.32. Cf *Ioannis Maldonati ... Commentariorum in quattuor Evangelistas t. II, in Lucam et Joannem,* Mussiponti 1597, col. 105.

[41] R. LAURENTIN, *I Vangeli dell'infanzia di Cristo ..., op. cit.*, p. 168 (mio è il corsivo).

[42] R. LAURENTIN, *op. cit.*, p. 174: « Lo spazio teofanico, lo spazio della manifestazione di Dio tra gli uomini, si realizza nell'umiltà di Gesù in mezzo ai poveri »; p. 323: « ... le teofanie hanno luogo in una povertà, che non è abolita ma diventa il nuovo segno di Dio »; p. 326: « Gesù riempirà il tempio della gloria escatologica (2,32), ma in forma di bambino muto »; p. 331: « L'abbassamento di Nazaret si collega a quello della greppia ».

Osservava anche J. ERNST, *Das Evangelium nach Lukas* (Regensburg 1977), p. 105: « Das eigentliche Paradoxon liegt jedoch in der Armut und man ist versucht zu sagen: in der "Banalität" der Umstände. Für die "Armen in Lande", an die sich Lk ja in besonderer Weise wendet, ist eine solche Erzählung sicher hilfreich; Maria selbst freilich, die einzig und allein im Vertrauen auf das Wort des Engels lebt, wird auf eine harte Probe gestellt ».

altra cosa è la natura della divinità. Per te la debolezza, ma in se stesso era la potenza; per te la miseria, ma in se stesso era l'opulenza. Non valutare quanto vedi, ma riconosci di essere stato redento.

Tu lo vedi ravvolto in fasce, ma non vedi che sta in Cielo. Odi i vagiti di un bambino, ma non odi il muggito del bue, che riconosce il Signore ... »[43].

S. Pier Crisologo condensa nel seguente aforisma il mirabile scambio avvenuto con l'Incarnazione:

« *Giace tra i panni,* ma regna nei cieli; si abbassa nella culla, ma tuona fra le nubi »[44].

Esichio di Gerusalemme († dopo il 450) si domanda, stupito: « Come può *essere avvolto in fasce,* Uno che sta alla guida dei carri dei Cherubini? »[45]. Poi si introduce col Sal 132,8 (« Alzati, Signore, verso il luogo del tuo riposo ») e ne fa questa applicazione:

« *Alzati!* Da dove? "Dal seno del Padre", non per separarti dal Padre (sarebbe disdicevole dirlo o pensarlo!), ma per dare compimento al piano salvifico ... *Verso il luogo del tuo riposo,* quello che hai preordinato sulla terra e fissato in Betlemme: la stalla, il presepio, *le fasce* ... »[46].

L'eco di queste meditazioni è percepibile secoli dopo, nel commento al vangelo di Luca, composto da s. Bruno di Segni († 1123):

« Dio si fa uomo, l'Eterno si cala nel tempo; l'immenso, l'immortale diviene passibile; colui che la maestà dei cieli non riesce a contenere, *è avvolto in fasce* »[47].

E' ovvio che la fede espressa dagli scritti dei Padri confluisca nella liturgia.

Il Messale Gotico (690-710 ca.) si atteggia così davanti al mistero:

« Colui che ha dato forma a tutte le cose,
riceve la forma di schiavo;
colui che era Dio,
è generato nella carne;
ecco, *è avvolto in fasce*
colui che era adorato nel firmamento;

---

[43] *In Lucam* 2,42 (CCL 14/4, p. 49). Versione di G. COPPA, *Sant'Ambrogio. Esposizione del Vangelo secondo Luca,* Milano-Roma 1978, p. 184-185.

[44] *Sermo 140 ter, De Natale Domini* [*secundus*], 3 (CCL 24B, p. 856): « Iacet in pannis, sed regnat in caelis ».

[45] *Sermo in Annuntiatonem* (PG 93, 1455-1456D). Anche Filosseno di Mabbûg († 522 ca.) pone questo interrogativo: « Come poté *essere avvolto in fasce,* dal momento che niente può abbracciare la sua natura? » (*Commentaire du Prologue johannique,* 40; in CSCO 381, p. 92).

[46] *Sermo in Annuntiationem* (PG 93, 1463-1464C).

[47] *Commentaria in Lucam* I, 6 (a 2,7); in PL 165, 352D.

ecco, riposa in una mangiatoia
colui che regnava nel cielo »[48].

Dal Messale di Bobbio (VIII sec.) citiamo la seguente « contestatio » (o prefazio):

« Era coricato, *avvolto in fasce,*
e brillava fra le stelle;
nella sua carne *era avvolto in fasce.*
nella sua divinità era servito dagli angeli;
riposava nella mangiatoia,
ma la sua potenza operava nei cieli »[49].

La liturgia bizantina proclama:

« Colui che sorpassa i limiti del cielo
e della terra, *è avvolto in fasce.*
Senza allontanarsi dal Padre,
ha preso posto nella santa grotta »[50].

2.2. *Fondamenti biblici?*

L'accostamento delle fasce, come luogo ristretto, con l'immensa distesa dei cieli poteva già essere suggerito dal racconto di Luca. L'evangelista, infatti, mette in scena l'angelo del Signore che appare ai pastori (Lc 2,9), e poi, col medesimo angelo, « ... una moltitudine dell'esercito *celeste* che lodava Dio e diceva: "Gloria a Dio *nel più alto dei cieli* e pace in terra agli uomini che egli ama" » (vv. 13-14). Alla fine, gli angeli si allontanano per tornare *al cielo* (v. 15).

Chiaramente, *il cielo* si china sulla terra per la nascita del Figlio dell'Altissimo (cf Lc 1,32). Da questa angelofania, che parte dai *cieli altissimi,* era agevole per i Padri riandare ai tanti brani dell'Antico Testamento, ove il cielo, nella sua vastità, è descritto come la sede di Dio, Re e Signore dell'intera creazione.

Alcuni brani fra i più evocativi potrebbero essere i seguenti:

— Is 40,22: « Egli *siede sopra la volta del mondo...,*
egli *stende il cielo come un velo...* ».

— Is 66,1: « Così dice il Signore: *"Il cielo è il mio trono,*
la terra lo sgabello dei miei piedi" ».

— Sal 2,4a: « Se ne ride *chi abita nei cieli...* ».

---

[48] Messa di Natale, « collectio » n. 14. Cf L.C. MOHLBERG, *Rerum ecclesiasticarum Documenta,* Series maior, Fontes, V, *Missale Gothicum* (*Vat. Reg. lat. 317*), Roma 1961, p. 6.

[49] PL 72, 464 e CCL 161C, p. 241, n° 793 (VD).

[50] Natale-Epifania, ufficio della notte, 1,3 (testo citato da J. LEMARIÉ, *La manifestazione del Signore. La liturgia del Natale e dell'Epifania* [Milano 1960], p. 94 nota 14).

— Sal 8,1.4: « *Sopra i cieli* si innalza la tua magnificenza... Se guardo *il cielo*, opera delle tue dita, *la luna e le stelle che tu hai fissate...* ».

— Sal 18,10-11: « Abbassò *i cieli* e discese ... cavalcava un cherubino e volava ... ».

Al tempo stesso, però, vediamo che la Scrittura demitizza questi moduli rappresentativi. Leggiamo infatti in 1 Re 8,27: « Ecco, *i cieli e i cieli dei cieli non possono contenere te,* [o Signore], e tanto meno questa casa che io ho costruita ». Dio è sempre più grande anche della sua creazione. Rettamente dirà l'autore della Lettera agli Ebrei: « Abbiamo un grande sacerdote, che *ha attraversato i cieli,* Gesù, Figlio di Dio ..., separato dai peccatori ed *elevato sopra i cieli* » (Eb 4,14; 7,26).

La scienza spaziale, oggi, offre al credente motivi fino a ieri impensabili per accostarsi al presepio con lo stupore estatico già intuito dal salmista: « Se guardo il cielo, opera delle tue dita, la luna e le stelle che tu hai fissate, che cos'è l'uomo perché tu te ne ricordi, e il figlio dell'uomo perché te ne curi? » (Sal 8,4-5). Se il Creatore della volta celeste ci onora al punto da farsi uno di noi, allora cos'è mai questo figlio dell'uomo? La terra, che è quanto un granello di sabbia sperso fra gli astri, è però al centro dell'atlante di Dio!

3.1. *E' cinto di « fasce » Colui che è « Sole-luce-fuoco »*

Un secondo elemento che fa da contrasto con le « fasce » del presepio è costituito dalla categoria *luce* [51]. Essa si articola nella triade « Sole-luce-fuoco (fiamma) ».

a) Cristo è il vero « *Sole* di giustizia » (Ml 3,20).

Romano il Melode († 560 ca.) ricorre alla metafora del Sole in questa ninna-nanna di Maria, china sul Bambino:

> « Sole, o Figlio mio,
> come ti *ricoprirò di fasce?* » [52].

A Ml 3,20 si ispira ancor più esplicitamente s. Giacomo di Sarug († 521):

> « Il Sole grande di giustizia radunò i suoi raggi,
> ed una fanciulla lo portò nel seno suo santamente » [53].

---

[51] B. Bagatti, *La « luce » nell'iconografia della Natività di Gesù,* in *Liber Annuus* 30 (1980), p. 233-250.

[52] J.B. Pitra, *Analecta Sacra Spicilegio Solesmensi parata,* t. I, Paris 1876, p. 229.

[53] *Omelia sulla Natività di Nostro Signore,* vv. 211-212 (C. Vona, *Omelie mariologiche di s. Giacomo di Sarug,* introduzione, traduzione dal siriaco e commento, Roma 1953, p. 256). Cf anche i vv. 113-114. 123-124:

Verso il 1100, un carme di Pietro il Pittore svolge lo stesso tema:

> « Il sole di giustizia, apparso al mondo,
> una stella fulgida oggi annunzia ...
> Ma questo neonato,
> posto nel presepio
> sotto una luce scintillante,
> *in spregevole copertura* [in spregevoli panni]
> si umilia » [54].

Con l'affettuosa umanità che lo distingue, s. Bernardo († 1153) dice alla Vergine:

> « Nascondi ..., o Maria, il fulgore del nuovo Sole; deponilo nel presepio, *avvolgi in panni* il Bambino, poiché proprio quei panni sono la nostra ricchezza ... La povertà di Cristo è più ricca di tutti i beni e di tutti i tesori » [55].

b) Dal sole scaturisce la *luce*, che è l'attributo principe di Dio. Egli, dice il salmista, « si ammanta di luce come di un vestito » (Sal 104,2). Ma con l'Incarnazione, i bagliori della Divinità sembrano attutiti sotto i panni del presepio. Un lontano presagio di questo nascondersi di Dio si leggeva in alcuni manoscritti della versione greca di 1 Re 8,12-13: « Il Signore, che ha fatto conoscere il *sole*, ha detto di voler abitare nella *nube* ». Dirà allora s. Efrem († 373):

> « Il gran Sole si è contratto e raccolto
> dentro a una nube rifulgente;
> essa, la giovinetta, è divenuta madre di colui
> che ha generato Adamo e il mondo ... [56].
> Come potrò toccare le tue *fasce*,
> o Fanciullo soffuso di splendore? » [57].

Crisippo di Gerusalemme († 479) trascrive così Lc 2,7b:

> « L'uomo il cui nome Oriente è scritto nella profezia,
> è il Figlio di Dio, che è il Sole di Giustizia.
> ...
> Ciò che è detto: "dalle tenebre splenderà la luce",
> ecco, dal popolo per i popoli il Sole nacque
> dal quale sono stati illuminati » (*op. cit.*, p. 253).

[54] *Petri Pictoris Carmina, XV, Carmen de aparicione Domini*, in CCL, Cont. Med. 25, p. 119: « Ortum mundo *solem iusticiae* / stella clara declarat hodie / ... Sed hic puer nuper natus / in presepe collocatus, / Rutilo sub lumine / vili sordet tegmine ».

[55] *In Vigilia Nativitatis*, 6 (*S. Bernardi opera*, IV, Romae 1966, p. 224).

[56] Cf *S. Efrem. Inni alla Vergine*, tradotti dal siriaco da G. Ricciotti, Torino 1939², p. 107 (XIX, 4). Nell'Inno 21,6 sul Natale, Efrem scrive: « Il sole è entrato nel grembo della Madre, mentre i suoi raggi abitavano nell'alto e nel profondo » (CSCO 187, p. 95).

[57] *Inni sulla Natività*, V, 24 (CSCO 187, p. 42).

« [Maria] *avvolse in pannilini*
Colui che si riveste di luce
come di un abito »[58].

S. Giacomo di Sarug († 521) prima ripete il motivo del Sal 104,2:

« Vestito di splendore, *in fasce avvolto* ed incomprensibile,
occulto è sul trono e in presepio è posto, ed ininvestigabile »[59].

In seguito elabora anche Eb 1,3 (cf Sap 7,26):

« Immagine del Padre e della divinità splendido raggio,
ecco, nella caverna di *fasce di povertà si cinge* »[60].

S. Cirillo di Gerusalemme († 386) oppone, invece, l'umiltà del Natale di Betlemme alla gloria dell'avvento escatologico di Cristo:

« Duplice è la discesa [del Signore]: una nel nascondimento, senza strepito, a guisa di pioggia sul vello (cf Sal 72,6); l'altra, quella futura, sarà manifesta. Nella prima venuta *fu avvolto in fasce* nella mangiatoia; nella seconda si cingerà di luce come di un vestito »[61].

Dei secoli seguenti, ecco l'ammirata esclamazione di Guerrico d'Igny (sec. XII):

« Lo vedo *avvolto in panni.* E chi direbbe essere questi Colui che si ammanta della gloria e dell'onore di una luce inaccessibile, e che si circonda tutto all'intorno di fulgore, a guisa di veste? »[62].

c) Da ultimo, *il fuoco* (*la fiamma*) come componenti del campo semantico « luce ». Le citazioni interessano prevalentemente s. Giacomo di Sarug († 521). Egli è affascinato al pensiero che umili pannolini possano racchiudere il fuoco solare della Divinità:

« Tutte le cose tue son superiori
alle cose consuete, alle cose naturali; e chi ti comprende?
Il sole (è) nel presepio, e *tra fasce è avvolto* il fuoco[63]
... ...
Di fasce è circondato, e umilmente latte sorbisce,
...
di fiamma è avvolto e le ruote muove veementemente »[64].

---

[58] *Oratio in Sanctam Mariam Deiparam*, 4 (PO 19, p. 342).
[59] *Omelia sulla Natività del Salvatore nostro in carne. Omelia VI*, vv. 855-856 (C. Vona, *op. cit.*, p. 224).
[60] *Omelia sulla Natività di Nostro Signore*, vv. 299-300 (C. Vona, *op. cit.*, p. 259).
[61] *Catechesi* XV,1. *De secundo Christi Adventu* (PG 33,869-870A).
[62] *Sermo secundus de Nativitate* 2 (SC 166, pp. 190-191).
[63] *Omelia sulla Natività di Nostro Signore*, vv. 69-71 (C. Vona, *op. cit.*, p. 251).
[64] *Omelia seconda sulla Natività*, vv. 9-10 (C. Vona, *op. cit.*, p. 237). Questi versi del Sarugense sembrano ricalcare la visione della « merkabâh » di Ezechie-

All'ardore di quella fiamma, saranno consunti rovi e spine, cioè le angustie mortali della condizione umana:

> « Visione nuova! poiché *tra le fasce* è la fiamma,
> che venne a bruciare, dalle regioni, le spine della terra.
> Chi è che tenne lo spirito nelle mani se non qui,
> perché fuoco e spirito è tenuto da mani e *fasce*[65]
> ... ...
> Lo splendore della sua luce, dalla casa di David,
> sulle creature apparve,
> e cominciò a diradare le loro tenebrose nuvole.
> *Tra le fasce si avvolse* il fuoco vivo,
> e rovi e spine che di lui si accorsero, da lui fuggirono »[66].

Un esegeta sicuramente imbevuto di Tradizione, qual era Cornelio a Lapide († 1637), poteva riassumere il tutto in questo commento a Lc 2,19: « [Maria] poneva a confronto le realtà estremamente umili che vedeva con l'eccelsa Maestà di cui era a conoscenza: [confrontava] la stalla col cielo; *le fasce* con le parole del Profeta, nel Sal 103 (v. 2 nella Volgata): "Si circonda di luce come di un vestito"; il presepio col trono di Dio; gli animali coi Serafini »[67]

3.2. *Fondamenti biblici?*

Per la triade « sole-luce-fuoco », i Padri avevano reminiscenze bibliche derivanti o dalla Scrittura in genere, o direttamente dagli scritti lucani.

a) *Sole* - Un testo facilmente evocabile, abbiamo detto, era quello di Mal 3,20: « Per voi, invece, cultori del mio nome, sorgerà *il sole di giustizia* con raggi benefici ... ». A questo passo si rifanno apertamente s. Giacomo di Sarug[68] e Pietro il Pittore[68bis].

Efrem sembra versificare 1 Re 8, 12-13, secondo l'addizione di alcuni codici dei Settanta: « Il Signore che ha fatto conoscere *il sole* nel cielo, ha detto di voler abitare nella *nube* ». Nell'evento dell'Incarnazione, Maria è la nube fulgida entro la quale si è racchiuso il Sole-Cristo.

Ma non dobbiamo dimenticare che, proprio secondo Lc 1,17, uno dei titoli messianici attribuiti a Cristo è quello di « Sole [Oriente] dall'alto ». S. Giacomo di Sarug, ad es., abbina proprio questo passo a quello di Ml 3,20[69].

---

le: « Il *fuoco* risplendeva ... Io guardavo quegli esseri ed ecco sul terreno una *ruota* al loro fianco, di tutti e quattro ... Lo *spirito* dell'essere vivente era nelle *ruote* » (Ez 1,13.15.21). L'incarnazione è la nuova « merkabâh ».

[65] *Omelia cit.*, vv. 151-154 (C. Vona, *op. cit.*, p. 254).

[66] *Omelia seconda sulla Natività*, vv. 53-56 (C. Vona, *op. cit.*, p. 240).

[67] *Commentaria in Scripturam Sacram R. P. Cornelii a Lapide* ..., accurate recognovit ac notis illustravit Augustinus Crampon, t. XVI, Parisiis 1862, p. 67.

[68] Cf la nota 53.

[68bis] Cf la nota 54.

[69] Cf la nota 66.

Matteo, poi, descrivendo la Trasfigurazione di Gesù, avverte che « ... il suo volto splendette come *il sole* » (17,2).

b) *Luce* - Diversi Padri si valgono del Sal 104,2: « Si ammanta di *luce* come di un vestito ». Così fanno s. Cirillo di Gerusalemme, Crisippo vescovo della stessa città, s. Giacomo di Sarug ... [70].

Però anche la tradizione lucana associa la « gloria del Signore (= Cristo) » alla nozione di « luce ». Questo avviene in Lc 2,10 (il verbo περιλάμπω denota uno splendore intenso), in Lc 9,29.32 (la veste di Gesù è di un nitore sfolgorante, come l'abito dei due araldi della risurrezione in Lc 24,4), e ancor più chiaramente nell'apparizione di Gesù a Paolo sulla via di Damasco (At 22,6.9.11). Anche Matteo precisava che le vesti di Gesù trasfigurato divennero « ... bianche come *la luce* » (17,2 nell'originale).

c) *Fuoco* (*fiamma*) - Specialmente a s. Giacomo di Sarug († 521), dicevamo, è caro il tema del fuoco vivo (= il Verbo incarnato) ravvolto tra le fasce.

Qui il linguaggio poetico sembra ispirarsi in certo qual modo alla teofania sinaitica del roveto ardente, non consumato dalla fiamma (Es 3,3). E proprio sul monte Sinai — afferma ripetutamente la tradizione dell'Antico Testamento — Dio si rivelò in mezzo al fuoco (Es 19,18; Dt 4,11; 5,23 ...). « Il Signore tuo Dio è *un fuoco divoratore*, un Dio geloso », dichiara Mosè nel suo grande discorso Dt 4,24). Per il Nuovo Testamento, questo « fuoco divoratore » è il Cristo glorioso (Eb 12,29), al quale l'Apocalisse attribuisce « ... occhi fiammeggianti come fuoco » (Ap 1,14; 2,18; 19,12). Luca, dal canto suo, riporta il detto di Gesù: « Sono venuto a portare *il fuoco* sulla terra; e come vorrei che fosse già acceso! » (Lc 12,49); egli, insegna ancora Luca, è venuto a portare un battesimo non di acqua, come quello di Giovanni Battista, ma di quel mistico *fuoco* che è lo Spirito Santo (Lc 3,16; At 1,5; 2,3-4; cf Mt 3,11).

4.1. *Le « fasce » e « la stella dei Magi »*

A rivelare la vera identità del Bambino tra le fasce, concorrono *i Magi che, guidati dalla stella, lo adorano come Dio.*

Abbinando qui il vangelo di Matteo (2,2.7.9.10-11) con quello di Luca (2,7.12), le testimonianze dei Padri giocano sul contrasto fra *il Bimbo avvolto in fasce* e *la stella che conduce i Magi ad adorarlo.* Un'altra scala di Giacobbe, si direbbe, si eleva fra cielo e terra.

Ascoltiamo s. Ilario di Poitiers († 365):

> « Colui che nasce è il "Dio con noi". Ai Magi è prodotta dal cielo la luce nuova della stella, e il segno celeste accompagna il Signore del cielo ...

[70] Cf la nota 59.

Ed ecco: si presentano i Magi, adorano Colui che *è avvolto in panni* ...
Avviene così che attraverso i Magi è prestata l'adorazione alla povertà del presepio; il vagito [del Bimbo] è salutato dai divini gaudi degli angeli; al parto rende ossequio lo Spirito, che lo proclama mediante il profeta, l'angelo che lo annuncia e la stella che brilla di nuova luce ...
Una cosa è quel che intendi e un'altra quel che vedi; una cosa ammiri con gli occhi e un'altra con l'animo. Partorisce una vergine, e il parto è da Dio. L'infante piange, e si odono gli angeli osannanti. *Vili sono i panni,* e Dio è adorato. Così non è vanificata la dignità del Potere, mentre è assunta l'umiltà della carne »[71].

Anche s. Efrem († 373) nelle fasce della mangiatoia vedeva il simbolo dell'umiliazione, unito però alla confessione della Gloria, espressa dai Magi:

« Egli *si circondò di fasce* nell'abbassamento, e gli furono presentati dei doni »[72].

Nella sua diatriba con un giudeo, Proclo di Costantinopoli († 446) sussume:

« Tu dai importanza alla grotta e non guardi la stella? Fai molto caso al fatto che lui sia deposto nel presepio, e passi sotto silenzio il canto degli angeli? Disprezzi *le fasce,* e non tieni conto dell'adorazione dei Magi? »[73].

Commenta s. Pier Crisologo († 450):

« Oggi i Magi vedono chiaramente *avvolto in panni* Colui che tanto lungamente si accontentarono di contemplare in modo oscuro negli astri ... In uno stesso corpo vedono darsi convegno la divinità e l'umanità »[74].

Fulgenzio di Ruspe († 532), sovrapponendo la testimonianza di Luca a quella di Matteo, può scrivere:

« Colui che i pastori vedono *fasciato di panni,* assai dimessi, i Magi lo riconoscono Glorioso, offrendogli doni »[75].

4.2. *Fondamenti biblici?*

La visita dei Magi gode una sicura testimonianza nel celebre passo di Mt 2,1-12. Le perplessità, casomai, potrebbero interessare l'ermeneutica dei Padri, in quanto essi non hanno scrupolo di fondere la tradizione lucana (Lc 2,7.12) con quella matteana (2,1-12). Gli

---

[71] *De Trinitate,* 27 (CCL 62, p. 63).
[72] *Inni sulla Natività* 23, strofa 12 (CSCO 187, p. 109).
[73] *Sermo de S. Clemente Martyre,* VI (PG 65, 848D).
[74] *Sermo 160. De Epiphania quartus,* 2 (CCL 248, p. 989-990).
[75] *De Epiphania* (PL Supplementum, III, 1341).

esegeti odierni consigliano di non estrapolare da una tradizione al-l'altra. Nel caso presente, essi sarebbero più propensi a interpretare Mt 2,1-12 nell'ambito del primo vangelo, e Lc 2,7b.12 in quello del terzo vangelo e degli Atti.

Per l'esegesi letterale quest'ultima metodologia è da preferire. I Padri, nel tipo di lettura esposto qui sopra, sono guidati da un criterio più allargato, di natura omiletico-pastorale, diremmo noi oggi. Essendo tutta la Scrittura come un libro solo, un brano di un autore può essere armonizzato con quelli di un altro autore. E' sempre l'unico e medesimo Spirito che insegna mediante l'agiografo dei Libri Sacri. Profondamente radicati in questa convinzione [76], i Padri amavano connettere fra loro passi della Scrittura, sebbene appartenenti a penne diverse. Di norma, però, essi facevano questo dopo aver premesso il senso letterale-storico a fondamento dei susseguenti sviluppi. A queste condizioni, la loro esegesi non cessa di illuminare anche il biblista odierno, così sollecito nel definire anzitutto il senso letterale-storico di base.

5.1. *E' « fasciato » Colui che tutti « governa » e a tutti « provvede »*

Una mamma che avvolge in fasce il suo neonato è l'espressione vivida di cura amorevole, di sollecitudine tenera e provvida che conserva e protegge la vita.

Ed ecco il paradosso, ecco l'armonia dei contrasti. Il Bimbo che Maria ricopre di pannolini è Colui che a tutti procura una veste (cf Mt 6,28-33), dicono Efrem († 373) [77] e Beda († 735) [78]. E' Colui che fascia il mare di caligine (cf Gb 38,9), canta la liturgia bizantina [79].

Con reminiscenze discretamente allusive tratte dall'epistola agli Ebrei (1,2.3), diversi Padri scorgono sotto quelle fasce la presenza inerme del Creatore provvidente, che sostenta l'universo. Egli, con la sua potenza, avvolge ogni creatura (Crisippo di Gerusalemme, † 479) [80]; tutto mantiene in vita in forza della sua Parola (autore incerto del sec. V) [81]; regge la vastità del mondo (Proclo di Costantinopoli, † 446) [82], stringendolo come in pugno (s. Pier Damiani, † 1072) [83].

---

[76] H. DE LUBAC, *Esegesi Medievale. I quattro sensi della Scrittura,* [Roma 1962], p. 549-642.

[77] *Hymni de Nativitate* 17,4 (CSCO 187, p. 80).

[78] *In Lucam* I, a 2,7 (CCL 120, p. 49).

[79] Ufficio del 29 dicembre, tropario dei Vespri (*Anthológhion tû olû eniautû,* vol. I, Roma 1967, p. 1304). Cf anche ANASTASIO IL SINAITA († dopo il 700), *Capita adversus Monotheletas* V, 81-82 (CCG 12, p. 101).

[80] *Oratio in Sanctam Deiparam,* 4 (PO 19, p. 342).

[81] *In Annuntiatione sanctae Virginis Mariae* (PG 10,1170B: « Virgo parit, et manibus gestat eum qui verbo res omnes creatas gestat [cf Eb 1,3] ... Locum non habebat, qui totam terram verbo fundavit [cf Eb 1,10]. Lacte virgo mater pascebat eum, qui omnem nutrit vivumque producit spiritum [Eb 1,7]. *Fasciis involvebat eum, qui verbo omnem ligat creaturam* [cf Eb 1,9] ».

[82] *In Christi Natalem Diem* (PG 61,737).

[83] *Sermo 46. In Nativitate Sanctae Mariae sermo secundus,* 9 (CCL, Cont. Med. 57, p. 280).

Esorta s. Giacomo di Sarug († 521):

> « O Sapiente, vieni, *tra le fasce* il fanciullo vedi,
> e lui considera, dal cui potere tutto il creato pende.
> E miracolo che, mentre in Efrata nel presepio giace,
> il mare e la terra governò col Genitore suo » [84].

5.2. *Fondamenti biblici?*

Le suddette riflessioni dei Padri appaiono ispirate — dicevamo — a Eb 1,2.3: « ... per mezzo del quale [Figlio] ha fatto anche il mondo. Questo Figlio ... sostiene tutto con la potenza della sua parola ».

Come eco più remota, si potrebbe pensare al Salmo 104, là dove inneggia agli splendori della creazione e alla provvidenza paterna di Dio. E' Lui che procura il cibo ad ogni vivente: « Fai crescere il fieno per gli armenti e l'erba al servizio dell'uomo, perché tragga alimento dalla terra ... Tutti da te aspettano che tu dia loro il cibo in tempo opportuno. Tu lo provvedi, essi lo raccolgono, tu apri la mano, si saziano di beni » (vv. 14.27-28). Se il Padre celeste — dirà Gesù — nutre così gli uccelli del cielo e veste l'erba del campo, quanto più farà per noi, gente di poca fede! (cf Mt 6,26.30).

E dunque: Colui che ammanta l'universo di sì amorosa cura, perché sussista, ora accetta di avere una mamma che lo fascia di pannolini ...

6.1. *Le « fasce », segno di « povertà-piccolezza-umiltà »*

Prendendo carne dalla Vergine, il Verbo, che è Grande nella Divinità, si fa *piccolo-umile-povero* nell'umanità.

Il grembo di Maria, inneggia s. Efrem († 373), inverte l'ordine dei valori: « il creatore di tutto vi entra da ricco ed eccelso, e ne esce povero, umile » [85]; dall'alto discese come « Signore », dal ventre di lei esce come « servo » [86]. In Maria, Dio passa dalla grandezza all'infermità; dalla gloria all'ignominia [87]. Dalla porta del grembo fino alla porta del sepolcro, il Verbo portò la carne debole e mortale, assunta dalla Vergine [88].

---

[84] *Omelia sulla Natività di Nostro Signore*, vv. 247-250 (C. Vona, *op. cit.*, p. 257). L'autore echeggia Eb 1,2.3.

[85] *Hymni de Nativitate* XI,7 (CSCO 187, p. 162).

[86] *Hymni de Resurrectione* I,8 (CSCO 249, p. 64).

[87] *Explanatio Evangelii concordantis* V,7 (CSCO 145, p. 46).

[88] *Op. cit.*, XXI, 2 (CSCO 145, p. 222-223). Stesso concetto in s. Leone Magno († 461), *Tractatus 37,3. De Epiphania*: « Perciò tutta la sostanza della dottrina cristiana ... consiste ... nell'umiltà sincera e volontaria, che il Signore Gesù Cristo si scelse ed insegnò dal seno materno fino al supplizio della croce ... » (CCL 138, p. 202; versione di T. Mariucci, *Omelie, lettere di San Leone Magno* [Torino 1969], p. 216). Poi Guerrico d'Igny († 1157), *Sermo secundus de Nativitate* 2: « ... ut

Nel pensiero dei Padri, le fasce in cui è avvolto il Bambino divengono il segno visibile e concreto della *povertà*, dell'*abbassamento* che il Verbo volle fare proprio divenendo uomo.

A suo modo, già l'eretico Marcione (sec. II) ravvisava la povertà del presepio. Difatti egli — ci informa Tertulliano († dopo il 220) — per negare la realtà dell'incarnazione di Cristo formulava obiezioni del seguente tenore:

> « Portami via, dice, questo censimento di Cesare, sempre così molesto, e quell'angusto ricovero e *quei miseri cenci* e quella dura mangiatoia...
> Basandoti su questi ragionamenti, io credo, tu, Marcione, hai avuto il coraggio di distruggere tanti documenti originari di Cristo, perché non se ne potesse dimostrare la carne »[89].

S. Efrem († 373), invece, fa dire a Maria, china sul Bambino:

> « Sì, era sontuoso il palazzo d'avorio dei re del nostro popolo, ma più sfarzosa e più bella è la grotta ove io ti ho partorito. I pastori videro la tua Magnificenza *in fasce* ... »[90].

Si domanda s. Giovanni Crisostomo († 407):

> « I Magi, quali insegne regali videro? Un tugurio, una mangiatoia e *un piccolo in fasce*, una madre povera »[91].

Ancora un anonimo, forse del sec. V-VI, parafrasa così la domanda dei Magi (Mt 2,2):

> « Dov'è colui che seccò il Mar Rosso, e si abbevera di latte? Dov'è colui che percosse il Faraone, e cerca scampo da Erode? Dov'è colui che sommerse il dragone, e giace *nelle fasce?* »[92].

Un ebreo muoveva la seguente difficoltà a Proclo di Costantinopoli († 446):

> « Presso di voi non v'è nulla di tutto questo [che somigli, cioè ai prodigi grandiosi dell'AT]; per voi c'è una grotta, un presepio, *dei pannolini*: tutte cose che dimostrano un'estrema indigenza e umiliazione »[93].

E così è realmente, sussume altrove Proclo: il Re della gloria, in luogo di una veste di porpora, *è cinto di fasce*[94].

---

in nativitate minimum et in passione se exhiberet novissimum virorum, unde nec reputavimus eum » (SC 166, pp. 190-191).

[89] *De carne Christi* II,1 (CCL 2,II, p. 874). Versione di C. MORESCHINI, *Opere scelte di Quinto Settimio Florente Tertulliano,* [Torino 1974], p. 722.

[90] *Hymni de Nativitate* XIX,12 (CSCO 187, p. 91).

[91] *In Matthaeum Homilia* VI, 6 (PG 57,63).

[92] *In Christi Natalem diem* (PG 61, 738). Cf D. CASAGRANDE, *Enchiridion Marianum Patristicum,* Romae 1974, p. 1851.

[93] *Sermo de S. Clemente Martyre,* VI (PG 65,848C).

[94] *Oratio IV in Natalem diem Domini,* II (PG 65,711-712B).

Questa particolare angolatura della « kénosis » trova un'espressione magistrale in s. Leone Magno († 461):

> « Il nostro Salvatore nella sua misericordia e onnipotenza regolava l'assunzione dell'umana natura agli stessi suoi inizi; nascondendo sotto il velo della nostra debolezza la potenza della divinità, inseparabile certo dall'uomo cui si univa, fu giocata l'astuzia tranquilla del nemico. Egli pensò che la nascita del bambino, generato per la salvezza del genere umano, era senz'altro a lui soggetta al pari di quella di tutti gli altri bambini.
> Lo vide infatti vagire e piangere, lo vide *avvolto nei panni* e sottoposto alla circoncisione. Più tardi scorse in lui le forme ordinarie di sviluppo dell'età infantile e fino agli anni della maturità non dubitò della sua crescita secondo natura... »[95].

S. Pier Crisologo († 450 ca.), citando l'Apostolo che dice: « Da ricco che era si è fatto povero » (2 Cor 8,9), precisa: « Essendo ricco nella sua Divinità, è divenuto povero nella nostra carne ». E poi illustra la sua affermazione parafrasando nei termini seguenti la domanda dei Magi:

> « "Dov'è il Re dei Giudei che è nato?" (Mt 2,2). Questo equivale a dire: "Come mai il Re dei Giudei giace in un presepio e non riposa nel Tempio? Perché non si adorna di porpora, ma *è svilito in panni?* Perché è nascosto in una spelonca e non appare pubblicamente nel Santuario? Degli animali lo hanno accolto in una mangiatoia, mentre voi non l'avete ricevuto in casa vostra" »[96].

Anche s. Giacomo di Sarug († 521) svolge con ardente lirismo la domanda posta dai Magi:

> « Dove ti trovi? ...
> ... ...
> Sul dorso dei Cherubini sei tu? colà ti vedrò?
> O sulle ginocchia della fedele abitò la tua grandezza?
> Su ali di fuoco, dense ali, ti si può trovare,
> o sulle braccia della madre fanciulla sei tu portato?
> O sulle ginocchia della fedele abitò la tua grandezza?
> Tra le legioni di fiamme di fuoco è il tuo splendore,
> o *sei cinto di fasce* nel presepio, come un povero? »[97].

Ed ecco in che modo si trasforma sotto la sua penna l'indicazione dell'angelo ai pastori (Lc 2,12):

> « Orsù, andate ed il Re vedete, che il popol suo venne a salvare,
> sprezzato ed umiliato, e con la sua quiete restaurerà la terra.
> Lancia e spada non ha nelle mani sue, essendo egli il Salvatore;

---

[95] *Tractatus 22,4* (*item alius de Natale Domini*), in CCL 138, p. 96 (versione di T. Mariucci, *op. cit.*, p. 126).
[96] *Sermo 156. De Epiphania*, 8 (CCL 248, p. 973). Anche Quodvultdeus († 445-455), *Liber promissionum* III, V.6 (SC 102, p. 511).
[97] *Omelia VI. Della Natività del Salvatore nostro in carne*, vv 23. 29-32 (C. Vona, *op. cit.*, p. 196).

né trono ornato egli ha, ancorché sia Re.
Né carro serve alla sua gloria su cui sia portato,
in vile presepio *di fasce è cinto* ed è posto come pargolo.
In questa forma lui vedrete, che è disprezzabile,
questo è il segno suo; non dubitate quando lo vedrete »[98].

Mano a mano che la tradizione avanza, le fasce che ricoprono il Bambino Gesù sono celebrate come segno tangibile di povertà, in opposizione alle ricchezze smodate che insidiano la vita presente.

Sentiamo la voce di Raterio da Verona († 974), acceso da veementi propositi di riforma della chiesa. Tradotto in prigione a Pavia negli anni 935-937, dal chiuso di quelle mura si preoccupa di dettare salutari consigli ad ogni condizione di persone, nei suoi « Praeloquia ». Ai vescovi, in particolare, raccomanda un tenore di povertà evangelica. Se la vanità mondana li tenta di procurarsi sontuose camere da letto, pensino essi al presepio del Divino Infante, *di quali panni era ricoperto* e in quale alloggio venne a trovarsi lui, « ... che non ha ove posare il capo » (Lc 9,38) [99].

Dionisio Bar Salibi († 1171), erede della tradizione siriaca tanto assorta nel mistero del Natale, ribadisce che il Salvatore volle essere *ricoperto di fasce* per offrire in se stesso l'esempio di quella povertà che avrebbe poi predicato ai discepoli [100].

Per s. Bruno di Segni († 1123) le « fasce » del presepio suggeriscono la seguente trasposizione simbolica, applicata alla « lettera » che avvolge le sacre Scritture:

> « Oh! se i Giudei accogliessero questo segno, e cercassero Cristo assieme a noi? Sebbene egli sia *avvolto in panni* e rimanga nascosto sotto il velo della lettera, lo troverebbero, se lo cercassero; lo capirebbero, se credessero.
>
> Pertanto, chiunque tu sia che voglia vedere Gesù, accostati a questo presepio, scruta le Scritture, rimuovi *le fasce,* caccia la lettera che uccide, mentre lo Spirito dà vita (2 Cor 3,6). Allora vedrai ciò che non riuscivi a vedere »[101].

E' noto poi come nei secc. XII-XIII assistiamo alla fioritura di Ordini monastico-mendicanti, che assumevano la povertà come punto capitale del ritorno al Vangelo. Non meraviglia, pertanto, che la scena di Lc 2,7 facesse vibrare le corde di « Madonna Povertà ». Sono commoventi alcune pagine, ad es., di s. Bernardo, s. Bonaventura, s. Alberto Magno.

---

[98] *Omelia cit.*, vv. 909-910. 913-918 (C. Vona, *op. cit.*, p. 226). Anche nell'Omelia VIII sulla Natività del Signore, al v. 300 si legge: « Ecco, nella caverna, *di fasce di povertà si cinge* » (C. Vona, *op. cit.*, p. 259).

[99] *Ratherii Veronensis Praeloquiorum libri VI, Praeloquia V, 10* (CCL, Cont. Med. 46A, p. 149). Anche s. Chiara d'Assisi († 1253) stabilirà che le suore devono vestire indumenti umili, in memoria del Bimbo avvolto in fasce e della sua Madre santissima (*Regola* II, 24; in SC 325, pp. 128-131).

[100] *Commentarii in Lucam* 2,7 (CSCO 114, p. 219).

[101] *In Lucam* VI, a 2,12 (PL 165, 354A).

Nel Natale — dichiara s. Bernardo († 1153) — hai la conferma dell'umiltà. Lì [Dio]

> « "... spogliò se stesso, assumendo la condizione umana ..." (Fil 2,7)[102]. Forse obietterai: " Ma che tipo di Mediatore è uno che nasce in una stalla, è posto in una mangiatoia, *è avvolto in panni* come gli altri, piange come tutti, e giace come qualsiasi altro Bambino? ...". Sì, è un Infante, ma è il Verbo-Infante ... »[103].

Prendendo inoltre l'avvio da Lc 6,24 (« Ma guai a voi, ricchi, perché avete già la vostra consolazione! »), s. Bernardo ricava questa riflessione:

> « L'infanzia di Cristo non consola i gaudenti; le lacrime di Cristo non sono di conforto a quelli che ridono; *i suoi panni* non recano consolazione a quelli che vestono di lusso; la stalla e il presepio non incoraggiano quelli che amano i primi seggi nelle sinagoghe. Al contrario, [questi aspetti della nascita di Cristo] recheranno consolazione piena, in misura perfetta, a quanti aspettano il Signore in silenzio, a coloro che piangono, ai poveri coperti di cenci. Del resto, prestiamo attenzione al fatto che gli stessi angeli non consolano altri che questi. Il gaudio della nuova luce, infatti, è annunciato ai pastori che "vegliavano di notte facendo la guardia al loro gregge" (Lc 2,8). Ad essi è rivelata la nascita del Salvatore. Il giorno santo splendette non su di voi, o ricchi, che avete la vostra consolazione ..., ma sui poveri e sugli affaticati »[104].

I panni in cui Maria avvolse il Bambino, commenta il s. Dottore,

> « ... sono la nostra ricchezza. Infatti *i panni del Salvatore* sono più preziosi di qualsiasi porpora; questo presepio è più glorioso dei troni laminati d'oro. In una parola: la povertà di Cristo vale più di tutte le ricchezze e di tutti i tesori »[105].

Questa inaudita condiscendenza della strategia divina faceva concludere a s. Bernardo non già: « *Grande* è il Signore e degno di ogni lode », come voleva il salmista (Sal 48,2), ma bensì: « *Piccolo* è il Signore e sommamente amabile; sì, piccolo, Colui che è nato per noi »[106].

S. Bonaventura, con frasi pertinenti al simbolismo delle vesti, spiega:

> « Si è nascosto pienamente nell'Incarnazione, ossia scendendo nel grembo verginale, occultando cioè la sua maestà *sotto il manto* della nostra pochezza, della nostra umanità: *"E lo avvolse in panni*

[102] *Sermo in Vigilia Nativitatis,* 6 (*Sancti Bernardi opera,* IV, Romae 1966, p. 224).

[103] *Sermo quintus de Nativitate,* 1 (cf *op. cit.,* p. 226).

[104] *Sermone cit.,* 55 (*op. cit.,* p. 269).

[105] *Sermo in Vigilia Nativitatis,* 6 (*op. cit.,* p. 224).

[106] *Super Cantica Sermo* 48,2.3 (cf *Sancti Bernardi opera,* II, Romae 1958, p. 69: « *Magnus Dominus et laudabilis nimis,* sed parvulus Dominus et amabilis nimis, parvulus utique, qui natus est nobis »).

e lo depose nel presepio" (Lc 2,7). [Nascose] la sua reale identità sotto la tenda della nostra opacità: "Troverete un bambino avvolto in fasce, che giace in una mangiatoia" » (Lc 2,12) [107].

Da questa lettura cristologica di fondo, s. Bonaventura passa ad un'altra decodificazione, che vede in Lc 2,7b un documento dell'estrema povertà in cui versavano Maria e Giuseppe [108]. Ma la penuria dei genitori ridonda su Cristo medesimo il quale, nascendo povero, ci libera dall'avarizia per orientarci alla povertà [109]. Quelle fasce, inoltre (secondo una spiegazione che abbiamo già incontrato in s. Bruno di Segni), sono figura della modestia di cui si riveste la Parola stessa del Salvatore:

> « Il Cristo che insegna, benché fosse umile nella carne, era tuttavia Grande nella Divinità. Era conveniente, pertanto, che lui e la sua dottrina unissero l'umiltà della parola alla profondità dell'insegnamento; di modo che, come Cristo *fu avvolto in fasce*, così la Sapienza di Dio nelle Scritture si nasconde sotto apparenze umili » [110].

Alle testimonianze di s. Bernardo e s. Bonaventura aggiungiamo quella di s. Alberto Magno († 1280). Anche lui sottolinea che *i pannolini di cui fu rivestito Gesù* erano vecchi e sdrusciti: dal che egli trae una lezione di povertà e di rigore per noi [111].

6.2. *Fondamenti biblici?*

Alla base di queste meditazioni dei Padri stanno chiaramente i noti brani di 2 Cor 8,9 (« Da ricco che era, [il Signore Nostro Gesù Cristo] si è fatto povero ») e Fil 2,6-8, frequentemente invocato nelle omelie sul Natale (« [Cristo Gesù], pur essendo di natura divina ..., apparso in forma umana, umiliò se stesso facendosi obbediente fino alla morte, e alla morte di croce »). Le fasce del presepio attestano che il Figlio di Dio, nascendo dalla Vergine, ha realmente sposato la nostra condizione di servi, dalla culla alla tomba.

---

[107] *Sermones de Tempore. Dominica de Passione, Sermo II* (cf *S. Bonaventurae ... opera omnia*, t. IX, Ad Claras Aquas [Quaracchi] 1901, p. 241).

[108] *Quaestiones disputatae. De perfectione evangelica Quaest. II, art.* 1,13 (cf *op. cit.*, V, Ad Claras Aquas [Quaracchi] 1891, p. 126).

[109] *Commentarium in Evangelium Ioannis*, cap. 4, 54, n° 82 (*op. cit.*, VI, Ad Claras Aquas [Quaracchi] 1893, p. 304-305).

[110] *Breviloquium. Prologus*, par. 4 (*op. cit.*, V, Ad Claras Aquas [Quaracchi] 1891, p. 206).

[111] *Beati Alberti Magni ... Commentarii in Lucam*, recogniti per R.A.P.F. Petrum Iammy, t. X, Lugduni 1551, p 351. S. Alberto, a termine della sua sentenza, cita 2 Cor 8; Mt 11,8 e Gb 28. Stessa opinione in: *Ioannis Maldonati ... Commentariorum in quattuor Evangelistas*, t. II, *In Lucam et Ioannem*, Mussiponti 1597, col. 102. Il Maldonato ricorda che Maria fece l'offerta dei poveri per il riscatto di Gesù (Lc 2,24).

Ai suddetti brani paolini si aggiungano i passi lucani concernenti la povertà effettiva di Gesù. Al momento della nascita, per i suoi genitori non c'è posto nell'albergo (Lc 2,7); per il rito della presentazione, Maria e Giuseppe recano l'offerta dei meno abbienti (Lc 2,24; cf Lv 5,7; 12,8); nei giorni del ministero pubblico, Gesù «... non ha dove posare il capo» (Lc 9,58). Sul Calvario, le sue vesti vengono divise e tirate e sorte (Lc 23,34; cf Mc 15,24; Mt 27,35; Gv 19,23-25).

Soltanto una volta Gesù esce ricoperto di una veste splendida (Lc 23,11: ἐσθῆτα λαμπράν). Non però di sua volontà, bensì per insulto e scherno da parte di Erode, che intendeva prendersi gioco delle pretese regali di lui (Lc 23,3). Eppure sarà Dio a prendersi gioco di Erode! (cf Sal 2,4). Nel giorno della Risurrezione, il Padre donerà al Figlio una veste fulgida (cf Lc 24,4 ἐν ἐσθῆτι ἀστραπτούσῃ), come sul monte della Trasfigurazione (Lc 9,29: ἱματισμὸς ... λευκὸς ἐξαστράπτων). Ma per indossare quella veste di gloria, Gesù dovrà ripudiare le suggestioni di Satana (Lc 4,5-8), per immergersi nella passione e morte (Lc 12,50; 24,26).

7.1. *Le «fasce», segno del «parto verginale» di Maria*

Il fatto che Maria stessa e non altri avvolga in pannolini il Bambino appena nato proverebbe che *il suo parto fu verginale;* fu esente cioè dai dolori, dalle lacerazioni organiche, dalle perdite di sangue cui va soggetta normalmente ogni donna che dà alla luce una creatura.

Per quanto ci risulta, è s. Girolamo († 419/420) che avanza per primo questo tipo di argomentazione. In polemica con Elvidio sulle questioni riguardanti la perpetua verginità di s. Maria, fra l'altro egli detta questo passo, con lo stile focoso che gli è proprio:

> «La puerpera si macchi di sangue; le ostetriche accolgano il bimbo che vagisce; il marito sostenga una moglie spossata. Questo sia dunque l'avvio delle nozze, per paura che l'Evangelista abbia mentito.
>
> Ma no: lungi da noi dover fare una simile ipotesi riguardo alla madre del Salvatore e ad un uomo veramente giusto. Non ci fu presenza di nessuna ostetrica, né vi si prodigarono le cure di qualche donna assistente. *Lei stessa avvolse il neonato in pannolini;* lei stessa fu ad un tempo madre ed ostetrica.
>
> "E lo depose — dice l'Evangelista — in una mangiatoia, perché non c'era posto per essi nell'albergo" (Lc 2,7). Parole, che da un lato confutano le fantasie degli apocrifi, giacché *Maria stessa avvolse il neonato in pannolini,* e dall'altro lasciano insoddisfatto il desiderio di Elvidio, giacché nell'albergo non c'era posto, in ordine alle nozze»[112].

---

[112] *De perpetua virginitate s. Mariae adversus Elvidium,* 8 (PL 23,201BC). Versione di E. CAMISANI, *Opere scelte di San Girolamo,* I, [Torino 1971], p. 252.

Quel che scrive s. Girolamo appare anche presso un anonimo del sec. VII-VIII [113] ed è ripetuto lungo i secoli da moltissimi autori: ad es. Nicolò da Lira († 1349) [114], G. Maldonado[115], A. Calmet (1736) [116] ...

7.2. *Fondamenti biblici?*

Fra gli esegeti del nostro secolo, alcuni fanno propria la sentenza che fu già di s. Girolamo [117]. Altri (e sembrano essere i più numerosi) negano che da Lc 2,7b si possa trarre una prova, o anche un indizio, in favore del parto verginale di Maria [118].

Effettivamente, ad una prima lettura non si vede come il testo di Luca possa contenere un'affermazione del genere. Tale, almeno per noi lettori occidentali, è l'impressione più ovvia. Forse un'esplorazione più approfondita degli scritti giudaici potrebbe dischiudere nuovi sensi.

Riguardo al testo lucano in sé, credo sia doveroso, per completezza di esposizione, accennare all'ipotesi recente espressa da I.

---

[113] *Sermo in descriptione Deiparae,* 8: « ...ipsa infatigabilis mater, ipsa obstetrix sine magistra, non permisit quemquam impuris manibus partum intemeratum contingere; ipsa per sese curavit eum, qui ex se et ante se, et propter se natus erat: "Et pannis eum involvit, et reclinavit eum in praesepio" » (PG 28,955AB).

[114] *Biblia Sacra cum Glossa Ordinaria ...,* t. V, Antverpiae 1634, col. 709: « Per seipsam. Ex hoc patet falsitas quae scribitur in libro de infantia Salvatoris, scilicet ipsam obstetrices habuisse in partu quae non requiruntur nisi propter afflictionem matris in partu, quae non habuit locum in virgine, quae peperit sine dolore, imo cum maximo gaudio et delectatione, et ideo per seipsam puerum natum recepit, involvit et reclinavit, ut hic dicitur ».

[115] *Ioannis Maldonati ... Commentariorum in quattuor Evangelistas,* t. II, *in Lucam et Ioannem,* Mussiponti 1597, col. 709.

[116] A. CALMET, *Commentarius literalis in omnes libros Veteris et Novi Testamenti ...,* Lucae 1736, p. 504.

[117] Per es.: M.-J. LAGRANGE, *Évangile selon Saint Luc,* Paris 1927[3], p. 71: « ἐσπαργάνωσεν est bien un indice que Marie n'a pas éprouvé les douleurs de l'enfantement. Sans doute on peut citer des cas extraordinaires, comme cette femme de Bethléem de nos jours qui ayant accouché en ramassant du bois est revenue avec son enfant sans abandonner son fagot, mais les cas semblables ne sont pas ordinaires. Luc semble avoir voulu écarter du berceau de Jésus toute curiosité indiscrète, tout empressement gênant. Marie suffit à tout: *nulla ibi obstetrix* ...»; W.J. HARRINGTON, *The Gospel according to St Luke,* London-Doublin-Melbourne 1968, p. 61: « ... though this last detail may also be Luke's way of suggesting that the manner of birth was miraculous ».

Più circospetto è C. POZO, *María en la obra de la Salvación,* Madrid 1974, p. 254: « Si en Lc 2,7 (donde se describe a María en actividad inmediatamente después del parto) quiere verse una alusión a que el parto habia carecido de los dolores naturales, se encontraría aquí algo más en orden al *sentido* de la virginidad en el parto. Pero la alusión no es tal que signifique necesariamente un parto milagroso; parece, por tanto, que por si sola no bastaría, si no se le añade el recurso a la Tradición ».

[118] Sono di questo parere: A. PLUMMER, *A critical and exegetical Commentary on the Gospel according to S. Luke,* Edinburgh 1908[4] (ristampa), p. 53; J. SCHMID, *L'Evangelo secondo Luca,* Brescia 1965, p. 91; R.E. BROWN, *La nascita del Messia secondo Matteo e Luca,* Assisi [1981], p. 540; J.A. FITZMYER, *The Gospel according to Luke (I-IX),* Garden City, New York [1983], 2nd printing, p. 394-395 ...

de la Potterie su Lc 1,35b [119]. Qui ne riassumo i contenuti essenziali, ripetendo ciò che ho già scritto per il Nuovo Dizionario di Mariologia [120]. Poi dirò in che senso l'esegesi del p. De la Potterie possa avere attinenza con Lc 2,7b.

a) Quanto alla *costruzione grammaticale,* Lc 1,35b ha conosciuto quattro tipi di lettura: I. « *Il Santo che nascerà,* sarà chiamato Figlio di Dio » - II. « *Ciò che nascerà santo,* sarà chiamato Figlio di Dio » - III. « Ciò che nascerà, *sarà* (*è*) *santo* e chiamato Figlio di Dio » - IV. « Ciò che nascerà, *sarà chiamato Santo,* Figlio di Dio ».

Dei suddetti quattro modi di versione, il II è quello che risponde meglio all'economia intrinseca del testo lucano. La prima frase (« Ciò che nascerà santo ») è il soggetto della seconda, che funge da predicato (« sarà chiamato Figlio di Dio »). Tra l'una e l'altra vi è una corrispondenza ritmica, ben evidenziata dalla Volgata: « ... quod nascetur sanctum, vocabitur Filius Dei » [121].

b) Nell'economia della versione qui adottata, « *santo* » *è un aggettivo* che funge da predicato del verbo « nascere »: « Ciò che *nascerà santo* ... ». Simile punteggiatura sottolinea una circostanza della nascita. Anche in Gv 9,2.19.20 incontriamo l'espressione « nato *cieco* ». In italiano, del resto, siamo soliti dire: « E' nato, cieco, ricco, povero, intelligente ... ». E così pure in altre lingue.

Circa la natura di questa « santità » dichiarata da Lc 1,35b, dovremmo interrogare il libro del Levitico, specialmente nella sezione del « codice di santità » (Lc 17-26). Ivi il termine « santo » comporta l'assenza di contaminazione, anche di quella che derivava dal sangue sparso durante il ciclo mestruale o in occasione del parto (Lv 12,2.5; 18,19 ...).

Tenendo conto di queste risultanze, in Lc 1,35 avremmo allora la seguente dinamica: (a) il nascituro sarà concepito in virtù dello Spirito Santo; (b) precisamente a causa di questa concezione verginale, egli nascerà in maniera *santa,* sarà cioè partorito *verginalmente, senza effusione di sangue* da parte della madre; (c) e, come ultima conseguenza di tale concezione e di tale parto, Gesù sarà riconosciuto (« sarà chiamato ») come Figlio di Dio.

c) Di fatto, *alcuni Padri e autori medievali* trattano della nascita verginale di Cristo connettendola a Lc 1,35. Fra costoro vi è ad es.: Cirillo di Gerusalemme († 386), Ambrogio († 397), l'Ambrosiastro (sec. IV), Gregorio Magno († 604), Ildefonso di Toledo († 667), Aimone di Halberstadt († 853), la Glossa Ordinaria (assai autorevole per tutto

---

[119] I. De La Potterie, *Il parto verginale del Verbo incarnato*: « *Non ex sanguinibus ..., sed ex Deo natus est* » (*Gv 1,13*), in *Marianum* 45 (1983), p. 127-174 (in particolare, per Lc 1,35b, p. 163-171).

[120] *Nuovo Dizionario di Mariologia,* a cura di S. De Fiores e S. Meo, [Roma-Milano 1985], voce *Vergine,* pp. 1446-1447.

[121] Il p. De la Potterie si rifà all'articolo di J.M. Bover, « *Quod nascetur* (*ex te*) *sanctum vocabitur Filius Dei* » (*Lc 1,35*), in *Biblica* 1 (1920), pp. 92-94. Cf *Il parto verginale ...*, p. 164 nota 82.

il Medioevo) ... Spiegando o alludendo a Lc 1,35, essi definiscono la « nascita » di Gesù come « santa », vale a dire « pura », « incontaminata », « incorrotta », « monda », « immacolata »[122]. In altri termini, il parto di Gesù avvenne senza quelle perdite di sangue che causavano l'impurità rituale in ogni partoriente, a norma della tradizione veterotestamentaria.

In base a queste premesse, De la Potterie conclude che Lc 1,35 potrebbe essere così parafrasato: « La potenza dell'Altissimo stenderà su di te la sua ombra. Pertanto quello che (partorirai) nascerà *puro e immacolato,* e perciò verrà chiamato Figlio di Dio »[123].

Le future indagini diranno se e in quale misura sia accettabile la proposta di De la Potterie. Qualora essa risulti seriamente fondata, si profila la seguente rilevazione per il nostro soggetto: il fatto che Maria stessa, e non altri, avvolga in fasce il neonato Gesù potrebbe insinuare che ella diede alla luce in maniera « santa », esente cioè dal trauma fisico cui va soggetta la donna nel parto.

Lasciamo l'interrogativo aperto. Almeno come verifica ossequiente ad un suggerimento che ci viene da una rispettabile tradizione.

8.1. *Le « fasce » segno di un'Incarnazione verace, non illusoria*

Le fasce in cui Maria strinse il Bambino provano che Dio *ha « vestito »* (per così dire) *la condizione umana in maniera non fittizia, bensì reale.* In effetti: che cosa avrebbe potuto avvolgere Maria, se la carne assunta dal Verbo non avesse avuto una consistenza effettiva, tangibile, pari alla nostra?

L'osservazione sorgeva spontanea nel quadro di un'agitazione dottrinale che impegnò la chiesa fin dalle origini. Dagli scritti di s. Giovanni (fine sec. I) e di s. Ignazio di Antiochia (inizio sec. II) è noto che già sul cadere del sec. I serpeggiava l'eresia del « Docetismo »[124]. V'erano, cioè, di quelli che stimavano apparente, e quindi non passibile, la carne presa da Cristo « nel grembo » e « dal grembo » di Maria. La fede della Chiesa, di contro, professava che il corpo del Salvatore era verace, integro, soggetto alla sofferenza, poiché il Verbo si era fatto carne rendendosi in tutto simile a noi, eccetto che nel peccato (cf Eb 4,15).

In tale contesto vanno situati e compresi i pronunciamenti dei Padri che ci apprestiamo a riferire. Essi si alternano tanto in Oriente che in Occidente, almeno fino a tutto il sec. V.

a) Fra gli *Orientali,* s. Atanasio († 373) ragionava nel modo seguente per confutare le tendenze eterodosse che circolavano a Corinto:

---

[122] Sulla storia dell'esegesi di Lc 1,35 per il tempo patristico e medievale aveva già scritto lo stesso p. Bover in *Estudios Eclesiásticos* 8 (1929), pp. 381-392 (cf *art. cit.* di I. De la Potterie, p. 164 nota 82).

[123] I. De la Potterie, *art. cit.*, p. 170.

[124] G. Bardy, *Docétisme,* in *Dictionnaire de Spiritualité,* III, Paris 1957, col. 1461-1468.

« L'Apostolo dice che [Cristo] "della stirpe di Abramo si prende cura; perciò doveva rendersi in tutto simile ai fratelli" (Eb 2,16.17), e prendere un corpo simile al nostro ... La Scrittura ricorda poi il parto [di Maria] e dice: *"Lo avvolse in fasce"* (Lc 2,7b); inoltre sono proclamate "beate" le mammelle che lo hanno allattato ... Ora è impossibile che un corpo sia allattato e *avvolto in fasce,* se prima non è stato partorito secondo natura ... » [125].

S. Epifanio († 403) difende con vigore il realismo fisiologico della gestazione di Gesù nel grembo di Maria, e conclude:

« Egli, che era composto realmente di carne, anima e mente, uscì realmente attraverso le vie normali delle partorienti, realmente *fu avvolto in fasce,* deposto nel presepio e portato da Maria » [126].

Dal canto suo, s. Giovanni Crisostomo († 405) si pone nella stessa linea di pensiero. Prima stabilisce il principio così formulato: « Colui che è impalpabile, Essere semplice e incorporeo, è voltato e rivoltato da mani umane » [127]. Poi trae le conseguenze del passaggio del Verbo dalla sfera invisibile e trascendente a quella visibile e tattile:

« Lui, che è nel seno del Padre, volle assumere l'aspetto del servo e sottoporsi a tutto ciò che comporta la natura corporea: essere generato da una donna, essere partorito da una vergine, essere portato per nove mesi nel grembo, *essere avvolto in fasce,* essere creduto figlio di Giuseppe sposo di Maria, crescere a poco a poco, essere circonciso, offrire il sacrificio, avere fame e sete, provare la fatica e infine sopportare la morte di croce ... » [128].

Dal momento che Dio — ribadisce Teofilo di Alessandria († 412) — nasce ed *è ricoperto di fasce,* ciò vuol dire che egli pensò di abbracciare in tutto la nostra somiglianza, fuorché il peccato [129].

Teodoreto di Ciro († 458) sintetizza il paradosso dell'Incarnazione scrivendo:

« E' nato secondo la legge di natura, e sopra la legge di natura. Che sia nato da una donna, è conforme alla natura umana; ma che sia nato da una vergine, è al di sopra della natura.

Non disdegnò *le fasce,* la circoncisione, il latte come cibo; offrì sacrifici, digiunò, provò la fame, la sete, la fatica ... » [130].

---

[125] *Epistola ad Epictetum,* 5 (PG 26,1057-1058BC). Per la versione siriaca della medesima, cf CSCO 258, p. 57.

[126] *Adversus Haereses,* lib. III, t. II, 35. Con effetto retorico, Epifanio usa ripetere in questi paragrafi l'espressione ἐν ἀληθείᾳ (= in verità, effettivamente), per rivendicare la « veracità » dell'Incarnazione. Cf PG 42, 693-694C.

[127] *In Natalem Christi diem,* 2 (PG 56,389).

[128] *In Genesim* 23,6 (PG 53,205).

[129] *Epistula Paschalis,* 6 (in S. Alvarez Campos, *Corpus Patristicum Marianum,* II, Burgos [1970], p. 458, nº 1296).

[130] *In Psalmum* 108, v. 21 (PG 80, 1726C).

Anche Nestorio († avanti il 451) [131] e Filosseno di Mabbûg († 522 ca.) [132] insegnano che Lc 2,7b appartiene a quel genere di espressioni evangeliche attinenti all'economia della carne di Cristo.

La liturgia bizantina fa riscontro a questo canone della fede, e canta:

> « In questo giorno nasce dalla Vergine Colui che nella sua mano tiene ogni creatura. Mortale, *è avvolto in panni,* lui per essenza inafferrabile » [133].

b) Fra gli *Occidentali,* vi è Eusebio di Vercelli († 371) che, polemizzando con le dottrine manichee del suo tempo, interpella vivacemente i suoi contraddittori:

> « Rispondete a me, o Manichei, figli delle tenebre ... Voi non accettate che il figlio di Dio, cioè il Dio vero, abbia assunto un'umanità vera dalla Vergine Maria per la nostra salvezza, come sta scritto: "Ecco, la vergine concepirà..." (Is 7,14).
>
> Se a te pare mera illusione che l'angelo Gabriele abbia rassicurato Maria col dire: "Non temere, Maria, hai trovato grazia presso Dio. Ecco, concepirai nel seno e darai alla luce un figlio e lo chiamerai Gesù" (Lc 1,30.31); oppure se tu giudichi fantasia quel che attesta l'evangelista in proposito: "E diede alla luce il suo figlio primogenito, *lo avvolse in panni* e lo depose nella mangiatoia" (Lc 2,7), allora dimmi: che cosa ha concepito, o che cosa ha partorito, *o che cosa ha avvolto in fasce* e deposto nel presepio? » [134].

Sussume Arnobio il Giovane († dopo il 455):

> « Che cosa [Maria] avrebbe potuto *avvolgere in panni* e deporre nel presepio, se Egli non fosse stato uomo perfetto? » [135].

E s. Leone Magno († 461), con acume di sintesi, insegnava:

> « Senza la potenza del Verbo la Vergine non potrebbe né concepire né partorire, ma senza la realtà della carne non avremmo il Bambino che giace *avvolto nelle fasce* » [136].

8.2. *Fondamenti biblici?*

Alla veracità della carne di Cristo rende testimonianza l'intero messaggio del Nuovo Testamento. Giovanni, che aveva affermato: « E

---

[131] *De Nativitate*: « Quando igitur infantem, o gentilis, in praesepio positum audieris *pannis involutum* ..., illius infantis cogita dignitatem ..., *involutum secundum carnem pannis* ... » (cf S. Alvarez Campos, *op. cit.*, IV/1, p. 9, n⁰ 2926).

[132] *Commentaire du Prologue johannique,* 84 (in CSCO 381, p. 202).

[133] Vigilia di Natale, idiòmelon di Nona (citato da J. Lemarié, *La manifestazione del Signore. La liturgia del Natale e dell'Epifania,* [Milano 1960], p. 90 nota 6). Cf *Anthológhion tû olû eniautû,* I, Roma 1967, p. 1251.

[134] *De Trinitate* III, 59-60 (CCL 9, p. 46).

[135] *Conflictus de Deo Uno et Trino,* lib. II, 11 (PL 53,285B).

[136] *Tractatus 64,4. De Passione Domini* (CCL 138A, p. 393; versione di T. Mariucci, *Omilie, lettere di San Leone Magno* [Torino 1969], pp. 357-358).

il Verbo si fece carne » (Gv 1,14), scriverà poi: « Ogni spirito che riconosce che Gesù Cristo è venuto nella carne, è da Dio; ogni spirito che vanifica Gesù, non è da Dio » (Gv 4,2-3; nelle varianti per il v. 3). Sarebbe inutile diffondersi in un elenco di citazioni bibliche, che risulterebbe interminabile.

Gli stralci dei Padri citati sopra, da una parte insistono sul realismo delle varie tappe di sviluppo dell'umanità di Cristo (concezione, nascita, allattamento, crescita; sopportazione della fatica, della fame, della sete, della morte ...); in più si appellano a enunciazioni dottrinali, tipo quella di Eb 2,16-17 (Atanasio), Eb 4,15 (Teofilo di Alessandria), Fil 5,7 (Giovanni Crisostomo) ...

Un'osservazione integrativa potrebbe arricchire il repertorio di testi ausiliari per Lc 2,7b in ciò che riguarda l'assunto di questo paragrafo. Del vangelo lucano, cade a proposito ciò che diceva Gesù Risorto ai discepoli stupiti e spaventati quando, di fronte alla sua apparizione, credevano di essere in presenza di un fantasma: « Perché siete turbati, e perché sorgono dubbi nel vostro cuore? Guardate le mie mani e i miei piedi: sono proprio io. *Toccatemi* e guardate; un fantasma non ha *carne e ossa come vedete che io ho* » (Lc 24,37-39). Ebbene: in anticipo anche stavolta sui discepoli, a Maria fu concessa l'esperienza tattile della corporeità del Figlio di Dio quando, apparso uomo fra gli uomini a Betlem, ella lo cinse di fasce. « Ciò che le nostre mani hanno toccato, ossia il Verbo della vita ... » (1 Gv 1,1).

9.1. *Le « fasce », segno delle « cure materne di Maria »*

Alcuni autori del sec. XII (per quanto mi risulta) danno un significato suggestivo alle fasce di cui Maria cinse il Bambino. Quei pannolini — ritengono i suddetti autori — sono segno delle *cure materne, affettuosissime, che la Vergine prestò al Figlio, dal suo primo vagito fino al sepolcro.*

Indubbiamente, questo genere di decodificazione espande la semantica simbolica di Lc 2,7b a tutto l'arco dell'esistenza di Cristo, Verbo Incarnato, e coglie l'importanza della funzione materna di Maria in ordine alla crescita umana del Figlio di Dio.

Il testo più comprensivo (ed anche più patetico) sembra essere quello di Ruperto di Deutz († 1130) quando spiega Ct 4,11: « Il profumo delle tue vesti è come il profumo del Libano ». Ruperto intende questa espressione come rivolta da Gesù alla Madre, e la traduce nella seguente parafrasi:

> « Cosa dirò di *quei pannolini, coi quali mi avvolgesti* e mi adagiasti nella mangiatoia? [Dirò] appunto quel che è vero: "Il profumo delle tue vesti è come il profumo del Libano" (Ct 4,11: "Et odor vestimentorum tuorum sicut odor thuris" [Volgata]). Quei pannolini, infatti, erano le primizie di tutte le altre vesti, ossia, delle buone opere che tu hai esplicato a mio riguardo, con amore materno e più che materno.

Siccome poi tutto quello che facesti per me allora e fin d'allora era animato dal fuoco grande e possente della carità, misto alla dolcezza dell'umiltà, a ragione (direi) gli amici manifestano il loro plauso: "Il profumo delle tue vesti è come il profumo del Libano" (Ct 4,11).

Difatti, benché io fossi il tuo piccino e una minuscola creatura, tu, o madre e vergine fedele, mi servisti in tutto nella maniera che conveniva a Dio. Al quale solo è dovuto il profumo dell'incenso nell'ora del sacrificio »[137].

Onorio di Autun (sec. XII) ha la stessa dottrina, quantunque impartita in termini più didascalici ed esplicativi rispetto a quelli or ora citati di Ruperto. Nel *Sigillum Beatae Mariae*[138], Onorio prende a spiegare Lc 10,38-42. Per lui, Marta rappresenta la vita attiva e Maria la vita contemplativa. Ora, afferma egli, la madre di Gesù coltivò in sommo grado sia l'uno che l'altro tipo di vita. Ella esercitava l'ufficio della contemplazione, poiché, stando come seduta ai piedi del Signore (cf Lc 10,39), con l'occhio e col cuore anelava alle parole del Figlio; tutto conservava e approfondiva in cuor suo (cf Lc 2,19); continuamente bramava le cose celesti, meditando le realtà spirituali. Siccome la sorgente stessa della Sapienza aveva posto la sua dimora in lei, tutti i tesori della sapienza e della scienza erano celati in essa. Quanto poi alla vita attiva — soggiunge Onorio — va detto che Maria prestò a Gesù tutti i servizi di cui parla il Vangelo. A lui, infatti, esule per noi fin dall'infanzia e ospite in questo mondo, ella offrì l'asilo del proprio grembo. Lo nutrì al seno, quando aveva fame; lo consolava sulle ginocchia, quando piangeva. Fragile com'era, lo riscaldava con abluzioni; *nudo, lo avvolse in pannolini; quando vagiva, lo cingeva di fasce*[139]; quando le sorrideva, lo ricambiava con teneri baci. Allorché fuggì da Erode e ritornò poi sotto Archelao, molto si dava pensiero e di varie cose ... Quando infine vide il Figlio catturato dagli empi, condotto a forza, legato, schiaffeggiato, malmenato, irriso, condannato coi malfattori a morire in croce tra gli stenti ..., volentieri avrebbe dato la propria vita per liberarlo.

---

[137] *In Canticum Canticorum*, III, a 4,11 (CCL, Cont. Med. 26, pp. 83-84).

[138] *Sigillum B. Mariae*, in PL 172, 497BCD. Altro testo, in parte analogo a questo, si trova in Guerrico d'Igny († 1157), *In Assumptione Beatae Mariae sermo quartus*, 1 (SC 202, pp. 458-461).

[139] Potremmo ricordare, in proposito, *Le Coefore* di Eschilo (del 458 a.C.), ai vv. 749-760. La nutrice di Oreste così esclama: « ...il caro Oreste, cura continua della mia vita, io lo allevai non appena dal grembo materno lo accolsi: allora, attenta alle sue acute grida che di notte mi facevano andare avanti e indietro nelle stanze, dovetti sopportare molte fatiche, e tutte invano per me. Chi non usa ragione, quale agnello, nutrire è d'uopo — come no? — si deve ragionare per lui. Non parole precise dice il bimbo, che *è ancora in fasce* (ἔπ'ὢν ἐν σπαργάνοις) se lo opprime fame o forse sete o il bagnato d'orina: infatti le viscere di un piccolo bimbetto a loro talento si comportano. Questi bisogni prevedevo ma spesso —lo credo bene — dal piccolo ero delusa, gli lavavo i panni: il compito di ripulirlo e quello di *fasciarlo* spettavano sempre a me » (ESCHILO, *Le tragedie,* vol. II, ed. critica con traduzione italiana e note di M. UNTERSTEINER [Milano 1947], pp. 364-367).

V'è ancora Alano di Lilla († 1202/1203) che si avvicina a questo filone di pensiero. A commento di Ct 1,7 (« Dimmi, o amore dell'anima mia »), egli scrive:

> « Con tutto il cuore ella [Maria] amò Cristo. A tal punto nutrì e crebbe la carne di lui da rivolgere tutti gli affetti del cuore alle sue necessità: quando nacque, quando prendeva il latte, quando vagiva, quando cresceva. Per l'amore della carne di lui, ella appariva come noncurante della propria.
>
> Con tutta l'anima amò Cristo. L'aiuto dello Spirito Santo le diede tale vigore che la confortò in ogni opera buona e santa e la infiammò dell'amore di Cristo » [140].

Questo genere di interpretazione, ripeto, estende senza dubbio di molto la portata simbolica di Lc 2,7b. « Tutto quello che facesti per me *allora e fin d'allora* ... », scrive Ruperto di Deutz. Con ciò si vuole evidenziare il ruolo insostituibile di Maria in quanto « madre » nello sviluppo della personalità del Figlio, dalla culla al sepolcro: un tema sul quale dovrebbero ritornare le moderne scienze dell'educazione! Il germe, lo diciamo subito, lo si può individuare già nelle Sacre Scritture.

9.2. *Fondamenti biblici?*

La decodificazione del segno delle « fasce », avanzata in particolare da Ruperto di Deutz, credo che abbia un discreto avvio nel testo biblico.

Ritorniamo un momento sui tre passi dell'AT introdotti e spiegati in apertura del nostro studio (Ez 16,4, Sap. 7,4 e Gb 38,9). In ciascuno di essi, abbiamo visto, il gesto di avvolgere in fasce un bimbo allorché viene alla luce è segno di cuore amorevoli prestate da persone intime, quali sono i genitori; in particolare, la mamma. Tale, purtroppo, non fu il caso di Gerusalemme, poiché alla sua nascita in Egitto — dichiara a lei il Signore — « ... *non fosti avvolta in fasce;* occhio pietoso non si volse su di te per farti una sola di queste cose e usarti compassione, ma come oggetto ripugnante fosti gettata via in piena campagna, il giorno della tua nascita » (Ez 16,4-5).

E veniamo ora direttamente a Lc 2,12.16, ove un dettaglio della narrazione può conferire al discorso che stiamo elaborando. In Lc 2,12 l'angelo offre il « segno » ai pastori dicendo: « Troverete un bambino *avvolto in fasce* che giace in una mangiatoia ». I pastori si muovono in fretta a verificare il segno loro indicato. E quando giungono sul posto, uno si attenderebbe che Luca scriva, in armonia col v. 12: « Trovarono il bambino avvolto in fasce, che giaceva in una mangiatoia ». L'evangelista, invece, non dice esattamente così, ma riferisce (al v. 16) che i pastori « ... trovarono *Maria e Giuseppe*

---

[140] *Elucidatio in Cantica Canticorum* I,7 (PL 210, 58D).

e il Bambino che giaceva nella mangiatoia ». Non è difficile accorgersi che qui al v. 16 in luogo del participio « avvolto in fasce » del v. 12 subentra la presenza di « Maria e Giuseppe ». E' casuale questa sostituzione? Forse no. Tenendo conto del simbolismo inerente al gesto di avvolgere in fasce un neonato, Luca sembra volerci dire che Gesù, fin dalla nascita, fu oggetto di cure tenerissime da parte di Maria e Giuseppe, suoi genitori. Sul primogenito Israele, abbandonato in aperta campagna nel giorno della nascita, si chinò amorevolmente Dio (Ez 16,4-6). Sul primogenito Gesù, per il quale non c'è posto nell'alloggio comune, veglia la custodia amorosa di Maria [141] e Giuseppe (Lc 2,7.16).

Maria ha concepito verginalmente il Bambino (Lc 1,35), ne è gravida (Lc 2,5-6), lo partorisce e l'avvolge in fasce (Lc 2,7). Maria, però, è inseparabile da Giuseppe, che è suo sposo (Lc 1,27) e padre legale del Bambino (Lc 1,27; 2,4; 3,23; 4,22). Per mezzo di Luca, la Chiesa riconosce in Maria e Giuseppe i primi testimoni dell'Incarnazione [142]. Mediante i loro uffici materni e paterni, essi consentirono a Gesù di crescere e conseguire la propria maturità come « figlio dell'uomo » [143]. All'insieme di tali premure di Maria e Giuseppe rimandano le « fa-

---

[141] E. Haulotte, *Symbolique du vêtement selon la Bible* [Paris 1966], p. 201: « Dieu veille sur le Premier-né du Nouvel Israël. Une Mère virginale, assistée des pauvres et des riches humbles de ce monde, se penche en son lieu et place sur lui (comp. Ez 16,3-5) ». E a p. 327: « Pourtant ce premier geste de la Vierge penchée sur l'Enfant messianique (Lc 2,7) prend une portée insoupçonnée, si, derrière lui, on voi en filigrane l'abandon sauvage où se débattit à ses origines l'humanité dont Dieu tira son peuple élu: [*qui cita Ez 16,3-5 e Dt 32,10*]. Le geste de Marie se profile sur un horizon messianique et la jeune Mère devient celle qui, au lieu et place de Yahwé, prend soin du Premier-Né du nouvel Israël ... ». E. R. Brown commenta: « L'avvolgimento in fasce ... può essere un segno che il Messia d'Israele non è un reietto in mezzo al suo popolo, ma è accolto e assistito come si deve » (*La nascita del Messia secondo Matteo e Luca*, Assisi [1981] p. 569).

[142] Cf Origene, *In Lucam* XIII, 7: « ... invenerunt [pastores] Ioseph *dispensatorem ortus Dominici* et Mariam, *quae Iesum fudit in partum*, et ipsum Salvatorem iacentem in praesepi » (SC 87, pp. 214-215); alla nota 2, p. 214: « *Joseph dispensator*: ce titre souligne bien le rôle de Joseph dans la *dispensatio*, dans l'économie du salut ». Stesso concetto nell'omelia *In Natali Domini* attributa da molti a s. Giovanni Crisostomo († 407) e da altri a Severiano di Gabala († dopo il 408): « Ecce infans fasciis involvitur et in praesepi iacet: adest autem et Maria, *quae virgo et mater est;* aderat autem et Ioseph, *qui pater appellatur* ». Cf PG 56,392; S. Alvarez Campos, *op. cit.*, p. 439, 449 (n° 1271); M. Geerard, *Clavis Patrum Graecorum*, vol. II, Turnhout 1974, p. 558.

[143] S. Cantore, *Maria mette al mondo il Primogenito* (*Lc 2,7*), in *Parola, Spirito e Vita* n° 6 (luglio-dicembre 1982), p. 111: « La vocazione ad essere madre non si compie con il parto, implica il prendersi cura del figlio. Questa cura ora, per Maria, si concretizza nell'avvolgere nelle fasce Gesù ... Avvolgere il neonato — secondo l'uso orientale con due pezze, una per la testa e l'altra per il corpo — è importante per proteggere il bimbo nella sua fragilità e per permettere a chiunque di prenderlo e portarlo senza pericolo. Fasciando suo figlio, Maria vuole solo proteggerlo o vuole renderlo aperto all'incontro? Questa fasciatura è solo "temporanea" o è il segno che Maria dà a suo figlio quel tipo appropriato di sicurezza che lo farà vivere in pienezza, capace di essere libero di determinare la propria vita, senza paura di fronte agli altri? ». Le riflessioni qui citate intuiscono la pregnanza insita nel testo lucano.

sce » del presepio. Il ministero di Maria e Giuseppe, in quanto genitori, « avvolgeva », cioè accompagnava Gesù, che « ... cresceva in sapienza, età e grazia davanti a Dio e agli uomini » (Lc 2,52; cf il v. 40)[144].

Gli autori del sec. XII citati sopra guardano alle sollecitudini materne di Maria verso Gesù. Ma il testo lucano — mi sembra — ha delle aperture illuminanti anche sul ruolo educativo di Giuseppe.

10.1. *Le « fasce » della mangiatoia in rapporto alla « sepoltura e risurrezione » del Signore*

I Padri leggono sovente il Natale alla luce della Pasqua. Una confessione di fede che sia davvero piena sempre dovrà congiungere i due estremi. Il Bimbo di Betlem, contemplato silente e fragile nel presepio, è Colui che un giorno rivelerà la sua origine divina risuscitando dai morti.

Sono vari i modi in cui i Padri uniscono l'entrata del Verbo in questo mondo e il suo esodo dal medesimo verso il Padre. Accenno semplicemente a qualche esempio di tale canone. Percorrendo la letteratura patristica, si incontrano passi abbastanza frequenti che mettono in rapporto il grembo di Maria e il sepolcro del Signore[145]; oppure la culla-mangiatoia in cui fu adagiato Gesù e la tomba ove egli fu deposto[146]. Sia il primo che il secondo degli accostamenti qui enunciati richiedono studi puntuali ed esaurienti.

Ma qui ci fermeremo ad una terza maniera con la quale i Padri connettono l'Incarnazione alla Pasqua. Essa riguarda esattamente « le fasce » entro le quali Maria strinse il Bambino. Quelle fasce, nel pensiero di non pochi Padri, hanno un riferimento con le bende della sepoltura del Signore, oppure con la nudità della sua Risurrezione. Svolgeremo adesso ambedue gli aspetti di questo parallelismo, e ci chiederemo poi se esso goda di un fondamento scritturistico.

---

[144] In questo paragrafo riprendo sostanzialmente quanto avevo già scritto in *Sapienza e contemplazione di Maria secondo Luca 2,19.51b*, Roma 1982, pp. 210-213.

[145] Su questo suggestivo accostamento (già insinuato dai vangeli!), si troveranno le debite referenze nell'opera di J.A. De Aldama, *Virgo Mater. Estudios de Teología Patrística*, Granada 1963, p. 249-274 (« El tema del sepulcro del Señor en la Teología Patrística de la Maternidad Virginal »). Oltre ai testi segnalati dal p. De Aldama, aggiungerei il passo di Ireneo (fine sec. II), *Adversus Haereses* III,5.1: « Quemadmodum et David *eam quae est ex Virgine generationem* et *eam quae est ex mortuis resurrectionem* prophetans ait: "Veritas de terra orta est" » (SC 211, p. 52-55).

[146] Una delle attestazioni più antiche per tale richiamo sembra essere quella di Tertulliano († dopo il 220), *De carne Christi* V, 1: « Sicut plane et alia, tam stulta, quam pertinent ad contumelias et passiones dei. Aut prudentiam dic deum crucifixum aut aufer hoc quoque, Marcion, immo hoc potius. Quid enim indignius deo, quid magis erubescendum, nasci an mori? Carnem gestare an crucem? Circumcidi an suffigi? Educari an sepeliri? *In presepe deponi* an *in monumento recondi?* Sapientior eris si nec ista credideris » (CCL 2, p. 880).

10.2. *Le « fasce del presepio » e le « bende del sepolcro »*

Voci dell'Oriente e dell'Occidente ci intrattengono su questo connubio ideale tra la nascita e la morte del Signore Gesù.

1 - In *Oriente,* abbiamo le prime testimonianze di simile parallelismo in Efrem, sembra, e in Gregorio di Nazianzo.

S. Efrem († 373), in uno dei suoi inni sulla Natività, dà lode al Signore che ha voluto associare il suo splendore alla propria sofferenza. In lui l'abbassamento è unito all'esaltazione. Quattro esempi confermano questa economia di umiliazione e di gloria:

> « Egli *si circondò di fasce* nell'abbassamento [della mangiatoia], e gli furono presentati dei doni [da parte dei Magi].
> Indossò abiti da adulto, e ne uscirono aiuti prodigiosi [Mc 5,25-34 e par.?].
> Si vestì nell'acqua del battesimo, e bagliori luminosi emanarono all'intorno [cf Mt 3, 15 nelle varianti] [147].
> *Da morto fu avvolto in lini,* e il trofeo della vittoria li pervase di giorno.
> La sua umiliazione va di pari passo con la sua esaltazione. Lode a Colui che unì il suo fulgore alla sua passione » [148].

E' sintomatico che il primo e l'ultimo di questo quadruplice riferimento siano rappresentati dal Bimbo avvolto nelle fasce del presepio, adorato dai Magi, e dal corpo esanime di Gesù ricoperto di bende e investito poi dagli splendori della risurrezione. Secondo Efrem, così pare, tra questi due estremi della parabola umana di Cristo Incarnato v'è una sorta di richiamo, che sottintende un'analogia di situazioni.

S. Gregorio di Nazianzo († 389/390) è ancor più esplicito nello scoprire tale incontro. In un passo dei suoi discorsi teologici egli ricorda che il Verbo *fu stretto in fasce,* ma poi, risuscitando, *si svincolò dalle fasce sepolcrali* [149].

Più tardi, Romano il Melode († 560 ca.) immagina che le donne, passato il sabato, andassero al sepolcro dicendo l'una all'altra:

> « Orsù, amiche, andiamo ad ungere con aromi il corpo vivificante e sepolto, la carne deposta nel sepolcro, che fa risorgere Adamo caduto. Presto, andiamo come già i Magi, adoriamolo e, a lui, *avvolto non più nelle fasce ma nella sindone,* portiamo in dono i profumi. Piangendo gridiamo: "Signore, risorgi, tu che ai caduti doni la risurrezione" » [150].

---

[147] Stesso concetto in *Inni sulla Fede* 7,3 (CSCO 155, p. 23).

[148] *Inni sulla Natività* 23, strofa 12 (CSCO 187, p. 109).

[149] *Discorsi teologici* 29, 19 (SC 250, p. 218-219).

[150] *La Risurrezione di Gesù (I). Le donne mirofore,* strofa 1 (cf *Romano il Melode. Inni.* Introduzione, traduzione e note a cura di G. Gharib [Roma 1981], p. 404). Lo stesso accostamento tra le fasce del presepio e la sindone sepolcrale si ritrova nell'*Homilia II in Sabbato Magno,* dello ps.-Epifanio, databile tra i secc. VI-IX. Cf PG 43,443 e la *Clavis Patrum Graecorum* II, n° 3768, pp. 333-334.

Una sequenza del noto poema *Christus patiens*, che sembra essere opera di un autore bizantino del sec. XII, pone sulle labbra della Vergine un lamento come questo:

> « Tu giaci *ricoperto nel sudario*,
> tu che un giorno *io avvolsi in fasce* »[151].

2 - Per quanto riguarda l'*Occidente*, vi sono due brani di s. Massimo di Torino († 420), ove il santo vescovo indulge su un diffuso confronto tra Maria, il cui grembo verginale concepisce e genera Gesù, e Giuseppe di Arimatea, uomo giusto, che offre il proprio sepolcro nuovo, perché vi fosse accolto il corpo esanime del Salvatore[152]. Scrive testualmente s. Massimo, nel secondo dei brani suddetti:

> « Quale paragone può esservi tra il grembo [di Maria] e il sepolcro [offerto da Giuseppe d'Arimatea], dal momento che lei generò il figlio dai penetrali delle proprie viscere, mentre questi prestò soltanto un luogo per la sepoltura?
>
> Eppure — dico io — l'amore di Giuseppe non fu inferiore a quello di Maria. La ragione è che Maria concepì il Signore nel seno, mentre Giuseppe lo concepì nel cuore. Lei offrì al Salvatore l'intimo delle proprie membra; lui non [gli] negò il recesso del proprio corpo. *Ella avvolse in pannolini il Signore al momento della nascita; egli lo ricoprì di bende.* Lei cosparse di olio il sacro corpo, e lui gli rese omaggio con aromi.
>
> Dunque, se vi è una corrispondenza di ossequi, se c'è un concorso di premure affettuose, è giusto che vi sia anche una convenienza di merito. Salvo a dire che nel caso di Maria fu un angelo a consigliarle l'ossequio, mentre nel caso di Giuseppe fu soltanto la sua giustizia a persuaderlo »[153].

Le mie ricerche sulla Patristica antico-medievale non hanno rilevato altri testi così puntuali come quello di s. Massimo. Tuttavia,

---

[151] « *Christus patiens* », vv. 1464-1465 (SC 149, p. 246-247). Sull'intricata questione dell'autenticità di questa tragedia in versi, si diffonde lungamente A. Tuilier in SC 250, pp. 11-74. Sebbene la maggioranza dei critici la ritenga composta da uno scrittore bizantino del sec. XII, Tuilier sostiene che si può accettare come ragionevole un'attribuzione di fondo a s. Gregorio Nazianzeno.

Fra le testimonianze degli Orientali, non vorrei tralasciare la menzione, almeno marginale, di Proclo di Costantinopoli († 446). In una omelia elogiativa su s. Giovanni che affermò: « Il Verbo si è fatto carne » (Gv 1,14), Proclo tocca i vari aspetti dell'Incarnazione sposata dal Verbo. Fra l'altro esorta dicendo: « Contempla *avvolto in fasce* (σπαργανωθέντα) colui che, ad un suo comando, *sciolse le fasce* (τὰ σπάργανα) di *Lazzaro* » (*In sanctum Pascha et in illud « In principio erat Verbum »* V; in PG 65, 203-204B). E' qui manifesto il richiamo tra Lc 2,7b e Gv 11,44. Tuttavia si potrebbe procedere anche ad un abbinamento tra Lc 2,7 e Gv 19,40 in quanto Gesù fu sepolto, afferma Giovanni, secondo l'usanza dei Giudei. Avremmo, quindi, un nesso che collega Lc 2,7; Gv 11,44 e Gv 19,40. In una parola: le fasce della culla preludono alle fasce del sepolcro.

[152] *Sermone* 38, 4 e 39,1 (CCL 23, pp. 150, 152).

[153] *Sermo 39,1. De Sepulchro Domini Salvatoris* (CCL 23, p. 152).

scendendo dall'epoca tardo medievale in giù, sembra maggiormente avvertito l'accostamento tra le fasce della culla e quelle del sepolcro. Tra le voci riscontrate, possiamo segnalare quelle di s. Alberto Magno († 1280) [154], s. Vincenzo Ferreri († 1419) ... [155].

10.3. *Le « fasce del presepio » e la « nudità della Risurrezione »*

Era costume degli antichi — e anche degli Ebrei (cf Gv 11,44; 19,40) — avvolgere la salma in fasce funebri. Ora queste bende mortuarie si prestavano molto bene a simboleggiare la tirannia che la morte esercita sull'uomo. Non c'è che dire: un cadavere così composto, nella sua rigidità immobile, era la controfigura della vita, del moto.

Ma anche un neonato, fasciato dal collo ai piedi, con le braccia esili strette ai fianchi, dava la sensazione di una piccola mummia. Non a caso alcuni commentatori vedono una somiglianza tra Lazzaro nel sepolcro, con le mani e i piedi legati dalle bende funerarie (Gv 11,44), e i bambini stretti in fasce. I medesimi autori, poi, non mancano di abbinare al passo di Gv 11,44 quello di Gv 19,40, ove l'evangelista assicura che Gesù fu sepolto secondo le usanze dei Giudei [156].

Non meraviglia, perciò, se diversi Padri vedono nelle fasce della mangiatoia di Betlemme un simbolo della *condizione mortale* di cui si è vestito il Figlio di Dio, quando si fece anche Figlio dell'uomo. Giorno verrà in cui il corpo di Gesù, calato esanime dalla croce, sarà avvolto in un lenzuolo, stretto attorno alla sua spoglia. Ma il mattino di Pasqua quelle bende rimarranno sole nella tomba, senza il corpo di Gesù, ormai rivestito dei fulgori della Gloria Divina.

Prima di citare singole testimonianze in cui le fasce della mangiatoia sono correlate a quelle del sepolcro di Gesù, mi sembra op-

---

[154] *Beati Alberti Magni ... Commentarii in Lucam,* recogniti per R.A.P.F. Petrum Iammy ... operum tomus X, Lugduni 1551, p. 351: « Dicitur autem munda [la sindone]: quia ad ultimum erat dealbata. Et hoc significabat candorem gratiae ipsius corporis ... Sic enim et Virgo Mater albis castitatis viscerum suorum indutum et involutum Verbum protulit in mundum: *et iam natum pannis involvit,* et reclinavit in praesepio in pabulum iumentorum ... ».

[155] Citato da J.J. BOURASSÉ, *Summa Aurea de laudibus Beatissimae Virginis Mariae,* t. II, Paris 1866, col. 1469: « Quando vidit puerum Jesum natum, et nudum, cogitavit in corde suo dicens: O vae Filius meus erit nudus in cruce; deinde *pannis eum involvit cogitans, quod sic ejus corpus involveretur sindone in ejus sepultura;* deinde posuit eum in praesepio, cogitans quod sic suspenderetur in medio duorum latronum ».

[156] *Hugonis Grotii operum theologicorum ... vol. I, continens adnotationes in quatuor Evangelia et Acta Apostolorum,* Amsterdami 1579, p. 534; A. CALMET, *Commentarius literalis in omnes libros Veteris et Novi Testamenti ...,* Lucae 1736, p. 740. Fra gli antichi, cf l'omelia sulla Pasqua di Giovanni di Berito [= l'odierna Beirut], della fine del sec. V: « Non è più legato in fasce colui che, con una sola parola, aveva sciolto i vincoli della morte » (SC 187, p. 296-297 per il testo; e pp. 303-304 nota 10 per il rinvio a Gv 11,43-44).

portuno far precedere la sintesi di un filone dottrinale dei Padri riguardante la veste di Adamo ed Eva e le vesti di Gesù. Sullo sfondo di questa premessa comprenderemo, in visione più allargata, quanto essi scrivono su Lc 2,7b.

a) *« Nudità » e « vesti » di Adamo ed Eva* - Prima della colpa, i nostri progenitori erano rivestiti di gloria; indossavano l'ornamento dell'innocenza, della mansuetudine, dell'incorruzione [157]. L'amicizia con Dio era il loro manto [158]. Ma dopo la seduzione di Satana, Adamo ed Eva persero l'abito della gloria, scoprirono di essere nudi (Gen 2,25) e vestirono una copertura di foglie (cf Gen 3,7). Non più, dunque, la stola primigenia della gloria, dell'immortalità, bensì un indumento vile, spregevole, conseguente alla condizione mortale sopraggiunta a seguito della caduta [159]. Erano, quelle, « foglie di ignominia » [160].

b) *« Vesti » e « nudità » di Cristo* - Ecco, allora: i pannolini di cui la Vergine ricopre il Bambino (Lc 2,7b) stanno in linea di continuità con la veste dimessa e rude che Adamo ed Eva portarono fuori dall'Eden, dopo aver perso il dono dell'immortalità (cf Gen 3,7.21). Le fasce che avvolgono Gesù nella mangiatoia sono povere, non splendenti. Esse stanno a significare che il Figlio di Dio, venendo in mezzo a noi, condivide anch'egli (al pari di noi) una forma di esistenza fragile, debole, avviata alla morte [161].

Però, proseguono i Padri, nell'atto di morire e di risorgere Gesù depone quelle vesti. Infatti, prima di salire sulla croce fu spogliato dei suoi indumenti, che vennero gettati a sorte fra i soldati (Mc 15,24; Mt 27,35; Lc 23,34; Gv 19,23-24). Inoltre, quando Pietro e Giovanni si recano al sepolcro dopo l'annuncio delle donne, essi constatano che nella tomba giaceva non più il corpo del Signore Gesù, bensì soltanto le bende di cui era stato avvolto prima di essere consegnato alla sepoltura (Lc 24,12; Gv 20,5-7). Perché, dunque, quella « nudità »?

---

[157] IPPOLITO (sec. II), *De Cantico Canticorum* 25,5 (CSCO 264, p. 47); AMBROGIO († 397), *De Isaac vel anima* 43 (CSEL 32/1, p. 668).

[158] A dire il vero, già la tradizione giudaica insegnava che Adamo, avanti la colpa, era rivestito di gloria, mentre si scoprì nudo dopo la colpa. Cf *Targum dello pseudo-Gionata* a Gen 3,7; *Gen Rabbah* 11,2 a 2,3 e 20,12 a 3,21; *Pirkê De Rabbi Eliezer*, n⁰ 14; *Il libro di Adamo ed Eva* (S.C. MALAN, *The book of Adam and Eve*, London 1882, p. 19-20); *La penitenza di Adamo*, 44 (versione armena del *Libro di Adamo;* in CSCO 430, pp. 14-15); *Midrash Tanḥuma* a Gen 2,4; L. GINZBERG, *The Legends of the Jews*, I, Philadelphia 1909, pp. 74, 97, 332; II, Philadelphia 1913, p. 139; V, Philadelphia 1925, pp. 42, 80, 97, 103, 104, 109, 276, 284, 366 ...

[159] IPPOLITO (sec. II), *De Cantico Canticorum* 25,5 (CSCO 264, p. 47); EFREM († 373), *Inno « Canterò per la tua grazia,* [*o Signore*] », strofa 9 (cf *S. Efrem Siro. Inni alla Vergine, tradotti dal siriaco da G. Ricciotti*, Torino [1939], pp. 18-19); AMBROGIO († 397), *De Isaac vel anima* 43 (CSEL 32/1, p. 668). Vedi, inoltre, le note 164-166, 170-187.

[160] EFREM († 373), *Inni sul Paradiso* 2,7 (CSCO 175, p. 6); 6,9 (CSCO 175, p. 20; *Inni sull'Epifania* 12,4 (CSCO 187, p. 173).

[161] Citeremo i rispettivi testi poco più innanzi, sotto la lettera *c*.

I Padri rispondono rifacendosi alla situazione dell'Eden avanti il peccato. Là, agli albori della prima creazione, Adamo ed Eva erano « nudi », spogli cioè di vesti materiali, ammantati però della gloria derivante dalla loro comunione con Dio. Ora Cristo Risorto è il primogenito della nuova creazione, è il nuovo Adamo ricreato dalle mani di Dio e introdotto nuovamente nell'Eden. Lì, in quel mistico giardino del Paradiso finalmente riaperto, Cristo entra « nudo », com'era Adamo. In altri termini: Gesù depone per sempre le nostre vesti, simbolo di una umanità limitata e mortale, e riveste in eterno gli splendori della Gloria di Dio, dell'immortalità, dell'incorruzione [162]. La veste del Cristo Risorto è lo Spirito Santo. Essa è riconsegnata a tutto il genere umano, caduto in Adamo e rialzato da Cristo.

La dottrina qui condensata è sottesa alle seguenti referenze testuali.

Dopo la redenzione della Pasqua — insegna Ippolito (sec. II) — Eva depone la veste intessuta di foglie di fico per essere rivestita di Spirito Santo, l'abito genuino non soggetto a corruzione. Le vesti in cui fu avvolto il corpo del Signore rimasero giacenti nella tomba, ma il Signore non era nudo. E anche Adamo non era nudo prima di peccare, poiché portava l'ornamento dell'innocenza, della mansuetudine, dell'incorruzione. Dopo essere stato sedotto, si scoprì nudo. Adesso, però, torna ad essere vestito [163].

S. Efrem († 373) detta le seguenti riflessioni sulla duplice nudità di Cristo, crocifisso e risorto.

Prima di essere inchiodato sul patibolo, Gesù fu denudato; ma in quella spoliazione appare evidente che egli, assieme alle vesti, diede l'addio anche alla morte [164]. E prima di essere consegnato al sepolcro, il corpo del Signore fu ricoperto di bende funerarie. Tuttavia, osserva Efrem,

> « ... [Cristo] lasciò nel sepolcro il vestito delle sue fasce, perché Adamo potesse entrare in paradiso senza veste, così com'era prima

[162] J. Lemarié, *La manifestazione del Signore. La liturgia del Natale e dell'Epifania* [Milano 1960], pp. 102-103: « Se l'Incarnazione è stata una realtà acquisita dal primo istante della concezione dell'Uomo-Dio nel seno della Vergine, — dove veramente si annodava quell'unione ipostatica che fu perfetta sin dal momento del *fiat* di Maria — è stato anche un mistero vissuto; tutti i suoi effetti sono stati acquisiti al mattino della Risurrezione, allorché quel corpo si è levato dalla tomba, libero per sempre dall'infermità adamitica. L'Incarnazione non poteva non sfociare ed effondersi nella gloria pasquale che trasfigura l'umanità santa, strappandola alla morte e a ogni debolezza ».

[163] Ippolito (sec. II), *De Cantico Canticorum* 25,5 (CSCO 264, p. 47); Ambrogio († 397), *De Isaac vel anima*, 43 (CSEL 32/1, p. 668). Analoga dottrina anche nel *Vangelo di Verità* (sec. II), 20,30: « Oh grande insegnamento! Si umiliò fino alla morte, colui che era rivestito di vita eterna! Spogliatosi dei *cenci corruttibili, si rivestì di immortalità*, della quale nessuno lo può privare ». Cf *I Vangeli Gnostici. Vangeli di Tomaso, Maria, Verità, Filippo*, a cura di L. Moraldi [Milano 1984], p. 32. In contesto più allargato, si veda anche Cirillo di Gerusalemme († 386), *Catechesi mistagogica* II,2 (SC 126, pp. 104-107).

[164] *Commento al Vangelo concordato*, 17 (CSCO 147, p. 209.

di peccare. Siccome egli uscì [dall'Eden] vestito, doveva svestirsi al momento di ritornarvi »[165].

In un altro passo, Efrem puntualizza sinteticamente il suo pensiero dicendo:

« La spoliazione del suo corpo sul legno della croce è la spoliazione della nostra morte. E la veste che è il suo corpo risorto dalla tomba comporta la spoliazione di quella vita che viene dal mondo »[166].

Come si può dedurre dal contesto che precede immediatamente, per s. Efrem la « morte » o la « vita che viene al mondo » corrisponde esattamente alla condizione dell'uomo in questo mondo, sul quale Satana vuole signoreggiare mediante il peccato e la morte[167]. Siamo largamente nell'ambito della dottrina giovannea, la quale sotto il nome di « mondo » intende spesso (ma non sempre) l'opposizione alla persona di Cristo e alla sua Parola[168].

S. Ambrogio († 397) riprende il pensiero di Ippolito, che abbiamo riferito poco sopra[169], mentre si avvicina poi a s. Efrem quando commenta così Lc 23,34:

« E' necessario considerare in quali condizioni egli sale [in croce]. Lo vedo nudo: è così che deve salire colui che si prepara a vincere il mondo, cioè senza cercare l'aiuto del mondo.

Adamo, che cercò una veste, fu vinto, mentre vinse colui che ha deposto i suoi abiti. Egli sale così come la natura, autore Dio, ci ha formati: così il primo uomo aveva abitato nel paradiso, e così il secondo uomo è entrato in paradiso »[170].

---

[165] *Op. cit.*, 23 (CSCO 147, p. 233). Sulla ricorrenza del tema « Cristo, secondo Adamo — Maria, nuova Eva » in Efrem, cf L. LELOIR, *Doctrines et Méthodes de s. Éphrem d'après son Commentaire de l'Évangile concordant* (*originel syriaque et version arménienne*), in CSCO 220 (Subsidia, Louvain 1961), pp. 42-44.

[166] *Commento al Vangelo concordato,* 16 (CSCO 147, p. 230).

[167] Ecco il testo nel suo tenore letterale: « Il Verbo di verità è venuto nel mondo e ci insegnò a camminare con lui secondo la sua verità, portata a noi. *Stretta è la porta* (Mt 7,14). Il Signore Nostro sfigurò se stesso, assumendo la natura umana, perché non avessero paura di lui, ed entrò nel mondo come colui che spoglia il mondo. Ma poi dimise nuovamente l'abito e i costumi del mondo, perché non avessero a trattenerlo qui nel mondo. *E presso di me,* dice egli, *non trova niente di suo* (Gv 14,30). Perciò il mondo non poté sopportare la sua condotta neanche per un po' di tempo, perché nella breve durata in cui visse il Signore, i gusti del mondo erano già invecchiati e, quasi decrepiti, si avviavano alla dissoluzione; e assieme ad essi, anche colui che regnava per mezzo loro [= Satana] voleva imprigionare ogni corpo. Ma il Signore volle indossare un corpo e, rivestendosi della morte, rese immortali i corpi » (*op. cit.*, 16, CSCO 147, p. 230).

[168] Mi sia permesso citare la mia nota: *La nozione di « mondo » negli scritti di Giovanni,* in *Servitium* 3 (1969), pp. 753-764 (pp. 756-759: « mondo: opposizione a Cristo »).

[169] *De Isaac vel anima,* 43 (CSEL 32/1, p. 668).

[170] *S. Ambrogio. Commento al Vangelo di San Luca,* 110 (versione di R. MINUTI, vol. II, Città Nuova, [Roma 1966], p. 274).

Già da questa prima serie di brani si fa luce la convinzione che la nudità di Cristo è una componente del mistero pasquale, indotta (lo diremo appresso) dalla stessa narrazione evangelica.

Qualche altra testimonianza susseguente, emersa alle mie ricerche, prosegue lo stesso filone teologico, talora con variazioni innovative.

Teodoro di Mopsuestia († 428), per es., conferma che le fasce funebri rimaste nel sepolcro di Gesù (cf Gv 20,5-7) recano una duplice testimonianza. Primo: che il Signore è risorto in maniera ineffabile, assumendo un corpo incorruttibile e un'anima non soggetta a mutazioni. Secondo: che egli non ha più bisogno di vesti umane, avendo assunto l'abito sublime e mirabile dell'immortalità [171].

Anche Narsai di Nisibi († 503) rincalza scrivendo:

> « E' uscito dalla tomba, e ha lasciato le vesti a testimonianza del fatto che d'ora in avanti si è spogliato della morte, per rivestirsi di gloria » [172].

A Severo di Antiochia († 538) dobbiamo il seguente passo, ricco di elementi tradizionali. Spiega egli:

> « Il fatto che Gesù sia risuscitato nudo, senza le bende, stabilisce innanzitutto che mai più egli sarà conosciuto secondo la carne, e non avrà più bisogno di cibo e di bevanda, né di vesti e di ornamenti, anche se, quando adempiva la sua economia, s'era sottomesso volontariamente a tali cose, dal momento che egli aveva condiviso la nostra stessa natura.
>
> Inoltre, esso sta a indicare il ritorno di Adamo al suo stato primordiale, quand'era nudo nel paradiso senza provarne vergogna.
>
> D'altronde, come Dio, anche dopo l'Incarnazione egli era rivestito della gloria più degna di Dio: lui che, al dire del profeta Davide, si avvolge di luce come di un manto (cf Sal 104,2) » [173].

Si avverta, infine, il forte lirismo dottrinale di questa strofa di Romano il Melode († 560 ca.):

> « Lasciata cadere nella tomba la sindone di Giuseppe [d'Arimatea],
> tu hai tolto alla tomba colui che aveva creato Giuseppe.
> Dietro a te venne Adamo, Eva poi seguì le tue orme.
> Di Maria Eva è l'ancella.

---

[171] *Commentarius in Evangelium Iohannis Apostoli,* in CSCO 116, p. 248. Simile concetto anche in Ciro di Edessa (metà sec. VI), *Six Explanations of the Liturgical Feasts by Cyrus of Edessa. An East Syrian Theologian of the Mid Sixth Century,* 5,6 (in CSCO 356, p. 100: « God our Lord was aware that he would soon shake off [this sleep] from him and elevate him to the heighest heights where the apparel of clothes would be superfluous ... »).

[172] *Omelia sulla Risurrezione,* vv. 235-236 (in PO 40, p. 151).

[173] *Omelia 77,* « *In Christi Resurrectione* » (PO, t. 16, p. 820. In PG 46, 637-638B la stessa omelia è pubblicata sotto il nome di Gregorio Nisseno).

Te tutta la terra adora,
intonando l'inno della vittoria: "E' risorto il Signore" »[174].

E Romano il Melode, non dimentichiamolo, è colui che ha cantato:

« Betlem riapre tutte le porte dell'Eden,
dove Adamo torna a danzare »[175].

c) *Le « fasce della mangiatoia »* - Dopo aver delineato per cenni essenziali il pensiero dei Padri sulle vesti e la nudità sia del primo che del secondo Adamo, possiamo cogliere più facilmente le risonanze racchiuse in altre espressioni, relative alle fasce di cui Maria rivestì il suo primogenito.

1 - Le voci dell'*Oriente,* come al solito, sembrano quelle più attente e più diffuse anche su questa dimensione simbolica delle fasce del Divino Infante.

Da una « sughita » di s. Efrem († 373) in memoria della Madre di Dio, ricaviamo frasi del seguente tenore:

« Abbiano per mezzo tuo, o Signore, consolazione
e conforto gli afflitti del giardino [dell'Eden),
che svestendosi della gloria
si rivestirono delle foglie;
a motivo di essi, *in fasce ecco che sei ravvolto*
— affinché essi ritornino nell'Eden »[176].

In un'altra « ninna nanna », il s. Dottore fa dire alla Vergine:

« I servi espulsi per mezzo tuo
in quella dovizia di cui furono spogliati;
una veste di gloria si appresti ad essi
per ricoprire la loro nudità »[177].

---

[174] *La Risurrezione di Gesù (II), strofa* 20 (*Romano il Melode. Inni.* Introduzione, traduzione e note a cura di G. Gharib [Roma 1981], p. 418).

[175] *Sulla Natività (XXIX)*, strofa 56 (J.B. PITRA, *Analecta Sacra Spicilegio Solesmensi parata,* t. I, Parisiis 1876, p. 233). Anche nella strofa 82 (*op. cit.*, p. 238): « Nunc ... Edeni porta aperta est. Adam, exerce choream, Deus plasmator noster lubens efformatus est ».

[176] *Inno XVIII. Altra « sughita »: in memoria della Genitrice di Dio,* strofa 39 (*S. Efrem Siro. Inni alla Vergine,* tradotti dal siriaco da G. Ricciotti, Torino [1939], p. 100; cf CSCO 187, p. 183).

[177] *Inno XIX. Altra « sughita »*, strofa 23 (G. RICCIOTTI, *op. cit.*, p. 110). Anche nell'Inno II, 9 Efrem canta:

« La madre ch'era caduta [Eva],
fu sorretta dalla figlia sua [Maria],
e poiché quella si era rivestita,
questa intessé e dette a lei
una stola di gloria » (G. RICCIOTTI, *op. cit.*, p. 18-19).

Romano il Melode († 560 ca.) pone queste parole sulle labbra del Neonato di Betlem:

« *Io sono stretto nelle fasce,* per causa di quanti avevano rivestito allora le tuniche di pelle. Mi allieta una grotta per causa di quanti avevano contravvenuto al mio comandamento di vita, ed io sono disceso sulla terra affinché essi possano avere la vita » [178].

Nel sec. XII, il patriarca armeno Nerses il Grazioso († 1173) echeggia l'identico motivo:

« *Grazie alle tue fasce,* o Gesù, Figlio unico del Padre, tu hai abolito le sofferenze del primo uomo, coperto di foglie » [179].

La liturgia armena, inoltre, scioglie questa dossologia:

« Benediciamo l'inviato del Padre,
che *si è avvolto in fasce* per noi
e ci ha salvati dalla maledizione di Adamo » [180].

2 - Fra i *Latini* non è raro imbattersi in proposizioni di minor afflato poetico, che professano tuttavia la medesima dottrina in termini più concisi.

Essi dicono, ad esempio, che il Bambino si ricopre di fasce umili, spregevoli, per rivestire noi con « la veste (la stola) dell'immortalità »: così Ambrogio († 397) [181], Agostino († 420) [182], Cromazio di Aquileia († 407-408) [183], un autore ignoto del sec. IX [184], s. Pier Damiani († 1072) ... [185]. La *Glossa Ordinaria,* che tanta fortuna ebbe nel Medioevo, fa il punto scrivendo che quelle fasce restituiscono a noi « la stola primigenia » [186], quella cioè di Adamo, capostipite dell'umanità [187].

---

[178] *Inno per la Natività (II). Adamo ed Eva alla Grotta,* strofa 14 (*Romano il Melode. Inni.* Introduzione, traduzione e note a cura di G. GHARIB [Roma 1981], p. 183).

[179] In SC 203, p. 104, strofa 330.

[180] Ufficio della notte, 1,5, V giorno dell'Epifania (citato da J. LEMARIÉ, *La manifestazione del Signore ...,* p. 215, nota 39).

[181] *In Lucam* II,41: « *Ille involutus in pannis,* ut tu mortis sis laqueis absolutus » (CCL XIV/IV, p. 49).

[182] *Sermo* 190,3: « *Pannis involvitur,* sed immortalitate nos vestit » (PL 38,1009).

[183] *Sermo 32 de Natale Domini,* 2: « *Pannis involvitur* qui immortalitatis vestimenta largitur » (CCL 9A, p. 145).

[184] *Sermo de Nativitate Domini,* 2 (SC 161, p. 156-157): « Non in sericis vel in auratis pannis, sed *in vilibus involvi voluit,* qui nobis immortalitatis stolam reddere venerat ».

[185] *Sermo 46. In Nativitate Sanctae Mariae sermo secundus,* 9: « Vilibus tegebatur crepundiis, qui electos suos stola induit immortalitatis ».

[186] *Glossa Ordinaria,* t. V, Antverpiae 1634, col. 709.

[187] Sintetizza bene le posizioni della teologia patristica su questo argomento J. LEMARIÉ, *La manifestazione del Signore. La liturgia del Natale e dell'Epifania,* [Milano 1960], p. 225-233. Si aggiunga la bella citazione di PIETRO DELLA CELLA († 1182), *De disciplina claustrali* 27 (CS 240, p. 305).

10.4. *Fondamenti biblici?*

Alcuni testi giovannei e lucani offrono effettivamente una base scritturistica al linguaggio dei Padri, quando vedono nelle fasce del Bambino di Maria il segno della « mortalità » ereditata da ogni uomo che viene a questo mondo, e anche un anticipo della « tomba vuota ».

1 - La legatura di un neonato in pannolini evoca — dicevamo — un'immagine anche di morte, in quanto i defunti erano fasciati in panni funerari (un lenzuolo, il sudario ...). Narrando la risurrezione di Lazzaro, Giovanni scrive che alla voce di Gesù « ... il morto uscì *con i piedi e le mani avvolti in bende, e il volto coperto da un sudario.* Gesù disse loro: « *Scioglietelo* (λύσατε) e lasciatelo andare » (Gv 11,44). Nell'atto di sciogliere il defunto dai legami che lo rendevano immobile è significato il ritorno di Lazzaro alla vita, in virtù della parola di Gesù. In quella parola e in quel gesto si manifestava « la gloria di Dio » (cf il v. 40).

Sempre dal quarto vangelo siamo informati che Giuseppe d'Arimatea e Nicodemo « ... presero il corpo di Gesù e *lo avvolsero in bende* (ἔδησαν αὐτὸ ὀθονίοις) insieme con oli aromatici, così com'è usanza seppellire presso i Giudei » (Gv 19,40). Ma il mattino di Pasqua, Pietro « ... entrò nel sepolcro e vide *le bende che giacevano per terra, e il sudario,* che gli era stato posto sul capo, *non per terra con le bende, ma piegato in un luogo a parte.* Allora entrò anche l'altro discepolo, che era giunto per primo al sepolcro, e *vide e credette.* Non avevano infatti ancora compreso la Scrittura, che egli cioè *doveva risuscitare dai morti* » (Gv 20,6-9).

L'esperienza pasquale di Pietro e Giovanni è messa in atto al vedere le bende e il sudario che giacevano lì nel sepolcro, in quel modo, senza più contenere il corpo di Gesù. V'è una correlazione tra il « segno » visibile delle bende afflosciate (v. 6: κείμενα; v. 7: ἐντετελυγμένον) e il « credere » nella risurrezione (v. 9). Gesù, risorgendo, si era liberato dai vincoli della morte, significati dalle bende sepolcrali da cui era « legato » il suo corpo (v. 40: ἔδησαν). Di questo si persuasero Pietro e Giovanni. Nella persona di Gesù Risorto rifulge ormai « la gloria del Padre » (cf. Gv 17,1 ...).

2 - Anche il vocabolario lucano degli Atti raffigura la morte di Gesù come un « dominio » dispotico esercitato su di lui, e la risurrezione come uno « scioglimento » da tale schiavitù. Infatti Pietro, nel suo primo discorso a Gerusalemme, così proclama (At 2,23b-24): « Voi l'avete inchiodato sulla croce per mano di empi e l'avete ucciso. Ma Dio lo ha risuscitato, *sciogliendolo* (λύσας) dalle angosce della morte, perché non era possibile che questa lo *tenesse in suo potere* (κρατεῖσθαι ... ὑπ'αὐτοῦ) ».

In maniera ancor più diretta, Luca sembra voler sottendere un legame intenzionale fra i pannolini del presepio e le bende del sepolcro [188]. In altra sede ho cercato di evidenziare alquanto diffusamente il rapporto che esiste tra il Natale e la Pasqua nell'orditura teologica del terzo Vangelo [189]. Qui restringo il discorso al punto che ci interessa. E cioè: secondo Luca, sia per la nascita di Gesù a Betlemme, sia per la sua nascita alla gloria della Risurrezione, è offerto un « segno ».

Per la prima nascita, quella di Betlemme, l'angelo dice ai pastori: « Questo per voi *il segno* (σημεῖον): troverete un bambino avvolto in fasce, che giace in una mangiatoia » (Lc 2,12).

Per la seconda nascita, quella di Pasqua, è Gesù medesimo che offre il *segno*, quando dichiarava alle folle: « Questa generazione è una generazione malvagia; essa cerca un *segno* (σημεῖον), ma non le sarà dato nessun *segno* fuorché il *segno* di Giona. Poiché come Giona fu un *segno* per quelli di Ninive, così anche il Figlio dell'uomo lo sarà per questa generazione » (Lc 11,29-30). Dal contesto parallelo di Mt 12,38-42 tale segno preconizzato da Gesù sarà il mistero pasquale: « Come infatti Giona rimase tre giorni e tre notti nel ventre del pesce, così il Figlio dell'uomo resterà tre giorni e tre notti nel cuore della terra » (Mt 12,40).

Detto questo, occorre aggiungere che tra i due « segni » v'è una marcata divergenza. A Natale v'è un Bimbo stretto in fasce, che giace in una mangiatoia; a Pasqua avremo una tomba vuota, nella quale rimangono soltanto le bende funerarie. Perciò Luca ci rende attenti alle divergenze che contrassegnano la verifica dell'uno e dell'altro segno.

A Betlemme, infatti, i pastori « trovano » il Bambino (Lc 2,12.16), lo « vedono » (Lc 2,17). Al sepolcro, invece, le donne, Pietro e l'altro discepolo « *non* trovano » il corpo del Signore Gesù (Lc 24,3.23.24), « *non* vedono il Signore » (Lc 24,24).

A Betlemme, inoltre, Maria avvolge in fasce il Bambino e lo depone in una mangiatoia (Lc 2,7). Per la sepoltura, anche Giuseppe di Arimatea avvolge il corpo di Gesù in un lenzuolo e lo depone nella tomba scavata nella roccia (Lc 23,53). Ed ecco il parallelismo di contrasto fra i due natali: se a Betlemme il Bimbo « *giaceva avvolto in fasce* » (Lc 2,7.12), a Pasqua invece « *giacciono soltanto le bende* » (Lc 24,12), non già il corpo di Gesù, come al momento della sepoltura (Lc 23,53).

---

[188] Fra gli esegeti moderni, alcuni ammettono la possibilità di una correlazione tipologica fra Lc 2,7b e Lc 23,53. Ad es.: M.D. GOULDER - M.L. SANDERSON, *St. Luke's Genesis*, in *The Journal of Theological Studies* 8 (1957), p. 28, nota 1; S. CANTORE, *Maria mette al mondo il Primogenito* (*Lc 2,7*), in *Parola, Spirito e Vita*, n° 6 (luglio-dicembre 1982), p. 111: « ... Luca vuole forse già vedere in questa fasciatura di Gesù alla nascita, l'altra fasciatura che il suo corpo riceverà dopo la morte ».

[189] In: *Sapienza e contemplazione di Maria secondo Luca 2,19.51b*, Roma 1982, p. 195-218.

La convergenza di termini qui rilevata fa dunque pensare — osserva J.-M. Guillaume [190] — che Luca scriva i due capitoli dell'infanzia di Gesù pensando già al racconto della Risurrezione. Muovendo probabilmente anche da questi presupposti del terzo Vangelo, la successiva Tradizione della chiesa ha poi enucleato la dottrina che abbiamo sintetizzato qui sopra.

11.1. *E' « legato in fasce » Colui che « scioglie » i peccati*

Un bimbo stretto in fasce, mani e piedi, giace come immobilizzato, privo della capacità di muoversi. E' una « legatura » paragonabile ad una quasi-schiavitù, se pur temporanea.

Ebbene, per molti Padri le fasce di cui Maria cinse Gesù appena nato simboleggiano un altro tipo di « legamento »; raffigurano, cioè, i *« vincoli » del peccato* [191]: questa ferrea dominazione che paralizza la persona, lasciandola in balia di potenze tenebrose.

Come Bimbo fasciato, Gesù mostra, sì, di voler rivestire la natura umana, ma per liberarla dai condizionamenti cui l'ha sottoposta il peccato. Egli è venuto per sciogliere le catene delle nostre colpe. Afferma s. Gregorio Nisseno († 392):

> « *E' stretto in fasce,* colui che si cinge dei vincoli dei nostri peccati » [192].

E s. Giovanni Crisostomo († 407) esclama:

> « Colui che spezza il laccio dei peccati, è *rinchiuso in panni* » [193].

Spiega inoltre Cromazio di Aquilea († 404-405):

> « Egli è *ravvolto in pannolini,* perché ha voluto portare su di sé i panni dei nostri peccati, come sta scritto: "Egli si è caricato dei nostri peccati, si è addossato i nostri dolori" (Is 53,4). Perciò *si è ricoperto di fasce* per svestire noi dei panni del peccato e tessere la tunica preziosa della sua Chiesa, in virtù dello Spirito Santo » [194].

Il Bambino — scrive un anonimo del 430 ca. — *è, sì, fasciato di pannolini* e sta reclinato nella mangiatoia; eppure egli è colui che

---

[190] J.-M. GUILLAUME, *Luc interprète des anciennes traditions sur la Résurrection de Jésus,* Paris 1979, pp. 43, 90.

[191] Fin dal sec. III, anche le bende sepolcrali in cui è avvolto Lazzaro (Gv 11, 44) sono considerate simbolo dei legami del peccato. Cf. ORIGENE († 253/254), *In Joannem* 28,6 (PG 14,693-694C); AGOSTINO († 430), *In Iohannis Evangelium* 49, 24 (CCL 36/VIII, p. 431); BRUNO DI SEGNI († 1123), *Commentaria in Joannem* II, 32 (PL 165, 545AB) ...

[192] *In diem Natalis Christi* (PG 46,1141-1142CD). Per l'autenticità di quest'omelia, si vedano le referenze raccolte da S. ALVAREZ CAMPOS, *Corpus Patristicum Marianum* II, Burgos [1970], p. 260.

[193] *In Natalem Christi diem,* 2 (PG 56, 389).

[194] *De Natale Domini Sermo 32,3* (CCL 9A, p. 145).

« scioglie » i legami della colpa [195]. Se nel giorno del suo Natale — specifica Proclo di Costantinopoli († 446) — *era circondato dai legami delle fasce,* nella teofania del Giordano toglie i vincoli dei peccati [196]. Sembra inconcepibile — osserva Esichio di Gerusalemme († dopo il 450) — che *sia stretto in fasce* Colui che con la sua forza rimanda liberi i prigionieri (cf Sal 68,7) [197]. Ugualmente s. Giacomo di Sarug († 521) celebra questa vittoria paradossale riportata dal Divino Infante, inerme e silente, contro la prepotenza del tiranno:

> « Il nato solo che Maria *di fasce avvolse* tutti gli idoli della terra infranse e sterminò. Il tacito fanciullo, che *di fasce è cinto,* ed in rude presepe giace, legò il tiranno e della sua ribellione umiliò la forza » [198].

Filosseno di Mabbûg († 522 ca.), in un frammento su Lc 2,7 scopre un rapporto figurativo tra la grotta del Natale e la tomba di Cristo, tra la mangiatoia e la croce (o l'altare). Invece *le fasce* per lui sono segno dell'uomo vecchio che, al dire di Paolo, è stato inchiodato alla croce (Col 2,14); egli, infatti, « ... portò i nostri peccati sul suo corpo sul legno della croce » (1 Pt 2,24) [199].

E' di Fulgenzio di Ruspe († 532) la seguente esortazione, rivolta alla Chiesa:

> « Quando vede lui che porta *nei panni* i nostri peccati, lo riconosca — mediante la stella — come colui che ci solleva alle zone celesti.
>
> Egli, infatti, che è disceso per noi, ci leva in alto: lui, che per noi si è fatto figlio dell'uomo. Egli, *che ha indossato i panni dei nostri peccati,* dona all'uomo la grazia dell'adozione divina. E' lui che purifica l'empio dal peccato. Egli, che giace nel presepio, esalta i credenti fino al cielo » [200].

Secoli dopo, fa eco a queste sentenze Dionisio Bar Salibi († 1171), che dice:

> « [Cristo] accettò di *essere avvolto in fasce,* perché queste sono indice dei nostri peccati, ossia del vecchio uomo che egli affisse alla croce » [201].

Ma anche in un omeliario Toledano del sec. VII leggiamo che i panni del presepio di Betlemme simboleggiano la condizione mor-

---

[195] *In Nativitatem Christi* (PG 28, 961-962A; cf S. ALVAREZ CAMPOS, *op. cit.*, IV/1, Burgos [1976], p. 422, n° 3574).
[196] *In Sancta Theophania,* I (PG 65, 758D).
[197] *Sermo IV in Annuntiationem* (PG 93,1455-1456D; cf ALVAREZ CAMPOS, *op. cit.*, p. 562-563, n° 3792).
[198] *Omelia seconda sulla Natività,* vv. 29-32 (C. VONA, *Omelie mariologiche di s. Giacomo di Sarug.* Introduzione, traduzione dal siriaco e commento, Roma 1953, p. 238).
[199] *Fragments of the Commentary on Matthew and Luke* (CSCO 393, p. 33).
[200] *De Epiphania,* in PL, Supplementum III, 1341.
[201] *Commentarii in Lucam* 2,7 (CSCO 114, p. 219).

tale della nostra carne. Del vestito che è la nostra umanità, Paolo afferma: « Sappiamo bene che il nostro uomo vecchio è stato crocifisso con lui, perché fosse distrutto il corpo del peccato, e noi non fossimo più schiavi del peccato » (Rm 6,6) [202].

E Romano il Melode († 560 ca.) canta:

« Innalzo un inno a te, *Re avvolto in fasce.*
Tu sciogli il laccio dei miei peccati
e mi circondi di gloria purissima
e incorruttibile » [203].

La liturgia bizantina traduce in termini oranti le intuizioni dei Padri. Un tropario della sesta ode del mattutino, nel giorno di Natale, recita così:

« E' venuto Cristo incarnato, il nostro Dio,
generato dal Padre nel proprio seno
prima della stella del mattino ...
Egli è fasciato in uno straccio,
ma scioglie le catene fortemente annodate
dei nostri peccati » [204].

11.2. *Fondamenti biblici?*

Non v'è dubbio che il linguaggio dei Padri, in questa parte, sia di natura allegorico-figurativa: i pannolini che stringono un neonato non sono dei peccati; al massimo possono essere una metafora del peccato.

Per tale simbolismo i Padri attingevano sicuramente alle categorie della Scrittura, nei punti in cui il peccato è presentato come una schiavitù che incatena la persona. Paolo, ad es., ne parla come di una potenza dispotica, che si comporta da « re » e « signore » sull'uomo (Rom 5,21; 6,12.14 ...) e lo riduce in « schiavitù » (Rom 6,6; 17,20 ...).

Di qui è facile il passaggio al concetto di liberazione, intesa come « scioglimento » dalle catene del peccato. Giovanni dice che « ... il Figlio di Dio è apparso per *sciogliere* le opere del diavolo » (1 Gv 3,8). E l'Apocalisse inneggia a « ... Colui che ci ama e ci *ha sciolti* dai nostri peccati con il suo sangue ... » (Ap 1,5). Questa dossologia esultante che apre il libro dell'Apocalisse si accorda bene con la dottrina di Paolo, quando afferma che « ... il nostro uomo vecchio è stato crocifisso con lui, perché fosse distrutto il corpo del

---

[202] *Homiliare Toletanum (sec. VII). Homilia 6. Sermo de Nativitate Domini* (PL, Supplementum IV, 1939).

[203] J.B. Pitra, *Analecta Sacra spicilegio Solesmensi parata,* I, Paris 1876, p. 226, 20 (citato da J. Lemarié, *La manifestazione del Signore* ..., p. 214).

[204] *Antológhion tû olû eniautû,* I, Roma 1967, p. 1269 (J. Lemarié, *op. cit.*, p. 214 nota 33. Egli aggiunge anche l'idiómelon della Vigilia: « ... con le fasce, slega il laccio del peccato »; cf *Antológhion* ..., p. 1262).

peccato, e noi non fossimo più schiavi del peccato» (Rom 6,6; cf Col 2,14). La tradizione petrina attesta ugualmente: «Egli portò i nostri peccati sul suo corpo sul legno della croce ..., dalle sue piaghe siete stati guariti» (1 Pt 2,24).

In effetti, sono di tale natura i brani biblici riferiti dai Padri a sostegno del simbolismo sopra descritto: Is 53,4 riletto in consonanza della 1 Pt 2,24 (Cromazio di Aquileia); Col 2,14 e 1 Pt 2,24 (Filosseno di Mabbûg e Bar Salibi). Le catene del male sono sciolte dal sangue di Cristo; dalla sua croce viene la nostra liberazione.

12.1. *Le «fasce», simbolo della Chiesa, «tunica» di Cristo*

Di questa esegesi figurativa abbiamo un passo di Cromazio di Aquileia († 404-405). In un sermone sul Natale, egli scrive:

> «*Si è ricoperto di fasce* per svestire noi dei panni del peccato e per tessere la tunica preziosa della sua Chiesa, in virtù dello Spirito Santo: sicuramente per questo motivo *fu avvolto in panni,* per invitare a Sé i diversi popoli dei credenti.
> E difatti noi veniamo alla fede da varie nazioni, e circondiamo Cristo a guisa di panni. Noi, che fino a poco tempo fa siamo stati dei cenci, ora siamo diventati la tunica preziosa di Cristo»[205].

Prima di giungere alla fede, sembra dire Cromazio, eravamo come dei cenci spregevoli. Ma ora, con la vita di fede, l'energia dello Spirito Santo ci trasforma in veste splendida di cui si ammanta Cristo. Come l'abito è la persona, così la Chiesa (mistica tunica di Cristo) è una sola cosa col suo Signore.

12.2. *Fondamenti biblici?*

Nel complesso dell'opera lucana (Vangelo-Atti), non pare vi sia spazio per il simbolismo della veste di Cristo, assunta come emblema dell'unità della Chiesa.

E' invece il vangelo di Giovanni che offre una base scritturistica per questa equivalenza simbolica. La tunica di Gesù non lacerata dai soldati (Gv 19,23b-24) già per l'evangelista è simbolo dell'unità della Chiesa, operata dal Cristo che muore «... per radunare nell'unità i dispersi figli di Dio» (Gv 11,52). Questa unità ha il suo inizio esemplare proprio sul Calvario, nella scena che segue immediatamente (Gv 19,25-27): l'intima comunione tra la Madre di Gesù

---

[205] *Sermo 32. De Natale Domini,* 3 (CCL 9A, p. 145). Nel Sermone 24,3 Cromazio aveva detto: «... Dominus et Salvator noster variam tunicam habere cognoscitur, quia ecclesiam ex variis gentibus congregatam velut indumentum vestis accepit» (*op. cit.,* pp. 109-110).

In maniera alquanto analoga si esprime lo pseudo-Teofilo († 529 ca.). Egli dice: «*Pannis obvolvitur,* ut scissam humani corporis unitatem suo redintegraret in corpore» (*Commentarius in quattuor Evangelia* I, 2; in PL, Supplee il discepolo amato costituisce il paradigma perfetto della Chiesa una e indivisa, in virtù del sacrificio di Cristo[206].

La decodificazione della tunica come simbolo dell'unità della Chiesa è confortata da una perseverante tradizione patristica[207], che ha il suo esponente in s. Cipriano († 258)[208]. E' verosimile che Cromazio conoscesse questa corrente di pensiero: egli la estende alle fasce che avvolgono il Bambino Gesù nella mangiatoia. Tra queste fasce e la tunica vi sarebbe una continuità sostanziale: è sempre la veste di Gesù! A lui, adolescente e poi adulto, Maria avrà intessuto una tunica: a somiglianza di Giacobbe che «... amava Giuseppe più di tutti i figli ... e gli aveva fatto una tunica dalle lunghe maniche» (Gen 37,3); e di Anna, che «... preparava una piccola veste [al figlioletto Samuele] e gliela portava ogni anno, quando andava con il marito a offrire il sacrificio annuale» (1 Sam 2,19).

Soltanto se ricollocata in un contesto così ampio, l'esegesi di Cromazio conserva una sua qualche validità. Se non altro, essa è un'ennesima riprova di come il mistero del Natale fosse rimeditato alla luce della Pasqua.

CONCLUSIONE

Il «tutto nel frammento»? Tale è l'impressione che si riceve dopo essere ritornati su Lc 2,7b, affidandoci alla guida dei Padri.

Certamente, come abbiamo rilevato volta per volta, non tutti i loro commenti godono della stessa autorevolezza. Occorre situare ogni tato globale è decisamente a favore della ricchezza racchiusa nelle sole otto parole di cui si compone Lc 2,7b. Una ricchezza insospettata, almeno ad un primo contatto di superficie. Specialmente i Padri orientali — così prossimi alla Palestina, culla del nascente cristianesimo — si rivelano autentici maestri nel percepire i sensi mistici, già veicolati dal testo biblico. Per noi occidentali, ad es., è difficile scoprire un parallelismo tra le fasce del presepio (Lc 2,7b)

---

mentum III, 1284). Dal contesto di questo brano non è chiaro cosa intenda lo pseudo-Teofilo per «humani corporis unitatem». E' forse la persona individua di ogni uomo, la cui unità armoniosa fra corpo e spirito è stata smembrata dal peccato? Oppure è il genere umano, frantumato dalla colpa di Adamo? (cf Gen 4-11).

[206] Per un'informazione sintetica sull'argomento, rinvio al mio opuscolo: *Maria a Cana e presso la croce. Saggio di Mariologia giovannea* (*Gv 2,1-12 e 19,25-27*), Roma 1978, pp. 85-89. Si aggiunga, inoltre: I. De la Potterie, *La tunique sans couture, symbole du Christ grand prêtre?*, in *Biblica* 60 (1979), pp. 255-269; del medesimo, *La tunique non divisée de Jésus, symbole de l'unité messianique*, in *The New Testament Age*, Essays in Honour of Bo Reicke, I, Mercer University Press, Macon 1984, pp. 127-138.

[207] M. Aubineau, *La tunique sans couture du Christ. Exégèse patristique de Jn 19,23-24*, in *Kyriakon* (Festschrift J. Quasten), I, Münster 1970, pp. 100-127.

[208] *De Ecclesiae Catholicae unitate*, 7 (CCL III/1, p. 254-255).

e le bende del sepolcro (Lc 23,53; 24,12; cf Gv 19,40; 20,5-7). Questo tenue accostamento, che uno potrebbe avvertire nel racconto lucano, appare più convincente quando lo si vede confortato da una tradizione discretamente diffusa.

In verità, sta proprio qui il nucleo del « segno » natalizio offerto dall'angelo ai pastori: saper riconoscere la gloria del Figlio di Dio sotto le sembianze di un infante coperto di fasce, partecipe — al pari di tutti — di una condizione limitata, precaria, che ha il suo epilogo terreno con la morte. Così è fatto il nostro Dio! « Scandalo per i Giudei, stoltezza per i Gentili » (1 Cor 1,23) - « Sciocchi e tardi di cuore! ... Non bisognava che il Cristo sopportasse queste sofferenze per entrare nella sua gloria? » (Lc 24,25.26).

Ma potremmo noi presumere di essere immuni da simile scandalo? Basterebbe osservare come tanti rinunciano a ricercare Dio nella « banalità del quotidiano », tipo: il gaudio per il sole che sorge o per un bimbo che viene alla luce; salute e malattia; lotte, speranze, angosce per costruire un mondo più pulito; il meriggio della gioventù e il crepuscolo dell'età anziana ... E quanti altri, poi, ritengono stolto un Dio che trascorre il suo primo trentennio di vita nel grigiore di una bottega da falegname! (Lc 2,39-40.51-52; 3,23); un Dio che non invoca il fuoco dal cielo per incenerire chi lo rifiuta (Lc 9,51-56), ma sta in mezzo a noi come uno che serve (Lc 22,27); un Dio che rifiuta la spada e non scende dalla croce (Lc 22,49-51; 23,35-37.39) ... Eppure sono queste le « fasce » di cui continua a rivestirsi Gesù, « Dio con noi ».

Maria ci è Donna-guida in quest'avventura della fede, che è sublime sapienza. Commenta il card. Martini: « Maria per prima ha capito che il Verbo di Dio può nascondersi in una realtà piccolissima, come quella di un bambino, e che servendo questa realtà si raggiunge la pienezza, la totalità del Verbo di Dio. Maria ha intuito il tutto nel frammento ... » [209].

[209] C. MARTINI, *Vita di Mosè. Vita di Gesù. Esistenza pasquale* [Roma 1981], p. 120-121. S. Agostino esclamava: « O manifesta infinitas, et mira humilitas, in qua sic latuit tota divinitas! » (*Sermo* 184,3; PL 38, 907).

ZUM BIBLISCHEN HINTERGRUND DES MARIANISCHEN EHRENTITELS « VIRGO FIDELIS » IN DER LAURETANISCHEN LITANEI

Otto Wahl, SDB

0. Neben dem Ave Maria, dem Salve Regina und dem Rosenkranz ist die Lauretanische Litanei in den vergangenen vier Jahrhunderten im Bereich der katholischen Kirche sicher zu einem der beliebtesten und verbreitetsten marianischen Gebete geworden. Bei Litaneien, die nach Balthasar Fischer « ein Urphänomen der Religionsgeschichte » darstellen [1], « handelt es sich um einen Gebetstyp, bei dem die Bitten des Vorbeters von der Gemeinde mit gleichbleibenden Bittrufen beantwortet werden » [2]. Von der Hochschätzung, welche die Lauretanische Litanei in der Kirche erfuhr, zeugen auch die vielen bildlichen Darstellungen ihrer Anrufungen, vor allem in den Kirchen und Kapellen der Barockzeit, desgleichen die zahlreichen Vertonungen durch bedeutende Vertreter der Kirchenmusik wie z.B. Wolfgang Amadeus Mozart, von dem zwei Lauretanische Litaneien bekannt sind. Die hohe Einschätzung der Lauretanischen Litanei wird auch bezeugt durch die weltweite Praxis der betenden Kirche, vorzüglich innerhalb religiöser Gemeinschaften, welche dieses Gebet regelmäßig, ja täglich, nicht selten auch im Anschluß an den Rosenkranz beten. Die Litaneiform mit ihren gleichbleibenden Gebetsrufen wird ja gerade auch in der Kirche der Gegenwart in ihrer Tiefenwirkung auf die Beter, nicht zuletzt dank der Zurückgewinnung des Meditativen im Bereich des modernen religiösen Lebens, wieder höher eingeschätzt als noch Jahrzehnte zuvor.

Die Lauretanische Litanei « wird erst seit Ende des 16. Jahrhunderts so genannt, weil sie damals als Wechselgebet der Loretopilger stark verbreitet wurde » [3]. Sie ist in ihrer jetzigen Gestalt erstmals 1531 im italienischen Marienwallfahrtsort Loreto bezeugt, wurde aber schon 1587 von Sixtus V. approbiert und eroberte danach schnell die gesamte katholische Welt. Dieses Gebet weist eine lange Vorgeschichte auf, die bis ins hohe Mittelalter zurückreicht. Eine aus-

---

[1] Balthasar Fischer, Artikel: *Litaneien,* in: LThK VI, Freiburg Basel 1961², Sp. 1076.

[2] Adolf Adam - Rupert Berger, *Pastoralliturgisches Handlexikon,* Freiburg Basel Wien 1980, S. 313.

[3] C. C. Meersseman, *Der Hymnos akathistos im Abendland* II (Spicilegium Friburgense 3), Freiburg/Schweiz 1960, S. 53.

führliche Darstellung ihrer Geschichte bietet G. G. Meerssemann O.P. in seinem Werk. Er beschreibt dort die Entstehung der Lauretanischen Litanei anhand der bekannt gewordenen Textzeugen aus dem 12. bis 15. Jahrhundert [4] und stellt die drei wichtigsten davon vor: Die Pariser Fassung in Paris, Nat. Bibl. lat. 5267, Ende 12. Jahrhundert, f. 80^{r}, die Padovanische Fassung in Padova Capitulare B 63, 14. Jahrhundert, f. 20^{r}20^{v}, ferner die römische Fassung Bibl. Vat. Rossi 95 (olim VIII 37), 15. Jahrhundert, pp. 717-731 [5]. Aus diesen drei Textzeugen, wozu noch drei weitere aus dem 15. Jahrhundert hinzugezogen werden, rekonstruiert Meersseman die ursprüngliche Gestalt der Lauretanischen Litanei [6]. Im deutschen Sprachraum ist dieses Gebet (wahrscheinlich) von Petrus Canisius 1558 in Dillingen in den « Preces speciales pro salute populi christiani » erstmals veröffentlicht worden [7]. Die marianischen Anrufungen der Lauretanischen Litanei sind wie bei anderen kirchlich anerkannten Litaneien eingerahmt von Gebetsrufen zum dreifaltigen Gott am Anfang und vom dreimaligen Gebet zu Christus, dem Lamm Gottes, zum Abschluß. In den dazwischen stehenden Gebetsrufen wird Maria als Mutter, Jungfrau und Königin sowie unter anderen Titeln verehrt. Manche von den Anrufungen — in der heutigen Form sind es 48! — wurden erst zu Beginn unseres Jahrhunderts eingefügt, so « Mater boni consilii » unter Leo XIII. und « Regina pacis » unter Benedikt XV. « In der Lauretanischen Litanei finden sich natürlich sehr viele Ehrentitel Mariens, die uns in der älteren Literatur begegnen, z.B. bei Ambrosius, Venantius Fortunatus, Isidorus, Paschasius Radbert, Fulbert von Chartres; andere stammen aus den liturgischen Texten » [8], bzw. « sind nach byzantinischem Vorbild weitgehend der Heiligen Schrift entnommen » [9]. In der heutigen Gestalt der Lauretanischen Litanei finden sich — abgesehen von der ganz am Anfang stehenden Anrufung « Virgo virginum »! — nach der Mater-Reihe sechs Virgo-Anrufungen; in der deutschen Fassung des « Gotteslobs » von 1975 sind es dagegen nur noch fünf. An letzter Stelle dieser Virgo-Reihe steht die hier zu besprechende Anrufung « Virgo fidelis », die in den älteren deutschen Übersetzungen gewöhnlich mit « du getreue Junfrau » wiedergegeben wird [10]. Dieser Titel bringt zum Ausdruck, daß in der Gestalt Mariens die Treue Gottes gegenüber den Menschen des Alten und

---

[4] MEERSSEMAN a.a.O. S. 53-62.

[5] MEERSSEMAN a.a.O. S. 222-227.

[6] MEERSSEMAN a.a.O. S. 227-229.

[7] Zur Geschichte des Wallfahrtsorts Loreto und der Lauretanischen Litanei informiert am umfangreichsten Stephan BEISSEL, *Geschichte der Verehrung Marias im 16. und 17. Jahrhundert*, Freiburg 1910, S. 423-466.466-494. Weitere Angaben finden sich im *Handbuch der Marienkunde*, Hg. v. Wolfgang BEINERT - Heinrich PETRI, Regensburg 1984; vgl. im Register S. 1016 «Litaneien, marianische».

[8] MEERSSEMAN a.a.O. S. 57.

[9] ADAM - BERGER a.a.O. S. 313.

[10] Nach MEERSSEMAN S. 223-225 bietet die Pariser Fassung zusammen mit drei weiteren Textzeugen "virgo fidelis", die römische "virgo" fidelissima, die Padovaner Fassung dagegen "mater fidelis".

Neuen Bundes ihren Höhepunkt erreicht hat, weil sie uns Christus, den Heiland der Welt, geboren hat, in dem alle Verheißungen Gottes ihre Erfüllung gefunden haben [11].

Im folgenden sollen beide Bestandteile der Anrufung « Virgo fidelis » auf dem Hintergrund des biblischen Befundes — allerdings beschränkt auf die Worte b^etulā/virgo und nae'man/fidelis in der hebräischen, bzw. lateinischen Konkordanz! — beleuchtet werden, um so deutlich zu machen, welche wichtigen theologischen Aussagen und Erfahrungen der Heilsgeschichte des Alten und Neuen Testaments in diesem marianischen Titel anklingen und mitschwingen.

1. Maria, die Jungfrau

Der in der Lauretanischen Litanei mehrfach verwendete Ehrentitel Jungfrau [12] für Maria geht eindeutig zurück auf die beiden wichtigen marianischen Stellen des Neuen Testaments: « Seht, die Jungfrau wird empfangen » (Mt 1,23) — an dieser Stelle eine Aktualisierung von Jes 7,14 in der Gestalt der Septuaginta! — und « Der Engel Gabriel wurde von Gott ... zu einer Jungfrau gesandt » (Lk 1,26f). Davon leitet die Kirche in Ost und West von Anfang an den Glaubenssatz von der immerwährenden Jungfrauschaft Mariens ab. Nach Mt 1,23 erfüllt sich die Immanuelweissagung von Jes 7,14 in Jesus, dem Sohn der Jungfrau Maria; er ist das Zeichen dafür, daß der getreue Gott auf unerhörte und einzigartige Weise der Welt das Heil bereitet hat, und daß mit Christus die neue Schöpfung und die neue Menschheit begonnen haben, die nicht vom Menschen oder anderen innerweltlichen Größen her gedeutet und erklärt werden können, sondern allein aus Gottes Lebensmächtigkeit, « vom Heiligen Geist und von der Kraft des Höchsten » kommen, weshalb Jesus auch « heilig und Sohn Gottes genannt wird » (Lk 1,35).

Die unberührte junge Frau erfreut sich in allen Kulturen, wenn auch unter verschiedenen Gesichtspunkten, besonderer Hochachtung; vgl. z.B. die Vestalinnen im alten Rom. In der gesamten Alten Welt werden Göttinnen wie Anat, Isis oder Artemis als Jungfrau verehrt. Der Liebreiz menschlicher Jungfräulichkeit wird so als Ausdruck des blühenden Lebens und der herben Schönheit und Unschuld des noch unbezwungenen Frauseins zu allen Zeiten geschätzt, geliebt und verehrt. Bei Philo steht die reine Jungfrau für den von der Sinnlichkeit freien Menschen: « Gott hat nur Gemeinschaft mit der Seele, die sich frei hält von den Empfindungen der Sinnenwelt, denn

[11] Bedauerlicherweise ist gerade dieser biblisch so fundierte marianische Ehrentitel im Gotteslob, dem neuen offiziellen Gebet- und Gesangbuch der deutschsprachigen Diözesen (GL 765), ausgelassen worden, so daß man diese Anrufung in deutscher Sprache wohl nur noch bei Kirchenkonzerten in der Vertonung großer Meister hören kann.

[12] Nach den Konkordanzen ist virgo im AT/NT 83mal belegt, παρθένος 77mal, b^etulā im hebräischen AT 50mal, in der Einheitsüberstetzung Jungfrau 42mal.

nur sie ist ἁγνή und παρθένος »[13]. So gilt auch das Gebet von Jungfrauen als besonders wirksam (2 Mkk 3,19; Ps 148,12). Unberührtsein und Enthaltsamkeit symbolisieren das ganzheitliche Bezogensein auf das Göttliche. In Maria kommt dazu noch das absolut einmalige und ganz persönliche Geheimnis ihrer jungfräulichen Gottesmutterschaft hinzu.

In alttestamentlicher Zeit bilden Jungfrauen das Ehrengeleit der Königin (Ps 45,15). Jungfräulichkeit vor der Ehe galt in Israel als selbstverständliche Voraussetzung für die Braut (vgl. Dtn 22,14; Est 2,3; Tob 6,13; 8,4). Der Hohepriester (Lev 21,13f) und auch die Priester (Ez 44,22) dürfen nur Jungfrauen heiraten. Diese genießen für ihre Unverletztheit auch den besonderen Schutz des Rechts (Dtn 22,14.17. 19.23.28) und des Ethos (Ijob 31,1). Für den Davidssohn Absalom ist die Entehrung seiner Schwester Tamar durch Amnon Grund, diesen zu erschlagen (2 Sam 13,2). Schändung und Ermordung von Jungfrauen im Krieg stehen für die schlimmste Katastrophe und Demütigung eines Volkes (Dtn 32,35; 2 Chr 36,17; Jdt 9,2; Klgl 5,1; Ez 9,6).

Während im Alten Testament vereinzelt auch fremde Städte und Staaten als Jungfrau angesprochen werden (Jes 47,1 Babel; Jer 46,11 Ägypten), ist Jungfrau doch ein bevorzugter Ehrentitel für die Gottesstadt Zion/Jerusalem, darüber hinaus für Juda und ganz Israel, als deren eigentliche und heilsgeschichtlich wichtigste Repräsentantin Maria um ihres Sohnes Jesu willen anzusehen ist[14]. Die Jungfrau Zion ist von Katastrophe und Schande bedroth (Ps 78,63; Jes 23.12; Jer 14,17; Klgl 1,15; 2,10), sie wird aber in der Endzeit als Jahwes Braut in göttlicher Herrlichkeit erstrahlen (Jes 62,5), wenn Gott endgültig zugunsten seines Volkes eingreift und alle Feinde, die seiner spotten wollen, völlig vernichtet. So wird in 2 Kön 19,21 (= Jes 37,22) dem die Stadt belagernden Assyrerkönig gesagt: « Das ist das Wort des Herrn gegen Senharib: Dich verachtet, dich verspottet die Jungfrau, die Tochter Zion. Die Tochter Jerusalem schüttelt spöttisch den Kopf über dich ». In die gleiche theologische Richtung gehen die Bezeichnung Jungfrau Jerusalem (Klgl 2,13) und Jungfrau Juda (Klgl 2,2). Umfassender ist die Bezeichnung Jungfrau Israel (Jer 18,13; Am 5,2); Gott wird ja sein Volk Israel sammeln und in der vollen Einheit wiederherstellen: « Ich baue dich wieder auf; du sollst neu aufgebaut werden, Jungfrau Israel... Kehr um, Jungfrau Israel » (Jer 31,4.21). « Das Volk Jahwes ist die "Jungfrau", die nicht im Götzendienst ihre Reinheit preisgibt »[15].

Der Ehrentitel Jungfrau ist vom alttestamentlichen Gottesvolk her auf die Kirche Christi übertragen worden. Paulus « will die

---

[13] In Gerhard DELLING, Artikel: παρθένος, in: ThWNT V, Stuttgart 1954, S. 832.

[14] Ignace DE LA POTTERIE, Artikel: *Jungfräulichkeit*, in: "Wörterbuch zur biblischen Botschatf", Hg. v. Xavier Léon-Dufour, Freiburg Basel Wien 1964, S. 365: « Im Knotenpunkt der beiden Testamente beginnt sich in Maria, der Tochter Sions, die Jungfräulichkeit der Kirche zu verwirklichen ».

[15] DELLING a.a.O. S. 831.

Gemeinde Christus als reine Jungfrau zuführen » (2 Kor 11,2). Wenn die Kirche wie die klugen Jungfrau von Mt 25,1-7 ganz offen ist für Christus und sein Wort, verhält sie sich richtig. Sie empfängt das neue Leben von Gott und fällt nicht zu den widergöttlichen Mächten ab; vgl. Offb 4,14 [16]. Im Blick auf die Kirche « ist die Jungfräulichkeit, entsprechend alttestamentlichem Sprachgebrauch, Gleichnis für ihre ausschließliche Zugehörigkeit zu dem von Paulus verkündeten Christus, dem sie untreu würde, wenn sie sich einem anderen als ihm verbinden ließe » [17].

Der biblische und vorwegs auch der religionsgeschichtliche Hintergrund des Titels Jungfrau verweist, vor allem vom Zeugnis der oben genannten neutestamentlichen Stellen her, auf Maria: Sie ist auf geheimnisvolle und durch Gottes wunderbares Wirken die jungfräuliche Mutter der Welterlösers. Maria ist aber auch zu sehen auf dem Hintergrund der alttestamentlichen Aussagen über Zion/Jerusalem, über Juda und Israel, die doch für die gnadenvolle Selbstfestlegung Gottes in der Heilsgeschichte stehen und zugleich auch für die von Menschen eingebrachte Mitarbeit bei der Verwirklichung des Heils Gottes für die ganze Welt. Sie verweisen auf Maria als die Erfüllung des wirklichen Ideals der Jungfrau zugunsten der gesamten Menschheit, die im Glauben offen ist für Gott und sich von ihm allein bestimmen und leiten läßt [18]. In dieser Gesinnung der getreuen Jungfrau wird der Einbruch der befreienden Königsherrschaft Gottes « zum Segen für alle Geschlechter der Erde » (Gen 12,3) ermöglicht und von Gottes Treue verwirklicht [19].

2. Maria, die Getreue

Der biblisch bedeutsamere Teil des marianischen Ehrentitels « Virgo fidelis/getreue Jungfrau » ist das Wort fidelis/treu. Dieses entspricht im Alten Testament weitgehend dem Nifal des theologisch

---

[16] Johann Baptist Bauer, Artikel: *Jungfräulichkeit,* in: BThW I, Hg. v. Johann Baptist Bauer, Graz Wien Köln 1967³, S. 809f: « In übertragenem Sinn sind die "Jungfräulichen" (παρθένοι) Offb 14,4 zu nehmen, "die sich mit Weibern nicht befleckt haben, denn sie sind "jungfräulich"; gemeint ist die treue Zugehörigkeit zu Christus, wie andererseits Unzucht und Ehebruch bei den Propheten die Treulosigkeit gegenüber dem Bundespartner Gott meint ».

[17] Delling a.a.O. S. 835.

[18] De la Potterie a.a.O. S. 364: « Nur die christliche Offenbarung allein zeigt die im Alten Testament vorgezeichnete religiöse Bedeutung der Jungfräulichkeit in ihrer ganzen Erhabenheit auf: als Treue in einer Liebe, die nur Gott allein gilt ».

[19] Das abschließende Urteil von M. Tsevat, Artikel: *b^e^tulā,* in ThWAT I, Stuttgart Berlin Köln Mainz 1973 Sp. 877 dürfte überspitzt formuliert sein und der biblischen Sachlage nicht ganz gerecht werden: « "Jungfrau" und "Jungfräulichkeit" haben nach Wort und Sache in der religiösen Vorstellung des AT und der Frühgeschichte seiner Auslegung keine Bedeutung ».

wichtigen hebräischen Stammes 'mn [20]. « Die Grundbedeutung der Wurzel 'mn ist umstritten. Die traditionelle Auffassung setzt "fest, zuverlässig, sicher sein" an [21]. Griechisch wird dieses Wort zumeist mit πιστός, bzw. mit Formen des Stammes πιστ- wiedergegeben [22], aber auch mit ἀληθής/ἀληθινός. Von den Fundstellen von 'man Nifal/πιστός beziehen sich 37 auf Gott und sein Heilswerk, 84 auf Menschen und 14 auf andere Größen [23]. Überall steht aber Gott im Vordergrund, dessen Treue/Festigkeit der tragende Grund aller menschlichen Treue ist und der sich der Menschen als Abbilder und Werkzeuge seiner Treue in der Heilsgeschichte bedient. Die Nifal-Form von 'mn bedeutet Verschiedenes. « Das Ni. kann eindeutig eine Dauer, ein Bestandhaben bezeichnen... Andererseits bringt es das Moment der Festigkeit und vor allem, ethisch-religiös gewertet, das der Zuverlässigkeit und Treue zum Ausdruck » [24]. Medial verstanden, besagt 'mn Nifal sich im Glauben festmachen in Gott und hängt somit eng zusammen mit dem Hifil von 'mn, dem eigentlichen biblischen Wort für glauben; hier ist also der menschliche Beitrag gesehen. Als Passiv-Form verstanden, bedeutet 'mn Nifal von Gottes Treue / Zuverlässigkeit / Festigkeit / Beständigkeit / Dauerhaftigkeit her festgemacht sein; dabei ist Gott am Werk, während der Mensch sich einfach von ihm beschenken lassen muß. Beide Bedeutungen laufen aber im alttestamentlichen 'mn Nifal, bzw. im Wort fidelis zusammen.

Entsprechend der Eigenart der biblischen Theologie, die durchgängig eigentlich nicht von Gott an sich, sondern von dem Gott spricht, der auf unser Heil bedacht ist und « um unseres Heiles willen » (Credo) handelt, haben die Aussagen vom treuen/zuverlässigen / wahren / wahrhaftigen / beständigen / glaubwürdigen / verläßlichen Gott — so lauten die wichtigsten Übersetzungen von 'mn Nifal/fidelis in der neuen katholischen deutschen Einheitsübersetzung! — immer Bezug auf das Heilswerk unseres Gottes zugunsten der Menschheit, des Volkes Israels, seiner Kirche. « Jahwe/Gott ist getreu » lautet eine wichtige alttestamentliche Bekenntnisformel, die auch von der jungen Kirche übernommen wurde (Dtn 7,9; 32,4; Ps 145,13; Jes 49,7; 1 Kor 1,9; 10,13; 2 Kor 1,18; 1 Thess 5,24; 2 Thess 3,3; Hebr 10,23; 1 Joh 1,9). In Maria und noch mehr in ihrem Sohn

[20] Laut den Konkordanzen ist fidelis in AT/NT 54mal belegt, πιστός 39mal (plus Nebenformen des Stammes πιστ- 14mal), 'mn Nifal 48mal (davon 33mal als Partizip).

[21] Hans WILOBERGER, Artikel: *'mn fest, sicher,* in THAT I, München Zürich 1984⁴, Sp. 180.

[22] Rudolf BULTMANN - Artur WEISER, Artikel: πιστεύω in: ThWNT VI, Stuttgart 1959, S. 175: « Es enthält die aktive und passive Bedeutung vertrauend und vertrauenswürdig ».

[23] Nach der Ausgabe von Eduard LOHSE, *Die Texte aus Qumran. Hebräisch und deutsch,* Darmstadt 1964 findet sich in den dort edierten Qumranschriften 'mn Nifal 10mal; davon beziehen sich auf Gott, sein Wort, seinen Bund, seine Herrschaft und seinen Tempel CD 3,19; 7,5; 14,2; 19,1; 1QH 12,9.12; 18,5; auf Menschen bezogen CD 9,21.23; 10,2.

[24] WILDBERGER a.a.O. Sp. 182.

Jesus haben die Menschheit, Israel, die Kirche die Wahrheit und Zuverlässigkeit dieser Formel in höchster Weise erfahren. Christus Jesus steht als der Getreue da (2 Tim 2,3; Hebr 3,2; Offb 19,11). 1 Petr 4,19 verweist auf den treuen Schöpfergott. Gott (Jer 42,5), bzw. Christus (Offb 1,5; 3,14) ist der getreue Zeuge in seinem Heilswirken, in seinem Wort (1 Kön 8,26 = 2 Chr 6,17; 1 Chr 17,23; 2 Chr 1,9; Offb 21,5). Dazu gibt es die Formel « Sein Wort ist glaubwürdig » (1 Tim 1,15; 3,1; 4,9; 2 Tim 2,11). Gottes Gedanken sind treu (Jes 25,1 Vulgata), desgleichen sein Name (1 Chr 17,24). Verläßlich sind Gottes Gebot (Ps 19,8; 93,5) und Zeugnis (Ps 111,7). Der Bund Gottes ist beständig (Ps 89,29); alles ist bei ihm fest beschlossen (Hos 5,9). Alle diese Zeugnisse von Gottes Treue, die uns in Christus auf unwiderrufliche Weise zugewandt ist, stehen sämtliche auch in innerer Verbindung zum Dienst und zum gläubigen, getreuen Ja Mariens, « seiner niedrigen Magd » (Lk 1,48), der getreuen ungfrau, da Gott selbst durch Jesus, ihren Sohn, der Welt das Heil bereiten wollte.

Wenn von der Treue der Menschen die Rede ist, macht die Heilige Schrift auch auf die vielfachen negativen Erfahrungen Gottes mit den Menschen aufmerksam. Diese entziehen sich oft und oft der Treue/Festigkeit/Wahrhaftigkeit Gottes und suchen Halt in sich selbst oder in anderen fragwürdigen Größen dieser Welt. « Im Gegensatz zum Verhalten Gottes steht das Israels... Es ist nicht beständig »[25]. Das Volk ist nicht treu (Ps 78,8), hält dem Bundesgott nicht die versprochene Treue (Ps 78,37), gleicht einem unzuverlässigem Wasser (Jer 15,18). Aber dank des Entgegenkommens Gottes fallen diese negativen Aussagen auch rein zahlenmäßig nicht so sehr ins Gewicht gegenüber den vielen positiven Bezeugungen der Bibel über die Treue solcher Menschen, die von Gottes Treue getragen und geführt sind. So werden die großen Gestalten der Heilsgeschichte, auch wenn die Bibel klar deren Grenzen aufzeigt und ihr Versagen nicht verschweigt, als treu und zuverlässig bezeichnet. Es erweisen sich als treu: Abraham (Neh 9,8; 1 Mkk 2,52; Sir 44,20; Gal 3,9), Isaak und Juda (Jdt 8,23 Vulgata), Samuel (1 Sam 3,20; Sir 46,15), Moise (Num 12,7; Jdt 8,23 Vulgata), die Propheten insgesamt (Sir 36,21). Sie alle werden dann aber in ihrer Treue zu Gott und seiner Sache in der Welt von Maria übertroffen, in deren Sohn Jesus die Treue Gottes sieghaft in unsere Welt gekommen ist. Daher wird Maria in der Lauretanischen Litanei auch als « Königin der Patriarchen », « der Propheten », ja « der Apostel » verehrt. Auch sonst werden Menschen in der Bibel als treu/gläubig/zuverlässig bezeichnet: Die Gemeinde (Offb 2,10), das Volk (2 Chr 20,20), der Hohepriester (Hebr 2,17), die Leviten (Neh 13,13). Auch neutestamentliche Gestalten werden so eingeschätzt: Paulus (1 Kor 7,25; 1 Tim 1,12), Timotheus, sein treues Kind (1 Kor 4,17), Tychikus (Eph 6,21; Kol 4,7), Onesimus, der treue Bruder (Kol 4,9), Epaphras (Kol 1,7), Silvanus (1

[25] A. JEPSEN, Artikel: *'mn*, in: ThWAT I, Stuttgart Berlin Köln Mainz 1973, Sp. 318.

Petr 5,12), Antipas (Offb 2,13), Lydia (Apg 16,15). Desgleichen ganze Gruppen von Menschen: Jdt 8,23 Vulgata; Ijob 12,20; Ps 101,6; Spr 11,13; 28,20; Weish 3,9; Sir 22,29; 29,3; Lk 16,10-12; Apg 10,45; 1 Kor 14,22 (2mal); 2 Kor 6,15; 1 Tim 4,3.10.12; 2 Tim 2,2; 1 Petr 1,21; 3 Joh 5. Es gibt verläßliche Männer (Tob 5,4; Spr 20,6), gläubige Frauen (Apg 16,1; 1 Tim 3,11), gläubige Kinder (Tit 1,6), treue Knechte (Sir 33,31; Mt 24,25 = Lk 12,42; Mt 25,21 [1°], treue Verwalter (Mt 25,21 [2°] = Lk 19,17; 1 Kor 4,2), treue Freunde (Sir 6,14-16). Auch Worte von Menschen sind zuverlässig und wahr (Gen 42,20; Tit 1,9).

Die bedeutsamste Verbindung des Wortes fidelis/treu mit einem Menschen ist im Alten Testament bei David, dem Liebling Gottes, gegeben, dem er seine beständige Huld (Jes 55,3; Apg 13,34) verheißen hat. « Das nae'^{ae}man der Verheißung an David ist so zum Angelpunkt der messianischen Hoffnung geworden; auf anderer Ebene aber ist es Ausdruck der Gewißheit der Erwählung Israels und darum mit erstaunlicher Zähigkeit durch alle Phasen der Geschichte Israels hindurch festgehalten worden. Mit beidem ist es ein eindrückliches Zeugnis vom Wissen Israels um die Treue seines Gottes »[26]. Gott selbst baut David ein zuverlässiges Haus, das Bestand hat (1 Sam 25,28); auch sein Köningtum wird auf ewig bestehen (2 Sam 7,16). « Häufiger taucht nae'^{ae}man auf, wo es um die Zusage für die Dynastie Davids geht... Daß hier nur Übersetzungen wie "beständig, dauernd, fortwährend" angebracht sind, ist deutlich »[27]. Gottes Wort an David ist also wahr (1 Kön 8,26 = 2 Chr 6,17; 1 Chr 17,23; 2 Chr 1,9). David, der sich auch Saul gegenüber als bewährter Diener erwiesen hat (1 Sam 22,14), wird in seiner Treue mit dem Mond, dem getreuen Zeugen, verglichen (Ps 89,38). Er repräsentiert Juda, das anders als Efraim, d.h. das Nordreich, Gott die Treue hält (Hos 12,1). Jerusalem/Zion, die treue Stadt Davids, ist zwar auf Zeit entartet (Jes 1,21), wird aber von Gottes Güte und Macht wieder in ihrer alten Treue hergestellt (Jes 1,27). Mag Davids Haus, das unter Salomo zunächst noch als beständig gilt (1 Kön 11,38), auch versagen und später auch entmachtet werden, wie es dem ungläubigen Ahas (Jes 7,9) klar vorhergesagt wird, so verheißt Gott doch, « Davids verfallene Hütte wieder aufzubauen » (Am 9,11). Das, was Gott mit der Festigkeit und Treue Davids und seines Hauses sowie seiner Stadt im Sinn hatte, wird in Maria, der « Mutter des Erlösers » (Lauretanische Litanei), verwirklicht, die als « Turm Davids » (ebd.) angerufen wird, und zwar in Jesus Christus, dem eigentlichen und echten Sohn Davids, worauf die neutestamentlichen Schriften einhellig verweisen. So setzt sich die Treue Gottes in der Weltgeschichte durch in Maria, der treuen Magd, die nicht enttäuscht, ganz anders als z.B. der von Gott eingesetzte Minister Eljakim, den er doch selbst an einer festen Stelle als tragenden Pflock, bzw. Nagel eingeschlagen hat (Jes 22,23.25), der aber dann

[26] Wildberger a.a.O. Sp. 187.
[27] Jepsen a.a.O. Sp. 318.

doch versagt. Ihr Glaube ist in der Kraft Gottes eine nie versagende Lebensquelle geworden (Jer 15,18). Ihr Ertrag, ihr Beitrag zur Heilsgeschichte ist beständig (Spr 11,18). Mit Maria baut Gott in Jesus das beständige Haus Davids wieder auf (1 Sam 2,35 (2°); 25,28; 1 Kön 11,38), ein Königtum, das Bestand hat (2 Sam 7,16), worauf auch die « Königin »-Anrufungen der Lauretanischen Litanei verweisen. Alle die beständigen und hartnäckigen Schläge, die das treulose Israel treffen (Dtn 28,59 [2mal]; Spr 27,6), werden durch den Heilsdienst Mariens, « der Trösterin der Betrübten » und « der Helferin der Christen » abgewendet, wie es zwei weitere Ehrentitel der Lauretanischen Litanei aussprechen.

Die Treue und Zuverlässigkeit Gottes, die in Jesus in Menschengestalt leibhaftig in unsere Welt gekommen sind und von Maria und anderen Gestalten der Heilsgeschichte in der Kraft Christi verwirklicht wurden, wirken dann weiter in der Kirche Christi. Auch sie kann nur deshalb treu sein, weil sie von Gott selbst als sein Haus unerschütterlich fest gebaut ist auf Christus, « dem einzigen Grundstein » (1 Kor 3,11), der wirklich trägt und Bestand verleiht. Petrus, der Felsenmann, und seine Nachfolger bezeugen und vermitteln aus der gleichen Kraft Christi die Sicherheit, Zuverlässigkeit und Wahrheit Gottes inmitten der Anfälligkeit und Vergänglichkeit der Welt. So sind sie von Gott für alle Zeiten aufgestellt als sichtbares « Wahrzeichen » (Sach 3,8) seiner Treue in der Welt und stehen für die Unzerstörbarkeit des « wahren Glaubens » und des « wahren Christentums », deren sich die Kirche in ihren Gebeten und Liedern rühmt. Die gleiche gottgewirkte Festigkeit und Wahrheit ist in der Kirche aller Zeiten auch am Werk in der Heiligen Schrift, « die sicher, getreu, zuverlässig jene Wahrheit lehrt, die Gott um unseres Heiles willen in den heiligen Schriften aufgezeichnet haben wollte » (Dei Verbum 3,11). Diese von Gott ausgehende Treue, die wir an Maria und an der ganzen Kirche sehen, wird stets auch überall dort verwirklicht und gelebt, wo Menschen sich auf Gottes Treue einlassen, ihm glauben, sich von ihm festigen lassen und dann auch anderen Menschen die Treue Gottes weiterbezeugen. Sie erfahren und vermitteln so « die beständige Huld Gottes » (Jes 55,3; Apg 13,34) und erfahren wie Maria, die getreue Jungfrau, daß « Gott Großes an ihnen tut » (Lk 1,49). Maria selbst aber erweist sich als erste Mitarbeiterin am Heilswerk ihres Sohnes in der Kraft der Treue Gottes in ganz besonderer Weise als Getreue und Treugemachte, die hinweist auf den getreuen Gott und auf Christus, « den getreuen Zeugen » (Offb 3,14). Diese Erfahrung des Gefestigt- und Getragenseins von der Treue Gottes, die in diesem marianischen Ehrentitel « getreue Jungfrau » zum Ausdruck kommt, möge auch der Jubilar erfahren, dem diese Festschrift gewidmet ist, der so oft in seiner langen priesterlichen und akademischen Tätigkeit in engagierter und kompetenter Weise über die Treue Gottes, die Wahrheit Christi und Maria, die getreue Jungfrau, gesprochen und geschrieben hat.

MARIA NELLLE LETTERE DI IGNAZIO DI ANTIOCHIA

FERDINANDO BERGAMELLI, S.D.B.

0. INTRODUZIONE

Ignazio di Antiochia è il primo Padre della Chiesa — stando ai dati tradizionali circa le sue celebri lettere autentiche [1] vergate durante il suo viaggio verso il martirio [2] — che menziona la Vergine Maria e le attribuisce un ruolo di primo piano nel disegno di salvezza operato da Dio. In questo senso il grande martire antiocheno è anche il primo cantore di Maria. Per tal motivo già da tempo

---

[1] Sulla dibattuta *questione ignaziana* e lo stato attuale degli studi su Ignazio di Antiochia ci permettiamo di rinviare ai nostri due articoli ove abbiamo tentato di fare il punto sulla situazione: F. BERGAMELLI, *L'unione a Cristo in Ignazio di Antiochia,* in S. FELICI (ed.), *Cristologia e catechesi patristica I* (Roma 1980) 73-109, soprattutto 75s e note 12-14 cui è da aggiungere l'aggiornamento riportato nel più recente studio IDEM, « *Sinfonia* » *della Chiesa nelle lettere di Ignazio di Antiochia,* in S. FELICI (ed.), *Ecclesiologia e catechesi patristica* (Roma 1982) 21-80, soprattutto 21 e n. 2, ove abbiamo anche riportato il giudizio sostanzialmente negativo delle prime recensioni apparse sugli studi innovativi di R. JOLY, *Le dossier d'Ignace d'Antioche* (Bruxelles 1979) e di J. RIUS-CAMPS, *The four authentic letters of Ignatius, the Martyr. A critical study based on the anomalies contained in the textus receptus* (Roma 1979). Non essendo intervenute nel frattempo altre novità di rilievo a modificare la situazione già ivi descritta, noi continueremo ad attenerci ai dati tradizionali e seguiremo il *textus receptus* della cosiddetta recensione *media.* Recentemente, in una nuova edizione del commento alle lettere di Ignazio di W. BAUER, H. PAULSEN, facendo il punto sulla situazione attuale della questione ignaziana, afferma significativamente che l'accettazione d'una falsificazione delle lettere obbliga a delle conseguenze più problematiche della ipotesi dell'autenticità. Vedi H. PAULSEN, *Die Briefe des Ignatius von Antiochia und der Brief des Polycarp von Smyrna. Zweite, neubearbeitete Auflage der Auslegung von W. Bauer* (Tübingen 1985) 4: « Die Annahme einer Fälschung der Briefe nötigt jedenfalls zu problematischeren Konsequenzen als die Hypothese der Echtheit ».

Per le citazioni dei testi ignaziani daremo una nostra traduzione fedele il più possibile al testo greco che noi seguiremo nell'edizione critica di K. BIHLMEYER, *Die Apostolischen Väter. Neubearbeitung der Funkschen Ausgabe von K.B. Erster Teil* (Tübingen 1970) [3ª edizione curata da W. SCHNEEMELCHER]. Inoltre le lettere di Ignazio verranno citate con le seguenti abbreviazioni: E (*agli Efesini*); M (*ai Magnesî*); T (*ai Tralliani*); R (*ai Romani*); F (*ai Filadelfiesi*); S (*agli Smirnesi*); P (*a Policarpo*).

[2] Per informazioni più dettagliate sulla vita e il martirio di Ignazio vedi T. CAMELOT, *Ignace d'Antioche. Polycarpe de Smyrne. Lettres* [*Sources chrétiennes, 10*] (Paris ⁴1969) 9-13 come pure le brevi annotazioni in *L'unione a Cristo,* 73 e note 3-4 (*ivi*).

alcuni studiosi si sono interessati alla mariologia ignaziana [3] mettendone in rilievo le caratteristiche e gli apporti più significativi.

Con il presente studio noi ci siamo prefissi lo scopo di riprendere il discorso già iniziato da altri e di sottoporre ad analisi filologico-critica tutti i testi in cui Ignazio nomina Maria [4], avendo cura di inserirli sia nel contesto più ampio della lettera in cui essi si trovano, sia soprattutto nel complesso globale dell'universo ignaziano. Confidiamo così di poter essere in grado di enucleare in base a tale analisi contestuale il pensiero genuino di Ignazio circa la figura e il ruolo della Madre di Dio, evitando così pregiudizi aprioristici e categorie estranee al mondo dell'Autore.

Riteniamo altresì che il contatto diretto con la vigorosa e appassionata confessione di fede mariana del martire e mistico di Antiochia possa contribuire non poco a rinvigorire e a consolidare la vera devozione alla Madre di Dio anche dei cristiani del duemila. Osiamo infine sperare che questo ritorno alle più antiche e pure fonti patristiche del dogma mariano, patrimonio comune dei cristiani di tutte le chiese separate, porti a una riscoperta *ecumenica* di una più profonda e genuina devozione alla Madre di Dio, capace di unificare l'unico Corpo di Cristo che è la Chiesa, di cui Maria è l'unica Madre. Ci è gradito dedicare questo studio a Don Domenico Bertetto che ha consacrato tutta la sua vita allo studio di Maria divenendone eminente studioso e grande apostolo. A lui anche la nostra riconoscenza per aver guidato negli anni giovanili i primi passi nello studio della mariologia e dei padri.

---

[3] Ecco una bibliografia scelta ed aggiornata degli studi più recenti e significativi sulla mariologia di Ignazio: A.M. CECCHIN, *Maria nell'« economia di Dio » secondo Ignazio di Antiochia*, in Mar. 14 (1952) 373-383; D. BERTETTO, *Maria nel domma cattolico. Trattato di Mariologia* (Torino ²1955) 153-158; A. GILA - G. GRINZA, *La Vergine nelle lettere di S. Ignazio di Antiochia* (Torino 1968); J.A. DE ALDAMA, *María en la Patrística de los siglos I y II* (Madrid 1970) soprattutto pp. 170-176; 189-203; 230-233; 248-249; P. MEINHOLD, *Christologie und Jungfrauengeburt bei Ignatius von Antiochien*, in *Studia mediaevalia et mariologica* P.C. BALIĆ *septuagesimum explenti annum dicata* (Roma 1971) 465-476, ora anche in IDEM, *Studien zu Ignatius von Antiochien* (Wiesbaden 1979) 48-56; G. ROCCA, *La perpetua verginità di Maria nelle lettere di S. Ignazio di Antiochia*, in EphMar 25 (1975) 397-414 (un articolo piuttosto ipercritico, ma a sua volta criticabile sotto vari aspetti, sul quale però avremo modo di ritornare a suo tempo lungo il corso del presente studio); E. TONIOLO, *La maternità di Maria nell'antica tradizione bizantina*, in *Parola spirito e vita* 6 (1982) 211-228, soprattutto pp. 216-218. Per una ulteriore bibliografia, allargata anche alle « prime testimonianze mariologiche della tradizione » si veda G. SÖLL, *Storia dei dogmi Mariani* (Roma 1981) 61-62; 63-65 ove si trova anche una breve ma densa sintesi sulla mariologia ignaziana.

[4] Sono complessivamente cinque testi che, citati secondo l'ordine tradizionale delle lettere ignaziane, appaiono in questa successione: 1) E 7,2,; 2) 18,2; 3) 19,1-2; 4 T 9,1-2; 5) S 1,1-2. Si noterà subito che dei cinque testi citati ben tre appartengono alla lettera « mariana » per eccellenza dell'epistolario ignaziano: agli Efesini.

1. MARIA VERA MADRE DI DIO

Ignazio non conosce e non usa il celebre termine *theotokos,* che solo molto più tardi doveva diventare la tessera emblematica dell'ortodossia per esprimere correttamente il dogma mariano fondamentale della divina maternità di Maria. Tuttavia, il vescovo antiocheno è il primo Autore cristiano a dimostrare chiaramente di possederne già *in nuce* tutto il contenuto teologico, anche se espresso non nelle categorie tecniche del pensiero riflesso, ma piuttosto nel linguaggio immediato e pregnante del mistico anelante al martirio [5].

Cominciamo il nostro studio da uno dei testi più celebri delle lettere ignaziane e che costituisce veramente un *unicum* di tutta la letteratura del Cristianesimo primitivo. Si tratta del passo contenuto nel capitolo settimo della lettera agli Efesini:

« Uno solo è medico
carnale e spirituale
generato e ingenerato
in carne fatto Dio
in morte Vita Vera
e da Maria e da Dio
prima passibile e poi impassibile
Gesù Cristo il Signore nostro » [6].

La disposizione che abbiamo voluto dare alla traduzione e al testo originale mette in evidenza la struttura singolare del brano che è tipica dello stile asiano proprio di Ignazio [7]. Dopo una prima frase introduttiva di carattere acclamatorio [8], segue una successione

---

[5] Sullo stile originale e inconfondibile di Ignazio vedi le nostre annotazioni in *L'unione a Cristo,* 74 e più avanti p. 162 e n. 72.

[6] E 7,2 (BIHLMEYER, 84): εἷς ἰατρός ἐστιν,
σαρκικός τε καὶ πνευματικός,
γεννητὸς καὶ ἀγέννητος,
ἐν σαρκὶ γενόμενος θεός,
ἐν θανάτῳ ζωὴ ἀληθινή,
καὶ ἐκ Μαρίας καὶ ἐκ θεοῦ,
πρῶτον παθητὸς καὶ τότε ἀπαθής,
Ἰησοῦς Χριστὸς ὁ κύριος ἡμῶν.

Questo brano ignaziano è già stato fatto oggetto di studio nell'articolo già citato *L'unione a Cristo,* 87-90 e rispettive note. Pertanto rinviamo a quel commento, limitandoci ora a studiarlo dal punto di vista mariologico.

[7] Sull'*asianismo* di Ignazio rimandiamo al nostro articolo già citato *L'unione a Cristo,* 74s e note 10-11. Per quanto riguarda la struttura letteraria del brano, vedi *ivi,* 88 e note 51-52 e la relativa bibliografia ivi riportata, a cui è da aggiungere R. DEICHGRÄBER, *Gotteshymnus und Christushymnus in der frühen Christenheit. Untersuchungen zu Form, Sprache und Stil der frühchristlichen Hymnen* (Göttingen 1967) soprattutto pp. 155-160; H.F. von CAMPENHAUSEN, *Das Bekenntnis im Urchristentum,* in ZNW 63 (1972) 210-253 ora in IDEM, *Urchristliches und Altchristliches. Vorträge und Aufsätze* (Tübingen 1979) 217-272 soprattutto pp. 259-271 e rispettive note (in modo particolare p. 265, n. 208).

[8] Si tratta della nota formula acclamatoria εἷς θεός studiata in modo particolare dalla ricerca divenuta classica di E. PETERSON, ΕΙΣ ΘΕΟΣ. *Epigraphische*

serrata di sei parallelismi bimembri e antitetici conclusa dalla proclamazione finale che è l'*homologhia* di fede a cui tende e mira tutto il passo.

La pericope ignaziana assume così l'andamento caratteristico di un inno liturgico [9]. Nella sua brevità densa ma piena di movimento, essa si presenta come un dittico in cui il primo quadro contiene i colori umani e terreni del Cristo VERO-UOMO e cioè i predicati dell'*abbassamento* del Signore, mentre il secondo quadro — specularmente parallelo e corrispondente al primo ma nello stesso tempo in stridente opposizione ad esso — riporta i colori divini e celesti della preesistenza e della *esaltazione* del Cristo VERO-DIO. In tal modo il quadro finale risultante dall'insieme è una potente sintesi unitaria di rara efficacia chiaroscurale che, attraverso la rapida e reiterata coincidenza dei binomi sintetico-antitetici [10], illumina a colpi di luce radente l'Unica Persona del Cristo Signore, inseparabilmente vero UOMO e vero DIO.

Non intendiamo ora dilungarci sull'analisi delle sei antitesi ignaziane [11], ma ci soffermiamo soltanto ad approfondire la quinta che concerne più direttamente lo scopo del presente lavoro, cercando soprattutto di collocarla nel contesto del brano che è allo studio:

« *e da Maria e da Dio* » [12].

Anzitutto è da sottolineare la menzione del nome di *Maria* che appare qui per la prima volta in uno scritto patristico ed è un fatto piuttosto raro nel Cristianesimo primitivo [13]. Inoltre, guardando nel primo quadro del dittico ai predicati del Cristo VERO-UOMO, noi riusciamo a intendere meglio la prima parte della antitesi ignaziana. Il Cristo è *carnale, generato, si è fatto carne,* si è sottoposto alla

---

formgeschichtliche und religionsgeschichtliche Untersuchungen (Göttingen 1926) su cui vedi le giuste considerazioni di R. DEICHGRÄBER, *o.c.* 116.

[9] Sul carattere innodico del testo e la questione dibattuta ancora fra gli studiosi se tale « inno » sia anteriore ad Ignazio o sia da ascriversi alla personalità robusta e originale dell'Antiocheno, vedi già il nostro parere favorevole a questa seconda opinione (*L'unione a Cristo,* 88 n. 51) e la discussione con i vari studiosi di H.F. von CAMPENHAUSEN, *o.c.* 265-268, ove anche lo studioso tedesco si allinea sulla stessa posizione, portando delle ragioni che ci paiono assai convincenti.

[10] Sui binomi sintetico-antitetici che sono tipici dello stile ignaziano — come si constata anche dal testo precitato — vedi *L'unione a Cristo,* 88s n. 52 e le osservazioni acute di J.P. MARTÍN, *El Espíritu Santo en los orígines del Cristianismo. Estudio sobre I Clemente, Ignacio, II Clemente y Justino Martir* (Zürich 1971) 72-76. Vedi anche più sotto nn. 46; 90; 102. Inoltre sul valore fortemente espressivo insito nell'antitesi retorica vedi le fini osservazioni di A. QUACQUARELLI, *L'antitesi retorica,* in *VetChr.* 19 (1982) 223-237.

[11] Lo abbiamo già fatto parzialmente nell'articolo già più volte citato, *L'unione a Cristo,* 88-90.

[12] καὶ ἐκ Μαρίας καὶ ἐκ θεοῦ.

[13] Infatti il nome di Maria, tra i cosiddetti Padri Apostolici, appare soltanto nelle lettere di Ignazio e fino ad Ireneo esso è assai raro. In Ignazio esso occorre ben 4 volte: oltre che nel nostro testo anche in E 18,2; 19,1; T 9,1.

morte, subendo la *passione* ed *è nato da Maria*. Ossia egli si è fatto veramente uomo, ha preso una vera carne, si è fatto come uno di noi, è entrato nella nostra storia, ha subito la passione ed è veramente morto. Non come andavano blaterando i doceti, questi « cani rabbiosi » [14] che negavano la *realtà* della carne di Cristo « portatore di carne » [15], sostenendo invece che « egli aveva patito solo in apparenza » [16]. E' chiaro dunque che tutti gli attributi del primo quadro sono intesi da Ignazio in funzione antidocetica e mirano ad evidenziare polemicamente lo spessore *reale* della carne di Cristo. Orbene, in tale contesto antieretico contro il docetismo gnostico [17] prende rilievo e significato il riferimento puntuale a Maria. Ignazio cioè vuole affermare che la vera carne di Cristo è *da Maria. Maria* così è all'origine del Cristo VERO-UOMO, come principio che gli trasmette una vera carne umana. Cristo, in quanto UOMO è tutto *da Maria*. E' da notare in questa scarna, ma densa proclamazione, l'uso significativo e caratteristico della particella *ek* (= *da*).

E' risaputo infatti che il docetismo gnostico negava la *realtà* vera della maternità di Maria. Mediante l'uso intenzionale della particella *diá* (= *attraverso*) — sostituita al posto di *ek* — questi eretici sostenevano che il *corpo celeste* del Signore era disceso e passato *attraverso* Maria, ma senza ricevere nulla *da* lei. E portavano a riprova l'esempio divenuto poi emblematico dell'acqua attraverso il tubo, affermando appunto che il Cristo « è passato *attraverso* Maria, come l'acqua passa attraverso un tubo » [18]. In tal modo essi annullavano la vera maternità di Maria, perché ciò equivaleva a fare del suo essere madre un puro e semplice *transito* del Cristo *attraverso* il suo grembo, riducendo così il suo ruolo materno ad una mera strumentalità passiva destituita di qualsiasi apporto attivo.

---

[14] E 7,1. Queste « belve » sono gli eretici, particolarmente i doceti (S 4,1).

[15] σαρκοφόρος (S 5,2): è un *hapax* coniato da Ignazio per esprimere efficacemente tutto lo spessore della *realtà* della *carne* del Cristo contro i doceti.

[16] S 2.

[17] Sul docetismo gnostico combattuto da Ignazio rinviamo ancora a *L'unione a Cristo*, 83-86 e note 34; 39. Il contesto antidocetico del brano è ben sottolineato da H.F. von CAMPENHAUSEN, *Das Bekenntnis im Urchristentum, o.c.* (cit. a n. 7) 269-270.

[18] « ... qui *per* Mariam transierit, quemadmodum aqua *per tubum* transit » (IRENEO, *Adv. haereses* I, 7, 2 [HARVEY I, 150]; III, 1, 3 [HARVEY II, 42]; V 1,2 [HARVEY II, 316]).

Su questo modo docetico proprio dello gnosticismo (soprattutto valentiniano) di intendere la maternità verginale di Maria vedi J.A. DE ALDAMA, *María en la Patrística, o.c.* (cit. a n. 3) 47ss e note 73-77 ove egli riporta altre citazioni di Ireneo e di Tertulliano. Proprio lo scrittore Africano conserva un testo assai puntuale che mostra il diverso uso preposizionale nel pensiero valentiniano e in quello della Grande Chiesa: « Esse etiam ... Christum ... in praepositionum quaestionibus positum, id est *per* Virginem, non *ex* Virgine editum; quia delatus in Virginem transmeatorio potius quam generatorio more, processerit *per* ipsam, non *ex* ipsa, non matrem eam sed viam passus » (*Adv. Valentinianos* 27,1 - CC, SL 2,772).

Ignazio, in stridente polemica con il docetismo gnostico che ravvisava nel Cristo solo un *fantasma incorporeo* [19] e pertanto non bisognoso di una madre, proclama reiteratamente con passione che il Signore Gesù è *carnale,* che è stato *generato, si è fatto carne, ha patito* fino a subire *la morte* ed è *nato* veramente *da* Maria.

Concludendo l'analisi contestuale della prima parte della antitesi che stiamo analizzando (= *da Maria*), possiamo senz'altro dedurre in base a tutto quello che abbiamo visto in precedenza, che Ignazio nel nostro testo afferma chiaramente la *vera maternità* di Maria, dal momento che egli asserisce che il Cristo VERO-UOMO ha preso carne *da* lei. Perciò Maria deve dirsi in senso proprio *madre vera del Cristo,* in quanto gli ha dato una *reale* carne umana.

Ma procediamo oltre nel nostro studio spostando ora l'attenzione anche sul secondo quadro del dittico che contiene appunto i predicati della *divinità.* Dopo aver sottolineato in prima istanza [20] — come abbiamo visto — la piena realtà umana della carne di Cristo, Ignazio subito dopo ne mette in evidenza anche, in stridente contrasto, la *divinità.* E così l'*unico Cristo Signore* non è soltanto VERO-UOMO, ma è anche inseparabilmente VERO-DIO. In tal senso infatti egli è *spirituale* [21], *ingenerato* [22], *Dio, Vita vera, da Dio, impassibile.* In una parola tutti questi vari attributi divini stanno a dimostrare che il Figlio nato veramente da Maria non è solo un semplice *uomo,* ma è anche *Dio,* perché prima di nascere *da Maria* egli già era *da Dio* ed era preesistente come Dio nella sfera del divino, in quanto *ingenerato* [23].

---

[19] Sulla polemica del martire contro la rappresentazione incorporea e umbratile di un Cristo « fantasma » (= δαιμόνιον S 3,2) propria dell'eresia docetico-gnostica, rimandiamo ancora alle nostre osservazioni in *L'unione a Cristo,* 85 e n. 39 (*ivi*).

[20] Nel brano studiato appare chiaro, soprattutto dall'innegabile contesto polemico antidocetico, che l'accento è messo da Ignazio sulla prima serie dei predicati (*umani*) del Cristo, che erano poi quelli espressamente negati dagli eretici doceti. La natura divina del Cristo infatti era comunemente ammessa al tempo di Ignazio ed era una convinzione pacifica in seno alle comunità cristiane alle quali egli indirizzava le sue lettere, non messa in dubbio neppure dal docetismo gnostico.

[21] πνευματικός, cioè che fa parte del πνεῦμα ed è πνεῦμα. Questo termine, nella *koinè* filosofico-religiosa del II secolo, designava propriamente la sfera del divino. Rimandiamo ancora al nostro studio *L'unione a Cristo,* 89 e note 54-55 (*ivi*).

[22] ἀγέννητος è il termine prestigioso in uso nella teodicea classica e fatto proprio dai primi cristiani, atto ad esprimere la *trascendenza* e l'*aseità* del divino, in quanto appunto esso si contraddistingue e si oppone al mondo della corruzione e del divenire. Chi dice ἀγέννητος dice *increato, assoluto,* non sottoposto al mondo corruttibile, insomma dice *Dio.* Vedi il già citato articolo, *o.c.* 89 e n. 56 e A. GRILLMEIER, *Gesù il Cristo nella fede della Chiesa* [Vol. I 1: *Dall'età apostolica al Concilio di Calcedonia* (451)] (Brescia 1982) 264-265.

[23] L'opposizione tra γεννητός - ἀγέννητος è intesa da Ignazio in riferimento all'unico soggetto, il Cristo appunto, come UOMO e come DIO e non già nel senso della problematica nicena del rapporto trinitario del Logos col Padre che è assai più tardiva. Pertanto ἀγέννητος in questa primitiva accezione ignaziana ha — come del resto ancora per gli Apologeti greci del II secolo — un significato *assoluto* e non *trinitario.* Cf. A. GRILLMEIER, *o.c.,* 265.

Pertanto la conclusione finale che s'impone dall'analisi globale di questo celebre passo agli Efesini, riguardante in modo particolare l'antitesi « e da Maria e da Dio » è che, secondo Ignazio, Maria è *vera madre di Dio.* Infatti, data l'unità concreta dell'unico soggetto — « Uno solo è medico [...] Gesù Cristo il Signore nostro » portatore contemporaneamente della duplice realtà umana e divina nella coincidenza degli opposti predicati teandrici — Maria, avendo generato l'Unico Cristo VERO-UOMO e VERO-DIO[24], deve dirsi realmente *madre di Dio* nel senso più vero del termine.

Sulla verità della reale maternità di Maria il vescovo e martire torna ad insistere in altri testi nei quali egli, sempre nel contesto della polemica contro il docetismo gnostico, è impegnato a mettere in evidenza i lineamenti reali del Cristo storico. Passiamo ad esaminare un brano significativo tratto dalla lettera ai Tralliani[25]:

« Siate dunque sordi quando qualcuno vi parla
al di fuori di Gesù Cristo,
che è *dalla stirpe di David,* che è *da Maria,*
che *realmente fu generato,* mangiò e bevve,
realmente fu perseguitato sotto Ponzio Pilato,
realmente fu crocifisso e morì sotto lo sguardo dei celesti, dei [terrestri e degli inferi,
che *realmente* risuscitò dai morti... »[26].

Il brano citato ha tutto l'andamento caratteristico di un vero e proprio *simbolo* cristologico in funzione antieretica. Infatti è da rilevare come nel testo l'intero evento storico del Cristo venga riassunto e per così dire condensato in alcuni momenti essenziali della

[24] Questa unità *umano-divina* dell'Unico Cristo incomincia già ad esprimersi in Ignazio secondo quello che verrà poi chiamato in seguito lo *scambio dei predicati* o *communicatio idiomatum.* Infatti nel Cristo concreto si possono predicare dell'Uomo gli attributi divini, e di Dio quelli umani. Ciò avviene già più volte nelle lettere ignaziane: si veda per esempio E 1,1 ove il martire parla con arditezza del « Sangue di Dio » [per un'analisi di questo testo rimandiamo al nostro studio *Il Sangue di Cristo nelle Lettere di Ignazio di Antiochia,* in F. VATTIONI (ed.), *Atti della Settimana Sangue e antropologia nella letteratura cristiana* (Roma 19 Novembre - 4 Dicembre 1982) 3 voll. (Roma 1983) II, 863-902, soprattutto 897-899; vedi un altro testo in E 18,2 (ὁ ... γὰρ θεὸς ... ἐκυοφορήθη ὑπὸ Μαρίας) cf. più sotto p. 153 e anche R 6,3. E' appena il caso di rilevare che questa modo di esprimersi non è tanto il risultato di una riflessione teologica, ma è piuttosto dovuto al linguaggio immediato e originale di Ignazio portato a sottolineare polemicamente l'unità concreta dell'unico Cristo *reale.* Perciò anche in ragione dello *scambio di predicati* Maria è da dirsi nelle lettere ignaziane vera *Madre di Dio.* Su questo vedi le osservazioni pertinenti di A. GRILLMEIER, *o.c.* (cit. a n. 22) 265.

[25] Vedi le nostre osservazioni a questo testo nell'articolo *L'unione a Cristo,* 84.

[26] T 9,1-2 (BIHLMEYER, 95):
κωφώθητε οὖν, ὅταν ὑμῖν χωρὶς Ἰησοῦ
Χριστοῦ λαλῇ τις, τοῦ ἐκ γένους Δαυίδ, τοῦ ἐκ Μαρίας,
ὃς ἀληθῶς ἐγεννήθη, ἔφαγέν τε καὶ ἔπιεν,
ἀληθῶς ἐδιώχθη ἐπὶ Ποντίου Πιλάτου,
ἀληθῶς ἐσταυρώθη καὶ ἀπέθανεν ...
ὃς καὶ ἀληθῶς ἠγέρθη ἀπὸ νεκρῶν ...

sua vita terrena, scanditi contrappuntisticamente dal tipico avverbio *antidocetico* (*realmente*) [27], cioè la nascita *da Maria*, la passione, la crocifissione e morte, la risurrezione [28].

Per il tema che ora ci interessa, sarà sufficiente fermare la nostra attenzione sulla prima affermazione fondamentale di questa confessione di fede nel Cristo « che è *dalla stirpe di David*, che è *da Maria* ». In essa il martire sottolinea la vera umanità del Signore, dal momento che egli appartiene saldamente alla storia umana, in quanto appunto discendente *da David*. Pertanto il Cristo « è stato *realmente* generato » cioè è nato per via di generazione *da Maria* [29], la quale ha dato al Figlio una reale esistenza umana collocandolo nel vivo di una storia concreta, cioè nella genealogia davidica [30].

Tutto questo equivale a dire in altre parole che Maria, avendo generato *realmente* il Cristo, ne è perciò la vera madre a pieno titolo e a tutti gli effetti.

Maria è così all'origine dell'evento storico del Cristo, come colei che gli trasmette per via di generazione *da David* un vero essere umano, una carne *reale* che proviene da lei. Ma Ignazio afferma anche di più. Quella carne che il Cristo ha preso *da Maria* è rimasta poi sempre in dipendenza da lei, non soltanto quando egli « fu generato », ma anche quando « mangiò e bevve ... fu perseguitato ... fu crocifisso, morì ... e risuscitò dai morti ». Insomma, tutto il mistero di Cristo nella sua dimensione teandrica e storico-salvifica, resta sempre saldamente connesso con Maria e rimane per sempre segnato in modo indelebile dalla *madre* [31] che in tal modo viene a far parte sostanziale ed integrante del simbolo di fede cristologico. Per

---

[27] Nella peculiare disposizione del testo greco e della traduzione abbiamo voluto evidenziare la presenza assai marcata di questo tipico avverbio (= ἀληθῶς) ripetuto per ben quattro volte a distanza ravvicinata e in posizione anaforica per sottolineare appunto con martellante insistenza lo spessore *reale* della carne di Cristo. Sull'uso ignaziano caratteristico di esso in funzione antidocetica cf. l'articolo già citato, *o.c.* 84 n. 37. Vedi anche S 1,1-2 più sotto nn. 99-100.

[28] Questo è uno dei testi più antichi in cui si può intravedere una traccia assai remota di quelli che saranno chiamati poi nella storia della devozione mariana i « misteri del rosario ». Qui infatti se ne possono già individuare alcuni.

[29] Notare nuovamente l'uso caratteristico delle preposizione ἐκ di cui abbiamo già parlato (cf. n. 18).

[30] Su questo ruolo specifico di Maria che comunica al Figlio la *discendenza davidica*, Ignazio insiste anche in altri testi (E 18,2; S 1,1) per cui vedi più sotto rispettivamente le note 42; 49; 101. Tale ruolo è evidenziato giustamente da H. von CAMPENHAUSEN, *o.c.* (cit. a n. 7) 92 e n. 113 (*ivi*).

[31] Vedi l'articolo citato a fine di n. 3 di E.M. TONIOLO, *La maternità di Maria*, 218: « Questa carne umana, vera, Cristo l'ha presa da Maria: egli è tutto "da Maria" in quanto uomo ». E dopo aver citato il celebre testo ignaziano E 7, 2, l'Autore continua: « Maria è così all'inizio del mistero di Cristo come fonte che gli trasmette l'umano: carne vera che sempre dipende da lei, quando è concepita e partorita, quando — assunta dal Verbo — viene in lui divinizzata, quando — dopo la risurrezione — non è più soggetta alla passibilità e alla mortalità. Per questo in S. Ignazio tutto il processo generativo ha la sua estrema importanza: il concepimento, la gravidanza, e soprattutto il parto: "nato veramente da vergine", "veramente nacque" ».

Ignazio dunque chi nega la *vera generazione* di Cristo *da Maria,* nega anche la sua *vera carne* e perciò si esclude dalla ortodossia della fede separandosi dalla Chiesa. Concludendo pertanto questo primo punto del nostro studio, possiamo dire che dall'analisi contestuale dei due testi ignaziani sinora esaminati, appare chiaramente che la *reale e divina maternità* di Maria è non solo una confessione appassionata della fede pura del martire antiocheno, ma altresì è parte integrante del Simbolo di fede della grande Chiesa in polemica contro la negazione docetico-gnostica.

2. MARIA MADRE DEL « CRISTO »-CAPO

Veniamo ad un altro testo importante per il nostro tema. Onde comprendere meglio tutta la portata dell'affermazione ignaziana su Maria, riteniamo importante cogliere anche il contesto del brano nel suo insieme e quindi incominciare la citazione già dal capitolo che precede immediatamente il testo vero e proprio. Ritorniamo alla lettera agli Efesini, verso i capitoli finali, allorquando il vescovo, preoccupato di mettere in guardia quei cristiani di fronte al pericolo della falsa gnosi, li esorta a ricevere l'unguento profumato della vera gnosi che è Gesù Cristo.

> « Per questo il Signore ha accettato sul suo *capo* l'unguento [profumato,
> per spirare alla Chiesa incorruttibilità...
> Perché dunque non diventiamo tutti saggi dal momento che abbiamo ricevuto la gnosi di Dio che è Gesù Cristo?...
> Infatti il nostro Dio Gesù *il*[32] *Cristo*
> *fu portato in grembo da Maria secondo l'economia di Dio,*
> *da seme di David, ma da Spirito santo.*
> Egli fu generato e battezzato
> al fine di purificare l'acqua con la passione »[33].

---

[32] E' importante sottolineare qui la presenza dell'articolo determinativo. Nelle numerosissime ricorrenza del nome di Gesù Cristo nelle lettere ignaziane — in tutto 135 volte — solo qui appare l'articolo ὁ. Vedi per questo il nostro studio « *Sinfonia* » *della Chiesa,* 32 n. 28 e le statistiche riportate nell'articolo precedente *L'unione a Cristo,* 78 n. 16. Questo particolare grammaticale, in genere trascurato dai traduttori, è assai significativo invece, perché nel contesto dell'unzione di Betania, esso mette in evidenza che Gesù è *il Cristo,* cioè *l'Unto* per antonomasia, che unge anche le altre membra del suo Corpo-mistico. Vedi più sotto n. 37.

[33] E 17,1-2; 18,2 (BIHLMEYER, 87):
διὰ τοῦτο μύρον ἔλαβεν ἐπὶ
τῆς κεφαλῆς αὐτοῦ ὁ κύριος, ἵνα πνέῃ τῇ ἐκκλησίᾳ ἀφθαρσίαν ...
διὰ τί δὲ οὐ πάντες φρόνιμοι γινόμεθα λαβόντες
θεοῦ γνῶσιν, ὅ ἐστιν Ἰησοῦς Χριστός; [...]
ὁ γὰρ θεὸς ἡμῶν Ἰησοῦς ὁ Χριστὸς
ἐκυοφορήθη ὑπὸ Μαρίας κατ' οἰκονομίαν θεοῦ
ἐκ σπέρματος μὲν Δαυίδ, πνεύματος δὲ ἁγίου.
ὃς ἐγεννήθη καὶ ἐβαπτίσθη,
ἵνα τῷ πάθει τὸ ὕδωρ καθαρίσῃ.

La lettura contestuale del brano ci porta primariamente a mettere in rilievo il tema che fa da sfondo a tutto il passo e ne è come il motivo conduttore. Si tratta cioè della unzione di Betania [34], rapidamente ma intensamente evocata da Ignazio nella prima parte del testo. Tale evento della vita del Salvatore è visto dal martire come un simbolo espressivo della sua dottrina prediletta sulla Chiesa vista come Corpo-mistico-di-Cristo [35]. Questo episodio infatti assume per il nostro Autore un significato tipicamente *ecclesiale* [36], in quanto il *Cristo-Capo* non ha trattenuto per se stesso esclusivamente l'unguento, ma lo ha spirato a tutte le altre *membra* del suo Corpo-mistico, la Chiesa. Pertanto in questa tematica di fondo dell'*unzione*, il Signore è l'*Unto* per antonomasia, cioè *il Cristo* [37], che rende *cristi* (= unti) ache tutti gli altri membri del suo Corpo-mistico.

In tale cornice così pregnante di evocazioni cristologiche ed ecclesiologiche, il riferimento puntuale a Maria nella seconda parte del brano acquista un rilievo particolarmente denso di significato. Ritorniamo perciò al testo specifico che ora dobbiamo esaminare più a fondo:

> « Il nostro *Dio* Gesù *il Cristo*
> *fu portato in grembo da Maria* secondo l'*economia* di Dio,
> *da seme di David, ma da Spirito santo.*
> Egli fu *generato* e *battezzato*
> al fine di purificare l'acqua con la *passione* » [38].

In questo simbolo [39] cristologico abbreviato Ignazio confessa ancora una volta la sua fede nella *realtà* storica dell'evento di Cristo che qui egli concentra in *tre misteri* [40] fondamentali dell'economia

---

[34] Su questo fatto della vita del Signore evocato qui da Ignazio, rimandiamo alla nostra analisi in « *Sinfonia* » *della Chiesa, o.c.* (cit a n. 1) 32-34.

[35] Sulla Chiesa intesa da Ignazio come *Corpo-Mistico-di-Cristo* rinviamo ancora una volta all'articolo più volte citato, « *Sinfonia* » *della Chiesa,* 29-40: *La Chiesa, Corpo di Cristo nella Croce.*

[36] Tale interpretazione *ecclesiologica* è stata già messa in evidenza da noi nell'articolo citato, *o.c.*, 33 n. 32 (cf. anche la bibliografia ivi citata).

[37] Si capisce perciò l'importanza della presenza significativa dell'articolo determinativo messa in rilievo più sopra a n. 32.

[38] Nella disposizione della traduzione — come anche nel testo greco citato a n. 33 — abbiamo tentato di rendere visibile, per quanto era possibile, l'andamento concitato e retorico dello stile ignaziano, caratterizzato anche qui dalla prosa *asiana* (vedi sopra a n. 7). Per un'analisi più particolareggiata della struttura compositiva di questo brano — diversamente intesa dagli studiosi — rinviamo al già citato R. DEICHGRÄBER, *Gotteshymnus und Christushymnus* (*cit.* a n. 7) 159-161 (soprattutto p. 160 e note) come anche a H. PAULSEN, *Studien zur Theologie des Ignatius von Antiochien* (Göttingen 1978) 49-54.

[39] Il carattere di « confessione di fede » di questo passo viene generalmente sottolineato da diversi Autori. Vedi per esempio il già citato H. PAULSEN, *o.c.* 50; 52-53 e n. 137 (*ivi*, con ulteriore bibliografia).

[40] Con T. ZAHN, *Ignatius von Antiochien* (Gotha 1873) 486, noi riteniamo che qui Ignazio anticipi già i *tre misteri di grido* di cui egli parlerà subito dopo nel capitolo 19, per cui vedi più sotto p. 160 e n. 64.

— ἐκυοφορήθη ὑπὸ Μαρίας = ἡ παρθενία Μαρίας

divina[41] e cioè la *concezione* del Cristo nel grembo di Maria, la sua *nascita* e il *battesimo* in vista della *passione-morte.*

Noi ci soffermeremo per ora sul primo di essi, che d'altronde è anche quello evidenziato dal martire con maggior insistenza. Egli infatti afferma solennemente che Gesù è stato *portato in grembo da Maria* e che quindi discende dalla *stirpe di David*[42]. Ma egli afferma subito dopo che il Cristo, già fin dal primo momento della sua origine nel seno di Maria, non è soltanto « da seme di David, ma anche da *Spirito-santo* ». Sembra a prima vista che Ignazio in questo testo non aggiunga nulla di nuovo a quanto già sappiamo dai passi studiati precedentemente. In realtà, ad un'analisi più attenta alle sfumature e ai particolari, è possibile rilevare alcune peculiarità significative che in genere vengono trascurate dagli autori. Anzitutto c'è da sottolineare l'aggettivo *santo*[43] che nel testo qualifica

---

— ὃς ἐγεννήθη = τοκετὸς αὐτῆς
— ἐβαπτίσθη ἵνα τῷ πάθει ... = θάνατος τοῦ κυρίου

Il termine μυστήριον — senza stare ora ad addentrarci più a fondo nella questione — significa in Ignazio un evento storico-salvifico della vita di Cristo, come per esempio i tre *misteri* citati, vedi più sotto p. 160 e n. 67.

[41] οἰκονομία usato qui da Ignazio significa il *piano della salvezza operato da Dio e concentrato nei principali fatti storico-salvifici della vita di Cristo* (= *misteri*). Non rientra ora nei fini del presente lavoro approfondire questo concetto. Ci limitiamo solo a prenderne atto e rinviamo allo studio classico di K. DUCHATELEZ, *La notion d'économie et ses richesses théologiques,* in NRTh 102 (1970) 267-292, soprattutto p. 279: « Saint Ignace d'Antioche reprend l'idée du plan du salut, mais la rétrécit un peu en la référant à des faits historiques particuliers. L'économie est employée comme principe d'intelligence de la gestation de Jésus: la conception virginale s'est déroulée selon l'économie divine. Cette conception virginale du Seigneur, ainsi que son enfantement et sa mort, est un mystère accompli dans le silence de Dieu. Finalment, Ignace concentre l'économie sur le Christ, appelé l'homme nouveau ».

Questa concentrazione della οἰκονομία divina nel Cristo è affermata poi esplicitamente da Ignazio nella stessa lettera agli Efesini, due capitoli più avanti, quando promette di inviare loro un secondo scritto nel quale « vi manifesterò — egli dice — *l'economia sull'uomo nuovo Gesù Cristo* della quale ho già incominciato a parlare » (E 20,1 - BIHLMEYER, 88). Su questo vedi le utili indicazioni di A.M. CECCHIN, *o.c.* 373-383, soprattutto 375s e di A. GILA - G. GRINZA, *o.c.* 7-10 (entrambi citati a n. 3).

[42] Ritorna la sottolineatura ignaziana del ruolo di Maria come colei che dà al Cristo la *discendenza davidica,* già messa in rilievo precedentemente (vedi più sopra p. 152 e n. 30). Vedi anche più avanti n. 49 e n. 101.

[43] ἅγιος come qualificativo di πνεῦμα è piuttosto raro nelle lettere ignaziane soprattutto con la presenza anche dell'articolo. Esso infatti appare solo 3 volte: oltre al nostro testo esso figura in E 9,1: « ... usando la corda dello *Spirito santo* » (BIHLMEYER, 85 ... σχοινίῳ χρώμενοι τῷ πνεύματι τῷ ἁγίῳ) e F (insc.) « ... Egli (= G. Cristo), secondo la sua propria volontà, li (= i ministri) ha consolidati nella fortezza col suo *santo Spirito* » (BIHLMEYER, 102: ... οὓς κατὰ τὸ ἴδιον θέλημα ἐστήριξεν ...τῷ ἁγίῳ αὐτοῦ πνεύματι). Non computiamo nel novero R 8,3 coi migliori editori moderni i quali, in base a codici autorevoli, espungono dal testo ἐν πνεύματι ἁγίῳ (cf. BIHLMEYER, 101 apparato critico). Orbene, nei due testi citati τὸ πνεῦμα ἅγιον (specie in E 9,1, per cui vedi il nostro commento in « *Sinfonia* » della *Chiesa,* 53-54) è indicato lo Spirito santo, come terzo Attore, Potenza del Padre e del Cristo. Per lo studio di questi testi rinviamo al J.P. MARTÍN, *o.c.* 79; 93; 95-101

lo « Spirito ». Questa è una novità di rilievo, perché non si tratta più semplicemente dello *pneuma* come categoria generica che esprime la sfera del divino [44], ma con tale determinazione caratteristica, lo Spirito viene ora a significare più specificamente un Principio divino che in contrapposizione [45] a quello umano del « seme di David », interviene a operare la gestazione del Cristo nel grembo di Maria. Ritroviamo qui un altro dei binomi sintetico-antitetici [46] che sono tipici dello stile ignaziano. Nel testo però il binomio *sperma-pneuma* oppone e unisce i due elementi *umano-divino* non più sul piano dell'*essere* [47], ma su quello dell'*operare.* Infatti la gestazione del Cristo di cui si parla, è operata antiteticamente e sinteticamente da un principio umano, il « seme di David », e da un Principio divino, lo « Spirito santo » [48].

Ne consegue dunque che alle origini umane del Cristo concorrono attivamente due Attori: *Maria,* che colloca il « figlio dell'uomo » nella discendenza davidica, dandogli una vera carne umana, e lo

---

(cit. a n. 10); R. BERTHOUZOZ, *Le Père, le Fils et le Saint-Esprit d'après les Lettres d'Ignace d'Antioche,* in FZPhTh 18 (1971) 397-418 e W. ANNELIESE MEIS, *La Fórmula de fe « Creo en el Espíritu Santo » en el siglo II. Su formación y significado* (Santiago 1980) 124-135. Tutti i suddetti Autori sono orientati a vedere in questi testi la terza Persona della Trinità. Ora se in tali passi paralleli l'aggettivo ἅγιον qualifica lo πνεῦμα in senso trinitario, è da ritenere probabilmente che anche nel testo all'esame πνεῦμα ἅγιον sia da intendersi nello stesso senso (anche se manca l'articolo determinativo). Comunque, ciò che è certo è che πνεῦμα ἅγιον qui dice di più che la semplice connotazione della sfera del divino, espressa dal solo termine πνεῦμα. Vedi J.P. MARTÍN, *o.c.* 79: « El adjetivo ἅγιον destaca este texto de todos los demás ».

[44] Come nel testo visto in precedenza (E 7,2). Vedi sopra p. 150 e n. 21.

[45] L'opposizione tra « seme di David » e « Spirito santo » nel testo è messa in rilievo anche dalle due classiche congiunzioni avversative μέν - δέ: ἐκ σπέρματος μ ὲ ν Δαυίδ, πνεύματος δ ὲ ἁγίου.

[46] Su questi binomi sintetico-antitetici che caratterizzano lo stile di Ignazio vedi più sopra p. 148 e n. 10 con relativa bibliografia ivi citata e anche più avanti p. 167 e nn. 90; 102.

[47] Come il binomio fondamentale trovato più sopra σαρκικός - πνευματικός (cf. p. 147 e n. 6), E' il J.P. MARTÍN che annota giustamente, commentando il nostro testo: « Πνεύμα - σπέρμα contraponen dos potencias que obran el nacimiento de Cristo. Πνεύμα - σάρξ oponen los dos aspectos del ser de Cristo. En ambos casos el término πνεῦμα está colocado en un plano divino sobrenatural. Pero desde dos puntos de vista distintos: la divinidad del principio generador, y la divinidad del ser ». (*o.c.* 79). Vedi anche la nota seguente.

[48] Nel testo originale:
ἐκυοφορήθη ὑπὸ Μαρίας
ἐκ σπέρματος μὲν ... πνεύματος δὲ ἁγίου.

E' ancora J.P. MARTÍN a sottolineare: « Nos encontramos nuevamente con la oposición del plano divino y del humano. Pero no ya como dos predicamentos de un ser, sino como dos potencias de una acción » (*o.c.* 79). Pertanto ci sembra errata l'interpretazione data da G. ROCCA che invece riferisce πνεύματος δὲ ἁγίου « all'elemento divino presente in Gesù » (*o.c.* 404) (cit. a n. 3). Come abbiamo già annotato nella nostra analisi, non si tratta qui di opposizione sul piano dell'*identità* costitutiva del Cristo (πνεῦμα - σάρξ), bensì sul piano dell'*azione* operata appunto da Maria e dallo Spirito santo nella gestazione del Cristo.

Spirito santo, che costituisce il Cristo come « figlio di Dio » e vero Dio [49].

Un'altra novità è l'anticipazione del momento storico e concreto della venuta del Cristo che non è più la *nascita,* come nei testi precedenti [50], ma è ora la *gestazione* nel grembo di Maria. Cioè l'inizio dell'esistenza umana e reale di Gesù è significativamente ribaltato più indietro, alla *concezione.* Tale caratteristico arretramento è dovuto, a nostro avviso, a due motivazioni fondamentali. Anzitutto ad una preoccupazione tipicamente ignaziana di polemica nei confronti del docetismo gnostico [51], volta a sottolineare con realismo, la verità e lo spessore della carne di Cristo, la quale non solo è stata generata da Maria, ma ancor più realisticamente è stata anche concepita e *gestata* [52], nel suo grembo.

In secondo luogo con tale gestazione Ignazio intende alludere anche alla *verginità* di essa. Infatti — come abbiamo sottolineato poc'anzi — Maria ha concepito nel suo grembo il Cristo « da seme di David », ma anche « da Spirito santo ». Cioè il frutto di tale grembo, pur nella verità della sua carne, trascende la semplice realtà umana, perché esso viene da Dio, non essendo opera d'uomo, ma

---

[49] Due capitoli più avanti (E 20,2), Ignazio affermerà esplicitamente: « ... vi radunate in una sola fede e in Gesù Cristo, che secondo la carne è *dalla stirpe di David, figlio dell'uomo e figlio di Dio* » (BIHLMEYER, 88).

Nominando questi due Principi che intervengono attivamente nella gestazione del Cristo, cioè Maria e lo Spirito santo, il martire si rifa a *Lc* 1,35 e rispecchia il kerygma primitivo della comunità cristiana. Vedi su questo J.P. MARTÍN, *o.c.* 79 e 93.

Con tale affermazione Ignazio pone anche implicitamente le basi della « verginità di Maria » di cui il vescovo parlerà subito dopo. Vedi più sotto p. 166 e n. 87.

[50] E 7,2; T 9,1. Anche S 1,1 che studieremo a suo tempo (cf. più sotto p. 171 e n. 99).

[51] Il contesto antidocetico del brano è confermato anche dalla presenza del tipico avverbio ἀληθῶς (E 17,2) per cui vedi più sopra n. 27.

[52] Il verbo usato da Ignazio (κυοφορέω) è raro nella letteratura dei Padri Apostolici e Apologeti perché prima del martire esso appare solo in I *Clem.* 20,4 (attribuito alla terra *fertile*) e dopo è usato solo da Giustino nella I *Apol.* 33,4 (riferito alla Vergine Maria nel contesto di *Lc* 1,35). Tale verbo è assai espressivo, perché indica realisticamente che il Cristo è stato portato *realmente* in grembo da Maria come *frutto* del suo *vero* concepimento materno. Su questo termine vedi W. BAUER, *Griechisch-Deutsches Wörterbuch zu den Schriften des Neuen Testaments und der übrigen urchristlichen Literatur* (Berlin-New York [5]1971) 905 s.v. e anche la sottolineatura di R. BERTHOUZOZ, *o.c.* (cit. a n. 43) 414 n. 57. Questo verbo raro ed espressivo mette in evidenza l'importanza di tutto il processo generativo del Cristo da Maria che dalla concezione alla gravidanza, porta fino al parto. E.M. TONIOLO annota giustamente a questo proposito: « Per questo in S. Ignazio tutto il processo generativo ha la sua estrema importanza: il concepimento, la gravidanza, e soprattutto il parto: "nato veramente da vergine", "veramente nacque" ... A noi sfugge oggi il peso e il valore che gli antichi documenti della tradizione attribuivano alla "nascita" di Cristo e al "parto" di Maria; ma lo si capisce, se si pensa che gli gnostici consideravano la venuta di Cristo come "epifania" o semplice comparsa, priva di realtà e di concretezza umana » (*o.c.* 218) (cit. a n. 3).

di una potenza divina[53] che è lo Spirito santo. In quanto divino dunque questo frutto non poteva essere che verginale e concepito da vergine. Perciò la trascendenza divina del frutto del grembo e la sua preesistenza, garantiscono la « verginità di Maria »[54].

L'ultima particolarità da sottolineare è il caratteristico appellativo attribuito da Ignazio a Gesù nel contesto della unzione. Egli viene appunto definito come *il Cristo*[55] per antonomasia, cioè l'*Unto* che comunica l'unzione del suo *Capo* anche alle altre membra del suo Corpo mistico. Orbene, tale *Unto* « è stato portato in grembo da Maria ».

A questo punto bisogna che ci rifacciamo ad un testo importante di Ignazio che esprime il fondamento del suo pensiero sulla Chiesa vista come Corpo-mistico-di-Cristo[56] e che ha tutta la solennità di un assioma ecclesiologico. Esso si trova nella parte finale della lettera ai Tralliani e suona:

> « Il *capo* dunque non può essere generato separatamente, *senza le membra* »[57].

Con questo enunciato Ignazio intende fondare l'unità inscindibile esistente tra il *Cristo Capo* e i *cristiani membra* formanti *insieme l'unico Corpo mistico* che è *la Chiesa,* ossia quell'unico organismo vitale saldamente e indissolubilmente compaginato in cui appunto il *Capo non può esistere mai da solo,* senza le sue membra[58].

Pertanto, applicando questo assioma ecclesiologico al testo ora all'esame, risulta logicamente che *il Cristo* — *l'Unto* che spira alle membra del suo Corpo mistico la sua stessa unzione[59] — è stato portato in grembo da Maria e poi generato *non da solo* né *senza le sue membra,* ma *insieme con esse.*

Si deve dunque concludere che, in una lettura contestuale del brano, esaminato anche alla luce di tutto il pensiero ecclesiologico

---

[53] Di questa Potenza divina Ignazio parla anche in un altro testo (S 1,1) che esamineremo più avanti (p. 172 e n. 102).

[54] Sulla « verginità di Maria » — da intendersi fondamentalmente come *concezione verginale* — vedi più avanti la nostra analisi di E 19,1 (p. 162 e note 72 e seguenti).

[55] La sottolineatura dell'articolo determinativo è già stata evidenziata più sopra p. 153 e note 32; 37.

[56] Sulla Chiesa come Corpo-mistico-di-Cristo rimandiamo al nostro studio sul pensiero ecclesiologico ignaziano, « *Sinfonia* » *della Chiesa,* 29-40, soprattutto 32-40.

[57] T 11,2 (BIHLMEYER, 95):
οὐ δύναται οὖν
κεφαλὴ χωρὶς γεννηθῆναι ἄνευ μελῶν.

[58] Per un'analisi più approfondita di questo testo importante dell'ecclesiologia ignaziana vedi ancora « *Sinfonia* » *della Chiesa,* 37; 40 e anche 43 n. 66 ove abbiamo definito questa inscindibile e intima unità tra il *Capo* e le *membra* (e le membra tra loro) con il termine ignaziano assai espressivo di *crasi.*

[59] Non bisogna infatti dimenticare che il contesto entro il quale va letto il brano allo studio è quello dell'*unzione* di Betania, come del resto già a suo tempo abbiamo rilevato (cf. sopra p. 154 e nn. 34-37).

ignaziano, Maria è per il martire non solo la *vera madre* che ha portato in grembo e generato *realmente* il *Cristo-Capo*, ma ella è anche *madre* delle *membra* del Capo, in forza appunto del principio ecclesiologico di Ignazio, secondo cui « il Capo non può essere generato da solo, senza le membra »[60].

Già nel vescovo antiocheno quindi è possibile rintracciare i primi elementi teologico-ecclesiologici, sebbene ancora in uno stato embrionale, da cui è possibile dedurre non solo la vera maternità *divina* di Maria in ordine al Cristo, ma anche la sua maternità in ordine a tutte le membra del Corpo di Cristo. Maria dunque per Ignazio è la madre del *Cristo-Capo*, e in quanto tale, ella è anche madre — sebbene soltanto in un senso derivato e mistico — delle *membra del Capo* che formano inseparabilmente con lui l'*unico suo Corpo mistico* che è la Chiesa.

3. LA VERGINITA' DI MARIA

Rimaniamo ancora nella lettera mariana per eccellenza[61] per affrontare l'ultimo punto del nostro studio che viene tematizzato da Ignazio nel capitolo immediatamente seguente il testo appena studiato. Il martire, continuando il suo discorso su « *il Cristo portato in grembo da Maria* », spiega ulteriormente il suo pensiero aggiungendo:

> « E rimase nascosta al principe di questo secolo
> la *verginità di Maria* e il parto di lei,
> similmente anche la morte del Signore:
> *tre misteri di grido* che furono compiuti nel *silenzio* di Dio.
> Come dunque furono *manifestati* ai secoli?
> Un astro rifulse in cielo [...] [62].

Si tratta di un testo celebre che da tempo continua ad essere una *crux interpretum*, nonostante che l'acribia di molti studiosi

---

[60] Come si vede, quest'ultima affermazione conclusiva non si basa su di un'esplicita asserzione di Ignazio in proposito. Essa però è una logica conseguenza che emana dalle premesse poste dallo stesso martire, cioè dal contesto dell'*unzione* e dall'assioma ecclesiologico ignaziano. Essa pertanto non ci pare del tutto gratuita e priva di fondamento, come potrebbe sembrare a prima vista. D'altra parte non vogliamo forzare i testi piegandoli a dire più di quello che essi effettivamente vogliono dire.

[61] Cioè la lettera agli Efesini che, come abbiamo già rilevato più sopra (vedi n. 4), è la lettera di Ignazio che contiene la maggior parte delle citazioni mariane dell'epistolario ignaziano.

[62] E 19,1 s (BIHLMEYER, 87):
καὶ ἔλαθεν τὸν ἄρχοντα τοῦ αἰῶνος τούτου
ἡ παρθενία Μαρίας καὶ ὁ τοκετὸς αὐτῆς,
ὁμοίως καὶ ὁ θάνατος τοῦ κυρίου·

si sia accanita in varie indagini[63] per chiarirne il significato. Noi non abbiamo certo la pretesa di portare nuovi argomenti per risolvere la difficile e complessa problematica sottesa a questo brano. Molto più modestamente ci limiteremo a studiare il passo nel suo contesto e dal punto di vista che ora più ci interessa, sperando di riuscire almeno a cogliere il nucleo di fondo della dottrina mariana di Ignazio. Per questo noi ci atterremo scrupolosamente al dettato del testo, evitando qualunque categoria estranea al pensiero ignaziano.

Cominciamo la nostra analisi dal termine più importante che concerne più direttamente la testimonianza mariana del martire: *la verginità di Maria.* Da tutto il contesto[64] del brano appare chiaramente che Ignazio intende designare con tale espressione caratteristica la *concezione verginale*[65]. A questa conclusione ci portano soprattutto due ragioni fondamentali: anzitutto il significato che assume nell'Autore delle lettere il termine *mistero.*

Come abbiamo già sottolineato a suo tempo[66], *mistero* in Ignazio indica un *evento storico-salvifico della vita di Cristo particolarmente significativo*[67]. Pertanto la « verginità di Maria » — indicata

---

τρία μυστήρια κραυγῆς, ἅτινα ἐν ἡσυχίᾳ θεοῦ ἐπράχθη.
πῶς οὖν ἐφανερώθη τοῖς αἰῶσιν;
ἀστὴρ ἐν οὐρανῷ ἔλαμψεν [...]

[63] Tra i numerosi studi consultati, citiamo solo alcuni che ci sono sembrati più stimolanti: H. SCHLIER, *Religionsgeschichliche Untersuchungen zu den Ignatiusbriefen* (Giessen 1929) 5-32; H.E. PLUMPE, *Some Little-known Early Witnesses to Mary's Virginitas,* in TS 9 (1948) 567-577 soprattutto 574; H.F. von CAMPENHAUSEN, *Die Jungfrauengeburt in der Theologie der alten Kirche,* in *Sitzungsberichte der Heidelberger Akademie der Wissenschaft* (Heidelberg 1962) ora anche in IDEM, *Urchristliches und Altchristliches. Vorträge und Aufsätze* (Tübingen 1979) 63-161 soprattutto 91-93; A. ORBE, *La muerte de Jesús en la economía valentiniana,* in Gr 40 (1959) 461-499; 636-670 soprattutto 651-661; J. DANIÉLOU, *La teologia del giudeo-cristianesimo,* trad. italiana di C. Prandi (Bologna 1974) 299-313; E. ROBILLARD, *Christologie d'Ignace d'Antioche,* in R. LAFLAMME - M. GERVAIS (edd.), *Le Christ hier, aujourd'hui et demain* [= Colloque de christologie tenu à l'Université Laval 21 et 22 mars 1975] (Laval 1976) 479-487. Vedi anche la bibliografia già citata a n. 3, segnatamente J.A. DE ALDAMA, *o.c.* 189-203; 230-233; P. MEINHOLD, *o.c.,* 54-56; G. ROCCA, *o.c.* 405-407. Si veda infine il commento ampio e ancora valido di J.B. LIGHTFOOT, *The Apostolic Fathers.* Part II,2 (London ²1889 - Hildesheim, New York 1973) 76-80. Per ulteriore bibliografia vedi H. PAULSEN, *Die Briefe des Ignatius* (cit. a n. 1) 43 ove l'Autore afferma anche: « Kaum ein Text der ignatianischen Briefe hat in einem solchem Ausmass die Aufmerksamkeit auf sich gezogen wie Eph 19 ».

[64] Già più sopra, studiando il capitolo precedente a questo ora all'esame, (E 18,2) abbiamo anticipato col ZAHN i *tre misteri di grido* di cui ora Ignazio parla più diffusamente (cfr. p. 154 e n. 40).

[65] La stragrande maggioranza degli studiosi citati, con questa espressione tipica di Ignazio (« la verginità di Maria ») intende la *concezione verginale* del Cristo nel grembo di Maria.

[66] Vedi sopra n. 40.

[67] Tale significato è confermato anche da un'altra menzione di μυστήριον nelle lettere ignaziane. Infatti in un passo contenuto nella lettera ai Magnesi, Ignazio,

appunto qui dal vescovo come *mistero* — non può riferirsi a qualcosa che riguardi esclusivamente la persona di Maria, come una sua virtù o un suo stato di vita (= la verginità), ma deve necessariamente rimandare ad un evento anche del Cristo. Di conseguenza essa non può che esprimere la *concezione verginale* di Cristo da parte di Maria. Tanto più — ed è il secondo motivo — che la « verginità di Maria » è presentata dal martire nel nostro testo come il primo dei « tre misteri di grido ». Orbene, essendo gli altri due misteri che seguono, il « parto di lei » e « la morte del Signore », ne consegue che il primo di essi che apre la successione dei tre misteri, non può che riferirsi contestualmente alla *concezione verginale* del Cristo nel grembo di Maria [68], seguita appunto dal *parto* prima e infine dalla *morte del Signore.*

Si potrebbe obiettare a questo punto perché mai Ignazio avrebbe scelto di usare un termine così generale come « verginità » per indicare soltanto la concezione verginale del Cristo [69]. La risposta a tale obiezione, oltre che dalla lettura contestuale del brano, viene

---

parlando del nuovo ordine di cose in cui i cristiani non osservano più il sabato afferma: « Se dunque coloro che sono vissuti nell'antico ordine di cose, giunsero alla novità della speranza non osservando più il sabato, ma vivendo secondo la domenica, giorno in cui è sorta la nostra vita per mezzo di lui e della *sua morte, mistero* che alcuni negano, ma che per mezzo del quale noi abbiamo ricevuto la fede... » (M 9,1 - BIHLMEYER, 91). Come si può constatare, in questo passo *mistero* è attribuito alla *morte del Signore,* analogamente al brano che stiamo studiando (= il terzo mistero di grido). Invece nell'ultimo testo ove appare ancora una volta μυστήριον, tale termine viene sempre riferito a Cristo, ma in un'accezione più generale. Nella lettera ai Tralliani il martire si rivolge ai diaconi con questa esortazione: « Bisogna poi che quelli che sono *i diaconi dei misteri di Gesù Cristo* siano accetti a tutti in ogni maniera. Non sono infatti diaconi di cibi e bevande, ma ministri della Chiesa di Dio » (T 2,3 - BIHLMEYER, 93). Come si vede dal contesto, Ignazio sottolinea con forza che i *diaconi,* ministri della Chiesa di Dio, non possono essere ridotti a dei semplici distributori di cibi e di bevande, ma li richiama alla loro vocazione fondamentale che è brachilogicamente riassunta nella definizione di *diaconi dei misteri di Gesù Cristo.* Qui *misteri* assume un significato ampio in cui è compreso certo anche quello di *eventi storico-salvifici della vita di Cristo* che dovevano essere appunto annunciati dai diaconi nel loro ministero della Parola. Vedi su questo testo J.B. LIGHTFOOT, *o.c.* 156 n. 1; A. HAMMAN, *Vita liturgica e vita sociale.* Trad. italiana di R. Ronza e B. Ognibene (Milano 1969) 126-127. Cf. F 11, 1; S 10, 1).

[68] Parlare invece, come fanno alcuni, (A. GILA - G. GRINZA, *o.c.* 12s; A. CECCHIN, *o.c.* 375) di *stato verginale di Maria,* ci pare sia fuori della portata del contesto e pertanto una indebita estrapolazione dal pensiero di Ignazio. Contro questa interpretazione, vedi le giuste critiche già mosse da J.A. ALDAMA, *o.c.* 230-233 (cf. bibliografia a n. 3).

[69] E' appunto l'obiezione che i già citati GILA e GRINZA rivolgono alla maggioranza degli studiosi che intendono l'espressione « verginità di Maria » come sinonimo di *concezione verginale.* « Quasi tutti gli autori prendono questo termine esclusivamente come sinonimo di concepimento verginale. Ma è completa questa interpretazione e risponde veramente alle intenzioni di Ignazio?... Se Ignazio, infatti, con l'espressione "verginità di Maria" avesse voluto intendere soltanto la concezione verginale, perché usare un termine così generico? » (*o.c.* 12).

confermata anche dall'analisi della composizione letteraria del passo che risulta qui particolarmente accurata [70].

Nel suo stile asiano [71] inconfondibile, appassionato e ricco di effetti retorici, lo scrittore ricorre qui all'uso della *sineddoche* [72], cioè a quella nota figura retorica [73] in cui la *parte* (= la *concezione verginale* del Cristo nel grembo di Maria) viene espressa dal *tutto* (= la *verginità di Maria*). Ciò per rendere il suo discorso più vivo e mosso, e attirare così maggiormente l'attenzione dei suoi destinatari dando enfasi in particolare al primo dei « tre misteri di grido ». Ma poi anche per « economia dell'espressione condizionata dal con-

---

[70] Che tutto questo brano della lettera agli Efesini (19,1-3) sia particolarmente accurato dal punto di vista letterario e stilistico, è stato sottolineato già da vari studiosi. Si veda R. DEICHGRÄBER, *o.c.* (cit. a n. 7) 157-159 e H. PAULSEN, *Studien zur Theologie des Ignatius von Antiochien* (Göttingen 1978) 176-180 (nelle note ulteriore bibliografia). Questo studioso afferma esplicitamente: « Eph. 19,1 ff. ist ohne Zweifel sprachlich und stilistisch besonders geformt » (*o.c.* 176). Infatti nel testo ora in esame si possono notare varie figure retoriche: il *polisindeto* del καί, l'*ellissi* dei verbi ἔλαθεν ed ἐστί e soprattutto la *sineddoche* di cui parelremo subito dopo.

[71] Sull'*asianismo* di Ignazio abbiamo già attirato l'attenzione più sopra (p. 147 e n. 7).

[72] Anche E. ROBILLARD, *o.c.* (a n. 63) 483 ritiene che l'espressione « verginità di Maria » sia qui una *sineddoche.* Del resto che Ignazio, nel suo stile personalissimo e originale, ricorra sovente all'uso di svariate figure retoriche, corrisponde pienamente all'*asianismo* di cui parlavamo più sopra ed è stato ulteriormente dimostrato da vari studiosi anche recentemente. Vedi per esempio G. CARLOZZO, *L'ellissi in Ignazio di Antiochia e la questione dell'autenticità della recensione lunga,* in *Vetera Christianorum* 19 (1982) 239-256 come anche A. QUACQUARELLI, ΑΓΙΟΦΟΡΟΣ *in Ignazio di Antiochia,* in AA.VV., *Letterature Comparate. Problemi e Metodo* (= Studi in onore di E. PARATORE) 4 voll. (Bologna 1981) II, 819-825. Anzi, quest'ultimo Autore, specialista nella ricerca sulla retorica negli scrittori cristiani antichi, dopo aver evidenziato pure lui una *sineddoche* (nell'uso di ἅγιος), termina lo studio citato con queste significative considerazioni: « S. Ignazio di Antiochia... si conosce ancora poco... Va seguito con lo spirito con cui scriveva e per questo ci obbliga ad esaminarlo metodicamente parola per parola ... La sua *compositio verborum* è tipica di chi riflette sulle cose spirituali con la sensibilità pratica della vita quotidiana... E' la *compositio* di un mistico che si spinge là dove con la nostra *ratio* non riusciamo a raggiungerlo... E' un contributo a spianare la strada per un lessico ignaziano di cui si avverte l'estrema necessità » (*o.c.* 824-825). Noi pure riteniamo di aver contribuito modestamente a « spianare la strada » per l'approfondimento della conoscenza di alcuni importanti termini del lessico ignaziano, come οἰκονομία, μυστήριον, παρθενία, κραυγή... Vogliamo infine annotare che l'individuazione di questa *sineddoche* è fondata principalmente sulla lettura contestuale del passo. Dal momento infatti che da tutto il contesto — come abbiamo appena constatato — la παρθενία Μαρίας non può riferirsi alla verginità o stato verginale di Maria, conseguentemente tale espressione va letta come una *sineddoche,* in un brano del resto fortemente caratterizzato dalla presenza di altre figure retoriche (v. sopra n. 70).

[73] Per questo rimandiamo ai vari manuali di retorica e stilistica. Si veda per esempio H. LAUSBERG, *Elementi di retorica.* Traduzione italiana di L. Ritter Santini (Bologna 1969) 111-116 e A. MARCHESE, *Dizionario di retorica e di stilistica* (Milano 1978) 252-253. Come è risaputo la *sineddoche* può essere espressa in varie forme: la *specie* per il *genere*; la *parte* per il *tutto*; il *singolare* per il *plurale* e viceversa... Nel nostro caso si tratta di una *sineddoche* ove la *parte* è espressa dal *tutto.*

testo »[74] e ottenere così un effetto « generalizzante »[75] che si ripercuote poi anche sull'altro mistero[76] di modo che tutti e due i misteri rimangono espressivamente nell'ambito di influsso della « verginità di Maria »[77].

Riassumendo i risultati parziali a cui siamo arrivati finora nell'analisi dell'importante testo all'esame, possiamo trarre una prima conclusione certa. Sia dal contesto, sia anche dalla composizione stilistico-letteraria del passo, la caratteristica espressione ignaziana « la verginità di Maria » significa la *concezione verginale* del Cristo nel grembo di Maria[78]. Una seconda conclusione è che tale espres-

---

[74] Sono le parole usate da H. LAUSBERG nel descrivere la *sineddoche* ove « la parte viene espressa dal tutto » (*o.c.* 113 pag. 195). Con questa speciale figura retorica Ignazio riesce a ottenere quella *concisione* che è da ritenersi la caratteristica principale che contraddistingue lo stile originale e inconfondibile del nostro scrittore. Vedi la conclusione in tal senso di G. CARLOZZO, *o.c.* 255: « La concisione è, infatti, la caratteristica principale del nostro autore, di questo stile così personale, dalla intensa passionalità che arriva a liberare dai legami della forma e dai vincoli della grammatica, sino ad apparire talvolta oscuro ».

[75] E' l'aggettivo usato da A. MARCHESE nel suo dizionario per caratterizzare questa specie di *sineddoche* che appunto estende il termine dalla *parte* al *tutto* (*o.c.* 252).

[76] Cioè sul *secondo* (= il parto di lei ») che viene messo esattamente sullo stesso piano del *primo* dal semplice καί, mentre il *terzo* (= « la morte del Signore ») ne è lggermente distaccato dall'aggiunta dell'avverbio ὁμοίως. Questo particolare viene sottolineato anche da J.A. DE ALDAMA (*o.c.* 196). L'unità dei primi due misteri è evidenziata grammaticalmente anche dalla identità dei due genitivi che si riferiscono entrambi a Maria.

[77] Con l'uso di questa espressione caratteristica ἡ παρθενία Μαρίας, Ignazio dimostra di essere l'eco fedele che ci riporta una terminologia già nota e accolta nelle comunità alle quali il martire indirizzava le sue lettere. Con essa appunto egli voleva esprimere chiaramente almeno la *concezione verginale di Cristo nel grembo di Maria.* « Ignazio non avrebbe mai usato una parola che non fosse recepita dai fedeli cui si rivolge » osserva giustamente A. QUACQUARELLI (*o.c.* 825). Ma su questo torneremo più avanti (cf. soprattutto n. 79).

[78] Le nostre conclusioni smentiscono quelle di G. ROCCA (cit. a n. 3) il quale conclude il suo articolo con un'affermazione che a noi pare francamente ipercritica. Egli afferma: « Mi sembra perciò di poter affermare che non vi siano in Ignazio prove convincenti in favore della verginità *ante partum* di Maria » (*o.c.* 414). Lasciamo ovviamente al lettore, sulla base delle ragioni addotte più sopra, di giudicare egli stesso sulla questione. La nostra critica di fondo, a prescindere da altri rilievi critici secondari, è che il ROCCA si pone da un angolo di visuale metodologicamente non corretto. Invece di studiare il pensiero mariano di Ignazio spassionatamente e *geneticamente,* cioè facendolo emergere dall'analisi contestuale e filologica dei testi delle lettere, egli parte da un pregiudizio aprioristico, che fa capolino ogni tanto lungo l'articolo (pp. 400; 402; 403; 408). Tale pregiudizio è che Ignazio ha voluto esclusivamente « sottolineare la realtà della esistenza storica di Gesù e che egli non dà importanza alla discendenza davidica di Gesù, se non per sottolineare ancora una volta la realtà dell'esistenza di Gesù (*o.c.* 400). Siamo d'accordo col ROCCA sull'importanza della sottolineatura della realtà della carne di Cristo che è un tratto caratteristico di Ignazio in polemica soprattutto contro il docetismo gnostico. Ciò però non impedisce al martire di rilevare, oltre la *realtà della concezione* del Cristo nel seno di Maria, anche la *verginità* di tale concezione, espressa appunto dal termine *parthenia.* Infatti l'espressione ἡ παρθενία Μαρίας, pur non indicando una virtù o stato propri esclusivamente di Maria — come abbiamo già annotato più sopra (cf. n. 68) contro alcuni autori poco critici — non ci sembra però giusta

sione, anche per l'effetto stilistico-retorico della sineddoche, prolunga il suo influsso generalizzante pure sull'altro mistero. In tal modo il *parto di Maria,* essendo grammaticalmente e stilisticamente unito alla « verginità di Maria », ne rimane in certo modo sotto l'influsso [79].

---

nemmeno l'interpretazione riduttiva di questo Autore ipercritico. Perciò la sua conclusione sul testo ora all'esame ci pare reticente. Il ROCCA, parlando dei tre *misteri,* conclude affermando: « ... gli altri due termini (*toketos* e morte) sottolineano due momenti, due eventi particolari, non uno stato. Mi sembra perciò più logico considerare il termine *parthenia* come gli altri, come un evento cioè, e riferirlo perciò alla concezione di Gesù » (*o.c.* 407). D'accordo con l'Autore sul riferimento primariamente cristologico di questa espressione — secondo quanto anche noi stessi abbiamo sostenuto più sopra fornendo anche degli argomenti che ci paiono convincenti (vedi p. 160 e note 67; 72) —. Tuttavia il termine παρθενία in greco non significa mai concezione solamente, bensī verginità, e nel nostro caso specifico, *concezione verginale* (come abbiamo spiegato più sopra). Intendere παρθενία soltanto come *concezione reale* del Cristo *tout court* — come fa appunto il ROCCA (*o.c.* 407) — è fraintendere il significato del termine greco per un pregiudizio aprioristico. Vedi ancora più sotto nota 109.

[79] Pertanto rimane vero che Ignazio non afferma espressamente nel testo la *verginità del parto* di Maria. Effettivamente il termine usato dal martire (ὁ τοκετός) significa qui semplicemente l'azione del dare alla luce. Ma è tutto il contesto a suggerirne e ad insinuarne la « verginità » *indirettamente.* Come infatti è *verginale* la *concezione,* così, conseguentemente, è logico che sia *verginale* anche il *parto* di Maria che proviene appunto da una tale concezione. In effetti un parto non verginale stonerebbe con una concezione verginale. E' quanto afferma anche A. ORBE (cit. a n. 63): « con la concepción virginal y la muerte de Cristo, desentonaria el parto normal, que no hace misterio alguno *específico* » (*o.c.* 661 n. 231). C'è anche un altro argomento che possiede una sua forza dimostrativa a favore del parto *verginale.* Abbiamo già avuto più volte l'occasione di mettere in evidenza la caratteristica polemica antidocetica con la quale il martire si scaglia contro questi temibili avversari (vedi sopra note 16; 20; 27; 51; 52). Ora, se Ignazio fosse stato conscio che il parto di Maria era un parto normale e *non-verginale,* certamente, nel suo impeto appassionato contro i doceti, l'avrebbe usato come un'altra arma precisa da lanciare contro di loro. Invece non l'ha fatto. Anzi c'è di più. Essendo la verginità del parto una dottrina cara al docetismo gnostico — non per niente infatti essa si trova « doctrinalmente justificada por vez primera entre valentinianos » (A. ORBE, *o.c.* 657) — Ignazio avrebbe dovuto negarla recisamente, poiché essa conservava fin dalle origini un certo sapore docetico e poteva divenire una conferma pericolosa favorevole all'apparenza immateriale della carne di Cristo, contro la quale invece il martire si è sempre battuto decisamente ricorrendo a tutti i particolari *realistici* a sua conoscenza (vedi sotto n. 80 e il nostro articolo, *L'unione a Cristo,* 84). Il fatto che non l'abbia negata — come invece arrivò a fare un altro avversario irriducibile del docetismo, Tertulliano — è quindi molto significativo. Di qui probabilmente si spiega anche la ragione per la quale Ignazio non la menziona esplicitamente. Ciò avrebbe potuto suonare come una connivenza col docetismo. Per questo egli insiste espressamente solo sulla *verginità* della concezione.

In questo senso vedi oltre A. ORBE (*o.c.* 661 n. 231), anche J.A. DE ALDAMA, *o.c.* 198 ss; 223; 369. Quest'ultimo Autore afferma a conclusione del suo lungo studio su « Maria nella patristica dei secoli I e II »: « La actitud de los grandes debeladores del docetismo es interesante. No subrayan la virginidad del parto que pudiera dar ocasión a objeciones docetas; pero tampoco aluden, ni de lejos, a un parto normal que pudiera haberles proporcionado un argumento a favor de la realidad del cuerpo de Jesús, como lo son el comer, el beber, el cansarse y cosas semejantes a que expresamente se refieren. Es un indicio discreto que debe históricamente integrarse con las otras afirmaciones

E ora ritorniamo ai « tre misteri di grido » per sottolineare ancora un particolare. Si noterà che essi sono eventi fondamentali della vita del Cristo che Ignazio più volte difende appassionatamente nella loro *realtà* concreta in aspra polemica contro i doceti-gnostici [80]. Pertanto alla base di essi c'è questo elemento comune che li lega in unità [81], cioè la polemica marcatamente antidocetica con la quale il martire ancora una volta confessa la sua fede nella *vera carne* di Cristo che è stata *realmente* concepita dalla « verginità di Maria », che *realmente* è nata dal « parto di lei » e *realmente* è morta nella « morte del Signore ». Come si vede si tratta di *tre misteri* presi particolarmente di mira dalla negazione docetica [82]. Essi sono anche gli eventi salvifici che delimitano e riassumono tutta la vicenda storica e umano-divina del Cristo, dalle sue origini (concezione verginale e parto) fino alla sua conclusione (la morte). Inoltre si constaterà che Ignazio qui privilegia le origini del Cristo, perché ben due dei « tre misteri di grido » vertono su di esse [83]. Dentro poi a questi due primi misteri delle origini, l'accento è messo indubbiamente sul primo per effetto soprattutto della sineddoche che evidenzia appunto « la concezione verginale ». Pertanto si deve concludere che il mistero che stava particolarmente a cuore ad Ignazio dei tre menzionati e sul quale egli voleva attirare in modo speciale l'attenzione con la caratteristica espressione « la verginità di Maria », è proprio il primo, cioè la *concezione verginale*. E non senza ragione, perché era soltanto attraverso la concezione *verginale* che il martire poteva confessare la sua fede anche nell'origine *divina* del Cristo e quindi nella sua *divinità* [84]. Infatti il Cristo è stato concepito nel

---

expresas » (*o.c.* 369). E prima ancora lo stesso studioso aveva già osservato giustamente: « Si pues, a pesar de su empeño antidoceta, el obispo de Antioquía ha señalado no sólo la concepción, sino también el parto de María como dos misterios, es sin duda porque este último tenía, igual que aquélla, unas características che lo colocaban fuera de lo normal y ordinario. El carácter misterioso del parto, como de la concepción, se extiende a su origen: se llevaron a cabo en la serena tranquilidad de las obras divinas y pertenecen al plan soteriológico de Dios. Son dos hechos extraordinarios » (*o.c.* 198). Ma vedi n. 60 (alla fine).

[80] Vedi in particolare alcuni testi già citati a suo tempo, come T 9,2: « ... *realmente fu generato*, mangiò e bevve... *realmente* fu crocifisso e *morì*... » (cf. sopra pp. 151 e nn. 26-27); E 18,2: « Gesù il Cristo *fu portato in grembo da Maria*... Egli fu *generato* ... » (cf. sopra pp. 153 e nn. 33; 40); S 1,1-2: « ... *generato realmente da vergine... realmente inchiodato nella carne per noi* ... » (cf. più sotto p. 171 e n. 100). Su questo rimandiamo anche al nostro articolo, *L'unione a Cristo*, 84s e note rispettive.

[81] E' A. Orbe in modo particolare a sottolineare l'unità dei tre misteri (*o.c.* 659 s). Tuttavia il motivo che egli adduce non ci sembra molto convincente. Vedi a questo proposito le critiche mosseglі da J.A. De Aldama, *o.c.* 200-201.

[82] Pertanto è la negazione dell'eresia docetica, e la corrispondente confessione antidocetica ignaziana, a costituire il nesso che lega in unità i « tre misteri di grido ».

[83] Di qui appare l'estrema importanza che ha tutto il processo generativo del Cristo *da* Maria in Ignazio: concezione — gravidanza — parto. Vedi a questo proposito quanto abbiamo affermato più sopra a nota 31 e 52.

[84] Bisogna riconoscere con G. Rocca che in Ignazio « il riferimento a Maria è costantemente un mezzo per provare la realtà dell'umanità di Gesù (*o.c.* 412).

grembo di Maria non solo *realmente,* come qualunque altro uomo, ma anche *verginalmente,* cioè in un modo del tutto eccezionale, diverso dalla norma, poiché la sua concezione non è risultato umano, frutto dell'apporto dell'uomo, ma viene solo dallo *Spirito santo,* perché oltre che essere *carnale* egli è anche *spirituale*[85]. Pertanto, attraverso la *concezione verginale* egli è *vero uomo* e *vero Dio.*, inseparabilmente. In tal senso egli è « da Maria e da Dio »[86]. Anzi, siccome ora egli è dalla « verginità di Maria », cioè dalla sua *concezione verginale,* segue con logica conseguenza da tutto il contesto che come vero uomo, egli è *solo e tutto da Maria,* con l'esclusione di ogni apporto dell'uomo[87]. In questo senso « la verginità di Maria » è per Ignazio la garanzia sicura della divinità del Cristo il quale, oltre ad essere *vero uomo,* è anche *vero Dio,* proprio perché appunto egli è dalla concezione *verginale* nel grembo di Maria e da Dio, e da nessun altro.

Prima di passare all'ultimo testo, ci soffermiamo ancora brevemente sui due termini importanti che chiudono il passo che è stato oggetto della nostra analisi. Si tratta esattamente di « grido » e di « silenzio ».

> « Tre misteri di *grido* che sono stati compiuti
> nel *silenzio* di Dio »[88].

Dissentiamo però dallo stesso Autore quando afferma unilateralmente subito dopo che: « Ignazio non mostra uno speciale interesse verso Maria, se non nel senso d'una prova della reale umanità di Gesù » (*ivi*). Infatti dalle nostre analisi ci pare che risulti che pure la divinità del Cristo abbia il suo rilievo nei testi mariani di Ignazio, anche se subordinatamente all'umanità. E uno degli argomenti è proprio la sottolineatura ignaziana del *mistero* della *concezione verginale,* che appunto mette in luce l'origine divina del Cristo « da Spirito Santo » (vedi più sopra p. 157 e note 48 ss). Afferma giustamente A. ORBE nel suo articolo già citato: « En la Magna Iglesia urgía sobre todo insistir sobre la virginidad *ante partum,* pues ella explicaba, en gran parte, el origen divino de Jesús. Contra la tesis judía ebionítica. La virginidad o no *in partu* dejaba a salvo la cristología estricta » (*o.c.* 658).

[85] Vedi quanto abbiamo già rilevato più sopra, p. 150 e n. 21 e soprattutto p. 157 e n. 49.

[86] E 7,2. Cf. sopra n. 21.

[87] J.A. DE ALDAMA, nel suo studio più volte citato, afferma a questo proposito: « Por eso, a pesar del ambiente polémico de sus frases, el obispo de Antioquía no habla para nada de alguien que en la tierra hubiera sido padre de Jesús. Precisamente ese silencio, impuesto por la conciencia clara de que la concepción virginal es un dado revelado, cobra singular relieve si se reflexiona en el cuidado con que va subrayando todos los rasgos que en la vida del Salvador sirven para destacar el carácter real de su humanidad frente a las pretendidas apariencias de los docetas » (*o.c.* 81).

[88] τρία μυστήρια κραυγῆς, ἅτινα ἐν ἡσυχίᾳ θεοῦ ἐπράχθη. Nel testo, oltre l'opposizione dei termini κραυγή - ἡσυχία che analizzeremo subito, c'è anche da sottolineare il passivo teologico ἐπράχθη che ha appunto come vero protagonista Dio. Per questa sottolineatura vedi J. RIUS-CAMPS, *o.c.* (*cit.* a n. 1) 55 n. 9: 'The (theological) passive ἐπράχθη has God as agent ... We can turn the clause into the active voice and translate: « God has brought about these mysteries during his repose "or" silently ».

Più che cercare con alcuni studiosi [89] di individuare storicamente tre gridi, ci pare più proficuo e pertinente studiare i due termini nel loro contesto e alla luce dello stile e del pensiero ignaziano. Cominciamo subito col sottolineare l'opposizione che caratterizza questi due termini e che fa di essi uno di quei binomi antiteticosintetici che sono una tipica caratteristica dello stile inconfondibile di Ignazio [90].

Attraverso dunque l'antitesi-sintesi di *grido* e *silenzio* il pensiero del martire appare sempre più nella sua densità di significato. Anzitutto il *silenzio*. Esso è uno dei temi prediletti dal vescovo e assai ricorrente nelle lettere ignaziane [91]. Il silenzio rappresenta qui

---

[89] Qualche studioso ritiene che Ignazio intenda qui riferirsi a tre gridi veri e propri, e ha fatto anche dei tentativi per cercare di individuarli storicamente. Per esempio vedi D. DAUBE, Τρία μυστήρια κραυγῆς IGNATIUS, EPHESIANS XIX.1, in JThS 16 (1965) 128-129. Per questo autore i tre gridi sarebbero da ravvisare: 1) nella visita a Elisabetta, ove essa ἀνεφώνησεν κραυγῇ μεγάλῃ (*Lc* 1,42) (per la « verginità di Maria »); 2) nel Protovangelo di Giacomo (19,2), ove la levatrice, vedendo una grande luce alla nascita del Bambino, ἀνεβόησεν (per il « parto »); 3) in *Mt* 27,50, ove Gesù morente in croce manda un forte grido (κράξας φωνῇ μεγάλῃ) (per la « morte del Signore »). A. ORBE, invece (nell'articolo citato a n. 63), individua i primi due in *Mt* 25,6, nella parabola delle dieci vergini (μέσης δὲ νυκτὸς κραυγὴ γέγονεν) e l'ultimo anch'egli nella morte del Signore (*Mt* 27,50) (*o.c.* 651 n. 197). A sua volta B.J. LE FROIS, *The Woman clothed with the sun* (Roma 1954) 39-41 collega il κραυγῆς ignaziano al κράζει di *Ap* 12,2, ove appunto la donna incinta dell'Apocalisse, grida nelle doglie del parto, anche se l'Autore non si decide ad ammettere la dipendenza di Ignazio dal testo dell'Apocalisse. Da parte nostra riteniamo che questi tentativi siano destinati ad andare a vuoto perché legati ad elementi labili ed arbitrari e che non hanno il necessario supporto nel testo. A cominciare dal fatto che Ignazio usa il singolare (τρία μυστήρια κραυγῆς). Se il martire avesse inteso riferirsi a tre *gridi*, avrebbe usato il plurale e non il singolare.

[90] Su questi binomi antitetici o antitetico-sintetici abbiamo già richiamato l'attenzione del lettore più sopra (vedi n. 10 e n. 46) e rimandiamo alla bibliografia citata a n. 10, soprattutto a J.P. MARTÍN, *o.c.* 71s (ove tra i binomi antitetici o sintetico-antitetici viene segnalato quello di « silenzio-parola »). Vedi anche più sotto n. 102.

Questa opposizione studiata dei due termini è messa in rilievo da vari commentatori. Si veda per esempio già J.B. LIGHTFOOT (cit. a n. 63) « The expression μυστήρια κραυγῆς involves a studied contradiction in terminis » (*o.c.* 79s n. 1); anche J.A. FISCHER, *Die Apostolischen Väter Griechisch und Deutsch* (München 1956) 157 n. 86: « Beachte zunächst die rhetorische Antithese der laut rufenden Geheimmisse zur Stille Gottes » e anche H. PAULSEN (cit. a n. 1): « Zugleich insistiert er auf dem Gedanken der Offenbarung, wie an der überraschenden Zusammenstellung von κραυγή und ἡσυχία erkennbar ist ».

[91] Ecco un prospetto completo di tutte le volte in cui appare il tema del *silenzio* nelle lettere di Ignazio:

ἡσυχία : E 15,2; 19,1 (il nostro testo)
σιγή - σιγάω : M 8,2; E 6,1, 15,1; 15,2; F 1,1
σιωπάω : E 3,2; 15,1; R 2,1 (2 vv).

Con i migliori editori escludiamo dal novero R 3,3. Di passaggio avvertiamo il lettore che la *Clavis Patrum Apostolicorum* di H. KRAFT (München 1963) non menziona E 3,2 (cf. *o.c.* s.v. σιωπάω, 400). Sul silenzio in Ignazio vedi anche H. PAULSEN, *Studien* (cit. a n. 70), 115.

Come si vede dallo schema riportato, la categoria del *silenzio*, nei suoi tre sinonimi, appare nelle lettere complessivamente 11 volte, delle quali ben 6 volte

per Ignazio la sfera stessa di Dio [92] prima del tempo, nella sua eternità quieta e immobile. E' appunto qui, nel *silenzio* eterno di Dio, che hanno la loro prima e vera realizzazione i *tre misteri*, cioè

---

nella lettera a gli Efesini. Non tutti questi passi sono ugualmente significativi. Riteniamo particolarmente importanti dal punto di vista che ora ci interessa soprattutto E 15,1-2 e M 8,2. Per ora ci limitiamo a riportare il primo (per il secondo vedi sotto la nota 92).

E 15,1-2: « E' meglio *tacere* ed *essere* che *parlare* e *non essere*. E' bello l'insegnare, se chi dice, fa. Uno solo infatti è il Maestro che « disse » e « fu fatto » (*Sal* 32,9) e ciò che ha fatto *tacendo*, è degno del Padre. Chi possiede realmente la *parola* (= λόγον) di Gesù, è in grado di ascoltare anche il suo silenzio (= ἡσυχίας) al fine di essere perfetto, cosicché operi attraverso ciò che dice e sia conosciuto attraverso ciò che *tace* » (BIHLMEYER, 86-87). Testo assai interessante sul *silenzio*, anche se non del tutto chiaro in alcuni particolari. A noi qui preme sottolineare alcuni binomi antitetico-sintetici (vedi note 10; 40; 96) che illuminano quello che stiamo analizzando di *grido-silenzio*. Anzitutto σιωπᾶν - λαλοῦντα, correlato a suo volta a εἶναι (= σιωπᾶν) - μὴ εἶναι (= λαλοῦντα) da cui risulta appunto che il *silenzio* è equiparato all'*essere*, mentre la chiacchiera vuota, senza cioè la testimonianza dei fatti, al *non-essere*. E poi il binomio λόγος - ἡσυχία (molto vicino al nostro κραυγή - ἡσυχία) ove il *silenzio di Cristo* sta in antitesi-sintesi con la sua parola, mentre nel nostro, il *silenzio di Dio* (*Padre*) è in antitesi-sintesi con la *potente manifestazione* (κραυγή) di tale silenzio avvenuta nei *tre misteri* sopra studiati. Vedi il commento di J.B. LIGHTFOOT, *o.c.* 69 n. 9; 126 n. 3.

[92] Su questa categoria importante del *silenzio* in Ignazio, oltre all'opera di H. PAULSEN citata a n. precedente, rinviamo al lavoro più recente dello stesso (citato già a n. 1) *o.c.* 52 (commento a M 8,2) ove si troverà una ricchissima bibliografia sull'argomento e anche dei testi interessanti della religiosità antica che illuminano il pensiero ignaziano. Vedi anche prima, p. 32 con ulteriore bibliografia. Il testo teologicamente più importante di Ignazio sul *silenzio* è certo quello famoso di M 8,2: « Infatti i divinissimi profeti vissero secondo Gesù Cristo. Per questo essi sono stati anche perseguitati, ispirati dalla sua grazia, affinché gli increduli fossero pienamente convinti che vi è un solo Dio, il quale *ha manifestato* (φανερώσας) sé stesso per mezzo di Gesù Cristo il Figlio suo, che è il suo *logos* uscito dal *silenzio* (ἀπὸ σιγῆς προελθῶν), il quale in tutto ha compiaciuto colui che lo ha mandato » (BIHLMEYER 90-91).

Come si vede, si tratta di un testo cristologico assai denso, ove tutta la Bibbia (anche l'AT) è concentrata nel Cristo, visto come il Rivelatore unico del Padre, cioè come il *Logos* che rompe il *silenzio* eterno di Dio e che viene mandato a manifestare e a compiere la sua volontà. Per un'analisi più approfondita rimandiamo ai commenti del LIGHTFOOT (*o.c.* 126 ss n. 8), del PAULSEN, *Studien*, (*o.c.* 116s: nelle note ricca bibliografia). A noi qui per il nostro tema interessa soprattutto sottolineare il binomio antitetico-sintetico λόγος - σιγῆς che illumina anche quello ora all'esame, perché il pensiero affonda le radici nello stesso universo mentale. Il Cristo è il Figlio preesistente nel seno del Padre da tutta l'eternità, che procede dal *silenzio* eterno di Dio e che viene poi mandato nel tempo e nello spazio a manifestare il Padre, incarnandosi appunto come *Logos* rivelatore e centro attorno a cui si sviluppa tutta l'*economia* della salvezza che Ignazio ama riassumere nel testo di E 19,1 nei tre misteri del Cristo: concezione verginale, nascita e morte.

Pertanto i due testi di M 8,2 e E 19,1 si illuminano a vicenda e lasciano trasparire abbastanza chiaramente il pensiero di Ignazio nella sua globalità. E' infatti alla luce di tutto l'universo ignaziano che va studiato il testo difficile che stiamo analizzando, altrimenti si corre il rischio di fraintenderlo o di introdurre categorie estranee al mondo dell'Autore. Rinviamo anche ad alcuni testi biblici fondamentali che certamente Ignazio doveva avere in mente e che hanno ispirato il suo pensiero: *Sap* 18,14ss; *Rm* 16,25-27 e *Gv* 1,1ss.

la concezione verginale, il parto e la morte del Signore. Qui infatti, prima del tempo, essi sono stati operati da Dio [93] e qui essi trovano il loro archetipo primordiale assoluto.

Quando poi essi dalla sfera del *silenzio divino* passano alla sfera della manifestazione nel tempo e nello spazio, e hanno quindi la loro realizzazione anche fuori di Dio, nella storia della salvezza « secondo l'economia di Dio » [94], allora essi oltrepassano il *silenzio di Dio* e vengono anche rivelati dal *grido* della manifestazione [95]. « Grido » infatti è un termine ignaziano assai espressivo che in opposizione al « silenzio di Dio » traduce la sintesi finale della manifestazione dei tre misteri nell'incarnazione e morte di Cristo [96]. Tale

---

Vedi anche più sotto note 96; 98. Sul silenzio di Dio rimandiamo all'articolo importante di H. CHADWICK, *The Silence of Bishops in Ignatius,* in HThR 43 (1960) 169-172, soprattutto 171: « Silence being therefore a primary characteristic of God himself, Ignatius is led by his theory that the bishop is the earthly counterpart of the divine archetype to his notion that the silence of the bishop is a matter of the profoundest significance. God is silence ». Vedi anche L.F. PIZZOLATO, *Silenzio del Vescovo e parola degli eretici in Ignazio di Antiochia,* in *Aevum* 44 (1970) 205-218; P. MEINHOLD, *Schweigende Bishöfe. Die Gegensätze in den kleinasiatischen Gemeinden nach den Ignatianen,* in IDEM, *Studien zu Ignatius von Antiochien* (Wiesbaden 1979) 19-36.

[93] Vedi l'annotazione di n. 88 sul passivo teologico.

[94] E 18,2. Vedi anche più sopra n. 41.

[95] E' ciò che indica lo stesso Ignazio nel seguito del testo che stiamo studiando. Egli infatti prosegue interrogandosi: « Come dunque *furono manifestati* ai secoli? » (sottinteso: tali misteri) (E 19,2). Segue poi il lungo brano poetico dell'apparizione della stella risplendente nel quale però non entriamo, perché ci porterebbe troppo lontano.

[96] κράζειν e κραυγή sono termini che già nell'ellenismo si ritrovano per significare un annuncio, una proclamazione. Si veda su questo l'articolo importante di W. GRUNDMANN in ThWNT III 898-904; GLNT V 967-972 s.v. κράζω. Nel giudaismo essi vengono usati soprattutto per i profeti (*o.c.* III 902; V 969) e per introdurre testi biblici ispirati da Dio. Tipico poi è l'uso paolino, e soprattutto giovanneo, in cui κράζειν - κραυγή servono ad esprimere « proclamazioni di ben precisi misteri relativi alla sua persona e alla sua opera (di Gesù) che egli (Gesù) annuncia solennemente, gridando » (*o.c.* III 902; V 972). Vedi anche W. BAUER, *o.c.* (cit. a n. 52) 885 ss. s.v.; F.J. DÖLGER, ΘΕΟΥ ΦΩΝΗ. *Die « Gottes-Stimme » bei Ignatius von Antiochien, Kelsos und Origenes* in *Antike und Christentum* 5 (1936) 218-223. Quest'uso tecnico e pregnante di κράζειν - κραυγή continuerà poi in altri padri posteriori, soprattutto in Giustino e in Clemente Alessandrino per i quali rinviamo rispettivamente a G. OTRANTO, *Esegesi biblica e storia in Giustino* (Dial. 63-84) (Bari 1979) 117s; 177 e a M.L. AMERIO, *Il nesso* ἀββᾶ ὁ πατήρ *in Clemente Alessandrino,* in Aug. 16 (1976) 281-316 (soprattutto 297-299).

In questo contesto che abbiamo appena delineato va letto anche il passo ignaziano di F 7,1. Il martire, di fronte a certuni che avevano tentato di ingannarlo, afferma con passione « lo spirito (τὸ πνεῦμα) non si inganna, perché è da Dio. Egli sa di dove viene e dove va (*Gv* 3,8) e penetra i *segreti.* Stando in mezzo a voi io *gridai* (ἐκραύγασα), ho parlato ad *alta voce,* con la *voce di Dio*: "State uniti al Vescovo, al presbiterio, ai diaconi" » (BILHLMEYER, 104). Questo brano illumina ulteriormente il senso tecnico e pregnante da dare a κραυγή. Infatti nel testo appena citato Ignazio si presenta come l'uomo pneumatico, pieno di *spirito,* che rivela i segreti nascosti attraverso un « grido ». Vedi a questo proposito il commento di H. PAULSEN, *Studien,* 125 ss e quello di J.P. MARTÍN, *o.c.* 89: « El Pneuma "grita con gran voz". La manifestación de la fuerza divina en el "pneumatico" era caracterizada en la literatura religiosa del tiempo por

« grido » tuttavia, pur essendo una proclamazione potente dei tre misteri, non può essere udito da chi non ha fede e non accetta l'incarnazione. Ecco il motivo per cui la *concezione verginale*, il *parto* e la *morte del Signore* sono rimasti nascosti al « principe di questo secolo » e agli eretici doceto-gnostici che sono i suoi seguaci [97].

In questo contesto pregnante il ruolo di Maria appare in tutta la sua importanza fondamentale. Essa infatti è lo strumento per mezzo del quale i tre misteri dal *silenzio* eterno di Dio passano alla *manifestazione* nella *economia* della salvezza. Come prima del tempo, il Cristo è stato concepito verginalmente da tutta l'eternità nel seno del Padre [98] e da Lui è stato generato per essere poi mandato sulla terra per l'incarnazione e la morte, così nella pienezza del tempo, i tre misteri del Cristo, ancora nascosti a tutti i secoli, si sono manifestati nella « concezione verginale » (*da Maria*), nel parto di lei e nella morte del Signore ». Insomma, Maria è la controparte terrena del Padre celeste che permette la prima realizzazione nella storia della salvezza dei *tre misteri* che vengono così a rompere il

---

el "grito" ». Cfr. anche F.J. DÖLGER, *o.c.* 220-221: « "Die Gottesstimme" ist zeitgeschichtlich der Ausdruck für etwas Gewaltiges, Übermenschliches, Himmlisches, Göttliches ».

Pertanto, tenendo conto sia del contesto ignaziano, sia anche di quello più ampio che trova riscontro nella religiosità del suo tempo, ci sembra di poter concludere che κραυγή nel nostro testo è un termine pregnante che esprime la *manifestazione potente nello Spirito, dei tre misteri* che, pur essendo nascosti da tutta l'eternità nel *silenzio di Dio*, possono però essere colti da chi ha lo spirito di Cristo, mentre restano nascosti a satana e agli eretici che non hanno la vera « gnosi di Dio che è Cristo » (E 17,2). Un'annotazione conclusiva che ci sembra importante. Per Ignazio, i tre misteri, anche se vengono manifestati dal *grido* dello Spirito e vengono quindi rivelati a chi ha la fede, non cessano tuttavia di avere sempre il loro *archetipo* primordiale nel *silenzio di Dio*. Questo *prima* eterno non è cronologico, ma ontologico e *teologico*. Qui il martire si inserisce nel pensiero di S. Paolo, *Rm* 16,25 per cui vedi lo studio penetrante di P. DE WAILLY, *Mystère et Silence dans Rom. XVI.25*, in NTS 14 (1967/68) 111-118, specialmente p. 114 s.

[97] Vedi E 17,2: « Non ungetevi con il cattivo odore della *dottrina del principe di questo secolo*, perché egli non vi trascini in schiavitù lontano dalla vita che vi sta davanti. Perché dunque non diventiamo tutti saggi dal momento che abbiamo *ricevuto la gnosi di Dio che è Gesù Cristo?* » (BIHLMEYER, 87). Dal testo emerge chiaramente che satana e i suoi seguaci doceto-gnostici non hanno la *vera gnosi di Dio* e pertanto non sono in grado di penetrarne i *misteri* che restano loro nascosti.

[98] Rimandiamo al testo già citato più sopra a n. 92 (M 8,2) ove appunto Ignazio afferma che il Cristo è il *Logos* del Padre che è *uscito dal suo silenzio*. Nella stessa lettera, al capitolo precedente (M 7,2), il martire ha quest'altra densa affermazione: « Tutti accorrete insieme come ad un unico tempio di Dio, come ad un unico altare, ad un unico Gesù Cristo, il *quale è uscito dall'unico Padre* (τὸν ἀφ'ἑνὸς πατρὸς προελθόντα) [cfr. M 8,2 ἀπὸ σιγῆς προελθών] *è con l'Unico ed è ritornato a Lui* (εἰς ἕνα ὄντα καὶ χορήσαντα) ». (BIHLMEYER, 90). Testo pregnante e difficile da tradurre. Vi appaiono chiaramente delineati la *preesistenza* del Cristo nel seno del Padre, da cui egli esce per compiere l'*economia* della salvezza nell'*incarnazione e morte* e infine il *ritorno* nel seno del Padre dopo la risurrezione. Vedi il nostro commento a questo brano in « *Sinfonia* » *della Chiesa*, 51.

Dal confronto di questi due testi (M 8,2 - M 7,2) appare che il *silenzio di Dio* è Dio stesso, l'Unico Padre. Vedi più sopra n. 92.

silenzio di Dio e sono proclamati dallo Spirito a tutto l'universo. In una parola, Maria, dopo la Trinità, è la protagonista dei tre misteri del Cristo nella *economia* della salvezza.

Siamo giunti così all'ultimo testo che ancora ci resta da analizzare. Lo troviamo all'inizio della lettera agli Smirnesi in una specie di simbolo di fede redatto da Ignazio esplicitamente contro i doceti-gnostici. Ecco come suona:

> « Rendo gloria a Gesù Cristo, il Dio che vi ha resi così sapienti. Ho infatti constatato che voi siete compatti in una fede irremovibile, quasi come inchiodati alla croce del Signore Gesù Cristo nella carne e nello spirito e resi saldi nell'amore, nel sangue di Cristo, pienamente convinti del Signore nostro,
> che *realmente è dalla stirpe di David secondo la carne,*
> *figlio di Dio secondo volontà e potenza di Dio;*
> che *realmente è stato generato da vergine,*
> battezzato da Giovanni, perché ogni giustizia
> fosse da lui compiuta;
> che sotto Ponzio Pilato ed Erode tetrarca
> fu *realmente inchiodato per noi nella carne...* »[99].

Come si vede, questo passo, che abbiamo voluto citare per disteso al fine di cogliere meglio tutto il contesto, è caratterizzato fortemente dalla polemica antidocetica[100]. Ora non stiamo a commentare tutto il brano, ma ci limitiamo ad evidenziare il punto specifico che interessa il nostro assunto.

Ignazio ancora una volta confessa la sua fede insieme a quella della Chiesa di Smirne, contro la negazione docetica, nella *realtà* della *carne* di Cristo che è *realmente* « dalla stirpe di Davide *secondo*

---

[99] S 1,1-2 (BIHLMEYER, 106):
Δοξάζω Ἰησοῦν Χριστὸν τὸν θεὸν τὸν οὕτως ὑμᾶς σοφίσαντα·
ἐνόησα γὰρ ὑμᾶς κατηρτισμήνους ἐν ἀκινήτῳ πίστει, ὥσπερ
καθηλωμένους ἐν τῷ σταυρῷ τοῦ κυρίου Ἰησοῦ Χριστοῦ,
σαρκί τε καὶ πνεύματι καὶ ἡδρασμένους ἐν ἀγάπῃ ἐν τῷ
αἵματι Χριστοῦ, πεπληροφορημένους εἰς τὸν κύριον ἡμῶν,
ἀληθῶς ὄντα ἐκ γένους Δαυὶδ κατὰ σάρκα,
υἱὸν θεοῦ κατὰ θέλημα καὶ δύναμιν θεοῦ,
γεγεννημένον ἀληθῶς ἐκ παρθένου,
βεβαπτισμένον ὑπὸ Ἰωάννου, ἵνα πληρωθῇ πᾶσα δικαιοσύνη ὑπ' αὐτοῦ·
ἀληθῶς ἐπὶ Ποντίου Πιλάτου καὶ Ἡρώδου τετράρχου
καθηλωμένον ὑπὲρ ἡμῶν ἐν σαρκὶ ...
Questo brano è già stato fatto oggetto di studio da noi in un recente articolo, F. BERGAMELLI, *Il sangue di Cristo nelle lettere di Ignazio di Antiochia,* in F. VATTIONI (ed.), *Atti della settimana Sangue e Antropologia nella letteratura cristiana* (Roma 29 novembre - 4 dicembre 1982) 3 voll. (Roma 1983) II, 863-902, pp. 868-870. Pertanto per un'analisi più approfondita rimandiamo al nostro commento. Ora ci limiteremo a studiarlo dal punto specifico mariano. Rinviamo anche al ricco commento di J.A. DE ALDAMA, *o.c.* 170-176.

[100] Tale polemica è evidenziata dalla triplice successione del caratteristico avverbio antidocetico ἀληθῶς che abbiamo cercato di mettere in rilievo sia nel testo greco, sia nella traduzione. Su questo tipico avverbio vedi sopra n. 27.

la carne »[101], e perciò uomo vero come tutti i discendenti della casa di Davide. Però egli è anche inseparabilmente « figlio di Dio *secondo la volontà e potenza di Dio* »[102]. In quanto tale, Gesù Cristo è *spirituale*[103], cioè è Dio, è stato generato dal silenzio divino da tutta l'eternità[104].

Ora l'Uomo-Dio, cioè colui che è contemporaneamente e inscindibilmente VERO UOMO e VERO DIO, è nato *realmente* da *vergine*, perché come UOMO è stato generato da donna, ma come Dio non poteva non nascere che da una *vergine*[105].

Ciò che sorprende in un testo così marcatamente antidocetico è che il martire faccia menzione del Cristo « nato *realmente* da *ver-*

---

[101] Sull'importanza di questo ruolo che Maria comunica al Cristo (la discendenza davidica) vedi più sopra p. 152 nota 30 e note 42; 49. Già in T 9,1 Ignazio aveva affermato che Gesù Cristo « è dalla stirpe di David, è da Maria », molto vicino al nostro testo « dalla stirpe di David ... nato da Vergine ».

[102] Ritorna qui un altro dei prediletti binomi antitetico-sintetici così tipici dello stile inconfondibile di Ignazio: κατὰ σάρκα - κατὰ θέλημα καὶ δύναμιν θεοῦ per cui vedi più sopra note 10; 46; 90. Cf. anche il più volte citato J.P. MARTÍN, *o. c.* 90s ove menziona appunto questo binomio e annota: « Notamos también en estos casos un movimiento de síntesis, según el cual lo divino y lo humano se conjugan en la unidad de Cristo; pero también un movimiento antitético que revela la diversidad radical, o la impotencia de lo humano respecto a lo divino » (*ibidem*).

Pertanto questo binomio importante esprime ignazianamente la costituzione teandrica del Cristo, in quanto egli appunto è VERO UOMO perché « è realmente dalla stirpe di David *secondo la carne* », ma contemporaneamente e inseparabilmente egli è anche VERO DIO, perché è « figlio di Dio secondo *volontà e potenza di Dio* », cioè Dio lui stesso. Una breve parola merita l'espressione caratteristica κατὰ θέλημα καὶ δύναμιν θεοῦ. Anzitutto c'è da notare che il LIGHTFOOT (*o.c.* 290) espunge θεοῦ (seguendo la versione armena e Teodoreto) difendendo così l'uso assoluto di θέλημα che è tipico di Ignazio (vedi E 20,1; R 1,1; S 11,1; P 8,1). E noi saremmo propensi a dar ragione al LIGHTFOOT, anche perché tale espunzione non solo non cambia il senso della frase, ma lo rende più vivo e più corrispondente allo stile ignaziano. Vedi su questa questione anche K. BOMMES, *Weizen Gottes. Untersuchungen zur Theologie des Martyriums bei Ignatius von Antiochien* (Köln-Bonn 1976) 256-257: *Zum absolutem Gebrauch von* θέλημα *bei Ignatius*, che definisce tale uso assoluto « Ignatius eigentümlich ». Pertanto θέλημα e δύναμις sono due nomi divini (un'*endiadi* divina) che sta per Dio e si potrebbe tranquillamente equiparare all'equivalente ignaziano più comune πνευματικός, κατὰ πνεῦμα. Vedi nota seguente. Il non aver capito queste caratteristiche dello stile ignaziano è stata la causa di grossi equivoci presso alcuni studiosi. Cf. J.A. DE ALDAMA, *o.c.* 170ss. e anche G. ROCCA, *o.c.* (cit. a n. 3) 408-410.

[103] Vedi E 7,2 e quanto abbiamo già annotato a suo tempo più sopra p. 150 e nota 21 sul termine πνευματικός.

[104] Vedi più sopra note 92; 98 e quanto ivi abbiamo già rilevato sul *silenzio di Dio*.

[105] Più sopra (p. 165 e n. 84) abbiamo già sottolineato l'importanza della concezione verginale del Cristo nel seno di Maria. Qui Ignazio ribadisce la stessa verità: « realmente nato da *vergine* ». Questa asserzione indica almeno la *concezione verginale*, già del resto chiaramente affermata in E 19,1, come abbiamo visto a suo tempo. Ignazio dice di più? Vuol forse affermare che anche il parto è verginale? Non è detto espressamente, anche se si può vedervi un accenno indiretto. Comunque, l'affermazione ignaziana è più generale e non tiene conto di tutte le nostre distinzioni *ante-in-post partum* di oggi. Ignazio afferma categoricamente che il Cristo viene *da* una *Vergine* e questa Vergine è Maria, la madre sua.

gine ». Viene dunque riconfermata la « verginità di Maria », cioè la sua concezione verginale [106]. Nonostante che questo particolare potesse dare qualche adito a una connivenza coi suoi temibili avversari [107], Ignazio lo ribadisce con molta forza. Egli infatti avrebbe potuto scrivere ancora con maggior realismo polemico nei confronti dei doceti: nato realmente da *donna* [108]. Invece il martire riconferma sia la *realtà* della carne di Cristo, sia la *verginità di Maria* [109].

Concludendo pertanto l'analisi di quest'ultimo testo ignaziano dobbiamo prendere atto della duplice valenza della *homologhia* del martire. Da una parte egli ancora un'ennesima volta confessa la sua fede appassionata nello spessore *reale* della carne di Cristo, contro ogni negazione docetica. D'altra parte però, entro la cornice di questa affermazione antieretica, la fede del vescovo si porta anche sul versante della verginità di tale nascita, in quanto appunto Gesù Cristo è *nato da vergine*. Non è il caso nemmeno di ricordare che *vergine*, anche senza l'articolo, designa qui inequivocabilmente Maria [110].

Pertanto Maria è per Ignazio e per le sue comunità *vera Madre* di Gesù Cristo nella sua costituzione teandrica di VERO-UOMO e VERO-DIO. Non solo, Maria è anche la Madre *Vergine* che ha concepito verginalmente il Figlio di Dio e l'ha dato alla luce.

4. CONCLUSIONI E INDICAZIONI PER IL NOSTRO TEMPO

Giunti al termine della nostra indagine sui testi mariani delle lettere ignaziane, ci sembra utile riassumere in poche battute i risultati più significativi delle nostre ricerche per riproporli in tutta la loro forza ai cristiani del duemila.

Ignazio non finisce mai di sorprendere. Chi si è abituato per lunga consuetudine a meditare assiduamente i testi stupendi delle

[106] Vedi più sopra quanto abbiamo già affermato sulla παρθενία Μαρίας p. 160ss e note corrispondenti.

[107] Come abbiamo già annotato più sopra a n. 79.

[108] Come del resto aveva già affermato S. Paolo (*Gal* 4,4: γενόμενον ἐκ γυναικός).

[109] Ancora una volta dissentiamo da G. ROCCA, *o.c.* (cit. a n. 3 e a n. 78) 408-410. Questo Autore, a conclusione della sua analisi di S 1,1, è indotto a pensare « che l'espressione "da vergine" indichi la realtà della umanità di Gesù » (*o.c.* 410). Siamo d'accordo col ROCCA nel sottolineare « che in primo piano qui non è la verginità di Maria, ma la realtà della nascita di Gesù » (*ivi*). Tuttavia ci pare che le parole abbiano un loro significato preciso. Il ROCCA subito dopo a conferma della sua interpretazione cita *Gal* 4,4. Qui Ignazio dice di più di S. Paolo. Non per nulla il martire afferma che il Cristo « è stato realmente generato da *vergine* », non « da donna ». Le affermazioni del ROCCA su questo punto (come anche più sopra a n. 78) ci paiono riduttive. Comunque egli stesso più avanti riconosce che « è questo l'unico passo in cui ricorre il termine *vergine* per indicare Maria » (*ivi*). Bisogna aggiungere che c'è anche l'altro passo ove compare l'altro termine « la verginità di Maria » (E 19,1).

[110] I passi paralleli (E 7,2; 18,2; 19,1 e T 9,1) già studiati a suo tempo, lo stanno a dimostrare a iosa.

sue lettere, trova sempre delle novità, delle profondità ancora non scandagliate, degli sprazzi di luce che improvvisamente illuminano il cammino e lasciano come un intenso bagliore negli occhi stupiti. E' ciò che è successo anche a noi in questo viaggio mariano nelle sue lettere.

— Ignazio è il primo padre della Chiesa a nominare Maria e a sentirla profondamente nella *economia* della salvezza.

— Contro la negazione docetica, il martire confessa appassionatamente la sua fede nello spessore *reale* della carne di Cristo. In questa cornice di fondo il vescovo antiocheno contempla Maria come colei che dà una carne pienamente umana al Signore. Il Cristo fantasma dei doceti non aveva bisogno di una madre! Ma il Cristo di Ignazio, verso il quale egli si sentiva trascinare dall'impeto supremo del martirio, è un Cristo in carne ed ossa, grondante sangue dalle ferite dei chiodi e sfolgorante della luce di Pasqua. Questo Cristo è *da Maria* lungo tutto l'arco dei suoi misteri di salvezza: quando è concepito, nasce e mangia; quando è battezzato, muore sulla croce e risorge da morte per ritornare al Padre.

— E' però anche un Cristo che viene dal *silenzio* di Dio, cioè dall'abisso eterno del suo Amore. Per questo la sua origine nel tempo non può venire solo da una donna, ma da una *vergine* che lo ha concepito appunto verginalmente, senza alcun apporto umano. La *verginità di Maria* è un grido che squarcia il silenzio eterno di Dio e manifesta a tutto l'universo i misteri di Cristo Signore nello Spirito.

— La Madre-Vergine ha dato alla luce il *Capo*-Unto del Corpo mistico che è la Chiesa.

— In tal modo il vescovo ha unito inseparabilmente Maria al Capo, la Madre alle membra. Dopo Ignazio, Maria non si potrà più scindere da Cristo né dalla Chiesa.

— Contro i doceti di tutti i tempi e i loro epigoni, Ignazio grida che chi nega la *realtà* della carne di Cristo, nega anche Maria e viceversa. Maria è necessaria perché Cristo non sia ridotto a fantasma.

Come si può constatare, l'essenziale ma appassionata *homologhia* mariana del martire, qualora venga accolta e rimeditata dai cristiani del duemila, li potrebbe unire tutti nella comune confessione di fede per formare l'unico Corpo mistico di Cristo che è la sua Chiesa indivisa, di cui Maria è la Madre comune.

LA SACRA FAMIGLIA NELLA « STORIA DI GIUSEPPE IL FALEGNAME »

LINO CIGNELLI, O.F.M.

0. La Famiglia di Nazaret è una precisa grandezza teologica, una iniziativa di Dio per la nostra salvezza, la degna culla di quel mistero d'amore — l'Incarnazione redentrice — che rappresenta « l'unica storia interessante che sia mai accaduta » (Péguy). E per noi contemplarla per conoscerla e viverla sempre più è insieme dovere e interesse.

« Tutto è vostro », ci assicura S. Paolo (*1Cor* 3,21). Anche e specialmente il tesoro di Nazaret: la S. Famiglia, la più eccellente delle opere di Dio. Essa è a un tempo la famiglia-modello e la nostra famiglia più vera [1]. Tutti siamo chiamati a conoscerla e imitarla, tutti vi abbiamo un posto dove siamo già tanto amati o ancora attesi.

Il libro di Dio, « il Vangelo della salvezza » (*Ef* 1,13), ce ne parla appunto perché essa ci riguarda e interpella personalmente: deve istruirci [2] e deve coinvolgerci [3]. La Chiesa, abitata in perpetuo dallo Spirito di verità [4], l'ha capito da sempre e perciò, lungo i secoli, ha meditato il Focolare di Nazaret, ne ha enucleato le lezioni di vita, ha insegnato ai figli a viverci dentro [5].

Fra i documenti della Tradizione sulla S. Famiglia occupa un posto speciale lo scritto apocrifo che va sotto il nome di *Storia di Giuseppe il Falegname*. La sua testimonianza è preziosa per vari motivi: la veneranda antichità, il luogo di origine, il contenuto storico-dottrinale, il tono semplice e cordiale del racconto. L'autore, un anonimo di estrazione popolare, ha scritto senza pretese ma con intelletto d'amore, perciò nelle condizioni migliori per cogliere e trasmettere il Mistero. Umiltà e amore sono infatti i migliori maestri [6].

---

[1] Vedi L. CIGNELLI, *La famiglia-modello nella Chiesa patristica*, in: *Liber Annuus* 32 (1982) 155-190; ID., *La Sacra Famiglia nel Vangelo*, in: *La Terra Santa* 59 (1983) 95-101.

[2] Cf. *Lc* 1,1-4; *1Cor* 10,11; *Rm* 15,4.

[3] Cf. *Lc* 2,10ss; 8,21; *At* 1,13s; *Gv* 2,1-12; 19,25-27; *Gal* 4,4s; *Rm* 8,29.

[4] Cf. *Gv* 14,16s.26.

[5] Vedi nota 1; inoltre J.A. CARRASCO, *San Giuseppe nel mistero di Cristo e della Chiesa*, Casale Monferrato 1984, 93-104.

[6] Vedi G. DANIELI, *Giuseppe figlio di David*, Padova 1981, 50-51; L. CIGNELLI, *Breve storia dell'esegesi patristica*, in: *Parole di Vita* 28 (1983) 379-390.

Il sottoscritto ha l'onore di rievocare questa insigne testimonianza dell'antichità vivendo vicino al luogo dove essa, con ogni probabilità, ha visto la luce e dove la S. Famiglia stessa ha trascorso la maggior parte della sua esistenza terrena. Pure qui a Nazaret, come negli altri santuari della Redenzione, monumento e documento si illuminano a vicenda, sono per così dire il corpo e l'anima del Luogo Santo. La *Storia* esplicita e completa le notizie evangeliche sulla santa casa di Nazaret, prima zolla del mondo redento, e sulla S. Famiglia, prima cellula dell'umanità nuova e definitiva.

Precisiamo che in questa sede ci occupiamo soprattutto del contenuto dottrinale del nostro documento. Dei problemi di carattere storico ci siamo occupati in lavori precedenti [7]. Avvertiamo inoltre che le citazioni della *Storia* sono prese abitualmente dal codice (arabo) M secondo la versione italiana di Antonio Battista [8]. Questo codice, edito e tradotto per la prima volta nel 1978, è piuttosto tardivo (a. 1707), però « segue da vicino i codici saidici — i più antichi ma tutti mutili — ed è più completo degli altri » codici della *Storia* sia arabi che copti bohairici e saidici [9]. Quando la citazione è presa da altro codice o manoscritto, ne indicheremo sempre la rispettiva sigla seguendo l'« elenco dei codici » stabilito da Lefort e Bagatti [10]. La recensione bohairica del cod. E, la più nota perché spesso tradotta e pubblicata, sarà citata nella versione italiana di Mario Erbetta [11].

1.1. AMBIENTE DI ORIGINE E DATA

Secondo studi recenti, la *Storia di Giuseppe il Falegname* è un apocrifo giudeo-cristiano del periodo preniceno. Il testo originale, scomparso, fu composto non oltre il sec. II d.C. a Nazaret per uso liturgico, e veniva letto presso la tomba del Santo nell'anniversario della sua morte. L'operetta, una specie di omelia, rimase nascosta per lunghi secoli nella comunità giudeo-cristiana di Nazaret, una comunità gelosa delle proprie tradizioni e chiusa agli etnico-cristiani per la pratica giudaica dell'*habdalah* [12].

---

[7] Vedi *Recensione* all'opera di Battista - Bagatti (v. nota 8), in *Liber Annuus* 29 (1979) 376-380; *Le saint Joseph des Judéo-chrétiens*, in: *Cahiers de Joséphologie* 28 (1980) 197-212; *Due immagini di S. Giuseppe*, in: *La Terra Santa* 56 (1980) 51-56. L'opera di Battista - Bagatti è stata recensita molto positivamente anche da I. Grego, *San Giuseppe e i giudeo-cristiani*, in: *Asprenas* 29 (1982) 301-312.

[8] A. Battista - B. Bagatti, « *Historia Iosephi Fabri Lignarii* » *e Ricerche sulla sua origine* (SBF Collectio Minor, 20), Jerusalem 1978. Citeremo l'opera: Bagatti, *Historia*.

[9] *Ibid.*, 17.

[10] *Ibid.*, 15-20.

[11] *Gli Apocrifi del Nuovo Testamento* I/2, Torino 1981, 190-200.

[12] Vedi Bagatti, *Historia* (nota 8), 189.194; L. Cignelli, *Il prototipo giudeo-cristiano degli Apocrifi assunzionisti*, in: *Studia Hierosolymitana* II (SBF Collectio Maior, 23), Jerusalem 1976, 268: l'*habdalah* era una specie di *self-apartheid*.

Nel sec. VII l'apocrifo fu trapiantato in Alto Egitto, dove si rifugiarono alcuni ebrei e giudeo-cristiani quando l'imperatore Eraclio li espulse dalla Galilea e quindi anche da Nazaret. In Egitto si diffuse rapidamente, fu presto tradotto in copto sia saidico che bohairico, successivamente in arabo e finalmente in latino. Il suo testo attuale, vario e molteplice, presenta aggiunte, omissioni e trasformazioni dovute alle comunità di adozione; tuttavia nelle diverse redazioni sussiste un fondo comune che lascia intravedere la struttura primitiva del documento [13] e autorizza a parlare di un testo originale unico, di un prototipo giudeo-cristiano della *Storia* [14].

Questo fondo comune dell'apocrifo riflette una comunità giudeo-cristiana sostanzialmente ortodossa; e lo stesso si dica degli adattamenti da parte delle varie comunità della Chiesa copta [15]. Ciò si deve soprattutto alla biblicità del documento. La *Storia* è piena di termini e concetti scritturali. Bagatti e Battista si sono limitati a segnalare, nella traduzione, le citazioni bibliche più evidenti. Con un vaglio più attento, nel solo cap. I, se ne possono contare almeno una quindicina [16]. L'autore dell'apocrifo, senza essere un gran dotto, era nutrito di parola divina. E sappiamo che un'opera vale e serve a misura che è sostanziata di questa Parola. Così la *Storia* conferma, nel suo piccolo, il principio acquisito che « predicare significava per i Padri commentare la Scrittura » [17].

La veneranda antichità e il legame con la Chiesa palestinese delle origini fanno, ovviamente, del nostro apocrifo un documento degno di rispetto e meritevole di considerazione. La *Storia* ci trasmette la fede e la vita della comunità cristiana più vicina, nel tempo e nello spazio, agli eventi narrati. Con essa abbiamo una delle prime e più sicure testimonianze ecclesiali sulla S. Famiglia dopo quella, divina e normativa, dei Vangeli canonici.

1.2. GENERE LETTERARIO E SCOPO

La *Storia* è imparentata con altri documenti antichi dello stesso tipo, in particolare col *Protovangelo* o, meglio, *Vangelo di Giacomo* e la *Dormizione* o *Transito della Vergine*. Lo scopo immediato di questi tre apocrifi è quello di colmare le lacune dei racconti evan-

---

[13] Vedi BAGATTI, *Historia* (nota 8), 177.194; CIGNELLI, *Le saint Joseph* (nota 7), 197-200; GREGO (nota 7), 303-309.

[14] Vedi CIGNELLI, *Recensione* (nota 7), 378.

[15] Vedi CIGNELLI, *Le saint Joseph* (nota 7), 198-199. L'ortodossia della *Storia* è stata già rilevata da G. GIAMBERARDINI, *Saint Joseph dans la Tradition copte* (= Cahiers de Joséphologie, 17), Montréal 1969, 74: « saine doctrine théologique et liturgique ».

[16] 1,1-7 (Battista 24s).

[17] A.G. HAMMAN, in: *L'Osservatore Romano*, 24-5-1985, p. 3. Vedi CIGNELLI, *Breve storia*, in: *Parole di Vita* 28 (1983) 137-144.

gelici relativi alla vita storica della S. Famiglia, lacune mal sopportate dalla curiosità e devozione dei cristiani più semplici, e non solo di questi ...

Il *Vangelo di Giacomo*, probabilmente di origine egiziana, arricchisce di varie notizie il Vangelo dell'Infanzia, specie a riguardo di Maria[18]. La *Storia di Giuseppe il Falegname* vuole far conoscere meglio il capo della S. Famiglia fornendo notizie su di lui dalle origini alla morte e sepoltura. La *Dormizione della Vergine*, voce della Chiesa-madre di Gerusalemme, informa sulla vita di Maria dalla Pasqua del Figlio alla sua Pasqua personale: è uno sviluppo di *Gv* 19,27 e *At* 1,14[19].

Il primo e il terzo apocrifo vogliono lumeggiare meglio la figura della Madonna quale vergine-sposa-madre e completano così, in qualche modo, i dati mariologici dei Vangeli canonici. Il secondo apocrifo, invece, vuole documentarci meglio sulla figura di Giuseppe quale sposo continente della Vergine-Madre e padre adottivo del Dio-Uomo. La *Storia* si trova in linea col NT, specialmente col primo Vangelo[20]. Com'è noto, Matteo parla della S. Famiglia « dal punto di vista di Giuseppe », mentre Luca ne parla « dal punto di vista di Maria »[21].

Bagatti rileva anche la dipendenza del nostro apocrifo dalla corrente giovannea[22]. Sappiamo che il quarto Vangelo conosce la figura del padre adottivo di Gesù[23], così come conosce la nascita verginale del Verbo incarnato[24].

La *Storia* comunque riprende e sviluppa soprattutto i dati del primo Vangelo, col quale ha in comune anche lo stile popolare[25]. L'autore rielabora il materiale evangelico e lo fa alla luce dei due libri di Dio, Natura e Scrittura[26]. Frédéric Manns vede in questo

---

[18] Vedi ERBETTA I/2 (nota 11), 7-43.

[19] *Ibid.*, 409-479. Vedi CIGNELLI, *Il prototipo* (nota 12), 259-277: l'articolo riassume le ricerche di Bagatti su questo apocrifo; ID., *La Tomba della Madonna: le fonti letterarie*, in: *La Terra Santa* 60 (1984) 211-216. Notifichiamo che un discepolo di Bagatti, Frédéric Manns, professore allo S.B.F. di Gerusalemme, sta preparando un'ampia monografia sulla *Dormizione della Vergine*.

[20] Cf. *Mt* 1-2; 12,46s; 13,55s. Notiamo fra l'altro che, per la *Storia* 7,2 (Battista 29); 16,14 (ib. 36); 29,1 (ib. 53), Giuseppe è figlio di Giacobbe (cf. *Mt* 1,16), non di Eli (cf. *Lc* 3,23).

[21] *La Bibbia di Gerusalemme*, Bologna 1980, 2194. Vedi DANIELI (nota 6), 18.54; CIGNELLI, *La S. Famiglia* (nota 1), 96-98.

[22] Vedi *Historia* (nota 8), 184-185; inoltre ID., *L'interpretazione mariana di Ap. 12,1-6 nel II secolo*, in: *Marianum* 40 (1978) 153-159; F. MANNS, *Essais sur le Judéo-Christianisme* (SBF Analecta, 12), Jerusalem 1977, 90-91.105.

[23] Cf. *Gv* 1,45; 6,42: Gesù è « il figlio — naturale — di Giuseppe » per i giudei ignoranti o increduli, per coloro che « non l'hanno accolto » (1,11).

[24] Vedi I. DE LA POTTERIE, *Il parto verginale del Verbo incarnato ... (Gv 1,13)*, in: *Marianum* 45 (1983) 127-174.

[25] Vedi DANIELI (nota 6), 19-20: « *Mt* 1,18-2,23 è un racconto di carattere popolare ... ».

[26] Su questo binomio vedi CIGNELLI, *La famiglia-modello* (nota 1), 157-158.178. Per i Padri cf. specialmente S. EFREM SIRO, *De virg.* 1,3-5 (CSCO 224, 2); 27,5 (ib. 87); *De Eccl.* 43,10 (CSCO 199,104); 45,15 (ib. 111).

procedimento un'*aggadah* giudeo-cristiana ossia un commento, una rilettura che attualizza e amplifica liberamente il racconto biblico: ciò spiega bene il di più e il nuovo dell'apocrifo rispetto ai Vangeli canonici [27].

Lo *scopo* ultimo di quest'*aggadah* giudeo-cristiana è l'edificazione etico-spirituale della comunità. E' lo scopo comune a tutta la buona letteratura d'ispirazione biblica, in base al principio paolino: « Quaecumque enim scripta sunt, ad nostram doctrinam scripta sunt » [28]. Per la stessa ragione, per edificare, furono scritti gli Atti dei Martiri [29] e le Vite dei Monaci [30].

La *Storia* è in definitiva una specie di *catechesi parenetica*, cioè una istruzione che ripropone eventi della Storia sacra in funzione della vita [31]. Come tale, contiene a un tempo domma e morale, informa e forma, attualizza la Parola per calarla nell'esistenza. Più precisamente, essa vuole convincere ad accogliere il Focolare di Nazaret come esempio di vita domestica a tutti i livelli. L'omileta o aggadista giudeo-cristiano è un devoto che rivive personalmente le vicende della S. Famiglia e comunica, con semplicità e zelo, la sua esperienza di fede per l'edificazione della comunità cristiana. Scrive per illuminare e insieme coinvolgere nel modello domestico che propone; per insegnare la vera sponsalità, la vera paternità e maternità, la vera filialità e fraternità. Egli crede in questi valori sacrosanti e li inculca attraverso l'esempio più perfetto e convincente che è appunto il Focolare di Nazaret [32].

Riassumendo. La *Storia* è un documento di fede, una lezione di vita che ci viene dalla culla stessa del Mistero attualizzato, la comunità giudeo-cristiana di Nazaret dei primi secoli. Superfluo dire che si tratta di una lezione quanto mai utile e opportuna, data l'importanza capitale della verità proposta e la situazione critica della famiglia nel mondo contemporaneo. La S. Famiglia è la matrice perenne di quell'evento incomparabile e decisivo, l'Incarnazione, che

---

[27] Vedi CIGNELLI, *Le saint Joseph* (nota 7), 201; ID., *Due immagini* (nota 7), 54-55.

[28] *Rm* 15,4. Cf. *Eb* 11s; *Gc* 2,20ss; *Sir* 44ss; *1Mac* 2,51ss; *2Mac* 6,24ss; - *Storia* 26,5 (Battista 49); 30,3-7 (ib. 54); S. AGOSTINO, *In Io. tr.* 30,1 (Nuova Biblioteca Agostiniana, 24, Roma 1968, 660): « Quod enim pretiosum sonabat de ore Domini, et propter nos scriptum est, et nobis servatum, et propter nos recitatum, et recitabitur etiam propter posteros nostros, et donec saeculum finiatur ... Dominum ergo audiamus ». Notiamo che lo « scopo pedagogico » è comune anche alla storiografia classica. Si ricordi il detto di CICERONE, *De orat.* 2,9,36: « Historia ... magistra vitae ». Vedi M. ADINOLFI, *Questioni bibliche di storia e storiografia*, Brescia 1969, 16-20.

[29] Cf. *Mart. di Perpetua e Felicita* 1 (BAC 75, Madrid 1974, 419s); 21 (ib. 439).

[30] Cf. S. ATANASIO, *Vita Ant.* 94, tr. L. Cremaschi, Roma 1984, 186; GIOV. MOSCO, *Il Prato*, prol., tr. R. Maisano, Napoli 1982, 65; 32 (ib. 82): « Ho scritto ... per l'edificazione dei lettori ».

[31] Qui pure l'apocrifo è in linea col primo Vangelo. Vedi DANIELI (nota 6), 21-22. Cf. nota 25.

[32] Vedi CIGNELLI, *La famiglia-modello* (nota 1), 159-161.

segna il nostro riscatto e la nostra promozione al divino. Oggi non meno di ieri. Di qui le pressanti esortazioni della Chiesa docente, specie dell'attuale Pontefice, a risalire fino al Focolare di Nazaret per confrontarci con esso e vivere nella sua intimità [33]. Così la lezione della *Storia* continua nella Chiesa, anche se non sempre in diretta connessione con essa.

2. CONTENUTO STORICO-DOTTRINALE

La *Storia* si presenta come una biografia, una vita di S. Giuseppe. L'aggadista giudeo-cristiano vuole far conoscere di più la figura del Santo e inculcarne il culto pubblico e privato, che fa derivare dal Signore stesso tramite gli Apostoli [34]. Il racconto-elogio è messo sulla bocca stessa di Gesù, il protagonista divino-umano delle vicende narrate. Il Verbo incarnato si rivela così esecutore e maestro del quarto Comandamento: l'onore ai genitori, prima di predicarlo agli altri, lo ha praticato personalmente [35].

2.1. La figura di Giuseppe

La trama della *Storia* si snoda semplice e popolare, non senza però problemi redazionali che, ovviamente, non si possono trattare in questa sede. Ma ciò che sorprende di più è il colorito fortemente veterotestamentario e giudaico della figura del Patriarca. Il nostro aggadista la tratteggia alla luce più dell'Antico che del NT, specialmente per quanto riguarda il periodo anteriore all'unione con la Vergine. Quando Giuseppe prende con sé Maria, fanciulla di dodici anni, lui è già molto anziano (novantenne!), anche se in perfetta salute; e, per giunta, è vedovo con parecchi figli [36].

Una tale immagine di santo tradisce chiaramente l'origine giudeo-cristiana dell'apocrifo e una data molto antica per la sua prima redazione. L'autore era ancora imbevuto degli ideali etici dell'AT e scriveva in un ambiente dove un Giuseppe vecchio e vedovo era la migliore garanzia per la nascita verginale di Gesù e quindi per la sua divinità. Com'è noto, nel mondo biblico e giudaico l'anziano era simbolo di saggezza e di virtù [37].

---

[33] Vedi nota 5. Per Pio XI vedi *Insegnamenti Pontifici* 7, 1959, nn. 312-315. Per Giovanni Paolo II cf. ad es. *Angelus* 28-12-1980; Esort. apost. *Familiaris consortio* (22-11-1981), 86; *Udienza generale* 24-3-1982; 1-5-1985 (Gli incontri); 8-5-1985 (id.).

[34] Vedi nota 122.

[35] Cf. *Lc* 2,51; 18,20; *Mt* 15,4ss; *At* 1,1; - Tertulliano, *De carne Christi* 7,12 (SC 216,246): « Solet etiam adimplere Christus quod alios docet ».

[36] Cf. 2-4 (Battista 25-27); 10,1 (ib. 30); 29,3s (ib. 53). Vedi Giamberardini (nota 15), 33-34.43-44.201-203.

[37] Vedi Cignelli, *Le saint Joseph* (nota 7), 202-204.

A parte però questi due tratti (vecchiaia e vedovanza), quanto meno discutibili, l'immagine di Giuseppe che emerge dall'apocrifo è del tutto positiva e concorda sostanzialmente con quella dei Vangeli canonici. Vediamola analiticamente sia in se stessa che nel suo rapporto con la Sposa verginale e col Figlio adottivo. Attraverso il capofamiglia vedremo così, nell'ottica del nostro aggadista, tutta la realtà della S. Famiglia.

2.1.1. *Personalmente,* Giuseppe incarna appieno l'ideale del « giusto », del « santo », della tradizione biblica e giudaica. Già uomo « di ottima vita » prima della sua unione con Maria [38], compare ancora più buono e spirituale dopo questa unione sommamente benefica e realizzante [39]. Il sì sponsale e paterno rispettivamente alla Vergine e a suo Figlio hanno fatto la grandezza trascendente di Giuseppe sia in questo che nell'altro mondo [40].

Egli è « il giusto », come viene abitualmente chiamato dietro *Mt* 1,19: uomo cioè fedele alla « Legge di Mosè » [41], docile alla parola-volontà di Dio e ai suoi legittimi rappresentanti [42]. Una frase sulla bocca del Santo è come il compendio e la chiave di tutta la sua vita: « Chi governa la mia anima e il mio corpo è Dio, ed è Lui che compie in essi la sua volontà » [43]. In questo sì incondizionato al volere divino, eco fedele del dato evangelico [44], risplende la giustizia di Giuseppe e appare la sua piena conformità spirituale a Maria e Gesù [45].

Il titolo di « giusto » viene specificato con altri epiteti moralmente qualificanti, come « retto » [46], onesto », « buono » [47], «santo» [48] e, conseguentemente, « eletto», « onorato » [49], « benedetto » [50], « beato »[51]. Qui pure siamo in piene categorie bibliche: la beatitudine

---

[38] 2,2 (Battista 25): « Egli aveva appreso bene la saggezza e le scienze e conosceva pure il mestiere del falegname ... Anzitutto egli era di ottima vita ». La recensione bohairica (cod. E) 2,2 ha un testo più breve: « Egli aveva appreso bene tanto la sapienza come l'arte di lavorare il legno » (Erbetta I/2,191). Cf. 10 (ib. 192): « Non gli mancò mai la sapienza ». Dai Libri sapienziali sappiamo che l'acquisto della Sapienza costituiva l'ideale di perfezione del buon israelita.

[39] Cf. spec. 17,2ss (Battista 36-38); cod. E 17,2ss (Erbetta I/2,194s).

[40] Cf. prol. (Battista 23); 26 (ib. 48s); 30,3ss (ib. 54). Vedi CIGNELLI, *Le saint Joseph* (nota 7), 203-204; CARRASCO (nota 5), 9-15.41.45.56-60.63-67.77.83-90.

[41] 9,2 (Battista 30). Vedi CIGNELLI, *La S. Famiglia* (nota 1), 96; CARRASCO (nota 5), 24-27.

[42] Cf. 2-8 (Battista 25-29); 17,4-9 (ib. 37s).

[43] 16,15 (Battista 36). Cf. cod. E 16,15 (Erbetta I/2,194).

[44] Cf. *Mt* 1,24; 2,14.21s.

[45] Cf. *Lc* 1,38.45; 2,49; 22,42; *Gv* 8,28s; 14,31. Vedi note 85 e 111; DANIELI (nota 6), 55.69-70.

[46] 1,7; 2,2 (Battista 25); 3,1 (ib. 26); 7,2 (ib. 29); 9,2 (ib. 30); ecc. Vedi CIGNELLI, *Le saint Joseph* (nota 7), 204.

[47] 18,1 (Battista 39); 24,4 (ib. 46); cod. E 17,1 (Erbetta I/2,194).

[48] 2,2 (Battista 25); 29,2 (ib. 53).

[49] 18,1 (Battista 39); 32,3 (ib. 57). Cf. anche prol. (ib. 23): « retto, onorato, eletto e giusto ».

[50] 18,3.9 (Battista 39); 26,1.7s (ib. 48s); cod. E 17,1 (Erbetta I/2,194).

[51] 23,11 (Battista 45); 24,5 (ib. 46).

o felicità nasce dalla giustizia, dalla bontà, dall'obbedienza alla Parola; si è felici a misura che si è buoni, fedeli a Dio [52].

Precisando, la vita di Giuseppe è preghiera e lavoro. Egli prega e medita sia nel Tempio che in casa [53]. E' un bravo falegname e lavora indefessamente [54], « dalla sua infanzia fino alla sua vecchiaia » [55], « fino al giorno della sua morte » [56], glorificando « Dio in tutte le sue opere » [57]. Sopporta inoltre pazientemente le prove della vita [58], in particolare l'esilio in Egitto che viene più volte ricordato da Gesù con profonda gratitudine [59].

La *Storia* non trascura di rivelarci l'anima, l'atteggiamento interiore del Santo. Giuseppe è un uomo umile: non si ritiene giusto, riconosce i propri limiti e difetti, ne chiede perdono, avanza spiritualmente attraverso un cammino di fede operosa [60]. Questa umiltà, segreto di ogni vera grandezza, ce lo rende ancora più vicino e simpatico; per giunta, è la sua caratteristica prominente già nel Vangelo, dove compare tutto relativo a Gesù e sua Madre, senza mai parlare [61]. Anche lui, come la Sposa, « primeggia tra gli umili e i poveri del Signore » [62] ed è oggetto della sua compiacenza [63]. Senza dubbio, agli occhi di Dio, valeva molto di più questo povero artigiano col suo umile lavoro che Cesare Augusto col suo fasto imperiale ...

E siccome l'umiltà è dignità, Giuseppe possiede pure questa. La *Storia* la rileva a proposito della sua reazione di fronte allo stato interessante di Maria [64], e così lo fa parlare a Gesù prima di morire:

---

[52] Cf. 1,2ss (Battista 24s); 13,9 (ib. 33); 16 (ib. 35s); 22,3 (ib. 43); 24,4s (ib. 46); 28-31 (ib. 51-56); - *Sal* 1; 81,14ss; 119!; *Lc* 1,45; 11,28; *Gv* 13,17.

[53] Cf. 12s (Battista 31-33); 16s (ib. 35-38).

[54] Cf. 2,2.6 (Battista 25s); 4,5 (ib. 27); 5,2 (ib. 28); 9,2 (ib. 30): « Mio padre, il vecchio retto e giusto Giuseppe, esercitava il suo mestiere di falegname e viveva col lavoro delle sue mani, senza mangiare il pane di nessuno gratuitamente, come ha ordinato la legge di Mosè ». Vedi ERBETTA I/2 (nota 11), 201, nota a 2,2: « *Mt* 13,55 chiama Giuseppe *tektôn.* Benché il termine potrebbe significare anche fabbro ferraio, tuttavia l'interpretazione più comune e antica intende falegname o carpentiere ... Il copto come l'ar. (rispett. *hamshe* e *naggar*) non lasciano in proposito alcun dubbio ».

[55] 24,2 (Battista 46). Cf. 15,4 (ib. 35).

[56] 29,4 (Battista 53).

[57] 2,5 (Battista 26). Cf. cod. E 2,5 (Erbetta I/2,191): « Giuseppe era uomo giusto e lodava Dio in tutte le sue azioni »; *Vangelo di Giacomo* 14,2 (ib. 24); 16,4 (ib. 25).

[58] Cf. 15-23 (Battista 34-35); 26,5 (ib. 49).

[59] Cf. 8,3 (Battista 29); 23,8 (ib. 45); 27,4 (ib. 50).

[60] Cf. 16s (Battista 35-38). Vedi CARRASCO (nota 5), 63-71 (santità e virtù di Giuseppe).

[61] Vedi CARRASCO (nota 5), 68: « Giuseppe tace sempre »; P. TORRESIN, *San Giuseppe maestro di silenzio,* in: *La Santa Crociata,* giugno 1985, 2: « L'uomo che non parla. L'uomo che dice *sì* senza pronunziarlo. L'uomo dalla testa china, l'uomo pensoso e serio ... ».

[62] CONCILIO VATICANO II, *Lumen Gentium,* 55.

[63] Cf. *Lc* 1,28.48; *Is* 66,2.

[64] Cf. 5s (Battista 27s); cod. E 5s (Erbetta I/2, 191s).

« Tu sei veramente *il mio Dio e il mio Signore* (*Gv* 20,28), come mi disse molte volte l'Angelo, specialmente nel giorno in cui il mio cuore dubitò della pura e candida Martamariam, tua madre, quando ella concepì e io pensai di lasciarla *segretamente* (*Mt* 1,19). Mentre pensavo a questo, l'*angelo del Signore* Gibrayl mi *apparve in sogno* con un meraviglioso mistero dicendo: *Giuseppe, figlio di David, non temere di tenerti Maria tua sposa;* non bestemmiare né dire parole sconvenienti a riguardo del suo concepimento, *perché* essa è incinta *dallo Spirito Santo* e *partorirà un figlio che si chiamerà Gesù. Lui infatti salverà il suo popolo dai suoi peccati* (*Mt* 1,20s).

O Signore, non odiarmi per questo, perché io non conoscevo il mistero della tua nascita miracolosa e mai avevo sentito, o mio Signore e mio Dio, che una donna avesse partorito senza seme umano né che una vergine avesse partorito senza che si sciogliesse il sigillo della sua verginità. Io non conobbi, o mio Signore Gesù Cristo, la profondità di questo meraviglioso mistero se non dall'arcangelo Ghabryal. (Da allora) ho creduto in te e ho glorificato tua madre, la pura, la santa Martamariam, la Vergine senza macchia e senza peccato. Io non sono che un uomo e mai avevo sentito di una cosa così meravigliosa e miracolosa » [65].

Siamo in sintonia col dato biblico-tradizionale. La dignità sponsale e paterna di Giuseppe è sana e salva; e con la dignità è salva anche la sua felicità di capofamiglia [66]. Il Santo non ha preso la donna di un altro (uomo) perché Maria è la Vergine per eccellenza, né ha accettato il figlio di un altro (uomo) perché Gesù « viene dallo Spirito Santo » [67].

In breve, il Giuseppe della *Storia* è un modello di uomo [68], un degno capofamiglia, un « magnifico patriarca » [69]. Come e più dei

[65] 17,4-9 (Battista 37s). Cf. cod. E 17,4-9 (Erbetta I/2,194s).

[66] Cf. 17,2ss (Battista 36-38); *Vangelo di Giacomo* 14,2 (Erbetta I/2,24); 16,4 (ib. 25); *Vangelo di Tommaso Israelita,* rec. gr. A 13,2 (ib. 86); rec. gr. B 11,2s (ib. 90). - La dignità e la felicità sponsale e paterna di Giuseppe sono state rilevate dai Padri, dai mistici e dai Papi. Per i Padri vedi CIGNELLI, *La famiglia-modello* (nota 1), 167 (S. Giov. Crisostomo). 171 (S. Efrem). 174 (Giacomo di Sarug). 179s (S. Agostino). Per i mistici cf. S.M. GIRAUD, *Vita d'unione con Maria Madre di Dio,* Alba 1944, 127-132.214-215; R. GRÁNDEZ, *Himno litúrgico a San José* (poesia dattiloscritta), Gerusalemme 1984, strofa 2: « Dichoso tú, que diste a la más pura / el cálido vigor de tus abrazos, / tu amor irrevocable, tu ternura, / tu fuerza y corazón y tu trabajo »; str. 3: « Oh tú, que recibías lo que nadie / en este mundo tuo ventre sus manos: / la Virgen de las vírgenes, Maria, / y el don del Unigénito encarnado ». Per i Papi cf. PAOLO VI, *Omelia* 19-3-1969: « Giuseppe fu un uomo "impegnato", come ora si dice — e quanto! — Tutto *per Maria,* l'eletta fra tutte le donne della terra e della storia, sempre sua vergine sposa, non già fisicamente sua moglie; e *per Gesù,* in virtù di discendenza legale, non naturale, sua prole. A lui i pesi, le responsabilità, i rischi, gli affanni della piccola e singolare famiglia. A lui il servizio, a lui il lavoro, a lui il sacrificio, nella penombra del quadro evangelico, nel quale ci piace contemplarlo e (certo, non a torto, ora che noi tutto conosciamo) chiamarlo fortunato, beato ».

[67] *Mt* 1,20.23. Cf. 6,1 (Battista 28); 17,6 (ib. 37).

[68] Vedi CIGNELLI, *La famiglia-modello* (nota 1), 185-186.

[69] L'espressione è di GIORGIO LA PIRA, in: *L'Osservatore Romano,* 14-11-1951, p. 5. Vedi GIAMBERARDINI (nota 15), 205: « un noble époux et un digne père ».

grandi personaggi biblici [70]. Dopo Maria, è la creatura più vicina alla persona e all'opera del Dio-Uomo. E sappiamo che « è questa vicinanza che qualifica ogni cosa » [71].

2.1.2. *In rapporto a Maria,* Giuseppe è sposo: uno sposo rispettoso e casto fino alla continenza perfetta [72]. E' la novità specifica di questo matrimonio, come vedremo più avanti.

« Sposo della grande Signora Martamariam »: questo il secondo titolo dell'eccellenza di Giuseppe dopo quello di « padre del Signor Cristo » [73]. Egli riceve « la santa vergine Maria » dai « sacerdoti » del Tempio mediante sorteggio, quindi per volere e dono di Dio, ma anche come premio alla sua virtù, perché « uomo perbene, giusto e timorato di Dio » [74]. La porta a casa sua e ne diventa il compagno fedele e provvido fino alla morte [75], il primo devoto — dopo il Figlio, s'intende [76] — e il testimone qualificato della triplice verginità, prima-durante-dopo il parto [77].

A sua volta, Maria è donna tutta candore e tenerezza, sposa premurosa, pura esistenza per la famiglia. Aiuta lo sposo, gli tiene bene la casa, lo ubbidisce e lo rispetta come capofamiglia [78]; intercede per lui e lo assiste amorosamente nella malattia, lo piange morto [79]. Notiamo che, davanti a Giuseppe malato, Maria anzitutto prega, si rivolge a Gesù, proprio come farà a Cana quando verrà a mancare il vino. Essa crede all'amore e all'onnipotenza del Figlio, e sa che senza di lui non possiamo fare niente [80].

La *Storia* ci presenta la Madonna anche prima della sua unione con Giuseppe. La dice fanciulla profondamente religiosa e impegnata nella vita spirituale. « Mia madre di vita ottima e retta — racconta Gesù — abitava nel Tempio servendo il Signore con grande

---

[70] Cf. 10,1 (Battista 30); 29,3s (ib. 53); 30,2s (ib. 54). Vedi GIAMBERARDINI (nota 15), 28-29; BAGATTI, *Historia* (nota 8), 183; DANIELI (nota 6), 50-54; CARRASCO (nota 5), 56-65.

[71] CARRASCO (nota 5), 41. Vedi B. BAGATTI, *La Chiesa primitiva apocrifa,* Roma 1981, 84.

[72] Cf. 5-7 (Battista 27-29); 14,5s (ib. 34); 17,4-9 (ib. 37s); *Ascensione d'Isaia* 11,4ss (Erbetta III, 1969, 202). Vedi CIGNELLI, *Le saint Joseph* (nota 7), 202.205.

[73] Prol. (Battista 23). Vedi nota 97.

[74] 3s (Battista 26s). Cf. 14,5 (ib. 34); cod. E 3s (Erbetta I/2,191); 14,5 (ib. 193); *Ascensione d'Isaia* 11,3 (Erbetta III,202): Giuseppe diventa sposo di Maria mediante sorteggio. Per la prassi biblica del sorteggio cf. *At* 1,26.

[75] Cf. 4-10 (Battista 27-30); 24,1s (ib. 46).

[76] Vedi nota 131.

[77] Cf. 5s (Battista 27s); 14,5s (ib. 34); spec. 17,4-9 (nota 65). Vedi BAGATTI, *La Chiesa primitiva* (nota 71), 84: la *Storia* « presenta Giuseppe come il testimone chiave della verginità di Maria ». - Tra i Padri è S. EFREM che rileva la devozione di Giuseppe per Maria. Cf. *De Nat.* 16,16s (CSCO 187,77s); *De Eccl.* 44,13 (CSCO 199,107); *De virg.* 25,11 (CSCO 224,80): « Giuseppe, come pure Giovanni (Evang.), onorava il grembo di tua Madre... », dice Efrem al Signore. Dei moderni cf. ad es. GIRAUD (nota 66), 127ss: Giuseppe e Giovanni Evang. sono «i patroni particolari e i primi modelli nella pratica della vita d'unione con Maria ».

[78] Cf. 4,3s (Battista 27); cod. E 4,3s (Erbetta I/2,191); - *Lc* 2,48.

[79] Cf. 18-20 (Battista 39-41); 23,1 (ib. 44); 24,2s (ib. 46).

[80] Cf. *Gv* 2,3-5; 15,5.

purezza ..., cresceva nelle virtù e nel timore di Dio », cioè nella conoscenza e nel compimento fedele della parola-volontà del Signore [81]. Questa crescita sottolinea il realismo e il dinamismo della « vita ascetica » di Maria e annuncia quella futura del Figlio [82]. Da notare anche la dimora e il servizio nel Tempio: la Vergine è consacrata a Dio, molto più della profetessa Anna [83], e anticipa in qualche modo la vocazione religiosa del suo Gesù [84].

Questa Maria devota e laboriosa, umile e sottomessa [85], tutta sponsale e materna, incarna esemplarmente l'ideale biblico della femminilità ed è praticamente la nuova Eva, l'antitesi perfetta della prima donna peccatrice e causa di peccato [86]. Come tale, essa contesta quel femminismo ateo, antinuziale e antimaterno, che appare ovunque nella storia umana [87] e che rappresenta il fenomeno più inquietante dell'attuale società secolarizzata [88].

Giuseppe e Maria: una coppia ideale e reale insieme; un nido capace di accogliere il Verbo; un modello di convivenza sponsale e, quindi, una tacita lezione per i coniugi di ogni tempo. La *Storia* riflette qui fedelmente il dato e l'intenzione del racconto evangelico.

Il merito di questa esemplarità domestica è ovviamente di tutt'e due. Sappiamo che c'è interazione fra gli sposi e che la qualità dell'uno incide sulla qualità dell'altro [89]. Maria in particolare, la Donna nuova e definitiva, si rivela il perfetto « aiuto » dell'uomo (*Gen* 2,18). La sua presenza e la sua domanda femminile impegnano ed elevano incomparabilmente la virilità di Giuseppe. L'aggadista mostra di averne

---

[81] 3,1s (Battista 26). Cf. cod. E 3,1s (Erbetta I/2,191): Maria, « donna dotata d'ogni qualità buona e benedetta, viveva nel Tempio servendo in modo del tutto santo ... la santa fanciulla conduceva vita ascetica ed era presa dal timor di Dio ». Nella Bibbia « il timor di Dio » è l'obbedienza alla Parola. Cf. *Dt* 6,24; 10,12s; *Sal* 112,1; 119,38; *Is* 66,2; *Qo* 12,13; *Sir* 2,15s.

[82] Cod. E 3,2 (nota 81). Per la crescita umana di Gesù cf. *Lc* 2,40.52; 4,16.

[83] Cf. *Lc* 2,36-38.

[84] Cf. *Lc* 2,46-49; 19,45-47; 21,37s; 22,53. Vedi BAGATTI, *La Chiesa primitiva* (nota 71), 60-62.

[85] Come in *Mt* 1-2, anche nella *Storia* Maria ubbidisce sempre e per lo più sta in silenzio. Cf. 3-9 (Battista 27-30); 18-20 (ib. 39-41). Vedi L. CIGNELLI, *Il mistero dell'Incarnazione in S. Matteo*, in: *La Terra Santa* 58 (1982) 147.

[86] Cf. 28,2.10 (Battista 51s); cod. E 28,2.10 (Erbetta I/2,198s). Notiamo, però, che nella *Storia* non c'è l'accostamento esplicito fra le due figure antitetiche Maria e Eva, come c'è invece in altri apocrifi più o meno coevi. Vedi L. CIGNELLI, *Maria Nuova Eva nella Patristica greca* (CA, 3), Assisi 1966, 39-40.

[87] Cf. *Pr* 2,16ss; *Sir* 25,12ss; - *3Esdra* 3s; TERTULLIANO, *De cultu femin.* 1,1,1s (SC 173,42-44); S. EFREM, *De Eccl.* 45,3ss (CSCO 199,110): Eva prima « femminista » della storia, come in DANTE, *Purg.* 29,27.

[88] Vedi CIGNELLI, *La famiglia-modello* (nota 1), 185-186; ID., *La S. Famiglia* (nota 1), 97.

[87] Cf. *Pr* 2,16ss; *Sir* 25,12ss; - *3Esdra* 3s; TERTULLIANO, *De cultu femin.* 1,1,1s (SC 173,42-44); S. EFREM, *De Eccl.* 45,3ss (CSCO 199,110): Eva prima « femminista » della storia, come in DANTE, *Purg.* 29,27.

[88] Vedi CIGNELLI, *La famiglia-modello* (nota 1), 185-186; ID., *La S. Famiglia* (nota 1), 97.

[89] Vedi AA.VV., *La salvezza viene dalla madre*, Roma 1967, 81-82.

coscienza specie quando mette sulla bocca del Santo vari epiteti onorifici all'indirizzo della Sposa: « la pura e candida Martamariam, ... la santa Martamariam, la Vergine senza macchia e senza peccato », ossia senza difetti e brutture di sorta [90]. Veramente, come dirà S. Agostino, Maria è « ancora più santamente e mirabilmente deliziosa a suo marito (*iucunda suo viro*) perché feconda senza marito » [91]. La castità perfetta, vissuta nell'amore, è sovranamente qualificante e arricchente [92].

Se Giuseppe è il « fiore degli uomini », lo deve anche all'influsso benefico della Sposa verginale [93]. Il che evidenzia, fra l'altro, il valore positivo e realizzante del culto mariano [94]. Un culto che la *Storia* insegna espressamente sotto forma di devozione al nome di Maria quando fa dire a Gesù: « la Vergine pura dal nome dolce alla bocca di quanti mi amano » [95].

2.1.3. *In rapporto a Gesù,* Giuseppe è « il padre » come nel Vangelo: padre quindi legale, adottivo [96]. Il titolo torna continuamente nella *Storia.* E' indubbiamente il titolo più onorifico di Giuseppe e, come tale, gli è dato nel nostro documento. La grandezza del Santo tocca qui il suo culmine. Tutto ciò che precede non è che preparazione a questa incomparabile dignità e missione: Giuseppe è soprattutto il « padre del Signor Cristo » [97].

Come nei Vangeli canonici, così nella *Storia* Gesù — il Figlio — si trova al centro della S. Famiglia: tutto in essa tende a lui, esiste per lui. Egli, Dio-Uomo e Salvatore universale [98], trascende sia il papà adottivo che la mamma naturale [99], anche se filialmente rispettoso e sottomesso all'uno e all'altra, come vedremo. Tutto questo richiama e illustra due principi biblico-tradizionali: che i coniugi sono a servizio della prole e che ai genitori si deve obbedienza e amore.

Quale padre legale e adottivo del Figlio di Dio e della Vergine, Giuseppe si mostra all'altezza del compito. E' un papà esem-

---

[90] 17,4.9 (Battista 37s). Vedi nota 65.

[91] *De nuptiis et concup.* 1,11,12 (NBA 7/1,416). Vedi CIGNELLI, *La famiglia-modello* (nota 1), 179.

[92] Vedi GIOVANNI PAOLO *II, Udienza generale* 24-3-1982; DANIELI (nota 6), 41-42. 67-68.

[93] GRANDEZ (nota 66), str. 1: « José bendito, flor de los varones ... ». Vedi CARRASCO (nota 5), 45: « Giuseppe fu all'altezza di Maria, degno di lei; da un tale matrimonio egli ne uscì grandemente favorito ».

[94] Vedi gli autori citati a nota 66, specialmente GIRAUD.

[95] 18,3 (Battista 39). Cf. cod. E 18,3 (nota 143).

[96] Cf. 5-7 (Battista 27-29); - *Lc* 2,33.48; 3,23. Vedi CIGNELLI, *Le saint Joseph* (nota 7), 205-206.

[97] Prol. (Battista 23). Cf. 2-5 (ib. 25-28); 30,3ss (ib. 54); cod. E prol. (Erbetta I/2,190): « padre di Cristo ». Per la tradizione copta vedi GIAMBERARDINI (nota 15), 171-175.213.220. Per la teologia moderna, CARRASCO (nota 5), 56 ss.

[98] Cf. 1,1s (Battista 24); 17,2ss (ib. 36-38); - *Mt* 1,21-23; *Ef* 5,23.

[99] Cf. 5,1 (Battista 27s); 14,6 (ib. 34); 17,3ss (ib. 36-38); 21,7 (ib. 42). Vedi DANIELI (nota 6), 48.

plare, al punto da soddisfare pienamente Gesù, il Figlio dei figli, che gliene è profondamente grato [100]. Lo accetta generosamente, gli dà il nome [101], lo mantiene e protegge lavorando e soffrendo per lui [102], lo educa come uomo a tutti i livelli [103], lo ama fino all'adorazione. Lo riconosce infatti come « Signore », « Dio » e « Salvatore »; se ne dichiara « servo », lo invoca con i titoli più onorifici, gli chiede perdono delle proprie mancanze, è felice di lui [104]. Gesù è veramente il suo beniamino, il figlio del cuore. Prima di morire, così gli parla:

> « Salve molte volte, o mio Figlio amato. Il travaglio e la paura della morte mi circondano, ma l'anima mia si è calmata all'udire la tua voce. Gesù mio Signore, Gesù mio Re, Gesù mio Salvatore, Gesù mio sostegno, Gesù mio liberatore, Gesù mio protettore, Gesù mio rifugio, Gesù che copri col tuo manto le creature! Gesù nome dolce alla mia bocca e alla bocca di quanti lo amano, (Tu) l'occhio che vede, l'orecchio che ascolta, esaudiscimi: io sono il tuo servo, ti supplico e verso le mie lacrime davanti a te » [105].

Giuseppe gode l'ineffabile nel sentirsi padre di Gesù, che è insieme suo Figlio e suo Dio, il suo tutto. Per giunta, si rivede pienamente in lui, nella sua virilità, ma ovviamente tutto perfezionato e portato al sublime. Di qui il suo grido di ammirazione e di compiacimento: « Tu sei davvero il Figlio di Dio e il Figlio dell'uomo, perfettamente! » [106].

A sua volta, Gesù è un figlio modello verso Giuseppe. Se il papà non delude il Figlio, meno ancora il Figlio delude il papà. Gesù lo rispetta, lo onora chiamandolo « padre », lo ama e gli obbedisce in tutto. Ce lo dice Lui stesso:

> « Quanto a me, ero come uno dei suoi figli e facevo tutto ciò che è umano, *eccetto il peccato* (*Eb* 4,15). Chiamavo Maria "madre mia" e Giuseppe "padre mio". Li obbedivo in tutto ciò che mi dicevano senza disobbedirli mai, anzi davo loro ascolto e li amavo *come la pupilla dell'occhio* (*Dt* 32,10). Li obbedivo come ogni uomo nato in questo mondo, in nessun giorno li feci inquietare né mai risposi loro una parola » [107].

---

[100] Vedi note 59 e 120.

[101] Cf. cod. E 6,2 (Erbetta I/2,192); 17,6 (ib. 194); - *Mt* 1,21.25 e commento di DANIELI (nota 6), 27-30 e CARRASCO (nota 5), 27-29.

[102] Vedi note 54-59.

[103] Sull'opera educatrice di Giuseppe in base all'ambiente biblico-giudaico vedi R. ARON, *Gli anni oscuri di Gesù*, Milano 1978; DANIELI (nota 6), 42-50; CARRASCO (nota 5), 48-51.69: « In questa formazione della personalità, in quanto uomo, Gesù è in tutto debitore a Giuseppe ». Per i Padri cf. ORIGENE, *In Lev. hom.* 12,4 (SC 287,178s); S. CIRILLO di Gerusalemme, *Catech.* 7,9 (PG 33,616); Ps. ANDREA di Creta (sec. VII), *Vita et mart. S. Iacobi* 12 (ed. J. Noret, Toronto 1978, 72-74).

[104] 17,3ss (Battista 36-38).

[105] 17,2s (Battista 36s). Cf. cod. E 17,2s (Erbetta I/2,194).

[106] 17,17 (Battista 38). Cf. cod. E 17,17 (Erbetta I/2,195): « ... vero figlio di Dio e insieme vero figlio dell'uomo ».

[107] 11,2s (Battista 31). Cf. 1,7 (ib. 25); 3,1 (ib. 26); 4,2 (ib. 27); 24,5 (ib. 46); cod. E 17,1 (Erbetta I/2,194): « mio padre amato »; 26,1.5 (ib. 198): « o caro padre Giuseppe », « caro mio padre Giuseppe ».

Molto simile il testo del codice E:

« Io, da parte mia, dopo che mia madre mi ebbe dato alla luce me ne stavo con loro, sottomesso completamente come figlio. Compii ogni cosa naturale fra gli uomini, *eccetto il peccato* (*Eb* 4,15). Chiamavo Maria "mamma" e Giuseppe "papà". Ero loro ubbidiente in tutto ciò che mi ordinavano, senza permettermi mai di risponder loro una parola, ma dimostravo per loro sempre grande affetto » [108].

E' l'esplicitazione fedele del dato evangelico [109]. « L'uomo Cristo Gesù » (*1Tm* 2,5) realizza alla perfezione l'ideale biblico della filialità [110] e, com'è tutto sottomesso e donato al Padre celeste, così lo è ai genitori terreni [111]. Siamo quindi agli antipodi del figlio degenere, discolo e prodigo, che si chiude all'amore dei genitori e lascia la casa per la stalla [112]. Rileviamo anche l'accento sull'affettuosità filiale di Gesù [113]. L'aggadista ha saputo enuclearla dal racconto evangelico letto alla luce del primo libro di Dio, la Natura [114].

Gesù poi si mostra figlio riconoscente e partecipe. Condivide le sofferenze del papà malato [115], lo assiste amorosamente sul letto di morte, « perché — dice — ha sofferto con me (fuggendo) da un posto all'altro per lo spavento del cattivo e sacrilego Erode. Mi è stato padre come tutti gli uomini con i loro figli » [116]. Prega il Padre celeste per lui [117], gli accorda la buona morte [118] e l'incorruzione del corpo [119], lo piange morto: « Io allora mi ricordai del giorno in cui era venuto con me in Egitto, della sua fatica sopportata per me, e piansi a lungo su di lui ... » [120]. La scena riecheggia il pianto di Gesù per la morte di Lazzaro. E possiamo dire senz'altro anche noi: « Vedi come lo amava! » (*Gv* 11,36).

---

[108] 11,2s (Erbetta I/2,192).

[109] Cf. *Lc* 2,51; 3,23; 4,22; - *Vangelo di Tommaso Israelita*, rec. gr. A 19,5 (Erbetta I/2,87). Vedi DANIELI (nota 6), 43-49; CARRASCO (nota 5), 35: « Finché visse, Gesù obbedì a Giuseppe, proprio perché egli era il capo della S. Famiglia e il principale responsabile della sua vita; gli fu suddito ubbidiente perché ne riconosceva il potere di padre ».

[110] Cf. *Pr* 1,8; *Sir* 3; *Ef* 6,1s.

[111] Vedi CIGNELLI, *Recensione* (nota 7), 378-379; DANIELI (nota 6), 49.

[112] Cf. *Lc* 15,12ss. Vedi CIGNELLI, *La S. Famiglia* (nota 1), 97-98.

[113] Il cod. E sottolinea più degli altri il rapporto affettivo fra Gesù e Giuseppe. Cf. 20,1s (Erbetta I/2,196): il Figlio tocca il papà; 23,1 (ib. 197): lo bacia; 26,1 (ib. 198): l'accarezza; 29,1 (ib. 199): l'abbraccia.

[114] Vedi nota 26.

[115] Cf. 20,1.8 (Battista 41); cod. E 18,1 (Erbetta I/2,195); 20,1.8 (ib. 196).

[116] 23,8 (Battista 45).

[117] Cf. 21-23 (Battista 42-44); cod. E 21-23 (Erbetta I/2,196s).

[118] Cf. 18,7 (Battista 39); 23s (ib. 44-46).

[119] Cf. 25-27 (Battista 47-50); cod. E 25-27 (Erbetta I/2,197s).

[120] 27,4 (Battista 50). Testo analogo nel cod. E 27,4 (Erbetta I/2,198): « Allora mi rammentai il dì in cui mi portò in Egitto e le non lievi tribolazioni da lui sofferte per me. Mi stesi sul suo corpo e piansi a lungo ... ». Cf. 29,1 (Battista 53): « Io piansi sul corpo del mio padre Giuseppe »; cod. E 29,1 (Erbetta I/2,199).

Inoltre Lui, Gesù, compone con le proprie mani la salma del papà: « Quindi mi rivolsi verso il suo corpo disteso a terra, mi sedetti, chiusi i suoi occhi, composi la sua bocca e meditai a lungo » [121]. E Lui stesso ne istituisce e prescrive il culto pubblico e privato precisandone le modalità e i vantaggi sia spirituali che materiali [122]. Così la pietà filiale Gesù l'ha veramente insegnata prima con l'esempio che con la parola [123].

Giuseppe e Gesù: un idillio familiare, semplice e spontaneo, proprio come nel Vangelo [124]; una convivenza paterno-filiale tanto più genuina e intensa quanto più spirituale, in base al principio che enunzierà Gesù stesso: « E' lo Spirito che vivifica: la carne — da sola — non giova a nulla » (*Gv* 6,63). Più si è spirituali, più la vita risulta autentica e piena. La paternità adottiva, del cuore, non rappresenta perciò un meno ma un più rispetto alla paternità comune. Lo noterà finemente S. Agostino: « Giuseppe è padre non per la carne ma per la carità (*caritate*). Così dunque è padre e lo è realmente ... tanto più concretamente padre, quanto più castamente padre — *tanto firmius pater, quanto castius pater* » [125].

Naturalmente anche nel rapporto Giuseppe-Gesù c'è perfetta interazione. Come lo sposo fa la sposa e viceversa, così il padre fa il figlio e viceversa. La domanda filiale di Gesù impegna e stimola il papà adottivo in misura incomparabile, unica. Giuseppe educatore si sente responsabile della crescita umana del Figlio, ce la mette tutta perché riesca bene, lo plasma a propria immagine e somiglianza. Gesù, « il Giusto » per antonomasia [126], cresce alla scuola del « giusto » [127] e, sotto la sua guida, ne assimila progressivamente il modo di essere uomo, la sponsalità e la paternità spirituale, portando ovviamente tutto alla perfezione [128].

Anche verso la Madre, Gesù è un figlio modello: obbediente, affettuoso, delicato [129]. Dio e Uomo, somma e fonte dei valori, Egli segna il riscatto e la sublimazione della filialità umana [130]. Come Dio, Lui stesso si è scelta Maria per madre, si è autoincarnato in lei per amore [131]; come Uomo, è un figlio affezionato e devoto di sua Madre:

---

[121] 24,1 (Battista 46). Cf. cod. E 24,1 (Erbetta I/2,197).

[122] Cf. 26,2ss (Battista 48s); 30,3-7 (ib. 54). Vedi nota 230.

[123] Vedi nota 35.

[124] Cf. *Lc* 2,40ss; 3,23; 4,22. Vedi CIGNELLI, *Le saint Joseph* (nota 7), 206-207.

[125] *Ser.* 51, n. 30 (Nuova Biblioteca Agostiniana, 30/1, Roma 1982, 48). Vedi CIGNELLI, *La famiglia-modello* (nota 1), 179-180; CARRASCO (nota 5), 39-40.

[126] *Mt* 27,19; *At* 3,14; 22,14.

[127] Vedi note 41-48.

[128] Vedi nota 106; DANIELI (nota 6), 49.70: « Giuseppe ci appare un presentimento di Gesù. Figlio di Davide, egli annuncia il figlio di Davide per eccellenza e Figlio amatissimo di Dio »; CIGNELLI, *La S. Famiglia* (nota 1), 98-99.

[129] Vedi note 107s.

[130] Vedi nota 110.

[131] Cf. cod. (arabo) I 5,1 (Battista 78): « Quando la Vergine compì due anni in casa di lui (Giuseppe) e così la sua età fu di quattordici anni ..., Io (l')ho amata di mia propria volontà e col consiglio del Padre mio e dello Spirito Santo mi incarnai in lei ». Lo stesso concetto, penso, nella *Dormizione della Vergine*, 10 (Erbetta I/2,466). E' il tema dell'autoincarnazione del Verbo, per il quale

la rispetta, la venera, la compiace sempre, la chiama teneramente « la mia amata Madre »[132], « la Vergine pura dal nome dolce »[133]. Lei stessa gliene dà atto:

> « "Amato Figlio, io so che Tu non mi hai recato mai dispiacere in nessuna cosa né mi rifiuti ciò che ti domando. Se così piace anche a te, vieni ed entra con me dal vecchio retto Giuseppe". Tornai allora con mia Madre, la pura Maria, al luogo dove giaceva il vecchio Giuseppe ... »[134].

Gesù è la perfetta compiacenza della Madre, come lo è del Padre celeste[135]. Nelle parole della Madonna e nel comportamento deferente del Figlio c'è forse la reazione del nostro aggadista a tendenze antimariane dell'antichità[136]. Possiamo vederci anche un'eco di *Gv* 2,3-5 che, evidentemente, viene letto in chiave del tutto positiva, come farà nel sec. VII il patriarca d'Alessandria Beniamino[137], mentre nel sec. II S. Ireneo — seguito poi da molti autori — ne faceva una lettura piuttosto sfavorevole alla santità della Vergine[138].

A sua volta, Maria si rivela mamma tutta dedizione e delicatezza[139], interamente consacrata alla persona e all'opera salvifica del suo Gesù[140]. Lo tratta con tanto affetto, chiamandolo « amato

---

cf. ad es. S. IRENEO, *Adv. haer.* 4,33,11 (SC 100,830); S. EFREM, *De Nat.* 15,1 (CSCO 187,73); 19,9 (ib. 90). Vedi BAGATTI, *Historia* (nota 8), 167; ID., *La Chiesa primitiva* (nota 71), 17-20: l'autoincarnazione divina negli apocrifi.

[132] 20,1s (Battista 41). Cf. 18,4 (ib. 39); 23,1 (ib. 44); 24,2 (ib. 46).

[133] 18,3 (Battista 37). Cf. cod. E 18,3 (nota 143). In un'opera copta, *Il libro della Resurrezione*, Gesù dà molti titoli onorifici alla Madre e ne raccomanda la devozione ai discepoli. Cf. 1,8 (Erbetta I/2,308): « Io ti dico, o madre mia: chi ti ama, ama la vita! Salve, tu che hai portato la vita dell'universo nel tuo seno! ... »; 2,4 (ib. 314): « Vi ricordo in ogni momento. Anche Maria ho affidato a voi stessi, e voi non l'allontanerete dalla vostra compagnia ». Siamo in pieno accordo con *Gv* 19,26s e *At* 1,14.

[134] 19,1 (Battista 40): senza parallelo nel cod. E. Cf. *Vangelo di Tommaso Israelita*, rec. gr. A 19,4 (Erbetta I/2,87); rec. gr. B 10; 11,2s (ib. 90): Gesù gloria e felicità della Madre e del papà adottivo.

[135] Cf. *Mt* 3,17; 12,18; 17,5; *Gv* 8,29. Vedi note 110s.

[136] Per queste tendenze cf. TERTULLIANO, *De carne Chr.* 7,13 (SC 216,246); ORIGENE, *In Lc. hom.* 7,4 (SC 87,156-58); S. EFREM, *In Diat. com.* 11,9 (SC 121,200s); S. AMBROGIO, *In Lc. exp.* 6,36.38 (Biblioteca Ambrosiana, 12, Roma-Milano 1978, 37.39).

[137] Cf. *In Io. 2 hom.* 13ss (Corona Patrum, 7, Torino 1981, 272s).

[138] Cf. *Adv. haer.* 3,16,7 (SC 211,314). Vedi CIGNELLI, *Maria Nuova Eva* (nota 86), 87-88; J.M. DE ALDAMA, *María en la Patrística de los siglos I y II* (BAC, 300), Madrid 1970, 320-324.

[139] Cf. 8,3 (Battista 29); cod. (saidico) B 8,3 (ib. 149): « Mio padre Giuseppe fu avvertito in sogno; si alzò, mi prese con mia madre Maria (cf. *Mt* 2,13s); io ero sulle sue braccia ed essa mi coccolava »; cod. E 8,3 (Erbetta I/2,192): « ... Io giacevo tra le braccia di lei »; *Vang. di Tommaso Israelita*, rec. gr. A 11,2 (ib. 86); rec. B 10 (ib. 90): la Madonna abbraccia e bacia « a lungo » Gesù bambino.

[140] Nel cod. (saidico) D 17,9 (Battista 154) Maria è chiamata « la vera agnella », evidentemente perché madre di Gesù, « l'agnello di Dio ... che toglie il peccato del mondo » (*Gv* 1,29). Per questo titolo mariano vedi BAGATTI, *Historia* (nota 8), 171-172; GIAMBERARDINI (nota 15), 101-102: « l'agnella immacolata » (Ps. Demetrio d'Antiochia). - Nel cod. A1 5,1 e nel cod. E 5,1 (nota 197) Maria compare come mediatrice del Cristo « vita ».

mio Figlio »[141]. Lo ama però senza essere possessiva e invadente. E' con lui fiduciosa e disinvolta, ma anche profondamente consapevole della sua incomparabile dignità. Lo ricaviamo, in particolare, da come si comporta presso il letto di Giuseppe moribondo:

> « Quando la mia cara Madre mi vide palpare il suo corpo, volle fare altrettanto ai piedi e si accorse che il soffio della febbre era scomparso. Allora si rivolse a me e mi disse con semplicità: "Grazie, Figlio mio caro; dal momento in cui hai posto la tua mano sul suo corpo la febbre l'ha abbandonato" »[142].

Precedentemente la Madonna si era rivolta così a Gesù per interessarlo alla malattia del papà adottivo:

> « Allora Maria, la mia cara Madre, il cui nome è soave per quanti mi amano, si levò e mi disse con cuore angosciato: "Ahimé, Figlio caro: Giuseppe, il vecchio buono e benedetto, tuo padre amato e onorato *secondo la carne* (*Rm* 1,3), forse morirà!" »[143].

Notiamo il calore ma soprattutto l'umiltà e la finezza di questa preghiera che ricorda da vicino *Gv* 2,3[144].

Maria si mostra madre affettuosa e delicata anche verso i primi figli adottivi[145]. Entrata nella « casa » di Giuseppe, « vi trovò Giacomo ... piccolo e molto addolorato perché orfano, e lo allevò »[146], prodigandogli « il suo affetto e le sue cure »[147]. « Per questo motivo Maria fu chiamata *madre di Giacomo* (*Mt* 27,56) », annota l'aggadista[148]. « E' un bell'esempio della pietà cristiana verso l'infanzia abbandonata », commenta un autore moderno[149]. Così, nella casa di Giuseppe, la Madonna avrebbe iniziato quella che sarà, a partire dal Cenacolo, la sua dedizione materna al Cristo mistico o collettivo, la Chiesa[150].

---

[141] 18,3 (Battista 39); 19,1 (ib. 40).

[142] Cod. E 20,1s (Erbetta I/2,196). Vedi nota 85.

[143] Cod. E 18,3 (Erbetta I/2,195). Cf. 18,3 (Battista 39): « Venne da me mia madre, la Vergine pura dal nome dolce alla bocca di quanti mi amano, e mi disse: Amato mio Figlio, questo vecchio benedetto Giuseppe se ne muore. In verità ti dico, Figlio mio e *Dio mio* (*Gv* 20,28), che mai è stato male prima di questa grave malattia ». Al pari di Giuseppe, Maria sente il Figlio come Dio e l'ama fino all'adorazione. Vedi note 104-106.

[144] Vedi note 80 e 134.

[145] Cf. 11 (Battista 31); 20 (ib. 41).

[146] 4,4 (Battista 27). Cf. 2,4 (ib. 25s): alla morte della madre, Giacomo era ancora poppante.

[147] Cod. E 4,4 (Erbetta I/2, 191).

[148] 4,4 (Battista 27). Cf. cod. E 4,4 (Erbetta I/2,191); S. EPIFANIO, *Ancor.* 60,1 Collana di testi patristici, 9, Roma 1977, 128. Vedi GIAMBERARDINI (nota 15), 36-37; BAGATTI, *Historia* (nota 8), 167. L'identificazione della Maria di *Mt* 27,26 e parr. con la Madonna è quanto meno discutibile. ERBETTA I/2 (nota 11), 201 la dice « interpretazione arbitraria ». Vedi anche DANIELI (nota 6), 60-64.

[149] GIAMBERARDINI (nota 15), 37.

[150] Cf. *At* 1,14: da leggere alla luce di 9,4s e della dottrina paolina sulla Chiesa Corpo mistico di Cristo.

Esemplare anche il comportamento di Gesù con i fratelli e le sorelle di adozione. Ne condivide in pieno la vita familiare, senza distanze e privilegi di sorta [151]; d'altra parte è servizievole con loro, li aiuta e sostiene fraternamente [152]. E' veramente « il fratello buono », perfetta antitesi del « fratello cattivo », Caino [153]. Loro stessi, i fratelli e le sorelle di adozione, lo sentono così e lo chiamano con affettuosa deferenza « Signore nostro e Fratello nostro » [154].

Tra i membri della S. Famiglia la convivenza è dunque ottimale e c'è piena interazione. Il segreto di questa armonia domestica è ovviamente la presenza di Gesù, il Dio-Uomo salvatore, il nuovo Adamo e il nuovo destino dell'umanità [155]. La sua domanda filiale eleva e impegna in modo unico la maternità di Maria e la paternità di Giuseppe; e altrettanto fa la sua domanda fraterna nei confronti della solidarietà e oblatività dei fratelli e sorelle d'adozione.

A sua volta, però, Gesù deve anche al clima favorevole della famiglia la propria crescita *umana* armonica e integrale, la propria riuscita nella vita. Di qui appunto la sua gratitudine, la sua pietà filiale e fraterna.

2.2. La Sacra Famiglia

Fin qui abbiamo visto i vari elementi del quadro. Tentiamo ora di contemplare il quadro nel suo insieme. Il Focolare di Nazaret segna la ricapitolazione del genere umano, riprende cioè su un piano superiore la storia dei progenitori [156]. Per suo mezzo si attua « la salvezza di Adamo e della sua posterità » [157], l'umanità viene liberata dal peccato e dalle sue terribili conseguenze e viene elevata al divino [158]. E' l'affermazione del ruolo sociale della famiglia: come la rovina, anche la salvezza passa per questa via.

Fedele al dato biblico, la *Storia* ci presenta tre aspetti capitali del Mistero: il Focolare di Nazaret è una famiglia autentica, esemplare, aperta.

2.2.1. *Famiglia autentica.* Quello di Nazaret è un focolare ideale e reale insieme: ideale per la sua perfezione etico-spirituale, reale per la sua concretezza storico-esistenziale [159]. Partecipa quindi del

---

[151] Cf. 11 (Battista 31); 20,8 (ib. 41). Vedi nota 107.

[152] Cf. 24s (Battista 46s); *Vangelo di Tommaso Israelita,* rec. gr. A 16,1s (Erbetta I/2,87): Gesù guarisce Giacomo.

[153] Tertulliano, *De carne Chr.* 17,6 (SC 216,282). Cf. *Gv.* 19,26; 20,17; *Eb* 2,10ss.

[154] 24,3 (Battista 46). Nel cod. E 24,3 (Erbetta I/2,197) leggiamo soltanto « Signor nostro ». Secondo la *Storia,* quindi, la parentela stretta credeva nella divinità di Gesù. Vedi nota 143.

[155] Cf. 1,1s (Battista 24); 18,2ss (ib. 39); 28,2ss (ib. 51-53). Vedi nota 98.

[156] Per il concetto di « ricapitolazione » vedi Cignelli, *Maria Nuova Eva* (nota 86), 4-13.

[157] 1,2 (Battista 24).

[158] Cf. 16-18 (Battista 35-39); 27s (ib. 50-53).

[159] Vedi Cignelli, *La famiglia-modello* (nota 1), 184-186.

comune destino di lotta e di dolore, senza esenzioni e privilegi di sorta per quanto riguarda le fatiche e le prove della vita. Prega, lavora, soffre come tutte le buone famiglie. Non le viene risparmiata neppure la morte, anche se quella di Maria e Giuseppe è la morte dei giusti [160] e quella di Gesù ha valore salvifico « per il mondo intero » [161].

Contrariamente ad altri apocrifi dell'Infanzia che abbondano di miracoli [162], la *Storia* aderisce fedelmente al dato biblico della « kenosis » redentrice e della solidarietà del Cristo storico con l'umanità decaduta. Dio s'incarna nella povertà e supera le fatiche, le pene, le prove della nostra vita dall'interno, cioè soffrendole. Veramente « la divinità non poté abbassarsi di più per noi che assumendo la natura umana con le infermità della carne fino alla morte di croce » [163].

Nella S. Famiglia manca solo il peccato, la ribellione alla « volontà del Padre », causa di ogni male temporale ed eterno [164]. Non solo Gesù, ma anche Maria e Giuseppe sono persone moralmente e religiosamente incensurabili, sposi integerrimi e degnissimi genitori [165]. C'è forse qui una tacita risposta alla cosiddetta « calunnia giudaica », molto diffusa nell'antichità, secondo cui Gesù sarebbe nato da famiglia irregolare [166].

Nel Focolare di Nazaret, prima cellula dell'umanità rinnovata, si respira dunque la purezza delle origini, c'è quella « infantile innocenza » che regnava nel mondo prima del peccato [167], quando ogni cosa era « buona » e « molto buona » (*Gen* 1,12.31). I membri di questa famiglia sono in pace con tutti, si amano e aiutano a vicenda; convivono a corpo mistico, come vasi intercomunicanti, in piena comunione d'amore con Dio, tra loro e con gli altri. Quello che sarà il miracolo della Chiesa nascente, il « cor unum et anima una », è qui esemplarmente anticipato [168].

Da precisare che anche nella S. Famiglia niente è scontato e tutto dipende insieme dalla grazia divina, che non viene negata a nessuno, e dalla cooperazione umana, che qui viene data alla perfezione. Quest'idillio domestico, sul piano morale, non è dunque un frutto spontaneo e necessario; nasce invece dalla virtù praticata con sforzo da ciascuno dei suoi membri [169]. La fedeltà al dovere, causa — da parte umana — di ogni vero successo, costa anche a loro.

---

[160] Cf. 18,4ss (Battista 39); 24,4s (ib. 46).
[161] 18,2.8 (Battista 39). Cf. 1,2 (ib. 24); 28,14 (ib. 53).
[162] Cf. ad es. il *Vangelo di Tommaso Israelita* (Erbetta I/2,83ss). Vedi BAGATTI, *Historia* (nota 8), 181-182.
[163] S. AGOSTINO, *De praedest. sanctorum* 15,31 (PL 44,983). Vedi note 53-59. 160s.
[164] 31,1-6 (Battista 55). Cf. 1,5 (ib. 24); 28 (ib. 51-53).
[165] Cf. 2-11 (Battista 25-31); - *Mt* 1,19ss; *Lc* 1,28ss; 2,22ss; 4,16.
[166] Vedi CIGNELLI, *Il prototipo* (nota 12), 264; MANNS (nota 22), 88-89.
[167] S. IRENEO, *Epideixis* 14 (tr. E. Peretto, Roma 1981, 87). Cf. *Gen* 1-2; *Sap* 1,14; 2,23. Vedi DANIELI (nota 6), 31.
[168] *At* 4,32. Vedi note 134-155.
[169] Cf. *Mt* 25,15; *1Cor* 10,13. Vedi CIGNELLI, *La famiglia-modello* (nota 1), 160-161.168-169.170-171.188-189.

In altri termini, la S. Famiglia salva la propria dignità e adempie la propria missione con i mezzi comuni e possibili a tutti: preghiera, lavoro, sacrificio [170]. La predilezione divina, di cui è indubbiamente oggetto, non la dispensa affatto dalla « croce » quotidiana (*Lc* 9,23), non significa per essa privilegi ed esenzioni di tipo baronesco, ma piuttosto fatiche e sofferenze più grandi. Il principio biblico che una grazia maggiore comporta un impegno maggiore vale anche per la Casa di Nazaret [171].

Del tutto autentica, la S. Famiglia rappresenta però non solo il riscatto, ma anche il superamento del focolare comune. La coppia Giuseppe-Maria infatti, oltre a riportare il matrimonio alla purezza delle origini, inaugura un nuovo tipo di rapporto uomo-donna: quello continente ed escatologico [172]. La *Storia* trasmette sostanzialmente anche questo dato del NT [173]. Supera quindi l'ideale veterotestamentario e giudaico del matrimonio [174], anche se non attinge la pienezza della testimonianza evangelica sulla figura di Giuseppe [175].

Naturalmente questa nuova forma di vita coniugale rappresenta un di più, non un di meno, sul piano dei valori. Se il matrimonio dice realtà d'amore diretta al completamento e arricchimento reciproco dei coniugi, tutto questo si è realizzato in misura perfetta e insuperabile nella coppia Giuseppe-Maria, anche se l'aggadista non indugia sulla cosa. Lo stesso si dica della funzione sociale del matrimonio, cioè del suo servizio al bene comune, servizio che consiste essenzialmente nel cooperare al mistero dell'Incarnazione redentrice. Nessuna coppia ha prestato questa cooperazione come o più di Giuseppe e Maria, le creature della suprema vicinanza e partecipazione alla persona e all'opera del Dio-Uomo salvatore [176].

2.2.2. *Famiglia esemplare*. Da quanto si è detto scaturisce logicamente l'esemplarità del Focolare di Nazaret. Questa prospettiva è ben presente nella *Storia*, dato il suo carattere di « catechesi parenetica » [177]. Per l'autore e l'ambiente del nostro apocrifo, la S. Famiglia

---

[170] Vedi note 53-59.

[171] Cf. *Sap* 6,5ss; *Lc* 12,48. Vedi CIGNELLI, *La S. Famiglia* (nota 1), 100.

[172] Cf. *Lc* 1,34; 20,35s; *1Cor* 7,29ss. Vedi DANIELI (nota 6), 38-42.67-68; CIGNELLI, *La famiglia-modello* (nota 1), 158-162.179-180.

[173] Vedi note 72 e 77.

[174] Cf. *Tb* 6-8; *Ml* 2,14ss; - Ps. FOCILIDE, *Sent.*, 175s (ed. A.-M. Denis, Leiden 1970, 154): « Non restare celibe, perché tu non finisca senza nome. Da' anche tu qualcosa alla natura: genera a tua volta come sei stato generato ». Questo documento è più o meno contemporaneo agli scritti del NT. Vedi N. WALTER, in: *Jüdische Schriften aus hellenistisch-römischer Zeit* IV/3 (1983) 193. Per altre testimonianze simili vedi S. ZEDDA, *Relativo e assoluto nella Morale di S. Paolo*, Brescia 1984, 210-211.

[175] Vedi CIGNELLI, *Le saint Joseph* (nota 7), 203.210-211; CARRASCO (nota 5), 71-74 (verginità di S. Giuseppe). GIOVANNI PAOLO II, *Udienza generale* 24-3-1982, ha parlato del « mistero verginale di Giuseppe » quale complemento della « verginale maternità di Maria ». Vedi anche nota 172.

[176] Vedi note 71.100-103.139s.

[177] Vedi note 28-32.

ha un preciso valore paradigmatico, è il modello biblico — quindi normativo — a cui deve guardare e riferirsi ogni comunità domestica. E' così, non altrimenti, che si attua la bonifica e la promozione del focolare e, conseguentemente, dell'intera società.

Qui pure l'aggadista si rivela fedele all'intenzione del racconto evangelico ed è in linea con altri documenti della Tradizione e col Magistero ecclesiastico [178]. Nella sua saggezza popolare, la *Storia* ha capito molto bene ciò che tanta esegesi scientifica dei tempi moderni ignora o vuole ignorare [179]. Conosciamo la matrice ideologica di questa cecità: è la cosiddetta lettura « neutrale » dei testi sacri, per cui la Parola non è più la norma unica del pensare e dell'agire umano [180].

Per il nostro aggadista, la S. Famiglia è un focolare semplice e incantevole, oasi di bontà e di amore, nonostante la sua solidarietà con l'umanità decaduta e sofferente. Rappresenta così l'incarnazione perfetta dell'ideale domestico dell'AT [181] e insieme il suo superamento escatologico, come si è visto sopra. Conseguentemente è il primo focolare cristiano in tutti i sensi, per tempo e per qualità; ed è il modello, la « scuola di vita familiare e comunitaria » [182], per tutti e per tutto.

Specificando, la Casa di Nazaret ci è esempio di vita virtuosa e quindi felice di qua e di là [183]. C'insegna la religiosità e la socialità, la comunione con Dio e col prossimo, e così ci aiuta a bonificare i due rapporti costitutivi dell'esistenza umana. In altre parole, c'insegna a vivere i « due comandamenti » dell'amore che sintetizzano « tutta la Legge e i Profeti » e la cui osservanza assicura « la vita eterna » [184]. Ci sollecita quindi a pregare, a lavorare, a praticare la giustizia sociale con la condivisione dei beni [185].

Specificando ancora, Giuseppe ci è modello di sposo e di padre; Maria, di sposa e di madre; Gesù, di figlio e di fratello. E questa triplice esemplarità interessa tutte le famiglie del mondo, quelle comuni in genere e quelle continenti e verginali in specie [186]. Sanata poi la famiglia, sarà sanata anche la convivenza umana a tutti i livelli, perché da buona famiglia buona società, come vedremo subito appresso.

2.2.3. *Famiglia aperta.* La coppia, la famiglia è il destino del genere umano. La salvezza del mondo è venuta infatti da una coppia,

---

[178] Vedi note 5 e 33.

[179] Vedi CIGNELLI, *La famiglia-modello* (nota 1), 156.

[180] Vedi H. URS VON BALTHASAR, *Gesù*, Brescia 1982, 61ss; CIGNELLI, *Breve storia*, in: *Parole di Vita* 29 (1984) 409-412.

[181] Cf. *Pr* 31; *Sal* 127-128; *Tb* (tutto).

[182] Espressione di A. SILENZI, in: *Il Messaggio della Santa Casa*, Loreto, aprile 1985, I/B.

[183] Vedi nota 52.

[184] *Mt* 22,37-40; *Lc* 10,25-28.

[185] Cf. 26,3s (Battista 48s); cod. E 26,3s (Erbetta I/2,198); - *Mt* 8,16s; 9,35ss; 10,8; 11,28; 25,34ss. Vedi note 53-59.

[186] *1Cor* 7,7. Vedi DANIELI (nota 6), 67-68; CIGNELLI, *La famiglia-modello* (nota 1), 179.188-190.

come da una coppia è venuta la rovina [187]. Il Figlio di Dio si è fatto nostro salvatore passando per un focolare, Colui che fa « nuove tutte le cose » (*Ap* 21,5) ha incominciato da una casa a rinnovare il mondo [188]. E' il riconoscimento e la sublimazione del ruolo sociale della famiglia.

Ma c'è di più. La Casa di Nazaret non è solo la famiglia-modello e la culla della salvezza messianica. E' anche la nostra famiglia più vera, dove c'è posto per tutti e dove tutti siamo o già inseriti o ancora attesi. Qui difatti ha avuto inizio l'Incarnazione redentrice, che è la vocazione ultima di tutti gli uomini, nessuno escluso. Il Cristo mistico o collettivo, cioè la Chiesa, non è altro in fondo che la crescita progressiva della S. Famiglia [189]. Essa dunque è il nostro destino di gloria. Le dobbiamo tutto: la nostra vita più vera, l'uomo e il mondo nuovo, Cristo e la Chiesa!

Questa verità biblico-tradizionale è stata finora più intuita che sviluppata [190]. Anche nella *Storia* non viene insegnata *ex professo* ma per mezzo di fatti, attraverso una convergenza di elementi, tutti d'ispirazione biblica.

L'aggadista ci presenta la famiglia umana del Signore come un focolare aperto e accogliente. I fratelli e le sorelle d'adozione sono per così dire le primizie di questa fraternità domestica destinata a dilatarsi senza limiti [191]. « Vero figlio dell'uomo » [192], Gesù vive con essi da autentico fratello, pienamente « partecipe » della loro condizione umana, « in tutto simile ai fratelli », « escluso — solo — il peccato » [193]. E allo stesso modo si comporta fuori delle pareti domestiche. Chiama infatti i suoi discepoli « fratelli miei » [194], « amici miei » [195], « mie membra » [196]. Quest'ultima denominazione richiama la dottrina del Corpo mistico, secondo cui i credenti sono figli nel Figlio, vivono della stessa vita divino-umana del Cristo capo [197].

---

[187] Cf. 28,10ss (Battista 52s); - *Gen* 3; *Mt* 1,18ss; *Lc* 1,26ss.

[188] Cf. 2ss (Battista 25ss); *Ascens. d'Isaia* 11 (Erbetta III,202s); S. Efrem, *De Eccl.* 46,12s (CSCO 199,116); *De virg.* 25,11 (CSCO 224,80).

[189] Vedi Cignelli, *La famiglia-modello* (nota 1), 184; Danieli (nota 6), 57-58; Carrasco (nota 5), 83-90.

[190] Per la patristica vedi Cignelli, *La famiglia-modello* (nota 1), 161-162 (apocrifi e S. Ireneo). 163-164 (Origene). 173 (S. Efrem). 182 (S. Agostino). Per la teologia posteriore fino ai nostri tempi vedi nota 189.

[191] Cf. 2-4 (Battista 25-27); 11 (ib. 31); - *Mt* 12,46ss; 13,55s; *Gv* 2,12; *At* 1,13s.

[192] Cod. E 17,17 (Erbetta I/2,195).

[193] *Eb* 2,14.17; 4,15. Vedi note 107s.151-154.

[194] 1,1.6 (Battista 24); 31,9 (ib. 56); cod. I 1,1 (ib. 75): « Fratelli e amici miei, figli del Padre »; cod. E 1,1 (Erbetta I/2,190): « Fratelli miei cari, figli del mio buon Padre »; 18,2 (ib. 195); 22,3 (ib. 197): « miei venerabili fratelli ». Cf. *Mt* 28,10; *Gv* 20,17; *Eb* 2,11s.

[195] 1,1.6 (Battista 24); 2,2 (ib. 25); 8,1 (ib. 29); 22,3 (ib. 43). Cf. *Lc* 12,4; *Gv* 15,13-15. Notiamo che il binomio « fratelli e amici », ricorrente nella *Storia* (cf. 1,1.6; 31,9), è già nella Bibbia (cf. *Sal* 122,8). Notiamo ancora che, specialmente nella Scrittura, fraternità e amicizia sono concetti di comunione (cf. *Gen* 13,8; *1Sam* 18,1ss: *2Sam* 1,26; *Ct* 5,1; *Mt* 9,15; *Gv* 3,29; 15,15; 19,26; 20,17).

[196] Cod. I 1,6 (Battista 75); cod. (saidico) D 22,3 (ib. 158); cod. E 1,6 (Erbetta I/2,190): « o mie membra distinte »; 31,9 (ib. 200): « o sante mie membra ».

[197] Cf. cod. (saidico) A1 5,1 (Battista 147); cod. E 5,1 (Erbetta I/2,191): « Quando (Maria) ebbe quattordici anni, io, Gesù, vostra vita, andai ad abitare in lei di

Gesù vuole partecipare a tutti la felicità del suo focolare. Vero fratello e amico, c'invita a condividere il suo gaudio filiale insegnandoci la devozione alla mamma verginale e al papà adottivo [198]. A loro volta, Giuseppe c'inculca con l'esempio la devozione al nome, alla persona di Gesù [199]; e Maria, lodandone la condotta filiale, lo propone tacitamente all'imitazione dei fratelli e delle sorelle [200]. Così la *Storia* già insegna praticamente la devozione alla S. Famiglia nel suo insieme e ai singoli membri; e si tratta di una devozione autentica perché fatta di preghiere, di opere buone, di imitazione [201].

Il tema della « famiglia aperta » viene insinuato anche dal comportamento di Maria e Giuseppe. Lei, nonostante il suo abituale silenzio, si rivela donna maternamente aperta e attenta al mondo che la circonda [202]. Anche lui, Giuseppe, è una figura tutta paterna e oblativa, pura esistenza per gli altri. Gesù lo chiama personalmente « padre » e vuole che sia chiamato da noi « il benedetto padre » [203]. Nel prologo viene denominato « *nostro* padre beato » [204], « il *nostro* padre Giuseppe » [205]. Forse questo titolo non appartiene al testo primitivo della *Storia*, ma corrisponde certamente al suo spirito [206]; e costituisce il terzo titolo dell'eccellenza di Giuseppe, dopo quello di « sposo della grande Signora Martamariam » e quello di « padre del Signor Cristo » [207].

Il Focolare di Nazaret, focolare autentico esemplarmente aperto, è dunque a buon diritto la nostra famiglia più vera, quella dove nasciamo e cresciamo in Cristo « nostra vita » [208]. Come tale, ci è necessario — non facoltativo — per la nascita e la crescita dell'Uomo nuovo, del Cristo mistico o collettivo. Ne ha avuto bisogno Lui, il Capo e il Maestro: possiamo non averne bisogno noi, le membra e i discepoli? Qui pure vale il principio che « il discepolo non è da più del maestro » [209].

La S. Famiglia non ha alternative valide. E' veramente il nostro riscatto e il nostro destino di gloria. Rifiutarla sarebbe quindi ottusità spirituale e autolesionismo inqualificabile. Sarebbe infedeltà al Vangelo, cioè al Cristo salvatore e maestro unico. La sua stessa presenza nel Libro di Dio sta a dire che la S. Famiglia ci è necessaria.

---

mia propria volontà »; 32,2 (ib. 200): Cristo « nostra vita » (*Col* 3,4); - *Gv* 1,12s; 6,51ss; 11,25; 15,1ss; *Col* 2-3. Vedi CARRASCO (nota 5), 63.84-90.

[198] Cf. 18,2 (Battista 39); 26,2ss (ib. 48s); 30,3-7 (ib. 54). Vedi note 95.122.131-134.

[199] Vedi nota 105.

[200] Vedi nota 134. Cf. già *Gv* 2,5.

[201] Cf. spec. 26,2ss (Battista 48s); cod. E 26,2ss (Erbetta I/2,198). Vedi ERBETTA I/2 (nota 11), 190.

[202] Vedi note 145-150.

[203] 26,7 (Battista 49).

[204] Prol. (Battista 23). Cf. cod. I prol. (ib. 74): « nostro padre ».

[205] Cod. E prol. (Erbetta I/2,190).

[206] Vedi CIGNELLI, *Le saint Joseph* (nota 7), 207-208.

[207] Vedi note 73 e 97.

[208] Vedi nota 197.

[209] *Lc* 6,40. Cf. *Mt* 10,24s; *Gv* 13,16. Vedi nota 35.

Dio non dice e non dà niente di superfluo e di inutile[210]. La *Storia* ha il merito di ricordarci questa verità e di aiutarci a capirla e viverla oggi. Essa vuole introdurci in quel santo Focolare per farci condividere l'esperienza, sommamente benefica, della comunità giudeo-cristiana dell'antica Nazaret.

3. VALUTAZIONE

Tentiamo una valutazione del materiale raccolto. Come si è detto, la *Storia* legge il Vangelo esplicitandolo e integrandolo alla luce dell'intera Scrittura e del giudaismo antico, nonché del primo libro di Dio, la sana Natura[211]. E lo fa in genere con risultati accettabili e lodevoli. Più esattamente, quella del nostro aggadista è una lettura *popolare* del Vangelo dell'Infanzia. L'immagine di Giuseppe e quella della S. Famiglia che ne risultano non sono perfette, ma non mancano di tratti autentici e interessanti, per giunta non facilmente reperibili altrove, neppure nell'esegesi dotta o scientifica. Il popolo — lo sappiamo — legge e capisce col cuore, con l'amore, che del resto è « il migliore dei maestri »[212]. A Dio — dice S. Efrem — « arriva la fede, l'amore e la preghiera »[213].

La *Storia* è in definitiva un saggio di quella « pietà popolare » che, al dire degli ultimi Pontefici, è « così ricca e insieme così vulnerabile » e che va « orientata » e « purificata », non già soppressa o lasciata morire[214]. Nel nostro apocrifo, come nel resto di questa letteratura anonima, non tutto è oro, ma c'è « dell'oro »[215]. Gli apocrifi contengono scorie ed elementi caduchi come, d'altronde, più o meno, le opere di tutti gli autori, compresi i Padri e i Dottori della Chiesa. Nessuno può accettare tutto S. Agostino o tutto S. Tommaso, S. Bonaventura, ecc.

---

[210] Cf. 30,7 (Battista 54); cod. E 30,7 (Erbetta I/2,199); - *Mt* 5,18s; 7,26s; 10,14s; - ORIGENE, *In Mt. com.* 16,12 (GCS 40/2,513s); *Philoc.* 10,1 (SC 302,366-76 con note); S. BASILIO, *In Hex. hom.* 6,11 (SC 26,382); 9,1 (ib. 482); *De hom. struct.* 1,15 (SC 160,206): « Dire che nella Scrittura c'è una parola inutile è terribile bestemmia ».

[211] Vedi nota 26.

[212] PLINIO IL GIOVANE, *Ep.* 4,19. Vedi note 6 e 25. In connessione con la nota precedente notiamo che il popolo, i semplici hanno uno spiccato senso sia della Natura sia della Scrittura e che i due sensi sono direttamente proporzionali. Pensiamo a un Francesco d'Assisi e a una Teresa di Lisieux.

[213] *De fide hym.* 4,11 (CSCO 155,12). Cf. *De fide ser.* 6,83s (CSCO 213,62): « Il Figlio (di Dio) viene trovato dagli indotti, mentre i dotti ne sono (ancora) alla ricerca »; *De virg.* 15,5 (CSCO 224,51): *Gv* 1,1 è « una verità per i devoti, un tormento per gli indagatori », cioè per i teologi razionalisti.

[214] PAOLO VI, Esort. apost. *Evangelii nuntiandi,* 48; GIOVANNI PAOLO II, Esort. apost. *Catechesi tradendae,* 54. Vedi note 6 e 25.

[215] S. GIROLAMO, *Ep.* 107,12 (PL 22,877). Cf. 54,11 (ib. 555); S. AGOSTINO, *De civ. Dei* 15,23 (CChr. SL 48,491): negli apocrifi « invenitur aliqua veritas ».

Perciò il giudizio di non pochi studiosi a riguardo degli apocrifi risulta troppo severo e, tutto sommato, ingiusto [216]. L'ostracismo indiscriminato a questa letteratura paleocristiana va abbandonato per dovere di giustizia e per nostro interesse. Gli apocrifi sono una miniera storico-dottrinale da ricuperare a beneficio della teologia e della vita, naturalmente a precise condizioni [217]. Qui pure va applicato il principio paolino: « Esaminate ogni cosa, ritenete ciò che è buono » (*1Ts* 5,20). La pietra di paragone è — e deve restare — la Rivelazione pubblica, Tradizione e Scrittura, « regola suprema della fede » [218]. Con essa dev'esser confrontato ogni altro documento religioso, quindi anche la *Storia di Giuseppe il Falegname.* Quando il nostro apocrifo ci aiuta a capire meglio il racconto evangelico, noi lo seguiamo ben volentieri; quando invece non ci fa questo servizio, l'abbandoniamo senza difficoltà.

Nonostante i suoi limiti, comuni peraltro a ogni opera umana, la *Storia* ha buoni servizi da farci. Essa è un'attualizzazione sostanzialmente valida del Vangelo dell'Infanzia, una testimonianza di fede ecclesiale. Come tale, ci media una comprensione e una valorizzazione autentica del Mistero di Nazaret, della S. Famiglia. Ci ricorda che essa è la famiglia salvata e promossa da Dio stesso, naturalmente non senza cooperazione umana, e che di conseguenza per essa passa la vera salvezza e la vera promozione di ogni famiglia e dell'intera società. Ci aiuta inoltre a rivivere la realtà spirituale della S. Famiglia, a sentirla presente normativa coinvolgente nell'oggi dell'Incarnazione redentrice. Un servizio — come si vede — tutt'altro che trascurabile.

Precisiamo qualcosa distinguendo fra dati storico-geografici e dati etico-spirituali, e valutando tutto alla luce della fonte normativa, il Vangelo.

— Dei dati *storico-geografici* che ci offre l'apocrifo scartiamo senz'altro la vecchiaia e la vedovanza di Giuseppe quando prende

---

[216] E' il caso ad es. di GUY-M. BERTRAND: vedi CIGNELLI, *Le saint Joseph* (nota 7), 199; di DANIELI (nota 6), 11: « In particolare non si trova nulla che meriti seria considerazione nei cosiddetti vangeli apocrifi, che pure hanno tanto ispirato l'arte cristiana ... »; CARRASCO (nota 5), 93-94; spec. R. LAURENTIN, *La Vergine Maria,* Roma 1983, 274-275.

[217] Questo ricupero è stato felicemente intrapreso, in Palestina, da B. Bagatti, seguito da non pochi altri, tra cui D. BERTETTO, *La Madonna oggi,* Roma 1975, 209-219. Vedi CIGNELLI, *Il prototipo* (nota 12), 262-263. - Il senso degli apocrifi mi pare sia stato colto bene da M. POMILIO, *Il quinto Evangelio,* Milano 1975, 346-347: « ... l'apocrifo, in sé, badi bene, non è un falso nel senso comune della parola, un'adulterazione consapevole. E' un tentativo ingenuo, quasi sempre popolare, per mettere ulteriormente a fuoco la figura di Gesù. Ed è, al limite, anche ricerca - ricerca del Cristo. L'espressione, voglio dire, in forme immaginose, di quel medesimo bisogno di conoscenza che per secoli ha spinto i cristiani a domandarsi chi egli fosse, che ha trasformato il pensiero cristiano in una perpetua interrogazione del Cristo ».

[218] CONCILIO VATICANO II, *Dei Verbum,* 21. Cf. 7-10.

Maria con sé[219]. Possiamo ritenere invece altre notizie: ad es., che la Madonna divenne madre di Gesù a quattordici anni[220]; che Giuseppe lasciò questa terra quando Gesù aveva diciotto anni, prima quindi della Vita pubblica[221], e che morì e fu sepolto a Nazaret[222]. Il papà adottivo è rimasto in questo mondo fino al completo sviluppo dell'uomo Gesù[223], la cui perfetta riuscita resta la sua gloria suprema. « La gloria di un padre è il figlio saggio »[224]. E chi più saggio, sapiente, di Gesù?[225]. E se « il figlio saggio rallegra il padre » (*Pr* 15,20), chi più felice di Giuseppe?[226].

— Dei dati *etico-spirituali* della *Storia*, fatta eccezione dello stato vedovile del Patriarca, possiamo ritenere praticamente tutto. Le figure principali, Gesù Maria Giuseppe, dipendono essenzialmente dal Vangelo e sono tratteggiate senza sfasature e deformazioni di sorta[227]. L'aggadista rileva in particolare l'esemplarità della S. Famiglia nel suo insieme e nei singoli membri. Con l'esemplarità insegna pure, come logica conseguenza, la devozione al Focolare di Nazaret, alla « triade umano-divina: Gesù, Maria, Giuseppe »[228], i nomi più cari al cuore cristiano[229]. Notiamo che la devozione alla S. Famiglia è un dato specifico della *Storia*, un suo merito esclusivo. Qui l'aggadista ha colto, molto meglio di tutti gli autori antichi, l'intenzione del racconto evangelico.

La *Storia* dunque, specchio e portavoce della Nazaret cristiana dei primi secoli, va considerata come la culla della devozione alla S. Famiglia in genere e a S. Giuseppe in specie. Si tratta ovviamente di due devozioni non solo legittime perché d'ispirazione evangelica,

---

[219] Cf. già, ma con riferimento ad altri apocrifi, S. GIROLAMO, *In Mt. 12, 49 com.* II (SC 242,262). Vedi CIGNELLI, *Le saint Joseph* (nota 7), 203.210-211; DANIELI (nota 6), 60-68; CARRASCO (nota 5), 46-47.71-74.103. Cf. anche nota 175.

[220] Cf. 5,1 (Battista 27); 14,6 (ib. 34); cod. E 5,1 (Erbetta I/2,191); 14,6 (ib. 193).

[221] Cf. 14,6 (Battista 34): senza parallelo nel cod. E, mentre secondo il cod. (saidico) C 14,6 (ib. 152) Giuseppe sarebbe morto quando Gesù aveva « undici anni ». GIRAUD (nota 66), 129 condivide la data del cod. M.

[222] Cf. 14,1 (Battista 33s); 25,1 (ib. 47); 27,3s (ib. 50); 29,2 (ib. 53). Vedi CIGNELLI, *Le saint Joseph* (nota 7), 203.211-212. Se CARRASCO (nota 5), 78 avesse avuto più rispetto per il nostro documento, forse non avrebbe scritto quanto segue: « Non si ha alcuna notizia sul luogo della sua sepoltura; se fosse stata nota, certamente il suo corpo avrebbe avuto onore e venerazione ».

[223] Vedi CARRASCO (nota 5), 75-76.

[224] S. GIROLAMO, *Ep.* 52,7 (PL 22,534). Cf. *Pr* 10,1.

[225] Cf. *Mt* 12,42; 13,54; *Lc* 2,40ss; *1Cor* 1,24.30.

[226] Vedi note 66 e 134.

[227] Per un'analisi dettagliata del contenuto dottrinale della *Storia* vedi GIAMBERARDINI (nota 15), 74-90 e BAGATTI, *Historia* (nota 8), 215-238. - È doveroso notare, a questo punto, che sia gli autori citati come il sottoscritto hanno valorizzato i dati della *Storia* senza distinguere fra testo primitivo scomparso e testi derivati pervenuti fino a noi. Una tale distinzione, per sé importantissima, purtroppo non è stata ancora tentata e richiede, ovviamente, non pochi studi preliminari.

[228] L'espressione è di GIOVANNI PAOLO II, *Udienza generale* 1-5-1985 (Gli incontri).

[229] Cf. 17,3 (Battista 37); 18,3 (ib. 39); 26,6-8 (ib. 49). Vedi note 198s.

ma anche tanto benemerite perché hanno plasmato, tra santi e beati, moltissimi testimoni qualificati e hanno suscitato meravigliose opere di bene nella Chiesa e nel mondo.

Per ciò che riguarda la devozione a S. Giuseppe [230], va notato che la *Storia* la fonda sui tre titoli che fanno l'eccellenza del nostro Patriarca e costituiscono i capisaldi della buona teologia giuseppina, cioè in ordine decrescente: « padre del Signor Cristo », « sposo della grande Signora Martamariam », « nostro padre beato Giuseppe » [231]. Essa poi, oltre ad essere ben fondata teologicamente, viene programmata secondo i requisiti e gli elementi essenziali dell'autentica devozione cristiana: cioè preghiere e buone opere secondo le possibilità di ciascuno, il tutto finalizzato all'imitazione del Santo [232].

— Naturalmente la *Storia* non esaurisce l'argomento, il mistero della S. Famiglia, e quello che ne dice è molto meno di quello che non dice. Rispetto alla fonte normativa, il Vangelo, il nostro documento non è che una riduzione con elementi, per giunta, discutibili e perfino inaccettabili, come si è visto. Non dimentichiamo, però, che è così di ogni spiegazione umana della Scrittura e dei suoi Misteri. « Non si riesce ad esaurire il Vangelo. Ogni volta esso è sempre più nuovo, di una novità che sconvolge e beatifica » [233]. Ha ragione perciò S. Teresina di dire che noi leggeremo tutta la « storia » di S. Giuseppe solo « in cielo » [234].

Il nostro apocrifo è un documento utile ma insufficiente; ci aiuta ma non ci dà tutto; si può accettare ma non interamente. Solo l'autorivelazione divina è necessaria e sufficiente a tutti e a tutto. La *Storia* va a un tempo accolta, corretta e integrata: accolta in ciò che dice di valido, corretta in ciò che dice di inaccettabile, integrata in ciò che non dice.

4. CONCLUSIONE

La *Storia di Giuseppe il Falegname* è in sostanza un esempio da imitare. L'aggadista giudeo-cristiano ha cercato di fare la sua parte per la sua epoca e il suo ambiente. Ha fatto certamente del suo meglio, dandoci così un esempio perché anche noi facciamo la nostra parte per la nostra epoca e il nostro ambiente.

---

[230] Vedi nota 122; B. BAGATTI, *Il culto di S. Giuseppe in Palestina,* in: *S. Giuseppe nei primi quindici secoli della Chiesa* (= Cahiers de Joséphologie, 19), Roma 1971, 564-575; ID., *Historia* (nota 8), 187-188; CIGNELLI, *Le saint Joseph* (nota 7), 208-209.211-212; GREGO (nota 7), 311-312.

[231] Vedi note 203-207.

[232] Cf. 26,2ss (Battista 48s). Vedi nota 201.

[233] V. NOÈ, in: *L'Osser. Romano,* 20-6-1985, p. 5. Cf. *Sal* 119,96; *Sap* 7,14; S. EFREM, *In Diat. com.* 1,18s (SC 121,52s).

[234] *Poesie* 25,3, in: *Gli Scritti,* Roma 1970, 863. Vedi CARRASCO (nota 5), 67.

Oggi — è risaputo — la famiglia, specie quella cristiana, è oggetto di accanita contestazione da parte dei nemici della fede e di non pochi sedicenti cristiani. Siamo tutti chiamati a dare man forte alla difesa e alla promozione di questa vitale e irrinunciabile istituzione che è il focolare domestico.

Ci sia di stimolo, in questo ricupero del Mistero, l'esempio luminoso di Paolo VI pellegrino a Nazaret il 5 gennaio 1964. La sua storica *Omelia,* pronunciata nella nuova basilica dell'Incarnazione, è in piena sintonia col nostro omileta o aggadista giudeo-cristiano. Eccone un passo saliente, saggio, fra l'altro, dello stile scultoreo del grande Pontefice: « Oh! comme vorremmo ritornar fanciulli e metterci a questa umile e sublime scuola di Nazaret! ... Nazaret insegni che cos'è la famiglia, la sua comunione d'amore, la sua austera e semplice bellezza, il suo carattere sacro e inviolabile. Impariamo da Nazaret come è dolce e insostituibile la formazione che essa — la famiglia — dà; impariamo come la sua funzione stia all'origine e alla base della vita sociale ».

UNA VISIONE MARIANA NEI « DIALOGHI » DI GREGORIO MAGNO: « DIAL. » IV,18

VINCENZO RECCHIA, S.D.B.

1. Il cap. XVIII del quarto libro dei *Dialoghi* di Gregorio Magno[1] riporta fedelmente il racconto che il monaco romano Probo[2] era solito ripetere sull'apparizione della Madonna a sua sorella di nome Musa: una fanciulla in tenera età (*puella parva*). Una notte le apparve *per visionem* la vergine Maria che le mostrò un gruppo di coetanee in vesti bianche. Desiderando la piccola Musa unirsi ad esse, ma non osando farlo, la Madonna le chiese espressamente se desiderasse congiungersi con loro e porsi al suo servizio: *an vellet cum eis esse atque in eius obsequio vivere.* Alla risposta affermativa di Musa, la vergine Maria le ingiunse di non compiere più nulla che sapesse di leggerezza infantile e di astenersi dal riso e dai giochi, nella sicura attesa che nel giro di trenta giorni sarebbe stata associata, nel suo servizio, alle altre fanciulle che ella aveva visto attorniarla.

Dopo la visione la piccola cambiò completamente la sua condotta, *omnemque a se levitatem puellaris vitae magna gravitatis detersit manu.*

Alla meraviglia e alle domande dei parenti ella raccontò ciò che la beata Madre di Dio le aveva comandato, indicando il giorno in cui sarebbe entrata al suo servizio.

A venticinque giorni dall'accaduto sopraggiunse la febbre e nel trentesimo giorno, essendo arrivata l'ora della morte, Musa vide di nuovo la Madre di Dio con il coro delle accompagnatrici. Alla Madonna che la chiamava a sé la fanciulla, abbassando gli occhi con rispetto, ripeté due volte con voce chiara: *Ecce, Domina, venio.* Così

---

[1] Faccio riferimento all'ed. del l. IV dei *Dialoghi di Gregorio* Magno curata da A. DE VOGÜÉ, *Dialogues,* t. III, l. IV: Sources Chrétiennes 265, Paris 1980, pp. 70-72.

[2] Si tratta del monaco Probo, e non di suo zio, anch'egli di nome Probo, vescovo di Rieti. Di lui si parla a più riprese nei *Dialoghi* e nel *Registrum Epistularum* di Gregorio Magno: *Dial.* IV, 13; 18; 20; 40,6-7: (*Dialogues* t. III c. pp. 52-54; 70-72 74-76; 142-144); *Reg. Epist.* 9,44 e 67; 11,15 (MGH. *Ep.* II, ed. L.M. HARTMANN, pp. 71-72; 87-88; 275-277). Egli condusse tra l'ottobre e il dicembre del 598, a nome del papa, trattative di pace con i Longobardi: *Epp.* 9,44 e 67. Ordinato improvvisamente da Gregorio abate del monastero detto *Renati* o dei santi Andrea e Lucia, chiese ed ottenne dal pontefice di poter disporre dei suoi beni liberamente anche dopo l'ordinazione abaziale: *Ep.* 11,15.

dicendo rese lo spirito e uscì dal suo corpo verginale per abitare con le sante vergini.

2. Non mi soffermo sulla distinzione tra sogno e visione che allargherebbe il discorso sotto il profilo delle fonti anche della tradizione classica [3]. Il racconto gregoriano parla di visione avuta da Musa prima *quadam nocte* e poi, a quanto pare, in pieno giorno. La mia indagine vuol seguire altre direzioni.

Dirò piuttosto che il racconto gregoriano non ha, a quanto ho potuto constatare, molti precedenti — mi riferisco alle visioni mariane — se non nella biografia di Gregorio il Taumaturgo in cui si dice che a questo santo sarebbero apparsi la Madre del Signore e l'Evangelista S. Giovanni, che gli avrebbero manifestato la professione di fede dal Taumaturgo poi esposta e tramandata [4], nonché in un racconto di Gregorio di Tours. Questi nel *De gloria Martyrum* parla di una visione della Madonna apparsa in sogno all'imperatore Costantino per rivelargli come avrebbe potuto risolvere il problema di mettere in piedi le grossissime colonne della costruenda basilica *in valle Iosaphat,* dedicata appunto a santa Maria. La tecnica indicata dalla Vergine avrebbe facilitato l'operazione al punto che tre fanciulli avrebbero potuto condurla a termine: *Coniunge tecum tres pueros de scolis, quorum hoc adiutorium possis explere* [5]. Ma nel racconto di Gregorio di Tours non c'è traccia di predilezione della Vergine per i fanciulli. Di un frequente colloquio di Martino di Tours con Agnese, Tecla e Maria si parla nei *Dialoghi* di Sulpicio Severo [6] ripreso da Venanzio Fortunato [7].

A parte questi richiami paralleli, occorre sottolineare che siamo alla fine del VI secolo, in un periodo di grande fioritura del culto mariano, dopo l'esplicita menzione della Vergine come Madre di Dio (Theotokos) nel simbolo del Concilio di Calcedonia [8] e nei canoni del Concilio Costantinopolitano del 553 [9], e dopo che furono fissate per disposizione di Giustiniano prima [10] e dell'imperatore Maurizio

---

[3] *Somnium Scipionis*: ed. A. RONCONI, Firenze 1967²: Intr., pp. 13-19.

[4] GREGORIUS NYSSENUS, *Vita Gregorii Thaumaturgi*: PG 46, 912-913.

[5] GREGORIUS TURONENSIS, *Liber in gloria Martyrum,* 8: MGH. SRM t. I, p. II (B. Krusch), p. 43 e note relative. Gregorio Magno può aver letto e utilizzato per alcuni racconti dei *Dialoghi* e delle *Omelie* 34 e 37 *in Evang.* Il *Liber in gloria Martyrum* (586) e il *Liber in gloria Confessorum* (589) di Gregorio di Tours, o l'uno e l'altro autore, come pensa il de Vogüé, possono aver attinto a una fonte comune: cfr. A. DE VOGÜÉ, *Grégoire le Grand, lecteur de Grégoire de Tours?,* in «Analecta Bollandiana» 94 (1976) 225-233.

[6] SULPICIUS SEVERUS, *Dialogi* 2,13: CSEL 1 (C. Halm), p. 196.

[7] VENANTIUS FORTUNATUS, *Vita Martini,* vv. 441; 455-459: MGH. AA t. IV, p. I (F. Leo), pp. 344-345.

[8] H. DENZINGER - A. SCHÖNMETZER, *Enchiridion Symbolorum* 301, Romae 1967³⁴, p. 108.

[9] Can. 2: *ib.* p. 145.

[10] *Sermo de festis, qui scriptus est ad Ierusalem a Iustiniano rege orthodoxo, de Annuntiatione et Nativitate, de Hypapante et Baptismo,* in *Scritti teologici ed ecclesiastici di Giustiniano,* a cura di M. AMELOTTI e L. MIGLIARDI ZINGALE (Legum Iustiniani Imperatoris vocabularium - Subsidia III) Milano 1977, pp. 171-

poi [11] rispettivamente le feste mariane della Purificazione al 2 febbraio e della κοίμησις della Madre di Dio al 15 agosto. Varie sono, infatti, le chiese dedicate alla Madonna in cui si parla nel *Registrum epistularum* di Gregorio Magno [12]. Ma quello che più mi interessa in questa indagine sono i presupposti teologici e la teoria ascetica che soggiace al racconto gregoriano.

Gregorio nelle sue opere esegetiche non sviluppa una dottrina mariana distinta dal mistero di Cristo. Anzi, egli non ha una trattazione dedicata di proposito alla Vergine Maria [13], né si inoltra nel campo della mariologia oltre i confini delle verità relative alla maternità divina e alla perpetua verginità della Madonna, come avvenne nella teologia a lui posteriore. Ciò nonostante, la chiusura del racconto gregoriano pare di una straordinaria vicinanza al linguaggio dei racconti edificanti a noi prossimi nel tempo: *Die autem tricesimo, cum hora eius* (*sc. Musae*) *exitus appropinquasset, eandem beatam genitricem Dei cum puellis, quas per visionem viderat, ad se venire conspexit. Cui se etiam vocanti respondere coepit, et depressis reverenter oculis aperta voce clamare*: « *Ecce, domina,*

177, sp. VII,19, p. 177. L'ep. ci è giunta in georgiano; la sua trad. lat. c. è di M. van Esbroeck. E' databile al 560: M. van Eebroeck, *La lettre de l'empereur Justinien sur l'Annonciation et la Noël en 561*, in « Analecta Bollandiana » 86 (1968) 351-371 e Idem, *Encore la lettre de Justinien. Sa date*: *560 et non 561*, *ib.* 87 (1969) 442-444. Per Costantinopoli la festa della Purificazione fu fissata al 2 febbraio da Giustiniano nel 534: Theophanes, *Chronographia* ad annum 6034: ed. C. De Boor, v. I, Lipsiae 1883, p. 222. Cfr. anche Nicephorus Callistus, *Eccl. Hist.* 17,28: PG 147, 292. Per la diffusione della festa della Purificazione in Occidente, v. I. Deug-Su, *La festa della purificazione in Occidente* (*Secoli IV-VIII*), in « Studi Medievali » 3ª Serie, 15, fasc. I (1974) 143-216. A pp. 148-149 si affaccia l'ipotesi che la festa della Purificazione esistesse in Roma ai tempi di Gelasio I (492-496), ipotesi che si integra con la supposizione che ai tempi di papa Vigilio (537-555) Roma si fosse uniformata alla disposizione di Giustiniano del 534.

[11] Nicephorus Callistus, *Eccl. Hist.* 17,28: PG 147, 292. Coincidente con la disposizione dell'imperatore Maurizio (582-602) si può considerare la testimonianza in Occidente della *Dormitio* e *Adsumptio Mariae* nel *Liber in gloria Martyrum*, 4, *o.c.*, p. 39, di Gregorio di Tours.

[12] *Oratorium beatae Mariae in cella fratrum* a Palermo: *Ep.* 1,54: MGH. *Ep.* I (P. Ewald - L.M. Hartmann), p. 79; Basilica di S. Maria in Roma: *Ep.* 2,2: ed. c. p. 102; *Ecclesia sanctae Mariae quae appellatur Pisonis* probabilmente in *Atella* (oggi Aversa): *Ep.* 2,16: ed. c. p. 113; *Oratorium in honore beatae Mariae semper virginis in civitate Neapolitana in regione Herculanensi in vico qui appellatur Lampadi*: *Ep.* 3,58: ed. c. p. 217; *Basilica beatae Mariae semper virginis genitricis Dei in ecclesia Reatina, Ep.* 9, 48: MGH. *Ep.* II (L.M. Hartmann), p. 76; *Ecclesia sanctae Mariae in parochia Grumentina* (oggi Saponara), *Ep.* 9, 209: ed. c. p. 196; *Ecclesia sanctae Mariae* in Taranto: *Ep.* 13,24: ed. c. p. 390; *Basilica semper virginis Mariae* probabilmente in Palermo: *Ep.* 14,9: ed. c. pp. 428-429. Si possono citare anche i monasteri femminili intitolati a santa Maria, come quello di Napoli di cui è abadessa Tecla: *Ep.* 9,54: ed. c. p. 79; e a Autun, di cui è abadessa Talasia: *Ep.* 13,12: ed. c. pp. 378-380.

[13] Cfr. M. Doucet, *La Vierge Mère de Dieu dans la théologie de saint Grégoire le Grand*, in « Bulletin de Littérature Ecclésiastique » 84 (1983) 163-177, specialmente 173-174, che parlano dell'apparizione a Musa a conferma del ruolo d'intercessione e di protezione presso Dio svolto, secondo Gregorio, da Maria.

venio. Ecce, domina, venio». In qua etiam voce spiritum reddidit, et ex virgineo corpore habitatura cum sanctis virginibus exivit [14].

C'è indubbiamente, a prima vista, un grande iato tra la teologia mariana espressa occasionalmente, o lasciata sovente appena intravedere, nei commentari biblici e il racconto dei Dialoghi, che è un documento di pietà mariana. Ma ad un esame attento questi brani esegetici rivelano una impostazione di fondo e qualche volta dei chiari indizi per cui la distanza tra l'esegesi e la testimonianza offerta dal racconto viene in certo modo a colmarsi.

E' quanto mi propongo di verificare con il presente lavoro nel quale, sempre partendo dalla chiara posizione che la teologia mariana espressa da Gregorio è, come nei Padri a lui antecedenti, strettamente legata al mistero della reale umanità di Cristo e dell'unione delle due nature umana e divina del Redentore nella persona del Verbo, cerco di cogliere gli elementi di apertura agli sviluppi successivi allo stesso pontefice. Tali aperture offrono una plausibile sutura tra il racconto di *Probus Dei famulus* e i limiti imposti da Gregorio alla formulazione della sua teologia sulla beata Vergine, Madre di Dio.

3. La teologia mariana di Gregorio che esalta, come ho detto, le due verità relative alla maternità divina e alla perpetua verginità di Maria, si fonda sul presupposto che siamo di fronte a misteri che il pensiero umano non riesce con le sue forze a spiegare: *Qua in re humana natura quod admirando comprehendere non valet, restat ut hoc sibi esse credibile ex admiratione alia sciat.* Il riferimento diretto del pontefice è alle parole rivolte dal Cristo dopo la resurrezione a Maria Maddalena: «Non toccarmi perché non sono salito ancora al Padre» (*Io.* 20,17). Spiegando questa proibizione Gregorio osserva che tocca il Signore colui il quale lo crede uguale al Padre nella eternità della sostanza. *Constat enim quia ipse creavit matrem, in cuius virgineo utero ex humanitate crearetur. Quid ergo mirum si aequalis est Patri, qui prior est matre?* [15]. Apparentemente l'esegeta ribadisce la distinzione tra Cristo e sua madre; in realtà li coinvolge ambedue nel mistero. E' ciò che vediamo ripetersi in *Hom. in Hiez.* 2,8,9 dove, a proposito delle obiezioni che alcuni facevano ai problemi naturali posti dalla resurrezione della carne, il pontefice fa tutto un elenco di misteri che l'intelletto umano deve riconoscere in natura circa fenomeni della cui realtà fondamentale non dubita. Passa quindi ad elencare alcuni fatti miracolosi esposti nella Bibbia come la divisione del Mar Rosso al tocco della verga di Mosè (*Ex.* 14,22), la fioritura della verga di Aronne (*Num.* 17,8), il concepimento e il parto verginale di Maria che discendeva appunto dalla stirpe di Aronne (*Lc.* 1,27-35; 3,23-38) [16].

---

[14] *Dial.* IV,18 c.

[15] *Homilia in Evangelium* (*HEv*), 2,25,6: PL 76,1193.

[16] *Homilia in Hiezechihelem* (*HEz*), 2,8,9: CChr SL 142 (M. Adriaen), pp. 342-343.

I misteri di Maria sono visti dal pontefice nel quadro complessivo della visione del mondo e situati nell'arco della storia salvifica. E questo per la visione fondamentalmente incarnazionista che presenta nel complesso la sua teologia relativa alla salvezza. Commentando *Iob*, 33,23-24: *si fuerit pro eo angelus loquens unum de similibus, ut annuntiet hominis aequitatem, miserebitur eius et dicet: libera eum*, Gregorio concentra prima la sua attenzione sull'*unum de similibus* per distinguere quanto in Cristo c'è di simile a noi e quanto di distinto per l'efficacia della sua opera di medico dell'umanità da redimere. Dio apparve simile all'uomo *ut dum videretur ex simili, curaret ex iusto; et dum veritate generis concordat conditioni, virtute artis obviaret aegritudini* [17]. L'esegeta approfondisce gli aspetti della vita del Cristo che concordano con la nostra e quelli che si elevano sull'umana condizione di mortali. C'è nella sua nascita, morte e resurrezione qualcosa che lo accomuna e qualcosa che lo distingue da tutti noi. *Non enim cooperante coitu, sed Spiritu sancto superveniente conceptus est* (*Lc.* 1,33). *Natus autem materna viscera et fecunda exhibuit et incorrupta servavit* [18]. Gregorio Magno è sulla linea della tradizione patristica nel difendere la verginità di Maria per affermare la divinità di Cristo e nell'esaltarne la maternità reale contro ogni forma di docetismo. Per lui — e ce lo conferma con chiarezza nel commentare le parole di Elihu poste sulle labbra del Cristo: *libera eum* (*sc. hominem*) — la redenzione si compie già nell'atto con cui il Verbo assume in forma libera per sé la natura umana: *Ex ea quippe carne quam sumpsit, etiam hanc ostendit liberam quam redemit. Quae redempta videlicet caro nos sumus, qui cognitione nostri reatus astringimur ... Unigenitus Patris formam infirmitatis nostrae suscipiens, solus iustus apparuit, ut pro peccatoribus intercederet* [19].

Il coinvolgimento, nella salvezza dell'umanità, della incarnazione dal concepimento alla resurrezione del Cristo, esige all'origine dell'opera del salvatore la presenza della madre vergine. Tale concetto è da Gregorio espresso a più riprese con sfumature diverse che arricchiscono la visione teologica del nostro autore. Il commento alla visione dell'« uomo » contemplato da Ezechiele (1,27): « Il suo aspetto era tale che da quello che appariva dai suoi lombi in su lo vidi risplendere interiormente come l'elettro, e da ciò che sembrava dai lombi in giù lo vidi simile al fuoco che splendeva tutto intorno », è denso di insegnamento a questo riguardo. L'attenzione del pontefice è prima di tutto concentrata sul punto di discriminazione del diverso modo di presentarsi della stessa figura dell'uomo: i lombi. *Quid enim lumborum nomine, nisi propago mortalitatis exprimitur? Propter quod etiam de Levi dicitur quia adhuc in lumbis patris erat cum Melchisedech occurrit Abrahae* (cfr. *Hebr.* 7,10). A questo punto il pensiero di Gregorio va naturalmente a Maria come fonte dell'umanità del Verbo:

---

[17] *Moralia in Iob* (*Mor*), 24,2,2: PL 76,287.
[18] *Mor* 24,2,3: PL 76,288.
[19] *Mor* 24,3,5: PL 76,289-290.

De lumbis vero Abrahae virgo Maria exiit, in cuius utero Unigenitus Patris per sanctum Spiritum incarnari dignatus est [20]. Maria è al punto di sutura tra le diverse presenze del Cristo nelle vicende storiche dell'umanità non solo prima e dopo l'evento salvifico — Gregorio offre, come si vedrà, due spiegazioni distinte dei termini *desuper* e *deorsum* contenuti nel dettato di Ezechiele che commenta — ma, in una prospettiva ancora più ampia, tra la presenza del Verbo incarnato in mezzo agli spiriti celesti e nel mondo degli uomini. *Prius ergo intrinsecus ignis erat, sed splendor non erat, quia sanctus Spiritus in multis quidem patribus Iudaeam replebat, sed ad notitiam gentium necdum eius lumen emicuerat. A lumbis vero eius et deorsum ignis in circuitu splendet, quia postquam de Virgine carnem sumpsit, in humano genere longe lateque sancti Spiritus dona dilatavit* [21]. Nella ripresa del commento con una più profonda riflessione teologica, Maria si ritrova al punto di congiungimento tra l'universo dei celesti e quello degli uomini nel rapporto dell'uno e dell'altro mondo con il Cristo. Gregorio può quindi concludere: *Et quia eius membra sunt electi angeli in caelo, eius membra sunt conversi homines in terra; unus homo est qui et super lumbos ardet intrinsecus, et sub lumbis inferius ignis sui splendorem in circuitu emittit, quia et angelos ad amorem suum per divinitatem tenuit, et homines ad sancti ardoris sui desiderium ex humanitate revocavit* [22].

Proprio per questa dimensione elevatissima dell'evento salvifico di cui è direttamente partecipe la Vergine Maria, a lei è inviato per l'annunzio non un semplice angelo, ma un arcangelo. *Hi autem qui minima nuntiant angeli, qui vero summa annuntiant, archangeli vocantur. Hinc est enim quod ad Mariam virginem non quilibet angelus, sed Gabriel archangelus mittitur. Ad hoc quippe ministerium summum angelum venire dignum fuerat, qui summum omnium nuntiabat* [23]. Gabriele vuol dire, prosegue il pontefice, fortezza di Dio: veniva ad annunziare il Cristo la cui potenza nel debellare le *aëreae potestates* è celebrata a chiare note nella Scrittura (Ps. 23,8-10) [24].

4. Questa posizione singolare di Maria nell'opera della redenzione pare che non la sottragga al debito del coinvolgimento diretto nell'opera salvifica di Cristo. Tratterò più avanti della santità di Maria e dei doni di grazia a lei elargiti da Dio. Ma Gregorio insiste molto, senza tuttavia fare esplicito riferimento alla vergine Madre, sulla estensione universale della salvezza. *Nullus sanctorum quibuslibet virtutibus plenus, ex ista tamen nigredine mundi* — il pontefice sta commentando l'espressione di *Iob*, 28,19: *non adaequabitur ei topatium de Aethiopia — collectus aequari potest ei de quo dictum est*: « *Quod nascetur ex te sanctum, vocabitur filius Dei* (*Lc.* 1,35) ». *Nos quippe etsi sancti efficimur, non tamen nascimur, quia ipsa naturae*

[20] *HEz* 1,8,26: ed. c. p. 116.
[21] *Ib.* p. 117.
[22] *HEz* 2,8,28: ed. c. pp. 117-118.
[23] *HEv* 2,34,8: PL 76,1250.
[24] *HEv* 2,34,9: PL 76,1251.

corruptibilis conditione constringimur ... Ille autem solus veraciter sanctus natus est, qui ut ipsam conditionem naturae corruptibilis vinceret, ex commixtione carnalis copulae conceptus non est [25]. Gregorio prosegue sempre sulla base di *Iob*, 28,19, e insiste sulla differenza tra la santità essenziale di Cristo e quella partecipata degli uomini: *Aliud est enim natos homines gratiam adoptionis accipere: aliud unum singulariter per divinitatis potentiam Deum ex ipso conceptu prodiisse* [26]. Ha presente e confuta l'eresia di Nestorio che, sulla scorta del *De incarnatione Christi* di Cassiano, accusa anche di pelagianesimo [27]. « *Mediator quippe Dei atque honinum, homo Christus Iesus* (*I Tim.* 2,5) »; *non sicut ipse haereticus desipit, alter in humanitate, alter in deitate est. Non purus homo conceptus atque editus, post per meritum ut Deus esset accepit, sed nuntiante angelo et adveniente Spiritu, mox Verbum in utero, mox intra uterum Verbum caro, et manente incommutabili essentia, quae ei est cum Patre et cum sancto Spiritu coaeterna, assumpsit intra virginea viscera ubi et impassibilis pati, et immortalis mori, et aeternus ante saecula temporalis posset esse in fine saeculorum* [28]. L'unione ipostatica porta l'esegeta ad esprimersi con la sintesi delle *oppositae qualitates* [29]. Il linguaggio di Gregorio si adegua al mistero dell'incarnazione al cui livello viene, per così dire, assunta la Madre di Dio coinvolta anch'essa nel flusso dello stesso linguaggio che è al di sopra delle umane vicende e dei conseguenti moduli espressivi: *ut per ineffabile sacramentum conceptu sancto, et partu inviolabili, secundum veritatem utriusque naturae, eadem virgo et ancilla Domini esset et mater* [30].

Il fulcro di tutta l'argomentazione di Gregorio è quello della cosiddetta teologia discendente. Solo in questa prospettiva era destinata ad assumere un peso sempre più rilevante la presenza di Maria nella redenzione del mondo fin dal primo istante della concezione del Verbo. La teologia ascendente che il nostro autore confuta con tanta energia nell'eresia nestoriana fusa con quella pelagiana, anche se riconosceva la santità di Maria, collocava la madre di Cristo su un piano distinto e distanziato dall'effettiva rigenerazione dell'umanità decaduta. Tale prospettiva difficilmente spiegherebbe il posto occupato da Maria nel cielo, come appare dal racconto dei *Dialoghi*, attorniata da vergini dedite al suo servizio.

5. Ho detto che Gregorio non tratta di proposito di teologia mariana. Ma nei richiami spesso fugaci e di appoggio nella esegesi

---

[25] *Mor* 18,52,84: CChr. SL 143A (M. Adriaen), pp. 947-948. Cfr. anche *Mor* 2,23,42: CChr. SL 143, p. 85; *HEz* 2,1,9: ed. c. pp. 214-215.

[26] *Mor* 18,52,85: ed. c. p. 948.

[27] Il testo di Gregorio ripete alcune delle argomentazioni di Cassiano e in qualche punto ne riecheggia il dettato. Cfr. CASSIANUS, *De incarnatione Christi*: PL 50, 101-104, 114, 159, 171-172, 183-184.

[28] *Mor* 18,52,85; ed. c. p. 948.

[29] V. RECCHIA, *Le Omelie di Gregorio Magno su Ezechiele* (*1-5*), Bari 1974, pp. 159-189.

[30] *Mor* 18,52,85: ed. c. p. 948.

biblica lascia intravedere con sufficiente chiarezza le sue convinzioni sulla santità di Maria che rifulge in modo del tutto singolare nella visione dei *Dialoghi*. La santità di Maria il nostro autore la vede assicurata, si può dire, dall'espressione evangelica: *et virtus altissimi obumbrabit tibi* (*Lc.* 1,35), citata e commentata più volte.

In *Mor.* 18,20,33 il pontefice commenta *Iob.* 27,21: *Tollet eum ventus urens*, con la descrizione della sorte di chi è maledetto da Dio. Il demonio lo investe con il vento Aquilone, infiammandolo con le sue suggestioni. Ma il giusto è protetto dal cielo e può ripetere le parole del Cantico (2,3): *Sub umbra illius quem desideraveram sedi*. Allora, prosegue l'esegeta, si verifica quello che è detto in Isaia 55,13: *Pro saliuncula ascendet abies et pro urtica crescet myrtus*. Ciò capita quando nel cuore dei giusti, invece della depressione dei pensieri terreni (*saliuncula*), sale il livello della contemplazione divina (*abies*). Uguale contrapposizione è espressa dall'ortica sostituita, per opera dello Spirito, dal mirto. *Pro urtica igitur crescit myrtus cum iustorum mentes a prurigine et ardore vitiorum ad cogitationum temperiem tranquillitatemque perveniunt, dum* (*sc. iusti*), *iam terrena non appetunt, dum flammas carnis desideriis caelestibus extinguunt* [31]. Qui il pensiero di Gregorio va alla Vergine proprio per questo refrigerio della mente datole dal cielo. A Maria è detto: *Virtus altissimi obumbrabit tibi*. Anche se l'espressione evangelica può essere spiegata diversamente, prosegue Gregorio, sempre collegandosi con quanto ha detto sopra sui simboli dell'abete e del mirto, essa può indicare la doppia natura del Verbo in quanto l'ombra si forma dalla luce e dal corpo che ne viene investito. *Dominus ... per divinitatem lumen est, qui, mediante anima* — l'inciso controbatte l'errore apollinarista ripreso in alcune correnti monofisite — *in eius* (*sc. Mariae*) *utero fieri dignatus est per humanitatem corpus* [32].

Il significato dell'*obumbratio* è sottolineato con maggiore incisività, sempre con il riferimento diretto a Maria, in *Hom. in Ev.* 2,33,7, laddove il nostro autore, richiamandosi a *Cant.* 1,6, descrive le condizioni spirituali delle anime alla cui ombra si ristora e riposa il Verbo di Dio. *In illis ... cordibus Dominus requiescit, quae amor praesentis saeculi non incendit, quae carnis desideria non exurunt, quae incensa suis anxietatibus in huius mundi concupiscentiis non arescunt* [33]. A questo punto il pensiero di Gregorio va espressamente a Maria che offre al cerbiatto divino pascolo e riposo nell'arsura: *Umbrosa loca in meridie ad pascendum hinnulus quaerit, quia talibus mentibus Dominus pascitur, quae per respectum gratiae temperatae corporalibus desideriis non uruntur* [34].

Spesso nei commentari biblici gregoriani ritorna l'immagine di Maria vergine, quando si descrivono gli stadi più elevati della con-

---

[31] *Mor* 18,20,32: ed. c. pp. 906-907.
[32] *Mor* 18,20,33: *ib.*, p. 907.
[33] *HEv* 2,33,7: PL 76,1243-1244.
[34] *Ib.*

templazione. Così, commentando *Iob*, 23,12: *Et in sinu meo abscondi verba oris eius*, il richiamo va alla Vergine Madre presentata in *Lc.* 2,19 nel costante atteggiamento di chi raccoglie nelle profondità dello spirito e conserva gelosamente la parola divina: *In sinu etenim cordis verba oris eius abscondimus, quando mandata illius non transitorie, sed implenda opere audimus ... Quae nimirum verba, et cum ad operationem prodeunt, in sinu cordis absconsa latent, si per hoc quod foras agitur intus agentis animus non elevatur* [35]. Gregorio, quando descrive i gradi più alti della vita spirituale, trova molto spesso il modo di mettere in guardia le anime dal pericolo della superbia, la quale è una specie di *avaritia sublimitatis*, di ingordigia di preminenza, da cui si lasciò prendere Adamo e da cui fu esente il Cristo, che non stimò un tesoro geloso l'essere uguale a Dio (*Phil.* 2,6) [36]. Sulla linea di Cristo è Maria, la quale si denomina *ancilla Dei.*

Gregorio nei pochi tratti con cui ci presenta la figura morale della Madre di Dio rimane sempre aderente a quanto è detto di lei nel Vangelo. La verginità *ante partum* è assicurata da *Mt.* 1,25: *Et non cognovit eam donec peperit filium suum primogenitum.* Dopo aver sottolineato il valore del *donec* nella Scrittura, ove spesso esprime il perdurare di una situazione in coincidenza con la volontà di Dio, fa osservare che l'evangelista ci assicura dell'integrità di Maria prima del parto divino, non essendo concepibile che il suo sposo l'abbia toccata dopo che ella era divenuta madre di Dio. *Nam*, prosegue il nostro autore, *quia eam nequaquam contingere valuit, postquam redemptionis nostrae ex eius utero celebrari mysterium agnovit; de illo profecto tempore necesse erat ut evangelista testimonium ferret, de quo propter Ioseph ignorantiam dubitari potuisset* [37]. Quanto alla *virginitas in partu*, ne parla, come S. Agostino [38], a proposito dell'entrata di Cristo risorto tra gli apostoli a porte chiuse (*Io.* 20,19). La nascita verginale rappresenterebbe un miracolo più grande di quello dell'entrata a porte chiuse, in quanto il corpo risorto e glorioso del Redentore non era più soggetto alla morte [39].

Particolare rilievo assume infine in Gregorio il riferimento di Maria alla Chiesa e alle sue membra più docili all'insegnamento del Signore. Già nel commento di *Mt.* 12,46-50, secondo cui Gesù fa finta di non conoscere la madre e individua madre e parenti basandosi sui vincoli dello Spirito e non su quelli del sangue, Gregorio pensa che il Signore respinge così la sinagoga che rifiutava i suoi insegnamenti, mentre accoglie nel numero dei suoi congiunti i gentili. Ma in un ulteriore sviluppo del commento il nostro esegeta individua nei fratelli e nelle sorelle di Cristo quelli che, giungendo alla fede, com-

[35] *Mor* 16,36,44: ed. c. p. 825.
[36] *HEv* 1,16,2: PL 76,1136.
[37] *Mor* 8,42,89: ed. c. p. 452.
[38] AUGUSTINUS, *In Io. Evang. tr.* 121,4: Nuova Biblioteca Agostiniana, 24, Roma 1968, 1576.
[39] *HEv* 2,26,1: PL 76,1197-1198.

piono la volontà di Dio; mentre diventa madre di Cristo colui che genera, comunicando con la predicazione la sua esperienza cristiana, nuovi figli di Dio [40]. I *praedicatores sancti* sono per Gregorio al vertice della gerarchia dei fedeli — e per questo vengono paragonati alla Madre di Dio — quando, dopo aver abbandonato i beni del mondo ed aver raggiunto il culmine della contemplazione, si assumono il compito di governare e dirigere gli altri con il sano insegnamento [41].

In qualche caso Gregorio accosta e, si può dire, sovrappone nell'esegesi biblica le immagini della Chiesa e quella della Madre di Dio. Lo notiamo nell'esegesi di alcuni versetti del cap. XII dell'Apocalisse. Commentando infatti *Ap.* 12,1, egli guarda alla Chiesa. *In sole enim illustratio veritatis, in luna autem, quae menstruis suppletionibus deficit, mutabilitas temporalitatis accipitur. Sancta autem Ecclesia, quia superni luminis splendore protegitur, quasi sole vestitur, quia vero cuncta temporalia despicit, lunam sub pedibus premit* [42]. Illustrando invece *Ap.* 12,5, pensa alla nascita verginale del Cristo dal seno di Maria. Si tratta, egli dice, di un caso in cui la Scrittura si esprime con il futuro per indicare avvenimenti passati [43].

Ma i supporti teologici e morali su cui si basa la visione dei *Dialoghi*, che mi sono proposto di illustrare, sembrano condensati in un brano dedicato a Maria nell'*Expositio in librum primum Regum*. Gregorio all'inizio del suo commentario identifica il personaggio presentato ad apertura del testo sacro, Helchana, padre di Samuele, con il Cristo. Lo fa dando i significati dei singoli termini con cui inizia il dettato scritturistico e collegandoli opportunamente fra loro: *Fuit vir unus de Ramatha Sophim, de monte Ephraim, et nomen eius Helchana* ... Procede per analisi minute e sottili per identificare appunto il Cristo e, quindi, descriverne l'origine, la conoscenza da parte degli spiriti beati, la fecondità dell'opera: il tutto desumendo dal significato dei termini ebraici *Ramatha*, che significa *visio consummata, Sophim*, che vuol dire *specula*, ed *Ephraim*, che traduce *frugifer seu fructificans* [44]. Proprio in una ripresa del commento a *de monte Ephraim* il suo pensiero va alla Madre di Dio: *Potest autem huius montis nomine beatissima semper virgo Maria Dei genitrix designari. Mons quippe fuit, quae omnem electae creaturae altitudinem electionis suae dignitate transcendit. Annon mons sublimis Maria, quae, ut ad conceptionem aeterni verbi pertingeret, meritorum verticem super omnes angelorum choros ad solium deitatis erexit?* [45]. Il tema della superiorità di Maria sugli spiriti creati prosegue con l'appoggio e il conseguente commento di *Is.* 2,2; 11,1; *Ps.* 6,6-7; *Ps.*

---

[40] *HEv* 1,3,1-2: PL 76,1086.

[41] V. Recchia, *L'esegesi di Gregorio Magno al Cantico dei cantici*, Torino 1967, pp. 78-80.

[42] *Mor* 34,14,25: PL 76,731.

[43] *Mor* 34,7,12: PL 76,724.

[44] *Exp. in librum primum Regum*, 1,4: CChr. SL 144 (P. Verbraken), pp. 57-58.

[45] *Exp. in librum primum Regum*, 1,5: ed. c. p. 58.

131,11; *Is.* 4,2; *Lc.* 1,42. Il passo di *Is.* 2,2: *Erit in novissimis diebus praeparatus mons domus Domini in vertice montium* unisce all'immagine del monte quella della casa. Gregorio sottolinea, prima, che nelle parole del profeta si parla di vertice di monti, *quia altitudo Mariae,* spiega l'esegeta, *super omnes sanctos refulsit;* quindi illustra opportunamente le due immagini del monte e della casa: *Nam mons in vertice montium Maria non fieret, si supra angelorum altitudinem hanc divina fecunditas non levaret; et domus Domini non fieret, si in eius ventre per adsumptam humanitatem verbi divinitas non iaceret.* Per concludere: *Recte igitur mons Ephraim* (*sc. Maria*) *dicitur, quae, dum ineffabili dignitate divinae generationis adtollitur, in eius fructu arida humanae conditionis germina revirescunt* [46]. Ci sono qui le premesse generali per ogni sviluppo futuro della teologia mariana — Gregorio fu molto seguito dagli autori medievali — e la giustificazione, come dicevo, del posto occupato da Maria in cielo, circondato dal coro delle vergini consacrate al suo servizio, come appare dal racconto dei *Dialoghi.*

6. Mi preme ora sottolineare due particolari di un certo rilievo nel racconto dei *Dialoghi* gregoriani: le vesti bianche delle vergini che accompagnano la Madre di Dio e il *mandatum* della Madonna alla piccola Musa: *ut nihil ultra leve et puellare ageret, a risu et iocis abstineret* [47].

Il colore bianco della veste indica *gaudium et solemnitas mentis.* L'attestazione è dello stesso Gregorio, il quale in *Hom. in Ev.* 2,29,9 sottolinea che nel Vangelo gli angeli che annunziano la nascita del Signore non si presentano in bianche vesti, mentre sono vestiti di bianco gli angeli che appaiono agli apostoli dopo l'ascensione di Gesù in cielo, *quia nascente Domino videbatur divinitas humiliata; ascendente vero Domino, est humilitas exaltata. Albae etenim vestes exaltationi magis congruunt quam humiliationi* [48]. Le vesti bianche sono quindi anche per Maria il segno della sua glorificazione.

Il comando di non compiere più leggerezze e fanciullaggini e di astenersi dal riso e dai trastulli sottintende la *compunctio* con la quale la piccola Musa doveva prepararsi ad assumere anche lei la veste bianca in compagnia delle vergini consacrate a Maria. All'immagine delle vesti bianche deve essersi, con molta probabilità, sovrapposta nella mente del pontefice quella egualmente scritturistica del candore della neve congiunto al significato che a più riprese ne offre egli stesso nei *Moralia,* specialmente a 9,36,56 [49]. Il genere letterario dei *Dialoghi* non gli permetteva ampie digressioni di pura esegesi scritturistica.

---

[46] *Ib.* pp. 58-59.
[47] *Dial.* IV, 18 c.
[48] *HEv* 2,29,9: PL 76,1218.
[49] *Mor* 9,36,56: ed. c. pp. 496-497. V. anche *Mor* 27,24,44: PL 76, 424-425 e *Mor* 32,22,46: PL 76,663.

L'immagine della neve porta il pensiero dell'autore alla *caelestis compunctio* che per la fanciulla si concretizzava nel raccoglimento spirituale ottenuto appunto con l'astensione da ogni forma di leggerezza puerile, dal riso e dai giochi. Gregorio ne tratta diffusamente nei *Moralia* a commento di *Iob*, 9,30-31: *Si lotus fuero quasi aquis nivis et fulserint velut mundissimae manus meae, tamen sordibus intinges me et abominabuntur me vestimenta mea.* Acqua di neve sono i *lamenta humilitatis,* spiega il nostro autore. *Quae profecto humilitas quia ante districti iudicis oculos ceteris virtutibus praeeminet, quasi per magni meriti colorem candet.* Vi sono di quelli che si lamentano, ma non hanno umiltà; piangono perché contrariati, ma, pur piangendo, insuperbiscono contro il prossimo o si rivoltano contro l'ordinamento di Dio. Costoro hanno certo l'acqua, ma non l'acqua di neve, e non possono essere purificati perché non si lavano assolutamente con il pianto dell'umiltà ... Gregorio prosegue proponendo un altro significato all'acqua di neve. C'è, egli dice, l'acqua di fonte e di fiume che sorge dalla terra, mentre l'acqua di neve scende dall'alto. Molti si torturano con lamentose preghiere, ma si affaticano per i beni della terra: *compunguntur in precibus sed felicitatis transitoriae gaudia exquirunt.* Si lavano con l'acqua che viene dalle profondità della terra. Mentre coloro che aspirano ai beni del cielo si lavano con acqua di neve, perché li bagna la *caelestis compunctio. Nam cum perennem patriam per lamenta appetunt, eiusque accensi desideriis plangunt, a summis accipiunt unde mundentur* [50].

E' proprio il caso della piccola Musa, la quale deve prepararsi nell'ultimo mese della sua vita, proprio con la *compunctio* espressa nelle privazioni da bimba e nel raccoglimento interiore, a congiungersi alle vergini consacrate al servizio di Maria, intensificando il desiderio del cielo espresso nella prima visione.

[50] *Mor* 9,36,56: ed. c. pp. 496-497.

SPUNTI DI MARIOLOGIA IN NICETA DI REMESIANA

CALOGERO RIGGI, S.D.B.

1. MARIOLOGIA « IN NUCE » NELLA CATECHESI DI NICETA AI CANDIDATI AL BATTESIMO [1]

Non si può parlare di una vera e propria mariologia in Niceta di Remesiana perché troppo scarni sono i frammenti che la critica gli attribuisce con certezza e che facciano un riferimento diretto alla Vergine. Tuttavia si può dire che l'articolo del simbolo che riguarda la fede in Gesù Cristo *nato dallo Spirito Santo e dalla Vergine Maria,* se illuminato dalla testimonianza di Paolino di Nola, *Carme* XXVII,275-306 [2], può suggerirci qualcosa sul tono mariologico della sua catechesi.

Partendo quindi dall'esame del breve dettato di Niceta e accostandolo a quello del santo di Nola, potremo ricostruire le linee principali della mariologia patristica nel santo di Remesiana. Le medesime tematiche infatti furono trattate da Ambrogio di Milano, la cui mariologia di capitale importanza e il suo influsso culturale sul Nostro sono da porre in giusto risalto, tenendo presenti le fonti più antiche, da Ignazio di Antiochia al filosofo martire Giustino, da Ireneo di Lione ai grandi Padri che si ispirarono alla mariologia origeniana, da Atanasio fino a Germano di Costantinopoli.

Ci limiteremo pertanto a sottolineare il tono catechetico mariologico di Niceta nel trattare degli argomenti cristologici o pneumatologici, soprattutto per quanto riguarda: la Vergine-Madre, modello di comportamento per la Chiesa una e santa, ma spesso lacerata e peccatrice; la creatura umile ed alta, madre del Cristo storico e mistico, modello di umiltà magnificante il Signore che si incarna in ogni uomo umilmente in sinergismo con lo Spirito del Padre e del

---

[1] Per la vita e le opere attribuite a Niceta di Remesiana, cf. il nostro volume: NICETA DI REMESIANA, *Catechesi ai candidati al battesimo. Traduzione, introduzione e note* a cura di CALOGERO RIGGI, Roma 1985, pp. 5-22. Per le edizioni dei frammenti, rimandiamo all'opera ancora fondamentale di A.E. BURN, *Niceta of Remesiana, his life and works,* Cambridge 1905; K. GAMBER, *Niceta von Remesiana Instructio ad competentes,* Regensburg 1934, 1965, 1966; G.C. WALSH, *Writings of Niceta of Remesiana,* coll. FC, vol. 7, New York 1949; C. RIGGI, *La figura di Niceta di Remesiana secondo la biografia di Gennadio,* in « Augustinianum » 24 (1984) 189-200.

[2] Cf. A. RUGGIERO, *Nola crocevia dello spirito. Carmi XXI e XXVII di S. Paolino di Nola. Testo, traduzione e commento,* Nola 1982, specialmente le pp. 84-93.

Figlio. Quando si professa di credere nell'Unigenito del Padre, generato e non fatto, eppure nato da donna per la salvezza degli uomini, implicitamente si professa la fede in Maria Vergine-Madre « sine ulla viri operatione », per opera dello Spirito Santo collaboratrice del corpo del Signore « ut sanctae nativitatis nobis praestaret initium », secondo la profezia che annunziava l'Emmanuele, Dio-con-noi, « hominem ex Virgine propter homines, vere incarnatum non putative sicut quidam erronei haeretici erubescentes mysterium Dei in phantasmate dicunt factam Domini incarnationem, quasi non vere fuerit quod videbatur, sed oculos fefellerit hominum » [3].

La struttura del credo di Niceta segue la comune tripartizione, sviluppando secondo l'uso polemico antidoceta e antignostico la cristologia e quindi anche il mistero della maternità verginale di Maria.

Il concetto si può rintracciare anche nei primi quattro *libelli* [4]. Nel primo infatti il catecheta propone la fede come adesione verginale, cioè come conoscenza ed esperienza deontologicamente espressa nel comportamento dei candidati al battesimo: « Primus, qualiter se debeant habere ». Del secondo dovette far parte la trattazione degli appellativi di Cristo, in quanto i nomi attribuiti al Verbo incarnato nel seno verginale di Maria sottintendono quelli riguardanti la figura della Vergine Madre, tempio della Sapienza del Padre, sua luce e potenza, braccio ed angelo, agnello e pecora, sacerdote e vittima, vite e giustizia, redenzione e pane, via e verità, roccia e medicina, acqua e vita, pace e giustizia, porta del cielo, in quanto i nomi si riferiscono ad altrettante attribuzioni dell'unico vero Figlio di Dio e non ad altrettante ipostasi fantastiche del numinoso paganamente inteso: « Secundus, de gentilitatis erroribus ». Il mistero trinitario, che è esposto nel terzo libro, tocca implicitamente quello di Maria, modello di inabitazione trinitaria per tutti gli uomini chiamati dal Padre ad incarnare il Verbo per opera dello Spirito Santo: « Tertius, de fide unicae maiestatis ». Nel quarto, che doveva trattare della Provvidenza in opposizione al fatalismo pagano, Maria poteva essere presente come esemplare di sinergismo nel magnificare il Signore, vigilante nell'ascolto della Parola, orante nel cuore, nella voce risuonante il Verbo secondo che fu modulata nell'arpa davidica: « Quartus, adversus genethliologiam ».

Ma è il libro quinto che tratta direttamente della Vergine, la quale misteriosamente concependo il Figlio di Dio divenne fonte di grazia per l'umanità insidiata dal plagiario delle opere divine: « Quintus, de symbolo ». E il sesto, che sviluppa la tematica della reden-

---

[3] Cf. A.E. Burn, *op. cit.*, p. 42 (= *De symbolo* 4).

[4] Cf. Gennadio, *De viris illustribus* 22: « Niceta Remesianae civitatis episcopus composuit simplici et nitido sermone competentibus ad baptismum instructionis libellos sex. In quibus continent primus, qualiter se debeant habere competentes, qui ad baptismi gratiam cupiunt pervenire. Secundus est de gentilitatis erroribus ... Tertius liber de fide unicae maiestatis. Quartus adversus genethliologiam. Quintus de symbolo. Sextus de agni paschalis victima ».

zione mediante il sangue dell'Agnello, ritesse sinteticamente la storia sacra che si riferisce a Maria del seme del santo re Davide e del peccatore suo antenato Moab: « Sextus, de Agni paschalis victima ».

2. La maternità di Maria secondo il simbolo di Niceta, alla luce di Paolino (Carme XXIII)

Come per gli altri Padri, anche per Niceta principio della fede è credere nella reale incarnazione del Verbo, fondamento della nostra salvezza:

> « Professando la tua fede in Dio Padre, già professi di credere nel suo Figlio Gesù Cristo ... Per la nostra salvezza egli discese dal Padre che sta nei cieli, e assunse un corpo simile al nostro, nascendo dallo Spirito Santo e da Maria Vergine senza alcuna cooperazione virile; il corpo fu generato dal corpo in virtù di Spirito Santo ... Volle nascere dalla Vergine santa e illibata perché noi fossimo iniziati per via di incontaminata generazione; nacque come era stato predetto dal Profeta: — Ecco, la Vergine concepirà e partorirà un Figlio, che chiamerai Emmanuele, cioè Dio con noi. Tu quindi devi credere che il Figlio nato dalla Vergine è Dio con noi, Dio generato dal Padre prima dei secoli, e uomo incarnatosi nel seno della Vergine per gli uomini, suo vero figlio e non putativo come a sproposito vanno blaterando certi eretici, quasi che l'uomo assunto dal Signore fosse un fantasma che con l'apparenza ingannò la vista umana e non una carne vera e propria ... Se infatti l'incarnazione non fosse stata reale, falsamente crederemmo nella salvezza degli uomini; ma poiché nel Cristo siamo stati salvati, in lui fu parimenti vera l'incarnazione. Il Cristo è entrambe le cose: Uomo visibile e Dio invisibile ... Dobbiamo credere che Cristo fu l'una e l'altra cosa, Dio e Uomo » [5].

Il quinto libro addita, quindi, nel parto verginale di Maria la sorgente del battesimo. Maria, secondo la catechesi di Niceta riferita da Paolino, effuse profumo di grazia come l'albero resinoso dello storace da cui si attingono balsami salutari. Il suo seno verginale fu adombrato come da un platano, ed essa fiorì e maturò il suo frutto benedetto quasi albero di noce, il cui seme dolce è ricoperto da un guscio amaro. Paolino poeticamente immagina che Niceta, come l'antico Giacobbe, sieda quale pastore di pecore e di capretti davanti ad un lago di acqua viva, come il patriarca scegliendo tre verghe e immergendole nell'acqua per rendere feconde le pecore che si accoppiano attraverso un segno impresso come sigillo di vita e indice di morte.

Così la Madre del Verbo rinnova nel nome della Trinità le anime sterili in virtù dello Spirito del Verbo stesso che le feconda, e forma la Chiesa nel suo utero verginale. Maria in Cristo consacra a Dio

[5] Cf. A.E. Burn, *op. cit.*, pp. 41-43 (= *De symbolo* 3-4).

i figli che concepisce, immergendo nell'acqua del battesimo rigeneratore tre verghe di tre alberi: « quello profumato dello storace, quello pieghevole del platano e quello rigido del noce »[6]. Il platano che spande larghi rami ombrosi è lo Spirito che ricoprì con la sua ombra la Vergine e formò in lei il Cristo; la verga dello storace è la Vergine che dalla stirpe di Davide fece sbocciare il fiore profumato del Cristo; il noce è l'albero il cui frutto interno è ricoperto da un guscio esterno amaro: « amara super viridi cute cortex: cerne Deum nostro velatum corpore Christum » (283-284).

Il Verbo del Padre, fatto carne nel seno di Maria, per nutrirci di vita ci alimenta con la sua parola che è « dura corteccia », perché « racchiude la sua celeste potenza in una carne mortale » (285-287). Gesù, possiamo leggere nel sesto libro *De Agni paschalis victima*, è la realizzazione suprema della salvezza attraverso il sangue, antitipo di quello versato in quell'equinozio di primavera che segnò l'inizio dell'Esodo profetico. Per parte di madre proviene dal seme innocente di pecora e da quello perverso del capro, *de ovibus et haedis*. Anche Maria, nata da sangue davidico e moabitico, sarebbe stata la madre d'una Chiesa santa e peccatrice. La sua carne non sentì però i pruriginosi appetiti del male, come li sente la *casta meretrix*[7] che, quantunque già redenta, è posta ancora nel rischio di essere ripudiata dallo Spirito Santo e, usando male della libertà, potrebbe rivelarsi, più che progenie del santo re Davide secondo lo spirito, discendenza dell'incestuosa famiglia di Moab.

Infatti Niceta dovette interpretare l'espressione dell'Esodo sul mistero dell'Agnello senza difetto contro gli Ebrei increduli che si vergognavano della carne passibile del Signore, quasi che Dio avesse richiesto di immolare un capretto in mancanza di un agnello. Mosè avrebbe inteso dire che Dio voleva il sacrificio di un Agnello di sangue misto, caprino e ovino, cosa certamente impossibile secondo natura, ma dimostratasi realizzabile come tipo del Cristo, in quanto il suo sangue fu davvero misto[8].

3. Mariologia di Niceta sullo sfondo dei primi quattro secoli

Le espressioni che abbiamo ricordate hanno un sapore arcaico, in particolare ignaziano e apostolico, simile a quello di Giustino, di Origene, di Ireneo, dei Cappadoci e del loro grande imitatore originalissimo Ambrogio[9].

[6] Cf. A. Ruggiero, *op. cit.*, pp. 90-91: Maria è *storacis virgo arbore David*, che partorì *odoratum florem*, il Cristo, che maturò nel frutto fragile della carne *claudens caelestem medullam*.

[7] Espressione tipicamente ambrosiana: cf. *Expositio Evangelii secundum Lucam, passim*.

[8] Cf. A.E. Burn, *op. cit.*, p. 108 (= *De pascha* 6).

[9] Cf. D. Fernandez, *La spiritualité mariale chez les Pères de l'Eglise*, in « Dictionnaire de Spiritualité », vol. 10, pp. 423-440.

Già nel secondo secolo, il mistico del sangue S. Ignazio di Antiochia scriveva contro i doceti: « Gesù Cristo, nostro Dio, fu portato nel seno di Maria, secondo l'economia divina dal seme di Davide e dallo Spirito Santo » (*Ef.* 18,2). Ma il mistero della verginità di Maria e del suo parto verginale sarebbe stato nascosto al demonio e rimasto occulto nel silenzio di Dio (*Ef.* 19,1) perché sfuggisse alle contaminazioni degli eretici e fosse ingannato l'antico serpente: avrebbe potuto impedire l'opera della redenzione per mezzo della generazione nella carne di colui che era generato dal Padre, « Gesù Cristo nostro Signore, nato da Maria e da Dio, prima passibile e poi impassibile » (*Ef.* 7,2).

Il primo a porre Maria al centro dell'economia redentrice fu però Giustino, che stabilendo il parallelo Eva-Maria la chiamò Vergine per antonomasia. La verginità ad imitazione di Maria fu poi segno dell'unità tearchica partecipata all'uomo dal momento in cui il Verbo discese nel suo seno facendosi carne perché la carne si facesse divina. La verginità di Maria fu modello della *copula caritatis* che restituisce l'uomo all'originaria condizione nel giardino di delizie, sponsalmente fedele e feconda di frutti per il cielo.

Assumendo poi il concetto di verginità [10] come segno di unità dinamica da Filone e da Origene, Ambrogio, sommo tra i Padri innamorati di Maria, l'additò quale modello di vita mettendone in luce, ogni volta che gli si presentasse l'occasione, il fascino della esaltante maternità verginale, fonte di santi pensieri e ascetiche suggestioni. La Vergine per eccellenza è per Ambrogio il giardino recinto in cui mai crebbero spine; il suo seno fu l'abitacolo regale, umile benché alto in quanto composto anch'esso di creta corporea, contenitore modellato come al tornio dal Padre perché potesse custodire il frumento che alimenta i vergini. Essa ha restituiti alla *mulier* i privilegi originari della *virgo*, aliena da contaminazioni sessuali o comunque peccaminose. La *novitas partus immaculati* rinnovò l'uomo all'antica libertà di figlio di Dio (*In Ps.* 118).

Fra Niceta e Ambrogio vi fu uno scambio culturale che ci permette di attribuire al pastore di Remesiana le lodi di Maria che riscontriamo in quello di Milano. Maria è la verginità fatta persona, che perciò non si sentiva estranea all'angelo che le annunziava la maternità (*De virginibus* 2, 2,10-12): « tale, che la vita di lei sola è scuola per tutti » (*ib.* 2,2,15). Non si può certo pretendere di imitare la Madre del Signore (*ib.* 2,3,21), la fede che le rese Cristo sempre presente (*De virginitate* 4,17-22), la semplicità della sua anima pura e l'umiltà che in lei germinò il Cristo (*ib.* 9,51), la carità feconda di opere buone (*ib.* 9,53), tutto il giardino delle sue virtù (*ib.* 10,54). Fu tale il profumo celestiale della santissima Madre di Cristo e dei suoi fedeli (*ib.* 11,65), vaso sigillato per il Verbo di Dio (*ib.* 11,66), colomba per la semplicità

[10] Cf. C. Riggi, *La verginità nel pensiero di S. Ambrogio,* in « Salesianum » 42 (1980) 789-806.

e perfetta nella virtù (*ib.* 12,70), da non far dubitare neppure che il Signore Gesù abbia potuto scegliersi una madre più santa e più piena di grazia (*De institutione virginis* 6,44).

In Niceta sembra implicito il linguaggio mariano di Ambrogio, ma non è meno evidente quello mutuato dagli altri Padri dei primi secoli, che esaltarono Maria come madre della Chiesa, in quanto — come scrisse Agostino (*De virginitate* 6) — essa con la sua carità cooperò e coopera alla nascita di ciascun membro del corpo mistico del suo figlio, Gesù nostro capo. Del resto S. Luca aveva fatto del *Magnificat* di Maria la preghiera eucaristica di tutti gli uomini, secondo l'economia da Ireneo segnalata nel canto profetico innalzato « a nome di tutta la Chiesa » (*Adv. haer.* 3,10,2; SC 34, p. 164). Secondo il Nazianzeno, la sua maternità verginale fu data come modello a tutte le anime chiamate a generare la fede come madri del Cristo (*Oratio* 38,1; PG 36, 313 A). Più di Eva, Maria fu degna del nome di madre dei viventi in senso spirituale e superiore, peraltro compreso dalla pietà popolare che si dimostrò capace di recepire questo parallelo, implicitamente offerto da Giovanni quando ricordò il mistero di Cana e di Maria ai piedi della croce come incentrato nel nome di una donna.

4. La figura di Maria secondo Niceta e gli sviluppi della mariologia nei secoli successivi

La figura dell'umile ancella del Signore sembra stia sullo sfondo di ogni affresco che Niceta qua e là dipinge tra le sue esortazioni catechetiche. Tra le donne che hanno testimoniato l'unione dell'anima con Dio, attraverso le veglie e i digiuni, spicca l'umile Vergine che sembra guidare il canto all'unisono dei salmi intramezzato dalle pie elevazioni nel silenzio. Gli umili che si unirono agli angeli non poterono certo ignorare o misconoscere la dignità della Vergine sposa del medesimo Spirito. Se poi essi riconobbero gli uni negli altri il dono elevante di Dio che li avvolse nella luce del presepe, quanto dovettero lodare e onorare Maria che fu particolare tempio dello Spirito, il luogo dove abitò il Signore!

Se il Signore approvò Maria sorella di Marta perché in stato di umile contemplazione rimase seduta ai piedi del Signore ad ascoltarne le parole noncurante della sorella, dando discretamente prova di avere scelto la parte migliore, tanto più dovette gradire Maria sua madre perché prima e dopo l'incarnazione non fece che con fede magnificarne i misteriosi disegni di misericordia, senza la quale falsamente crederemmo nella salvezza degli uomini attraverso il Cristo in lei fattosi da Dio invisibile uomo visibile.

Davanti all'incredulità dei Giudei che non riconobbero il Figlio di Dio fatto uomo e crocifissero il re della gloria, non si vergognò della passione del Signore soggetto a patimenti nella carne perché dalle sue piaghe sgorgasse la salvezza del genere umano, secondo la profezia di Isaia (54,5). Anche per la Madre furono dette le parole del Figlio: « Chi mi riconoscerà davanti agli uomini, anch'io lo riconoscerò davanti al Padre mio che è nei cieli » (*Mt.* 10,32). Per Niceta, Maria illuminata dallo Spirito Santo dovette comprendere per prima il mistero dell'agnello maschio e senza difetto di cui *Es.* 12,5 predisse, annunziando quello che poi avrebbero insegnato i quattro vangeli e i dodici apostoli, e ordinando di sceglierlo tra le pecore e le capre. Gli Ebrei interpretarono questa espressione nel senso che in mancanza di un agnello dovevano immolare un capretto, ma il significato è ben diverso; poiché Mosé richiese loro di sacrificare un agnello nato da seme misto, caprino e ovino, fatto certamente impossibile secondo natura, ma dimostratosi attuabile come tipologia del Cristo, in quanto il suo sangue è certamente misto di seme israelitico e di seme moabitico, straniero.

Secondo il vescovo di Remesiana, anche Maria avrebbe bene interpretato *Es.* 12,15, attribuendone la tipologia alla sua stirpe. Lo rileviamo dal fatto che egli polemizza contro i Giudei restii ad accogliere il messaggio dell'incarnazione vera e propria del Figlio di Dio, contenti di dirsi uomini di Dio, ma misconoscendo il carattere dei seguaci di Cristo chiamati a vivere secondo il suo Spirito, rifiutandosi quindi di partecipare alla redenzione operata dal Verbo mediante il suo sangue. I cristiani sono, per Niceta, chiamati a cuocere in sé la carne di Cristo, che è il Verbo di Dio fatto uomo, al fuoco delle quotidiane tribolazioni facendosi, da peccatori o capretti, giusti agnelli ad imitazione di Colui che « di sera », nella pienezza dei tempi, si fece crocifiggere sul Golgota.

Questa riflessione sarà sviluppata in età bizantina. Niceta nella sua semplice presentazione dell'articolo del simbolo apostolico riguardante la Vergine Madre, in embrione propose la dottrina poi sviluppata ampiamente con molte parole di lode dai Padri seriori che cantarono l'Immacolata, madre secondo la carne, glorificata dal Padre che l'amava, venerata da Cristo e da tutti i cristiani perché fonte di gioia e di aiuto attraverso il Figlio, sollecita nel prevenire coloro che a lei si rivolgono nelle loro necessità [11].

Insomma, quando si professa di credere nell'Unigenito del Padre, generato e non fatto, nato da donna perché incarnato e fatto uomo per noi uomini e per la nostra salvezza, si professa implicitamente la fede in Maria vergine e madre, secondo che esplicitamente recita il simbolo di Niceta: « Credens ergo Deum Patrem, statim te confiteberis credere *et in Filium Iesum Christum ... natum ex Spiritu Sancto et ex Maria Virgine* sine ulla viri operatione. Corpus ex corpore Spiritus Sancti virtute generatum est .. *ex sancta et incontaminata Virgine* » [12].

---

[11] Cf. GERMANO DI COSTANTINOPOLI, *Omelie mariologiche. Traduzione, introduzione e note* a cura di VITTORIO FAZZO, Roma 1985, pp. 113-143.
[12] Cf. A.E. BURN, *op. cit.*, p. 41 (= *De symbolo* 3).

5. Elisabetta imparò da Maria a cantare il « Magnificat »

L'umile ancella del Signore a Dio attribuì le grandi cose che in lei aveva operato Colui che è potente; e da madre della Chiesa, ad Elisabetta e a tutti coloro che si fanno prendere dallo Spirito del Cristo, insegnò a cantare magnificando il Signore.

Ci sembra di particolare interesse il fatto che Niceta veda in Maria la madre di una Chiesa quaggiù ancora non del tutto luminosa, al dire di Ambrogio, *casta meretrix,* perché progenie di Davide secondo la grazia e di Moab secondo la carne. Come Paolo, il nostro catecheta ricorda in termini diretti solo il fatto che Gesù nacque da una donna per tutti gli uomini, chiamati a essere figli del Padre nel Figlio per opera dello Spirito Santo; ma egli sembra far sua l'interpretazione ecclesiale di Maria che magnificò il Signore crescendo nella somiglianza, dal momento della purificazione (da Moab) a quello della santificazione (a Davide): immagine rispondente all'originale divino. Di fatto Niceta va al di là di Origene (*In Lc.* 8,45) che si era chiesto che cosa ci fosse di umile in Maria che portava nel seno il Figlio di Dio e aveva affermato che nell'umiltà l'Evangelista avrebbe compreso tutte le virtù cardinali: giustizia e temperanza unite a fortezza e sapienza mediante la virtù che i filosofi chiamano *atuphía* (= modestia) ovvero *metriótes* (= misura) e che noi potremmo dire diversamente « umiltà che mai si gonfia ».

Niceta segue Origene nel presentare in Maria il modello di nascondimento nella mitezza per il Regno, di imitazione di Cristo che disse: « Imparate da me che sono mite e umile di cuore »[13]. Ma sembra che egli vada ben oltre le suggestioni dell'Alessandrino nell'affermare che profeti e santi sempre magnificarono il Signore; con Mosè, esaltandone la incommensurabile grazia; con Abacuc, Giona e Geremia nostri santissimi antenati, cantando e pregando i salmi davidici; con i tre fanciulli posti nella fornace, benedicendo in santa assemblea il Creatore dell'universo: « Con Anna tipo della Chiesa, già sterile ma ora feconda, rinvigoriamo i nostri cuori con la lode di Dio ... *Con Elisabetta, l'anima nostra magnifica il Signore* »[14]. Ciò

[13] Cf. Origene, *In Lc* 1,46-51: « Su quale umiltà di Maria il Signore ha volto lo sguardo? Che cosa aveva la madre del Signore di umile e basso, essa che portò nel seno il Figlio di Dio? ... Ha guardato alla sua fortezza e alla sua sapienza ... Chi pone tale domanda, poi, si ricordi che l'umiltà è considerata dalla Scrittura la virtù di cui disse il Salvatore: Imparate da me che sono mite e umile di cuore, e troverete pace per le vostre anime. Se vuoi conoscere che cosa significhi questa virtù secondo sapienza, sappi che l'umiltà su cui Dio rivolse lo sguardo in Maria è quella che i filosofi chiamano *atuphía* o *metriótes,* e noi possiamo definire con più parole: virtù o comportamento dell'uomo che non si gonfia ma si abbassa ..., la virtù della mitezza e del nascondimento ».

[14] Cf. A.E. Burn, *op. cit.,* p. 79 (= *De psalmodiae bono* 11) e ivi la nota 4, che riferisce Origene, *Hom. 7 in Lc.,* PG 13,1817 C-D: « Invenitur beata Maria, sicut in aliquantis exemplaribus reperimus, prophetare. Non enim ignoramus quod secundum alios codices et haec verba Elisabeth vaticinetur ». Cf. pure

può voler dire che la madre del Battista fece sue le parole del « Magnificat » cantato dalla madre del Salvatore dopo l'annunzio dell'angelo. Da parte sua Elisabetta, per tanto tempo sterile, infine non cessò di magnificare Dio che le aveva ottenuto il figlio della promessa.

Niceta lesse l'episodio evangelico della visitazione nella prospettiva di quei cristiani che vedevano in Maria non solo il personaggio storico ma soprattutto la prefigurazione mistica della Chiesa santa e peccatrice, protesa nelle opere di carità e nella preghiera di lode, secondo che lo Spirito le ispirava. Perciò alcuni codici, riscontrati da Origene, ponevano le parole profetiche del *Magnificat*, pronunziate da Maria, sulla bocca della cugina Elisabetta, anch'essa ricolma di Spirito Santo nell'esaltare Colui che fa grandi cose e le creature scelte fra tutte come particolarmente benedette (cf. *In* Lc. 1,39-45). In tutte le creature infatti sussiste lo Spirito che illumina senza ricevere da altri la luce, ma soprattutto in ogni fedele si incarna analogamente lo Spirito che plasmò il corpo del Signore, quando « l'angelo Gabriele disse a Maria: — Lo Spirito Santo scenderà su di te, e stenderà su di te la sua ombra la potenza dell'Altissimo, perciò colui che nascerà da te sarà opera dello Spirito Santo ... Gli Apostoli rimettevano i peccati per l'onnipotenza dello Spirito, come fece il Signore quando, come dice il Vangelo, pronunziò per quella donna le parole: — Ti sono rimessi i peccati »[15]. Come leggiamo nella Bibbia, tutto l'universo è pieno dello Spirito del Signore Gesù.

Come Anna, figlia di Fanuele, che non cessò mai né di giorno né di notte di pregare umilmente, come i pastori cui fu annunziata dagli angeli la nascita del Signore, Maria fu trovata intenta a vegliare: *benedetta* tra tutte le donne e proclamata *beata* perché fu tra coloro che il Padrone trova sempre svegli. Maria, come Zaccaria ed Elisabetta, non aprì la sua bocca che per umilmente lodare e magnificare Dio. Essa fu ed è soprattutto per questo il nostro modello di vita. Quando nacque in terra il Cristo, ne cantò le lodi assieme agli angeli che tributavano a Dio gloria nell'alto dei cieli annunziando in terra pace agli uomini di buona volontà. Ancora, regina di tutti i santi, continua a lodare e magnificare il Signore assieme ai patriarchi e ai profeti, agli angeli, alle potenze del cielo, con tutta la creazione riconciliata dal Cristo nella medesima comunione.

6. « Mi chiameranno beata tutte le generazioni »

Scriverà S. Germano encomiando Maria nel giorno della sua dormizione: « Gioia a te oggi come ieri, per la dignità che ti è stata attribuita di piena di grazia; come ti fu annunciato di gioire nel

---

A.E. Burn, *op. cit.*, pp. 76-77 (= *De psalmodiae bono* 9): « Nec Elisabeth, diu sterilis, edito de repromissione filio Deum de ipsa anima magnificare cessavit ».

[15] Cf. A.E.Burn, *op. cit.*, pp. 24-25 (= *De Spiritu Sancto* 5).

giorno in cui concepisti, così gioisci anche oggi, nel momento che ti si richiede di lasciarti assumere da me ... Mentre eri nel mondo delle cose periture, io manifestavo a te la mia potenza in visione; ma ora che tu trapassi dalla vita mortale, io ti mostrerò direttamente il mio volto. Consegna volentieri alla terra ciò che è terreno, ma il tuo corpo affidalo a Colui nelle cui mani stanno i confini della terra. Nessuno potrà strapparti a me; affidami quindi il tuo corpo, come io ho depositato in te la mia divinità» (*Omelia* 6, *initio*) [16].

Anche per Niceta il corpo di Maria appartiene a Colui nelle cui mani sussistono le plaghe del mondo, essendo Maria lo specchio del Cristo, immagine viva della Chiesa che vive in tensione verso il Creatore assieme a lei giglio delle convalli, che stillò mirra preziosa dalle sue mani operose. Secondo i Padri, il profumo verginale di Maria contribuì in primo piano alla redenzione offrendo il modello di umiltà verginale schiva della piazza (mai *circumforanea*), di modestia apostolica nemica di ogni artificio e ricercate eleganze. Maria è piena di quella grazia che è bellezza divina. Noi partecipiamo del profumo di Dio contenuto nel vaso sigillato di lei, predestinata a rinnovare fino alla fine dei secoli il miracolo della divina concezione e maternità.

La mariologia di Germano, però, svilupperà piuttosto le tematiche di Ambrogio. Per il vescovo di Milano, la Vergine tende le mani al Cristo, le sue opere ne esprimono integra la fedeltà sponsale, *odorem actuum*. Spira profumo di risurrezione la grazia della vera fede e della schietta semplicità di vita. Poiché la verginità si identifica con la fede e con la semplicità, la Vergine volò sulle ali del Verbo in strettissima adesione al Padre che sta nei cieli, attuazione sublime dell'unità per cui pregò il Cristo. Il Signore vuole che così siamo una cosa sola tutti, al di sopra del mondo, uniti nella castità e nella volontà, nella bontà e nella grazia.

Tanto il vescovo di Milano quanto quello di Remesiana esortano a vegliare e a pregare perché il profumo verginale di Maria si effonda nella Chiesa (*De virginitate* 1,11,65; 12,69-70), ad imitare Eva vergine nel giardino di Dio e Maria porta del cielo e non del demonio, evitando con entrambe ogni sciocco artificio di ricercate bellezze (*De virginitate* 13,79-83). Per essa la donna, già sottoposta alla condizione umana come l'uomo, sembra abbia trovato dall'inizio alla seconda creazione particolare grazia presso Dio (*De institutione virginis* 3,16). In grazia di lei infatti venne lodato l'uomo dalle cui ossa ebbe origine (*De institutione virginis* 3,22-24), e per sua intercessione operò il primo miracolo suo Figlio. Se l'era scelta quale vaso e tempio verginale (*De institutione virginis* 3,33-35), e l'affidò a Giovanni perché l'umanità attingesse dalla Madre la sapienza (*Exhortatio virginitatis* 5, 32-33).

[16] Cf. n. 11. Cf. pure ORIGENE, *In Lc.* 1,46-51: «Prima di Giovanni profetizza Elisabetta, prima della nascita del Signore e Salvatore profetizza Maria».

Nella struttura unitaria dell'uomo esteriore e interiore, la bellezza del corpo rimane subordinata a quella dell'anima, il sesso femminile a quello maschile; ma questo ricordi che sarà perfetto solo se gli si aggiunge il sesso femminile nel sacramento di Maria che è la Chiesa, mistero che ha avuto il suo compimento per mezzo di lei.

La verginità di Maria è quindi spada divisoria tra coloro che hanno o non hanno la fede. Il Verbo inabita nelle anime vergini come anello di unione non soltanto tra Dio e l'uomo, ma anche tra l'uomo esteriore e quello interiore, stretti insieme in un solo volere: « Così le opere corrisponderanno ai pensieri e i pensieri alle opere, e il ritmo vorticoso della vita non potrà dissociare la nostra unità, anche se sentiamo la voce del tuono in un turbine vorticoso. Perché i due sono ormai una sola cosa e un solo uomo ..., riconciliati ambedue in un solo corpo per Dio mediante la croce » (*De institutione virginis* 2,11-12).

Linea teologica mariana simile possiamo riscontrare in Niceta, quando allo sfondo della catechesi cristologica indirizzata ai candidati al battesimo dal vescovo di Remesiana accostiamo quella riguardante la medesima tematica presso i Padri, soprattutto Ambrogio, il cui insegnamento mariologico ha un'importanza capitale nei primi secoli.

SEZIONE
LITURGICA

SEQUENZE MARIANE DEL « MISSALE FRATRUM SERVORUM SANCTAE MARIAE » (Pal. lat. 505)

GIUSEPPE M. BESUTTI, O.S.M.

0. I primi inizi dell'Ordine dei Servi di Maria vengono fatti risalire al 1233 [1]; la sua caratteristica pietà verso la Vergine risulta evidente sin dalle fonti più antiche che oggi conosciamo.

Questo aspetto della spiritualità dell'Ordine dei Servi è stato ripetutamente posto in rilievo da una serie di pregevoli studi. Per i primi secoli si possono citare i saggi di Dal Pino [2], Suárez [3] ed altri ancora. L'abbondante raccolta delle fonti contenute nei *Monumenta Ordinis Servorum Sanctae Mariae* [4] è stata integrata, per gli anni 1233-1304, dalla monumentale ricerca di Dal Pino [5]. Documenti pontifici, atti dei vescovi, dei comuni, registrazioni notarili e tanti altri antichi documenti, oltre a informarci sugli avvenimenti storici, delineano la particolare angolazione sotto la quale i Servi di Maria, sin dalle loro prime origini, venerano la loro celeste *Domina*. Sono eloquenti le Costituzioni, le *legendae* agiografiche con in testa la *Legenda de origine Ordinis*.

Il testo legislativo più antico, le *Constitutiones antiquae* [6], viene fatto risalire a poco dopo la morte di s. Filippo Benizi da Firenze (1285). In quel testo, come in tutte le redazioni succedutesi nel corso dei secoli, il primo capitolo è dedicato al *de reverentiis B.M.V.* E' questa una caratteristica forse unica nella storia legislativa degli Ordini religiosi antichi e moderni. Il capitolo prescrive una serie di ossequi da prestare alla Madonna: sono atti a carattere fondamentalmente liturgico o paraliturgico. Presi singolarmente non possono dirsi tipici o esclusivi dei Servi, ma è proprio dell'Ordine

---

[1] F.A. DAL PINO, *I Frati Servi di S. Maria dalle origini all'approvazione*, Bibliothèque de l'Université, Louvain 1972, 2 v. in 3; V. BENASSI - O.J. DIAS - F. FAUSTINI, *I Servi di Maria, breve storia dell'Ordine*, Le Missioni dei Servi di Maria, Roma 1984.

[2] F.A. DAL PINO, *Madonna santa Maria e l'Ordine dei suoi Servi nel 1° secolo di storia (1233-1317 ca.)*, in *Studi Storici O.S.M.* 17 (1967) 5-70.

[3] P.M. SUÁREZ, O.S.M., *Spiritualità mariana dei frati Servi di Maria nei documenti agiografici del secolo XIV*, in *Studi Storici O.S.M.* 9 (1959) 121-157; 10 (960) 1-41. Edito anche in volume separato con l'aggiunta della bibliografia (Istituto Storico O.S.M., Roma 1961).

[4] *Monumenta Ordinis Servorum S. Mariae* (= *Mon. Ord.*), Bruxelles-Roma, 1897-1930, 20 v.

[5] Cfr. *I frati Servi di S. Maria*, citato alla nota 1.

[6] In *Mon. Ord.* I, 7-54.

l'averli ripresi dalla pietà mariana dell'epoca e collocati all'inizio del proprio codice legislativo.

La speciale caratteristica della spiritualità mariana appare sempre più evidente con il progredire dei secoli. Eloquenti in questo settore i testi agiografici redatti dai primi decenni del '300. In primo luogo la *Legenda de origine Ordinis*, un importante documento della pietà mariana del periodo delle origini [7]. Nei testi posteriori la fisionomia spirituale viene caratterizzandosi sempre meglio, come mi sono sforzato di porre in rilievo in uno studio sulla pietà e dottrina mariana O.S.M. dei secoli XV-XVI [8].

Ma lo studio delle fonti, specialmente più antiche, non può dirsi esaurito. Meraviglia infatti, nonostante il numero e la qualità delle ricerche sinora pubblicate, che l'aspetto della liturgia dell'Ordine dei Servi non sia stato oggetto di una adeguata ricerca. Si deve anzi constatare che non è stato neppure tentato di redigere un inventario delle fonti oggi note. Si tratta di libri corali, di messali, breviari: spesso sono stati studiati sotto l'aspetto artistico della miniatura; scarsa l'attenzione data al contento liturgico e mariologico. Sinora solo per i corali di Siena [9] e di Bologna [10] è stata curata l'edizione dei testi a carattere mariano.

[7] Edito in *Mon. Ord.* I, 55-105. Vedi pure la recente edizione: *La « Legenda de origine Ordinis » dei Servi di Maria. Testo latino e traduzione italiana* (a cura del p. E.M. Toniolo, O.S.M.), Roma 1982.

[8] G.M. Besutti, O.S.M., *Pietà e dottrina mariana nell'Ordine dei Servi di Maria nei secoli XV e XVI*, Edizioni Marianum, Roma 1984.

[9] T.M. Jakubosky, O.S.M., *Le « Laudes Virginis »*, in *Studi Storici O.S.M.* 1 (1933) 66-74; il vero autore dell'articolo è stato R.M. Taucci. P.M. Branchesi, O.S.M., *I libri corali del convento di S. Maria dei Servi di Siena (sec. XIII-XVIII)*, in *Studi Storici* 17 (1967) 116-160; *Il gotico a Siena. Miniatura, orificeria, oggetti d'arte*, Siena, Palazzo Pubblico: 24 luglio - 30 ottobre 1982 (Firenze, Centro DI, 1982) p. 38-41; Anna Maria Giusti, che ha redatto la descrizione di due codici, rinvia anche ad altre pubblicazioni; A. Ziino, *Due sequenze del XIII secolo in notazione mensurale*, in *Letterature comparate: problemi e metodo. Studi in onore di Ettore Paratore* (Pàtron Editore, Bologna, 1981), p. 1075-1105.

[10] P.M. Branchesi, O.S.M., *I libri corali di S. Maria dei Servi di Bologna (secoli XV-XVII)*, in *Contributi di storiografia servitana* (Convento dei Servi di Maria di Monte Berico, Vicenza, 1967) p. 305-339. Lo studio presenta una ventina di corali e pubblica alcuni testi. Esso è stato ristampato in *L'organo dei Servi di S. Maria nella tradizione musicale dell'Ordine* (Centro Studi O.S.M., Bologna 1967), p. 97-112. Si veda pure V. Scassellati Sforzolini Riccardi, *Nuove determinazioni cronologiche di un gruppo di corali dei Servi di Bologna, ibid.*, 123-125.

Al momento di rivedere le bozze di questo saggio, sono in grado di fornire altre indicazioni bibliografiche sui libri *corali* O.S.M. Si vedano le pp. 23-37 del catalogo *I codici della Basilica della SS. Annunziata in Firenze nella Biblioteca Medicea Laurenziana* (Firenze, 1983). I corali sono tuttora conservati dalla Basilica e sono stati redatti tra il sec. XIII e il XV. Sull'argomento, ed in maniera assai ampia, è tornata la prof. M.G. Ciardi Duprè Dal Poggetto nel volume *Tesori dell'arte dell'Annunziata di Firenze* (Alinari, Firenze, 1985); l'articolo porta il titolo: *I libri di coro* (pp. 183-199) ed è seguito da una particolareggiata descrizione dei diversi corali (pp. 200-295, comprese le riproduzioni) effettuata da vari studiosi sotto la direzione della stessa Ciardi. Nello stesso volume, poi, il p. L.M. Crociani, O.S.M., dedica una ricerca a *La Liturgia* (pp. 137-160): è la prima indagine sugli sviluppi della liturgia servitana dei secoli XIII-XVI.

Si tratta di testi indubbiamente molto usati e che riflettono un modo di pensare assai diffuso nell'interno dell'Ordine.

Nell'attesa che queste antiche fonti possano venire adeguatamente approfondite, segnalo una serie di altre testimonianze, sempre di intonazione mariana, che si ritrovano in un codice della Biblioteca Vaticana, il *Pal. lat. 505,* contenente un Messale O.S.M. Il manoscritto non sembra aver sinora attirato l'attenzione degli studiosi di cose servitane.

Va premesso che l'Ordine dei Servi di Maria non ha mai avuto una liturgia propria. Le *Constitutiones antiquae* dedicano il II capitolo al *De officio Ecclesiae,* dove viene fissato in merito un fondamentale principio:

> « Missa et alia divina officia secundum morem Romanae Curiae celebrentur, additis semper reverentiis de Beata Maria Virgine supra scriptis, excepto quod francigeno utimur psalterio et francigena nota. Sed si aliquando ex librorum paupertate talis consuetudo servari non posset, tunc pauperibus Christi liceat secundum libros quos habent et mores illorum ad quos declinaverint, quodcumque aliud officium celebrare » [11].

E' forse opportuno ricordare che nel Medio Evo ebbe grande diffusione la revisione del Salterio fatta, un po' affrettatamente, da s. Girolamo e da lui corretta e perfezionata nel 386 utilizzando le *Esaple* di Origene. Questa versione è giunta a noi con il nome di *Psalterium gallicanum* ed il suo testo è quello che è entrato a far parte della Bibbia Volgata e nei libri liturgici con la riforma di Pio V [12]. Le *Constitutiones antiquae* lo chiamano *Psalterium Francigenum.*

Per il significato del termine « *francigena nota* » possiamo ricorrere ad uno studio di A. Brandi [13]. A suo giudizio con nota *francesca,* o *francica* o *francigena* si deve intendere quel sistema di canto romano introdotto in Francia particolarmente da Carlo Magno e differente dal gallicano antico.

E' noto che il fondo *Palatino* è entrato a far parte della Biblioteca Apostolica Vaticana ancora nel 1622. A quella data il duca di Baviera Massimiliano (1573-1651), in riconoscenza degli aiuti ottenuti dalla Santa Sede, donò a Gregorio XV, papa dal 1621 al 1623, il fondo Palatino di Heidelberg che era giunto a lui in possesso *jure belli.*

Questo fondo comprendeva 2028 codici latini, 432 greci e 4945 stampati. Non è questo il momento di soffermarsi sulla primitiva provenienza di questi diversi volumi. Un piccolo gruppo proveniva dall'antico convento dei Servi di Gemersheim; il *Pal. lat. 505* però

---

[11] *Mon. Ord.* I, 30.

[12] Sul testo del Salterio usato nella recita dell'Ufficio Divino, vedi M. RIGHETTI, *Manuale di storia liturgica* (Ancora, Milano 1946) vol. II, p. 501-502.

[13] A. BRANDI, *Sulla « francigena nota ». Un commento inedito di A. Brandi,* in *Note d'archivio per la storia musicale* 8 (1931) 218-223. Si tratta di una lettera del 1882 che il Brandi scrisse in risposta al quesito che gli era stato sollevato dal p. Agostino M. Morini, O.S.M.

non è di questo gruppo; i cataloghi a stampa lo dicono proveniente da Magonza, diocesi nella quale i Servi di Maria avevano dei conventi; ma tutta la *Provincia Alemaniae,* le cui prime origini risalivano alla fine del '200, venne travolta dalla riforma protestante [14].

Il *Missale Fratrum Servorum B.M.V.* originariamente era in uso dei Frati Minori: l'appartenenza ai Servi, infatti, è stata indicata scrivendo dopo avere raschiata l'intitolazione originale. D'altra parte si trattava di un testo *secundum consuetudinem Romanae Curiae.*

Il contenuto del codice è stato descritto dall'Ebner [15], dall'Ehrensberger [16], dallo Stevenson [17], dal Bannister [18] e recentemente dal Salmon [19]. Sarebbe però necessario uno studio più approfondito, dato che sono numerose le aggiunte e le postille di mano diversa, come, per fare un esempio, la preghiera in onore di s. Giuseppe.

Ma lo studio integrale del codice non può essere affrontato in questa sede. Mi limito quindi — dopo aver riportata la sua descrizione — a segnalare una serie di testi mariani che mi appaiono di indubbio interesse. Non si tratta di testi inediti, ma di documenti certamente poco considerati da quanti si interessano di mariologia.

Il codice, pergamenaceo, comprende 322 fogli; alcuni però risultano mancanti (tra i f. 164-165); mm. 317 × 242 a due colonne.

I prefazi (f. 155, 155^v, 156^v) hanno la notazione quadrata; al f. 160 la notazione è gotica. In altre parti sono state tracciate le righe musicali, ma non è stata posta la notazione. Molte iniziali ornate e colorate.

Numerose le annotazioni, aggiunte e postille, di diversa mano.

La seguente descrizione è ripresa fondamentalmente dallo Erhensberger già citato.

— f. 1. Incipit Ordo Missalis fratrum Servorum sancte Marie secundum consuetudinem Romane curie. Dominica prima de adventu ... Introitus: Ad te levavi ... [*Proprium de tempore usque ad dom. XXIV post Pentecost.*], ff. 1-102^v.

— f. 31^v. Feria III cinerum *benedictio cinerum.* f. 118. *In passione secundum Marcum et* - 132^v. secundum Ioannem man. rec. signa cantorum: + C. S.

— f. 151. Adventus Domini celebratur ... *Rubricae.*

---

[14] Per un'informazione generale e le indicazioni bibliografiche sulla *Provincia Alemaniae* dei Servi anteriore alla riforma luterana, cfr. J.O. DIAS, *Appunti su due conventi dell'antica Provincia di Germania: Germersheim e Sankt Wolfgang (presso Haunau),* in *Studi Storici O.S.M.* 32 (1982) 205-218.

[15] A. EBNER, *Quellen und Forschungen zur Geschichte und Kunstgeschichte des Missale Romanum in Mittelalter, Iter Italicum,* Herder, Freiburg i. B. 1896. Cfr. p. 251.

[16] H. EHRENSBERGER, *Libri liturgici Bibliothecae Apostolicae Vaticanae manuscripti,* Herder, Freiburg i. B. 1897. Cfr. p. 463-464.

[17] H. STEVENSON, *Codices Palatini latini Bibliothecae Vaticanae I (codd. 1-921),* Romae 1921. Cfr. p. 168.

[18] E.M. BANNISTER, *Index codicum manuscriptorum ad liturgica rem spectantium. Biblioteca Apostolica Vaticana* (Sala Barberini, n. 509).

[19] P. SALMON, *Les manuscrits liturgiques latins de la Bibliothèque Vaticane. II. Sacramentaires, Epistoliers, Evangéliaires, Graduels, Missels* (Studi e testi, 253), Biblioteca Apostolica Vaticana, Città del Vaticano, 1969. Cfr. p. 319.

— f. 151v. *Ordo Missae.* - f. 155. *Praefationes, Communicantes, Hanc igitur.*

— f. 161. Te igitur ... *Canon.*

[*Mancano alcuni* fogli tra f. 164-165, dedicati alla Pasqua: il testo riprende dopo la IV lezione della vigilia di Pentecoste].

— f. 166. fructum in eodem Christo. ... *Oratio post lect. IV vigiliae Pentecostes.* - f. 174v. De s. Trinitate. Introitus. Benedicta sit sancta Trinitas ...

— f. 175. De s. corpore Christi. Introitus. Cibauit eos ...

— f. 202v. In vigilia sancti Andree apostoli. Introitus. Dominus secus Mare ... *Proprium sanctorum usque ad s. Catharinae virg.* - f. 241. In s. Francisci *cum octava.* - f. 247. In natale s. Francisci.

— f. 252. Incipit de communi sanctorum. In vigilia unius apostoli. Ego autem sicut oliua ... *In fine* plures virgines.

— f. 277. In ipsa die dedicationis ecclesie ... in anniuersario dedicationis ecclesie. Introitus. Terribilis est locus ... - f. 177v. De sancto Spiritu. Introitus. Dum sanctificatus fuero ... *Missae votivae et diversae.* - f. 279v. In commemoracione b. Marie v. per annum. - f. 298v. In agenda mortuorum.

— f. 304v. Gloria in excelsis. *Gloria de B.M.V.* Credo.

— f. 305. In galli cantu noctis Christi. Grates nunc omnes ... *Sequentiae de tempore, de sanctis.* - f. 315. *in dedicatione, communis apostolorum,* de domina nostra.

— f. 316v De visitacione. Gaudemus omnes in Domino ... *Officium missae, sequentia.* Ueni precelsa domina - nobis det auxilium, *initium lectionis evangelii.*

— f. 317v. Amor sancti Iohannis. Initium s. evangelii. In principio ... Ps. Dominus regit me ... *Benedictio vini, aquae, ramorum dominicae palmarum* - f. 321. Oratio, secreta, complenda pro principe nostro, *manu rec.* - f. 321v.

Addenda ad missas pro defunctis, missa de quinque vulneribus et passione Xi, quam edidit Bonifatius pp. et m. ex revelatione divina. Humiliavit semetipsum ... *Totum officium et indulgentia.* - f. 322v. *Oratio, secreta, completa de decem milibus militum.*

Gli elementi mariani che si potrebbero porre in rilievo sono diversi: i testi delle messe per le festività della Vergine, quelle per la commemorazione della Madonna durante l'anno (f. 279v e ss.) e molte altre particolarità. Dati i limiti del presente contributo, mi atterrò solo a riprodurre il *Gloria de B.M.V.* ed una serie di sequenze, pure a carattere mariano, che il Messale raccoglie separatamente dalle Messe.

Il *Gloria,* salvo errori, sembra inedito nella presente versione; le altre sequenze invece sono state tutte già pubblicate, anche se si tratta di documenti ben poco noti all'atto pratico.

E' risaputo che il Medio Evo ci ha lasciato un notevolissimo numero di testi a carattere liturgico e paraliturgico: si tratta di componimenti che rivestono le forme letterarie più diverse: inni, sequenze, prose, tropi, ritmi, ecc. Molti di questi testi sono stati pubblicati: ben noti il volume del Mone [20] e gli *Analecta Hymnica*

[20] F.J. Mone, *Hymni latini medii aevi e codicibus manuscripttis. II. Hymni ad beatam Mariam Virginem,* Herder, Freiburg i. Br. 1854.

Medii Aevi[21]; utile il Meersseman[22]; assai abbondante il materiale che tuttora giace inedito in manoscritti più o meno conosciuti, inventariato in buona parte dallo Chevalier[23].

E' risaputo che la Vergine Maria è un tema che assai frequentemente ricorre in tutti questi testi, ma si deve rilevare come il loro contenuto dottrinale sia stato sinora ben poco approfondito. Abbiamo, è vero, il saggio del p. Serapio de Iragui[24], ma non mi consta che il suo esempio abbia avuto molti seguaci. In realtà, dopo lo studio dei grandi personaggi, oggi l'attenzione si sofferma spesso su autori di secondo piano, poco conosciuti anche quando erano in vita. I testi dei quali stiamo parlando invece erano largamente noti, dato il loro uso liturgico; indubbiamente hanno contribuito alla formazione del pensiero e della pietà dell'età di mezzo verso la Madre del Signore.

I testi del *Pal. lat. 505* interessano, nonostante l'origine minoritica del Messale, l'Ordine dei Servi. Sono infatti una viva documentazione di come si esprimevano i frati della Germania prima della riforma luterana. Aprono quindi uno squarcio sulla vita spirituale e su una Provincia che oggi sembra ridestare l'attenzione degli studiosi.

Per una maggiore comprensione ed ambientazione dei testi che verranno riprodotti, è bene ricordare, sulla scorta di quanto ricordano gli esperti in storia della liturgia, alcuni elementi essenziali specialmente sulle sequenze e i tropi[25].

Il movimento liturgico, che alla fine del secolo VIII ed al principio del IX andava affermandosi in maniera assai vivace in tutta la Gallia sotto l'impulso dei re Carolingi, probabilmente diede origine a nuove forme di canto.

Iniziate forse in alcune comunità monastiche, andarono via via perfezionandosi e si sparsero ovunque divenendo popolarissime sino alla riforma di Pio V. Abbiamo così le sequenze, i tropi ed i *versus*.

La *sequenza* nacque dal vocalizzo esistente sull'ultima sillaba dell'*Alleluia* e che, con termine latino, veniva detto *sequentia*, in quanto si configurava come sequela o appendice del cantico *Alleluia*.

---

[21] *Analecta hymnica Medii Aevi. Herausgegeben M. Dreves und C. Blume*, Frankfurt am Main, 1961-1962, 55 v., a parte gli indici. In questo articolo sono citati con l'abbreviazione: AH.

[22] G.G. MEERSSEMAN, O.P., *Der Hymnos Akathistos im Abendland*, Universitätsverlag, Freiburg 1958-1960. Il M. pubblica alcuni testi contenuti nel *Pal. lat. 505;* ma è importante la sua introduzione.

[23] U. CHEVALIER, *Repertorium Hymnologicum*, Louvain, Bruxelles, 1892-1921. 6 v. E' noto che lo Chevalier ha indicato, nei limiti del possibile, i manoscritti e le edizioni a stampa conosciute. Nel corso del presente studio l'opera viene abbreviata con *Rep. Hymn.*

[24] SERAPIO DE IRAGUI, O.F.M.Cap., *La mediación de la Virgen en la Himnografía Latina de la Edad Media*, impr. B. Pezza & Cia., Buenos Aires, 1939.

[25] Per una sintesi dell'argomento, cfr. la già citata *Storia liturgica* del RIGHETTI (vol. I, p. 564 ess.). Cfr. anche E. COSTA jr., *Tropes et séquences dans le cadre de la vie liturgique au moyen-âge*, C.L.V. - Edizioni Liturgiche, Roma 1979 (o anche in: *Ephemerides Liturgicae* 92 [1978] 261-322, 440-471).

Un ulteriore sviluppo della sequenza avviene al principio del secolo XI, quando si stacca nettamente dall'*Alleluia* e assume via via forme sempre più precise della poesia ritmica. Le strofe acquistano un maggior equilibrio di ritmo, i versi sono più rotondi e vi fanno capolino l'assonanza e la rima. L'esempio più eloquente di questo tipo di transizione è il *Victimae Paschali*. Il periodo aureo della sequenza comincia con il secolo XII; fu il canonico parigino Adamo da s. Vittore († 1192) che più di ogni altro seppe elevarla ad una singolare perfezione artistica. Le sue prose sono ammirevoli per la fluidità del verso, la chiarezza del pensiero e la ricchezza simbolica delle immagini. Egli avvicinò sempre più la sequenza alla forma latina dell'inno, dandole una perfetta uniformità di ritmo ed una struttura regolare di strofe. Le sequenze di Adamo si diffusero rapidamente, soppiantando le antiche e suscitando ovunque numerosi imitatori.

Fino al secolo XVI le sequenze ebbero un grandissimo successo in tutta Europa. Quelle sinora pubblicate raggiungono il numero di cinquemila. Il popolo le prediligeva per la forma semplice, spigliata, sillabica, delle loro melodie, che si prestava facilmente al canto collettivo in chiesa e fuori di chiesa. La riforma piana del Messale, tenuto conto dell'origine relativamente recente, le eliminò quasi tutte dall'uso liturgico, ad eccezione di cinque. Il Righetti si chiede se non si sia stati troppo severi. Ad ogni modo le sequenze occupano sempre, da un punto di vista letterario, un posto ben onorevole nella letteratura medievale; liturgicamente furono tra le più calde e genuine espressioni della vitalità religiosa del popolo cristiano; artisticamente riuscirono di grande importanza per lo sviluppo del canto popolare.

L'origine dei *tropi* è ancora oscura; nacquero forse in terra francese verso l'800. La maggior parte degli studiosi ne attribuisce l'invenzione a Tutilo, monaco di S. Gallo e contemporaneo di Notkero il Balbulo. Per *tropo* (= sviluppo melodico) s'intende l'addizione o l'inserzione nel canto liturgico di un testo nuovo e senza alcun carattere ufficiale, allo scopo di dare maggiore risalto e solennità all'azione sacra. Queste addizioni sono in generale tratte da quel ciclo di pensieri che animano la liturgia della festa.

I *versus* sono forse un'imitazione di un uso liturgico bizantino; cominciarono essi pure a fiorire in Gallia verso il sec. IX. Erano veri versi metrici, ma differivano dagli inni perché mancavano della dossologia e non facevano parte dell'Ufficio, ma anche per il costume caratteristico di aggiungere ad ogni strofa versi intercalari. Ma, ai fini del presente studio, il loro interesse è relativo.

1. Gloria de Beata Maria Virgine

Il vol. 47 *Analecta Hymnica* è dedicato ai *Tropi Graduales. Tropen des Missale in Mittelalter. I. Tropen zum Ordinarium Missae.* Troviamo editi i testi di numerosi tropi per il *Kyrie, Gloria, Sanctus, Hosanna, Agnus Dei, Ite Missa est.* Non ho però rintracciato il testo del presente *Gloria B.M.V.*, che troviamo nel codice al f. 304v.

Gloria in excelsis Deo.
Et in terra pax hominibus bonae voluntatis.
Laudamus te, benedicimus te, glorificamus te.
Gratias agimus tibi propter magnam gloriam tuam.
Domine Deus, rex coelestis,
Deus pater omnipotens.
Domine Fili unigeniti, Jhesu Christe,
Spiritus et almae orphanorum paraclite.
Domine Deus, agnus Dei Filius Patris,
Primogenitus Mariae virginis matris.
Qui tollis peccata mundi, miserere nobis.
Qui tollis peccata mundi, suscipe deprecationem nostram.
Ad Mariae gloriam.
Qui sedes ad dexteram Patris miserere nobis.
Quoniam tu solus sanctus,
Mariam sanctificans.
Tu solus Dominus,
Mariam gubernans.
Tu solus altissimus,
Mariam coronans,
Jhesu Christe, cum sancto Spiritu in gloria Dei Patris. Amen.

2. In Octava Domini et de Domina

Laetabundus exultet fidelis chorus

La PL 184, 1327-1328 pone questo testo in appendice alle opere di s. Bernardo, ma non sotto il suo nome. In effetti non può essere attribuito al Dottore Mellifluo, come ricorda F. Cavallera (*Bernard, saint.* In DSp I, 1502). L'autore è ignoto. Il testo viene riprodotto nella *Summa Aurea* del Bourassé (VI, 1039) e negli AH 54, 5. Il *Rep. Hymn.* lo registra al n. 1012.

Giudicando dal numero dei codici segnalati dagli AH, il testo deve essere stato assai diffuso; sono indicati oltre 70 manoscritti.

Il testo si trova al f. 307r-307v.

Laetabundus
exultet fidelis chorus,
alleluia.

Regi(a) regum
5 intactae profudit thorus;
res miranda.
Angelus consilij
natus est de Virgine,
sol de stella.

10 Sol occasum nesciens,
stella semper rutilans,
semper clara.
Sicut sydus radium
profert Virgo Filium
15 pari forma.

Neque sidus radio,
neque virgo (b) Filio,
fit corrupta.

Cedrus alta Lybani
20 conformatur hysopo
valle nostra,

Verbum (c) ens Altissimi
corporali (d) passum est
carne sumpta.

25 Ysaias cecinit,
synagoga meminit
nunquam tamen desinit
esse caeca.

Si non suis vatibus
30 credat vel gentilibus
sibilli[nis] (e) versibus
haec praedicta.

Infelix, propera,
crede vel vetera;
35 cur dampnaberis
gens misera?

Hoc clemens docens
effice natus
mirifice rex
de virgine puerpera (f).

Segnalo le letture proposte nell'edizione degli AH:
a) *Regem* (b) *mater* (c) *mens* (d) *corporari* (e) manca la finale della parola; si legge: *sibilli* (f). L'ultima strofa è completamente diversa:

Quem docet litera,
natum considera;
ipsum genuit puerpera.

3. In Purificacione Beatae Mariae

Conceptu parili hic te Maria

La presente composizione viene attribuita a Notkero Balbulo e non sembra che debbano sollevarsi dubbi sull'autenticità. La sequenza è edita dalla PL 131, 1008; da AH, 53, p. 171-172 ed anche dalla *Summa Aurea* del Bourassé (III, 1586-1587). Nel *Rep. Hymn.* porta il n° 3639.
Sono quasi 50 i manoscritti citati da AH.

Il testo riportato nel *Pal. lat. 505* al f. 308r-308v comporta una strofa in più (la terza), in relazione al testo riferito da AH, che tuttavia lo riferisce nell'apparato critico.

Concentu parili hic te,
Maria, veneratur populus
teque piis colit cordibus

Generosi Abrahae (a) tu filia,
5 veneranda, regia de Davidis
stirpe genita.

Sanctissima corpore,
castissima moribus,
omnium pulcherrima
10 Virgo virginum (b).

Laetare, mater et virgo nobilis,
Gabrielis archangelico
quae oraculo credula
genuisti clausa filium.

15 In cuius sacratissimo sanguine
emundatur universitas
perditissimi generis
ut promisit Deus Abrahae.

Te virga Aaron arida flore
20 speciosa te figurat, Maria, sine
vire (c) semine nato florida (d).

Tu porta
iugiter serata, quam
Ezechielis vox testatur, Maria,
25 soli Deo pervia esse crederis.

Sed tu tamen, matris virtutum
dum nobis exemplum cupisti
commendare subisti remedium
pollutis statutum matribus.

30 Ad templum detulisti tecum
mundandum, qui tibi integritatis
decus, Deus, homo genitus
adauxit, intacta Genitrix.

Laetare, quam Scrutator (e) cordis
35 et renum probat habitatu proprio,
singulariter dignam, sancta Maria.

Exulta, cui parvus arisit tunc,
Maria, qui laetari omnibus
et consistere suo nutu tribuit.

40 Ergo, quique colimus festa
parvuli Christi propter nos facti
ejusque piae matris Mariae.

Si nos (f) Dei possumus tantam
exequi tardi, humilitatem
45 forma sit nobis eius Genitrix.

Laus Patri gloriae, qui suum
filium gentibus et populis (g)
revelat (h) Israel nos societ (i).

Laus eius Filio, qui suo
50 sanguine nos Patri concilians
supernis sociavit civibus:
laus quoque sancto Spiritui sit per aevum.

Il testo critico di AH comporta le seguenti varianti:
(a) *Abraham;* (b) Come già annotato, la strofa manca nel testo pubblicato, ma è presente in diversi altri codici. (c) leggi: *viri* (d) *speciosa.* (e) *Scrutatur* (f) *non* (g) *populo* (h) *revelans* (i) *sociat.*

4. De sancta Anna

Nardus spirat in odorem

Molto viva nel Medio Evo la devozione verso s. Anna, la madre della Vergine. Il testo, già edito dal Mone (III, 198-199), viene ripreso da AH nel tomo 55, 77-78. Viene registrato nel *Rep. Hymn.* al n. 11850.

I codici citati da AH sono una trentina e, solo in questo caso, viene ricordato anche il *Pal. lat. 505* che lo riporta al 311v-312r.

Si ignora l'autore.

Nardus spirat in odorem
et spinetum profert florem,
sed flos fructus dat honorem
regis in acubitu.

5 Salus redit de Judaea
qua sanatur Ydumea
ex Egypto fert trophea
Israel in exitu.

Holofernem Iudith stravit.
10 Anna quando generavit
natam, quae se praeparavit
Deo habitaculum.

Cœli cohors Anna laudet,
nam in cœlis Anna gaudet
15 et rogare bene audet
natam et nepotolum.

Non avertet aurem nata,
sed et matris ad precata
Jhesus dona profert grata
20 ut de nobis cogitet.

Ergo Anna, nunc accede
roga natam nec recede

donec nepos nos a sede
sua sancta visitet.

5. In Assumptione Beatae Mariae

Congaudent angelorum chori

Il testo viene attribuito, sembra senza discussioni, a Notkero Balbulo. E' stato edito nella PL 131, 1015-1016; si ritrova nella *Summa Aurea* (III, 1587-1588) e in AH 53, 179-182. Il *Rep. Hymn.* lo segnala al n. 3783.

Nel *Pal. lat. 505* si trova al f. 312[r].

I codici segnalati da AH sono oltre 50.

Congaudent angelorum
chori gloriosae virgini
Quae sine virili
comixcione genuit
5 Filium, qui suo
mundum cruore medicat.
Nam ipsa laetatur
quod caeli
iam conspicatur principem.
10 In terris qui quondam
sugendas
virgo mamillas praebuit.
Quam celebris
angelis Maria (a) creditur.
15 Qui filii
illius debitos
se cognoscunt famulos!
Qua gloria
in caelis ista virgo colitur,
20 Quae Domino
caeli praebuit hospicium
sui sanctissimi corporis!
Quam splendida
polo stella maris rutilat
25 Quae omnium
lumen astrorum et hominum
atque spirituum genuit!
Te, caeli regina,
haec plebicula (b)
30 piis concelebrat mentibus.
Te cantu melodo
super aethera
una cum angelis elevat.

Te libri, virgo, concinunt
35 prophetarum,
chorus iubilat sacerdotum,
apostoli
Christique martires praedicant.

Te plebis (c) sexus sequitur
40 utriusque
vitam diligens virginalem
caelicolas
in castimonia aemulans.

Ecclesia ergo cuncta
45 te cordibus teque
carminibus venerans.

Tibi sua manifestat
devocionem
praecatu te supplici
50 implorans, Maria.

Et (d) sibi
auxilio circa Christum Dominum
esse digneris per aevum.

Le lezioni proposte negli AH:
(a) *Jesu Mater* (b) *plebecula* (c) *plebes* (d) *Ut.*

6. In Nativitate Mariae

Stirpe Maria regia procreata

La sequenza viene attribuita a Notkero Balbulo. E' stata edita sulla PL 131, 1015-1016; sulla *Summa Aurea* III, 1587-1588 e negli AH 53, 162-164. Viene registrata nel *Rep. Hymn.* al n. 3783.

Nel *Pal. lat. 505* si trova al f. 312v-313r.

Si conoscono oltre 50 codici che riportano questo testo.

Stirpe, Maria regia
procreata,
regem generans Jhesum.

Gaude (a) digna
5 angelorum sanctorum.

Et nos peccatores
tibi devotos
intuere benigna.

Tu pios patrum
10 mores ostentas in te,
sed excellis eosdem.

Patris tui

Salemonis (b)
in te lucet sophia.
15 Et Ezechiae
apud Deum
cor rectum
sed numquam in te corrumpendum.
Patris Iosiae
20 adimplevit
te religiositas;
Summi eciam
patriarchae
te fides
25 totam possedit,
patris tui.
Sed quid nos istos,
recensemus heroas;
Cum natus tuus omnes
30 praecellat illos?
atque cunctos per orbem?
Nos hac die
tibi gregatos serva,
virgo, in lucem mundi
35 qua prodisti
paritura cœlorum regem.

Le lezioni degli AH sono le seguenti:
(a) *Laude* (b) *Salomonis.*

7. De Domina nostra

Salve Mater Salvatoris

La sequenza è tra quelle attribuite a Adamo di S. Vittore. E' stata pubblicata sulla PL 196, 1501-1504, dal Mone II, 309-311; dalla *Summa Aurea* III, 1681-1684 e da AH 54, 383-386. Il *Rep. Hym.* la indica al n. 18051.

Il codice *Pal. lat. 505* la riferisce al f. 316r-316v.

Oltre 60 le testimonianze manoscritte ricordate da AH.

L'edizione della PL (e della *Summa Aurea*) è accompagnata da un commento.

Salve, mater salvatoris,
vas electum, vas honoris,
vas caelestis graciae.

Ab aeterno vas provisum
5 vas insigne, vas excisum
manu sapienciae.

Salve, Verbi sacra parens,
flos de spina, spina carens
flos, spineti gloria;

10 Nos spinetum, nos peccati
spina sumus cruentati
sed tu spinae nescia.

Porta clausa, fons hortorum
cella custos unguentorum
15 cella pigmentaria.

Cynamoni calamum
myrrham, thus et balsamum
superas fraglancia.

Salve, decus virginum,
20 mediatrix hominum,
salutis puerpera.

Myrtus temperanciae
rosa pacienciae
nardus odorifera.
25 Tu convallis humilis
terra non arabilis
quae fructum parturiit.

Flos campi, convallium
singulare lylium
30 Christus, ex te prodiit.

Tu caelestis paradisus
Lybanusque non incisus,
vaporans dulcedinem.

Tu candoris et decoris,
35 tu dulcoris et odoris
habens (a) plenitudinem.

Tu thronus es Salomonis,
cui nullus par in thronis
arte vel matheria.

40 Ebur candens castitatis,
aurum fulvum claritatis (b)
persignans (c) mysteria.

Palmam praefers singularem
nec in terris habes parem
45 nec in caelis (d) curia.

Laus humani generis,
virtutum prae caeteris
habens (e) privilegia.

Sol luna lucidior
50 et luna sideribus;
sic Maria dignior
creaturis omnibus.

Sol (f) eclipsim nesciens
Virginis est castitas,
55 ardor indeficiens
immortalis caritas.

Salve Mater pietatis,
et tocius Trinitatis
nobile triclinium.
60 Verbi tamen incarnati
speciale maiestati
praeparans hospicium.

O Maria, stella maris,
dignitate singularis
65 super omnes ordinaris
ordines coelestium.

In supremo sita poli,
nos commenda tuae proli,
ne terrores sive doli
70 nos supplantes (g) hostium.

In procintu constituti
te tuente simus tuti
pravitatis (h) et versuti
tuae cedat vis virtuti
75 dolus providenciae.

Jehsu verbum summi patris
serva servos tuae matris
solve reos, salva gratis
et nos tuae claritatis
80 configures (i) graciae (l).

Segnalo le varianti secondo l'edizione degli AH:
(a) *habes* (b) *caritatis* (c) *praesignant* (d) *caeli* (e) *habes* (f) *lux* (g) *supplantent* (h) *pervicacis* (i) *configura* (l) *gloriae.*

8. De Domina nostra

Ave praeclara maris stella

Il testo si trova edito in PL 143, 433; Mone II, 355-359, sulla *Summa Aurea* III, 1627-1630, dagli AH 50, 313 e dal Meersseman I, 171-172. Il *Rep. Hymn.* lo registra al n. 2045.

La comune attribuzione ad Ermanno il Contratto è stata negata da J.M. Canal, *Hermannus Contractus eiusque carmina mariana,* in *Sacris erudiri* 10 (1958) 170-185.

Gli AH segnalano l'esistenza di una trentina di codici liturgici con il presente testo; il *Pal. lat. 505* lo riporta al f. 316v-317r.

Ave, praeclara maris stella,
in lucem gentium,

Maria, divinitus orta.

Euge Dei porta,
5 quae non aperta
veritatis lumen
ipsum solem justitiae
indutum carne,
ducis in orbem.

10 Virgo decus mundi,
regina cœli,
praeelecta ut sol,
pulchra lunaris ut fulgur,
agnosce omnes
15 te diligentes.

Te plenam fide
virgam almae stirpis Yesse
nascituram
priores desideraverunt
20 patres et prophetae.

Te lignum vitae,
sancto rorante pneumate
parituram
divini floris amygdalum
25 signavit Gabriel.

Te agnum regem,
terrae dominatorem,
Moabitici
de petra deserti
30 ad montem filiae
Sion traduxisti,

Tuque furentem
Leviathan serpentem
tortuosumque
35 et vectem collidens
dampnoso crimine
mundum exemisti.

Hinc gentium nos
reliquae, tuae sub
40 cultu memoriae,
mirum in modum
quem es enixa
propitiationis agnum,
regnantem cœlo
45 aeternaliter,
devocamus ad aram
mactandum mysterialiter.

Hinc manna verum
Israhelitis veris

50 veri Abrahae filiis
admirantibus
quondam, Moysi
quod typus figurabat, jam nunc
abducto velo
55 datur perspici,
ora, virgo, nos illo
pane cœli dignos effici.

Fac fontem dulcem,
quem in deserto
60 petra praemonstravit,
degustare cum sincera fide
renesque constringi,
lotos in mari
anguem aeneum
65 in cruce speculari.

Fac igni sancto
Patrisque Verbo,
quod rubus ut flamma
tu portasti, virgo, mater facta,
70 pecuali pelle,
discinctos pede
mundis labiis
cordeque propinquare.

Audi nos,
75 nam te filius
nihil negans honorat.

Salva nos,
Jhesu, pro quibus
Virgo mater te orat.

80 Da fontem boni visere
da puros (a) mentis oculos
in te defigere.

Quo hausto sapienciae
saporem vitae valeat (b)
85 mens intelligere. (c)

Christianismi
fidem operibus redimere (d)
beatoque fine
ex hujus incolatu
90 saeculi auctor, ad te transire.

Lezioni proposte dagli AH:
(a) *purae* (b) *sapiat* (c) *intellegere* (d) *redimire.*

9. ITEM DE BEATA VIRGINE

Ave Maria gratia plena Dominus tecum Virgo serena

Non è conosciuto l'autore di questa composizione. E' stata edita dal Mone II, 112 e dagli AH 54, 337-340. Il *Rep. Hymn.* la registra al n. 1879.
Il *Pal. lat. 505* la pone al f. 317r.
Da segnalare la citazione di Teofilo e della sua leggenda (verso 34). Sull'argomento si può consultare G. GEENEN, « *Legenda Theophili* ». *Speculum historico-doctrinale de mediatione Matris Dei in Alto Medio Aevo (a saec. VII ad XII)*, in *Marianum* 34 (1972) 313-346.
La sequenza era molto diffusa, come testimoniano gli oltre 70 codici ricordati dagli AH.

Ave Maria
gratia plena
dominus tecum
virgo serena.

5 Benedicta tu
in mulieribus
quae peperisti
[pacem] (a) hominibus
et angelis gloriam

10 Et benedictus
fructus ventris tui
qui cohaeredes
ut essemus sui
nos fecit per gratiam

15 Per hoc autem ave
mundo tam suave
contra carnis jura
genuisti prolem
novum stella solem
20 nova genitura.

Tu parvi et magni
leonis et agni,
salvatoris Christi,
templum extitisti
25 sed virgo intacta.

Tu floris et roris,
panis et pastoris
virginum regina,
rosa sine spina
30 genitrix es facta.

Tu civitas regis iusticiae
tu mater es misericordiae,
de lacu fecis et miseriae
Theophilum reformans gratiae.

35 Te collaudat coelestis curia,
quae (b) mater es regis et filia
per te reis donatur venia
per te iustis confertur gratia.
Ergo maris stella
40 verbi Dei cella
et solis aurora
Paradisi porta
per quam lux est orta
natum tuum ora
45 et nos salvat a peccatis (c)
et in regno claritatis,
quo lux lucet sedula,
collocet per saecula.

Varianti secondo AH:
(a) Manca nel codice (b) *Tu* (c) il verso viene così proposto: *ut nos solvet a peccatis.*

10. ITEM DE DOMINA

Verbum bonum et suave

Composizione di ignoto autore; viene riportata dal Mone II, 75 e dagli AH 54, 343; Meersseman, I, 180. Il *Rep. Hymn.* la segnala al n. 2143.

Il *Pal. lat. 505* la pone al f. 317r-317v.

Deve essere stata molto diffusa come lo testimoniano i manoscritti — quasi un centinaio — segnalati dagli AH. Il testo si ritrova anche in un corale O.S.M. di Siena; cfr. BRANCHESI su *Studi Storici* (citato alla nota 9), p. 142.

Si può ricordare (cfr. verso 18) che nel latino medievale *dumus* significa *roveto.*

Verbum bonum et suave
personemus illud ave
per quod Christus fit conclave
virgo, mater, filia.
5 Per quod ave salutata
mox concepit fœcundata
virgo, David stirpe nata
inter spinas lylia.
Ave veri Salomonis
10 mater, vellus Gedeonis,
cujus Magi tribus donis
laudant puerperium.
Ave, prolem genuisti (a),
ave, solem protulisti (b)

15 mundo lapso contulisti
vitam et imperium.
Ave, mater verbi summi,
maris (c) portus, signum dumi,
aromatum virga fumi,
20 angelorum domina.
Supplicamus, nos emenda
emendatos nos commenda
tuo nato ad habenda
sempiterna gaudia.

(a)-(b): AH ed il Mone, così leggono:
Ave, solem genuisti
Ave, prolem protulisti
(c) Il codice pone: *matris.*

11. De Visitacione

Veni praecelsa Domina

La presente sequenza viene riferita dal Mone II, 125 e dagli AH 54, 301-303. Il *Rep. Hymn.* la cita al n. 21.231.

Circa 60 le testimonianze di manoscritti e stampati ricordate dagli AH. Il testo del Mone ha alcune lezioni diverse.

Il *Pal. lat. 505* riferisce il testo al f. 317v-318r. Si tratta di un'aggiunta dovuta ad una mano diversa: la scrittura gotica è molto spigolosa.

Va ricordato che la festa della Visitazione cominciò ad essere celebrata nel sec. XIII dai Francescani; nel 1389 venne riconosciuta da parte di Urbano VI e Bonifacio IX al tempo del grande scisma e, più tardi, dal Concilio di Basilea nel 1441.

Veni, praecelsa domina
Maria, tu nos visita,
aegras mentes illumina
per sacra vitae numina.
5 Veni salvatrix saeculi,
sordes aufer piaculi,
in visitando populum
pœnae tollas periculum.
Veni, regina gentium,
10 dele flammas reatuum,
rege quodcumque devium,
da vitam innocentium.
Veni, ut anum visites,
Maria, vires robores
15 virtute sacri impetus
ne fluctuetur animus.
Veni, stella, lux marium,

infunde pacis radium,
exultet cor in gaudium
20 Johannes ante Dominum.
Veni, virga regalium,
reduc fluctus errantium
ad unitatem fidei,
in qua salvantur caelici.
25 Veni, deposce spiritus
Sancti dona propensius,
ut dirigamus rectius
in huius vitae actibus.
Veni, laudemus filium,
30 laudemus sanctum spiritum,
laudemus patrem unicum,
qui nobis det auxilium.

* * *

Dopo aver trascritto i testi del Messale Palatino O.S.M. della Biblioteca Vaticana, è il momento di alcuni rilievi conclusivi.

Per alcune sequenze è noto l'autore: la III, V e VI sono dovute a Notkero Balbulo [26], la VII ad Adamo di S. Vittore [27], mentre l'attribuzione dell'VIII ad Ermanno il Contratto [28] sembra non possa essere più sostenuta, come già rilevato.

A parte il 1° testo, gli altri sono già noti e ripetutamente editi; ma, eccettuato il saggio su Notkero, non sembra che questi brani siano stati oggetto di studio sotto il profilo mariologico [29].

Ritengo che queste composizioni, al pari delle innumerevoli altre edite nelle ben note raccolte, meriterebbero una maggiore attenzione da parte degli studiosi della storia della mariologia.

Leggendo queste sequenze si rimane colpiti dal loro costante richiamo alla Bibbia. Ma il continuo uso dell'allegoria non disturba, perché rimane nei limiti di una giusta sobrietà.

Viene proclamata la verginità di Maria, la sua divina maternità, la sua santità, la sua gloria al di sopra degli angeli. Ben radicata

---

[26] R. GRÉGOIRE, *Notker le Bègue*, in *DSp* XI, 448-449.

[27] Tra le voci che le più recenti enciclopedie gli hanno dedicato, ricordo: B. STÄBLEIN, *Adam v. St-Viktor*, in *LThK* I, 132, 133; P. DELHAYE, *Adam of Sain-Victor*, in *NCE* I, 118-119; G. STEGMÜLLER, *Adam v. St. Viktor*, in *LMK* I, 38-39.

[28] Cfr. G. MICHIELS, *Hermann Contract O.S.B., 1013-1054*, in *DSp* VII, 293-294.

[29] L. SCHEFFCZYK, *Das Marienbild in den lateinischen Hymnen des frühen Mittelalters, besonders bei Notker Balbulus von St. Gallen* († *912*), in *De cultu mariano saeculis VI-XI* (= Acta Congressus Mariologici-Mariani internationalis in Croatia anno 1971 celebrati, Vol. III: « De cultu mariano saeculis VI-XI in scriptis Summorum Pontificum, Patrum et theologorum necnon in conciliis particularibus »), P. Academia Mariana Internationalis, Romae 1972, p. 479-497.

appare la convinzione del compito di interceditrice affidato alla Madre di Gesù. Di Maria si ricorda la esemplarità, la fede. Interessante l'accenno al « pane del cielo » e commovente l'invocazione per l'unità della fede. Importante il ricordo della SS. Trinità e dello Spirito Santo.

Questi brevi rilievi non sono e non possono essere un'analisi degli 11 componimenti, che andrebbero esaminati anche dal punto di vista del tipo letterario.

Questo studio ha voluto essere un invito a non trascurare ulteriormente un tesoro che risale ad una veneranda antichità; agli studiosi di storia dei Servi di Maria di non ignorare ulteriormente questo aspetto delle fonti dei primi secoli. E' stato, insieme, un piccolo omaggio ad un benemerito della mariologia dei nostri giorni.

MARIA SS. NELLA STORIA DELLA SALVEZZA: DALL'INNARIO DELLA « LITURGIA HORARUM » *

ARMANDO CUVA, S.D.B.

0. Nell'Innario della « Liturgia Horarum »[1] trova largo posto il ricordo della Vergine SS.[2] Su un totale di 292 inni[3] ben 84 ci parlano di Maria.

Occupano un posto di rilievo i 29 inni assegnati a celebrazioni strettamente mariane[4]. Per il loro ricco contenuto mariano e per la loro particolare collocazione si può dire che essi costituiscono l'« Innario mariano » della « Liturgia Horarum ».

---

* *Sigle usate*: I = Inno; L = Lodi; Ul = Ufficio delle letture; V = Vespri.

[1] Prendiamo in considerazione l'Innario dell'edizione tipica latina della « Liturgia Horarum ». Essa è stata curata per la prima volta, in 4 volumi, dalla Tipografia Poliglotta Vaticana negli anni 1971-1972. Sono seguite molte ristampe.

La raccolta di tutti gli inni della « Liturgia Horarum » si trova in: *Te decet hymnus. L'innario della « Liturgia Horarum »*. A cura di A. LENTINI, Typis Polyglottis Vaticanis, Città del Vaticano 1984, pp. XXX + 325. Per un elenco di tutti gli inni, disposti in ordine alfabetico, cf *o.c.*, pp. 301-309 e anche: A. LENTINI, *Hymnorum series in « Liturgia Horarum »*, in *Notitiae* 9 (1973) 179-192.

[2] Cf A. LENTINI, *Maria nell'innario della « Liturgia Horarum »*, in *L'Osservatore Romano* 116 (1976), n. 117 (21-5), p. 7; D. BERTETTO, *La Madonna nel nuovo lezionario e nel nuovo breviario*, in *Rivista del Clero Italiano* 57 (1976) 260-266; M. GARRIDO BONAÑO, *La Virgen María en la actual liturgia de las horas*, in *Estudios Marianos* 37 (1973) 207-246; A. LENTINI, *Maria nel nuovo innario liturgico*, in *Marianum* 30 (1968) 3 15-325.

[3] Comprendiamo in tale numero l'inno « Te Deum laudamus » assegnato, nell'« Ordinarium » della « Liturgia Horarum », all'Ul.

[4] Sono i seguenti: 1. Praeclara custos virginum, 2. Te dicimus praeconio, 3. In plausu grati carminis (Immacolata Concezione: V, Ul, L); 4. O sancta mundi domina, 5. Beata Dei genetrix (Natività di Maria: L, V); 6. Salve, mater misericordiae, 7. Maria, virgo regia (Presentazione di Maria: Ul, L); 8. Corde natus ex Parentis, 9. Radix Iesse floruit, 10. Fit porta Christi pervia (Divina Maternità: V, Ul, L); 11. Veni, praecelsa Domina, 12. Veniens, mater inclita, 13. Concito gressu petis alta montis (Visitazione: Ul, L, V); 14. Stabat mater dolorosa, 15. Eia, mater, fons amoris, 16. Virgo virginum praeclara (Addolorata: Ul, L, V); 17. Gaudium mundi, nova stella caeli, 18. Aurora velut fulgida, 19. Solis, o Virgo, radiis amicta (Assunzione: V, Ul. L); 20. Rerum supremo in vertice, 21. O quam glorifica luce coruscas, 22. Mole gravati criminum (Maria Regina: Ul, L, V); 23. Te gestientem gaudiis (Rosario: L); 24. Maria, quae mortalium (Comune della Madonna: I V); 25. Quem terra, pontus, aethera (Comune della Madonna: Ul; S. Maria in sabato: Ul-I); 26. O gloriosa Domina (Comune della Madonna: L; S. Maria in sabato: L-I); 27. Ave, maris stella (Comune della Madonna e Annunciazione: II V); 28. O Virgo mater, filia, 29. Quae caritatis fulgidum (S. Maria in sabato: Ul-II, L-II).

Potrebbero essere inclusi in questo primo gruppo di inni vari inni di alcune celebrazioni che hanno un notevole rapporto con il mistero mariano. Sono tali,

Meritano, poi, una particolare attenzione 44 inni di altre celebrazioni, nel corso dei quali si parla, più o meno diffusamente, della Madonna [5].

Vanno, infine, raggruppati a parte altri 11 inni che contengono un riferimento a Maria soltanto nella strofa finale o dossologica [6]. Il particolare, anche se semplice, accento mariano contenuto nelle dossologie contribuisce a completare, arricchendolo, il quadro presentato nei singoli inni.

I numerosi e, spesso, ricchi testi mariani contenuti negli inni ci presentano una completa dottrina mariana: vien ben delineata la persona e la missione della Vergine Maria; viene messo ben in risalto

---

innanzitutto, le due celebrazioni del Signore: Annunciazione e Presentazione (cf Paolo VI, Esortazione apostolica « *Marialis cultus* », 2-2-1974, nn. 6, 7). Ci sono, poi, le celebrazioni del Natale del Signore e della santa Famiglia (cf *o.c.*, n. 5). Ma, tenuto conto del globale contenuto e della particolare struttura degli inni assegnati ad ognuna di tali celebrazioni, preferiamo includerli nel secondo gruppo. Lo stesso si dica dei due inni del Tempo di Avvento-I (V, Ul).

[5] Li possiamo elencare con il seguente ordine:

Nel Proprio del Tempo: 30. Conditor alme siderum (Tempo di Avvento-I: V); 31. Verbum salutis omnium, 32. Veni, redemptor gentium (Tempo di Avvento-II: V, Ul); 33. Christe, redemptor omnium (ex Patre), 34. Candor aeternae Deitatis alme, 35. A solis ortus cardine (Natale e Tempo di Natale-I: V, Ul, L); 36. O lux beata caelitum, 37. Dulce fit nobis memorare parvum, 38. Christe, splendor Patris (Santa Famiglia: V, Ul, L); 39. A Patre Unigenite, 40. Implente munus debitum (Battesimo del Signore: I V, Ul); 41. Legis sacratae sanctis caeremoniis, 42. Adorna, Sion, thalamum, 43. Quod chorus vatum venerandus olim (Presentazione di Gesù: Ul, L, V); 44. Pange, lingua, gloriosi (proelium) (Tempo di Quaresima-II: Ul); 45. Agnoscat omne saeculum, 46. Iam caeca vis mortalium, 47. O lux salutis nuntia (Annunciazione: I V, Ul, L); 48. O rex aeterne, Domine (Tempo di Pasqua-I: V); 49. Optatus votis omnium (Ascensione: L); 50. Pange, lingua, gloriosi (corporis) (SS. Corpo e Sangue di Cristo: V); 51. Aeterna imago Altissimi (Cristo Re: L).

Nell'Ordinario: 52. Te Deum laudamus (Ul).

Nel Salterio: 53: Aeterna caeli gloria (1.a settim., feria 6.a: L); 54. Deus de nullo veniens (2.a settim., sabato: Ul).

Nel Proprio dei Santi: 55. Virginis virgo venerande custos, 56. Cohors beata Seraphim (S. Giovanni, ap. ed ev.: Ul, L); 57. Te, Ioseph, celebrent agmina caelitum (S. Giuseppe, sposo di Maria, S. Giuseppe, lavoratore: V); 58. Iste, quem laeti colimus, fideles, 59. Caelitum, Ioseph, decus atque nostrae (S. Giuseppe sposo di Maria: Ul, L); 60. Te, pater Ioseph, opifex colende, 61. Aurora solis nuntia (S. Giuseppe, lavoratore: Ul, L); 62. Ut queant laxis resonare fibris (Nascita di S. Giovanni, batt.: V); 63. Aurora surgit lucida (S. Maria Maddalena: L); 64. Nocti succedit lucifer, 65. Dum tuas festo, pater o colende (SS. Gioacchino ed Anna: L, V); 66. Bernarde, gemma caelitum (S. Bernardo, abate: V); 67. Christe, redemptor omnium (conserva), 68. Christe, caelorum habitator alme, 69. Iesu, salvator saeculi (Tutti i Santi: V, Ul, L).

Nei Comuni: 70. Virginis Proles opifexque Matris (1 martire-vergine martire: V); 71. Iesu, corona virginum, 72. Aptata, virgo, lampade (Vergini: V, L - per 1 vergine).

Nell'Ufficio dei defunti: 73. Qui lacrimatus Lazarum (Ora media).

[6] Sono i seguenti: 74. Iesu, auctor clementiae (S. Cuore di Gesù: L); 75. Iesu, rex admirabilis (Cristo Re: Ul); 76. Festum celebre martyris (S. Stefano, protom.: Ul); 77. Hymnum canentes martyrum, 78. Audit tyrannus anxius (SS. Innocenti: Ul, L); 79. Agnes beatae virginis (S. Agnese, verg. e mart.: L); 80. Te, Catharina, maximis (S. Caterina da Siena, verg.: L); 81. O Christe, flos convallium, 82. O castitatis signifer (Comune di 1 martire — martire vergine —: Ul, L); 83. Dulci depromat carmine, 84. Gaudentes festum colimus (Comune delle vergini — 1 vergine, più vergini —: Ul).

lo stretto rapporto esistente tra il mistero di Maria e il mistero di Cristo.

Il nostro studio vuole offrire una *sintesi* di tale dottrina. Abbiamo scelto come suo *principio unificatore* l'inserimento di Maria nella storia della salvezza. Ci è parso utile, infatti, penetrare nel mistero di Maria ripercorrendo le varie fasi della storia della salvezza in cui Ella appare presente, altrettanti momenti nei quali il mistero di Cristo pervade la storia dell'umanità per ricondurla ai suoi alti destini.

Generalmente abbiamo raccolto il ricco materiale degli inni sotto vari titoli che si riferiscono a particolari celebrazioni dell'anno liturgico, dando la precedenza agli inni che sono propri delle singole celebrazioni e limitandoci per lo più ai testi più pertinenti e interessanti. A volte abbiamo citato vari testi in distinte parti della trattazione a causa della loro polivalenza.

1. La Concezione Immacolata di Maria

« Dio fu con lei dal mattino della vita; l'Altissimo si è preparata una santa dimora »: così viene glorificata Maria nella seconda antifona dell'Ufficio delle letture della solennità della sua Immacolata Concezione [7]. Ma ancor prima del mattino della sua vita, Maria fu presente nel pensiero di Dio da tutta l'eternità. Il mistero di Maria, infatti, affonda le sue radici nell'eterno piano salvifico di Dio ed è oggetto dell'annunzio profetico vetero-testamentario.

Prima ancora di parlare dell'Immacolata Concezione di Maria è doveroso accennare alla « preistoria » mariana, come ci è presentata negli inni della « Liturgia Horarum ».

> « Maria,... - te Dei sapientia - elegit ante saecula »:

così canta l'inno « Maria, virgo regia » [8].

E nell'inno « Rerum supremo in vertice » [9] ci si rivolge a Maria dicendo:

> « ... - praedestinata Filium, - qui protulit te, gignere ».

Maria appare chiaramente predestinata dalla sapienza eterna di Dio ad essere la Madre del Verbo incarnato.

A questo progetto divino alludono variamente i profeti dell'Antico Testamento. Anche di questo ci parlano alcuni inni. Per esempio, quando si dice:

---

[7] Antifona tratta dal salmo 45 (vv. 5-6).
[8] Presentaz. di M, L, str. 1.
[9] M. Regina, Ul, str. 2.

« Quod chorus vatum venerandus olim - Spiritu Sancto cecinit repletus, - in Dei factum genetrice constat - esse Maria » [10].

Così anche quando ci si rivolge a san Gioacchino, padre di Maria, nell'inno «Dum tuas festo, pater o colende» [11] con l'espressione:

« Sic tuum germen benedicta ab Anna - editum, patrum repetita vota - implet, et maesto properat referre - gaudia mundo ».

Su tale ricco sfondo, alla soglia della pienezza dei tempi, si staglia uno dei momenti più importanti della storia della salvezza: l'Immacolata Concezione di Colei che era destinata ad essere la Madre del Salvatore. Questo privilegio mariano è ben illustrato nei tre inni della solennità dell'Immacolata Concezione di Maria.

Il più ricco di particolari è l'inno delle Lodi « In plausu grati carminis ». Riportiamo i versi più pertinenti:

« Maria,... - te praeservavit Filius - ab omni labe penitus » (str. 2).

« Originalis macula - cuncta respersit saecula; - sola post Natum vitiis - numquam contacta diceris » (str. 3) [12].

« Caput serpentis callidi - tuo pede conteritur; - fastus gigantis perfidi - David funda devincitur » (str. 4).

« Columba mitis, humilis, - fers, carens felle criminis, - signum Dei clementiae, - ramum virentis gratiae » (str. 5).

Va sottolineato, innanzitutto, l'accenno alla parte avuta dal Figlio di Dio nel conferimento del privilegio alla Madre: « te praeservavit Filius ». Da sottolineare anche i riferimenti biblici al protoevangelo [13], alla vittoria di Davide su Golia [14] e alla colomba di Noè [15].

Dell'inno dell'Ufficio delle letture « Te dicimus praeconio » meritano di essere riportati i seguenti versi:

« ... - labis paternae nescia - tu sola, Virgo, crederis » (str. 2).

« Caput draconis invidi - tu conteris vestigio, - gerisque sola gloriam - intaminatae originis » (str. 3).

Eloquenti anche le seguenti espressioni dell'inno dei Vespri « Praeclara custos virginum »:

« inter rubeta lilium » (str. 2), « Turris draconi impervia » (str. 3), « Quae labe nostrae originis - intacta splendes unica » (str. 5) [16].

---

[10] Presentaz. del Signore, V, str. 1.

[11] SS. Gioacchino ed Anna, V, str. 3.

[12] Le strr. 2.a e 3.a sono state prese dall'inno « Exsultet caeli concio ». Cf *Te decet hymnus* (vedi nota 1), p. 242; G.M. Dreves - Cl. Blume - H.M. Bannister, *Analecta Hymnica Medii Aevi*, voll. 55, Leipzig 1886-1922 (rist. Frankfurt am Main 1961), 4,42; 23,62.

[13] « ... ipsa conteret caput tuum »: *Gn* 3,15.

[14] Cf *1 Sam* 17,49-50.

[15] Cf *Gn* 8,10-11.

[16] La str. 5.a non fa parte del testo originale dell'inno (di autore ignoto, del sec. XVII). E' un'aggiunta, destinata a sottolineare il mistero celebrato. Cf *Te decet hymnus*, p. 240.

Interessante la dossologia propria assegnata ai tre inni:

> « Patri sit et Paraclito - tuoque Nato gloria, - qui sanctitatis unicae - te munerarunt gratia ».

Si può accostare a questa dossologia propria, di nuova composizione, quella comune a vari inni[17]:

> « Patri sit et Paraclito - tuoque Nato gloria, - qui veste te mirabili - circumdederunt gratiae ».

Viene presentata così l'Immacolata Concezione di Maria, prima immediata degna preparazione alla realizzazione del mistero dell'Incarnazione del Verbo.

2. La Nascita di Maria

Sono due gli inni propri assegnati alla festa della Natività di Maria: « O sancta mundi domina » (L), « Beata Dei genetrix » (V).

Soltanto nel primo inno troviamo un sobrio riferimento all'evento celebrato dalla liturgia, con le seguenti parole:

> « Appare, dulcis filia, - nitesce, iam, virguncula, - florem latura nobilem, - Christum Deum et hominem » (str. 2).
>
> « Natalis tui annua - en colimus sollemnia, - quo stirpe delectissima - mundo fulsisti genita » (str. 3).

Il secondo inno accenna semplicemente alla discendenza regale di Maria, dicendo:

> « Maria, virgo regia, - David stirpe progenita, - non tam paterna nobilis - quam dignitate subolis » (str. 2).

Merita di essere sottolineato l'accenno alla stirpe da cui nasce Maria, contenuto in ambedue gli inni. Tale accenno permette di ricordare innanzitutto i santi genitori di Maria, Gioacchino ed Anna, e i due inni assegnati alla loro memoria, nei quali, assieme alla gloria dei genitori, si canta quella della figlia. Si può, inoltre, ricordare che anche altrove si accenna ai natali regali di Maria, chiamandola

> « stirpis Davidicae regia proles »[18], « virga regalium »[19].

Una menzione speciale, infine, va fatta delle due dossologie, assegnate ai due inni della Natività di Maria, da noi sopra citati:

---

[17] Sono gli inni che portano i nn. 20, 24, 26, 28, 29 nella nota 4. La dossologia, di cui parliamo, è di nuova composizione.

[18] I. « O quam glorifica luce coruscas »: M. Regina, L, str. 1.

[19] I. « Veni, praecelsa Domina »: Visitaz., Ul, str. 5.

« Sit Trinitati gloria - per saeculorum saecula, - cuius vocaris munere - mater beata Ecclesiae ».
« Sit Trinitati gloria, - o Virgo nobilissima, - quae te suorum munerum - thesaurum dat magnificum ».

La prima dossologia è propria dell'inno di Lodi. Mentre l'inno è antico [20], la dossologia è di nuova composizione.

La seconda dossologia, dell'inno dei Vespri, anch'essa di nuova composizione, è comune all'inno di Lodi della memoria della Presentazione di Maria. Contiene un accenno alla ricchezza dei doni concessi a Maria dalla SS. Trinità.

3. La Presentazione di Maria

L'origine della celebrazione liturgica della Presentazione di Maria al tempio è da collegarsi con l'apocrifo « Protoevangelo di Giacomo ». La celebrazione gode tuttavia di una profonda motivazione: ricordare la grande realtà della consacrazione di Maria a Dio, come vero suo tempio.

Si tratta di una celebrazione molto importante della Chiesa di Oriente, documentata sin dal secolo VI. La sua accettazione in Occidente nel sec. XVI fu segno di riconoscimento della sua antichità e del suo ricco significato spirituale. La recente riforma postconciliare della liturgia romana ha voluto conservare la celebrazione per le accennate ragioni ed anche come dimostrazione di spirito ecumenico.

La « Liturgia Horarum » assegna due inni alla memoria obbligatoria della Presentazione di Maria: « Salve, mater misericordiae » (Ul), « Maria, virgo regia » (L). Ma in nessuno dei due si trovano riferimenti all'episodio della vita della Madonna commemorato [21].

Comunque, i due inni meritano di essere menzionati. Di essi, inoltre, si possono mettere in evidenza due particolari.

---

[20] Di autore ignoto, del sec. X almeno. Cf *Te decet hymnus,* p. 209.

[21] E' da escludere che si possa intendere in tal senso la str. 4.a del secondo inno: « In domo summi principis - tu affluis deliciis; - virga Iesse florigera, - repleris Dei gratia ». Tale str. risulta dalla fusione di vari testi contenuti nelle strr. 10.a, 12a e 16.a dell'inno originale (cf Dreves ..., *Analecta Hymnica* — vedi nota 12 —, 46,179). Ma in nessuno di essi è riscontrabile un accenno alla Presentazione di Maria. Troviamo conferma di ciò nella traduzione italiana dell'inno a cura di G. Mattei (cf Idem, *Inni del nuovo Breviario Romano — Liturgia Horarum* — in traduzione ritmica ..., Tipografia dell'Abbazia di Casamari — FR — 1974, p. 187), dove leggiamo: « Sei tu la verga d'Isai, - Che il fior di grazia germina; - In cielo il sommo Principe - Te colma di delizie ». Non si può opporre il fatto che il Lentini nella sua raccolta degli inni della « Liturgia Horarum » (*Te decet hymnus,* p. 237) premette all'inno in questione il titolo: « Fanciulla fiorente di grazia nella Casa di Dio », che si può intendere riferito alla dimora di Maria nel tempio di Gerusalemme.

Al primo inno è assegnata una dossologia propria. E' la seguente:

> « Te creavit Pater ingenitus, - obumbravit te Unigenitus, - fecundavit te Sanctus Spiritus; - ipsis honor ex corde penitus (O Maria) ».

Viene affermata chiaramente la relazione esistente tra la Vergine Maria e la SS. Trinità.

Nel secondo inno si chiede alla Madonna una grazia che è in relazione con la celebrazione della sua Presentazione al tempio:

> « ... - fac puris esse moribus - nos vera templa Spiritus »[22].

Come già accennavamo, la dossologia di questo secondo inno è comune all'inno dei Vespri della festa della Natività di Maria.

4. L'Annunciazione del Signore

La solennità dell'Annunciazione del Signore e la festa della sua Presentazione, pur essendo, propriamente, celebrazioni del Signore, godono di una particolare dimensione mariana, tanto da potersi considerare anch'esse, in senso largo, celebrazioni mariane. Gli inni assegnati nella « Liturgia Horarum » alle due celebrazioni, pur non facendo parte in senso stretto dell'Innario mariano[23], presentano, nel loro complesso, un ricco contenuto mariano.

Rimandando ad altra parte del nostro studio l'esame degli inni della festa della Presentazione del Signore, esaminiamo adesso i tre inni della solennità dell'Annunciazione, vera « memoria di un momento culminante del dialogo di salvezza tra Dio e l'uomo, e commemorazione del libero consenso della Vergine e del suo concorso al piano della redenzione »[24].

Nell'inno « Agnoscat omne saeculum » (I V) vediamo ripresentato nella sua completezza, anche se sinteticamente, il grande evento dell'Annunciazione di Gesù e della sua conseguente concezione nel castissimo seno della Vergine Maria. Interessano le strofe 2.a, 3.a e 5.a (dossologica). Le riportiamo integralmente:

> « Isaias quae praecinit - completa sunt in Virgine; - annuntiavit Angelus, - Sanctus replevit Spiritus ».
> « Maria ventre concipit - Verbi fidelis semine; - quem totus orbis non capit, - portant puellae viscera ».
> « Christo sit omnis gloria, - Dei Parentis Filio, - quem Virgo felix concipit - Sancti sub umbra Spiritus ».

L'annunzio dell'Angelo a Maria, l'intervento dello Spirito Santo, la concezione verginale del Verbo, l'avveramento della profezia di

---

[22] I due versi non si trovano nel testo originale dell'inno (cf Dreves ..., *Analecta Hymnica,* 46,179-182). Sono stati aggiunti, tenendo conto della destinazione dell'inno alla celebrazione della Presentazione di Maria.

[23] Cf nota 4.

[24] Paolo VI, *Marialis cultus,* n. 6.

Isaia[25]: sono questi i dati caratteristici del grande evento dell'Annunciazione del Signore, presentati con sobrietà e precisione nell'inno che stiamo esaminando. Da notare che la dossologia (str. 5.a) non fa parte del testo originale dell'inno[26], ma è di nuova composizione.

Il tema globale dell'Annunciazione del Signore è presente anche nell'inno « O lux, salutis nuntia » (L). Innanzitutto nella prima strofa:

> « O lux, salutis nuntia, - qua Virgini fert Angelus - complenda mox oracula - et cara terris gaudia ».

E, poi, dove si dice del Verbo:

> « ... - obnoxius fit tempori - matremque in orbe seligit » (str. 2)

e ci si rivolge a Lui, dicendo:

> « Concepta carne Veritas, - umbrata velo Virginis, - ... » (str. 4).

E ancora, dove, con diretto riferimento al brano evangelico dell'Annunciazione del Signore[27], si dice a Maria:

> « ... modesto pectore - te dicis ancillam Dei, - ... » (str. 5).

Meno rilevanti gli accenni all'Annunciazione contenuti nell'inno « Iam caeca vis mortalium » (Ul). Con riferimento al Verbo si dice:

> « Mortale corpus induit - ... » (str. 4).
> « Hic ille natalis dies, - quo te Creator arduus - spiravit et limo indidit, - Sermone carnem glutinans » (str. 5).

E con riferimento a Maria:

> « O quanta rerum gaudia - alvus pudica continet - ... » (str. 6).

Dopo aver esaminato i tre inni propri della solennità dell'Annunciazione del Signore, raccogliamo ora alcuni testi relativi allo stesso mistero, che si trovano in altri inni.

Il primo testo è quello costituito dalla nota seconda strofa dell'inno « Ave, maris stella ». Quest'inno è assegnato ai secondi Vespri del Comune della Madonna, ma è anche recitato ai secondi Vespri della solennità dell'Annunciazione. La strofa che ci interessa è la seguente:

> « Sumens illud "Ave" - Gabrielis ore, - funda nos in pace, - mutans Evae nomen ».

---

[25] Cf *Is.* 7,14.
[26] Di autore ignoto, dei secc. VII-VIII.
[27] Cf *Lc* 1,38.

Oltre al riferimento all'annunzio dell'Angelo a Maria si può sottolineare la contrapposizione che si stabilisce tra Maria ed Eva [28].

Un secondo testo lo troviamo nell'inno « Quem terra, pontus, aethera » [29]:

> « Beata caeli nuntio, - fecunda Sancto Spiritu, - desideratus gentibus - cuius per alvum fusus est ».

Un terzo testo è quello contenuto nell'inno « A solis ortus cardine » [30]:

> « Enixa est puerpera - quem Gabriel praedixerat, - ... ».

Interessano anche altri testi che si riferiscono direttamente al mistero dell'Incarnazione che ha avuto la sua realizzazione al momento dell'Annunciazione del Signore.

Innanzitutto il breve testo dell'inno « Te Deum laudamus » [31]:

> « Tu, ad liberandum suscepturus hominem - non horruisti Virginis uterum ».

E, poi, alcuni tratti dell'inno « O virgo mater, filia » [32]. Quest'inno è la traduzione latina [33] di un brano della preghiera alla Vergine Maria che Dante, nel suo « Paradiso » [34], pone sulle labbra di san Bernardo. L'inno merita di essere riportato in disteso, confrontato con il testo originale di Dante [35].

Testo latino	*Testo di Dante* (*Par.* 33,1-9) [36]
« O virgo mater, filia tui beata Filii,	«Vergine madre, figlia del tuo figlio, umile ed alta più che creatura,

[28] A tale contrapposizione si accenna altrove con le seguenti espressioni: « Nostrae decus propaginis, - quae tollis Evae opprobrium » (I. « Te dicimus praeconio »: Immac. Concez., Ul, str. 4); « Aeternae vitae ianua, - ... - per quam spes vitae, rediit, - quam Eva peccans abstulit » (I. « Mole gravati criminum »: M. Regina, V, str. 2); « Quod Eva tristis abstulit, - tu reddis almo germine » (I. « O gloriosa Domina »: Com. della Madonna, L; S. Maria in s., L-I, str. 2). Per tale tema cf SERAPIO DE IRAGUI, *La Mediación de la Virgen en la Himnografía Latina de la Edad Media,* Buenos Aires 1938, pp. 97-130.

[29] Com. della Madonna, Ul, str. 4.

[30] Tempo di Nat.-I, L, str. 5. Cf nota 53.

[31] Ordinario, Ul, v. 16.

[32] S. Maria in s., Ul-II.

[33] La traduzione è recente, dovuta a padre A. LENTINI. Cf *Te decet hymnus,* p. 256. Le terzine dantesche di endecasillabi con rime incatenate sono rese in latino, con alcuni adattamenti, in strofe di quattro versi di dimetri giambici ritmici.

[34] 33,1-39.

[35] Non riportiamo la dossologia dell'inno che non ha riscontro nella poesia di Dante. E' la dossologia comune a vari inni. Cf nota 17.

[36] Riportiamo il testo che si trova nell'edizione italiana della « Liturgia Horarum » nell'Ul del Comune della Madonna e di S. Maria in s. Nell'edizione italiana, nel suddetto ufficio ai versi 1-9 di Dante vengono aggiunti i versi 10-21. Cf asterisco seguente.

sublimis et humillima
prae creaturis omnibus,

termine fisso d'eterno consiglio,

Divini tu consilii
fixus ab aevo terminus,
tu decus et fastigium
naturae nostrae maximum:

tu se' colei che l'umana natura
nobilitasti sì, che 'l suo fattore

Quam sic prompsisti nobilem,
ut summus eius conditor
in ipsa per te fieret
arte miranda conditus.

non disdegnò di farsi sua fattura

In utero virgineo
amor revixit igneus,
cuius calore germinant
flores in terra caelici ».

Nel ventre tuo si raccese l'amore
per lo cui caldo ne l'eterna pace
così è germinato questo fiore ».

I testi parlano da sé. Sottolineiamo, comunque, la mirabile sintesi del mistero dell'Incarnazione contenuta nelle strofe 3.a e 4.a del testo latino, corrispondenti alle strofe 2.a e 3.a del testo italiano.

* Anche se non interessa direttamente il nostro tema, merita di essere riportato in disteso l'inno « Quae caritatis fulgidum » [37], continuazione del precedente inno « O virgo mater, filia ». E' la traduzione latina [38] di un altro brano della preghiera dantesca di san Bernardo [39]. Anche qui confrontiamo il testo latino con l'originale di Dante [40]. Ecco i due testi:

Testo latino

« Quae caritatis fulgidum
es astrum, Virgo, superis,
spei nobis mortalibus
fons vivax es et profluus.

Sic vales, celsa Domina,
in Nati cor piissimi,
ut qui fidenter postulat,
per te securus impetret.

Opem tua benignitas
non solum fert poscentibus,
sed et libenter saepius
praecantum vota praevenit.

In te misericordia,
in te magnificentia;
tu bonitatis cumulas
quicquid creata possident » [41].

Testo di Dante (*Par.* 33,10-21)

« Qui se' a noi meridïana face
di caritate, e giuso, intra i mortali,
se' di speranza fontana vivace.

Donna, se' tanto grande e tanto vali,
che qual vuol grazia ed a te non ricorre
sua disïanza vuol volar sanz'ali,

La tua benignità non pur soccorre
a chi domanda, ma molte fïate
liberamente al dimandar precorre.

In te misericordia, in te pietate,
in te magnificenza, in te s'aduna
quantunque in creatura è di bontate ».

---

[37] S. Maria in s., L-II.
[38] Curata anche questa da padre A. Lentini. Cf nota 33 e *Te decet hymnus*, p. 257.
[39] *Paradiso* 33,10-21.
[40] Cf nota 35, 36.
[41] La dossologia è la stessa dell'inno « O Virgo mater, filia », comune anche ad altri inni. Cf nota 35.

L'esame della ricca e soave poesia attribuita da Dante a san Bernardo ci dà l'occasione di presentare un testo mariano contenuto proprio nell'inno « Bernarde, gemma caelitum », assegnato alle Lodi e ai Vespri della memoria del santo. Il testo che ci interessa è la quarta strofa dell'inno, nella quale ci si rivolge a san Bernardo, dicendo:

> « Amoris aestu candidi - te Virgo Mater imbuit, - quam nemo te facundius - vel praedicavit altius ».

Degno e meritato riconoscimento al grande devoto e cantore di Maria!

Da quanto si è visto risulta chiaramente come negli inni relativi all'Annunciazione del Signore la Madonna appare intimamente unita al mistero di salvezza del suo Figlio.

5. La Visitazione di Maria

Maria, piena di grazia, portando Cristo in grembo, è mediatrice di grazie per Giovanni Battista e per i suoi genitori, Zaccaria ed Elisabetta. Ella, inoltre, è dichiarata benedetta, quale Madre del Signore, e beata, dalla cugina Elisabetta; ella profetizza che tutte le generazioni la chiameranno beata e innalza il suo « magnificat » al Signore. Questo il contenuto del mistero della Visitazione.

Lo troviamo sintetizzato in modo particolare nel seguente inno, di nuova composizione, proprio, dei Vespri della festa della Visitazione:

> « Concito gressu petis alta montis, - Virgo, quam matrem Deus ipse fecit, - ut seni matri studiosi amoris - pignora promas » (str. 1).
>
> « Cum salutantis capit illa vocem, - abditus gestit puer exsilire, - te parens dicit dominam, salutat - teque beatam » (str. 2).
>
> « Ipsa praedicis fore te beatam - Spiritu fervens penitus loquente, - ac Deum cantu celebras amoeno - magna operantem » (str. 3).
>
> « Teque felicem populi per orbem - semper, o mater, recitant ovantes - atque te credunt Domini favorum - esse ministram » (str. 4).
>
> « Quae, ferens Christum, nova semper affers - dona, tu nobis fer opes salutis, - qui pie tecum Triadem supernam - magnificamus. Amen » (str. 5, dossologia).

Va sottolineata, innanzitutto, nelle prime tre strofe la corrispondenza dell'inno al brano evangelico di Luca [42]. Si noti, inoltre, come le due ultime strofe cantino: l'avverarsi della suaccennata profezia di Maria (« Teque felicem populi ... recitant ovantes »), il patrocinio di Maria a favore degli uomini (« Domini favorum ... ministram », « nova semper affers dona, tu nobis fer opes salutis »), la

---

[42] Cf *Lc* 1,39-55.

possibilità data agli uomini di magnificare, insieme a Maria, la SS. Trinità (« tecum Triadem supernam magnificamus »).

Anche gli altri due inni della festa della Visitazione si presentano ben collegati con il mistero celebrato.

Nell'inno dell'Ufficio di letture « Veni, praecelsa Domina » si chiede alla Madonna che voglia venire a « visitare » il suo popolo. Ognuna delle sei strofe dell'inno si apre con l'invocazione « Veni ». Ricorre tre volte il verbo « visitare ». L'episodio della Visitazione è ricordato esplicitamente nella prima strofa con le parole:

> « ... - Maria ..., - quae iam cognatae domui - tantum portasti gaudii ».

Ritorna nella dossologia propria dell'inno (di nuova composizione) il tema della lode che, in unione con Maria, ci è dato innalzare a Dio:

> « Veni, tecumque Filium - laudemus in perpetuum, - cum Patre et Sancto Spiritu, - ... ».

Anche l'inno delle Lodi « Veniens, mater inclita »[43] insiste sulla ripresentazione-riattualizzazione del mistero della Visitazione, cantando:

> « nos ut Ioannem visita » (str. 1).
>
> « Procede, portans parvulum, - ut mundus possit credere - et tuae laudis titulum - omnes sciant extollere » (str. 2).
>
> « Saluta nunc Ecclesiam, - ut tuam vocem audiens - exsurgat in laetitia, - adventum Christi sentiens » (str. 3).
>
> « Tecum, Virgo, magnificat - anima nostra Dominum, - qui laude te nobilitat - et hominum et caelitum. Amen » (str. 6).

La preghiera è legata in particolare al ricordo del saluto di Maria ad Elisabetta e dell'esultanza di Giovanni[44].

C'è anche un richiamo alla lode tributata a Maria (str. 2), ripreso nella strofa sesta, dossologica (di nuova composizione), unitamente con l'affermazione della nostra associazione al « magnificat » di Maria. Questa dossologia risulta ricca di contenuto, come quelle dei due precedenti inni. Da notare che tutte e tre le dossologie sono proprie dei tre inni della celebrazione. E' solo l'ufficio della Visitazione a presentare questa particolarità.

Si riferiscono al tema della Visitazione due brevi brani di altri inni. Li presentiamo per completare il quadro della presente esposizione sul mistero della Visitazione.

---

[43] Le strr. 1.a, 2.a, 4.a, 5.a sono state prese dall'inno « Aurora fulgens radiat » (cf DREVES..., *Analecta Hymnica,* 43,49); la str. 3.a dall'inno « Dum patrum exspectatio » (cf *o.c.,* 43,48); la str. 6.a, dossologica, è nuova (cf *Te decet hymnus,* p. 171).

[44] Cf *Lc* 1,40.41.44.

Il primo brano che ci interessa lo troviamo nella già citata strofa dell'inno « A solis ortus cardine »[45]:

> « Enixa est puerpera - quem Gabriel praedixerat, - quem matris alvo gestiens - clausus Ioannes senserat ».

Il secondo brano è la quarta strofa del classico inno « Ut queant laxis resonare fibris »[46]. E' il seguente:

> « Ventris obstruso positus cubili - senseras regem thalamo manentem; - hinc parens nati meritis uterque - abdita pandit ».

Ambedue i testi mettono in rilievo un particolare della Visitazione, già sottolineato nell'inno « Concito gressu petis alta montis »[47]: la reazione suscitata in Giovanni Battista[48], presente nel seno di Elisabetta, dall'arrivo di Gesù, presente nel seno di Maria[49].

6. La Nascita di Gesù

« Iacob autem genuit Ioseph virum Mariae, de qua natus est Iesus, qui vocatur Christus » (*Mt* 1,16). Con la Nascita di Gesù da Maria ha inizio la fase decisiva della storia della salvezza.

Non troviamo nella « Liturgia Horarum » nessun inno che illustri esaurientemente l'evento salvifico della Nascita di Gesù. Gravitano però attorno a questo tema, con maggiore o minore forza, più o meno direttamente, alcuni inni del Tempo di Avvento e del Tempo di Natale. In essi il memoriale di Cristo nascente è unito connaturalmente a quello della Madre sua, Maria. Riportiamo i principali testi mariani.

Incominciamo dagli inni del Tempo di Avvento, nei quali si rivive il clima dell'attesa della celebrazione del Natale di Gesù.

Dall'inno « Conditor alme siderum »[50]:

> « Vergente mundi vespere, - uti sponsus de thalamo, - egressus honestissima - Virginis matris clausula ».

Dall'inno « Verbum salutis omnium »[51]:

> « Verbum salutis omnium, - Patris ab ore prodiens, - Virgo beata, suscipe - casto, Maria, viscere » (str. 1).

---

[45] Tempo di Nat.-I, L, str. 5. Cf nota 53.

[46] Nascita di S. Giovanni, batt. V.

[47] « Cum salutantis capit illa vocem, - abditus gestit puer exsilire ».

[48] Viene usato in ambedue i testi il verbo « sentire », che abbiamo visto usato nell'inno « Veniens, mater inclita » (Visitaz., L, str. 3) in riferimento alla Chiesa (« adventum Christi sentiens »).

[49] L'espressione « parens ... uterque » del secondo brano si riferisce a Zaccaria e ad Elisabetta, genitori di Giovanni Battista.

[50] Tempo di Avv.-I, V, str. 3.

[51] Tempo di Avv.-II, V.

« Te nunc illustrat caelitus - umbra fecundi Spiritus, - gestes ut Christum Dominum, - aequalem Patri Filium » (str. 2).

Dall'inno « Veni, redemptor gentium »[52]:

« Veni, redemptor gentium, - ostende partum virginis; - miretur omne saeculum: - talis decet partus Deum » (str. 1).
« Non ex virili semine, - sed mystico spiramine - Verbum Dei factum est caro - fructusque ventris floruit » (str. 2).
« Alvus tumescit Virginis, - claustrum pudoris permanet, - ... » (str. 3).

Come si vede, in questi inni del Tempo di Avvento, si parla dell'Incarnazione del Verbo con un linguaggio chiaro e preciso.

Lo stesso si deve dire di altri testi degli inni del Tempo di Natale-I.

Nell'inno « A solis ortus cardine »[53] (L) si legge, tra l'altro:

« ... - Christum canamus principem, - natum Maria Virgine » (str. 1).
« Clausae parentis viscera - caelestis intrat gratia; - venter puellae baiulat - secreta quae non noverat » (str. 3).
« Domus pudici pectoris - templum repente fit Dei; - intacta nesciens virum - verbo concepit Filium » (str. 4).

Nell'inno « Christe, redemptor omnium » (V):

« Salutis auctor, recole - quod nostri quondam corporis, - ex illibata Virgine - nascendo, formam sumpseris » (str. 3).

Nell'inno, infine, « Candor aeternae Deitatis alme » (Ul) Cristo è chiamato:

« Virginis fructus sine labe sanctae » (str. 3).

Si può fare qui espressa menzione della dossologia assegnata agli inni, già citati, « A solis ortus cardine » e « Christe, redemptor omnium ». Suona così:

« Iesu, tibi sit gloria, - qui natus es de Virgine, - cum Patre et almo Spiritu, - in sempiterna saecula. Amen ».

La dossologia è comune a molti altri inni[54]. Ma in questi due inni del Tempo di Natale risulta particolarmente intonata al mistero celebrato, la Nascita di Gesù da Maria.

---

[52] Tempo di Avv.-II, Ul.

[53] L'inno è di Sedulio. Cf *Te decet hymnus,* p. 81; *Patrologia latina* 19,763-770; 86,1291; Dreves ..., *Analecta Hymnica,* 27,117-118; 50,58-59.

[54] Sono gli inni che portano i nn. 9, 23, 25 nella nota 4; i nn. 46, 47, 64, 71 nella nota 5; i nn. 77-84 nella nota 6.

Possiamo accostare a questa dossologia quelle proprie degli inni « Festum celebre martyris » [55] e « Virginis virgo venerande custos » [56].

Nella prima si dice:

« Praestet favens haec munera - natus Puer de Virgine - ... ».

Nella seconda:

« Sit decus summo sine fine Christo, - sancta quem virgo genuit Maria, - ... » [57].

Si riferiscono ancora alla Nascita di Gesù da Maria molti brevi testi contenuti in altri inni. Li riportiamo perché servono a completare la precedente trattazione.

Di Gesù si dice che è

« ... - de ventre natus Virginis, - ... » [58],
« ... partus nostrae Virginis - ... » [59],
« ... - fructus ventris generosi - ... - Nobis datus, nobis natus - ex intacta Virgine, - ... » [60],
« ... castaeque proles Virginis » [61],

e che

« ... ventre virginali - carne factus prodiit » [62].

Ci si rivolge a Cristo, dicendo:

« ... - ad nos venis per Virginem - ... » [63],
« Quem diabolus deceperat - hostis humani generis, - eius et formam corporis - sumpsisti tu de Virgine » [64].

Si prega il Padre:

« ... - cum Genito de Virgine, - ... - nos rege Sancto Spiritu » [65].

Si tratta di semplici sprazzi di luce. Convergono tutti verso il Figlio di Dio, nato da Maria.

---

[55] S. Stefano, protom., Ul.
[56] S. Giovanni, ap. ed ev., Ul.
[57] Questa dossologia è presa dal testo originale dell'inno « Gaudium mundi, nova stella caeli ». Cf *Te decet hymnus*, p. 245; DREVES ..., *Analecta Hymnica*, 48,45-46 e 32.
[58] I. « Implente munus debitum »: Battes. del Signore, Ul, str. 2.
[59] I. « Optatus votis omnium »: Ascens., L, str. 4.
[60] I. « Pange, lingua, gloriosi (corporis) »: SS. Corpo e Sangue di Cristo, V, strr. 1-2.
[61] I. « Aeterna caeli gloria »: Salterio, 1.a settim., feria 6.a, L, str. 1.
[62] I. « Pange, lingua, gloriosi (proelium) »: Tempo di Quares.-II, Ul, str. 4.
[63] I. « A Patre Unigenite »: Battes. del Signore, I V, str. 1.
[64] I. « O rex aeterne, Domine »: Tempo di Pasqua-I, V, str. 2.
[65] I. « Deus de nullo veniens »: Salterio, 2.a settim., sabato, Ul, str. 3.

7. La santa Famiglia di Nazareth

Il Figlio di Dio ha voluto diventare membro di una famiglia umana. Essa ha avuto un ruolo speciale nell'attuazione del progetto divino della salvezza. Maria vi ha assolto bene la funzione affidatale. Ci sembra opportuno dare uno sguardo a tale funzione di Maria, subito dopo aver contemplato il mistero dell'Incarnazione del Verbo e della sua Nascita. Così facendo seguiamo l'orientamento della liturgia, che collega strettamente la festa della santa Famiglia [66] alla solennità del Natale del Signore.

Sono appunto primo oggetto del nostro esame i tre inni assegnati alla festa della santa Famiglia. Il materiale non abbonda. Completeremo presentando altri dati. Stralciamo dai tre inni quanto ci sembra più pertinente.

Dall'inno « O lux beata caelitum » (V):

> « Maria, dives gratia, - o sola quae casto potes - fovere Iesum pectore, - cum lacte donans oscula » (str. 2).
>
> « Iesu, tuis oboediens - qui factus es parentibus, - cum Patre summo ac Spiritu - semper tibi sit gloria. Amen » (str. 6).

La strofa sesta costituisce la dossologia propria dell'inno.

Dall'inno « Dulce fit nobis memorare parvum » (Ul) [67]:

> « Assidet nato pia mater almo, - assidet sponso bona nupta, felix - si potest curas relevare lassis - munere amico » (str. 3).

L'inno « Christe, splendor Patris » (L), di nuova composizione, si apre con una invocazione rivolta alle singole tre persone della santa Famiglia. Maria è chiamata « Dei mater virgo ». Dell'inno interessano poi le due seguenti strofe:

> « Imus praees, Ioseph, - humilisque iubes; - iubes et Maria - et utrique servis » (str. 4).
>
> « Tibi laudes, Christe, - spem qui nobis praebes, - tuos per parentes - caeli adire domum. Amen » (str. 7).

Anche qui la dossologia contenuta nell'ultima strofa è propria dell'inno.

Altri particolari sulla santa Famiglia li troviamo negli inni propri di san Giuseppe. Riferiamo quanto riguarda anche la Madonna.

Va menzionato, innanzitutto, l'inno « Te, Ioseph, celebrent agmina caelitum » [68]. Ci si rivolge prima a san Giuseppe, ricordando la sua dignità di sposo di Maria:

---

[66] Domenica occorrente durante l'ottava di Natale oppure 30 dicembre.

[67] Il testo è ricavato dal precedente inno del Breviario Romano « Sacra iam splendent decorata lychnis » di Leone XIII († 1903). Cf *Te decet hymnus,* p. 83.

[68] S. Giuseppe, sposo di M; S. Giuseppe, lavorat., V.

« ... iunctus es inclitae - casto foedere Virgini » (str. 1).

Si ricorda, poi, un episodio della vita del santo che interessa da vicino la Madonna:

« Almo cum tumidam germine coniugem - admirans, dubio tangeris anxius, - afflatu superi Flaminis angelus - conceptum puerum docet » (str. 2).

L'inno « Caelitum, Ioseph, decus atque nostrae »[69], oltre che chiamare il santo « Virginis sponsus » (str. 2)[70], ce lo mostra accanto a Maria unito nella lode del neonato Signore, con le parole:

« Tu Redemptorem stabulo iacentem - ... - aspicis gaudens, sociusque matris - primus adoras » (str. 3).

L'inno « Te, pater Ioseph, opifex colende »[71] ricorda il lavoro a cui si sottopose il santo per il sostentamento della famiglia:

« ... - sacra ... multo manuum labore - pignora nutris ».

L'inno « Iste, quem laeti colimus, fideles »[72] ci parla dell'assistenza di Gesù e di Maria a Giuseppe morente:

« O nimis felix, nimis o beatus, - cuius extremam vigiles ad horam - Christus et Virgo simul astiterunt - ore sereno ».

E, finalmente, l'inno « Aurora solis nuntia »[73] ci presenta il santo nella gloria del cielo accanto a Maria:

« Altis locatus sedibus - celsaeque Sponsae proximus - ... ».

Nel ricco quadro presentatoci dai testi esaminati appare ben delineata la figura di Maria, pienamente partecipe della felice condizione di quella santa Famiglia che fu nobile strumento della Provvidenza divina, vera prima « chiesa domestica », immagine viva della Chiesa di Dio, modello di tutte le famiglie.

8. La Presentazione di Gesù

L'evento salvifico della Presentazione di Gesù al tempio ci ripresenta unite le tre persone della santa Famiglia di Nazareth.

---

[69] S. Giuseppe, sposo di M, L.

[70] Il santo è presentato anche appartenente alla stirpe di Davide (« Te, satum David »). Cf *Mt* 1,1-17.20; *Lc* 1,27; 2,4; 3,23-38.

[71] S. Giuseppe, lavorat., Ul, str. 2.

[72] S. Giuseppe, sposo di M, Ul, str. 2.

[73] S. Giuseppe, lavorat., L, str. 3.

Dei tre inni assegnati alla festa della Presentazione quello che si riferisce più direttamente al mistero celebrato, mettendo in particolare risalto la Vergine Santissima, è l'inno « Adorna, Sion, thalamum » (L). Ne riportiamo i seguenti brani:

« Adorna, Sion, thalamum, - quae praestolaris Dominum; - sponsum et sponsam suscipe - vigil fidei lumine » (str. 1).
« Parentes Christum deferunt, - in templo templum offerunt; - ... » (str. 3).
« Offer, beata, parvulum, - tuum et Patris unicum; - offer per quem offerimur, - pretium quo redimimur » (str. 4).
« Procede, virgo regia, - profer Natum cum hostia; - ... » (str. 5).

Interessa, poi, l'inno « Quod chorus vatum venerandus olim » (V). Nella quarta strofa ci si rivolge direttamente a Maria, dicendo:

« Tu libens votis, petimus, precantum, - regis aeterni genetrix, faveto, - clara quae fundis Geniti benigni - munera lucis ».

Maria è dichiarata mediatrice del dono della luce di Cristo. Di tale luce parla il mistero celebrato, illustrato dalle parole del vecchio Simeone: « ... viderunt oculi mei salutare tuum. ... Lumen ad revelationem gentium ... » (*Lc* 2,30-32). Al tema della luce si ispira la processione dei ceri che fin dall'antichità è stata uno dei riti significativi della celebrazione della Presentazione [74].

L'inno « Legis sacratae sanctis caeremoniis » (Ul) [75], dopo aver parlato dell'obbedienza di Gesù alla legge mosaica della presentazione, celebra Maria:

« Mater beata carnis sub velamine - Deum ferebat umeris castissimis, - dulcia strictis oscula sub labiis - Deique veri hominisque impresserat - ori, iubente quo sunt cuncta condita » (str. 2).

Come si vede, la festa della Presentazione del Signore, pur essendo festa propria del Salvatore, « deve essere considerata ... come memoria congiunta del Figlio e della Madre, cioè celebrazione di un mistero di salvezza operato da Cristo, a cui la Vergine fu intimamente unita ... » [76].

9. Maria presso la croce del Signore

Dopo aver esaminato gli inni che parlano della santa Famiglia di Nazareth e della Presentazione di Gesù al tempio, passiamo all'esame degli inni relativi alla partecipazione di Maria, sul Calvario,

---

[74] Il tema trova altri echi nelle strofe 3.a e 5.a del presente inno e nella str. 3.a dell'inno che esamineremo subito dopo.

[75] E' costituito da alcune strofe dell'inno « Refulsit almae dies lucis candidus ». Cf *Te decet hymnus*, p. 150; Dreves ..., *Analecta Hymnica*, 50,132-134.

[76] Paolo VI, « *Marialis cultus* », n. 7.

alla fase dolorosa del mistero pasquale di Cristo, preannunziata dal vecchio Simeone. Non troviamo, infatti, nella « Liturgia Horarum » inni che illustrino la figura di Maria nel periodo intermedio. E' noto che i pochi dati mariani relativi a tale periodo presentati dal Vangelo non trovano riscontro in speciali celebrazioni liturgiche.

Costituisce un'ottima meditazione sulla « Passione » di Maria il mirabile inno (sequenza) « Stabat mater dolorosa ». La « Liturgia Horarum » lo assegna, diviso in tre parti, all'Ufficio delle letture, alle Lodi e ai Vespri della memoria obbligatoria della Vergine addolorata (15 settembre). L'inno è molto noto, ricco di dottrina e di sentimento, particolarmente caro alla pietà popolare. Non è il caso di soffermarci a lungo nel suo esame. Basterà riportare alcuni brani, quelli nei quali la Vergine appare intimamente associata alla passione del suo Figlio e mediatrice per noi delle grazie ad essa legate.

Dalla prima parte dell'inno (Ul):

> « Stabat mater dolorosa - iuxta crucem lacrimosa, - dum pendebat Filius » (str. 1) [77].
>
> « Cuius animam gementem, - contristatam et dolentem - pertransivit gladius » (str. 2) [78].
>
> « Vidit suum dulcem Natum - morientem, desolatum, - cum emisit spiritum » (str. 8).

Dalla seconda parte dell'inno, « Eia, mater, fons amoris » (L):

> « Sancta mater, istud agas, - Crucifixi fige plagas - cordi meo valide » (str. 3).
>
> « Tui Nati vulnerati, - tam dignati pro me pati - poenas mecum divide » (str. 4).
>
> « Iuxta crucem tecum stare - ac me tibi sociare - in planctu desidero » (str. 6).

Dalla terza parte dell'inno, « Virgo virginum praeclara » (V):

> « ... - fac me tecum plangere » (str. 1).
>
> « Fac me plagis vulnerari, - cruce hac inebriari - et cruore Filii » (str. 3).
>
> « Flammis urar ne succensus, - per te, Virgo, sim defensus - in die iudicii » (str. 4).

Consideriamo a parte la dossologia propria dell'inno « Stabat mater dolorosa » (str. 9) e quella comune ai due inni « Eia, mater, fons amoris » (str. 7) e « Virgo virginum praeclara » (str. 6).

La prima suona così:

> « Christe, cum sit hinc exire, - da per matrem me venire - ad palmam victoriae ».

---

[77] Cf *Gv* 19,25.
[78] Cf *Lc* 2,35.

La seconda:

> « Quando corpus morietur, - fac ut animae donetur - paradisi gloria ».

Le due dossologie si distinguono dalle altre perché manca in esse l'elemento più caratteristico della dossologia, cioè la glorificazione di Dio. Esse contengono solo una supplica con orientamento escatologico. Ciò è ammesso nella tradizione innologica [79].

Associata con Maria alla passione del Salvatore, la Chiesa può ben sperare di essere partecipe, ancora con Maria, della sua risurrezione [80].

Accanto a Maria, presso la croce del Signore, furono presenti l'apostolo Giovanni e Maria Maddalena [81]. Alcuni inni della « Liturgia Horarum » accennano a questa presenza e al suo ricco contenuto.

Si riferiscono, innanzitutto, a san Giovanni le parole rivolte a Gesù nell'inno « Qui lacrimatus Lazarum » [82]:

> « Qui, moriens, discipulo - matrem donasti Virginem [83], - tuorum quae fidelium - agoni adesset ultimo ».

Del particolare rapporto che si stabilisce tra Giovanni e la Vergine Maria parlano altri due inni. Menzioniamo prima l'inno dell'Ufficio delle letture della festa del santo per il verso iniziale a lui indirizzato:

> « Virginis virgo venerande custos ».

Segnaliamo, poi, l'inno delle Lodi della stessa festa « Cohors beata Seraphim », che presenta Giovanni figlio di Maria in un ricco contesto di dottrina sulla figura del santo. E' utile riportare le due strofe dell'inno che più interessano:

> « Hic discit, almus edocet - hic unde Verbum prodeat, - sinumque matris impleat, - sinum Patris non deserens » (str. 2).
>
> « O digne fili Virgine, - successor alti nominis, - nos adde Matri filios, - nos conde Christi in pectore » (str. 5) [84].

---

[79] Cf CONSILIUM AD EXSEQUENDAM CONSTITUTIONEM DE SACRA LITURGIA, *Hymni instaurandi Breviarii Romani*, Libreria Editrice Vaticana 1968, Introductio (a cura di A. LENTINI), p. XVI; *Te decet hymnus*, p. XXII. Cf anche *Te decet hymnus*, pp. 214-216.

[80] Cf colletta della memoria della Vergine Addolorata.

[81] Cf *Gv* 19,25-27.

[82] Ufficio dei defunti, Ora media, str. 3.

[83] Al testamento di amore di Gesù morente in croce si riferisce l'antifona del « Magnificat » della memoria della Vergine addolorata: « Cum vidisset Iesus matrem stantem iuxta crucem et discipulum quem diligebat, dicit matri suae: Mulier, ecce filius tuus. Deinde dicit discipulo: Ecce mater tua ». Cf *Gv* 19,26-27.

[84] Per altri dati sullo stesso tema cf TH. KOEHLER, *Jean 19,25-27 dans l'hymnologie latine du 4e au 12e siècle*, in *Studia mediaevalia et mariologica P.C. Balic ... dicata*, Antonianum, Roma 1971, pp. 597-609.

A questi discreti accenni riguardanti san Giovanni fa eco quanto si dice di santa Maria Maddalena nell'inno « Aurora surgit lucida », assegnato alle Lodi della sua memoria (22 luglio):

« Quae cum dolenti Virgine - haesisti acerbo stipiti - ... » (str. 4).

Piccoli particolari che completano, arricchendolo, il quadro che ci presenta la Vergine addolorata ai piedi della croce del suo figlio.

10. Maria nella gloria del Figlio

Dopo aver partecipato alla passione dolorosa del Figlio, Maria è resa degna di partecipare alla sua glorificazione. La gloria di Maria è cantata soprattutto negli inni della solennità della sua Assunzione e della memoria obbligatoria della sua Regalità.

Pur essendo i due titoli di gloria di Maria, la sua Assunzione e la sua Regalità, intimamente connessi tra di loro, trattiamo distintamente, nella nostra rassegna, degli inni assegnati alle due celebrazioni mariane. Da notare che in essi il discorso su Maria assunta in cielo e regina si allarga su altri temi che illustrano la grandezza di Maria. Non potremo non tenerne conto nella scelta dei testi più interessanti.

10.1. *Assumpta in caelum*

Dei tre inni assegnati alla solennità dell'Assunzione il più pertinente e ricco è quello dell'Ufficio delle letture. Lo riportiamo quasi tutto:

« Aurora velut fulgida, - ad caeli meat culmina, - ut sol Maria splendida, - tamquam luna pulcherrima » (str. 1) [85].

« Regina mundi hodie - thronum conscendit gloriae, - illum enixa Filium - qui est ante luciferum » (str. 2).

« Assumpta super angelos - omnesque choros caelitum, - cuncta sanctorum merita - transcendit una femina » (str. 3).

« Quem foverat in gremio, - locarat in praesepio, - nunc regem super omnia - Patris videt in gloria » (str. 4).

« Sit laus Patri cum Filio - et Spiritu Sancto - qui te prae cunctis caelica - exornaverunt gloria. Amen » (str. 6) [86].

Il secondo posto spetta all'inno delle Lodi per le seguenti sue belle strofe:

---

[85] Riecheggia un testo del Cantico dei cantici (6,9): « Quae est ista quae progreditur, quasi aurora consurgens, pulchra ut luna, electa ut sol... »?

[86] La strofa dossologica, di nuova composizione, è comune all'inno dei Vespri della memoria di Maria Regina « Mole gravati criminum ».

« Solis, o Virgo, radiis amicta, - bis caput senis redimita stellis, - luna cui praebet pedibus scabellum, - inclita fulges » (str. 1)[87].
« Mortis, inferni domitrixque culpae, - assides Christo studiosa nostri, - teque reginam celebrat potentem - terra polusque » (str. 2).
« Laus sit excelsae Triadi perennis, - quae tibi, Virgo, tribuit coronam, - atque reginam statuitque nostram - provida matrem. Amen » (str. 5)[88].

Del terzo inno dell'Assunzione, quello dei Vespri, basta citare i seguenti versi:

« Gaudium mundi, nova stella caeli, - procreans solem, pariens parentem, - ... - virgo Maria » (str. 1).
« Te Deo factam liquet esse scalam - qua tenens summa petit Altus ima; - ... » (str. 2)[89].

10.2. *Regina mundi*[90]

Anche alla celebrazione di Maria Regina vengono assegnati tre inni.

Il più ricco di riferimenti alla Regalità di Maria è l'inno dei Vespri « Mole gravati criminum ». La Madonna è chiamata

« regina » (str. 4), « regina caelitum » (str. 1), « princeps mater Principis » (str. 3), « Regnatrix mater omnium » (str. 5)[91].

L'inno dell'Ufficio delle letture canta Maria Regina, soprattutto nella prima strofa:

« Rerum supremo in vertice - regina, Virgo, sisteris, - exhuberanter omnium - ditata pulchritudine ».

Nella seconda strofa ci si rivolge a Maria, dicendole:

« Princeps opus tu cetera - inter creata praenites, - ... »,

mettendo, poi, in rapporto questa sua grandezza con la sua predestinazione ad essere madre di Dio. Nella terza strofa, dopo aver ricordato la partecipazione di Maria alla passione di Cristo, « rex

---

[87] La strofa si ispira a *Ap* 12,1, testo che viene ripreso anche, assieme ad altri versetti dell'*Ap*, nella lettura evangelica della Messa del giorno dell'Assunzione.

[88] La strofa dossologica propria di quest'inno è stata assegnata anche all'inno dei Vespri della stessa solennità « Gaudium mundi, nova stella caeli ».

[89] Per la strofa dossologica dell'inno cf nota precedente.

[90] Cf G.M. Roschini, *La regalità di Maria nell'innologia liturgica del medioevo*, in *Studia mediaevalia* ..., pp. 611-619.

[91] Nella strofa dossologica (6.a), che è comune all'inno « Aurora velut fulgida » (Assunz., Ul, str. 6) (cf nota 86), si rende lode alle tre Persone della SS. Trinità, che « prae cunctis caelica - exornaverunt gloria » Maria.

purpuratus sanguine » sull'albero della croce, si indica uno speciale aspetto della Regalità di Maria chiamandola « mater viventium »[92].

Dell'inno delle Lodi interessa la prima strofa:

« O quam glorifica luce coruscas, - stirpis Davidicae regia proles, - sublimis residens, virgo Maria, - supra caeligenas aetheris omnes ».

Gloriosamente assunta in cielo, regina[93] dell'universo, Maria è resa degna di partecipare pienamente al mistero divino della salvezza.

11. Mistero unitario

Il precedente esame dell'Innario della « Liturgia Horarum » ci ha permesso di contemplare la Vergine Maria presente nelle varie principali tappe del mistero della salvezza. Sarà utile adesso guardare al filo conduttore di tutto il discorso e dare uno sguardo d'insieme al ricco materiale esaminato.

Pensiamo che il filo conduttore di tutto sia la considerazione dell'inserimento di Maria nel mistero trinitario-cristologico. Tale tema lo abbiamo trovato espresso in forma globale nella dossologia dell'inno « Salve, mater misericordiae »[94]:

« Te creavit Pater ingenitus, - obumbravit te Unigenitus, - fecundavit te Sanctus Spiritus; - ... ».

E' strettamente collegata con tale dignità di Maria la ricchezza dei doni a Lei concessi dalla SS. Trinità. Ce ne hanno parlato altre dossologie. Da tutto ciò deriva una consolante realtà per noi: veniamo associati a Maria nella lode della SS. Trinità[95].

In particolare, il mirabile rapporto di Maria con il Verbo divino incarnato è stato illustrato ripetutamente negli inni da noi esaminati. Esso ci è stato presentato con una ricca varietà di sfumature, quelle corrispondenti ai vari aspetti dell'unico mistero di Cristo.

Anche il rapporto della Madonna con lo Spirito Santo è stato oggetto di continui richiami. Ciò soprattutto in riferimento all'Incarnazione del Verbo. Basti ricordare qualche testo:

---

[92] La strofa dossologica (« qui veste te mirabili - circumdederunt gratiae ») è comune ad inni di altre celebrazioni mariane. Cf nota 17.

[93] Accanto al termine « regina », « regnatrix », « princeps » abbiamo trovato usato altrove il termine « domina ». Cf anche inni « O sancta mundi domina » (Natività di M, L, str. 1), « O gloriosa Domina » (Com. della Madonna, L; S. Maria in s., L-I, str. 1), « Dum tuas festo, pater o colende » (SS. Gioacchino ed Anna, V, str. 2).

[94] Presentaz. di M, Ul.

[95] « ... tecum ... Filium - laudemus in perpetuum, - cum Patre et Sancto Spiritu, - ... » (I. « Veni, praecelsa Domina »: Visitaz., Ul, str. 6); « ... pie tecum Triadem supernam - magnificamus » (I. « Concito gressu petis alta montis »: Visitaz., V, str. 5).

« ... Virgo felix concipit - Sancti sub umbra Spiritus »[96].
« fecunda Sancto Spiritu »[97].
« Te nunc illustrat caelitus - umbra fecundi Spiritus »[98].
« ... mystico spiramine - Verbum Dei factum est caro »[99].
« afflatu superi Flaminis angelus - conceptum puerum docet »[100].

Vanno ricordate anche le speciali espressioni che riceve il tema della presenza dello Spirito Santo in Maria in riferimento al mistero della Presentazione della Madonna:

« te dedicavit caelitus - missus ab eo Spiritus »[101]

e al mistero della Visitazione:

« Veniens ... - cum Sancti dono Spiritus, - nos ut Ioannem visita »[102].
« Ipsa praedicis fore te beatam - Spiritu fervens penitus loquente »[103].

A questo esame del fondamento della unitarietà del mistero mariano si può collegare la visione panoramica che di esso ci viene offerta nell'inno proprio della memoria obbligatoria della Madonna del Rosario. In quest'inno, che si ispira alla devozione popolare del rosario mariano, troviamo sintetizzati i vari aspetti — gaudiosi, dolorosi, gloriosi — del mistero di Maria, altrettanti misteri nei quali Maria ci si presenta intimamente unita al Figlio suo.

Mirabilmente compendiosa la prima strofa:

« Te gestientem gaudiis, - te sauciam doloribus, - te iugi amictam gloria, - o Virgo Mater, pangimus ».

E poi, nelle strofe seguenti, il sobrio tripartito elenco dei principali misteri gaudiosi, dolorosi e gloriosi, oggetto della meditazione del santo rosario:

« Ave, redundans gaudio - dum concipis, dum visitas, - et edis, offers, invenis, - mater beata, Filium » (str. 2).
« Ave, dolens et intimo - in corde agonem, verbera, - spinas crucemque Filii - perpessa, princeps martyrum » (str. 3).
« Ave in triumphis Filii, - in ignibus Paracliti, - in regni honore et lumine - regina fulgens gloria » (str. 4)[104].

---

96 I. « Agnoscat omne saeculum »: Annunciaz., I V, str. 5.
97 I. « Quem terra, pontus, aethera »: Com. della Madonna, Ul, str. 4.
98 I. « Verbum salutis omnium »: Tempo di Avv.-II, V, str. 2.
99 I. « Veni redemptor gentium »: Tempo di Avv.-II, Ul, str. 2.
100 I. « Te, Ioseph, celebrent agmina caelitum »: S. Giuseppe, sposo di M, V, str. 2.
101 I. « Maria, virgo regia »: Presentaz. di M, L, str. 2.
102 I. « Veniens, mater inclita »: Visitaz., L, str. 1.
103 I. « Concito gressu petis alta montis »: Visitaz., V, str. 3.
104 La dossologia è una di quelle comuni: « Iesu..., qui natus es de Virgine ».

Quest'inno, completo memoriale della partecipazione di Maria ai misteri di salvezza del suo Figlio, garantisce una fruttuosa partecipazione della Chiesa orante all'unico indivisibile mistero di Cristo.

12. Maria Madre-Vergine del Figlio di Dio

Negli inni che abbiamo passato in rassegna Maria ci è apparsa ripetutamente quale Madre del Figlio di Dio fatto uomo, madre, però, che è, nello stesso tempo, vergine. Maternità - Verginità! Riteniamo necessario sottolineare questa duplice, apparentemente contraddittoria, prerogativa di Maria [105]. Lo facciamo esaminando, innanzitutto, gli inni occorrenti nella solennità di Maria SS. Madre di Dio, celebrata il 1° gennaio, giorno ottavo della celebrazione del Natale del Signore. Ci limitiamo a riportare i testi più espressivi.

Dall'inno « Corde natus ex Parentis » (V):

> « O beatus ortus ille, - Virgo cum puerpera - edidit nostram salutem - feta Sancto Spiritu, - ... » (str. 3).
>
> « Gloriam Patri melodis - personemus vocibus; - gloriam Christo canamus, - matre nato virgine, - ... » (str. 5) [106].

Dall'inno « Radix Iesse floruit » (Ul) [107]:

> « Radix Iesse floruit - et virga fructum edidit [108]; - fecunda partum protulit - et virgo mater permanet » (str. 1).
>
> « ... - cum Patre caelos condidit, - sub matre pannos induit » (str. 2).
>
> « ... - venite, gentes, credite: - Deum Maria genuit » (str. 4).

Dall'inno « Fit porta Christi pervia » (L) [109]:

---

[105] Cf G. Pagani, *La Madonna nei poeti latini cristiani dei primi sei secoli*, Vercelli 1982, pp. 35-54.

[106] Da notare che l'inno è di Prudenzio († c. 405). Ma la strofa, che costituisce la dossologia propria dell'inno, è stata ricavata, con adattamenti, dalla dossologia dell'inno, di autore incerto (del sec. X almeno), « Tibi, Christe, splendor Patris », assegnato alle Lodi della festa dei santi Michele, Gabriele e Raffaele. Cf *Te decet hymnus*, p. 85.

[107] Le prime quattro strofe sono prese dall'inno « Agnoscat omne saeculum », assegnato in parte ai I Vespri dell'Annunciazione.

[108] Nelle loro fonti bibliche (cf *Is* 11,1.10; *Rom* 15,12) le due espressioni si riferiscono a Cristo. Ma la tradizione le riferisce anche a Maria. Cf M. Garrido Bonaño, *La Virgen María en los himnos litúrgicos de sus fiestas (siglo VI-XI)*, in *De cultu mariano saeculis VI-XI* ..., IV, Pont. Academia Mariana Internationalis, Roma 1972, pp. 183-184; Serapio de Iragui, *La Mediación de la Virgen* ... (cf nota 28), pp. 75, 81. Qui il significato mariano delle due espressioni, stando al contesto, ci sembra chiaro. Anche altrove gli inni usano il termine « virga » per indicare Maria. Cf infra; supra 2 (La Nascita).

[109] Secondo il Lentini (cf *Te decet hymnus*, p. 87) abbiamo qui forse un frammento di un inno abecedario. In alcune edizioni appare come parte di un inno che inizia con la prima strofa dell'inno « A solis ortus cardine » di Sedulio (cf nota 53). Cf *Patrologia latina* 86,1298-1299; 17,1209-1210; Dreves ..., *Analecta Hymnica*, 27,118-119. Cf anche *Patr. latina* 16,1476; 86,1291.

« Fit porta Christi pervia - omni referta gratia, - transitque rex, et permanet - clausa, ut fuit, per saecula » (str. 1) [110].

« Summi Parentis Filius - processit aula Virginis - ... » (str. 2).

« Christo sit omnis gloria, - quem Pater Deum genuit - quem Virgo mater edidit - fecunda Sancto Spiritu. Amen » (str. 5 [111].

Nei testi riportati si parla chiaramente della divina verginale maternità di Maria, frutto dell'azione dello Spirito Santo.

Accanto a questi testi meritano di essere riportati i seguenti che troviamo sparsi in altri inni:

« ... - Deique mater innuba - ...
... - e stirpe virga germinans - nostro medelam vulneri; - ... » [112].

« Haec est sacrati ianua - templi serata iugiter, - soli supremo Principi - pandens beata limina » [113].

« ... - Dei domus eburnea, - ...
... - aurora veri luminis, - arca divini seminis, - ...
... - virga Iesse florigera, - ... » [114].

« Haec Deum caeli Dominumque terrae - virgo concepit peperitque virgo, - atque post partum meruit manere - inviolata » [115].

« Tu, cum virgineo mater honore, - caelorum Domino pectoris aulam - sacris visceribus casta parasti; - natus hinc Deus est corpore Christus » [116].

« ... - claustrum Mariae baiulat. ... - gestant puellae viscera. ... - cuius... - ventris sub arca clausus est. ... - cuius per alvum fusus est » [117].

« ... - Dei mater alma, - atque semper virgo - ...
... - qui pro nobis natus - tulit esse tuus » [118].

« Virginis Proles opifexque Matris, - Virgo quem gessit peperitque Virgo, - ... » [119].

« Iesu, corona virginum, - quem Mater illa concipit, - quae sola virgo parturit, - ... » [120].

Vanno sottolineate anche le seguenti espressioni ricorrenti altrove:

---

[110] Il testo si ispira a *Ez* 44,1-3. La « porta » di cui parla l'inno è Maria, madre vergine, piena di grazia (cf *Lc* 1,28). Cf M. Garrido Bonaño, *o.c.*, (cf nota 108), pp. 184-186.

[111] Anche qui la dossologia è propria dell'inno. Essa però non fa parte del testo originale dell'inno; è di nuova composizione. Cf *Te decet hymnus*, p. 87.

[112] I. « Praeclara custos virginum »: Immac. Concez., I V, strofe 1-2.

[113] I. « Verbum salutis omnium »: Tempo di Avv.-II, V, str. 3.

[114] I. « Maria, virgo regia »: Presentaz. di M, L, strofe 2-4.

[115] I. « Quod chorus vatum venerandus olim »: Presentaz. del Signore, II V, str. 2.

[116] I. « O quam glorifica luce coruscas »: M. Regina, L, str. 2.

[117] I. « Quem terra, pontus, aethera »: Com. della Madonna, Ul, strofe 1-4.

[118] I. « Ave, maris stella »: Com. della Madonna, II V, strofe 1-4.

[119] I. del Com. di un martire (martire vergine), II V, str. 1.

[120] I. del Com. delle vergini, II V, str. 1.

« Virgo mater mirifica » [121], « beata Dei genetrix » [122], « pudori aula regia » [123], « regis alti ianua » [124], « virga florida » [125], « beata semper Virgo » [126].

E, infine, le due dolci espressioni rivolte a Cristo:

« flos matris virginis » [127], « Tu flos pudicae virginis » [128].

Quanto abbiamo riportato in questa sezione presenta molto bene il privilegio della maternità verginale di Maria, illustrando compiutamente quanto abbiamo trovato già altrove.

13. Maria madre nostra

Maria, in previsione del suo profondo inserimento nel piano divino della salvezza, è stata predestinata ad essere non solo Madre di Cristo, ma anche « madre degli uomini » [129] e, in particolare, madre della Chiesa. E' per questo giustamente « invocata ... con i titoli di Avvocata, Ausiliatrice, Soccorritrice, Mediatrice » [130].

Alla funzione materna di Maria e al suo potente patrocinio nei riguardi degli uomini hanno ripetutamente accennato vari testi precedentemente riportati. Basti ricordare:

a) il parallelismo istituito tra Maria ed Eva [131],
b) le varie affermazioni sulla potente mediazione di Maria, per es.:

« Tecum ... magnificat - anima nostra Dominum, - ... » [132],
« ... te credunt Domini favorum - esse ministram.
Quae ... nova semper affers - dona, tu nobis fer opes salutis, - ... » [133],
« ... - assides Christo studiosa nostri, - ... » [134],
« ... - spei nobis mortalibus - fons vivax es et profluus » [135],

c) le ardenti suppliche a lei rivolte, per es.:

---

[121] I. « O sancta mundi domina »: Natività di M, L, str. 1.
[122] I. « Beata Dei genetrix »: Natività di M, V, str. 1.
[123] I. « Veni, redemptor gentium »: Tempo di Avv.-II, Ul, str. 4.
[124] I. « O gloriosa Domina »: Com. della Madonna, L; S. Maria in s., L-I, str. 3.
[125] I. « Nocti succedit lucifer »: SS. Gioacchino ed Anna, L, str. 3.
[126] I. « Christe, redemptor omnium »: Tutti i Santi, V, str. 1.
[127] Dossologia degli inni « Iesu, auctor clementiae » (S. Cuore di Gesù, L), « Iesu, rex admirabilis » (Cristo Re, Ul).
[128] I. « Aeterna imago Altissimi »: Cristo Re, L, str. 3.
[129] *Lumen gentium* 54; 69 (cf anche 56).
[130] *O.c.*, 62.
[131] Cf supra 4 (L'Annunciazione).
[132] I. « Veniens, mater inclita »: Visitaz., L, str. 6.
[133] I. « Concito gressu petis alta montis »: Visitaz., V, strofe 4-5.
[134] I. « Solis, o Virgo, radiis amicta »: Assunz., L, str. 2.
[135] I. « Quae caritatis fulgidum »: S. Maria in s., L-II, str. 1.

« ... - serpentis artes aemuli - elude vindex inclita » [136],
« ... - fac puris esse moribus - nos vera templa Spiritus » [137],
« Tu libens votis, petimus, precantum, - ... faveto, - ... » [138],
« ... - per te ... sim defensus - in die iudicii » [139],

d) il dolce titolo attribuitole di

« mater beata Ecclesiae » [140].

Gli inni della « Liturgia Horarum » sono ricchissimi di molti altri testi nei quali si invoca il materno patrocinio di Maria.

Vanno innanzitutto ricordate le numerose supplici invocazioni rivolte ad ottenere l'aiuto della Madonna. Alcune sono particolarmente espressive, come le seguenti:

« ... - tu nos tuere supplices, - tu nos labantes erige » [141].
« ... - infunde pacis radium; - rege quodcumque devium, - da vitam innocentium.
... - reduc fluctus errantium - ad unitatem fidei, - in qua salvantur caelici » [142].
« Pro nobis, Virgo virginum, - tuum deposce Filium, - per quam nostra susceperat, - ut sua nobis praebeat » [143].
« ... - ad te ... - confugientes, poscimus - nostris ut adsis precibus » [144].
« ... pia Dei genetrix, - salutem posce miseris » [145].
« ... - Maria roget Filium, - ut eius adiutorium - nos iuvet per exsilium » [146].

Tra le invocazioni meritano una menzione speciale quelle a carattere escatologico, come le seguenti:

---

[136] I. « Praeclara custos virginum »: Immac. Concez., I V, str. 5.
[137] I. « Maria, virgo regia »: Presentaz. di M, L, str. 5.
[138] I. « Quod chorus vatum venerandus olim »: Presentaz. del Signore, II V, str. 4.
[139] I. « Virgo virginum praeclara »: Addolorata, V, str. 4.
[140] L'espressione « mater beata Ecclesiae » fa parte della dossologia dell'inno « O sancta mundi domina » (Natività di M, L). Tale dossologia non è quella originaria dell'inno (di autore ignoto, del sec. X almeno), ma è di recente composizione. Cf *Te decet hymnus*, p. 209. L'antica innologia conosceva già l'espressione « Virgo mater Ecclesiae ». Cf DREVES ..., *Analecta Hymnica*, 23,57; S. CAMBRIA, *Mater Ecclesiae. Documenti medioevali di pietà mariana*, Palermo 1964, p. 45. Il titolo mariano « mater Ecclesiae » è stato rimesso in onore da Paolo VI. Cf Discorso di chiusura della seconda sessione del Conc. Vatic. II, 4-12-1963 (*Acta Apostolicae Sedis* 56-1964,37); Discorso di chiusura della terza sessione dello stesso Concilio, 21-11-1964 (*Acta* ... 56-1964,1015).
[141] I. « Te dicimus praeconio »: Immac. Concez., Ul, str. 4.
[142] I. « Veni, praecelsa Domina »: Visitaz., Ul, str. 3-5.
[143] I. « Aurora velut fulgida »: Assunz., Ul, str. 5.
[144] I. « Mole gravati criminum »: M. Regina, V, str. 1.
[145] I. « Iesu, salvator saeculi »: Tutti i Santi, L, str. 1.
[146] I. « Aptata, virgo, lampade »: Com. delle vergini (per una vergine), L, str. 4.

« Serpentis antiqui potens - astus retunde et impetus, - ut caelitum perennibus - per te fruamur gaudiis » [147].

« ... - nostrae portus miseriae, - nos iunge caeli curiae - ornatos stola gloriae » [148].

« Tuis ... esto filiis - tutela mortis tempore » [149].

« ... - intrent ut astra flebiles, - sternis benigna semitam » [150].

Riportiamo a parte le due seguenti invocazioni rivolte a Cristo, nelle quali si interpone la mediazione di Maria:

« Christe, redemptor omnium, - conserva tuos famulos, - beatae semper Virginis - placatus sanctis precibus » [151].

« Virginis sanctae meritis Mariae - ... - contine poenam, pie, quam meremur, - daque medelam » [152].

Vanno, infine, segnalati i seguenti significativi titoli attribuiti alla Madonna:

« Praeclara custos virginum ... amica stella naufragis » [153], « stella maris fulgida » [154], « mater misericordiae » [155], « mater viventium » [156], « patrona fidelium » [157], « princeps martyrum » [158], « exemplar vitae virginum » [159].

I testi esaminati in questo settore ci hanno illustrato il valore della maternità spirituale di Maria nei riguardi degli uomini. A noi mostrarci degni figli di tanta madre e lasciarci guidare docilmente da lei a Gesù. « Ad Iesum per Mariam! ».

* * *

Paolo VI, parlando della Liturgia delle Ore, affermò che essa « contiene eccellenti testimonianze di pietà verso la Madre del Signore ». Portava come primo esempio le « composizioni innodiche, tra cui non mancano alcuni capolavori della letteratura universale, quale la sublime preghiera di Dante Alighieri alla Vergine » [160].

---

147 I. « Te dicimus praeconio »: Immac. Concez., Ul, str. 5.
148 I. « Veniens, mater inclita »: Visitaz., L, str. 5.
149 I. « Maria, quae mortalium »: Com. della Madonna, I V, str. 5.
150 I. « O gloriosa Domina »: Com. della Madonna, L; S. Maria in s., L-I, str. 2.
151 I. « Christe, redemptor omnium »: Tutti i Santi, V, str. 1.
152 I. « Christe, caelorum habitator alme »: Tutti i Santi, Ul, str. 3.
153 I. « Praeclara custos virginum »: Immac. Concez., I V, strr. 1-3.
154 I. « O sancta mundi domina »: Natività di M, L, str. 1.
155 I. « Salve, mater misericordiae »: Presentaz. di M, Ul, str. 1.
156 I. « Rerum supremo in vertice »: M. Regina, Ul, str. 3. Cf anche *Lumen gentium* 56.
157 I. « O lux salutis nuntia »: Annunciaz., L, str. 5.
158 I. « Te gestientem gaudiis »: Rosario, L-V, str. 3.
159 I. « Aptata, virgo, lampade; Com. delle vergini (per una vergine), L, str. 4.
160 PAOLO VI, « *Marialis cultus* », n. 13.

La fondatezza di tale giudizio ci è confermata dall'esame degli elementi mariani dell'Innario della « Liturgia Horarum ». Il loro insieme, oltre che costituire una precisa documentazione di dottrina mariana, è anche una eccellente testimonianza di pietà mariana. Tale dottrina e pietà presentano la dimensione trinitario-cristologico-ecclesiale che deve avere ogni forma di culto mariano [161].

Possa il presente studio contribuire all'approfondimento della dottrina e della pietà mariana. Ce lo auguriamo, ben convinti di poter dire dell'antologia innologica mariana da noi presentata ciò che Paolo VI — ci appelliamo ancora alla sua autorità — disse in generale della liturgia, che cioè « essa ..., oltre un ricco contenuto dottrinale, possiede un'incomparabile efficacia pastorale ed ha un riconosciuto valore esemplare per le altre forme di culto » [162].

---

[161] Cf *o.c.*, nn. 25-28.
[162] *O.c.*, n. 1 (cf anche n. 23).

NUOVI TESTI EUCOLOGICI PER CELEBRARE LA MEMORIA DI MARIA NEL MESSALE ROMANO PER LA CHIESA ITALIANA

Analisi teologico-liturgico-spirituale

MANLIO SODI, S.D.B.

0. ALCUNE PREMESSE *

Non si può comprendere il significato e il valore della riforma liturgica voluta dal Vaticano II se prescindiamo dai libri liturgici: sono questi il primo frutto — certo il più evidente — della Costituzione *Sacrosanctum concilium* (4 dicembre 1963); non sono però il traguardo definitivo. L'obiettivo fondamentale infatti è la partecipazione piena, attiva, consapevole del *populus Dei* a quell'*actio Christi* che *per signa sensibilia* (*SC* 7) rende presente il memoriale della Pasqua per operare quella *sanctificatio hominis* che, sola, costituisce il vero culto al Padre.

Il libro liturgico è uno strumento privilegiato — anzi imprescindibile — per realizzare questo progetto non solo perché offre tutti gli elementi per la celebrazione, ma anche perché — al di là della stessa celebrazione — continua ad essere un indispensabile punto di riferimento per la pastorale, per la catechesi, per la spiritualità ... e prima ancora per l'elaborazione di una teologia liturgica che dia forma e contenuto alle più diverse strategie pastorali [1].

---

* Sigle e abbreviazioni usate nel presente lavoro:

CEI	= CONFERENZA EPISCOPALE ITALIANA;
LG	= VATICANO II, Costituzione dogmatica sulla Chiesa *Lumen gentium;*
MC	= PAOLO VI, Esortazione apostolica sul culto della Vergine Maria *Marialis cultus;*
Messale	= Messale Romano riformato a norma dei Decreti del Concilio Ecumenico Vaticano II e promulgato da Papa Paolo VI [Conferenza Episcopale Italiana], Libreria Editrice Vaticana, Città del Vaticano ²1983;
NDL	= D. SARTORE - A.M. TRIACCA (a cura di), *Nuovo Dizionario di Liturgia,* Ed. Paoline, Roma 1984;
SC	= VATICANO II, Costituzione sulla sacra liturgia *Sacrosanctum concilium.*

[1] Tra tutti valga il richiamo dei Vescovi italiani: « Ogni libro liturgico — incluse le premesse teologiche e pastorali — sia per loro (= i presbiteri) oggetto di attento studio, sia individualmente che in fraterna comunione presbiterale. Di lì impareranno l'arte di evangelizzare e celebrare che è condizione indispensabile per una fruttuosa ed efficace partecipazione ai divini misteri della comunità loro affidata »: PONTIFICALE ROMANO, *Ordinazione del vescovo, dei presbiteri e dei diaconi,* Libreria Editrice Vaticana 1979, p. 16.

Il libro liturgico infatti è lo strumento che — scaturito dall'esperienza plurisecolare della Chiesa — permette l'attuazione della celebrazione: ne delinea la struttura, ne indica il contenuto, ne manifesta il mistero [2]. E' sufficiente questo per comprendere che si tratta di uno strumento che non esaurisce la sua funzione nel ristretto ambito del culto, ma che da qui acquista autorevolezza per contribuire alla realizzazione di quell'itinerario di crescita nella fede proposto ad ogni cristiano [3].

Tra i vari libri liturgici il *Missale Romanum* è quello che catalizza maggiormente l'attenzione, non solo perché è usato ogni giorno per fare memoria della Pasqua di Cristo, quanto soprattutto perché contiene la fede orante e pregata della Chiesa circa il mistero dell'Eucaristia e, in parte, degli altri sacramenti, circa l'anno liturgico, la Vergine e i Santi ... In altri termini, si tratta della codificazione della fede della Chiesa in quel mistero del suo Signore che la Parola di Dio (= *Lezionario*) annuncia e l'eucologia (= *Sacramentario* o *Orazionale*) riesprime come voce della Sposa che parla allo Sposo.

Quindici anni sono passati dalla pubblicazione del *Missale Romanum* di Paolo VI [4]. Accolto con entusiasmo, esso è stato subito tradotto nelle varie lingue nazionali. Gli studi e i commenti hanno favorito la conoscenza dei suoi preziosi contenuti [5]; ma questo è un impegno che non può mai dirsi esaurito non solo se si considera la formazione delle persone che di anno in anno si presentano a questa « mensa », ma più ancora per la inesauribilità del mistero stesso.

Ed è proprio questa « inesauribilità del mistero » che ci permette di fare un'ulteriore riflessione. Ogni libro liturgico, pur contenendo la fede della Chiesa, non può mai considerarsi definitivo. E' la fede stessa della Chiesa, anzi delle singole Chiese — in sintonia con le leggi di crescita e di sviluppo della vita e nei contesti culturali più diversi — che aprendosi continuamente sulle sconfinate dimensioni del mistero di Dio e percependone qualche sempre nuovo bagliore, sente il bisogno di ridire a se stessa — nel culto — ciò che ha contem-

---

[2] Ulteriori approfondimenti in prospettiva pastorale si possono vedere in CEI - COMMISSIONE EPISCOPALE PER LA LITURGIA, *Il rinnovamento liturgico in Italia. Nota pastorale a vent'anni dalla Costituzione conciliare « Sacrosanctum concilium »*, Roma 21 settembre 1983, e l'ampio commento svolto nel fascicolo monografico n. 4 di *Rivista Liturgica* 72 (1985).

[3] Cf M. SODI, *Il libro liturgico: strumento per la celebrazione o per la vita?*, in *Rivista Liturgica* 72/4 (1985) 455-468.

[4] MISSALE ROMANUM ex decreto sacrosancti Oecumenici Concilii Vaticani II instauratum auctoritate Pauli Pp. VI promulgatum, Editio Typica, Typis Polyglottis Vaticanis MCMLXX; Editio Typica altera, Typis Polyglottis Vaticanis MCMLXXV.

[5] A tutt'oggi il commento più completo dell'Orazionale e del Lezionario è quello elaborato da AA. VV., *Il Messale Romano del Vaticano II. Orazionale e Lezionario*. Vol. I: *La celebrazione del mistero di Cristo nell'anno liturgico* = Quaderni di Rivista Liturgica NS, 6, Ed. Elle Di Ci, Leumann (TO) 1984, pp. 733; Vol. II: *Il mistero di Cristo nella vita della Chiesa e delle singole comunità cristiane* = Quaderni di Rivista Liturgica NS, 7, Ed. Elle Di Ci, Leumann (TO) 1981, pp. 551.

plato, attraverso l'elaborazione di nuove formule eucologiche. Il significato dell'adattamento e della creatività si aggancia anche — ma non esclusivamente — a questo dato di fatto.

A questo riguardo la Chiesa italiana ha vissuto un'esperienza particolare e l'ha codificata nella seconda edizione del *Messale Romano*. Esaurita da anni la prima edizione del 1973 [6], sulla base di esperienze maturate sia all'interno di Chiese e Comunità particolari, sia avvalendosi dell'esempio e del materiale di altre Chiese nazionali, la CEI ha pubblicato una nuova edizione (1983) [7] con variazioni, arricchimenti e aggiunte di testi eucologici « di nuova composizione, maggiormente rispondenti al linguaggio e alle situazioni pastorali delle ... comunità » [8].

Accanto a questo obiettivo di un linguaggio più immediato e più vicino alla cultura e alla sensibilità odierna, ne troviamo un altro che ritengo fondamentale sia in sé che per le conseguenze che da esso derivano: l'edizione di nuovi testi intende stabilire un più stretto « collegamento fra le collette e la parola di Dio distribuita nel ... Lezionario ... » [9]. Non si tratta di un elemento di poco conto. Chi conosce le leggi strutturali e la funzione dell'eucologia [10] sa che essa è la risposta della fede della Chiesa a Dio che la interpella. E' classico l'assioma: *Legem credendi lex statuat supplicandi* [11]; esso esprime una realtà che già prima di questa formulazione si era condensata in esempi così eloquenti come le collette dopo le singole letture della Veglia pasquale [12] e le collette salmiche [13].

Proporre un testo di preghiera che parte dalla parola di Dio, in essa affonda il suo *humus* e talvolta anche la terminologia, e ad essa vuol condurre, non è compiere una *circulatio* qualunque: è pregare con la parola stessa di Dio, è rispondere a lui facendosi voce della

---

[6] MESSALE ROMANO riformato a norma dei decreti del Concilio Ecumenico Vaticano II e promulgato da papa Paolo VI [Conferenza Episcopale Italiana], Edizioni Pastorali Italiane, Roma 1973, pp. LXIV + 822.

[7] MESSALE ROMANO riformato a norma dei decreti del Concilio Ecumenico Vaticano II e promulgato da papa Paolo VI [Conferenza Episcopale Italiana], Libreria Editrice Vaticana, Città del Vaticano 1983, pp. LXXVI + 1152.

[8] *Messale*, p. V: « Decreto di promulgazione ».

[9] *Messale*, p. VII, n. 3.

[10] Cf M. AUGÉ, *Eucologia*, in *NDL* 509-519.

[11] Cf K. FEDERER, *Liturgie und Glaube. « Legem credendi lex statuat supplicandi » (Tiro Prosper von Aquitanien). Eine theologiegeschichtliche Untersuchung* = Paradosis 4, Freiburg i.S. 1950; A.M. TRIACCA - A. PISTOIA (edd.), *La liturgie expression de la foi* = Bibliotheca Ephemerides Liturgicae, Subsidia 16, Edizioni Liturgiche, Roma 1979; A. DONGHI, *Nella lode la Chiesa celebra la propria fede. Considerazioni sull'assioma « lex orandi, lex credendi »*, in AA. VV., *Mysterion. Nella celebrazione del mistero di Cristo la vita della Chiesa* = Quaderni di Rivista Liturgica NS, 5, Ed. Elle Di Ci, Leumann (TO) 1981, pp. 161-192.

[12] Cf sia gli antichi Sacramentari che l'attuale *Messale*.

[13] Esempi di questi testi si possono trovare nel Sacramentario gelasiano (nn. 1576-1594 della ed. Mohlberg) e soprattutto in AA. VV., *Liturgia delle Ore. Documenti ufficiali e studi* = Quaderni di Rivista Liturgica, 14, Ed. Elle Di Ci, Leumann (TO) 1972, pp. 407-452.

Sua voce; è educare ad una preghiera più genuina perché più vicina alla sorgente. Questa è la prospettiva in cui si è collocato il *Messale* italiano nell'offrire nuovi testi eucologici. Essi sono sparsi un po' ovunque all'interno del volume, ma la parte preponderante è raccolta in un'ampia *Appendice*[14]. Parte di questa eucologia è già stata oggetto di studio, di commento e di approfondimento[15]; qui intendo presentare e commentare quella che ricorda, esalta e invoca la Vergine Maria.

Si tratta complessivamente di 22 testi (18 collette e 4 prefazi)[16] sparsi un po' ovunque nel *Messale*. Il loro studio consiste nell'accostare il testo evidenziando il substrato biblico-teologico-liturgico e nel verificare, quando è possibile, la sua funzione celebrativa in relazione al formulario cui appartiene.

La riflessione si articola tenendo sempre presente il modo in cui è strutturato il contenuto nella colletta e nel prefazio; per questo la stessa disposizione tipografica con cui si trascrive l'eucologia intende facilitare la comprensione della struttura interna specialmente della colletta che è costituita da un'*invocazione* (*invocatio*) più o meno sviluppata, rivolta al Padre, e da una o due *richieste* (*petitio - petitiones*) talvolta accompagnate da una frase che ne giustifichi il contenuto (*ratio*). Per i prefazi, invece, ci si limita alla sezione centrale (*embolismo*), a sua volta divisa in più parti secondo lo sviluppo che intende assumere il rendimento di grazie.

In base alla struttura dell'anno liturgico, l'insieme dell'analisi inizierà con lo studio dei testi propri del tempo di Avvento e di Natale (I); continuerà con l'accostamento di altri per il tempo di Pasqua (II) e per le ferie del Tempo ordinario (III), per concentrarsi nella serie delle dieci collette elaborate per arricchire il « Comune della Beata Vergine Maria » (IV); è questa la parte ovviamente più sviluppata, che sarà completata dallo studio di due prefazi per le messe della Vergine Maria (V).

Superando una facile pretesa di completezza, la *conclusione* avrà lo scopo di evidenziare le caratteristiche più notevoli che emergono

---

[14] Nell'*Appendice* (cf *Messale* 894 ss) i testi sono distribuiti con questo ordine: Preghiere eucaristiche, Orazioni (sulle offerte e dopo la comunione; collette per le domeniche e le solennità; collette per le ferie del tempo ordinario; collette per il Comune della beata Vergine Maria); altri formulari.

Di per sé bisognerebbe prendere in considerazione anche il sussidio ufficiale che accompagna il *Messale*: CEI, *Orazionale per la preghiera dei fedeli*, Libreria Editrice Vaticana, Città del Vaticano 1983, pp. 136; anch'esso contiene nuovi testi eucologici (= l'orazione che conclude ogni formulario), ma il suo esame comporterebbe lo sviluppo di un discorso che supera i limiti già ampi imposti al presente studio.

[15] Cf specialmente — anche se limitato ad un solo periodo dell'anno liturgico — il fascicolo monografico n. 5 di *Rivista Liturgica* 71 (1984) che studia « il tempo di Avvento e di Natale nel Messale italiano ».

[16] I testi saranno contrassegnati da un numero marginale progressivo per un più facile reperimento.

dai nuovi testi. Sono caratteristiche che non si chiudono in se stesse, in quanto destinate a riversarsi in una celebrazione sempre più partecipata perché più consapevole, e in una spiritualità mariana che superando facili irenismi contempla il ruolo di Maria nella storia della salvezza e nella vita della Chiesa per aprirsi alla lode, alla supplica e all'imitazione.

1. TEMPO DI AVVENTO E DI NATALE

Riferendosi al *Missale Romanum*, Paolo VI così scriveva nell'esortazione apostolica *Marialis cultus*:

> « ... nel tempo di *Avvento*, la liturgia, oltre che in occasione della solennità dell'8 dicembre — celebrazione congiunta della Concezione immacolata di Maria, della preparazione radicale... alla venuta del Salvatore, e del felice esordio della Chiesa senza macchia e senza ruga —, ricorda frequentemente la beata Vergine soprattutto nelle ferie dal 17 al 24 dicembre e, segnatamente, nella domenica che precede il Natale, nella quale fa risuonare antiche voci profetiche sulla Vergine e sul Messia e legge episodi evangelici relativi alla nascita imminente del Cristo e del suo Precursore.
>
> In tal modo i fedeli ... sono invitati ad assumerla come modello ... Inoltre ... la liturgia dell'Avvento ... [presenta] un felice equilibrio cultuale, che può essere assunto quale norma per impedire ogni tendenza a distaccare ... il culto della Vergine dal suo necessario punto di riferimento che è Cristo; e [fa] sì che questo periodo ... debba essere considerato un tempo particolarmente adatto per il culto alla Madre del Signore...
>
> Il tempo di *Natale* costituisce una prolungata memoria della maternità divina, verginale, salvifica, di Colei la cui "illibata verginità diede al mondo il Salvatore" ... » (*MC* 3-5).

A questa ricchezza di prospettive che scaturisce principalmente dal *Lezionario* e dall'*Orazionale*[17], il *Messale* italiano aggiunge ulteriori contributi. Si tratta di cinque testi: tre collette per la IV domenica di Avvento (ciclo « A », « B », « C »); un prefazio per la seconda parte di questo periodo; e una colletta per la solennità di Maria SS. Madre di Dio.

A. - Avvento

1.1. *IV domenica « A » - « L'Emmanuele: il Dio-con-noi »*

La IV domenica — tipicamente e tradizionalmente mariana — è dominata dalla profezia di *Is* 7,14: « La vergine concepirà e parto-

[17] Le note al testo della *Marialis cultus* ne sono la conferma più evidente!

rirà un figlio... » (I lettura), ormai attuata in Gesù nato da Maria, sposa di Giuseppe, della stirpe di Davide (Vangelo e II lettura).

[1] *O Dio, Padre buono,*
tu hai rivelato la gratuità e la potenza del tuo amore,
scegliendo il grembo purissimo della Vergine Maria
per rivestire di carne mortale il Verbo della vita:
concedi anche a noi
di accoglierlo e generarlo nello spirito
con l'ascolto della tua parola,
nell'obbedienza della fede (*Messale* 965).

L'orazione è composta da due parti abbastanza sviluppate che contribuiscono a dare armonia all'insieme del testo. Nella lunga *invocazione* l'assemblea riconosce la paternità e la bontà di Dio insieme alla « gratuità » e « potenza » del suo amore, che si sono concretizzate nella scelta di Maria come madre del « Verbo della vita ».

Dal riconoscimento di questo intervento divino nella storia dell'umanità si muove la *richiesta* dell'assemblea che domanda — sull'esempio di disponibilità offerto da Maria — di accogliere e generare nello spirito il « Verbo della vita ». Due sono le condizioni perché si realizzi questa « generazione spirituale » nell'intimo dei fedeli:

a - « L'ascolto della... parola » anzitutto. E' questa la condizione prima per generare « nello spirito » il Cristo, secondo le parole che lui stesso ha rivolto ai suoi discepoli: « Ecco mia madre ed ecco i miei fratelli; perché chiunque fa la volontà del Padre mio che è nei cieli, questi è per me fratello, sorella e madre » (*Mt* 12,49-50). E' questo l'atteggiamento che per prima ha realizzato Maria nella propria vita, e che Agostino di Ippona ha sintetizzato nella celebre frase: « Maria... plus mente custodivit veritatem quam utero carnem » [18].

b - « L'obbedienza della fede » è la logica e necessaria conseguenza dell'ascolto della Parola. L'espressione della colletta riprende chiaramente l'affermazione di Paolo nella II lettura: « abbiamo ricevuto la grazia dell'apostolato per ottenere l'obbedienza alla fede da parte di tutte le genti... e tra queste siete anche voi... » (*Rm* 1,5-6).

La colletta si muove dunque nella prospettiva del tema principale della liturgia della Parola: l'Emmanuele è davvero il Dio-con-noi perché l'amore del Padre ha trovato in Maria grande disponibilità; ma continua a rimanere il Dio-con-noi solo nella misura in cui il fedele — come Maria — accoglie nella propria vita l'Autore della vita!

1.2. *IV domenica « B » — « Gesù, il Figlio di Davide »*

Sulla linea della I lettura — in cui il Signore promette a Davide di costruirgli una « casa » (*2 Sam* 7,1-16) — Luca nel Vangelo mostra il compimento della promessa davidica nell'annunciazione dell'angelo a

[18] Il testo del *Discorso* di Agostino è riportato in: *Liturgia delle Ore secondo il rito romano,* vol. IV, Tipografia Poliglotta Vaticana 1976, pp. 1465-1466: 21 novembre « Presentazione della Beata Vergine Maria ».

Maria. Tutto questo per indicare che Gesù appartiene alla discendenza di Davide e che in lui si compie « la rivelazione del mistero... a tutte le genti perché obbediscano alla fede » (II lettura). Maria, con la sua generosa accettazione, è lo strumento immediato per l'attuazione del mistero « taciuto per secoli eterni, ma rivelato ora... » (*Rm* 16,25-26).

[2] *Dio grande e misericordioso,*
che tra gli umili scegli i tuoi servi
per portare a compimento il disegno di salvezza,
concedi alla tua Chiesa la fecondità dello Spirito,
perché sull'esempio di Maria
accolga il Verbo della vita
e si rallegri come madre
di una stirpe santa e incorruttibile (*Messale* 965).

Nell'*invocazione* l'assemblea, mentre loda Dio per la sua grandezza e misericordia, riconosce che nel compimento del suo progetto di salvezza egli si serve degli « umili ». Mettendo in parallelo la I lettura con il Vangelo, si nota la contrapposizione tra la presunzione di Davide e l'umiltà di Maria che si rende disponibile all'azione dello Spirito.

In questo contesto di anamnesi e di lode si inserisce la *richiesta* dell'assemblea che domanda di beneficiare dell'azione dello Spirito. Come Maria, e sul suo esempio, i fedeli invocano il dono-presenza dello Spirito per due motivi:

a - per accogliere « il Verbo della vita » con la stessa disponibilità con cui Maria disse: « Eccomi, sono la serva del Signore, avvenga di me quello che hai detto » (*Lc* 1,38);

b - per rallegrarsi « come madre di una stirpe santa e incorruttibile ». L'espressione costituisce una lettura attualizzante della promessa fatta dal Signore a Davide tramite il profeta Natan: « Renderò il tuo nome grande come quello dei grandi che sono sulla terra... Il Signore ti farà grande... Io assicurerò dopo di te la discendenza... La tua casa e il tuo regno saranno saldi per sempre davanti a me... » (I lettura e salmo responsoriale).

L'idea di rileggere in prospettiva ecclesiale ciò che è stato prefigurato in Davide e attualizzato in Maria è senza dubbio felice; né si poteva realizzare diversamente in una formula eucologica la linea tematica della liturgia della Parola di questa domenica. La traduzione di questa felice intuizione credo però che lasci perplesso chi si accosta alla colletta con il chiaro intento di renderla «pregabile» — e dunque comprensibile — per una concreta assemblea. In sintesi:

a - L'espressione: « concedi alla tua Chiesa la fecondità dello Spirito » non è chiara, anche se "suona" bene; lo comprovano le due motivazioni che seguono: si invoca « la fecondità dello Spirito » *per accogliere* « il Verbo della vita » e *per rallegrarsi* « come madre di una stirpe santa e incorruttibile ». Sostituendo « fecondità » con *dono* e « Verbo » con *Signore*... potremmo avere una richiesta cui l'assemblea può aderire con un *Amen* più vero!

b - L'uso del termine « Verbo » rimanda al linguaggio giovanneo[19]; tra le nuove collette di questo tempo di Avvento è presente nella II domenica « A » e nelle tre collette della IV domenica: due volte usato da solo e due volte nella espressione « il Verbo della vita ». Ci si domanda: quale eco può assumere nelle nostre assemblee la semplice *lettura* di questa terminologia?

1.3. *IV domenica « C » — « Gesù, figlio di Maria »*

L'incontro delle due madri — Elisabetta e Maria — preannuncia la nascita del Battista e quella del Cristo, ma soprattutto mette in evidenza Maria riconosciuta come « madre del... Signore » (*Lc* 1,43). Il profeta Michea preannunciando che da « Betlemme di Efrata... uscirà... il dominatore in Israele » (*Mic* 5,1), accenna a « colei che deve partorire » (v. 2). La II lettura (*Eb* 10,5-10) dà la linea teologica della venuta del Cristo: la validità del suo sacrificio sta nel compimento della volontà del Padre, nella « offerta del (suo) corpo... fatta una volta per sempre » (v. 10): questo è il sacrificio *nuovo* che Maria accetta di offrire e sul suo esempio ogni cristiano.

[3] *O Dio, che hai scelto l'umile figlia di Israele*
per farne la tua dimora,
dona alla Chiesa una totale adesione al tuo volere,
perché imitando l'obbedienza del Verbo,
venuto nel mondo per servire,
esulti con Maria per la tua salvezza
e si offra a te in perenne cantico di lode (*Messale* 965).

L'*invocazione* è un riconoscimento di ciò che Dio ha operato in Maria; essa è stata scelta per essere « dimora » di Dio perché « umile figlia di Israele »: è l'umiltà riconosciuta in *Lc* 1,48 e cantata in *Lc* 1,38 (acclamazione al Vangelo). Da questo atteggiamento umile (= disponibile) di Maria prende forma la *richiesta* dell'assemblea: « dona alla Chiesa una totale adesione al tuo volere... ». La beatitudine evangelica: « Beata colei che ha creduto nell'adempimento delle parole del Signore » (*Lc* 1,45), qui diventa contenuto della supplica dell'assemblea. Credere nella parola del Signore è aderire alla sua volontà; così è stata Maria, così domanda di realizzare la Chiesa nella propria vita.

La motivazione che accompagna la richiesta costituisce un'ulteriore apertura di orizzonte per la preghiera stessa:

a - Esultare « con Maria per la... salvezza »: il *Magnificat* sarà il cantico della Chiesa di sempre nella misura in cui questa imiterà « l'obbedienza del Verbo, venuto nel mondo per servire », secondo la linea teologica della II lettura.

---

[19] Cf *Gv* 1,1.14; *1 Gv* 5,7; *Ap* 19,13: sono gli unici testi del Nuovo Testamento in cui è presente il termine « Verbum ».

b - Offrirsi al Padre « in perenne cantico di lode »: qui sta la realizzazione piena della « promessa » affidata appunto all'opera della Chiesa; e questo è il « sacrificio » che la Chiesa è chiamata a celebrare in verità.

1.4. *Prefazio II/A — « Maria nuova Eva »*

La seconda parte dell'Avvento, quella che corrisponde alle ferie maggiori, è caratterizzata da una liturgia che predispone il fedele a celebrare in modo adeguato il Natale del Signore. La nascita di una persona richiama l'attenzione sulla madre. Per sottolineare ancora di più sia la figura che la missione di Maria, la riforma del Messale Romano ha ristabilito la connotazione mariana della IV domenica di Avvento [20]. Accanto alle nuove collette appena esaminate il *Messale* contiene anche due prefazi; a noi interessa il II/A, il cui tema è anticipato nel titolo: « Maria nuova Eva ».

[4] *Noi ti lodiamo, ti benediciamo,*
ti glorifichiamo,
per il mistero della Vergine Madre.
Dall'antico avversario venne la rovina,
dal grembo verginale della figlia di Sion
è germinato colui che ci nutre con il pane degli angeli
ed è scaturita per tutto il genere umano
la salvezza e la pace.
La grazia che Eva ci tolse
ci è ridonata in Maria.
In lei, madre di tutti gli uomini,
la maternità redenta dal peccato e dalla morte,
si apre al dono della vita nuova.
Dove abbondò la colpa,
sovrabbonda la tua misericordia
in Cristo nostro salvatore (*Messale* 315).

A differenza del prefazio II (« L'attesa gioiosa del Cristo ») che, secondo la tradizionale sobrietà dell'antica liturgia romana, ha solo un accenno — pur denso — a Maria (« ... la Vergine Madre l'attese e lo portò in grembo con ineffabile amore... »), il nuovo embolismo è molto più sviluppato; ne esaminiamo i contenuti secondo la loro progressiva articolazione.

a - La prima parte dell'embolismo ha lo scopo di operare un collegamento tra l'iniziale movimento di rendimento di grazie — comune ad ogni prefazio — e il tema centrale specifico per cui l'assemblea rende grazie: oggetto della lode, della benedizione e della

[20] Cf M.M. Pedico, *La domenica mariana prenatalizia. Note storiche - eucologia attuale* = Quaderni di spiritualità mariana, 1, Centro Mariano SMR, Rovigo 1979, pp. 79.

glorificazione che sgorga dall'assemblea è « il mistero della Vergine Madre ». Di quale mistero si tratta? Quali ne sono gli elementi? La risposta emana immediata attraverso la successione delle altre parti dell'embolismo dove la contrapposizione tipologica tra l'antica e la nuova Eva offre lo spunto per magnificare ed esaltare Maria. Infatti:

b - Il *primo confronto* messo in rilievo dall'embolismo è tra l'« antico avversario » e il « grembo verginale della figlia di Sion »: il primo è stato fonte di « rovina » per il genere umano; l'altro invece ha portato « salvezza » e « pace », cioè i beni messianici che caratterizzano gli ultimi tempi.

Alla linearità di queste affermazioni non credo che porti un contributo significativo il richiamo a « colui che ci nutre con il pane degli angeli ». In un contesto tipologico una simile attualizzazione dà l'impressione di essere fuori luogo; se lo si toglie, l'espressione riacquista una maggiore unitarietà.

c - Il *secondo confronto* chiama direttamente in causa Eva e Maria. Quella « rovina » cui si accennava sopra, qui viene esplicitata nella frase: « La grazia che Eva ci tolse ... ». Parallelamente, i beni messianici scaturiti dal grembo di Maria, qui sono riespressi nell'affermazione: « La grazia ... ci è ridonata in Maria ». E' questo il nucleo dell'embolismo; da qui il titolo del prefazio.

Ma la realtà appena annunciata è tanto grande che la liturgia sviluppa ancora l'affermazione perché l'assemblea sia ancora più consapevole che « è veramente giusto rendere grazie a ... Dio onnipotente ed eterno ». In che modo Maria ci ha ridonato la grazia? Con la sua disponibilità ad essere Madre dell'Emmanuele ha reso possibile il dono di grazia per l'uomo; in questo senso dunque il prefazio inneggia a Maria « madre di tutti gli uomini ». Una maternità privilegiata la sua, perché « redenta dal peccato e dalla morte » in previsione del « dono della vita nuova » che ne sarebbe scaturito.

d - Il *terzo confronto*, pur nella sua brevità, esprime in sintesi il mistero della salvezza (« Dove abbondò la colpa, sovrabbonda la tua misericordia », o Padre) per convergere l'attenzione su colui che ha operato tutto ciò: « ... in Cristo nostro salvatore ». Così, quella « salvezza e ... pace » scaturita dal « grembo verginale della figlia di Sion » ora ha un nome: « Cristo ... salvatore »; e quella salvezza « scaturita per tutto il genere umano » è riconosciuta, cantata e invocata dall'assemblea: « Cristo *nostro* salvatore ». L'opera della redenzione infine è un segno della « misericordia » del Padre; un segno che vuol esprimere la realtà di quella nuova creazione che la Chiesa contempla nella Veglia pasquale, quando dopo aver ascoltato il racconto della creazione, prega:

> « *Dio onnipotente ed eterno,*
> *ammirabile in tutte le opere del tuo amore,*
> *illumina i figli da te redenti*
> *perché comprendano che,*
> *se fu grande all'inizio la creazione del mondo,*

ben più grande, nella pienezza dei tempi,
fu l'opera della nostra redenzione,
nel sacrificio pasquale di Cristo Signore » (*Messale* 170).

Il primo segno di questa realtà si è manifestato in Maria!

B - Natale

Tra i vari testi nuovi per il tempo di Natale, a noi interessa la colletta per la *solennità di Maria SS. Madre di Dio.*

La liturgia della Parola del giorno ottavo di Natale ha una caratteristica *composita.* Il Vangelo è lo stesso che viene letto a Natale, nella messa dell'aurora: i pastori trovano Maria, Giuseppe e il bambino (*Lc* 2,16-21), con l'aggiunta del v. 21 che ricorda la circoncisione e l'imposizione del nome. La I lettura — tenendo conto del fatto che questa solennità coincide col primo giorno dell'anno civile — contiene la *benedizione di Aronne* (*Nm* 6,22-27) con cui si invoca la salvezza che è protezione, benevolenza, pace e prosperità [21]. Nella II lettura Paolo ricorda il compimento del progetto del Padre che « mandò il suo Figlio, nato da donna » (*Gal* 4,4).

[5] *Padre buono,*
che in Maria, vergine e madre,
benedetta fra tutte le donne,
hai stabilito la dimora del tuo Verbo
fatto uomo tra noi,
donaci il tuo Spirito,
perché tutta la nostra vita
nel segno della tua benedizione
si renda disponibile ad accogliere il tuo dono (*Messale* 966).

Il testo della colletta rimanda esplicitamente alle prime due letture. Nella lunga *invocazione* l'assemblea riconosce — e quindi loda e celebra — ciò che il Padre nella sua bontà ha realizzato in Maria. Di lei il testo evidenzia quattro aspetti che nel loro insieme contribuiscono a conoscere meglio la sua grandezza; essa infatti è riconosciuta e invocata come « vergine », « madre », « benedetta fra tutte le donne » e « dimora del... Verbo fatto uomo ».

La *richiesta* dei fedeli è un'epiclesi (« donaci il tuo Spirito »): solo per l'azione dello Spirito anche i fedeli, come Maria, possono accogliere il « dono » del Padre, per essere cioè « dimora del... Verbo ». L'inciso — « nel segno della tua benedizione » — mentre riprende il tema della I lettura, indica pure che la disponibilità ad accogliere il dono del Padre rientra nella linea discendente delle sue benedizioni.

[21] Su questo testo è stata modellata la *Benedizione solenne* « nel Tempo Ordinario I » e soprattutto quella « all'inizio dell'anno » (cf *Messale,* rispettivamente 435 e 430).

2. TEMPO DI PASQUA

Il tempo di Pasqua converge verso la solennità di Pentecoste che, con i giorni che la precedono, richiama la mente e il cuore dei fedeli a rivivere l'atteggiamento degli Apostoli che *con Maria* attendono in preghiera nel Cenacolo la discesa dello Spirito.

I testi del *Missale Romanum* non hanno alcun riferimento a questa presenza di Maria [22], ad eccezione della lettura di *At* 1, 12-14 [23]. Il *Messale* italiano cerca di recuperare questa realtà, in linea con quanto affermato nella *Marialis cultus*:

> « Quando poi la liturgia rivolge il suo sguardo sia alla Chiesa primitiva che a quella contemporanea, ritrova puntualmente Maria: là, come presenza orante insieme con gli Apostoli; qui, come presenza operante insieme con la quale la Chiesa vuol vivere il mistero di Cristo... » (*MC* 11).

I nuovi testi contengono solo degli accenni a Maria; li riportiamo secondo l'ordine delle celebrazioni.

a - Nella VII domenica del ciclo « A », quando si legge appunto la pericope di *At* 1, 12-14, la Chiesa prega:

[6] *Padre misericordioso,*
che nella potenza del tuo Spirito
hai glorificato il tuo Figlio
consegnato alla morte per noi,
guarda la tua Chiesa,
raccolta come i discepoli
con Maria nel Cenacolo:
fa' che nella gioia dello stesso Spirito
gustiamo la beatitudine
di coloro che partecipano
alle sofferenze del Cristo (*Messale* 978).

b - Il prefazio per i giorni dopo l'Ascensione concentra l'attenzione e la lode dei fedeli « nell'attesa della venuta dello Spirito » (titolo); in questo atteggiamento non può mancare il richiamo all'esemplarità di Maria:

---

[22] L'unico riferimento si trova nel formulario n. 6 per il *Tempo di Pasqua* nel « Comune della beata Vergine Maria »:
O Dio, che ai tuoi Apostoli
riuniti nel cenacolo con Maria madre di Gesù,
hai donato lo Spirito Santo,
concedi anche a noi, per intercessione della Vergine,
di consacrarci pienamente al tuo servizio
e annunziare con la parola e con l'esempio
le grandi opere del tuo amore (*Messale* 656).

[23] Tra tutte le domeniche e solennità dell'anno liturgico, la pericope di *At* 1, 12-14 si legge solo nella VII domenica di Pasqua del ciclo « A ».

[7] *Entrato una volta per sempre*
nel santuario dei cieli,
egli intercede per noi,
mediatore e garante
della perenne effusione dello Spirito.
Pastore e vescovo delle nostre anime,
ci chiama alla preghiera unanime,
sull'esempio di Maria e degli Apostoli,
nell'attesa di una rinnovata Pentecoste (*Messale* 334).

c - Anche per la messa vigiliare della solennità di Pentecoste il *Messale* presenta due nuove collette; nella seconda si accenna a Maria:

[8] *O Dio,*
che apri la tua mano e sazi di bene ogni vivente,
effondi il tuo Santo Spirito;
fa' scaturire fiumi d'acqua viva nella Chiesa,
raccolta con Maria in perseverante preghiera,
perché quanti ti cercano
possano estinguere la sete di verità e di giustizia
(*Messale* 980).

Nelle due collette il riferimento a Maria serve per richiamare l'atteggiamento della Chiesa che invoca lo Spirito per essere capace di condividere sempre più profondamente il mistero del Cristo[6], in modo da rendere partecipi di questo mistero tutti coloro che sono assetati « di verità e di giustizia » [8]. Per domandare questo dono dello Spirito e per essere più degna di accoglierlo la Chiesa, seguendo l'esempio dei Dodici riuniti con Maria, si presenta

— « raccolta come i discepoli con Maria nel Cenacolo » [6];
— « raccolta con Maria in perseverante preghiera » [8].

Sulla stessa linea, l'embolismo prefaziale riprende la tematica offerta dalle letture della solennità dell'Ascensione, in particolare *At* 1, 4-5:

> « Mentre si trovava a tavola con essi, [Gesù] ordinò loro di non allontanarsi da Gerusalemme, ma di attendere che si adempisse la promessa del Padre: "quella, disse, che voi avete udito da me: Giovanni ha battezzato con acqua, voi invece sarete battezzati in Spirito Santo, fra non molti giorni" ».

Come gli Apostoli, anche la Chiesa è invitata nei giorni che precedono la Pentecoste a realizzare una « preghiera unanime »: questo è l'atteggiamento che deve caratterizzare l'attesa di una rinnovata Pentecoste, l'attesa del frutto pieno della Pasqua: l'« esempio di Maria e degli Apostoli » [7] è paradigmatico.

3. COLLETTE PER LE FERIE DEL TEMPO ORDINARIO

Allo scopo di arricchire la tematica per la celebrazione dell'Eucaristia nelle ferie del tempo ordinario, il *Messale* offre una raccolta di

34 collette[24]. Il tema di ogni colletta è evidenziato in un *titolo* che — come per gli embolismi prefaziali — permette una più facile utilizzazione dei testi. La loro valorizzazione supera l'immediato contesto celebrativo per rivelarsi utile anche in altri momenti di preghiera, oltre che nella stessa catechesi. La linea biblico-liturgica dei contenuti e del metodo di quest'ultima trova qui un ulteriore elemento di conferma e insieme di verifica. Ecco i temi:

1. La storia in attesa della parusia;
2. Il peccato divide, lo Spirito unisce;
3. La salvezza per tutti gli uomini in ricerca;
4. Lo Spirito guida a tutta la verità;
5. Uditori e operatori della Parola;
6. La nostra vita nella luce della risurrezione;
7. Dalla morte alla vita;
8. Dio principio e modello di unità;
9. Per celebrare il giorno del Signore;
10. Lo Spirito vincolo di comunione;
11. Dal Vangelo cose antiche e nuove;
12. Docili alla voce dello Spirito;
13. Un cuore di fanciulli per obbedire alla Parola;
14. Annunziatori e testimoni della Parola;
15. Lo Spirito ci rende segno di santità;
16. La lode a Dio della creazione e della nostra vita;
17. Il cammino dei figli della luce;
18. I segni della presenza di Dio nella vita;
19. Dio luce nelle tenebre;
20. La lode a Dio da tutto il creato;
21. Cristo presente in noi;
22. La preghiera con Cristo nella comunione dei santi;
23. Il cantico dell'antico e nuovo Israele in cammino;
24. La signoria di Dio nell'agitarsi del mondo;
25. Con il Dio dei padri in cammino verso il Regno;
26. Liberi e perseveranti nell'obbedienza al Signore;
27. La parola di salvezza diventa nutrimento di vita;
28. La nuova creazione in Cristo;
29. La comunione fra tutti i credenti in Dio;
30. Il nuovo cantico dell'esodo;
31. Discepoli della sapienza;
32. Dio crea un cuore nuovo;
33. Dio è la nostra pace;
34. Vieni, Signore, speranza del mondo.

Tra questi testi ve ne sono due che contengono un riferimento a Maria:

a - La colletta n. 21 sviluppa il tema di « Cristo presente in noi »:

[9] *O Dio, Padre del Cristo,*
il solo uomo perfetto,
nato da Vergine Madre,

[24] Cf *Messale* 1017-1025.

fa' di tutti noi radunati nella Chiesa
il segno della sua presenza
che continua fino alla fine dei secoli,
primizia della creazione rinnovata nello Spirito
(*Messale* 1022).

L'accenno a Maria si trova nell'invocazione dove l'assemblea rinnova la propria fede nel Cristo riconosciuto come:

— Figlio di « Dio Padre »;
— « il solo uomo perfetto »;
— « nato da Vergine Madre ».

Da questa professione di fede cristologica si sviluppa la richiesta dell'assemblea che domanda di essere « segno della ... presenza » del Cristo. Ci troviamo di fronte a un tentativo di attualizzazione di quanto espresso già nella Costituzione liturgica: « ... Cristo è sempre presente nella sua Chiesa ... E' presente ... quando la Chiesa prega e loda, lui che ha promesso: "Dove sono due o tre riuniti nel mio nome, là sono io, in mezzo a loro" (*Mt* 18, 20) » (*SC* 7); e sulla base di *Mt* 28, 20: « Ecco, io sono con voi tutti i giorni, fino alla fine del mondo ».

L'immagine del Cristo « primizia della creazione » sviluppa il concetto dell'invocazione: « Cristo, il solo uomo perfetto ». Tutto questo, inoltre, è frutto di un totale e radicale rinnovamento « nello Spirito » iniziato nella « Vergine Madre '.

b - La colletta n. 22 sviluppa il tema: « La preghiera con Cristo nella comunione dei santi »:

[10] *O Padre,*
tu solo sai di cosa abbiamo bisogno;
unifica nel tuo Spirito le nostre voci,
in comunione con la Vergine Madre e tutti i santi,
e accorda i nostri cuori
alla preghiera del giusto tuo servo, Gesù Cristo,
che fu esaudito per la sua pietà (*Messale* 1022).

Ad una invocazione semplicissima che riprende l'espressione di Gesù: « Il Padre vostro sa di quali cose avete bisogno ... » [25], fa seguito una duplice richiesta. Nella prima — che, secondo lo schema classico delle collette, è in funzione della seconda richiesta — l'assemblea rinnova la propria fede nella comunione dei santi: solo rimanendo « in comunione con la Vergine Madre e tutti i santi » ha la garanzia certa che la propria preghiera avviene nello Spirito.

La seconda richiesta è in parallelo con la prima: « accorda i nostri cuori alla preghiera » di Gesù Cristo. La preghiera di Cristo è caratterizzata dall'obbedienza completa alla volontà del Padre: questo

[25] *Mt* 6,8; cf anche *Mt* 6,32; *Lc* 12,30.

il motivo per cui « fu esaudito per la sua pietà »[26]. Ma questo è stato l'atteggiamento anche della Vergine e dei Santi; l'assemblea ne è consapevole e lo riesprime a se stessa nella colletta.

I due testi, pur nella diversità delle tematiche, costituiscono l'occasione per rinnovare la fede dell'assemblea nella maternità divina di Maria e per riconoscere la Vergine « congiunta indissolubilmente con l'opera della salvezza del Figlio suo » (*SC* 103), la prima donna dell'umanità redenta che intercede presso il Padre per la Chiesa ancora in cammino.

4. COLLETTE PER IL « COMUNE DELLA B. V. MARIA »

Nel *Missale Romanum* il « Comune della B. V. Maria » comprende sette formulari completi[27] per la celebrazione della memoria di S. Maria in sabato e per eventuali messe votive[28].

Il messale per la Chiesa italiana ha ritenuto necessario arricchire questa sezione offrendo dieci collette di nuova composizione. Come abbiamo già osservato nelle pagine precedenti, anche questi testi sono caratterizzati da un *titolo* che ha la funzione di evidenziare in modo immediato il tema della preghiera.

E' una sezione che merita una particolare attenzione sia per i testi in sé sia per il valore educativo che essi possono svolgere in seno al popolo di Dio, ai fini di una maggior conoscenza della presenza e del ruolo di Maria nella storia della salvezza e nella vita della Chiesa.

4.1. « *La Vergine dell'ascolto* »

[11] *Signore nostro Dio,*
che hai fatto della Vergine Maria
il modello di chi accoglie la tua Parola
e la mette in pratica,
apri il nostro cuore alla beatitudine dell'ascolto,
e con la forza del tuo Spirito
fa' che noi pure diventiamo luogo santo
in cui la tua Parola di salvezza oggi si compie (*Messale* 1026).

La personalità e la testimonianza che l'evangelista Luca ci ha trasmesso su Maria traspare dall'insieme di questa colletta.

La lunga invocazione si riallaccia — con leggeri ritocchi — all'episodio descritto da Luca sui veri parenti di Gesù: « Mia madre e miei

[26] L'affermazione è ripresa alla lettera da *Eb* 5,7.

[27] Di questi il primo, il secondo, il terzo e il sesto offrono possibilità di scelta tra due collette.

[28] Cf *Messale* 650 (rubrica).

fratelli sono coloro che ascoltano la Parola di Dio e la mettono in pratica » (*Lc* 8, 21), e alla vera beatitudine annunciata in *Lc* 11, 28: « Beati ... coloro che ascoltano la parola di Dio e la osservano ». L'assemblea riconosce in Maria il modello di questo ascolto-accoglienza della Parola, non solo perché Dio l'ha resa tale (« ... hai fatto ... »), ma anche perché Maria ha offerto la sua disponibilità più totale fin dall'annuncio dell'Angelo: « Eccomi, sono la serva del Signore, avvenga di me quello che hai detto » (*Lc* 1, 38).

Da questa esemplarità di Maria scaturisce immediata la duplice richiesta dell'assemblea:

a - « apri il nostro cuore alla beatitudine dell'ascolto ... ». La beatitudine annunciata da Gesù in *Lc* 11, 28 diventa qui oggetto di supplica, perché i fedeli sono consapevoli che solo attuando in pienezza questo « ascolto » possono essere interiormente trasformati in tempio santo di Dio.

b - « ... fa' che noi pure diventiamo luogo santo ... ». Anche questa seconda richiesta — la più importante e decisiva — prende forma dall'atteggiamento di Maria. Come la Vergine è diventata « luogo santo » — anzi nuova e definitiva arca dell'alleanza — perché nel suo seno la Parola si è fatta carne, la salvezza cioè ha trovato compimento, così i fedeli nell'« oggi » di ogni tempo e luogo invocano il Padre per divenire essi pure un « luogo santo in cui la ... Parola di salvezza » trova compimento. Tutto questo — ancora — si può attuare solo mediante l'azione dello Spirito (« ... con la forza del tuo Spirito ... ») che come ha operato in Maria [29] così agisce nel cuore dei credenti per condurli alla pienezza dellla verità [30]. L'opera dello Spirito è opera di santificazione, di trasformazione profonda e continua, che rende il fedele tempio vivo e santo [31], attuazione piena di un annuncio di salvezza.

Il tema riproposto dalla colletta si colloca dunque al vertice di una linea che percorre tutta la storia della salvezza: dal comando: « Ascolta la sua voce... » di *Es* 23, 21; o « Ascolta, Israele ... » di *Dt* 6, 4; e dai continui richiami ed esortazioni: « Se tu ascolterai la voce del Signore tuo Dio e farai ciò che è retto ai suoi occhi, se tu presterai orecchio ai suoi ordini e osserverai tutte le sue leggi ... » (*Es* 15, 26), alla beatitudine dell'ascolto di *Lc* 11, 28, o a quella di *Ap* 1, 3 o alla testimonianza di *Gc* 1, 25: « Chi ... fissa lo sguardo sulla legge perfetta ... e le resta fedele, non come un ascoltatore smemorato ma come uno che la mette in pratica, questi troverà la sua felicità nel praticarla ».

---

[29] *Lc* 1,35: « Lo Spirito Santo scenderà su di te, su te stenderà la sua ombra la potenza dell'Altissimo ».

[30] *Gv* 16,13: « Quando ... verrà lo Spirito di verità, egli vi guiderà alla verità tutta intera ... ».

[31] L'immagine di edificio in costruzione è ripreso da *Ef* 3,21: « In lui ogni costruzione cresce ben ordinata per essere tempio santo nel Signore ».

4.2. « *Il trono della Sapienza* »

[12] *Eterno Padre,*
che hai posto nella Vergine Maria
il trono regale della tua Sapienza,
illumina la Chiesa con la luce del Verbo della vita,
perché nello splendore della verità
cammini fino alla piena conoscenza
del tuo mistero d'amore (*Messale* 1026).

Il titolo della colletta rimanda immediatamente all'*invocazione*: in essa l'assemblea riconosce nella Vergine la sede della Sapienza del Padre. Si tratta di un concetto teologicamente molto denso, e la sua comprensione è possibile solo se si riporta l'attenzione alla Scrittura. Paolo in *1 Cor* 1, 24 definisce Cristo « sapienza di Dio » [32], e poco oltre riprende il concetto affermando: « ... Gesù Cristo ... per opera di Dio è diventato per noi sapienza ... » (v. 30) [33]. Anche l'immagine del « trono regale » si trova in *Bar* 5,6 ma rimanda al tema del nuovo esodo con l'annuncio della liberazione, quando « si rivelerà la gloria del Signore e ogni uomo la vedrà » (*Is* 40, 5).

L'affermazione inoltre di *Sal* 11, 4: « Il Signore ha il trono nei cieli » [34], e di *Ez* 43, 7: « ... questo [il tempio] è il luogo del mio trono e il luogo... dove io abiterò in mezzo agli Israeliti, per sempre », converge in quella di *Sal* 45, 7: « Il tuo trono, Dio, dura per sempre ». Ed è la lettera agli Ebrei che identifica questo « trono » con il Figlio: « ... del Figlio invece afferma: "Il tuo trono, Dio, sta in eterno" ». In questa linea allora poco oltre l'Autore esorta: « Accostiamoci dunque con piena fiducia al trono della grazia per ricevere misericordia e trovare grazia ed essere aiutati al momento opportuno » (4, 16).

Con l'espressione biblica: « il trono regale della tua Sapienza », il testo identifica il Cristo; Maria, quale arca della nuova alleanza, non solo è colei che permette la venuta del Figlio nell'umanità, ma evidenzia — con la sua disponibilità piena — la regalità del Cristo. E se Maria è stata l'umile strumento che ha evidenziato la regalità del Cristo, era ovvio che fosse poi resa partecipe della gloriosa regalità universale del Cristo quale primizia di ogni cristiano che, rivestito della dignità regale nel battesimo, è chiamato a condividere la stessa corona di gloria.

La *richiesta* si inserisce in questo filone cristologico: « illumina la Chiesa con la luce del Verbo della Vita ... ». La terminologia è quella dei primi quattro versetti del prologo di Giovanni dove *luce*, *verbo* e

---

[32] *1 Cor* 1,24: « ... per coloro che sono chiamati... predichiamo Cristo potenza di Dio e sapienza di Dio ».

[33] Nell'Antico Testamento la tematica della Sapienza personificata ha uno sviluppo notevole (cf *Prv* 1,20; 7,4; 8,1; 8,12; 9,1; *Sap* 7,24; *Sir* 24,1) fino all'affermazione di *Lc* 11,49 « ... la sapienza di Dio ha detto: Manderò a loro profeti e apostoli ... ») e alla testimonianza di Paolo (cf nota precedente).

[34] Cf anche *Sal* 103,19; *Sir* 24,4; *Is* 66,1; *Mt* 5,34.

vita tentano di esprimere qualcosa del mistero di Dio che « venne ad abitare in mezzo a noi » (*Gv* 1, 14). Dalla connotazione della « luce » prende forma sia il verbo della richiesta: « illumina la Chiesa ... », come pure un'espressione che indica la modalità del cammino della Chiesa: « nello splendore della verità ».

La motivazione che accompagna la richiesta dell'assemblea: « ... perché ... cammini fino alla piena conoscenza del ... mistero d'amore » del Padre, riporta l'attenzione sui contenuti dell'*invocazione*. E' la luce di Cristo, Sapienza del Padre, che permette alla Chiesa di ogni tempo e luogo di avere una conoscenza sempre più piena del mistero di Dio.

Nell'insieme il testo, dunque, evidenzia chiaramente come la dimensione cristologico-ecclesiale contribuisca a sottolineare il ruolo di Maria nel progetto salvifico del Padre.

4.3. « *Da Maria sboccia il Germoglio* »

> [13] *O Dio, nostro Padre,*
> *come da radice in terra fertile,*
> *tu hai fatto sbocciare dalla Vergine Maria*
> *il santo germoglio, Cristo tuo Figlio;*
> *fa' che ogni cristiano,*
> *innestato in lui per mezzo del Battesimo nello Spirito,*
> *possa rinnovare la sua giovinezza*
> *e dare frutti di grazia a lode della tua gloria* (*Messale* 1026).

Il testo è caratterizzato da due riferimenti alla natura: le immagini del germoglio e dell'innesto sono assunte per esprimere alcuni aspetti della realtà del mistero. Vedere come la bibbia usa tali immagini è già fare la esegesi più adeguata ed esauriente di questa colletta.

Con l'espressione « germoglio del Signore » Isaia per primo annuncia il Messia [35], soprattutto quando predice la discendenza davidica: « Un germoglio spunterà dal tronco di Iesse, un virgulto germoglierà dalle sue radici » (*Is* 11, 1). Sulla stessa linea, l'oracolo di Geremia: « ... verranno giorni ... nei quali susciterò a Davide un germoglio giusto » [36], e quello di Zaccaria:

— « Ecco, io manderò il mio servo Germoglio » (*Zc* 3, 8);
— « Ecco un uomo che si chiama Germoglio: spunterà da sé e ricostruirà il tempio del Signore » [37],

trovano nell'espressione di *Ap* 5, 5 (« Non piangere più; ha vinto il leone della tribù di Giuda, *il Germoglio di Davide,* e aprirà il libro e

[35] *Is* 4,2: « In quel giorno il germoglio del Signore crescerà in onore e gloria ... ».
[36] *Ger* 23,5; cf anche 33,15: « In quei giorni e in quel tempo farò germogliare per Davide un germoglio legittimo ... ».
[37] La citazione di *Zc* 6,12 si riferisce a Zorobabele; ma il termine « Germoglio » è anche un titolo messianico (cf *Ger* 23,5).

i suoi sette sigilli ») la loro esegesi messianica e dunque anche la giustificazione dell'uso del termine nell'eucologia e, più ancora, il riferimento dell'immagine a Maria, vera « terra fertile » in cui è sbocciato « il santo Germoglio ».

Su questa immagine si inserisce armonicamente la *richiesta* dell'assemblea di essere interiormente rinnovata per « dare frutti di grazia a lode della ... gloria » del Padre [38].

La ragione che giustifica una simile richiesta è determinata dalla certezza che ogni fedele è « innestato in lui [Cristo] per mezzo del Battesimo nello Spirito ». L'espressione riprende l'insegnamento di Paolo quando nella lettera ai cristiani di Roma scrive: « Per mezzo del battesimo siamo... stati sepolti insieme a lui nella morte, perché come Cristo fu risuscitato dai morti per mezzo della gloria del Padre, così anche noi possiamo camminare in una vita nuova. Se infatti siamo stati completamente uniti a lui (σύνφυτοι = innestati in ...) con una morte simile alla sua, lo saremo anche con la sua risurrezione » (*Rm* 6, 4-5).

E' questa rinascita nello Spirito — tematica che percorre progressivamente tutta la Scrittura — che permette la crescita nella vita di grazia: vivere la vita di grazia (= santità) è rendere culto a Dio, è fare della propria vita una lode alla gloria del Padre, è realizzare la liturgia della vita nel senso più originario e più completo del termine.

Anche il cristiano, dunque, in forza del « battesimo nello Spirito » è come Maria una « terra fertile » in cui lo stesso Spirito opera facendo « sbocciare » e maturare « frutti di grazia ». L'esempio di Maria si ripropone continuamente al fedele come meta e come invito pressante a raggiungerla.

4.4. « *L'umile ancella del Signore* »

[14] *Dio santo e misericordioso,*
che ti compiaci degli umili
e compi in loro per mezzo del tuo Spirito
le meraviglie della salvezza,
guarda all'innocenza della Vergine Maria,
e donaci un cuore semplice e mite,
che sappia acconsentire senza esitazione
ad ogni cenno della tua volontà (*Messale* 1027).

I temi del *Magnificat* costituiscono la base anche di questa colletta, specialmente nell'*invocazione.* L'assemblea, nel lodare Dio « santo e misericordioso », riconosce la manifestazione di tali prerogative

[38] L'espressione « a lode della tua gloria » si rifà a quanto Paolo scrive ai cristiani di Efeso nel contesto della *benedizione* per il piano divino della salvezza: « ... a lode e gloria della sua grazia » (1,6); « perché noi fossimo a lode della sua gloria » (1,12); « ... a lode della sua gloria » (1,14).

nel fatto che egli si compiace degli umili (= segno della sua *misericordia*)[39] e in essi opera meraviglie di salvezza (= segno della sua *santità*). L'espressione di *Prv* 3, 34: « ... agli umili concede la grazia », ripresa da *Gc* 4, 6 e da *1 Pt* 5, 5 trova attuazione piena in *Lc* 1, 49: « Grandi cose ha fatto in me l'Onnipotente ».

Da questa premessa si muove la duplice *richiesta* dell'assemblea. Nella prima — finalizzata alla seconda — l'affermazione di *Lc* 1, 48 (« ... ha guardato l'umiltà della sua serva ») si trasforma in supplica: « guarda all'innocenza della Vergine Maria ». L'accento è posto su due realtà:

a - sull'atteggiamento di Dio, espresso con l'immagine del *guardare*. L'invocazione: « guarda, Signore ... » — frequente specialmente nell'AT[40] — è espressione dell'atteggiamento di colui che può ottenere tutto dalla benevolenza del Padre. Questo fa comprendere perché la richiesta introdotta dall'imperativo « guarda » sia frequente nelle orazioni del Messale[41];

b - sull'atteggiamento di Maria, di cui si sottolinea *l'innocenza*: prima meraviglia di salvezza che il Padre ha operato in lei, « dallo Spirito Santo quasi plasmata e resa nuova creatura »[42].

La certezza che il Padre « ha guardato » la sua serva è garanzia per l'assemblea che tale sguardo si poserà anche sui fedeli che seguono l'esempio della Vergine; per questo lo invocano.

La seconda richiesta si aggancia all'invocazione iniziale. Dal momento che Dio si compiace « degli umili », chi possiede « un cuore semplice e mite »[43] può essere capace di accogliere lo sguardo del Padre e vibrare in perfetta sintonia con « ogni cenno della (sua) volontà ».

Anche in questo caso la richiesta è impostata sull'esemplarità di Maria. « Eccomi, sono la serva del Signore, avvenga di me quello che hai detto » (*Lc* 1, 38). Il fedele che acconsente « senza esitazione ad ogni cenno della ... volontà » del Padre, permette allo Spirito di continuare a compiere « le meraviglie della salvezza », come in Maria.

4.5. « *Maria segno della gratuità e della riconoscenza* »

[15] *O Dio, Padre del Signore Gesù Cristo,*
guarda alla Vergine Maria,
la cui esistenza terrena

---

[39] Cf *Sal* 147,6: « Il Signore sostiene gli umili »; e v. 11: « Il Signore si compiace di chi lo teme »; *Sal* 138,6: « Il Signore ... guarda verso l'umile »; *Gdt* 9,11: « Tu sei ... il Dio degli umili ».

[40] L'espressione è frequente specialmente nei salmi: cf *Sal* 13,4; 33,13; 35,17; 80,15; 94,9; 104,32; 138,6; ecc.

[41] Nell'eucologia del *Missale Romanum* di Paolo VI la domanda introdotta da *respice* ... ricorre 58 volte.

[42] *LG* 56 e relativa nota 5.

[43] *Sap* 1,1: « ... cercate (il Signore) con cuore semplice »; *Fil* 2,15: « ... siate irreprensibili e semplici »; *Sal* 37,11: « I miti ... possederanno la terra ... » (cf anche *Mt* 5,5); *Gc* 3,17: « La sapienza che viene dall'alto ... è ... mite ».

fu tutta sotto il segno della gratuità e della riconoscenza;
concedi anche a noi
il dono della preghiera incessante e del silenzio,
perché tutto il nostro vivere quotidiano
sia trasfigurato dalla presenza del tuo Santo Spirito
(*Messale* 1027)

La struttura di questa colletta si diversifica dalle precedenti in quanto ad una breve *invocazione* fanno seguito due richieste abbastanza sviluppate. Il tema annunciato nel titolo è ripreso alla lettera dalla prima richiesta; difficile però è vedere il rapporto tra questo tema e il contenuto della seconda richiesta. Il legame contenutistico che sembra doversi stabilire tra le due richieste attraverso quell'*anche* di fatto non appare, per lo meno non in modo immediato [44].

Nella prima *richiesta* si invoca lo sguardo del Padre sulla Vergine Maria [45]. La frase che accompagna tale richiesta è un riconoscimento degli effetti che lo sguardo di Dio ha operato su Maria: la sua « esistenza terrena fu tutta sotto il segno della gratuità e della riconoscenza ». Credo che l'esegesi liturgico-spirituale dell'espressione si debba compiere nel contesto di *Rm* 3, 24 (« ... tutti ... sono giustificati gratuitamente per la sua grazia, in virtù della redenzione realizzata da Cristo »), di *Ap* 21, 6 (« A colui che ha sete darò gratuitamente acqua della fonte della vita ») e *Ap* 22, 17 (« ... chi vuole attinga gratuitamente l'acqua della vita »).

L'opera di salvezza realizzata dal Padre, per Cristo, nello Spirito è tutta all'insegna della *gratuità,* né poteva essere diversamente. Nella pienezza dei tempi il primo segno di tale gratuità da parte di Dio è proprio Maria, preservata dal peccato perché destinata ad essere Madre di colui per la cui grazia saremmo stati salvati [46]. Ma anche Maria, con la sua donazione più piena dall'annuncio dell'Angelo fino ai piedi della croce e nel cenacolo, è segno di gratuità piena per ogni fedele.

Il segno della *riconoscenza* — strettamente legato a quello della gratuità — esprime l'atteggiamento di chi si trova arricchito di un dono che non può essere oggetto né di pretesa né di conquista umana. Le pagine della Scrittura lasciano continuamente trasparire — come perenne insegnamento — questo atteggiamento dell'uomo nei confronti di Dio, dai primi imperativi: « Ricordati ... » [47], « guardati dal dimenticare ... » [48], al contenuto di numerosi salmi, fino all'esortazione

[44] In un testo per la preghiera comunitaria si deve presumere che mediante il semplice ascolto l'assemblea percepisca il valore dei contenuti oggetto della propria preghiera cui deve dare una responsabile e personale adesione con l'*Amen.*

[45] A questo proposito cf l'analisi della precedente colletta.

[46] *At* 15,11: « Noi crediamo che per la grazia del Signore Gesù siamo salvati ... ».

[47] *Es* 13,3: « Ricordati di questo giorno ... perché con mano potente il Signore vi ha fatto uscire ... ».

[48] *Dt* 4,9: « Guardati e guardati bene dal dimenticare le cose che i tuoi occhi hanno viste: non ti sfuggano dal cuore... »; 6,12: « Guardati dal dimenticare il Signore ... »; e soprattutto *Dt* 8,1-20.

di Paolo: « E siate riconoscenti! » (*Col* 3, 15). L'espressione più alta di questo atteggiamento di riconoscenza è il *Magnificat*: e la Chiesa ogni giorno lo ripete, con Maria, per riconoscere — e dunque per rendere grazie! — i prodigi che il Signore continua a operare nella sua Chiesa.

La seconda richiesta con una veloce trasposizione predispone l'assemblea a invocare il « dono » — siamo sempre nella linea della gratuità! — « della preghiera incessante e del silenzio ». Preghiera e silenzio esprimono due aspetti di un unico dinguaggio, quello della lode e della benedizione a Dio da cui proviene ogni cosa [49]: la preghiera è il movimento ascendente della lode, del riconoscere Dio per quello che è e di invocarlo; il silenzio permette il movimento discendente di Dio che — nel silenzio [50] — parla al cuore dell'uomo. Sono le due caratteristiche che la Chiesa contempla in Maria, per questo domanda di esserne partecipe al « Padre del Signore Gesù Cristo ».

La *motivazione*, infine, che accompagna questa richiesta stabilisce un ulteriore parallelismo con la prima: all'« esistenza terrena » di Maria si affianca « tutto il nostro vivere quotidiano » che attende di essere « trasfigurato dalla presenza » dello Spirito Santo. L'immagine della trasfigurazione — che può avere una verifica in *Fil* 3, 20-21 (« ... aspettiamo come salvatore il Signore Gesù Cristo, il quale trasfigurerà il nostro misero corpo per conformarlo al suo corpo glorioso ... ») ma che si fonda soprattutto in *Rm* 12, 2 (« ... trasformatevi rinnovando la vostra mente ... ») — esprime adeguatamente l'azione di quello Spirito che come ha caratterizzato di sé l'« esistenza terrena » di Maria, così può trasfigurare (= trasformare) « tutto il ... vivere quotidiano » del fedele.

4.6. « *Segno di speranza nel cammino della Chiesa* »

[16] *Padre santo,*
che nel cammino della Chiesa, pellegrina sulla terra,
hai posto quale segno luminoso
la beata Vergine Maria,
per sua intercessione sostieni la nostra fede
e ravviva la nostra speranza,
perché nessun ostacolo ci faccia deviare
dalla strada che porta alla salvezza (*Messale* 1027).

Frequente nella Scrittura è il tema del *cammino*: è una di quelle esperienze che hanno forgiato il popolo di Israele caratterizzandolo come « popolo in cammino »: da Abramo [51] al popolo degli Israeliti

---

[49] Cf *At* 10,36: « Gesù Cristo ... è il Signore di tutti », e 17,24-25: « Il Dio che ha fatto il mondo e tutto ciò che contiene, che è Signore del cielo e della terra ..., [è] lui che dà a tutti la vita e il respiro e ogni cosa ».

[50] « Come nella tradizione profetica — cf *Ab* 2,20; *Sof* 1,7; *Zc* 2,17 —, un silenzio solenne precede e annunzia la "venuta" di Iahve »: questo è il commento della Bibbia di Gerusalemme ad *Ap* 8,1: « Quando l'Agnello aprì il settimo sigillo, si fece silenzio in cielo per circa mezz'ora ».

[51] Cf *Gn* 12,4: « Allora Abram partì, come gli aveva ordinato il Signore... ».

che «si misero in cammino... secondo l'ordine del Signore ... » (*Num* 10, 13), a Gesù che cammina verso Gerusalemme, ai suoi discepoli [52] che dopo la Pentecoste si sono messi in cammino per le vie del mondo, alla prospettiva apocalittica dei salvati che seguono l'Agnello dovunque vada [53]. La Chiesa — nuovo Israele — vive in questo atteggiamento; quell'annuncio di salvezza che si è mosso da Gerusalemme nel giorno di Pentecoste continua nei sentieri del tempo a raggiungere ogni persona « pellegrinante nel tempo » [54]. Come i patriarchi che « nella fede morirono... dichiarando di essere stranieri e pellegrini sopra la terra » (*Eb* 11, 13), anche i cristiani sono esortati a vivere « come stranieri e pellegrini » (*1 Pt* 2, 11) e a comportarsi con timore nel tempo e nella terra del loro pellegrinaggio [55]. Questa è la realtà della Chiesa « pellegrina sulla terra ».

Ogni cammino è caratterizzato ovviamente da una mèta; ma richiede anche la presenza di *segni* che ne richiamino e indichino il percorso. E' nella prospettiva di questa immagine che acquista significato il riferimento a Maria « segno luminoso » posto sul « cammino della Chiesa ». Il concetto riprende l'esperienza degli Israeliti: Dio « li ha guidati di giorno con una colonna di nube e di notte con una colonna di fuoco, per rischiarare loro la strada su cui camminare » (*Ne* 8, 12); è la realtà ricordata e cantata specialmente nei salmi: è Dio che veglia sul cammino dei giusti [56]; è la sua parola che ne illumina la strada [57].

La *richiesta* unitaria dell'assemblea (anche se espressa con due verbi): « sostieni la nostra fede e ravviva la nostra speranza » è strettamente legata alla logica del cammino. Ogni cammino-pellegrinaggio infatti è mosso da una fede [58] ed è animato e sorretto da una speranza; a maggior ragione fede e speranza sono le virtù che devono caratterizzare la « strada che porta alla salvezza »: è una consapevolezza, questa, che l'assemblea trasforma in preghiera e supplica « per ... intercessione » di Maria.

Anche le espressioni che formulano la richiesta si rifanno all'esperienza e al linguaggio della Scrittura. La profezia di Isaia: « ... sgom-

---

[52] Luca presenta la missione di Gesù imperniata sul viaggio verso Gerusalemme; e quella degli Apostoli, da Gerusalemme ai confini del mondo.

[53] *Ap* 14,4: « Questi ... sono infatti vergini e seguono l'Agnello dovunque va ». La Bibbia di Gerusalemme commenta: « Come Israele seguiva Iahve nel tempo dell'esodo, il popolo nuovo dei riscattati segue l'Agnello fino al deserto (cf *Ger* 2,2-3), dove sarà celebrato un nuovo fidanzamento (cf *Os* 2,16-25) ». Per la Bibbia TOB il tema della verginità indica « l'integrità e la fedeltà della Chiesa che si guarda da ogni contaminazione con l'idolatria del mondo ».

[54] L'espressione è presente in *Messale* 350: prefazio dell'Ordine, e 563: prefazio dell'Assunzione.

[55] Cf *1 Pt* 1,17: « ... comportatevi con timore nel tempo del vostro pellegrinaggio »; e *Sal* 119,54: « Sono canti per me i tuoi precetti, nella terra del mio pellegrinaggio ».

[56] Cf *Sal* 1,6; 23,3; 37,23.

[57] Cf *Sal* 119,105.

[58] Cf *Eb* 11,8: « Per fede Abramo, chiamato da Dio, obbedì partendo per un luogo che doveva ricevere in eredità, e partì senza sapere dove andava »; tutto il cap. 11 presenta la fede esemplare degli antenati.

brate la via al popolo, spianate, spianate la strada, liberatela dalle pietre... » (*Is* 62, 10) che si apre alla speranza espressa da Geremia: « Essi erano partiti nel pianto, io li riporterò tra le consolazioni; li condurrò a fiumi d'acqua per una strada diritta in cui non inciamperanno... » (*Ger* 31, 9), si concentra nell'opera salvifica attuata nella pienezza dei tempi quando gli apostoli si disperdono nel mondo e « annunziano la via della salvezza » (*At* 16, 17). L'insieme della richiesta — sia a livello concettuale che terminologico — può trovare un'ulteriore conferma in *1 Ts* 5, 8: « Noi ... che siamo del giorno, dobbiamo essere ... rivestiti con la corazza della fede e della carità e avendo come elmo la speranza della salvezza ».

L'analisi biblico-teologica del tema della colletta ci orienta a fare un ultimo accostamento. *Lumen gentium* 68 accenna a Maria che « brilla ora innanzi al peregrinante popolo di Dio quale segno di sicura speranza e di consolazione, fino a quando non verrà il giorno del Signore »: è questa la fede della Chiesa che il *Missale Romanum* di Paolo VI ha riespresso nel prefazio della solennità dell'Assunzione della B. V. Maria:

> ... *In lei, primizia e immagine della Chiesa,*
> *hai rivelato [o Padre] il compimento del mistero di salvezza*
> *e hai fatto risplendere per il tuo popolo,*
> *pellegrino sulla terra,*
> *un segno di consolazione e di sicura speranza* (*Massale* 563).

4.7. « *Maria, primogenita della redenzione* »

> [17] *O Dio, Padre buono,*
> *che in Maria, primogenita della redenzione,*
> *ci hai dato una madre d'immensa tenerezza,*
> *apri i nostri cuori alla gioia dello Spirito*
> *e fa' che a imitazione della Vergine*
> *impariamo a magnificarti*
> *per l'opera stupenda compiuta nel Cristo tuo Figlio*
> (*Messale* 1028).

Le parole con cui l'assemblea invoca « Dio, Padre buono » ci riportano ai piedi della croce quando Gesù affida a Giovanni, e per lui a tutti gli uomini, Maria come Madre [59]. Essa è riconosciuta e invocata dai fedeli come « primogenita della redenzione » e come « madre d'immensa tenerezza ». Due realtà che meritano di essere approfondite.

L'espressione « primogenita della redenzione » acquista significato solo alla luce del Cristo. Figlio primogenito del Padre [60] perché « generato prima di ogni creatura » (*Col* 1, 15), egli è « il primogenito tra molti fratelli » (*Rm* 8, 29), « il primogenito di coloro che risuscitano dai morti » [61]. Da questa realtà è mutuata l'invocazione dell'assemblea che riconosce Maria « primogenita della redenzione ». La *Lumen gen-*

[59] Cf *Gv* 19,26-27.
[60] Cf *Eb* 1,6; cf anche *Lc* 2,7.
[61] *Col* 1,18; cf anche *Ap* 1,5.

tium parlando di Maria dopo l'Ascensione afferma: la Vergine « fu assunta alla celeste gloria ... e dal Signore esaltata quale Regina dell'universo, *perché fosse più pienamente conformata col Figlio suo* ... vincitore del peccato e della morte » (n. 59). L'espressione è un riconoscimento della « corrispondenza » (e somiglianza) tra i privilegi di Gesù e quelli di Maria.

La certezza che Maria è « madre d'immensa tenerezza » si basa sulla fede della Chiesa che — per rifarci ancora al documento conciliare — la riconosce come cooperatrice « in modo del tutto speciale all'opera del salvatore ... per restaurare la vita soprannaturale delle anime. Per questo fu per noi *madre* nell'ordine della grazia » (*LG* 61). E « questa *maternità* di Maria nell'economia della grazia perdura senza soste ... fino al perpetuo coronamento di tutti gli eletti ... Con la sua *materna carità* si prende cura dei fratelli del Figlio suo ancora peregrinanti ... » (*LG* 62). E ancora: « Diede alla luce il Figlio, che Dio ha posto quale primogenito tra i molti fratelli ... alla rigenerazione e formazione dei quali essa coopera con amore di *madre* » (*LG* 63).

Come al primo annuncio della maternità di Maria è seguito il cantico del *Magnificat*, così questo stesso cantico costituisce come in filigrana il sottofondo della duplice richiesta dell'assemblea che ha appena riconfermato la propria fede nella maternità di Maria.

« Il regno di Dio — scrive Paolo ai cristiani di Roma — ... è pace e gioia nello Spirito Santo » (*Rm* 14, 17): quella « gioia del cuore » che è dono di Dio (*Sir* 50, 23) e frutto dell'azione dello Spirito [62]. E l'assemblea ne fa oggetto di supplica per essere capace di magnificare la bontà del Padre « a imitazione della Vergine ».

La Chiesa invoca dal Padre quell'apertura del cuore, cioè quella capacità — dono dello Spirito — che le permetta di poter cantare — come Maria — « l'anima mia magnifica il Signore e il mio spirito esulta in Dio, mio Salvatore » (*Lc* 1, 46-47), di poter magnificare il Padre « per l'opera stupenda compiuta nel Cristo » e che per Cristo, nello Spirito, raggiungerà la sua pienezza fino alla completa *anakephalaiosis* (*Ef* 1, 10) quando Dio avrà fatto « nuove tutte le cose » (*Ap* 21, 5), « tutto ... sarà stato sottomesso » al Figlio, e « il Figlio sarà sottomesso a colui che gli ha sottomesso ogni cosa, perché Dio sia tutto in tutti » (*1 Cor* 15, 28).

4.8. « *Con Maria orante nel cenacolo* »

[18] *Signore nostro Dio,*
che hai voluto presente e orante
nella prima comunità cristiana
la Madre del tuo Figlio,
donaci di perseverare con lei nell'attesa dello Spirito,
per formare un cuore solo e un'anima sola,
e così gustare i frutti soavi e duraturi
della nostra redenzione (*Messale* 1028).

[62] *Gal* 5,22: « Il frutto dello Spirito ... è amore, gioia, pace ... ».

Anche se il *Messale* non accompagna questo testo con alcuna indicazione rubricale, il contenuto della colletta rimanda ai giorni che precedono la Pentecoste [63].

Nell'*invocazione* l'assemblea concentra lo sguardo su Maria « presente e orante nella prima comunità cristiana ». È l'atteggiamento trasmessoci da Luca all'inizio degli Atti degli Apostoli, e così riespresso nella *Lumen gentium*:

> « Essendo piaciuto a Dio di non manifestare solennemente il mistero della salvezza umana prima di aver effuso lo Spirito promesso da Cristo, vediamo gli Apostoli prima del giorno della Pentecoste "assidui e concordi nella preghiera, insieme con alcune donne e con Maria, la madre di Gesù, e con i fratelli di lui" (*At* 1, 14), e anche Maria implorante con le sue preghiere il dono dello Spirito che l'aveva già adombrata nell'Annunciazione » (*LG* 59).

È da questa originaria esperienza « spirituale » che prende forma la richiesta della Chiesa di oggi e di sempre: « donaci di perseverare con lei nell'attesa dello Spirito ». Anche la presenza di Maria nel Cenacolo rientra in quella linea di esemplarità che è non solo richiamo e stimolo all'imitazione, ma presenza sempre in atto (« perseverante *con* lei ») che manifesta la cooperazione di Maria nell'opera della redenzione [64].

Le due motivazioni che accompagnano la richiesta esprimono l'aspirazione del fedele in ogni momento della storia della Chiesa. Solo con il dono dello Spirito è possibile « formare un cuore solo e un'anima sola », come la primitiva « moltitudine di coloro che erano venuti alla fede (che) aveva un cuore solo e un'anima sola » (*At* 4, 32). Solo l'azione dello Spirito rende il fedele capace (= lo abilita a) di « gustare i frutti soavi e duraturi della ... redenzione ». Già Paolo scrivendo ai cristiani della Galazia affermava: « Il frutto dello Spirito ... è amore, gioia, pace, pazienza, benevolenza, bontà, fedeltà, mitezza, dominio di sé ... » (*Gal* 5, 22). Vivere queste realtà è far maturare « frutti soavi e duraturi » e non « rattristare lo Spirito Santo di Dio » col quale siamo stati « segnati per il giorno della redenzione » (*Ef* 4, 30).

4.9. « *Causa della nostra gioia* »

[19/A] *Dio di eterna gloria,*
che nel sole di giustizia,
Cristo tuo Figlio, sorto dalla Vergine Madre,
hai introdotto nel mondo la vera gioia,
liberaci dal peso del peccato
che rattrista ed estingue il tuo Spirito,

[63] Resta comunque il fatto della impossibilità di usare il testo in quei giorni a motivo delle *ferie* del tempo di Pasqua. Eventuali celebrazioni prima del sacramento della Confermazione hanno un'ipotesi di fattibilità molto labile.

[64] Cf rispettivamente *LG* 65 e 61-62.

e accoglici alla mensa del tuo regno
per saziarci del pane che ha in sé ogni dolcezza
(*Messale* 1028).

Il titolo della colletta orienta l'esegesi sia dell'invocazione che della duplice richiesta, situando la classica invocazione a Maria « causa nostrae laetitiae » nel giusto contesto storico-salvifico.

Bisogna notare anzitutto che l'attuale struttura letteraria dell'*invocazione* non risulta armonica e dunque facilmente « pregabile ». Mantenendo gli stessi elementi ma disponendoli nel modo sotto indicato il testo acquista in linearità e giustifica la trasformazione della prima richiesta che risulta così in logica armonia con il contenuto dell'invocazione:

[19/B] *Dio di eterna gloria,*
che per mezzo del tuo Figlio,
sole di giustizia sorto dalla Vergine Madre,
hai introdotto nel mondo la vera gioia,
liberaci dall'oscurità del peccato (oppure: dalla *tenebra*)
che rattrista ed estingue lo Spirito,
e accoglici alla mensa del tuo regno
per saziarci del pane che ha in sé ogni dolcezza.

Nell'*invocazione* l'assemblea riconosce nel Padre la fonte della « vera gioia » introdotta nel mondo « per mezzo del ... Figlio » e con la cooperazione della « Vergine Madre ». Anche il tema della *gioia* — frequentissimo nell'AT [65] — nel NT contribuisce ad esprimere uno di quei doni messianici portati dal Cristo: dalla prima notizia data dall'angelo (*Lc* 2, 10: « ... vi annunzio una grande gioia che sarà di tutto il popolo ... »), alla certezza del dono assicurata da Gesù (*Gv* 15,11: « Questo vi ho detto perché la mia gioia sia in voi e la vostra gioia sia piena ») [66] e alla concretizzazione di questa realtà così espressa in *Rm* 14, 17: « Il regno di Dio è... giustizia, pace e *gioia* nello Spirito Santo ».

Il tema della gioia è strettamente legato a quello della luce: ecco la giustificazione del riferimento a Cristo « sole di giustizia sorto dalla Vergine Madre », profetizzato da *Ml* 3, 20: « Per voi... cultori del mio nome sorgerà il sole di giustizia » e ripreso da Zaccaria in *Lc* 1, 78-79: « ... verrà a visitarci dall'alto un sole che sorge per rischiarare quelli che stanno nelle tenebre e nell'ombra della morte ... ».

Su questa realtà s'inserisce la *prima richiesta* che — se formulata secondo la redazione sopra indicata (« liberaci dall'oscurità — *oppure* dalla tenebra — del peccato che rattrista ed estingue *lo* Spirito ») [67] — contribuisce a evidenziare l'unitarietà tematica del testo.

[65] Cf ad esempio *2 Cr* 20,27; *Sal* 16,11; *Is* 30,29; *Ne* 8,10; *Bar* 4,29.

[66] Cf anche *Gv* 16,23: « ... nessuno vi potrà togliere la vostra gioia »; *Gv* 17,13: « ... dico queste cose ... perché abbiano in se stessi la pienezza della mia gioia ».

[67] Di proposito suggerisco il testo « *lo* Spirito » per non ripetere due volte l'aggettivo *tuo* (« tuo Spirito ... tuo regno »).

Quando Paolo infatti scrive ai cristiani di Efeso esortandoli a vivere la vita nuova nella luce del Cristo, esclama: « E non vogliate rattristare lo Spirito Santo di Dio ... » (*Ef* 4, 20). Sono le scelte di vita contrarie che provocano oscurità e tenebra e che pertanto hanno la capacità di estinguere quello Spirito [68] con cui i fedeli sono stati « segnati per il giorno della redenzione » (*Ef* 4, 20).

La *seconda richiesta* — « accoglici alla mensa del tuo regno per saziarci del pane che ha in sé ogni dolcezza » — ci riporta ancora a quel contesto della gioia messianica espressa con l'immagine della partecipazione ad un immenso banchetto [69] e alla realtà del regno dei cieli espressa con la similitudine di « un re che fece un banchetto di nozze per suo figlio ... » (*Mt* 22, 2 e contesto della parabola). La profezia di Gesù: « Verranno da oriente e da occidente, da settentrione e da mezzogiorno e siederanno a mensa nel regno di Dio » (*Lc* 13, 19) si concentra nella beatitudine riferita da *Lc* 14, 15: « Beato chi mangerà il pane nel regno di Dio! », beatitudine fondata sulla promessa di Gesù: « ... io preparo per voi un regno ... perché possiate mangiare e bere alla mensa nel mio regno ... » (*Lc* 22, 29-30).

Pegno della partecipazione piena alla mensa messianica è la partecipazione a quel « pane » della mensa eucaristica « che ha in sé ogni dolcezza ». L'espressione che la liturgia cristiana ha applicato all'Eucaristia, è mutuata dalla riflessione sapienziale sugli avvenimenti dell'esodo, che leggiamo in *Sap* 16, 20-21:

> « Sfamasti il tuo popolo con un cibo degli angeli, dal cielo offristi loro un pane già pronto senza fatica, capace di procurare ogni delizia e soddisfare ogni gusto. Questo tuo alimento manifestava la tua dolcezza verso i tuoi figli ... ».

4.10. « *Maria, icona della Chiesa* »

> [20] *O Dio, Padre del Cristo nostro salvatore,*
> *che in Maria, vergine santa e premurosa madre,*
> *ci hai dato l'immagine della Chiesa,*
> *manda il tuo Spirito in aiuto alla nostra debolezza,*
> *perché perseverando nella fede cresciamo nell'amore,*
> *e camminiamo insieme*
> *fino alla mèta della beata speranza* (*Messale* 1028).

Quest'ultima colletta della sezione è caratterizzata dalla prospettiva escatologica. L'accostamento delle due parti di cui si compone il testo permette di evidenziare la presenza e l'azione di Maria nel cammino della Chiesa.

Nell'*invocazione* l'assemblea loda il Padre perché « in Maria ... ci ha dato l'immagine della Chiesa »: un'immagine che prende forma e contorni ben precisi nei termini « vergine » e « madre ».

---

[68] In *1 Ts* 5,19 Paolo esorta ancora: « Non spegnete lo Spirito ... ».

[69] *Is* 25,6: « Preparerà il Signore degli eserciti per tutti i popoli ... un banchetto di grasse vivande, un banchetto di vini eccellenti ... ».

Ci troviamo di fronte ad un testo che trasforma in preghiera un aspetto di quella fede in Maria che la Chiesa ha espresso nei paragrafi 63-65 della *Lumen gentium*. Il documento conciliare parla di Maria che in quanto Vergine e Madre « è figura (*typus*) della Chiesa ... nell'ordine ... della fede, della carità e della perfetta unione con Cristo » (n. 63). Come Maria, anche « la Chiesa ... per mezzo della parola di Dio accolta con fedeltà, diventa essa pure madre ... Essa pure è vergine ... conserva verginalmente integra la fede, solida la speranza, sincera la carità » (n. 64).

Ma « mentre la Chiesa ha già raggiunto nella beatissima Vergine la perfezione, ... i fedeli si sforzano ancora di crescere nella santità debellando il peccato; e per questo innalzano gli occhi a Maria, la quale rifulge come modello (*exemplar*) di virtù davanti a tutta la comunità degli eletti ... La Chiesa, mentre persegue la gloria di Cristo, diventa più simile alla sua eccelsa Figura (*Typo* = Maria), progredendo continuamente nella fede, speranza e carità ... » (n. 65).

Con verità dunque la Chiesa guarda Maria come « immagine »: come specchio cioè e come traguardo. E la sua vitalità lungo il tempo si manifesta — sull'esempio di Maria — realizzandosi come « vergine santa » — custodendo cioè « integra e pura la fede data allo Sposo » (*LG* 64) — e come « premurosa madre » — generando « a una vita nuova e immortale i figli concepiti ad opera dello Spirito Santo e nati da Dio » (*ib.*) —.

E' su questa linea allora che si inserisce armonicamente la richiesta dell'assemblea: essa invoca quello stesso Spirito che ha reso Maria *vergine* e *madre;* quello Spirito che « viene in aiuto alla nostra debolezza » (*Rm* 8, 26).

Anche la motivazione che accompagna questa epiclesi dipende da quanto ricordato a proposito dell'invocazione nella *Lumen gentium*: guardando a Maria — *exemplar, typus* — la Chiesa invoca lo Spirito per

— perseverare nella fede;
— crescere nell'amore;
— raggiungere la mèta della speranza.

Sono le tre condizioni perché il cammino che i fedeli devono percorrere « insieme » [70] — appunto cioè come « Chiesa » — raggiunga la mèta:

— sull'esempio di Abramo [71] che « avendo perseverato... conseguì la promessa » (*Eb* 6, 15), la perseveranza nella fede è condizione di salvezza [72] e garanzia di partecipazione al regno del Padre [73];

---

[70] Accanto all'esperienza di unità dei membri del popolo d'Israele, sia sufficiente ricordare *At* 2,44: « Tutti coloro che erano diventati credenti stavano insieme... ».

[71] Il *Canone romano* lo ricorda come « nostro padre nella fede » (*Messale* 390).

[72] *Mt* 10,22: « ... chi persevererà sino alla fine sarà salvato ».

[73] *Lc* 22,28-29: « Voi siete quelli che avete perseverato con me nelle mie prove; e io preparo per voi un regno ... »; cf anche *Ap* 2,26: « Al vincitore che persevera sino alla fine nelle mie opere, darò autorità sopra le nazioni ... ».

— l'attuazione del comando dell'amore verso Dio e verso il prossimo offre già la certezza di dimorare in Dio e di essere sua dimora [74];
— il cristiano che vive di fede e cresce nell'amore, « nell'attesa della beata speranza » (*Tt* 2, 13), corre « verso la mèta per arrivare al premio » (*Fil* 3, 14).

5. NUOVI MOTIVI MARIOLOGICI PER RENDERE GRAZIE AL PADRE

Accanto al prefazio II/A per l'Avvento [75], il *Messale* offre altri due testi prefaziali « per le messe della Beata Vergine Maria ». Essi riprendono e sviluppano temi già emersi nella precedente analisi; qui però sono ripresentati in una forma più organica, adeguata al genere letterario tipico del rendimento di grazie.

5.1. « *Maria segno di consolazione e di speranza* »

[21] *Umile ancella accolse la tua parola*
e la custodì nel suo cuore;
mirabilmente unita al mistero della redenzione,
perseverò con gli Apostoli in preghiera
nell'attesa dello Spirito Santo;
ora risplende sul nostro cammino
segno di consolazione e di sicura speranza (*Messale* 357).

Il titolo dell'embolismo rimanda a quanto già espresso a proposito della colletta [16]: Maria « risplende sul ... cammino » della Chiesa quale « segno di consolazione e di sicura speranza » [76]. E' questo il contenuto dell'ultima parte del prefazio. Ma è doveroso porsi la domanda: *perché,* o *in che modo,* o *a quale titolo* Maria « *ora risplende ...* »? La risposta scaturisce armonicamente dai contenuti delle prime due parti dell'embolismo, i cui temi sono già emersi nelle precedenti collette e approfonditi nel rispettivo commento.

a - Maria è *segno* perché quale « umile ancella accolse la ... parola » del Padre « e la custodì nel suo cuore ». La disponibilità di Maria nell'accogliere e custodire la Parola del Padre è stata più volte sottolineata sia nelle collette della IV domenica di Avvento [77] e della solennità di Maria Madre di Dio [78], sia soprattutto in due nuove collette per il Comune della Beata Vergine Maria [79].

---

[74] Cf *1 Gv* 4,16: « ... chi sta nell'amore dimora in Dio e Dio dimora in lui »; ma i riferimenti biblici sono numerosissimi.

[75] Cf sopra n. [4].

[76] La frase è ripresa alla lettera dall'embolismo prefaziale della solennità dell'Assunzione della B.V. Maria (cf *Messale* 563).

[77] Cf [1], [2], [3].

[78] Cf [5].

[79] Cf rispettivamente [14] già nel *titolo,* e [11].

b - Questa totale apertura alla volontà del Padre ha reso Maria « mirabilmente unita al mistero della redenzione ». La seconda parte del cap. VIII della *Lumen gentium* è la esplicitazione più chiara e autorevole della presenza e della funzione di Maria nell'economia della salvezza, dalla sua prefigurazione nell'AT [80] alla pienezza dei tempi [81], fino ai giorni che precedettero la Pentecoste [82] quando « perseverò con gli Apostoli in preghiera nell'attesa dello Spirito Santo »: una presenza, questa, di cui l'eucologia fa frequentemente anamnesi a motivo della sua esemplarità [83].

E' dunque la partecipazione ai misteri del Cristo che ha reso Maria intimamente e « mirabilmente » [84] unita al progetto di salvezza del Padre, tanto da cooperare « in modo tutto speciale all'opera del Salvatore ... per restaurare la vita soprannaturale nelle anime » [85].

c - Da questa certezza scaturisce il rendimento di grazie al Padre perché Maria « *ora* risplende sul ... cammino » dell'umanità. Secondo una struttura tipica degli embolismi prefaziali, l'attuale motivo di lode (espresso frequentemente con *ora,* oppure con *oggi*) emerge come logica conclusione dell'anamnesi di qualche fase o avvenimento di quella storia di salvezza che per la potenza dello Spirito è sempre in atto nella vita della Chiesa [86].

5.2. « *Maria immagine dell'umanità nuova* »

[22] *Tu hai rivelato nella pienezza dei tempi*
il mistero nascosto nei secoli,
perché il mondo intero torni a vivere e a sperare.
Nel Cristo, nuovo Adamo,
e in Maria, nuova Eva,
è apparsa finalmente la tua Chiesa
primizia dell'umanità redenta.
Per questo dono,
tutta la creazione
con la potenza dello Spirito Santo
riprende dal principio
il suo cammino verso la Pasqua eterna (*Messale* 358).

Anche quest'ultimo testo mantiene un rapporto strettissimo con la Scrittura, sia a livello di contenuto che di linguaggio. Il titolo — rifacendosi soprattutto alla parte centrale dell'embolismo — contribuisce a evidenziare ulteriormente sia la esemplarità di Maria che il suo rapporto con la Chiesa.

---

[80] Cf *LG* 55: La Madre del Messia nell'Antico Testamento.

[81] Cf *LG* 56-58: Maria nell'annunciazione; l'infanzia e la vita pubblica di Gesù.

[82] Cf *LG* 59: Maria dopo l'Ascensione.

[83] Cf specialmente [6], [7], [8] e soprattutto [18].

[84] L'avverbio rimanda a quei *mirabilia Dei* che caratterizzano ogni fase della storia della salvezza dal Genesi all'Apocalisse e che la liturgia — quale storia di salvezza in atto — ricorda e rende presenti nella vita della Chiesa.

[85] *LG* 61 e tutta la III parte del cap. VIII della *Lumen gentium*: La beata Vergine e la Chiesa.

[86] Cf la successione dei verbi *accolse, custodì, perseverò, ora risplende.*

a - Il rendimento di grazie si muove dal riconoscimento che il Padre ha « rivelato nella pienezza dei tempi il mistero nascosto nei secoli, perché il mondo intero torni a vivere e a sperare ». E' la ripresa del concetto annunciato da Gesù (*Mt* 4, 11: « A voi è stato confidato il mistero del regno di Dio ») ed espresso più volte da Paolo sia in *Rm* 16, 25-27 quando parla della « rivelazione del mistero taciuto per secoli eterni, ma rivelato ora ... a tutte le genti perché obbediscano alla fede, a Dio ... »; sia soprattutto in *Ef* 1, 3-14 quando benedice Dio per l'attuazione del suo piano di salvezza.

L'esame delle precedenti collette ha ricordato questa realtà [87]; qui però l'anamnesi è completata dalla motivazione: « perché il mondo intero torni a vivere e a sperare ». I due verbi, che sintetizzano il programma di vita e di azione del popolo cristiano, rimandano immediatamente alla parola di Gesù: « Io sono venuto perché abbiano la vita e l'abbiano in abbondanza » (*Gv* 10, 10) e a quella di Paolo: « Cristo Gesù nostra speranza » (*1 Tm* 1, 1).

b - Il nucleo dell'embolismo si caratterizza per una forte densità tipologica e tematica. L'accenno tipologico contribuisce a rafforzare l'unitarietà della storia della salvezza. E' Paolo che, scrivendo ai cristiani di Roma e a quelli di Corinto, parla di Cristo che quale « nuovo Adamo » è divenuto « spirito datore di vita » [88].

Sulla stessa linea, proprio perché « mirabilmente unita al mistero della redenzione » [89], anche Maria è riconosciuta quale « nuova Eva », come già evidenziato nell'embolismo del nuovo prefazio dell'Avvento [90].

Il passaggio ulteriore dalla tipologia al tema della Chiesa « primizia dell'umanità redenta » non è né facile né immediato. Rifacendoci ai temi delle collette: « Maria, icona della Chiesa » e « Maria, primogenita della redenzione » [91] e sviluppando, appunto, con l'immagine successiva della « Chiesa primizia dell'umanità redenta » deduciamo un ulteriore aspetto della realtà stessa della Chiesa. E' « dal costato di Cristo » — « nuovo Adamo » — che scaturisce « il mirabile sacramento di tutta la Chiesa » (*SC* 5); e Maria, « quale Eva novella » (*LG* 63), « cooperò in modo tutto speciale all'opera del Salvatore ... per restaurare la vita soprannaturale delle anime ... » (*LG* 61).

La Chiesa scaturita dal costato di Cristo, la Chiesa che lungo i sentieri del tempo percorre le vie dell'uomo e del mondo è ancora una « primizia dell'umanità redenta »: è solo l'inizio di quella nuova creazione che si compirà nei cieli nuovi e nella nuova terra [92], quando la Pasqua avrà raggiunto il suo definitivo compimento.

[87] Cf ad esempio [1] e [17].
[88] *1 Cor* 15,45; cf anche v. 22 e *Rm* 5,12-21.
[89] Cf [21].
[90] Cf [4].
[91] Cf rispettivamente [20] e [17].
[92] Cf *2 Pt* 3,13 e il contesto di *GS* 39.

c - Ecco perché nella parte conclusiva dell'embolismo l'assemblea canta una duplice certezza: « dono » del Padre è la realtà della Chiesa; ed è « per » la mediazione di questa realtà che « tutta la creazione ... riprende ... il suo cammino verso la Pasqua eterna ».

Nella prospettiva escatologica riacquistano dunque significato il gemito e la tensione dell'intera creazione di cui parla Paolo in *Rm* 8, 19-22: alla luce della Pasqua di Cristo essa riacquista il significato originario impresso dal Creatore per proiettarsi verso il definitivo compimento, quando « con la venuta del Signore giungerà a perfezione » (*GS* 39).

Lo Spirito che « aleggiava sulle acque primordiali » (*Gn* 1, 2), lo Spirito che in Maria ha dato origine alla nuova creazione [93], lo Spirito che con la Pentecoste ha spinto la Parola sulle vie del mondo [94], quello Spirito donato ai figli di Dio per condurli « alla verità tutta intera » (*Gv* 16, 13), è lo Spirito che « in tutto ... opera una liberazione » proiettando ogni realtà « nel futuro, quando l'umanità stessa diventerà oblazione accetta a Dio. Un pegno di questa speranza e un viatico per il cammino il Signore lo ha lasciato ai suoi in quel sacramento della fede nel quale degli elementi naturali coltivati dall'uomo vengono tramutati nel Corpo e nel Sangue glorioso di Lui, come banchetto di comunione fraterna e pregustazione del convito del cielo » (*GS* 38).

Ritorna pertanto il tema del cammino già emerso con frequenza nei testi precedenti [95]; in esso trova significato quel « vivere » e « sperare » della prima parte dell'embolismo, che costituisce appunto la realtà intima, la molla della vita della Chiesa.

6. Conclusione

La lunga analisi condotta sui testi del *Messale* per la Chiesa italiana ha cercato di evidenziare le caratteristiche teologico-liturgico-spirituali racchiuse nella nuova eucologia. Non è certo sufficiente una prima esegesi per esaurirne tutta la ricchezza: solo una riflessione in atteggiamento di prolungata contemplazione può permettere al fedele di accostarsi — anche attraverso questi nuovi testi — al mistero di salvezza. Infatti « anche nelle feste della santa Madre di Dio ... la Chiesa pellegrina sulla terra proclama la Pasqua del suo Signore » (*Messale* 1047).

In questo ambito mi limito a richiamare l'attenzione su due riflessioni più a livello di metodo che di contenuto, dal momento che quest'ultimo ha già avuto uno sviluppo adeguato.

Il cap. VIII della *Lumen gentium* segna una tappa fondamentale per la riflessione mariologica. Non si tratta però di un traguardo

---

[93] Cf *Lc* 1,35.
[94] Cf *At* 2,1-21 e *passim*.
[95] Cf [12], [15], [16], [20], [21].

definitivo. Se da una parte, cioè, il documento conciliare fa il punto sulla fede della Chiesa in Maria, dall'altra esso si presenta come una prima pagina (*lex credendi*) che attende di essere completata da una seconda pagina (*lex orandi*) più difficile forse da « scrivere » e da « leggere », ma non per questo meno importante della prima. In altri termini, la riflessione teologica codificata dal Vaticano II trova la sua verifica e insieme la sua completezza in un'altra riflessione, quella propria del linguaggio eucologico. E' proprio l'accostamento a questo particolare linguaggio della Chiesa che permette una visione più completa e unificante del mistero della nostra salvezza, sia nella sua globalità che nei suoi singoli aspetti.

Una visione mariologica adeguata implica pertanto la conoscenza di una teologia liturgica [96] elaborata sui testi eucologici sia della tradizione che dell'oggi. La riflessione delle pagine precedenti intende collocarsi in questa prospettiva, contribuendo così all'approfondimento della figura e della missione di Maria nella vita della Chiesa. Si tratta, in altri termini, di continuare quel particolare discorso di sintesi tra teologia, liturgia e vita magistralmente delineato nella *Marialis cultus;* in questa prospettiva va collocato — e giudicato! — lo sforzo di elaborazione di nuovi testi eucologici per celebrare la memoria di Maria.

Una seconda e ultima riflessione scaturisce dall'esperienza del contatto assiduo con il libro liturgico. Le pagine precedenti hanno premesso di verificare il *sensus Ecclesiae* — per lo meno quello della Chiesa italiana — a proposito di Maria; altrove si possono vedere altri contributi ...: si tratta di un insieme di voci che riconducono il discorso mariologico nell'ambito della storia della salvezza. L'affermazione può risultare ovvia; ma quando si tratta di operare il passaggio alla prassi, non tutto risulta lineare. In altri termini: sarà un'azione pastorale saldamente ancorata sulla teologia dell'anno liturgico, sarà una catechesi che riporta l'attenzione e la fede sui fondamenti biblici del culto a Maria, sarà una spiritualità mariana maggiormente radicata sulla *lex orandi* ... a vivificare la memoria della Vergine, e ad aiutare il fedele a operare più facilmente il passaggio dal livello cultuale a quello vitale.

Roma
Università Pontificia Salesiana
Solennità di Maria Madre di Dio, 1986.

[96] Per la prima volta, finalmente, vediamo nell'ambito dei Dizionari teologico-pastorali la presenza della voce « teologia liturgica »; mi riferisco al *NDL* dove l'argomento è stato elaborato da S. MARSILI (cf pp. 1508-1525) secondo questo schema: I. Premessa terminologica; II. Teologia cultuale nell'antichità precristiana; III. Nell'antichità cristiana la liturgia è teologia; IV. Natura teologica della liturgia cristiana; V. La liturgia è « teologia prima »; VI. La teologia si distanzia dalla liturgia; VII. La liturgia in cerca della teologia; VIII. Sorge una teologia liturgica; IX. Liturgia teologica, non teologia liturgica; X. Liturgia - teologia nel Vaticano II; XI. Liturgia - teologia nella ricerca italiana attuale; XII. Per uno statuto di teologia liturgica.

NUMERI E SIMBOLI NELL'« INNO AKATHISTOS ALLA MADRE DI DIO »

ERMANNO M. TONIOLO, O.S.M.

0. *Premessa*

E' universalmente noto che l'« inno Akathistos alla Madre di Dio » (in italiano, si usa chiamarlo: « Acatisto »), costituisce la gemma mariana della Liturgia bizantina, ed è indubbiamente l'inno mariano dottrinalmente più profondo che mai sia stato composto in onore della Vergine: un autentico monumento di teologia e di devozione.

Molti si sono occupati dell'Inno Akathistos: i più per precisarne la data di composizione e individuarne l'autore; alcuni per approfondirne i contenuti dottrinali e il valore liturgico; altri per studiarne la struttura metrica e darne l'edizione più critica possibile: edizione, purtroppo, che ancora manca. Esaminando infatti le varie edizioni e i metodi adottati dagli editori, ci si accorge che nessuno ancora ha riunito insieme tutti i criteri che necessitano: non solo quello filologico e della più antica tradizione manoscritta; ma anche i criteri storici, liturgici, teologici e spirituali.

Oggi comunque si va sempre più affermando la tesi che il celebre inno, giunto a noi anonimo col solo titolo di « Akathistos », sia composizione da collocare entro la fine del V secolo e la prima metà del secolo VI: il tempo cioè in cui fiorirono i « contaci » o « inni sacri » per le feste liturgiche. Anche l'Akathistos ne fa parte; anzi, esso è il solo « contacio » rimasto integralmente in uso nella liturgia bizantina fino ad oggi, e con tale stima e riverenza, da avere una sua propria commemorazione liturgica il 5° sabato di quaresima, il cosiddetto « Sabato dell'Akathistos ».

Per la determinazione della data, o meglio del periodo di composizione, hanno giovato molto i criteri teologici e non poco quelli liturgici: poiché l'Akathistos non risponde all'oggetto e ai formulari di nessuna festa mariana introdotta nel secolo VI, a partire dall'imperatore Giustiniano (festa dell'Annunciazione, della Natività di Maria, della sua Presentazione al tempio ...), ma risponde unicamente al formulario della primitiva « festa della Madre di Dio », in uso un po' dovunque alla fine del IV secolo, nel contesto del Natale del Signore. Il criterio liturgico suggerisce così la collocazione dell'Acatisto prima dell'anno 520. D'altra parte, la dipendenza verbale dall'omelia di Basilio di Seleucia non permette di retrodatare l'Acatisto prima del Concilio di Calcedonia (451). Quindi, il tempo di composizione dell'inno decorre da Calcedonia a Giustiniano.

Quanto all'autore, molto si è discusso, molto si discute e si discuterà. L'opzione più comune verte sul maggiore innografo del secolo VI, Romano il Melode, che ha composto moltissimi e celebri « contaci » tanto per le feste liturgiche (Natale, Annunciazione, Natività di Maria, feste di Santi), quanto per celebrare figure ed eventi dell'Antico e del Nuovo Testamento. Tale opzione si fonda su particolarità comuni all'Acatisto e a Romano, sulla similarità di composizione poetica, su un certo ricorso di concetti comuni. Alcuni studiosi hanno fortemente negato la paternità di Romano; anch'io, in un articolo specifico, mi sono sforzato di mostrare sinteticamente come l'Akathistos non possa essere attribuito a Romano, soprattutto per la sua profondità di contenuti e concisione di versi, ignote a Romano. Mi auguro che il presente articolo apporti un nuovo argomento in sfavore di Romano, e che confermi la datazione dell'Inno al tempo immediatamente dopo Calcedonia: esso infatti si radica nella forza potente della cristologia del Concilio calcedonese [1].

* * *

A chi attentamente lo studia, l'Acatisto appare come una composizione lungamente meditata, sapientemente architettata, con metodo bizantino, cioè con l'evidenziazione dei contenuti più accessibili, e insieme con figure e simboli sottintesi, che solo un uomo versato nella teologia dei misteri può afferrare. E' cioè il caso di dire anche per l'Acatisto ciò che Origene e la sua scuola sempre hanno pensato e detto dei sensi della Scrittura: il visibile è scala all'invisibile, la lettera allo spirito, i « fatti » ai « segni » che essi fanno intuire: così che l'ermeneutica del testo sacro non si ferma alla lettera — pur mantenendola come piedistallo assoluto e insostituibile —, ma cerca di addentrarsi oltre la lettera, nel « senso più profondo », quello spirituale.

L'Acatisto sembra seguire queste linee esegetiche. Esso non è composizione improvvisata, quasi sia stato dettato di getto in una notte di tripudio per una insperata vittoria contro i nemici di Costantinopoli e dell'impero bizantino; non è neppure composizione nata da personale libera ispirazione poetica, come le simili di Romano il Melode, il quale nel comporre i suoi contaci seguì unicamente la sua musa, senza annettere particolare significato alla struttura poetica. L'Acatisto invece si presenta come un « progetto architettonico » lungamente pensato prima di essere scritto: è una studiata planimetria — se così si può dire — del mistero che avvolge Maria.

[1] *Per la migliore edizione critica*: W. CHRIST - M. PARANIKAS, *Anthologia graeca carminum christianorum*, Lipsia 1871, 140-147; S. EUSTRATIADES, Ῥωμανὸς ὁ Μελῳδὸς καὶ ἡ Ἀκάθιστος, in Γρηγόριος ὁ Παλαμᾶς 1 (1917) 820-832; C. A. TRYPANIS, *Fourteen Early Byzantine Cantica, Vienna* 1968, 29-39;

— *per l'importanza liturgica e dottrinale*: P. DE MEESTER, *L'inno acatisto* (Ἀκάθιστος Ὕμνος), in *Bessarione* 8 (1905) 9-16, 159-165, 252-257; 9 (1904) 36-40, 134-142, 213-224;

— *per una visione globale di critica e di teologia*: E. M. TONIOLO, *L'inno Acatisto, monumento di teologia e di culto mariano nella Chiesa bizantina*, in *De cultu mariano saeculis VI-XI*, vol. IV, Roma, Academia Mariana Internationalis, 1972, 1-39.

Di qui l'importanza eccezionale della struttura metrica e dei computi che pervadono tutto l'inno. E' su questo telaio numerico, non sempre evidente a prima vista, che mi soffermo in questo articolo, proponendone alla fine qualche pista d'interpretazione « simbolica ».

1. IL TELAIO NUMERICO DELL'AKATHISTOS

Diversi sono i numeri che fanno da supporto all'Acatisto, tanto nelle stanze, quanto nei versi e nelle sillabe. Non mi soffermo sull'armoniosa distribuzione dei versi di varia fattura, sugli accenti che cadenzano il fluire del canto, sulle pause che ne punteggiano i concetti, sulle omofonie, le rime, le corrispondenze foniche e letterali che sovrabbondano e rendono l'inno melodico e piacevole. Mi fermo ai « numeri », per il loro primordiale significato di « simbolo », noto in tutte le religioni (anche nell'AT e NT) e nelle scuole filosofiche.
Per una più facile comprensione, procederò con successive « constatazioni » che permetteranno — credo — di afferrare e affermare il « fatto », prima di passare al « simbolo ».

1.1. I numeri nelle stanze dell'Acatisto

1.1.1. *Prima « constatazione »: il « 24 », numero di unità.* - Chiunque accosta per la prima volta l'Acatisto, in qualunque traduzione, anche solo per recitarlo, avverte immediatamente che esso consta di 24 stanze (o strofe), dette in greco « oikoi ». Il numero « 24 » è dunque il primo numero col quale ci si incontra: è numero evidente, non casuale, ma indubbiamente fondamentale nella sutura e nella intelligenza dell'inno. L'autore lo ha voluto sottolineare e in certo senso « siglare » come numero costitutivo mediante la corrispondenza di ciascuna stanza con le 24 lettere dell'alfabeto greco. Come tecnicamente si dice, l'Acatisto segue l'acrostico alfabetico: ogni sua stanza cioè inizia progressivamente con una delle 24 lettere dell'alfabeto greco, dall'alfa all'omega. Ecco, in sequenza, gli *incipit* delle 24 stanze:

Grafico n. 1

1.	**Ἄγγελος**	2.	**Βλέπουσα**	3.	**Γνῶσιν**	4.	**Δύναμις**
5.	**Ἔχουσα**	6.	**Ζαλην**	7.	**Ἤκουσαν**	8.	**Θεοδρόμον**
9.	**Ἴδον**	10.	**Κήρυκες**	11.	**Λάμψας**	12.	**Μέλλοντος**
13.	**Νέαν**	14.	**Ξένον**	15.	**Ὅλος**	16.	**Πᾶσα**
17.	**Ῥήτορας**	18.	**Σῶσαι**	19.	**Τεῖχος**	20.	**Ὕμνος**
21.	**Φωτοδόχον**	22.	**Χάριν**	23.	**Ψάλλοντες**	24.	**Ὦ πανύμνητε**

Questa voluta corrispondenza tra il numero « 24 » e le « 24 lettere » dell'alfabeto greco fa sorgere delle domande. Ci si chiede innanzitutto se per caso l'autore, in questo inno che è tutto sotteso di simboli, non abbia attribuito un preciso significato anche alle lettere dell'alfabeto. Si sa infatti che qualche gnostico dei primi secoli aveva osato proporre il « corpo della Verità » divina come composto dalle lettere dell'alfabeto greco e dai loro multipli, quasi lettere e sillabe dell'infinita Parola [2]. La risposta certo è negativa: infatti, nel caso di una valenza misterica delle lettere dell'alfabeto, l'autore avrebbe poi dovuto poggiare su di esse tutta la struttura e la forza dell'inno: ciò che non fece.

Ci si chiede in secondo luogo se egli abbia assunto le lettere dell'alfabeto soltanto come « chiave mnemonica », perché le stanze non venissero omesse o invertite nel canto, sul modello di molte composizioni poetiche ebraiche, siriache e greche, che usano i rispettivi alfabeti quasi unicamente come richiamo mnemonico, senz'alcun altro valore aggiunto. Potrebbe essere così anche per l'Acatisto: a me però sembra ragione troppo facile, rispetto al congegno elaborato dell'inno, dire soltanto che segue l'alfabeto, senza cercare di capirne il perché.

Il « perché » non esplicitato, ma intuibile a chi diligentemente ricerca con metodo ermeneutico alessandrino, secondo me sta nel fatto che l'alfabeto greco funge da « trait-d'union » fra tutte le stanze, come sottesa unità di tutto l'inno: il quale potrà essere cantato a « stasis » o sezioni distinte, come di fatto si usa nel rito bizantino, senza peraltro perdere la sua nota fondamentale di unità.

1.1.2. *Seconda « constatazione »: la ripartizione « binaria » dell'inno.*

L'inno si presenta concettualmente diviso in due blocchi uguali, di 12 stanze ciascuno: dalla stanza 1 a 12; dalla stanza 13 a 24.

Come conseguenza di questa premeditata corrispondenza tra le 24 lettere dell'alfabeto greco (che dalla loro molteplicità sono raccolte nell'unità di un solo alfabeto) e le « 24 stanze » dell'Acatisto, che formano un solo inno, credo si possa ipotizzare con fondatezza che il « 24 » viene assunto e proposto come « numero di unità ».

Grafico n. 2

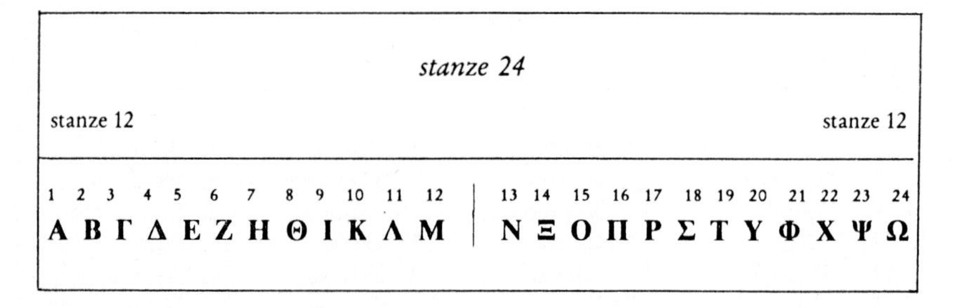

Il primo blocco potremmo definirlo « storico », il secondo « dommatico ». Le prime 12 stanze infatti seguono passo passo — secondo

[2] Ireneo di Lione, *Contro le eresie*, I, 14-15, PG 7, 593-612.

un ordine logico e liturgico — il racconto evangelico dell'infanzia di Gesù: Annunciazione (stanze 1-4), Visitazione (stanza 5), dubbio di Giuseppe (stanza 6), adorazione dei pastori (stanza 7), adorazione dei magi (stanze 8-10), fuga in Egitto (stanza 11), incontro con Simeone o Ipapante (stanza 12).

Le seconde 12 stanze esplicitano in sequenza i dommi mariani allora professati dalle Chiese ortodosse di Cristo: il verginale concepimento (stanze 13-14), la divina Maternità (stanze 15-16), il parto verginale (stanze 17-18), la perpetua verginità di Maria (stanze 19-20), la sua maternità spirituale nella Chiesa (stanze 21-22), la sua mediazione celeste (stanze 23-24).

Questa « constatazione » mostra che il numero « 24 », se visibilmente è unitario perché segue l'ordine dell'alfabeto greco, nel suo interno è concettualmente composito: consta di 2 parti distinte di 12 stanze ciascuna, organicamente congiunte tra loro, formando unità.

In tal modo, appaiono primari il numero « 2 » (ripartizione binaria), il numero « 12 » (12 + 12 stanze) e, nel sottinteso, il numero « 1 » o l'unità che scaturisce dall'inno intero.

1.1.3. *Terza « constatazione »: la doppia fattura delle stanze.* - Nell'Acatisto, le stanze dispari sono una volta e mezza più lunghe delle stanze pari; e stanze dispari e pari si susseguono impeccabilmente identiche dall'inizio alla fine. Eccone il grafico:

Grafico n. 3

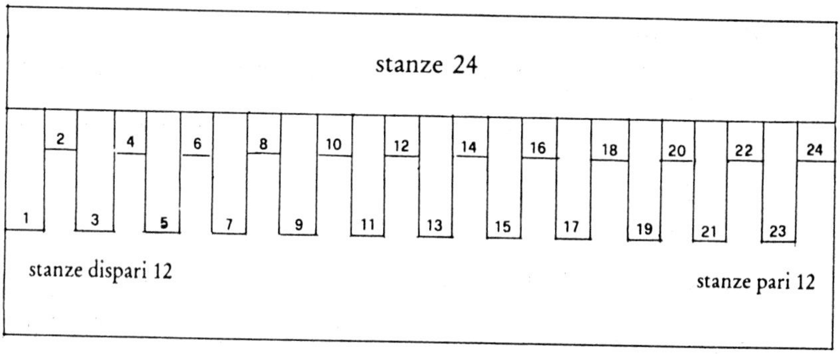

stanze 24
2 4 6 8 10 12 14 16 18 20 22 24
1 3 5 7 9 11 13 15 17 19 21 23
stanze dispari 12
stanze pari 12

Ci troviamo ancora davanti al numero « 24 » come somma globale delle stanze viste, questa volta, longitudinalmente: tutta la lunghezza dell'inno è percorsa dal doppio rapporto di stanze dispari e pari, più lunghe e più brevi; e ancora una volta 12 + 12 stanze. Questa doppia diversa fattura di stanze è sottolineata dai due diversi efimni che per 12 volte chiudono rispettivamente le stanze dispari, acclamando: « Chaire, nymphe anympheute », e le stanze pari acclamando: « Allelouia ».

Anche sotto questo nuovo profilo il numero « 24 » proposto dall'inno si dimostra diviso in due: 12 + 12, ma in altro modo, fluente e unitario.

1.1.4. *Quarta « constatazione »: le « unità binarie » dell'Inno.* - Come indicazione-chiave, mai espressa dall'autore, ma proposta dall'inno all'intuizione di chi profondamente lo legge, ogni stanza dispari forma « unità concettuale » con la stanza pari che immediatamente la segue. Non si tratta solo di una diversa disposizione metrica, quasi variazione elegante: si tratta di una vera e propria « unità binaria » concettuale tra la prima stanza e la seconda, tra la terza e la quarta, ecc. Punto indicatore di tale unità binaria fra le stanze sono proprio i due diversi efimni più sopra ricordati: le stanze dispari si chiudono acclamando la Vergine, le stanze pari acclamando il Signore. L'acclamazione alla Vergine non è assoluta, ma relativa: tutto infatti termina soltanto acclamando il Signore.

Già da questo indizio si capisce l'unione tra le stanze dispari — mariologiche — e quelle pari. L'esame degli elementi espressi nei testi convalida questa deduzione. Tento di esplicitare il legame logico che fa delle stanze « unità binarie »: il legame si rivela molto sottile e quasi impercettibile nella prima parte « storica » dell'inno, dove l'autore ha dovuto seguire gli eventi presentati dai Vangeli, mentre diventa non dico evidente, ma più facilmente percepibile nella seconda parte « dommatica ». Certo, per capire questa concatenazione logica non bastano da soli i versi nella loro letteralità: bisogna addentrarsi nel loro significato simbolico. Ecco, brevissimamente, gli esempi:

Parte « storica »:

Stanza 1: l'iniziativa di Dio nel verginale concepimento fa della Vergine il centro della nuova creazione, il trono di Dio, al di là delle leggi di natura.

Stanza 2: Maria, creatura umana, si trova davanti a un evento incomprensibile, che la riempie di stupore.

Stanza 3: la Vergine domanda « come » possa realizzarsi il mistero: viene introdotta, prima fra tutti gli iniziati, nel profondo della « gnosi » o conoscenza esperienziale di Dio;

Stanza 4: perché lo Spirito Santo la riempie fin nella sua carne, rendendola divinamente feconda.

Stanza 5: da Maria promana la « gnosi » e la « grazia »: si allarga la Chiesa facendo nucleo attorno al Verbo incarnato: primo a riceverne il dono e a diventarne partecipe, dopo Maria, è Giovanni, poi tutta la famiglia di Zaccaria.

Stanza 6: Susseguentemente ne riceve conoscenza e dono anche Giuseppe.

Stanza 7: i pastori, che a Betlemme adorano il Verbo nato da Maria e poi l'annunciano, sono tipo degli apostoli e dei martiri, veri « pastori » della Chiesa che predicano dovunque il Vangelo di Cristo.

Stanza 8: i magi che seguono la stella prefigurano gli uomini che, accolto l'annuncio, s'incamminano verso la conoscenza e l'esperienza del Dio vero.

Stanza 9: i magi, giunti alla casa dove trovano il Bambino con la madre, rinunciano a satana, all'idolatria, alle opere del male, per aderire all'unico mite Signore, Cristo incarnato. Sono figura dei catecumeni che, giunti al fonte battesimale, rinunciano a satana e al mondo e confessano la fede.

Stanza 10: alla professione di fede segue la testimonianza della vita: tutti i battezzati la devono compiere, come i magi ritornati in patria.

Stanza 11: il popolo dei redenti, uscito dal fonte battesimale — come Israele dall'Egitto attraverso il Mar Rosso — si incammina verso la terra promessa: cioè verso la pienezza in Cristo.

Stanza 11: il popolo dei redenti, uscito dal fonte battesimale mosso dallo Spirito, raggiunge la « gnosi » perfetta, la vera « contemplazione », scoprendo la realtà divina del Cristo e il piano altissimo del Padre anche sotto le povere apparenze visibili. Qui termina l'itinerario esperienziale divino sulla terra.

Parte « dommatica »:

Stanza 13: la verginità di Maria e il concepimento verginale riportano sulla terra il paradiso perduto: Dio scende a ricercare gli erranti.

Stanza 14: e allora, i ritornati al Signore debbono avere la loro vita nei cieli!

Stanza 15: la divina maternità, dopo il mistero trinitario, è il più abissale mistero, che apre ai mortali i tesori divini.

Stanza 16: gli angeli, stupiti, contemplano la kenosi del Verbo e la sua divina condiscendenza verso gli uomini.

Stanza 17: il parto verginale resta un punto discriminante, l'ultima pennellata di incomprensibilità per i sofisti, i logici, i raziocinatori; è invece luce di sapienza ai semplici, ai credenti;

Stanza 18: perché ogni evento prodigioso dipende unicamente dal libero volere di Dio, che così volle salvarci: ragione umana non lo può né capire né spiegare.

Stanza 19: la Sempre vergine, iniziatrice di verginità, è modello e maestra dei vergini, nella perfetta sequela di Cristo e nella intimità con lo Sposo;

Stanza 20: e sono tanti e tali i doni divini, che non basta la vita a cantarli: non bastano neppure le veglie prolungate e le molte celebrazioni monastiche.

Stanza 21: Maria, Madre dei fedeli che rinascono a Dio mediante i santi misteri che sono sgorgati da lei, resta presenza immanente nel dono della riconciliazione e del lavacro battesimale;

Stanza 22: il quale attualizza il mistero pasquale di Cristo, la riconciliazione del mondo che egli compì sulla Croce.

Stanza 23: la presenza celeste di Maria alla Chiesa pellegrina e militante sulla terra, come pure la devozione e l'amore verso di lei dei sacerdoti e dei fedeli, e il ricorso fiducioso alla sua protezione, illuminano e confortano il cammino dei credenti verso il cielo;

Stanza 24: Maria infatti è avvocata di grazia nei pericoli presenti del popolo di Dio, fino all'ultimo giorno del grande Giudizio.

Ritornando dai concetti ai numeri, ci troviamo ancora una volta davanti al numero « 24 », ma composto da 12 « unità binarie » concettuali: numero quindi di confluenza. Più forte rilievo assumono il numero « 2 » e il numero « 12 », come numeri primari e fondamentali.

1.1.5. *Quinta « constatazione »: la divisione tripartita.* - Nel seguente grafico, ho cercato di rendere visibile la sottilissima divisione che scinde in due ciascuna delle due parti dell'inno, formando quattro « stasi » o sezioni di stanze: 3 unità binarie + 3 unità binarie per la prima parte; ancora 3 unità binarie + 3 unità binarie per la seconda parte.

Grafico n. 4

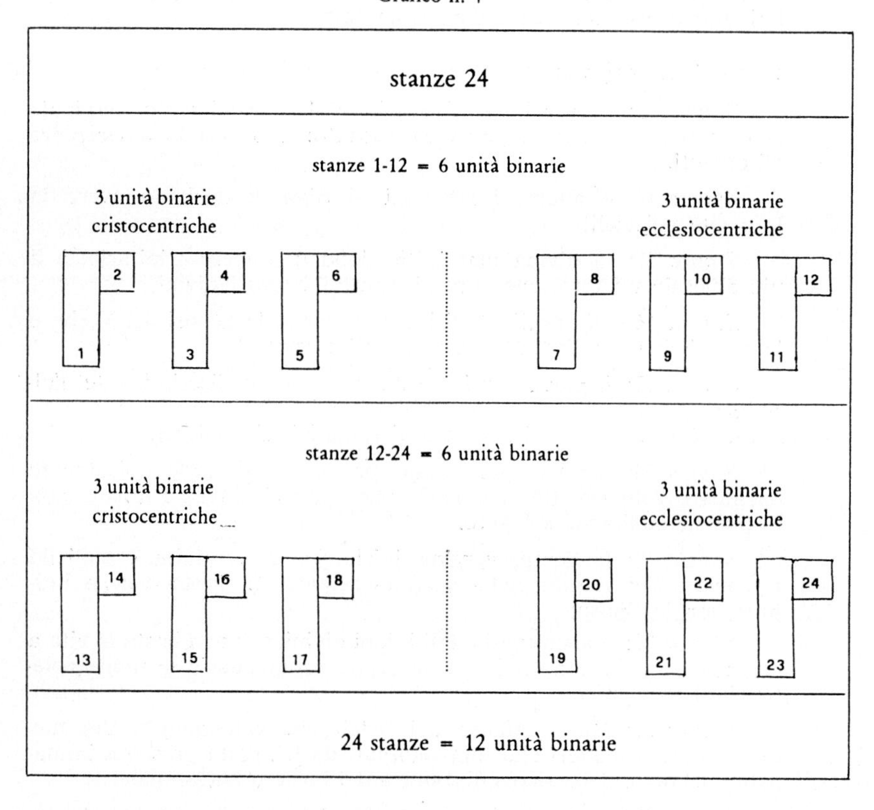

Questa ripartizione è già stata intuita ed evidenziata dalla stessa liturgia bizantina, che fa cantare nelle quattro prime settimane di quaresima (il sabato mattina o il venerdì sera) ciascuna delle quattro « stasi », riservando al quinto « sabato dell'Akathistos » il canto di tutto l'inno. Tale suddivisione non è inventata né solamente pastorale, quasi dovuta all'eccessiva lunghezza dell'inno, ma è strettamente aderente al testo.

Per far meglio comprendere ciò che affermo, presento in breve alcuni rilievi, iniziando dalla seconda parte, più logicamente concatenata e dommatica, per ritornare poi alla prima parte.

La seconda parte dell'inno (stanze 13-24) enuncia nella prima sezione (stanze 13-18) tre dommi intimamente congiunti col mistero di Cristo: il primordiale dogma del concepimento verginale (stanza 13), il dogma successivo e conseguente della divina maternità esplicitato ad Efeso e a Calcedonia (stanza 15), il dogma del parto verginale a quel tempo già universalmente professato nella teologia e nella liturgia di tutte le Chiese (stanza 17). La seconda sezione di questa seconda parte dell'inno (stanze 19-24) propone e celebra tre altre verità mariologiche, intimamente congiunte col mistero della Chiesa: il dogma della perpetua verginità di Maria, inizio della verginità ecclesiale (stanza 19), il dogma della spirituale maternità di Maria *in Ecclesia* attraverso i sacri misteri (stanza 21), il dogma della protezione celeste o presenza operante di Maria verso la Chiesa pellegrinante (stanza 23).

Ritornando alla prima parte — più difficile da leggere simbolicamente, perché legata alla trama evangelica — riscontriamo la medesima sottilissima divisione tripartita: cristocentrica ed ecclesiocentrica. La sezione ecclesiocentrica (stanze 7-12) è più manifesta. Ho già suggerito precedentemente la lettura « simbolica » ed « ecclesiale » dei pastori di Betlemme, che prefigurano i « pastori e predicatori » della Chiesa di ogni tempo (stanza 7); dei magi, che sono simbolo di chi viene alla fede e professa di credere in Cristo al fonte battesimale (stanze 8-10); del popolo di Dio, uscito dal Fonte come Israele dall'Egitto e incamminato verso la terra promessa (stanza 11). Eppure, anche se più velatamente, la prima sezione dell'inno è cristocentrica: il Verbo inizia la sua incarnata presenza nella Madre per divina potenza (stanza 1), e mostra in lei il suo primo prodigio, cioè il concepimento e il parto verginale (stanza 3); quindi, per mezzo di lei, opera i primi prodigi di grazia (stanza 5). Si tratta, come si vede, della prima manifestazione del mistero salvifico di Cristo.

Ritengo dunque sufficientemente chiara la divisione quadripartita dell'inno, rapportata al mistero di Cristo e al mistero della Chiesa. Abbiamo così 2 blocchi cristocentrici e 2 blocchi ecclesiocentrici, ciascuno di 3 unità binarie.

Da questa « constatazione » emergono di nuovo i numeri finora riscontrati: il « 24 », come somma globale; il « 12 », come sintesi di 6 + 6 stanze per ambedue le parti, o come confluenza delle 12 unità binarie; il « 2 », come legame tra « stasi » e « stasi » di ciascuna delle 2 parti. Entra in scena anche il 6, ma riconducibile al 3: 3 « unità binarie » + 3 « unità binarie » nella prima parte dell'inno; 3 « unità binarie » + 3 « unità binarie » nella seconda parte dell'inno: quindi, (3 + 3) + (3 + 3). In modo analogo si possono sommare verticalmente le 2 « stasi » cristocentriche e le 2 « stasi » ecclesiocentriche.

1.1.6. *Sesta « constatazione »: la corrispondenza tematica fra le parti dell'inno.* - Che io sappia, nessuno ha mai rilevato la « corrispondenza » tra la prima parte e la seconda parte dell'Acatisto: intendo dire la corrispondenza « tematica » fra le stanze dispari, mariologicamente le più dommatiche (la corrispondenza delle stanze pari non si presenta con evidente continuità). Anzi, mi è parso di poter cogliere non solo una similarità di temi, ma anche una loro « continuità », sul tipo del parallelismo di similitudine, di antitesi, di complementarietà. Si osservi, per meglio seguirmi, il seguente grafico:

Grafico n. 5

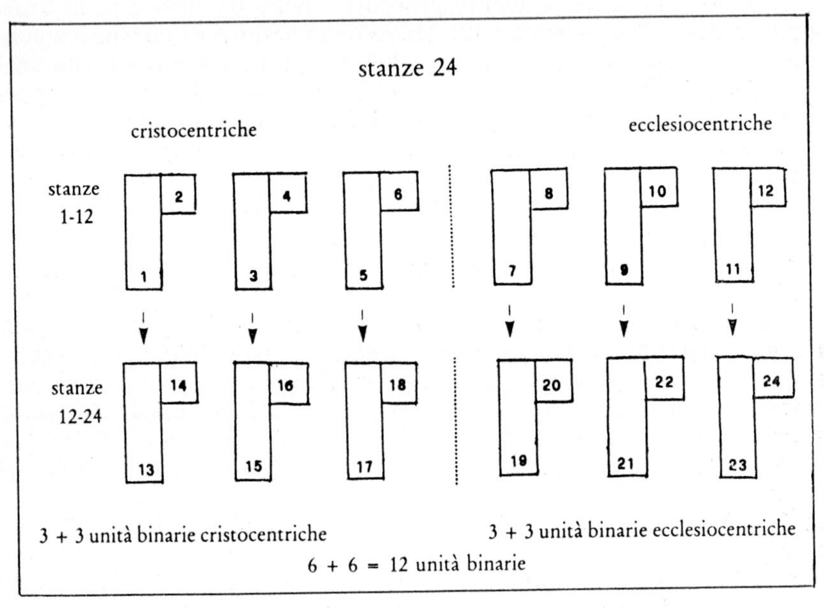

Leggendo l'Acatisto con metodo analitico e simbolico, la corrispondenza continuativa fra le stanze 1 e 13 balza manifesta: in ambedue, la collocazione è identica, identici i temi: Nazaret-Eden, Maria-Eva, creazione-nuova creazione, rovina-riconciliazione.

Per afferrare la corrispondenza continuativa fra le stanze 3 e 15, bisogna porsi davanti a due scene bibliche: Nazaret e Betel. A Nazaret, la Vergine domanda all'angelo: « Come avverrà questo, poiché io non conosco uomo? » (Lc 1,34). Mostra di ignorare il mistero, e insieme desidera conoscerlo. L'angelo le rivela il « come », introducendola nella conoscenza intima della divina Incarnazione. A Betel, Giacobbe « fece un sogno: una scala poggiava sulla terra, mentre la sua cima raggiungeva il cielo; ed ecco gli angeli di Dio salivano e scendevano su di essa. Ecco il Signore gli stava davanti... Allora Giacobbe si svegliò dal sonno e disse: "Certo, il Signore è in questo luogo e io non lo sapevo". Ebbe timore e disse: "Quanto è terribile questo luogo! Questa è proprio la casa di Dio, questa è la porta del cielo! » (Gen 28,12-17). La stanza 3 canta Maria come « scala sovraceleste per cui discese Iddio », come « cantato portento dai cori degli angeli », come prima iniziata e iniziatrice ai misteri: « guida di scienza ai credenti ». La stanza 15, che verbalmente dipende in 2 versi dall'omelia di Basilio di Seleucia sulla Madre di Dio (PG 85,425-452) e concettualmente quasi tutta ne dipende, celebra la Vergine Theotokos come « luogo dell'infinito Iddio » e « porta di venerando mistero »: infatti « per lei fu sciolta la disobbedienza, per lei fu aperto il paradiso »; e la celebra ancora come « trono più santo del trono cherùbico, seggio più bello del seggio seràfico ». Da questi cenni, credo si possa ora cogliere la continuità tematica tra la stanza 3 e la stanza 15: in ambedue ci troviamo dinanzi al « mistero » che avvolge la stessa Madre di Dio, come afferma nella citata omelia Basilio di Seleucia: « Si compì un mistero, che fino ad oggi resta mistero, né mai cesserà di essere mistero ».

Più laborioso è scoprire la continuità tematica fra la stanza 5 e la stanza 17, fra la scena della Visitazione (stanza 5) e le due scene antitetiche proposte dalla stanza 17: la scuola sofistica di Atene, la scuola di Gesù sul lago di Tiberiade. Il legame sta forse nelle due figure di Zaccaria e di Elisabetta, in parallelo con i due gruppi della stanza 17: gli ateniesi e i pescatori di Galilea. Nella scena della Visitazione, si sottintende la figura di Zaccaria che rimase « muto » per la sua incredulità, perché volle indebitamente sapere il « come » dell'agire di Dio, con ragionamenti umani: « Come posso conoscere questo? perché io sono vecchio e mia moglie è avanzata negli anni » (Lc 1,18). In parallelo con Zaccaria sta la scuola degli indagatori sofisti, che vorrebbero ricondurre gli eventi divini entro comprensioni e schemi umani: essi diventano « muti come pesci » davanti al prodigio di una Vergine-Madre! D'altra parte, Giovanni Battista (ed Elisabetta) che accolgono gioiosamente la grazia preludono alla gioiosa accoglienza della divina Parola fatta da rozzi pescatori, che diventano i veri sapienti nei misteri di Dio: « A voi è dato conoscere i misteri del regno dei cieli, ma a loro non è dato » (Mt 13,11). Per questo la Vergine è « il ricettacolo della scienza di Dio », « il sacrario della sua divina Economia » e porta i credenti dalla loro ignoranza alla scienza di Dio (stanza 17).

Tra la stanza 7 e la stanza 19 vi è una chiara continuità sul tipo del parallelismo progressivo, che corrisponde alla graduatoria della santità nella Chiesa. La stanza 7 infatti sovrappone allo sfondo dei pastori di Betlemme gli Apostoli e i Martiri: sono le due categorie al vertice della santità ecclesiale, fino ad oggi (il primo posto vien dato a Maria solo nel V secolo). La stanza 19 celebra i Vergini: a partire dal IV secolo, i vergini (ambedue i sessi) sono al terzo posto nella santità ufficiale della Chiesa. Così le stanze 7 e 19 si rapportano, con sequenza di continuità, alle categorie più in vista della Chiesa « una e santa ».

Fra le stanze 9 e 21 balza evidente il rapporto di continuità tematica, per chi le sa leggere con metodo allegorico-simbolico. Nella stanza 9 — l'ho già detto — i magi che trovano Cristo a Betlemme e lo adorano, sono tipo e figura di coloro che dalle tenebre dell'idolatria e dall'ombra di morte dei vizi vengono verso la luce, guidati dalla stella: Maria, nella stanza 9, è questa stella che conduce alla conoscenza del Dio vero, inondando di gioia. Ad ambedue le stanze (9 e 21) sono manifestamente sottesi due momenti sacri dell'iniziazione cristiana: il momento della « rinuncia a satana, all'idolatria, ai vizi » e della professione di fede battesimale (stanza 9), poi il momento del lavacro battesimale di immersione o di infusione, con la susseguente crismazione e il banchetto eucaristico (stanza 21), nella notte di Pasqua, quando ancora una volta Maria funge da « guida alla scienza di Dio », portando alta la luce di Cristo. Non è mia intenzione analizzarne i contenuti: mi basta notare la continuità tematica fra la stanza 9 e la stanza 21 dell'inno.

Infine, anche fra le stanze 11 e 23 vi è manifesta continuità: nella stanza 11, il popolo redento dalla schiavitù dell'Egitto attraverso il Mar Rosso si incammina alla conquista della terra promessa; nella stanza 23, l'arca di Dio — Maria — accompagna questa marcia vittoriosa verso la conquista del cielo.

La corrispondenza tematica delle stanze porta il discorso ancora sui numeri: stanza dispari + stanza dispari (verticalmente sovrapposte) formano « unità concettuale ». Si riafferma il « 2 », ma orientato all'unità, quindi all'« 1 »; il rapporto delle « 12 » « unità binarie » scende idealmente a 6: e siamo dinanzi, in modo verticale, alle stesse indicazioni della precedente constatazione »: ci troviamo cioè davanti a 3 « unità binarie » di tipo cristocentrico + 3 « unità binarie » di tipo ecclesiocentrico. Il « 24 » — è ancor più evidente — resta come numero globale, ma con minore importanza rispetto al numero « 2 » e « 12 ». Il « 3 » non si manifesta mai in modo appariscente: lo si deve sempre intuire o scoprire.

1.2. I NUMERI NEI VERSI DELL'ACATISTO

Nella numerazione dei versi dell'inno e nella loro distribuzione in ciascuna stanza, mi baso sulle proposte e sulle edizioni dei maggiori autori critici in materia: W. Christ - M. Paranikas, S. Eustratiades, C. A. Trypanis. Non considero le edizioni liturgiche né quelle divulgative, nelle quali ultime i versi vengono spesso numerati ad arbitrio. Procedo ancora per « constatazioni ».

1.2.1. *Prima « constatazione »: i « numeri » nei versi di tutto l'inno.* A parte qualche diversità di non grande rilievo, le edizioni dei critici concordano nell'assegnare 18 versi alle stanze dispari, 6 a quelle pari, con un totale di 288 versi: 144 per la prima parte, 144 per la seconda dell'inno. L'Acatisto si presenta dunque suddiviso in due unità di eguale quantità di versi, corrispondenti a 12 al quadrato (= 144). Ora, queste due unità di 12 al quadrato, sommate e congiunte insieme, formano 288, che è divisibile tanto per 12 quanto per 24. Infatti, 288:24=12; 288:12=24.

Da questa « constatazione » risulta che i numeri primari nei versi dell'inno sono il « 12 » e il « 2 ». Il numero « 24 », sottinteso, è numero risultante dalla somma dei due dodici (in questo caso al quadrato). Si presenta ancora come numero di « convergenza », numero di sutura unitaria delle due parti distinte.

1.2.2. *Seconda « constatazione »: i numeri nei versi delle stanze.* - Se più sopra ho mostrato che stanza dispari + stanza pari, a due a due, formano « unità binaria » concettuale, i seguenti grafici mostrano che stanza dispari + stanza pari, a due a due, formano « unità binaria » numerica nel computo dei versi: infatti, i 18 versi di una stanza dispari sommati ai 6 versi di una stanza pari danno 24. Il numero « 24 » si rivela ancora una volta « numero di convergenza » o di unità dei due blocchi distinti e, nel caso, numericamente diversi: 18 versi + 6 versi. In questa somma è primario il numero « 2 » (le 2 stanze ineguali che vengono sommate), e il numero « 12 »: il quale appare numero portante, sia all'interno di ogni stanza dispari, sia nella somma delle stanze dispari+pari. Per afferrare in modo visivo e immediato quanto affermo, si osservino i grafici.

Grafico n. 6 STANZE DISPARI (stanza I)

1 Ἄγγελος πρωτοστάτης | οὐρανόθεν ἐπέμφθη
2 εἰπεῖν τῇ Θεοτόκῳ τὸ Χαῖρε·

(pausa)

3 καὶ σὺν τῇ ἀσωμάτῳ φωνῇ | σωματούμενόν σε θεωρῶν,
4 Κύριε,

(pausa)

5 ἐξίστατο καὶ ἵστατο | κραυγάζων πρὸς αὐτὴν τοιαῦτα·

[1] Χαῖρε, δι'ἧς ἡ χαρὰ ἐκλάμψει·
[2] χαῖρε, δι'ἧς ἡ ἀρὰ ἐκλείψει.

[3] Χαῖρε, τοῦ πεσόντος 'Αδὰμ ἡ ἀνάκλησις·
[4] χαῖρε, τῶν δακρύων τῆς Εὔας ἡ λύτρωσις.

[5] Χαῖρε, ὕψος δυσανάβατον | ἀνθρωπίνοις λογισμοῖς·
[6] χαῖρε, βάθος δυσθεώρητον | καὶ ἀγγέλων ὀφθαλμοῖς.

[7] Χαῖρε, ὅτι ὑπάρχεις | βασιλέως καθέδρα·
[8] χαῖρε, ὅτι βαστάζεις | τὸν βαστάζοντα πάντα.

[9] Χαῖρε, ἀστὴρ ἐμφαίνων τὸν ἥλιον·
[10] χαῖρε, γαστὴρ ἐνθέου σαρκώσεως.

[11] Χαῖρε, δι'ἧς νεουργεῖται ἡ κτίσις·
[12] χαῖρε, δι'ἧς βρεφουργεῖται ὁ κτίστης.

6 Χαῖρε, νύμφη ἀνύμφευτε.

6 versi + 12 versi = 18 versi

Grafico n. 7 STANZE PARI (stanza II)

1 Βλέπουσα ἡ ἁγία | ἑαυτὴν ἐν ἁγνείᾳ
2 φησὶ τῷ Γαβριὴλ θαρσαλέως·

(*pausa*)

3 «Τὸ παράδοξόν σου τῆς φωνῆς | δυσπαράδεκτόν μου τῇ ψυχῇ
4 φαίνεται·

(*pausa*)

5 ἀσπόρου γὰρ συλλήψεως | τὴν κύησιν προλέγεις, κράζων·
6 «'Αλληλούϊα».

6 versi

stanza dispari + stanza pari (18 + 6) = 24 versi

Per capire i grafici, bisogna ricordare che tutte le stanze, indistintamente, sia dispari che pari, si aprono con 5 versi espositivi, che introducono il tema: storici nella prima parte, dommatici nella seconda, che naturalmente si concludono col loro proprio efimnio (verso 6).

Mi sono permesso di numerare a se stanti le acclamazioni (o *chairetismoi*), che appaiono come una inserzione e un ampliamento dommatico-simbolico all'interno delle stanze dispari. Così appare più evidente il legame tra i 5 versi espositivi e l'efimnio, il quale si ripete identico per 12 volte, tanto nelle stanze dispari che in quelle pari. Quindi, in similitudine con le stanze pari, in cui i primi 5 versi espositivi fanno corpo con l'efimnio, possiamo pensare che anche nelle stanze dispari i 5 primi versi espositivi facciano corpo con l'efimnio mariano, che chiude le stanze. Avremo così 6 versi espositivi (incluso l'efimnio) nelle stanze pari, e 6 versi espositivi (incluso l'efimnio) nelle stanze dispari. Rimane facile allora riscontrare come i 6 versi espositivi delle stanze pari + i 6 versi espositivi delle stanze dispari, formino « 12 », oltre al numero per sé evidente di « 12 » delle acclamazioni di ciascuna stanza dispari. Tuttavia, anche sotto l'aspetto numerico, vi è relatività tra stanza dispari e stanza pari, tra i 6 versi espositivi delle stanze dispari e i 6 delle stanze dispari: il « 6 » delle stanze dispari non può strutturalmente stare da solo; esige il suo complemento nel « 6 » delle stanze pari. Le « 12 » acclamazioni delle stanze dispari, pur legate concettualmente ai versi espositivi, fanno blocco a sé.

Siamo ancora di fronte a due « 12 », i quali uniti insieme e sommati, danno « 24 » per ogni « unità binaria » di stanze: un « 24 » di convergenza e di unità, alla cui radice sono i numeri « 2 », « 6 », « 12 ».

1.2.3. *Terza « constatazione »: la suddivisione dei versi.* - Osservando il grafico n. 7 (stanze pari), si percepisce subito che i versi sono stati scanditi in 3 momenti di canto o di proclamazione, delimitati da pause regolari, ricorrenti sempre identiche in tutto l'inno; e con metodo analogo sono stati scanditi i versi espositivi (5 + efimnio) delle stanze dispari (grafico n. 6). Il primo verso, composto da due emistichi, e il secondo in sé completo, rendono più chiara la divisione tripartita dei versi e la loro « unità binaria »: infatti, il primo verso di due emistichi metricamente uguali forma unità col secondo; il terzo verso di due emistichi metricamente uguali forma unità col quarto, brevissimo; il quinto verso, di due emistichi metricamente ineguali e di cesura diversa, forma unità con l'efimnio.

Anche da questa « constatazione » risalta come fondamentale il numero « 2 »: un « 2 » però convergente all'unità, all'« 1 »; e nella trama si intuisce presente il « 3 », il quale non è mai esternamente manifesto, ma si deve cercare e scoprire. Siamo di fronte a 3 « unità binarie » di versi nelle stanze dispari, che fanno somma con le 3 « unità binarie » di versi delle stanze pari, in modo analogo a quello osservato nel rapporto delle stanze tra loro (3 + 3).

1.2.4. *Quarta « constatazione »: i « numeri » nelle acclamazioni.* - Il totale delle acclamazioni presenti in tutto l'inno, 12 per ciascuna stanza dispari, è di 12×12, cioè 144. Le acclamazioni procedono tutte regolarissimamente in modo « binario »: i versi, a due a due, sono metricamente identici, quanto a sillabe e ad accenti; concettualmente invece procedono col metodo del parallelismo, tanto usato nella poesia ebraica: a due a due, formano « unità concettuale », o con simmetria parallela, o con simmetria antitetica, o con simmetria progressiva e sintetica: il secondo verso cioè completa il primo, oppure vi si contrappone, come ombra alla luce, oppure lo continua e lo compie. Tre esempi: « Ave, per te la gioa risplende — ave, per te la condanna si eclissa » (parallelismo antitetico); « Ave, richiamo di Adamo caduto — ave, riscatto delle lacrime d'Eva » (parallelismo di similitudine); « Ave, tu terra della promessa — ave, che scorre latte e miele » (parallelismo progressivo o sintetico). Tutti i 144 versi delle acclamazioni, senza eccezione, procedono con questo metodo « binario »: formano cioè, a due a due, una « unità binaria ».

Accanto al numero « 12 », così evidente, si rivela primario il numero « 2 », esternamente constatabile, eppure sempre ricondotto, per legge di unità, al numero « 1 ».

1.2.5. *Quinta « constatazione »: la divisione tripartita.* - Se uno attentamente studia le 12 acclamazioni (cioè, le 6 « unità binarie », poiché i versi procedono a due a due uguali e congiunti), scopre un filo invisibile che le distingue e suddivide in tre blocchi, di 2 « unità binarie », cioè di 4 versi ciascuna. Questa impercettibile divisione traspare dal gruppo dei versi centrali delle acclamazioni, di doppia lunghezza rispetto agli altri. Essi dividono il ritmo dei primi 4 versi (= le prime due « unità binarie »), più brevi e unitari, e degli ultimi quattro versi, anch'essi più brevi e di un solo stico. Da qui l'ipotesi che le 2 prime « unità binarie » formino tra loro una « unità composita »; che le 2 centrali « unità binarie » formino tra loro un'altra « unità composita »; che le ultime 2 « unità binarie » formino anch'esse tra loro una terza « unità composita ». Oso dedurre e affermare questo appoggiandomi all'analogia proporzionale dell'inno e dei versi.

Se questa ipotesi è valida, anche nelle acclamazioni ci troveremmo davanti a un esplicito numero « 12 », che ha la sua prima matrice nel numero « 2 » convergente all'unità, cioè all'« 1 », e nel numero « 3 », nascosto nel telaio numerico e mai esplicitamente espresso.

1.3. I numeri nel computo delle sillabe

Sembra quasi inverosimile; eppure anche le sillabe dell'Acatisto sono state tutte predisposte, sia pure in modo elegantissimo e vario, tale da non far neppure sorgere il sospetto di tale congegno numerico inesorabile a supporto di tanto lirismo e di tanta poesia spirituale mariana. Incuriosito dai rapporti proporzionali e numerici delle stanze e dei versi, ho ricondotto l'analisi anche alle sillabe. Eccone, in grafico, per le rispettive stanze dispari e pari, la distribuzione nei versi:

Grafico n. 8

STANZE DISPARI

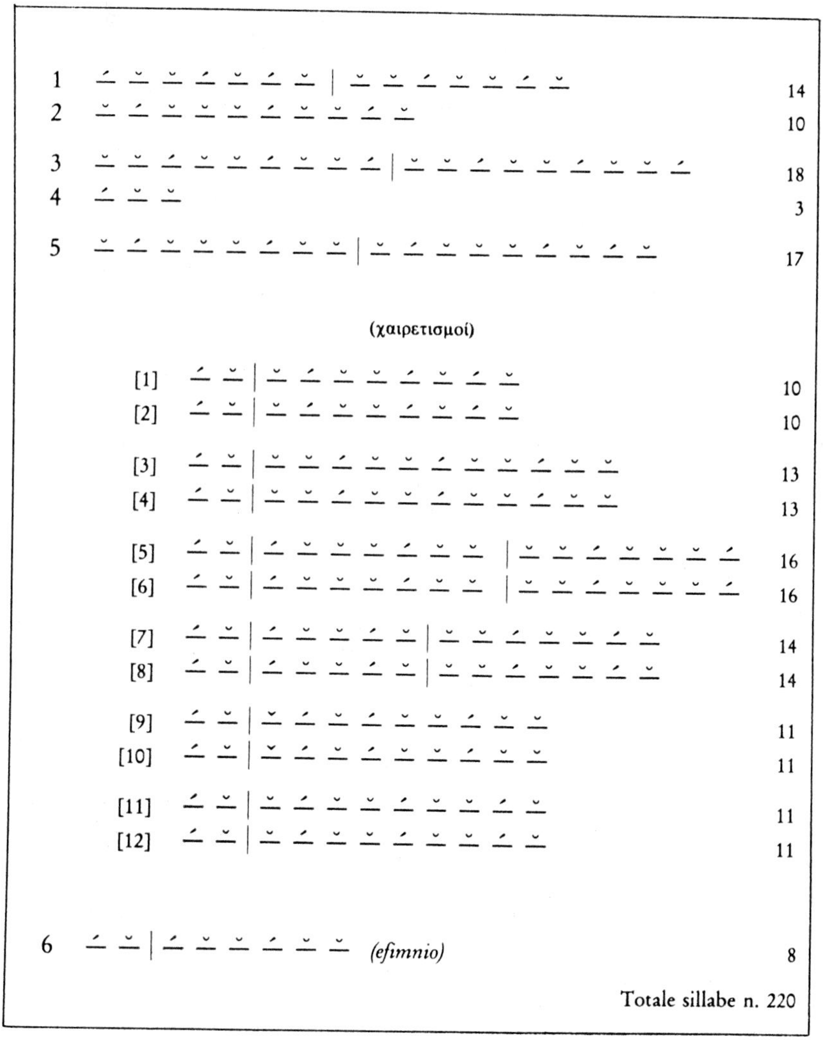

1	14
2	10
3	18
4	3
5	17

(χαιρετισμοί)

[1]	10
[2]	10
[3]	13
[4]	13
[5]	16
[6]	16
[7]	14
[8]	14
[9]	11
[10]	11
[11]	11
[12]	11

6 *(efimnio)*	8

Totale sillabe n. 220

Grafico n. 9 STANZE PARI

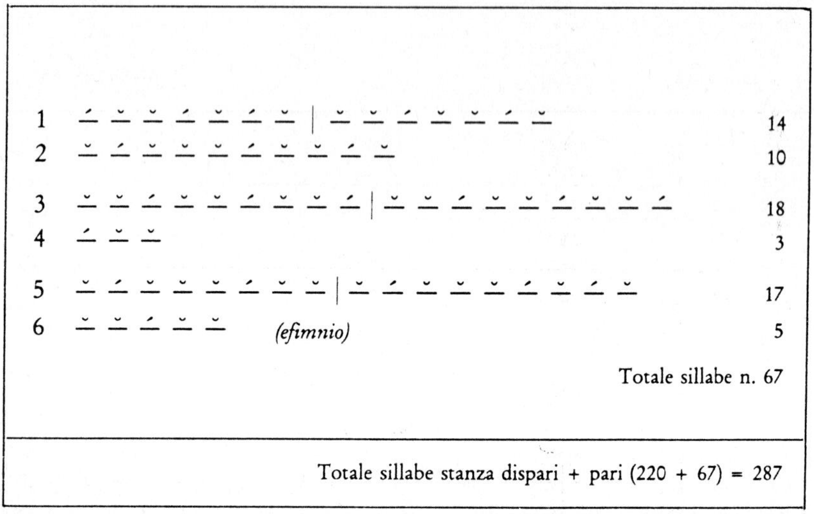

1		14
2		10
3		18
4		3
5		17
6	*(efimnio)*	5

Totale sillabe n. 67

Totale sillabe stanza dispari + pari (220 + 67) = 287

L'isosillabia è rigida in tutto l'inno: le sillabe sono numericamente uguali nel corrispondersi dei versi, stanza dispari con dispari, stanza pari con pari. Fa eccezione un solo verso, il verso 10 della terza stanza, che eccede di una sillaba: e tutta la tradizione manoscritta così lo trasmette.

Sommando le sillabe delle due stanze, la dispari e la pari, ci troviamo ad avere 220 + 67, cioè 287 sillabe per ogni « unità binaria » di stanze: numero insolito nei computi dell'Acatisto, ma assai indicativo: manca infatti soltanto una sillaba perché le due stanze unite (dispari+pari) diano il numero 288, che è il numero complessivo dei versi dell'inno, e — come più sopra ho rilevato — risulta da 144+144, ossia da 12+12 al quadrato, sommati insieme. Questa carenza di una sillaba per ogni « unità binaria », e cioè di « 12 » sillabe per tutto l'inno, mi fa avanzare l'ipotesi di un « titolo originario dell'inno di 12 sillabe ». L'inno infatti si presenta senz'alcun proemio, poiché nessuno di quelli che gli sono stati preposti è originario; si presenta senza nome d'autore (e si sa quanto anticamente si ponesse attenzione ai nomi degli autori, tanto che molti pezzi innografici ed omiletici sono passati a noi con falso nome di grandi autori); e si presenta senza titolo: « Akathistos » infatti è soprannome ecclesiale: di rubrica più che di sostanza, per ingiungere a tutti di cantarlo « in piedi », data la sua bellezza e per riverenza alla Madre di Dio. Ora, la carenza di queste 12 sillabe perché tutto l'inno risponda ai numeri finora riscontrati nelle stanze e nei versi e quadri per un divisibile perfetto di 12 e di 24, fa pensare a un titolo originario perduto o sostituito, le cui « 12 » sillabe facevano computo con le sillabe delle stanze. Ad esempio, potrebbe essere: « Eis tên Parthénon Theotókon Marían ».

Presupposte queste osservazioni, e accettando come valide le ipotesi, ci troveremmo ancora davanti ai seguenti numeri: il « 2 », che permane nella « dualità » delle stanze, ma esige di essere sommato in unità di sillabe (220+67+[1] = 288); il « 12 » come numero base, elevato al quadrato (= 144) e sommato due volte (= 288). Questo per ogni binomio di stanze, o « unità binaria ».

Parimenti, « 12 » e « 24 » nella somma totale delle sillabe dell'inno, che sarebbe di 3456 unità. Ora, 3456 : 24 = 144; 3456 : 12=288; 288 : 2 = 144; ecc.

Tutti i computi ci riconducono ai « numeri base », che sono il « 2 » convergente all'unità, il « 12 » come numero portante, il « 24 » come numero di somma o di convergenza.

2. PROPOSTA INTERPRETATIVA

L'articolo non sarebbe certamente completo senza un prospetto riassuntivo e una proposta interpretativa dei numeri rilevati nell'Acatisto. D'altra parte, entrare a fondo nell'ermeneutica dei numeri richiederebbe più osservazioni e pagine di quanto si pensi. Per questo, dopo aver brevemente riassunto i risultati delle « constatazioni », mi limiterò a tracciare alcune piste che servano all'intelligenza e all'interpretazione simbolica dei numeri presenti nell'inno, e di tutta la sua struttura.

2.1. Prospetto riassuntivo

I numeri che ho riscontrato o scoperto nell'Inno Akathistos alla Madre di Dio, sono i seguenti:

« 24 »: è numero evidente nelle stanze dell'inno, nei versi e nelle sillabe, in sé o nei suoi multipli (288, 3456 ...).
E' numero non primario, ma composito: simbolo di unità, punto di convergenza, ma sempre composto. Alla sua radice sono i numeri « 12 » e « 2 ».

« 12 »: è il numero portante dell'inno: 12 stanze della prima parte, 12 della seconda; 12 dispari, 12 pari; 12 blocchi di « unità binarie »; 12 le stanze cristocentriche, 12 le stanze ecclesiocentriche; 12 efimni nelle stanze dispari, 12 efimni nelle stanze pari; 12 acclamazioni per ognuna delle 12 stanze dispari; 12 la somma dei versi espositivi di una « unità binaria » (stanza dispari+pari); 12 al quadrato i versi della prima parte, 12 al quadrato i versi della seconda parte; 12 al quadrato (= 144) + 12 al quadrato le sillabe di ogni « unità binaria » di stanze ... La sua interna composizione deriva dai numeri « 2 » e « 3 »: 3 « unità binarie » sommate 2 volte danno il risultato di 6 « unità binarie », cioè di « 12 » unità semplici: ciò vale nelle stanze, come nei versi, e analogamente nei computi delle sillabe.

« 6 »: è numero di transizione; emerge dal rapporto 3 x 2. Infatti, 3 x 2 stanze = 6 stanze, cioè una « stasis » dell'inno; 3 « unità binarie » x 2 = 12 stanze, cioè metà inno; 3 x 2 versi = 6 versi espositivi nelle stanze, sia pari che dispari ...

« 3 »: è numero che mai esternamente si vede, che sempre dev'essere cercato e trovato all'interno delle stanze e dei versi. Eppure c'è, tanto nelle stanze quanto nei versi: 3 « unità binarie » cristocentriche + 3 « unità binarie » ecclesiocentriche nella prima parte dell'inno, e ugualmente 3 + 3 nella seconda parte; 3 « unità binarie » di versi nelle stanze pari, 3 « unità binarie » nei versi espositivi delle stanze dispari; 3 sottesi blocchi nelle 12 acclamazioni mariane delle stanze dispari ...

« 2 »: è indubbiamente il numero primario e strutturale di tutto l'Acatisto: numero essenzialmente costitutivo tanto nelle stanze quanto nei versi e nelle sillabe, nelle loro somme e nei loro multipli. Sono 2 le parti dell'inno, accostate longitudinalmente, o anche sovrapposte verticalmente; sono 2 le sezioni (o « stasi ») di 6 + 6 stanze all'interno di ciascuna parte; 2 i tipi di stanze, più lunghe e più brevi, dispari e pari; binomio di stanze le « unità binarie » sia concettuali che metriche, che strutturano l'inno; a 2 a 2 procedono i versi, da cima a fondo, sia nella parte espositiva di tutte le stanze, sia nelle acclamazioni mariane ...
Il « 2 » deriva dalla somma di due distinte unità, o semplici o composite: talvolta infatti (è il caso dei versi espositivi) la prima unità si presenta composita di due emistichi; talvolta tanto la prima quanto la seconda unità (è il caso dei versi centrali delle acclamazioni) si presenta composita da 2 emistichi. Comunque, il « 2 » converge sempre all'unità, all'« 1 ».

« 1 »: è numero di « unità », più che numero primario indivisibile: le 2 parti distinte dell'inno formano « 1 » solo inno; 2 stanze abbinate formano « unità »; 2 versi abbinati formano « unità » concettuale o anche metrica ...
Il numero « 1 » non è mai evidente: non sussiste da solo, non lo si trova se non come risultante: cioè, come « unità di convergenza ».

2.2. Piste ermeneutiche

Credo sia diventato evidente il telaio numerico dell'Acatisto e il suo congegno. Quale, allora, l'interpretazione simbolica dei numeri, sui quali s'innalza la lode alla Theotokos?

Io penso di averne trovato la chiave in due testi, che certamente l'autore anonimo aveva fissi davanti a sé nel comporre l'inno: il testo dommatico di Calcedonia e il testo simbolico-ecclesiale di Apocalisse 21.

2.2.1. *La definizione cristologica di Calcedonia* (*451*). - Nella quinta sessione (22 ottobre 451), il Concilio di Calcedonia promulgò il suo « simbolo di fede », che pose fine alle controversie cristologiche imperversanti, e definì la norma di fede che tutte le Chiese e tutti i fedeli dovevano accettare: anche se, di fatto, ciò non avvenne. Cito la sola definizione dommatica, omettendo il proemio esplicativo, nella versione latina (DS 301-302):

> « Sequentes igitur sanctos Patres, *unum eundemque* confiteri Filium Dominum nostrum Iesum Christum consonanter omnes docemus, *eundem perfectum in deitate, eundem perfectum in humanitate,* Deum vere et hominem vere, *eundem ex anima rationali et corpore,* consubstantialem Patri secundum deitatem et consubstantialem nobis eundem secundum humanitatem, "per omnia nobis similem absque peccato" (cf. Hebr. 4,15); ante saecula quidem de Patre genitum secundum deitatem, in novissimis autem diebus eundem propter nos et propter nostram salutem *ex Maria virgine Dei genitrice* secundum humanitatem:
>
> *unum eundemque* Christum Filium Dominum Unigenitum, *in duabus naturis inconfuse, immutabiliter, indivise, inseparabiliter agnoscendum, nusquam sublata differentia naturarum propter unitionem* magisque salva proprietate utriusque naturae, *et in unam personam atque subsistentiam concurrente,* non in duas personas partitum sive divisum, sed *unum et eundem* Filium Unigenitum Deum Verbum Dominum Iesum Christum: sicut ante prophetae de eo et ipse nos Iesus Christus erudivit, et Patrum nobis symbolum tradidit ».

La definizione calcedonese, entro il cui alone dommatico vien composto l'Acatisto, ha per fondamento il numero « 2 », convergente all'« 1 »: due infatti sono le nature del Verbo incarnato, una la persona; e dopo l'unione ipostatica, « 2 » rimangono, « senza confusione e senza mutazione », ma anche « senza divisione e senza separazione », nell'unico e identico « Figlio, Unigenito, Dio Verbo, Signore nostro Gesù Cristo ». Abbiamo un solo Signore, un solo Gesù Cristo, ma sussistente in due nature: le quali convergono o « concorrono verso » la sua persona.

Questo testo basilare di Calcedonia, che fu il testo maggiormente contestato dai separatisti « monofisiti », costituì e costituisce l'interpretazione dommatica più esatta del mistero del Verbo incarnato; e anche del mistero di « Maria Vergine Theotokos », da cui prese l'umanità diventando a noi consostanziale il Verbo del Padre.

Qui dunque trova le sue radici il « 2 convergente all'1 », su cui poggia tutta la struttura dell'Acatisto.

Anche da questo rilievo, la sua collocazione è da porre nell'immediato periodo post-calcedonese; e la sua interpretazione è da ricercare unicamente nel mistero del Verbo incarnato, nel quale tuttavia si rivela la forza operante di tutta la Trinità.

2.2.2. *Il testo simbolico-ecclesiale di Ap 21.* - Solo rileggendo il cap. 21 dell'Apocalisse, si rimane immediatamente colpiti dalla convergenza dei numeri tra il testo sacro e l'Acatisto. Leggiamo:

> « L'angelo mi trasportò in spirito su di un monte grande e alto, e mi mostrò la città santa, Gerusalemme, che scendeva dal cielo, da Dio, risplendente della gloria di Dio. Il suo splendore è simile a quello di una gemma preziosissima, come pietra di diaspro cristal-

lino. La città è cinta da un grande e alto muro *con dodici porte*: sopra queste porte stanno *12 angeli* e nomi scritti, i nomi delle *dodici tribù* dei figli di Israele. A oriente *tre porte*, a settentrione *tre porte*, a mezzogiorno *tre porte* e a occidente *tre porte*. Le mura della città poggiano su *dodici basamenti*, sopra i quali sono *i dodici nomi* dei *dodici Apostoli* dell'Agnello. Colui che mi parlava aveva come misura una canna d'oro, per misurare la città, le sue porte, le sue mura. La città è a forma di quadrato, la sua lunghezza è uguale alla larghezza. L'angelo misurò la città con la canna: misura *dodicimila stadi;* la lunghezza, la larghezza e l'altezza sono uguali. Ne misurò anche le mura: sono alte *centoquarantaquattro braccia*, secondo la misura in uso tra gli uomini adoperata dall'angelo ... E le *dodici porte* sono *dodici perle*: ciascuna porta formata da una sola perla » (Ap 21,10-21).

Che l'autore dell'Acatisto dipenda da Ap 21, non è solo palese dalla corrispondenza dei numeri (« 12 », « 144 », « 3+3+3+3 »), ma anche dal significato simbolico di tutt'intera la città santa, costruita sui « 12 » fondamenti degli Apostoli, aperta dalle « 12 » porte simboleggianti le « 12 » tribù di Israele, porte custodite dai « 12 » angeli. Essa non è solo l'icona della perfezione ecclesiale, ma è la « sposa » dell'Agnello:

« Vidi poi un nuovo cielo e una nuova terra, perché il cielo e la terra di prima erano scomparsi e il mare non c'era più. Vidi anche la città santa, la nuova Gerusalemme, scendere dal cielo, da Dio, *pronta come una sposa adorna per il suo sposo...*

Poi venne uno dei sette angeli che hanno le sette coppe piene degli ultimi sette flagelli e mi parlò: "Vieni, ti mostrerò *la fidanzata, la sposa dell'Agnello"* » (Ap 21,1-2.9).

Ora, il termine mariologico centrale di tutto l'inno è l'efimnio: « Chaire, *nymphe anympheute* ». Maria è questa « Sposa » senza sposo terreno, fidanzata all'Agnello. Maria dunque è questa « città santa », questa « nuova Gerusalemme », in tutto il suo splendore e in tutta la sua perfezione. La lettura dei molti simboli dell'inno conferma appieno questa deduzione.

* * *

Ho tracciato due piste, mai finora valorizzate, le sole che possano dare la chiave interpretativa di tutto l'Acatisto.

Alla fine, se uno si domanda: « E Maria, in questi numeri? », riceve la più ardita e la più inaspettata risposta:

Maria è l'evidenziazione del mistero salvifico di Cristo:

Maria è « la Chiesa », Sposa dell'Agnello.

LA MATERNITA' FECONDA DI MARIA VERGINE E DELLA CHIESA
Una riconferma dalle omelie di Eusebio «Gallicano»

(Contributo alla teologia liturgica)

ACHILLE M. TRIACCA, S.D.B.

Dell'importanza e del posto che Maria Vergine e Madre occupa nell'economia della salvezza non si dirà mai a sufficienza. La sua persona è in connessione diretta con l'adorabile Persona dell'Unigenito Suo Divin Figlio. Quanto più si comprenderà chi è Gesù, tanto più si approfondirà la conoscenza di Maria. Ma, come inesauribile è la comprensione della Persona e dell'azione del Signore, così sconfinata diventa la tematica di una trattazione su Maria.

Ora, se di Gesù, che è il « mysterium » in atto, cioè la « concreta attuazione » (concretizzazione) del piano di salvezza pensato e voluto dalle Persone Divine, non si può dire isolatamente perché è imprescindibilmente unito con il suo Corpo Mistico che è l'« Ecclesia Dei », « continua-azione » (continuazione) della salvezza perpetuata nel decorso dei secoli, similmente di Maria. L'attenzione alla sua persona rimanda non solo alla Persona del Figlio, Cristo-Signore, ma anche al suo mistico, ma reale, Corpo che è la Chiesa; e Cristo-Chiesa risospingono allo Spirito Santo che è anima del Corpo Mistico. Sarebbe infatti un'eresia anche solo il pensare che *mistico* significhi *non vero.* Ma sarebbe un pericoloso impoverimento della verità pensare che *vero* si contrapponga a *non-mistico.*

In un contesto di concretezza veramente mistica e misticamente vera si muovono i titoli biblici e patristici riferiti alla Chiesa e che sono riferibili tutti anche a Maria o che, meglio ancora, la Chiesa invera tutti pienamente in Maria. Per una comprova di questa affermazione ognuno può ricorrere a studi di diverso genere già fin qui condotti [1]. Nostro interesse è aggiungere una piccola tessera al lumi-

[1] Per esempio, si vedano le seguenti trattazioni (in ordine cronologico): H. BARRÉ, *Marie et l'Eglise du Vénérable Bède à saint Albert le Grand,* in: *Etudes Mariales* 9 (Paris 1951) 59-143; R. LAURENTIN, *Marie, l'Eglise e le Sacerdoce,* 2 voll. (Paris 1952-1953); Y. CONGAR, *Le Christ, Marie et l'Eglise* (Brügge 1952); T. KOEHLER, *Maria, Mater Ecclesiae,* in: *Etudes Mariales* 11 (Paris 1953) 133-157; Y. CONGAR, *Marie et l'Eglise dans la pensée patristique,* in: *Revue des Sciences Philosophiques et Théologiques* 38 (1954) 52-93; A. MÜLLER, *Ecclesia-Maria. Die Einheit Marias und der Kirche* (Fribourg i.S. ²1955); AA.VV., *Maria et Ecclesia. Acta Congressus Mariologici-Mariani in Civitate Lourdes anno 1958 celebrati,* 3 voll. (Roma 1959); A. KASSING, *Die Kirche und Maria. Ihr Verhältnis im 12. Kapitel der Apokalypse* (Düsseldorf 1959); H. RAHNER, *Maria und die Kirche* (Innsbruck 1962) [trad. it.: *Maria e la Chiesa* (Milano 1974; ²1977)]; G. QUADRIO, *Maria e la Chiesa. La me-*

noso ed aureo mosaico della verità dell'inscindibile endiadi « Maria-Chiesa », fermando l'attenzione sulla testimonianza che ci viene fornita dalle omelie di Eusebio « Gallicano » [2].

Introdotto il lettore sull'identità dell'autore, o di chi per esso, discusso brevemente il valore probante delle omelie in causa, riporteremo il loro contenuto per quanto concerne la nostra tematica, per concludere con un'importante questione di teologia-liturgica.

1. EUSEBIO « GALLICANO »: DI « CHI » O DI « CHE » SI TRATTA? QUALE VALORE PROBANTE?

L'esclamazione di manzoniana memoria: « Carneade! chi era costui? » forse potrebbe affiorare alla mente di non pochi lettori nei riguardi di Eusebio « Gallicano ». Effettivamente, se si percorrono i manuali di patrologia di uso più comune in questi ultimi quarant'anni [3], non si trovano indicazioni che aiutino a circoscriverne l'opera. Ad essi va allineata la maggior parte dei dizionari e delle enciclopedie che, in genere, non ne parlano [4]. Solo qualche notizia in alcune trattazioni tra le più attente nella produzione scientifica [5]. Questa si era da tempo preoccupata di venir a capo di dispute suscitate attorno ad una raccolta di omelie il cui numero non era da tutti gli studiosi ben definito; come, d'altra parte, indefinibile rimaneva

---

diazione sociale di Maria SS. nell'insegnamento dei Papi da Gregorio XVI a Pio XII (Torino 1962); D. BERTETTO, *Maria e la Chiesa: saggio di sintesi positiva e dottrinale* (Roma 1963); R. SPIAZZI, *Maria e la Chiesa dopo il concilio* (Roma 1970); ecc.

Utile per la tematica « Maria e la Chiesa » è consultare il *Sachregister* (pp. 1009-1023) alla fine del recente *Handbuch der Marienkunde* [W. BEINERT - H. PETRI (edd.)] (Regensburg 1984), specie alle voci: *Kirche und Maria; Mutter der Kirche; Urbild der Kirche.*

[2] Ci rifacciamo all'ultima edizione critica: F. GLORIE (ed.), *Eusebius « Gallicanus (Pseudo-Eusebius Emisenus). Collectio Homiliarum de qua critice disseruit Ioh. Leroy* (†) *ad gradum doctoris S. Th. obtinendum* = Corpus Christianorum. Series Latina 101, 101A; IDEM (ed.), *Eusebius Gallicanus (Pseudo-Eusebius-Emisenus). Sermones extravagantes* = Corpus Christianorum. Series Latina 101B (Turnholti 1971). Citeremo semplicemente, e rispettivamente: *Hom,* seguiti da tre numerazioni: la *prima* indica il numero dell'*Hom;* la *seconda* il paragrafo; la *terza* la pagina (le pagine) dell'edizione critica citata. I tre volumi hanno infatti un'unica numerazione progressiva per l'impaginazione. Per esempio: *Hom* 68,2,759; riducendo la numerazione romana (LXVIII) in arabica (68), per motivi di semplificazione.

[3] Per esempio: U. MANNUCCI - A. CASAMASSA, *Istituzioni di Patrologia,* 2 voll. (Roma [5]1940-1942); B. ALTANER, *Patrologia* (Casale Monferrato [6]1968); J. QUASTEN (A. DI BERARDINO ed.), *Patrologia,* 3 voll. (Casale Monferrato 1967-1969-1978).

[4] Si veda, per esempio, l'*Enciclopedia Cattolica* (1950) (V, coll. 840-859) che cita, tra i diversi Eusebii, due Santi martiri e altri 10 personaggi di spicco col nome di Eusebio, ma ignora il nostro. Similmente ne sono citati 7, ma non il nostro in: *Die Religion in Geschichte und Gegenwart. Handwörterbuch für Theologie und Religionswissenschaft* (1958) (II, coll. 739-741); il *Lexikon für Theologie und Kirche* (1959) (III, coll. 1194-1200) parla di 13 Eusebii, sempre disattendendo il nostro; ecc.

[5] Per esempio, *Dictionnaire de Théologie Catholique* (1913) (V, coll. 1537-1539).

la loro paternità [6]. Tuttavia, dopo che la « Clavis Patrum Latinorum », già nella sua prima edizione del 1951, aveva attirato l'attenzione sulla *Sermonum LXXV collectio Ps. Eusebii Emeseni* [*Gallicani*] [7], si possono con facilità trovare notizie dirette sotto il lemma Eusebio il Gallicano o della Gallia, in non pochi prontuari enciclopedici. Così, per esempio, il dizionario enciclopedico « Catholicisme » (1956) [8] fornisce dati che vengono ripresi e puntualizzati anche con ulteriori segnalazioni bibliografiche dal « Dictionnaire d'Histoire et de Géographie Ecclésiastique » (1963) [9]. Tra l'altro, al mondo della cultura era oramai nota la tesi dottorale di Jean Baptiste Leroy [10], il cui apporto è servito allo stesso Glorie per la redazione dell'edizione

---

[6] Si vedano, specialmente, le più recenti trattazioni, come: G. MORIN, *La collection gallicane dite d'Eusèbe d'Emèse et les problèmes qui s'y rattachent*, in: *Zeitschrift für die neutestamentliche Wissenschaft* 34 (1935) 92-115; A. SOUTER, *Observations on the Pseudo-Eusebian Collection of gallican Sermons*, in: *The Journal of Theological Studies* 41 (1940) 45-57; E.M. BUYTAERT, *L'héritage littéraire d'Eusèbe d'Emèse* (Louvain 1949) specie 29-30; 159-161; B. LEEMING, *The False Decretals, Faustus of Riez and the Pseudo-Eusebius* in: *Studia Patristica* II [= *Texte und Untersuchungen zur Geschichte der altchristlichen Literatur*, 64] (Berlin 1957) 122-140; E. GRIFFE, *Les sermons de Fauste de Riez. La « collectio gallicana » du Pseudo-Eusèbe*, in: *Bulletin de littérature ecclésiastique* 61 (1960) 27-38.

[7] Cfr. E. DEKKERS - (— E. GAAR), *Clavis Patrum Latinorum* = *Sacris Erudiri* III (Steenbrugge 1951) nr. 966. La seconda edizione aggiornata è del 1961. Si è in attesa della terza, ancora più esatta e completa.

[8] Cfr. F. TOLLU, *Eusèbe de Gaule*, in: *Catholicisme* V, coll. 708-709. Inoltre, il lettore trova in questa enciclopedia (V, coll. 696-710) brevi profili critici di 15 santi di nome Eusebio, a cui seguono quelli di Eusebio Papa, E. d'Argira, E. di Bologna, E. di Cremona, E. di Milano, E. di S. Paolo Trois Châteaux, E. di Samosata, E. di Vercelli, E. di Alessandria, E. di Ancira, E. di Antiba, E. di Cesarea in Cappadocia, E. di Cesarea in Palestina, E. di Dorileo, E. di Emesa, E. l'Eunuco, E. di Nicomedia, E. di Tarragona, E. di Tessalonica, E. di Ysoie, E. di Bergamo, E. di Marsiglia.

[9] Cfr. R. AUBERT,, *Eusèbe le Gaulois*, in: *Dictionnaire d'Histoire et de Géographie Ecclésiastique* XV, coll. 1464-1465. Notifichiamo che questo dizionario riporta (XV, coll. 1430-1483) i profili e/o i dati che si riferiscono a 11 santi dal nome Eusebio, a cui aggiunge quanto si sa su Eusebio Papa, E. di Alessandria, lo *Pseudo-Eusebio di Alessandria*, E. di Ancira, E. di Antiba, E. di Bologna, *E. Bruno d'Angers*, E. di Cesarea di Cappadocia, E. di Cesarea di Palestina, E. di Cremona, E. di Dorileo, E. d'Emesa, *E. di Esztergom o il grande* (*Strigonensis*), E. l'Eunuco, *E. di Laodicea*, E. di Milano, E. di Nicomedia, *E. I° di Parigi, E. II° di Parigi, E. di Roma*, E. di S. Paolo Trois Châteaux, E. di Samosata. In *corsivo* quelli non riferiti nell'*o.c.* alla nota precedente, dove, al di là delle notizie che si riferiscono ai santi dal nome Eusebio, ne vengono ricordati con ulteriore denominazione: *E. di Argira, E. di Vercelli, E. di Tarragona, E. di Tessalonica, E. di Ysoie, E. di Bergamo, E. di Marsiglia*, che non vengono qui ripresi.

[10] Cfr. J.-B. LEROY, *L'œuvre oratoire de S. Fauste de Riez. La Collection Gallicane dite d'Eusèbe*, 2 voll. (Strasbourg 1954). Il primo tomo comprende lo studio (forse opinabile); il secondo, il testo critico (preziosissimo). Dell'A. prematuramente scomparso (* Valognes 1901 - † Langres 1955) si veda un breve profilo biografico a firma di un suo fedele amico, R.D.P. VIARD, in: *Corpus Christianorum. Series latina* [= CCL] 101, XXII-XXIII. Questi, a sua volta, sarà facilitato a redigere la voce apparsa nel 1964 su: *Fauste de Riez*, in: *Dictionnaire de Spiritualité* V, coll. 113-118, con la conoscenza di quanto il Leroy aveva studiato. Il prospetto della materia della tesi del Leroy si ritrova anche in: L.A. VAN BUCHEM, *L'homélie pseudo-Eusébienne de Pentecôte* (Nijmegen 1967), Appendice II, 218ss.

critica delle omelie e dei sermoni che il Glorie stesso titola nel frontespizio dell'edizione: *Eusebius «Gallicanus». Collectio Homiliarum / Sermones extravagantes* [11].

Inoltre, il «Dictionnaire de Spiritualité ascétique et mystique» (1961) si era oramai soffermato a discutere, oltre al problema critico, il contenuto spirituale delle omelie denominate (di) Eusebio «Gallicano» [12]. Nella scia di questi lavori, anche di recente (1983), il «Dizionario Patristico e di Antichità cristiane» dedica un trafiletto all'argomento [13].

1.1. Un Eusebio «della» Gallia o un «corpus homileticum» in Gallia?

Oggi gli studiosi convengono unanimemente nel sostenere che un predicatore, ovvero un omileta, di nome Eusebio, a cui attribuire le omelie in questione non sarebbe mai esistito [14]. Tuttavia con il nome di Eusebio Gallicano (della Gallia, il Gallicano) convenzionalmente si indica una raccolta di omelie conservate in diversi manoscritti [15], di cui finalmente si possiede l'edizione critica e completa [16].

L'appellativo di «Gallicano» fu coniato dal card. Cesare Baronio [17] proprio per designare l'ambiente di provenienza di una raccolta di omelie di cui già nel 1531 [18] e poi nel 1547 [19] erano state

---

[11] Si veda sopra nota 2.

[12] Cfr. M.L. Guillaumin, *Eusèbe le Galois,* in: *Dictionnaire de Spiritualité ascétique et mystique. Doctrine et histoire* IV/2, coll. 1695-1698. Da questo lavoro dipendono alcune affermazioni che R. Aubert riporta nell'*o.c.* alla nota 9. Tra l'altro, l'Aubert cita anche il lavoro del Tollu da noi riportato alla nota 8.

[13] Cfr. M. Simonetti, *Eusebio Gallicano,* in: *Dizionario Patristico e di Antichità cristiane,* I, coll. 1300-1301.

[14] Così è categoricamente asserito da F. Tollu, *o.c.*, col. 708; da R. Aubert, *o.c.*, col. 1464; M. Simonetti, *o.c.*, col. 1300. Maggiormente sfumata la dicitura del testo di M.L. Guillaumin, *o.c.*, col. 1697 che riallacciandosi alle opinioni del Baronio, di A. Schott, e discusse quelle di G. Morin e di J.-B. Leroy, intesse un po' la storia critica dell'attribuzione della paternità delle omelie.

[15] Dopo l'elenco fornito da G. Glorie, in CCL 101, XXIV-XXXVII nel *Conspectus codicum adhibitorum* per l'edizione critica, sono da puntualizzare le affermazioni — per esempio — di F. Tollu e di R. Aubert nei lavori citati, dove l'Aubert dipendente dal Tollu, riporta solamente i riferimenti ai sermoni contenuti nel manoscritto della Biblioteca Reale di Bruxelles (ms 1651-1652). In pratica si tratta dei manoscritti di cui fecero uso i primi editori della *collectio* [cfr. sotto note 18.19.23.29].

[16] Cfr. sopra nota 2.

[17] Cfr. C. Baronius, *Annales ecclesiastici,* 12 (Romae 1595) 107. Il dato già «messo in onda» dalla Guillaumin (*o.c.*, col. 1696) è stato puntualizzato dal Glorie nei *Prolegomena all'edizione critica* (= CCL 101, VII). Questi studiosi dipendono dalla paziente e completa rassegna di opinioni degli studiosi puntualizzata da J.-B. Leroy. Cfr. sotto, nota 22.

[18] Cfr. *Divi Eusebii episcopi Emiseni, Homiliae decem ad Monachos, veteris Monastices sanctimonia atque eruditione spectabiles* (Coloniae 1531). La riedizione, sempre a Colonia, fatta nel 1534, di questo lavoro, è nell'opera dal titolo: *D. Dionysii Cartusiani Opuscula aliquot quae spirituali vitae et perfectioni tam vehementer conducunt quam universae etiam inserviunt Ecclesiae* (Coloniae 1534) IX, ff. 291-309.

[19] Cfr. *D. Eusebii episcopi Homiliae ad populum eloquentissimae et religio-*

fatte edizioni attribuendole ad Eusebio di Emesa († 359)[20]. Accertato, dalla critica interna, che le omelie non erano attribuibili ad un autore orientale[21], gli studiosi hanno attribuito la raccolta in questione a diversi autori[22], per esempio: ad uno Pseudo-Eusebio di Emesa[23], ad Eucherio di Lione († 495 ca)[24], ad Ilario di Arles († 449)[25], a Massimo di Torino († 420 ca), a Fausto di Riez († 495 ca)[26], a Cesario di Arles († 543)[27]. In pratica, a partire dall'appellativo « Gallicano » coniato dal Baronio e dai contatti che egli ebbe con lo Schott[28], da quest'ultimo venne curata un'edizione di 74 omelie poste sotto la paternità di Eusebio « Gallicano »[29], mentre la raccolta fu ela-

---

sissimae, recens in lucem amisse per Ioannem GAIGNEIUM [=Gaigny] *Parisinum theologum Ecclesiae et Academiae Parisiensis Cancellarium* (Lutetiae Parisiorum 1547) ff. 1-143. Il Glorie (= CCL 101, XLIII) riporta un'incipiente numerazione di ulteriori riedizioni del lavoro del Gaigny. Quella del 1575 possiede cenni dell'attribuzione di alcune omelie a Bruno di Segni.

[20] Il primo a dubitare che le omelie si dovessero attribuire ad Eusebio di Emesa fu il Lievens che, nella sua edizione del 1602, le attribuisce ad Eucherio di Lione. Cfr. F. GLORIE, in CCL 101, XLIV.

[21] Cfr. per esempio: W. BERGMANN, *Studien zu einer kritischen Sichtung der südgallischen Predigtliteratur des fünften und sechsten Jahrhunderts*, I (Leipzig 1898); G. MORIN, *o.c.* alla nota 6 e l'opera citata sotto alla nota 33.

[22] Le opinioni sono state vagliate e catalogate da J.-B. LEROY, *o.c.* (alla nota 10) I, 208-212 (citato da GLORIE, in CCL 101, VII).

[23] Cfr. *Ioannes* LIVINEUS [= *Lievens*], *B. Theodori Studitae, abbatis et confessoris, Sermones ... Accesserunt homiliae S. Eucherii, falso hactenus Eusebio Emisseno attributae* (Antverpiae 1602) 372-425.

Si vedano anche i lavori di Souter, Buytaert, Laenning citati sopra alla nota 6.

[24] Si veda l'edizione citata nella nota precedente del Lievens, il quale nelle riedizioni della *Magna Bibliotheca Veterum Patrum* (la prima edizione dei 15 volumi di cui è composta risale al 1618-1622, fatta a Colonia) di Parigi del 1624, 1644, 1654, riporta il titolo: *B. Eucherii homiliae numquam ante hac editae* [*v.g.* II (Parisiis 1654) coll. 765-788].

[25] Così l'opinione del Bellarmino, o anche del bollandista J. Stilting, dei Maurini, di O. Bardenhewer, di G. Bardy. Cfr. M.L. GUILLAUMIN, *o.c.*, col. 1696.

[26] Di questa opinione erano già C. OUDIN, *Commentarius de Scriptoribus Ecclesiae antiquae*, I (Francofurti 1722) coll. 389-426; A.G. ENGELBRECHT, *Studien über die Schriften des Bischofes von Reii, Faustus. Ein Beitrag zur Spätlateinischen Literaturgeschichte* (Wien 1889). Di recente di tal parere è anche J.-B. LEROY, *o.c.*, alla nota 10. In pratica la sua tesi dottorale si incentrò nel I volume (= lo studio) ad addurre argomenti in favore della paternità di Fausto di Riez di tutta la raccolta di omelie di cui lo stesso Leroy cura l'edizione critica nel II volume della sua tesi.

[27] Per esempio, si veda quanto asserisce il Simonetti (*o.c.*, col 1300): « L'origine della raccolta sembra da riportare a Cesario ... ». Senza dubbio Cesario di Arles la conobbe e l'usò. Si vedano le asserzioni di F. TOLLU (*o.c.*, col. 709) e di F. GLORIE, in: CCL 101, IX.

[28] Si veda quanto asserisce la GUILLAUMIN (*o.c.*, col. 1696): « Baronius, jugeant avec raison que ces homélies avaient été composées au 5e siècle, exprima à André Schott l'opinion qu'une partie des dites homélies étaient dues à un Eusèbe, galois ignoré de nous ». Il Card. C. Baronio († 1607) non poté vedere l'edizione curata da Schott.

[29] Andrea Schott sotto il nome di Eusebio Gallicano, in pratica, editò nel 1618 le 56 omelie già raccolte dal Gaigny (cfr. sopra nota 19) e le 18 curate dal Lievens (cfr. sopra nota 23). Un insieme di 74 omelie.

borata e sistemata da un ignoto della fine del secolo VI, anzi — meglio — dell'inizio del secolo VII.

Il Glorie preferisce non entrare nel merito della concreta paternità delle omelie [30], preoccupandosi invece di fornire, in calce all'edizione, i testi paralleli dell'omelia assieme a quelli di altri autori precedenti alla raccolta. Può così approdare a delle conclusioni che sono più che ipotesi [31]. Si tratta cioè di una raccolta di omelie il cui ordinamento segue quello dell'anno liturgico: Natale, Epifania, Quaresima, Pasqua, Pentecoste, con intercalate omelie su martiri e santi. Ne seguono altre, di vario argomento, fra cui dieci dirette ai monaci [32]. Inoltre, se ne annoverano tre per la dedicazione della chiesa, e altre per argomenti vari.

Le 76 omelie testimoniano quindi materiali confluiti da disparate provenienze. Danno l'impressione di composizioni centonizzate da autori vari. Vi figurano infatti dipendenze concettuali, e a volte verbali, da autori del *secolo III,* come Novaziano e Cipriano; del *secolo IV,* come Zenone di Verona, Eusebio di Vercelli, Ambrogio di Milano, Agostino di Tagaste; del *secolo V,* come: Ilario di Arles, Fausto di Riez, ed anche Eusebio di Alessandria, anche se del *secolo VI* [33]. Il tutto già presente, certamente, nelle omelie e nei sermoni di Cesario di Arles, ma qui rielaborato e strutturato in modo da costituire un *corpus homileticum* che, se si vuole, si potrebbe continuare ad attribuire ad un Eusebio immaginario e, fino ad oggi, comprovato come inesistente. Siccome il *corpus* è in uso dalla seconda metà del secolo VI - inizio del secolo VII nella Gallia (e aree limitrofe), sarebbe meglio parlare di *corpus homileticum gallicanum.*

Si faccia caso che il Glorie puntualizza l'elenco e il numero delle medesime nella sua edizione nel CCL. Si veda: *Eusebii episcopi Gallicani homiliae ad populum et Monachos eloquentissimae et religiosissimae. In lucem primum emissae per Ioannem Gaigneium Parisinum Theologum, Ecclesiae et Academiae Parisiensis Cancellarium. Ab And.* SCHOTTO *S.J. recensitae et locupletatae Sermonibus,* in: *Magna Bibliotheca Veterum Patrum,* V, I (Coloniae 1618) 544-606. Riedizioni in Colonia 1624; a Parigi 1644, sempre nella stessa opera. Nel 1677 figura anche in: Margarinus DE LA BIGNE, *Maxima Bibliotheca veterum Patrum et antiquorum scriptorum ecclesiasticorum,* 6 (Lugduni 1677) coll. 618E-686D.

[30] Cfr. F. GLORIE, *Prolegomena* in: CCL 101, VII dove scrive: « Scopus noster non est totam hanc quaestionem de auctore et de aetate collectionis gallicanae hic perquirere, nec locus est ad eam dirimendam; sed potius editioni criticae ita studemus, ut de auctore et de aetate collectionis inquisitio facilior evadat ».

[31] L'A. dimostra come Cesario di Arles ha fatto uso di molte omelie e scritti a lui precedenti e confluiti in questa raccolta. Dagli scritti egli « plures (confecit) libellos homiliarum et sermonum e quibus conflata est collectio Eusebii « Gallicani » (s. VII?) »: F. GLORIE, *o.c.,* IX.

[32] Nel *Conspectus Homiliarum et Sermonum* in: CCL 101, XXXVIII-XLII il Glorie pone le 10 omelie « ad monachos » al Cap. XVIII (XXXVI-XLV) (*ivi,* XXXIX). Si ricordi che furono le prime ad essere edite (cfr. sopra nota 18).

[33] Cfr. J. - B. LEROY - F. GLORIE, « *Eusèbe d'Alexandrie* » *source d'* « *Eusèbe de Gaule* », in: *Sacris Erudiri* 19 (1969) 33-70.

1.2. Il « corpus homileticum gallicanum ("eusebianum") »: quale il valore probante?

Se si dovesse condividere l'affermazione della Guillaumin [34] — cioè che quello che noi diciamo *corpus homileticum gallicanum* riunisce, in modo a volte maldestro, in un quadro fittizio e artificiale una raccolta di omelie per tutte le feste e circostanze dell'anno (liturgico), assieme a sermoni disparatissimi —, allora la nostra domanda circa il valore probante sarebbe del tutto retorica e già annullata nel suo stesso formularsi. Effettivamente, i sermoni sembrano a volte quelli di un abate ai suoi monaci (come le dieci composizioni « ad monachos »), a volte quelli di un predicatore-pastore d'anime ai suoi fedeli o, a volte ancora, discorsi destinati a un uditorio variamente catalogabile. In ogni caso, con la Guillaumin ed altri [35], si potrebbe anche condividere l'opinione che il *corpus homileticum gallicanum* rifletta abbastanza fedelmente la predicazione d'un monaco, se non addirittura d'un abate di Lerino [36], divenuto vescovo in qualche sede episcopale gallicana. Da questa ipotesi la Guillaumin farebbe derivare l'interesse e il valore della raccolta in ragione del contenuto spirituale delle omelie stesse. Per questo motivo il « Dictionnaire de Spiritualité ascétique et mystique » [37] vi dedica un'attenzione notevole sulla scia di quanto il Tollu aveva già scritto nel 1956 circa la grande importanza di questi sermoni per la conoscenza della sacra eloquenza, come anche della teologia e dell'ascetica nelle Gallie [38]. Il duplice parere, quello cioè del Tollu (1956) e della Guillaumin (1961), viene condiviso dall'Aubert (1963) [39], il quale ci tiene a ricordare che questi testi furono frequentemente ricopiati nel corso del Medioevo. Ciò attesta il loro successo. L'elenco dei manoscritti e il loro attuale luogo di presenza fornito dal Glorie, oltre al luogo dell'effettivo loro uso [40], comprova non solo l'affermazione

---

[34] Cfr. M.L. Guillaumin, *o.c.*, col. 1696.

[35] Per esempio, oltre alla Guillaumin (*l.c.*), si vedano anche F. Glorie, *La culture lérinienne (Note de lecture)*, in: *Sacris Erudiri* 19 (1969) 71-76; P. Courcelle, *Nouveaux aspects de la culture lérinienne,* in: *Revue des études latines* 46 (1968) 379-409.

[36] Per una sintesi circa l'importanza di questo centro, si veda S. Pricoco, *L'isola dei santi. Il cenobio di Lerino e le origini del monachesimo gallico* (Roma 1978).

[37] La voce (*Eusèbe le Gaulois*) affidata alla Guillaumin (= IV/2, coll. 1695-1698) è sinteticamente esaustiva per quanto riguarda il contenuto spirituale considerato « per summa capita » del *corpus homileticum gallicanum.* Altri lavori sarebbero necessari per approfondire ulteriori aspetti contenutistici testimoniati nella raccolta.

[38] Infatti F. Tollu scriveva: « Ces sermons sont de grande importance pour la connaissance de l'éloquence sacrée, et aussi de la théologie et de l'ascétique, dans les Gaules, au Ve s. Il est regrettable qu'ils ne figurent pas dans la *Patrologia Latina* » (= *Catholicisme* IV, col. 709). Ricordiamo che qualche omelia e sermone, editi ora dal Glorie, già si ritrovavano in *PL,* e che ora il *corpus homileticum gallicanum* si trova nel *Patrologiae latinae supplementum* 3, coll. 545-709.

[39] Cfr. R. Aubert, *Eusèbe le Gaulois,* in: *Dictionnaire d'Histoire et de Gèographie Ecclésiastiques* XV, col. 1464-1465.

[40] Si veda l'elenco in: CCL 101, XXIV-XXXVII, e in CCL 101B, 902-934

dell'Aubert ma giustifica, per altro verso, l'attenzione che noi dedichiamo a questa silloge omiletica.

1.2.1. « *Scientia locuta, causa soluta* »

Di per sé si potrebbe procedere sul sicuro, dato che « scientia locuta, causa soluta ». In altri termini, dato che i « probati auctores » convengono sul valore intrinseco delle omelie in causa, sarebbe inutile indugiarvi ulteriormente.

Invece ci sembra opportuno innanzitutto affermare di non poter condividere le più recenti (1983) affermazioni del Simonetti [41], che risultano alquanto superficiali non entrando esse in discussione con il parere di altri autori [42], né tenendo presenti i dati pazientemente

(= *Conspectus Codicum Collectionis « Eusebii Gallicani » necnon et singularum Homiliarum et Sermonum*); 935-949 (= *Classes codicum*); 949-950 (= *Stemma codicum*). *L'attuale luogo di presenza* (anche oltre Oceano) dei manoscritti interessati è: Albi, Angers, Antwerpen, Arles, Augsburg, Auxerre, Avignon, Avranches, Bamberg, Berlin, Bern, Bloomington, Bologna, Boulogne, Brussel, Cambridge, Châlons-ur-Marne, Charleville-Mézières, Chartres, Cheltenham, (Chicago), Clermont-Ferrand, Como, Conches, Darmstadt, (Detroit), Douai, Dublin, Durham, Düsseldorf, Edinburgh, El Escorial, Epinal, Erlangen, Exeter, Firenze, Forlì, (Fort August), Frankfurt-am-Main, Genève, Gent, Gotha, Göttingen, Göttweig, Grenoble, Hereford, Holkham Hall, Karlsruhe, Klosterneuburg, Köln, Lambach, Leiden, Leipzig, Liège, Lisboa, London, Luxembourg, Madrid, Marburg, Melk, Metz, Milano, Monte Cassino, Montpellier, Monza, München, Namur, Napoli, New Haven, Nürnberg, Orléans, Orvieto, Oxford, Paderborn, Paris, Poitiers, Pommersfelden, Praha, Reims, Roma, Rouen, Saint-Mihiel, Saint-Omer, Salisburg, San Daniele nel Friuli, Sankt Gallen, Semur-en-Auxois, Sheffield, Siena, Torino, Tours, Trier, Troyes, Utrech, Valenciennes, Vaticano, Vendôme, Venezia, Verona, Wien, Wolfenbüttel, Worcester, Würzburg, York, Zürich, Zwettl.

Se si dovessero tener presenti i *luoghi di provenienza dei manoscritti*, cioè quelli dell'effettiva diffusione e uso dei medesimi, si dovrebbero annoverare — per esempio — anche le Abbazie *benedettine* di: Saint-Aubin, SS. Ulrico e Afra, Mont-Saint-Michel, Michelberg, Bobbio, Nonantola, Maria Laach, Aulne, San Medardo, S. Ghislain, Fountain, Pontigny, Anchin, Marchiennes, Moyen-Moutier, Farfa, Lobbes, Bonne-Espérance, Benediktbeuern, Jardinet, Beaupré, S. Corneille de Compiègne, Petersberg, S. Bertin, S. Amand, Trinità, Weissenburg; o l'uso presso *altre famiglie di religiosi* quali: i *Celestini* di Avignone, di Sens, di Metz; i *Domenicani* di Basilea, di Norimberga; i *Certosini* di Basilea, di Lovanio, di Portes, di Bourg-Notre-Dame; i *Canonici regolari di Sant'Agostino* di Brussel; i *Cistercensi* di Neuzell, di Esrom; i *Carmelitani* di Parigi, di Semur. Oltre alla presenza del *corpus homileticum gallicanum* in altri luoghi come: Windesheim, Bruwylre, Gembloux, Soissons, Lovanio, Cambron, Elsegem, Heilsbronn, Monte Amiata, Regensburg, Fleury, Reichenau, Münsterschovarzach, Altzelle, Croisiers, Silos, Wallingfow, Lanthony, Orval, Bursfeld, Vercelli, Ebersberg, Freising. Hohenwart, Polling, Besançon, Wittenbach, Stadtamhof, Tegernsee, Wessobrunn, Fleury, Pipperwell, Bodeken, Ripoll, Langres, Fulda, Blois, Foucarmont, Limoges, Bonport, Beaune, Corbie, Ottobeuren, Saint-Ouen de Rouen, Eberhards-Klausen, Bouhier, Clairvaux, Vicenza, Fleury, Saint-Germain-des-Prés, Cluny, Erfurt, Saint Thierry.

[41] Cfr. M. SIMONETTI, *Eusebio Gallicano*, in: *Dizionario Patristico e di Antichità cristiane* I, coll. 1300-1301.

[42] Quanto meno gratuita risulta la prima affermazione con la quale l'A. depista il lettore. Il Simonetti esordisce asserendo: « Con questo nome convenzionale *indichiamo* una raccolta, fatta in Gallia, di 76 omelie ... » (il *corsivo* è

raccolti e selezionati dal Glorie. Effettivamente il Simonetti, avver tendo che nelle 76 omelie « sono confluiti materiali di disparata provenienza » e che così come le possediamo esse rivelano « la presenza, oltre che di imprestiti letterali da più fonti, anche di mani diverse », minimizza l'eventuale valore del *corpus homileticum gallicanum*. Tra l'altro, l'esimio studioso afferma, senza dimostrazione alcuna, che « sono scarsi gli sviluppi propriamente scritturistici: anche quando l'omelia muove da un passo della Scrittura, l'interesse prevalente non è esegetico, ma morale e pratico, per edificare e istruire a livello elementare » [43].

Tale asserzione non entra in discussione con una precedente affermazione della Guillaumin secondo cui, al contrario, l'uso della Scrittura da parte del *corpus homileticum gallicanum* — vedi le citazioni scritturistiche dense e ben scelte — testimonia come il testo biblico sia commentato allegoricamente [44] e come il più delle volte, l'omileta analizzi le realtà spirituali che il testo biblico evoca sul soggetto di cui tratta [45]; anzi, l'operato di Cristo, che il cristiano deve imitare, è potenziato — scrive sempre la Guillaumin — nelle omelie che rivelano un carattere maggiormente biblico e liturgico [46].

Dinanzi a pareri così disparati — quelli del Simonetti, che asserisce senza pezze d'appoggio, e quelli della Guillaumin, caratterizzati da concreti riferimenti ai dati di fatto — ci sembra opportuno attenerci a un giudizio prudenziale che trova la sua radice di sostegno e di nutrimento in un principio ermeneutico basilare: non si può imprestare ad una fonte, sia pure frutto di selezione antologica, un criterio esegetico della parola di Dio proprio alla *mens* odierna. Infatti, se si provasse che « l'interesse morale e pratico, per edificare e istruire a livello elementare » nei riguardi della Scrittura e del suo uso, è quello adottato da compilatore del *corpus homileticum gallicanum*, tale interesse costituirebbe allora il metodo con il quale ci si deve accostare alla fonte e non si potrebbe asserire che « sono

---

nostro). Dato che la voce è inserita in un Dizionario il cui scopo è di essere « uno strumento d'uso immediato per ogni persona di una certa cultura, desiderosa di una informazione rapida e *precisa* su un qualsiasi argomento riguardante i primi otto secoli di storia del cristianesimo » (da *Presentazione* a firma di A. DI BERARDINO, *o.c.*, V), il lettore doveva trovare scritto: « Con questo nome convenzionale *comunemente viene indicata* una raccolta, ecc. ».

[43] M. SIMONETTI, *o.c.*, col. 1301.

[44] Cfr. M.L. GUILLAUMIN, *Eusèbe le Gaulois*, in: *Dictionnaire de Spiritualité ascétique et mystique. Doctrine et histoire*, IV/2, coll. 1695-1698. Alla col. 1696 asserisce: « Parfois le seul exposé des données de la foi, des *citations scripturaires denses et bien choisies* » (i *corsivi* sono sempre nostri) ...; « Parfois aussi le texte biblique est commenté allégoriquement » e per provare la sua asserzione rimanda alle *Hom* 4.5.

[45] Così scrive, sempre circa l'uso del testo biblico: « Le plus souvent cependant le prédicateur analyse les réalités spirituelles que lui évoque son sujet et exhorte les siens à progresser dans leur possession ». E come comprova rimanda alle *Hom* 10.58 (*ibidem*, coll. 1696-1697).

[46] Con riferimento alle *Hom* 4.5.8.14.

scarsi gli sviluppi propriamente scritturistici ». Tra l'altro, non è affatto vero che sono scarsi. Per scalzare una simile asserzione chiunque può ricorrere all'*Index locorum S. Scripturae* fornito dal Glorie nell'edizione critica [47], ed arriverebbe a dubitare, quanto meno, dell'affermazione del Simonetti. A meno che l'Autore abbia scritto con stile così brachilogico e personale da non riuscire ad esprimere quel che effettivamente intendeva dire o non condivida il tipo di esegesi biblica usato nel *corpus homileticum gallicanum.* Comunque, al di là di questa discrepanza tra i pareri degli studiosi, rimangono sicuri alcuni dati che, a vantaggio della nostra argomentazione, possiamo sintetizzare così:

* Esiste e circola, iniziando dai secoli VI-VII, una raccolta di omelie la cui silloge è stata composta nella Gallia. Questo *corpus homileticum gallicanum* è stato ripetutamente copiato nel Medioevo [48] e fu in uso specie nell'area gallo-franca, ma non solo in quella [49].

* Il *corpus homileticum gallicanum* non è, in certo modo, esente da farraginosità. Di questo parere, per esempio, sono il Tollu [50] e il Simonetti; quest'ultimo pone l'accento sull'eterogeneità della sua provenienza [51].

* Con il Glorie [52] anche noi ci teniamo a rilevare che non è questione di discutere la paternità del *corpus,* quanto piuttosto di prendere coscienza della sua esistenza, anzi « de facto » di un'esistenza specifica.

* Il *corpus* è testimone di uno stile di eloquenza, di un tipo di ascetica e di un contenuto spirituale [53], ma anche di una certa teologia.

---

[47] Si veda: CCL 101B, 983-1041. Tra l'altro, il Glorie contrassegna con asterisco i *loci* che si distanziano dal testo della Volgata che Eusebio « Gallicano » non usa di per sé. Si rifà ad un testo latino precedente alla Volgata. Sono ben pochi i libri scritturistici (secondo il classico « canone ») che non sono usati nel *corpus homileticum gallicanum.*

[48] Dai citati (alla nota 40) *Conspectus,* e *Stemma Codicum,* si apprende che dal sec. VI al sec. XV i codici contenenti o tutto il *corpus* o parti del medesimo venivano copiati e moltiplicati. La Guillaumin (*o.c.,* col. 1697) scrive a proposito delle omedie *ad monachos*: « De fait, ils sont été très (les manuscrits, d'ailleurs toujours incomplets, sont très nombreux) en on fait l'objet de plusieurs éditions partielles, d'importantes études et même d'une insertion tardive dans l'homiliaire de Paul Diacre ».

[49] Lo si può dedurre « grosso modo » dall'elenco delle città, abbazie, centri ecc., che testimoniano la presenza dei manoscritti del *corpus homileticum gallicanum* e presumibilmente il loro uso. Si veda, sopra, l'elenco indicativo alla nota 40.

[50] Il Tollu (*o.c.,* col. 709) asserisce: « L'auteur se trouvait sans doute en face de documents mal classés, altérés déjà par les ans; il a constitué son recueil en insérant des additions de sa main non sans maladresse ».

[51] Afferma il Simonetti (*o.c.,* col. 1300): « Così come l'abbiamo (la raccolta), rivela la presenza, oltre che di imprestiti letterali da più fonti, anche di mani diverse ».

[52] Si veda, sopra, la nota 30.

[53] Si vedano le affermazioni del Tollu (sopra nota 38) riprese dall'Aubert (*o.c.,* alla nota 39) e la trattazione della Guillaumin (*o.c.,* specie coll. 1696-1697 = *Contenu spirituel*).

A questi dati di fatto noi aggiungiamo altre constatazioni che non crediamo inutili né peregrine, ma capaci di aiutarci a circoscrivere la forza probante delle affermazioni di cui il *corpus homileticum gallicanum* si fa vettore.

**) Il *corpus homileticum gallicanum* è stato redatto con una *mens theologica* tipica. Questo lo si può comprovare, tra l'altro, dalla *concordantia* che il lettore può compulsare grazie al prezioso strumento fornito dal Glorie. Alludiamo all'indice dei temi trattati dal *corpus* stesso [54]. Se questo sia stato messo assieme — come vorrebbe il Simonetti — « ... con cura, tenendo presente il basso livello religioso e culturale della gente d'allora, per cui la forma è semplice, sono evitate troppe ripetizioni, sono stati scelti testi interessanti soprattutto dal lato morale e ascetico » [55], non sappiamo. O meglio, ci sembra che l'affermazione del Simonetti andrebbe provata con argomenti adeguati. Infatti, se il *corpus* testimoniasse un « basso livello religioso e culturale », bisognerebbe dimostrare da dove proviene l'interesse che il *corpus* stesso ha suscitato anche in epoca e in territorio diversi da quelli della sua redazione. Né si potrebbe dire che per 700 anni e più (quanti sono quelli testimoniati dalla diffusione e dall'uso del *corpus*) il livello religioso e culturale sia stato sempre così basso da saziarsi solo di briciole!

**) Probabilmente la *mens theologica* tipica del suturatore delle omelie è stata determinata da finalità apologetico-pastorali. In altri termini, il criterio di scelta e di composizione del *corpus homileticum gallicanum* è da ricercarsi in una determinata formazione dell'amanuense-omileta rilevabile dalla conoscenza e dalla notevole dimestichezza con un ponderoso materiale omiletico preesistente e che egli redige per diffondere idee capaci di controbattere ed estirpare determinati errori. Questi serpeggiano nell'ambiente a lui noto e riguardano la Persona divina di Cristo, la compagine della Chiesa, certe questioni sulla Grazia e il modello di vita che il cristiano deve ricalcare. Tutto questo lo si può dedurre *sia* dall'indice di argomenti messo in risalto dal Glorie [56], *sia* dalle scelte preferenzialmente operate *su* o *da* omelie di Padri e scrittori che già avevano dovuto in precedenza interessarsi degli stessi argomenti che stavano a cuore al compilatore [57], *sia* dalla *concordantia eusebiana,* ovvero *concordantia* del *corpus homileticum gallicanum.*

---

[54] Cfr. CCL 101B, 1109-1293 (= *Index nominum et rerum et verborum selectorum*).

[55] Cfr. M. SIMONETTI, *o.c.,* col. 1301.

[56] Cfr. nota 54.

[57] Il lettore e lo studioso oggi, grazie al Glorie, possono avvantaggiarsi *sia* degli *Indices* quali: *Index Auctorum* (= CCL 101B, 1403-1083), *Index redintegrationum et locorum parallelorum* (= CCL 101B, 1097-1108), *sia* del primo settore dell'apparato critico in calce ai testi, dove il Glorie riporta i paralleli verbali (o concettuali) con le fonti precedenti al *corpus homileticum gallicanum.*

Con il termine *concordantia* intendiamo riferirci alle ripetute citazioni interne per le quali il compilatore del *corpus* adopera non solo il materiale altrui, ma anche il proprio.

In questo senso sarebbe priva di fondamento l'affermazione del Simonetti qui sopra testualmente riferita: « sono evitate troppe ripetizioni » [58]. Al contrario, dagli utilissimi indici forniti dal Glorie si possono contare le volte che il materiale del *corpus* in questione si ripete.

**) E' in base a questa seconda nostra constatazione che il *corpus homileticum gallicanum* può dirsi un *unicum* proprio là dove, in un corpo di omelie che si può concedere siano copiate o mutuate da altro materiale, inserisce brani che sono esclusivamente espressione della sua *mens*. Come si vedrà più avanti, per quanto concerne la maternità feconda di Maria Vergine e della Chiesa, il *corpus* è testimone di un pensiero suo, detentore di una tonalità teologico-contenutistica di notevole importanza.

**) Inoltre, da un punto di vista strutturale, il *corpus homileticum gallicanum* può dirsi testimone di uno *specificum* in quanto il susseguirsi delle omelie nell'arco dell'anno liturgico, così come si trovano in questa silloge, non è presente altrove.

**) Ma proprio il fatto che queste omelie sono state scritte *per essere predicate* nel corso di un'azione liturgica (ed effettivamente *venivano predicate*), sposta decisamente la questione del loro valore probante in un settore speciale.

1.2.2. *Il « corpus homileticum gallicanum » è un « corpus liturgicum »?*

Volendo distinguere le 76 omelie edite dal Glorie secondo la loro destinazione o secondo il loro uso, si potrebbe dividerle in due gruppi. Un primo gruppo comprenderebbe le omelie *direttamente liturgiche* perché destinate per l'anno liturgico *sia* per le feste dell'anno ecclesiastico, *sia* per le ricorrenze delle feste di Santi (ciclo eortologico). A questo primo gruppo si affiancherebbero quelle *indirettamente liturgiche* perché destinate a ricorrenze tipiche o a situazioni particolari.

Alla seconda catalogazione apparterrebbero:

(*) Quelle che riguardano *situazioni di persone*, come le 10 omelie *ad monachos* (*Hom* 35-45); il *sermo in depositione sacerdotis dicendus* (*Hom* 51), la *exhortatio et castigatio ad plebem* (*Hom* 53); *de paenitentia* (*ad paenitentes*) (*Hom* 58); *sermo dicendus in ordinatione sacerdotis* (*Hom* 65); *de eo quod idola coli non debent et de resurrectione* (*Hom* 59); *sermo cum, post alicuius necessitatis curam, ad urbem suam sacerdos advenerit* (*Hom* 63); ecc.

(**) Quelle redatte per *commentare versetti tipici* del Vangelo, come: *de vidua « quae duo aera in gazophylacium misit » expec-*

[58] Riferimento alla nota 55.

tante domino (*Hom* 46); *de eo quod de domino dicitur*: « *arundinem quassatam non confringet* » (*Hom* 50; *sermo de eo quod ait*: « *ubi duo vel tres fuerint congregati in nomine meo, ibi sum et ego in medio eorum* » (*Hom* 52); *de eo quod ait* « *ecce quam bonum et quam iucundum habitare fratres in unum* » (*Hom* 54); ecc.

(***) Quelle che si presentano come esortative; ad es.: *Hom* 60. 61. 62. 73. 74. 75.

Tra queste che sono *indirettamente liturgiche* non è escluso che alcune possano essere state usate sia durante sia anche al di fuori di celebrazioni strettamente liturgiche. Forse quelle *ad monachos* servivano a mettere alla portata di tutti i tesori del cenobitismo, quasi una volgarizzazione [59] della dottrina del maestro Cassiano Giovanni contenuta nelle sue *Institutiones* e *Conlationes,* non a tutti accessibili [60]. E' certo però che alcune appartenenti a questa categoria erano usate durante la celebrazione liturgica, come l'*Hom* 65 per l'ordinazione del sacerdote.

Senza dubbio erano destinate ad un'azione liturgica le omelie da noi dette *direttamente liturgiche,* che sono:

Ciclo dei « Mysteria Domini et Ecclesiae »	Ciclo eortologico
De Natale Domini: *Hom* 1-2	
	De S. Stephano protomartyre *Hom* 3
De Epiphania Domini: *Hom* 4-7	
De Quadragesima: *Hom* 8	
De Symbolo: *Hom* 9-10. 76	
	De S. Blandina Lugdunensi: *Hom* 11
De Pascha: *Hom* 12. 12A-23	
	De latrone beato ...: *Hom* 24
De litaniis: *Hom* 25	
De paenitentia Ninivitarum: *Hom* 26	
De Ascensione Domini: *Hom* 27-28	
De Pentecosten: *Hom* 29	
	De S. Iohanne Baptista: *Hom* 30-31
	De Machabeis: *Hom* 32
	In Natale apostolorum Petri et Pauli: *Hom* 33
De Trinitate: *Hom* 34	
	De S. Maximo episcopo et abbate: *Hom* 35

[59] Di questo parere è la Guillaumin (*o.c.*, col. 1697).

[60] Cfr. V. SAXER, *Cassiano Giovanni,* in: *Dizionario Patristico e di Antichità Cristiane* I, coll. 614-617.

In natale ecclesiae: *Hom* 47-48 *In dedicatione ecclesiae*: *Hom* 49	*De SS. Martyribus Ephypodio et Alexandro*: *Hom* 55 *De Natale S. Genesii*: *Hom* 56 *De S. Romano Martyre*: *Hom* 57 *In depositione S. Honorati episcopi*: *Hom* 72

Il valore probante delle omelie considerate nel loro insieme è da ricercarsi nel dato di fatto che il loro uso ha contribuito a creare il *sensus fidelium* delle generazioni che le hanno sentite spiegare. Ciò varrebbe anche qualora si supponesse che non siano state pronunciate così come suonano, ma che servissero ai presbiteri e ai vescovi come un manuale o prontuario di predicazione. Tuttavia, al di là di questo valore generico bisogna rilevare che, per quel tanto che il *corpus homileticum gallicanum* coincise di fatto con il suo uso nel corso della celebrazione eucaristica o di altri sacramenti (si veda l'ordinazione del sacerdote) o di sacramentali (si veda la *depositio*), ecc., si dovrebbe impostare da capo l'intero discorso della forza probante del *corpus liturgicum* costituito da queste omelie.

In questo senso le omelie, con i rispettivi dati di cui diremo qui sotto [2] dovrebbero essere investite di una forza cogente particolare. Esse non solo servono per provare la *lex credendi* propria alle chiese locali della Gallia, bensì sottolineano anche un atteggiamento tipico della *lex vivendi* che coinvolgeva i singoli fedeli. Dall'*humus* della *lex vivendi*, con il quale si creava e si potenziava il *sensus fidelium*, i fedeli stessi alimentavano la loro preghiera. La *lex orandi* ratificava a sua volta la *lex credendi* e la *lex vivendi*. In altri termini, tra la *lex vivendi*, la *lex credendi* e la *lex orandi* si creava un'osmosi recircolativa, per cui alla legge della preghiera giungeva la forza derivante dal fatto di essere espressione di tutta la vita della Chiesa, che a sua volta ratifica la legge della fede.

E' sotteso a questo problema del valore delle fonti, che noi intendiamo analizzare per l'assunto della nostra tematica, l'altro più importante che fa approdare il discorso al valore delle fonti liturgiche.

Si tratta semplicemente non di fonti disponibili tra le tante cui attingere argomenti per provare qualcosa della verità di fede. Né semplicemente sono fonti che godano vantaggi peculiari, in quanto il soggetto responsabile delle espressioni veicolate dalle fonti sarebbe una chiesa locale, o più chiese locali. Non si tratta nemmeno di soffermarsi a sottolineare che la liturgia è il terreno fecondo e inesauribile d'ogni « fides quarens intellectum », né di accontentarsi di asserire che l'importanza delle fonti liturgiche proverrebbe dal loro porsi in relazione diretta con le realtà storico-salvifiche che trovano nella liturgia il *locus* della loro concreta attuazione.

Infatti, dato che la liturgia *è simultaneamente*: 1) Fede vissuta perché celebrata, celebrata perché creduta, creduta perché compresa, pur restando aperta ad ulteriori comprensioni, e: 2) Parola di Dio celebrata ed esistenzialmente attuata, allora la fonte liturgica non può essere dotata di una forza o di un valore probanti di tipo unicamente statico, bensì vitale-ecclesiale.

Il *corpus homileticum gallicanum,* in quanto e per quel tanto che è anche un *corpus liturgicum,* è testimone del modo con cui diverse chiese locali si sono realizzate come « ecclesiae » nel celebrare quanto professavano perché credevano (« fides ex auditu »). Di qui si comprende come mai, dopo l'analisi delle omelie di cui ci interessiamo [2], potremo concludere con una ulteriore serie di riflessioni [3] circa il rapporto tra la « professio fidei », la « confessio fidei » e la « celebratio fidei » sul tema affrontato.

2. LA MATERNITA' DI MARIA E DELLA CHIESA « SANCTO SPIRITU FECUNDANTE »

Dato che il *corpus homileticum gallicanum* noi lo consideriamo in quanto *corpus liturgicum,* ci piace introdurre la parte analitica (vertente sul nostro tema) delle omelie, che costituiscono parte della celebrazione, ricordando che già le antiche liturgie occidentali ratificavano e fomentavano con la *lex orandi* il comune *sensus fidelium* circa l'azione fecondante dello Spirito Santo in relazione sia a Maria sia alla Chiesa, le cui rispettive maternità la *lex orandi* ha sempre ravvicinate. Mentre la preghiera radicava sempre più la *lex credendi,* questa nel tessuto ecclesiale diveniva comune possesso della *vita fidelium.*

Maternità della Chiesa e maternità di Maria, dipendenti dalla presenza ed azione dello Spirito Santo, davano modo alla *fides catholica* di salvaguardarsi dagli errori cristologici, trinitari ed ecclesiologici che serpeggiavano nell'antichità.

Maria ha portato Cristo Vita nel suo grembo verginale e la Chiesa, a sua volta, genera la vita nel fonte battesimale [61]. Questo è fecondato dalla forza dello Spirito Santo [62]. Egli ha fecondato Maria così

[61] Citando solo qualche preghiera propria delle antiche liturgie occidentali, qui ricordo dalla *liturgia ispano-visigotica* un'orazione (*missa*) del formulario per la celebrazione dell'Eucaristia a Natale: « Te, Domine Christe Ihesu ... Non petimus renovari nobis, sicut in hac die olim acta est, corporalem nativitatem tuam; sed petimus incorporari nobis invisibilem divinitatem tuam. Quod prestitum est carnaliter sed singulariter tunc Marie, nunc spiritaliter prestetur Ecclesie: ut te fides indubitata concipiat; te mens de corruptione liberata parturiat; te semper anima virtute Altissimi obumbrata contineat. Ne discedas a nobis, sed procedas ex nobis [cfr. M. Férotin (éd.), *Le Liber Mozarabicus Sacramentorum* (Paris 1912) nr. 111].

[62] Si veda, per esempio, la testimonianza liturgica più esplicita e più antica propria dell'ambito della *liturgia* in uso anche *a Roma.* Si tratta dell'orazione

come feconda l'utero verginale della Chiesa, dal quale nasce una progenie divina, destinata al cielo [63].

Di questa poliedrica verità è testimone anche il *corpus homileticum gallicanum,* specialmente in due omelie che vorremmo presentare brevemente, per poi discuterne i dati. E, tra questi dati, due iniziali sono di notevole spessore contenutistico.

* Inserendosi bellamente, come un anello di continuazione vitale di un filone salutifero per la *vita fidelium,* nella scia della perenne *traditio christiana* autentica e genuina, il *corpus* è erede fedele di quanto è trasmesso del e dal *depositum fidei.*

** A sua volta, con la diffusione e con l'uso che godette per tutto il Medioevo, il *corpus homileticum gallicanum* rese un servizio prezioso alle verità di cui è stato eccellente veicolo. Qui si inserirebbe una pista di ricerca sull'influsso delle omelie del *corpus gallicanum* nei confronti della *mens* dei teologi e degli scrittori del Medioevo a proposito delle verità che con tanta insistenza vi si professano [64].

Lasciando ad altra sede (o ad altri ricercatori) lo studio della rete di interdipendenze creatasi per tramite della conoscenza del

---

per la benedizione del fonte battesimale che prega: « Discendat in hanc plenitudinem fontis virtus spiritus tui et totam huius aquae substantiam regenerandis fecundet effectu. Hic omnium peccatorum maculae deleantur. Hic natura ad imaginem tuam condita et ad honorem sui reformata principiis cunctis vetustatis squaloribus emundetur, ut omnis homo hoc sacramentum regenerationis ingressus in vera innocentia nova infantia renascatur: per dominum nostrum Iesum Christum ... ». [Cfr. L.C. Mohlberg (- L. Eizenhöfer - P. Siffrini (edd.), *Liber sacramentorum romanae aeclesiae ordinis anni circuli* (*Cod. Vat. Reg. lat. 316/Paris, Bibl. Nat. 7193,41/56*). (*Sacramentarium Gelasianum*) (Roma 1960) nr. 448].

[63] Dalla *liturgia ambrosiana,* di ieri e di oggi, è incisiva l'espressione del prefazio per la messa della dedicazione della Chiesa e regina e sposa e madre: « VD. Per xpm dominum nostrum. qui eminentiam potestatis acceptae ecclesiae tradidit. quam pro honore percepto. et reginam et sponsam. Cuius sublimitati universa subiecit. ad cuius iudicium consentire iussit e caelo. Haec est mater omnium viventium filiorum numero facta sublimior. quae per spiritum sanctum cotidie deo filios procreat ». [Cfr. A. Paredi (ed.), *Sacramentarium Bergomense. Manoscritto del secolo IX della Biblioteca di S. Alessandro in Colonna in Bergamo* (Bergamo 1962) nr. 1234]. L'espressione della liturgia ambrosiana fa eco a quella di S. Ambrogio: « Mater ... viventium ecclesia est » [Cfr. Ambrosius, *Expositio evangelii secundum Lucam* II, 86 (= CCL 14, 443; *CSEL* 32,4, 91]. Si veda anche l'introduzione alla benedizione del fonte battesimale nel *Sacramentarium Gelasianum Vetus* (*o.c.,* alla nota precedente, nr. 445). A tutti è nota l'iscrizione al peristilio della fila di colonne nel « Battistero » lateranense, il cui testo esordisce con l'esclamazione: « Un popolo consacrato al cielo è germogliato qui da un seme sublime, è lo Spirito che lo genera da una sorgente fecondata (...). La Chiesa che genera in modo verginale da queste acque rilascia dei figli, dopo averli concepiti come embrione per il soffio divino ... » [Cfr. E. Diehl, *Inscriptiones latinae christianae veteres* I (Berlin 1926) nr. 1513].

[64] Ecco perché ci siamo permessi di riportare (si veda, sopra, la nota 40) le città che testimoniano la presenza dei manoscritti del *corpus* (o di una loro parte) e i luoghi che effettivamente testimoniano l'uso del *corpus* stesso.

corpus nel fluire del tempo, consideriamo qui la tematica della maternità di Maria e della Chiesa.

2.1. Hom 2 e Hom 15 [65], le omelie più direttamente pertinenti al nostro tema

Queste omelie sono state preparate rispettivamente per due ricorrenze-chiave nell'arco dell'anno liturgico. L'*Hom* 2 è la seconda che il *corpus* riporta per la nascita del Signore (= *Hom II De Natale Domini*) [66]. L'*Hom* 15 è la quarta riportata per la Pasqua (= *Homilia IV De Pascha*) [67]. Questo dato di fatto è, da un punto di vista liturgico, di notevole interesse. Infatti il contenuto tematico della maternità rispettivamente di Maria e della Chiesa inculcata e professata dalle omelie fa perno e si innerva nei due misteri (cioè fatti storico-salvifici) della fede cattolica: « Incarnazione-Nascita » del Verbo fatto carne e « Passione-Morte-Risurrezione » di Cristo. Attorno a queste due verità basilari, la suaccennata *mens theologica* del « suturatore-raccoglitore » del *corpus homileticum gallicanum* si rivela tipica di un compositore che sa il fatto suo. Si aggiunga che la stessa *concordantia,* alla quale abbiamo già accennato [68], testimonia l'inclinazione e la preferenza teologica dell'Autore che di quando in quando si ripete, copiando sé stesso, sia pure con diverse sfumature. Questo fenomeno di auto-ripetizione e di auto-copiatura lo consideriamo una spia di notevole interesse, anche per approdare all'affermazione che dietro al *corpus homileticum gallicanum* esiste di fatto un autore o suturatore o amanuense o compilatore che dir si voglia, ma pur sempre un facitore che fa aumentare (= autore nel senso etimologico) il *depositum homileticum* arricchendolo di contenuti.

2.1.1. *Presentazione delle tematiche delle due omelie*

(*) La prima di nostro interesse è l'*Homilia* 2: *II De Natale Domini,* che comprende fondamentalmente cinque idee, quanti sono i paragrafi della stessa edizione critica. Ecco il succedersi delle tematiche:

— *Hom* 2,1 Oggi è il Natale del Signore: serve all'omileta come *prologo* per ambientare il giorno liturgico del Natale del Signore; prendendo le mosse da *Ps* 117, 24, « Haec est dies quam fecit

[65] Per la questione della numerazione delle omelie si veda sopra, nota 2. Qui sottolineiamo che la nostra cifra arabica si riferisce alla nuova numerazione progressiva adottata dall'editore Glorie.

[66] Cfr. CCL 101,21-27.

[67] Cfr. CCL 101, 173-180.

[68] Si veda sopra 1.2.1, ai rimandi in corpo delle note 56 e 57.

Dominus », e parafrasando *Phil* 2,7, « Haec est dies in qua factus est Dominus », può asserire che « haec itaque dies origini rerum originem dedit in se nasci suum mirata principium »[69].

— *Hom* 2,2: La luce, che è Cristo, è portata dal Cristo che ha scelto questo giorno per nascere perché è Dio. L'Autore, giocando sull'antitesi tra « luce e tenebre » e rifacendosi continuamente alla sacra Scrittura[70], può asserire che « Hodie enim noctis damna, in diei transeunt lucra ». La « fides nostra velut dies luceat, velut meridies ferveat » per mezzo delle opere buone.

— *Hom* 2,3: La « nativitas dominica » è una « novitas » perché Colei che genera è una sempre-Vergine, per mezzo dello Spirito Santo[71], e Colui che nasce è un uomo-Dio. « Recedat ergo omnis infidelitas ».

— *Hom* 2,4: E' un inno parenetico a Maria: « Agnosce, o vere beata Maria, gloriam tuam! Exulta, mater salutis humanae! »[72]. I paragrafi 3-4 sono di estremo interesse per il nostro tema. Avvertiamo che il paragrafo 3 trova paralleli in altri scritti precedenti al *corpus*, mentre il paragrafo 4 è frutto di un autore devoto di Maria e conoscitore della teologia, oltre che mistico, cioè il compositore del *corpus homileticum* in questione.

— *Hom* 2,5: Esaltazione dell'*Homo-Deus*: « pro nostra salute misericors humiliata maiestas ». Egli, che possiede una *duplex natura*, è « *una Persona, lux* ipsa, agnus Dei, victima: qui et sacerdotem egit et semetipsum offerendo et sacrificium moriendo »[73].

Da un punto di *vista stilistico*[74] si ha un'*auxesis* oratoria creata con la *prolusio* (2,1), ambientativa della tematica del giorno di Natale, che illumina la vita: « Hodie nox .. minoratur, et dies additus luce producitur » (2,2). Anzi, la vita del fedele deve essere luminosa di opere buone. L'*auxesis* dedica dapprima l'attenzione a Maria di cui « quid primum mirer, quidve postremum: quod sine conceptu

---

[69] Qui *Hom* 2,1,23 dipende da EUSEBIO Alessandrino, *Sermo* 14,1 [= *PG* 86, 416B]. Si veda sopra lo studio di J.-B. LEROY - F. GLORIE, *o.c.*, alla nota 33. A sua volta l'*Hom* 20,1,239 riprende lo stesso concetto. Si noti che l'*Hom* 20 è la *IX De Pascha*.

[70] L'apparato dell'edizione critica, quasi puntigliosamente, rimanda alle seguenti citazioni o dirette o per allusione: *Rom* 13,12.13; *Ioh* 12,36; *Eph* 5,8; *1Thess* 5,5; *Lc* 12,35.

[71] In questo paragrafo 3°, asserzioni di interesse anche per il nostro tema le ritroviamo in: *Hom* 22,4; *Hom* 1,5; *Hom* 5,5; *Hom* 9,3; *Hom* 14,1; *Hom* 15,3; *Hom* 20,2; *Hom* 22,4; *Hom* 23,2; *Hom* 27,4; *Hom* 30,3.

[72] In questo paragrafo 4°, l'ispirazione alla S. Scrittura è evidenziata dall'apparato critico così: *Lc* 1,30-33.41-43; *1Tim* 4,10. E un parallelo con *Hom* 1,5 e ps.-FAUSTO, *Sermo* II (= *CSEL* 21,228).

[73] L'apparato critico indica l'ispirazione alla S. Scrittura: *Act* 2, 22 e.a.; *Ioh* 1,14.29; 3,19; *1Cor* 8,6, e a diverse professioni di fede (Simbolo *Quicumque; Niceno*, ecc.) nonché a passi di scritti di sette Padri precedenti al *corpus homileticum gallicanum*.

[74] Per questo settore si veda il classico lavoro di: H. LAUSBERG, *Handbuch der literarischen Rhetorik. Eine Grundlegung der Literaturwissenschaft* 2 voll. (München 1960).

est collata fecunditas, an quod per partum magis est glorificata virginitas? » (2,3). Per Maria stessa la *amplificatio* della lode della sua persona (2,4) cresce in ragione della *amplificatio* che l'omileta intende fare della Persona del Figlio. L'inno parenetico di Maria (2,4) è solamente in funzione dell'*inclusio* (2,5) che segna l'apice dell'*elocutio* oratoria simultaneamente apice del contenuto teologico: la Persona divina con due nature, cioè Cristo Gesù. Lo stile è a servizio del contenuto.

Da un punto di *vista contenutistico*, l'omelia è permeata di preoccupazione apologetica difensiva della Persona di Cristo. Si direbbe che l'omelia sia eminentemente antiariana e antisemiariana. Di contraccolpo è marianocentrica. Di Maria si deve dire per poter dire di Cristo. Ma Cristo è Uomo-Dio perché dapprima è vero che Maria è Madre-Vergine. Ad un uomo si addice una Madre; a Dio si addice una Vergine. Chi intacca o inficia una di queste quattro verità: *Gesù Cristo*: 1) Uomo- 2) Dio; *Maria*: 3) Madre- 4) Vergine, è sotto ogni aspetto eretico. Ma se un credente riconosce che Maria è Vergine-Madre, per opera dello Spirito, deve di conseguenza (« ergo ») rigettare « omnis infidelitas », perché deve ammettere che Gesù è Uomo-Dio, Cristo per opera dello Spirito.

In questo contesto i due paragrafi (3-4) dell'*Hom* 2 dedicati a Maria contengono preziose affermazioni. Per non deturpare il testo, lo riporteremo per esteso più avanti [2.1.2].

(**) La seconda omelia di diretto ed esplicito interesse per il nostro tema è l'*Homilia* 15 nel suo terzo paragrafo, ossia l'*Homilia 15: IV De Pascha* [75].

Nell'edizione critica qui utilizzata, l'omelia contempla 7 paragrafi, la cui analisi ci permette di fornire l'ambientazione del paragrafo che ci interessa.

— *Hom* 15,1: E' la *prolusio*. La « sacrosancta sollemnitas » che si celebra è la Pasqua (« hebraice *phase*, graece *pascha*, latine *transitus* »).

— *Hom* 15,2: La vera Pasqua si realizza nel Battesimo. Partendo dalla spiegazione del termine *transitus*, viene ripercorsa in modo conciso la storia della salvezza per dimostrare che al passaggio del Mare *Rosso* si sostituisce il vero passaggio, quello dalla *servitus* alla *libertas*, dalla *iniquitas* alla *iustitia*, dalla *culpa* alla *gratia* per mezzo delle onde vitali, *rosseggianti* perché consacrate dal sangue di Cristo. Il prodigioso evento del Battesimo è illustrato con molto risalto *sia* richiamando l'azione che si compie *uno momento, operante velociter deo, intra aquarum sinus*, sia soffermandosi sulle antitesi tra il prima e il dopo della realtà del fedele battezzato [76].

---

[75] Ricordiamo che la *Patrologia latina* 67, 1047C-1050A riprende il testo da M. De La Bigne, *Maxima Bibliotheca veterum Patrum et antiquorum scriptorum ecclesiasticorum* 8, coll. 823C-834C.

[76] Notiamo che in questo paragrafo l'*Hom* 15,2 si ispira e si richiama a *Ex* 12,11; 14,21-25; *Ps* 105, 11; *Ioh* 5,24; *1Ioh* 3,14; *Rom* 6,4. Inoltre il paragrafo è parallelo all'*Hom* 20,4 (= *De Pascha IX*) e denota una mano tipica.

— *Hom* 15,3: Nel contesto delle cose meravigliose e strabilianti che si operano nel Battesimo si inserisce l'elogio della Maternità Verginale di Maria che, come la Chiesa, genera in modo prodigioso. Per cui: « Gaudeat Christi ecclesia, quae ad similitudinem prolis efficitur ».

L'omileta ricorda che deve, in conseguenza, cessare l'« infidelium caecus error » (= si legga: l'errore degli elvidiani [77]) che intacca la Verginità di Maria ed anche quello di chi non ammette la risurrezione dai morti (si legga: quello dei priscillianisti [78]) perché « quod ergo putabas a saeculis miraculum singulare, iam munus annuum recognosce » nel Battesimo. Si rinsaldi la fede di ognuno in Maria, che « filium sine peccato genuit », e nella Chiesa, che « in his quos generavit peccata consumpsit ».

Questo paragrafo, che fa ricorso o si ispira alla sacra Scrittura [79] e ha riscontri paralleli in testi patristici o sinodali precedenti [80], riflette la *mens* propria del *corpus homileticum gallicanum* [81]. Lo riporteremo integralmente più innanzi [2.1.2].

— *Hom* 15,4: L'oratore-predicatore, preoccupato di difendere la verità, con arte ed argomentazioni di tipo retorico, incisivamente suasive, dimostra l'assurdità degli errori dei priscillianisti.

— *Hom* 15,5: Ritorna sull'importanza, natura, valore, effetti del Battesimo: « Cautionem enim et pactum in baptismo cum Christo fecimus: ut homo illi servaret innocentiam, et ille homini redderet gloriam: famulus servitium offerret, et dominus regnum pararet ».

— *Hom* 15,6: Con un testo che si rifà a passi biblici [82], vengono illustrati ulteriori aspetti della Pasqua, presenti nel Battesimo. L'uomo « proscriptus », solo per mezzo di Cristo, che affigge il titolo della salvezza sul redento, è reso nuovo. Importante in questo contesto è il segno della Croce, che per i salvi è pegno di redenzione: « Haec est illa crux: quam in postibus regiis id est signatam in fronte gestamus » tanto che il battezzato diventa *domus divina, templum dei.*

— *Hom* 15,7: Con una descrizione in crescendo degli effetti del Battesimo connesso con la vera nostra Pasqua, l'omelia si chiude

---

77 Si veda S. ZINCONE, *Elvidio,* in: *Dizionario Patristico e di Antichità cristiane* I, coll. 1143-1144. [Ricordiamo che Gennadio di Marsiglia, e, specialmente, Gerolamo con la sua opera *Adversus Helvidium de perpetua virginitate b. Mariae* oppugnarono l'eresia elvidiana].

78 Si veda la sintesi di M. SIMONETTI, *Priscilliano-Priscillianismo* in: *o.c.,* II, coll. 2905-2907.

79 Fà uso diretto o per ispirazione di: *Gal* 4,4; *Ioh* 1,1; *Is* 7,14; *Matth* 1,23.25; *Luc* 1,31; 2,7.

80 Il Glorie si premura di ricordare Massimo di Torino, Gennadio di Marsiglia e il Simbolo Niceno e il I Concilio di Toledo.

81 Ritrova paralleli in: *Hom* 10,4.11; *Hom* 34,5; *Hom* 49,6 e nel *Simbolo Gallicano* 3 (che anche secondo il Glorie fa parte del *corpus* in questione).

82 Precisamente *Ex* 12,1.13; 28,38; *Ez* 9,4; 45,19; *Apoc* 9,4; 14,1; 22,4; *2Cor* 6,16; *1Cor* 3,16; *Rom* 3,8; 8,9.

con un testo [83] che è una mirabile sintesi catechetico-liturgica sui pregi della vita cristiana, specie sui vantaggi della fede, della libertà, della grazia di Dio, della finalità della vita dei fedeli protesa alla gloria.

Da un punto di *vista stilistico*, anche questa omelia fa ricorso a diverse figure retoriche per risultare incisiva e produrre, con l'ascolto, l'assimilazione delle verità che proclama. Tenendo presente che l'omelia è parte dell'azione liturgica, si comprenderà come, nell'insieme del succedersi delle parti dell'Eucaristia, essa risultasse uno dei « pezzi » di maggior effetto e di più facile assimilazione da parte dei fedeli.

Dal punto di *vista contenutistico* l'Autore, oltre che mostrarsi seminatore di verità, è preoccupato di ratificare la verità già presente nel vissuto ecclesiale e di difenderla dalle insidie dell'errore. Un errore che, al tempo della redazione (o frutto di suturazione) del testo, è plausibile ritenere fosse presente nel tessuto ecclesiale. Forse non così accentuato in seguito, quando dell'omelia si sono serviti gli omileti che ricorrevano al *corpus homileticum gallicanum* come a un « predicabile », ossia come a un manuale-prontuario di predicazione. Il tutto, però, non sminuisce l'importanza e il valore del contenuto di cui il testo è depositario, prima ancora d'essere trasmettitore.

2.1.2. *Il testo delle Hom 2, 3-4, e Hom 15,3*

Come si è accennato più sopra, per non deturpare la concisione, la bellezza, la pregnanza del testo, riportiamo integralmente i paragrafi direttamente interessati al nostro tema.

Hom 2: *De Natale Domini* [84]

3. Sed licet ipsam natiuitatis dominicae nouitatem propius
30 intueri. Ecce itaque absque ullius seminis incremento de intacta ac rudi terra fecundum germen ascendit, et de radice mortali uitae arbor effloruit et salutifera propago nullo plantante processit. Obstupescit natura rerum: *Virgo* procreat sobolem, nullum procreandae sobolis experta consortem; et
35 uenienti in uitam homini per unius confertur mysterium munus duorum: creator ex creatura sua nascitur, et fructus uteri sui mater innupta miratur, ac femina auctoris sui auctor efficitur! Quid primum mirer, quidue postremum: quod sine conceptu est collata fecunditas, an quod per partum magis est
40 glorificata uirginitas? Sed non mirum est, si ita *peperit*: talis enim erat ille cui nupserat; ait enim angelus stupenti Mariae: *Spiritus sanctus superueniet in te et uirtus altissimi obumbrabit tibi.* Ecce praebitura deo nascenti corporis sui habitaculum, prius mente efficitur dei templum; subsequitur euangelis-

[84] *Hom* 2,3,24-25; 2,4, 26-27.

[83] Anche questo paragrafo, citando o ispirandosi a *2Cor* 3,2.3, non ha riscontri in altri testi patristici ad esso precedenti.

45 ta dicens: *Et beata quae credidisti.* Videamus ergo an simplicem nobis hominem nasci indicat ordo ipse nascendi: filius uirgini ab angelo promittitur, ab spiritu sancto donatur, et quasi *uere deus* credendo concipitur; non ergo usquequaque mirerum, si is, qui fidei semine acquiritur, salua materni pudoris fide
50 inuiolabiliter procreatur. Itaque, ut ad euangelium recurramus, miraculum illud, quod euangelista protulit tempore resurrectionis, digne mihi usurpem etiam tempore natiuitatis, cum Iohanne dicendo: *Venit Iesus ianuis clausis et stetit in medio.* Ecce iam nunc *ianuis clausis* processit in mundo,
55 materni pudoris signaculo minime resignato; simulque illud impletur propheticum Hiezechielis oraculum: *Et porta erat clausa, et non est aperta quia dominus transiuit per eam.* Eadem nunc potentia mundi istius ianuam per partum inuiolatae matris intrauit, qua postmodum ad discipulos clausis foribus
60 penetrauit. Quid hic rationem quaerimus? quid intellectum fatigamus humanum? *generationem eius quis enarrabit?* quid nouitatem stupemus, ubi cernimus maiestatem? Miramur dominum nostrum absque ullius uiri semine intra uirginea uiscera hominem consummasse, quem scimus caeli terraeque
65 immensitatem *ex nihilo* condidisse. Quis ei ullum initium, quis praebuit incrementum, quando ipsa rerum initia atque *incrementa faciebat,* quando uere quasi dominus rerum iubebat esse quae non erant? Quaerimus in conditione uniuersae fabricae quo seminario usus sit: *Ipse dixit et facta sunt*: *ipse mandauit*
70 *et creata sunt;* itaque nullam obsequitur aetas materiam, substantia operis sola fuit potentia conditoris. Secundum hanc ergo potentiam credamus dominum nostrum absque ullo sexus initio ex sola femina uirum creasse, quem scimus inter ipsa initia generis humani ex solo uiro feminam condidisse. Recedat
75 ergo omnis infidelitas.

4. Agnosce, o uere beata Maria, gloriam tuam! Illam, inquam, gloriam quam tibi uel angelus nuntiauit, uel Iohannes per os Elisabeth matris adhuc de secreto uteri prophetauit: *Benedicta itaque tu inter mulieres, et benedictus fructus uentris*
80 *tui. Et unde mihi hoc ut ueniat mater domini mei ad me?*.

Exsulta, mater salutis humanae!: ecce domini nostri uniuerso mundo per tanta retro saecula promissum prima suscipere mereris aduentum.

Habitaculum immensae maiestatis efficeris; spem terra-
85 rum, decus saeculorum, commune omnium gaudium peculiari munere nouem mensibus sola possides; initiator omnium rerum abs te initiatur, et profundendum pro mundi iuta sanguinem de corpore tuo accepit ac de te sumpsit unde etiam pro te soluat — a peccati enim ueteris nexu non est immunis nec
90 ipsa genetrix redemptoris; solus ille, licet ex debitore nascatur, lege tamen ueteris debiti non tenetur —. Parum tamen tibi cum ceteris commune matribus est: medicum enim dolorum nostrorum sine dolore pariens, sanatorem deprauati saeculi atque corrupti sine ulla pudoris corruptione progenerans —,
95 nec enim decebat ut, qui ad hoc uenerat ut uiolata in integrum restitueret, aliquid de materna integritate uiolaret —. Ecce uno partu tuo uniuersorum nascitur uita saeculorum. Profers in lucem, lucis parentem; et *saluatorem hominum,* angelorum patrem, uocare mereris filium tuum.

Hom 15: *De Pascha*[85]

3. Stupemus interdum ad magnitudinem nouitatis, siquando audimus aut legimus *dominum Iesum Christum ex* sola *femina*, cessante uirilis consortii societate, progenitum. Ecce
40 nunc, peregrinantibus naturae legibus, innumerae per omnem terram mutitudines de solo sinu fontis tamquam partu uirginis procreantur. Gaudeat Christi ecclesia, quae ad similitudinem beatae Mariae sancto spiritu fecundante ditatur et mater diuinae prolis efficitur. Cesset ergo infidelium caecus error
45 asserere: quod "femina, quae sine uiro filium potuerit parere, uirgo non potuerit permanere". Ecce quantos et quantorum fratres sub una nocte nobis edidit fecunda de sinu integritatis ecclesia mater sponsa.

Mirabaris paulo ante, de incorruptione nascentem homi-
50 nem; mirare nunc, quod non minus nouum est, etiam renascentem. Conferamus, si placet, has duas matres, et utriusque generatio fidem nostram in alterutram corroborabit: Mariam secreto impleuit allapsu sancti spiritus obumbratio, et ecclesiam fonte benedicto sancti spiritus maritauit infusio;
55 Maria filium sine peccato genuit, et ecclesia in his quos generauit peccata consumpsit; *per Mariam natum est* quod *in princopo erat*, per ecclesiam renatum quod in principio perierat; illa populis generauit, haec populos; illa, ut nouimus, *uirgo* permanens semel *peperit flium*, haec semper parit per
60 uirginem sponsum.

Quod ergo putabas a saeculis miraculum singulare, iam munus annuum recognosce. Siqui[s] resurrecturum esse te dubitas, mirare uitae prolem, quam paulo ante noueras mortis heredem.

* * *

Di per sé basterebbe la rilettura dei testi riferiti per rendersi conto di persona della pregnanza contenutistica circa le maternità di Maria e della Chiesa in ragione della presenza ed opera dello stesso Spirito Santo. Crediamo però conveniente indugiare sulle tematiche che le *Hom* 2, 3-4 e 15,3 mettono così ben in evidenza e che sono presenti anche altrove nel *corpus homileticum gallicanum*. Ognuno potrà così farsi un'idea esatta dell'interdipendenza e dell'interscambio che il *corpus* possiede ed opera al proprio interno. Quasi si potrebbe formulare l'ipotesi che il suturatore o compilatore abbia avuto dinanzi alcuni filoni teologico-contenutistici, come altrettante linee direttrici o criteri per la scelta che andava operando sul materiale a lui noto.

Dato poi che i passi riportati sopra — specie *Hom* 2,4 *e Hom* 15,3 — non hanno riscontri presso altri scritti anteriori al *corpus*, meritamente si potrebbe asserire che essi riflettano uno dei punti chiave della *mens theologica* di chi ha curato il *corpus homileticum gallicanum*.

---

[85] *Hom* 15,3,176-177.

2.2. Vera maternità e verginità prodigiosa per Maria

Con una concisa affermazione, che il *corpus* riporta altre due volte, auto-copiandosi quasi « ad litteram » [86], — affermazione che potrebbe rifarsi a Fausto di Riez [87] ed il cui testo suona così: « si "hominem tantum" dixeris Christum, negas potentiam qua creatus es; si "deum tantum" dixeris Christum, negas misericordiam qua sanatus es » [88], — già viene preannunciata l'altra duplice verità che percorre con diverse tonalità tutto il *corpus*: Verginità e Maternità di Maria. Ci piace dapprima ricordare quanto si afferma nella prima omelia *De Natale Domini* [89]:

> « Ait ergo sermo divinus: *Et peperit filium suum primogenitum* [90]. Ubi sunt haeretici [91] qui, recenti errore decepti et novo *antiqui serpentis* dente percussi, dicere ausi sunt: "carnem domini salvatoris *nihil habuisse de Maria?*" [92]. Hoc dicunt illi orientales haeretici [93]: *nihil* illum *participasse de matre.* Hic pestifer sensus orientales ecclesias occupavit: "nihil Christum de matre consanguinitate traxisse, sed per virginis transisse uterum quasi per corpus alienum" [94]. Et quid egit illis novem mensibus intra illud materni corporis genitale secretum? Illic utique de eius ossibus et medullis ratione operante collectus, illic natura stupente compositus, illic per legitima nascendi spatia de carne carnis incrementa mutuatus est [95]. Quod si nihil attracturus erat de propriae parentis materia: quid opus erat novem mensium mora? quid opus erat longa hospitii mortalis iniuria? Si inquam, nihil de suo erat corporeus matris sinus caelesti puero quotidianis horarum ac dierum profectibus collaturus: ubi primum legitur conceptus: statim consummatus, statim fuit et genitus. Sed non ita est » [96].

L'argomentare dell'omileta è conciso, anche se procede con uno stile retorico ad esso peculiare. Più innanzi serra l'argomentazione, che peraltro corre parallela al precedente filo logico (« et peperit filium suum primogenitum ») riprendendo:

---

[86] Cfr. *Hom* 28,2,326 e *Hom* 24,3,282.

[87] Cfr. Faustus Reiensis, *De gratia* I, 1 (= *CSEL* 21,8).

[88] *Hom* 1,1,15.

[89] *Hom* 1,5,18-19.

[90] Cfr. *Apoc* 12,9; 20,2.

[91] Si tratterebbe degli *Eutichiani.*

[92] Qui, secondo l'editore Glorie, si dovrebbe vedere una dipendenza da Eusebius Vercellensis, *De Trinitate* IV,16 (= CCL 9,89).

[93] Si tratterebbe dei *Valentiniani.*

[94] Il Glorie avverte che, con tutta probabilità, il testo qui si rifà a: Eusebius Vercellensis, *De Trinitatie* IV,17 (= CCL 9,90); Augustinus, *De haeresibus* XI (= CCL 46,295); Filastrius Brixiensis, *Diversarum haereseon liber* XXXVIII (10), 6 (= CCL 9,234).

[95] L'Autore del *corpus* si ripeterà altrove rifacendosi o comunque riprendendo, in contesti diversi o analoghi, o solo per accostamento di idee, quanto qui asserisce. Si vedano: *Hom* 23,3,269; *Hom* 2,3,24; *Hom* 5,5,61; *Hom* 14,1,165; *Hom* 20,2,240; *Hom* 23,2,268; *Hom* 30,3,350-351.

[96] Il Glorie, per tutte queste affermazioni, riporta in apparato solo rimandi a citazioni dirette o allusive della Sacra Scrittura. La paternità del testo si dovrebbe dunque attribuire all'Autore del *corpus,* o almeno di questa omelia.

« Legimus: *Et peperit,* inquit, *filium suum primogenitum.* Si nihil in eum de se transtulit mater, non *peperit* proprium, sed profudit alienum. Sed non ita est. Nam sicut totus *deus ex deo,* ita totum hominis corpus ex homine: de carne Mariae coagulatus, de eius formatus visceribus, de eius substantia consummatus; et sanguinem, quem etiam pro matre obtulit, de sanguine matris accepit ».

Si deve prendere coscienza che la Maternità di Maria è vera, quanto prodigiosa è la sua Verginità.

2.2.1. *Vera Maternità verginale*

La verginale Maternità di Maria è vera tanto nella sua realtà globale quanto nei suoi particolari. Maria ha concepito, gestato, generato, alimentato il Verbo nella sua propria umanità e Gli ha dato il suo vero corpo. E' una vera Maternità perché è avvenuta *per legitima nascendi spatia.* « Legitima » cioè « iuxta legem »: il Verbo ha dalla Madre il sangue che offrì poi per tutti ed anche per la stessa Madre [97]; riceve il corpo compaginato nel grembo della Madre [98]. In tal modo può realizzarsi uno scambio mirabile tra la divinità e l'umanità [99]. Tanto più che la nascita del Cristo è verginale perché Maria concepisce per opera dello Spirito [cfr. più avanti: 2.4], ma genera alla luce mentre non viene lesa la sua Verginità. Verità, questa, che il *corpus homileticum* esprime in modi diversi: per esempio, instaurando un parallelo tra le proprietà del corpo di Cristo-nascente e di Cristo-risorto [100]. E' salvo il « pudor maternus » [101] perché

---

[97] Cfr. *Hom* 1,5,19: « Et sanguinem, quem etiam pro matre obtulit, de sanguine matris accepit »; *Hom* 2,4,26: « et profundendum pro mundi vita sanguinem de corpore tuo (= O Maria!) accepit ac de te sumpsit unde etiam pro te solvat ».

[98] Cfr. *Hom* 1,5,19: « Itaque: cur animam aliunde susceperit, si corpus de matre non habuit? (...) Nam sicut totus deus ex deo, ita totum hominis corpus ex homine: de carne Mariae coagulatus, de eius formatus visceribus, de eius substantia consummatus ».

[99] Cfr. *Hom* 18,3,216: « Suscepit ergo virtus excelsa humanitatem nostram, ut tribueret divinitatem suam; suscepit et animam et corpus; et, quia peccato obnoxius totus homo redimendus erat, totus homo assumitur immolandus. Ac sic immensa illa maiestas de nostro obtulit sacrificium, de suo contulit pretium ».

[100] Cfr. *Hom* 22,4,259-260: « Quid mirum, si dominus ad discipulos glorificatum corpus, claustris stupentibus, intromisit: qui, illaeso materni pudoris signaculo, ianuam mundi huius intravit; cuius ortum natura nescivit? Non dubites, si potentiam exercere videas triumphantem: quem tam stupenda perspicis nascentem. (...). Quid mirum, si substantiam corporis nostri per clausa ostia transivit, cui etiam penetralia supernorum et solis angelis familiare secretum patere consuevit? »; *Hom* 2,3,25A: « Venit Iesus ianuis clausis et stetit in medio. Ecce iam nunc ianuis clausis processit in mundo, materni pudoris signaculo minime resignato; simulque illud impletur propheticum Hiezechielis oraculum: Et porta erat clausa, et non est aperta quia dominus transivit per eam. Eadem nunc potentia mundi istius ianuam per partum inviolatae matris intravit, qua postmodum ad discipulos clausis foribus penetravit ». Si veda anche *Hom* 23,2,267-268.

[101] Cfr. *Hom* 2,3,24-25: « Non ergo usquequaque miremur, si is, qui fidei

la verità della Maternità in Maria non contrasta con la Maternità verginale [102]. L'integrità della madre [103] non contrasta con il fatto che nel suo grembo il Verbo assuma un corpo e questo sia messo alla luce *natura stupente*. La vera Maternità di Maria corre di pari passo con la verità della sua Verginità maternale.

2.2.2. *Prodigiosa Verginità maternale*

Se il grembo di Maria è stato verginale [104], e anche maternale [105], ciò è dovuto all'azione dello Spirito Santo [cfr. 2.4] in ragione del fatto che solo una Vergine avrebbe potuto dare un corpo a Dio, e ad un uomo solo una madre. Gesù Uomo-Dio nasce da una Vergine [106] e una Vergine procrea [107]. Maria è adorna della Verginità e, mentre si arricchisce della prole divina, non viene prosciolta dalla prerogativa di Vergine [108]. Maria è una *Virgo generatrix* [109]. La sua

---

semine acquiritur, salva materni pudoris fide inviolabiliter procreatur (...) ». [Si veda la continuazione nella nota precedente]. *Hom* 27,4,314: « Sed quid mirum? Iampridem virtute consimili, clauso materni pudoris signaculo, ianuam mundi huius intraverat ».

[102] *Hom* 2,4,26: « Atque ... sine ulla pudoris corruptione progenerans, nec enim decebat ut, qui ad hoc venerat ut violata in integrum restitueret, aliquid de materna integritate violaret »; *Hom* 76,2,809: « Inspiciamus itaque in beata Maria causas pudoris illaesi. De foris accedere corruptio solet; in hac autem nil violatur extrinsecus. Sed: "Quomodo" inquis "potuit virgo esse, post filium?". Hoc utique modo: quia honor virginitatis per generantem non per nascentem resolvitur. Hic ergo: quia corruptionis iniuria non fuit in conceptu, ideo integritatis gratia perseveravit in partu. Nemo virgini nato filio calumnietur! Gloriam tantae parentis, quam caelestis puer non praeripit dum concipitur, non potuit violare dum nascitur ».

[103] Cfr. *Hom* 23,2,268: « Hic ille est qui, inter ipsa adorandae nativitatis sacra primordia, ad nos, inviolato maternae integritatis signaculo, natura stupente, processit — nec mirum si innuptae sinus matris non resolveret natus, quos magis probatur sanctificasse conceptus — ».

[104] Cfr. *Hom* 2,3,25: « Miramur dominum nostrum absque ullius viri semine intra virginea viscera hominem consummasse, quem scimus caeli terraeque immensitatem ex nihilo condidisse ».

[105] Cfr. *Hom* 28,3,327: « ... eo quod sibi salvator noster caelestem nescio quam carnem intra viscera materna perfecerit ... ».

[106] Cfr. *Hom* 1,2,15: « Natus est nobis, qui sibi erat. Datus est ergo ex divinitate, natus ex virgine »; *Hom* 4,1,46: « Nobis enim vel ex virgine natus est, quem stella monstravit ».

[107] Cfr. *Hom* 2,3,24: « Obstupescit natura rerum: Virgo procreat sobolem, nullum procreandae sobolis experta consortem ».

[108] Cfr. *Hom* 10,4,115: « Sequitur: Qui conceptus est de Spiritu Sancto, natus ex Maria virgine. Quando audis deum ex homine natum esse et maiestatem sub fragilitate latuisse, virginem prole ditatam nec tamen virginitatem fuisse solutam, non se obiciat sensibus tuis novitas operis sed virtus operantis; nec dicas: "Illud impossible est, illud fieri non potest", quia, qui te magna credere iussit, omnipotens est. Divinis rebus admiratio adhibenda est, non credulitas abneganda: in omnipotentem te credere confirmas, sed, si de factis dubitas, imbecillitatem omnipotentis accusas ».

[109] Cfr. *Hom* 34,5,391: « ... ut, ad similitudinem virginis generatricis etiam ecclesia matris ... ».

Verginità è feconda [110] e la sua fecondità non deve nulla a nessuno [111], eccetto che allo Spirito Santo [112].

La prodigiosa Verginità di Maria è creativa del Figlio. Ha la capacità di generare la vita « fecundante Spiritu Sancto » [113], *natura stupente* [114]. Genera per gli altri perché genera nel ricevere lo Spirito. Non produce il germoglio di vita dandosi o ricevendo seme umano, ma procrea l'autore della Vita con il solo intervento divino.

Dai testi addotti in nota ciascuno può rendersi conto che il *corpus homileticum gallicanum* professa la Verginità di Maria « ante partum, in partu, post partum ». Le argomentazioni sono di una genuina semplicità ed allo stesso tempo di una notevole profondità persuasiva, su cui è inutile soffermarsi. Invece, nel contesto di quanto succintamente è stato esposto, si potrebbe rileggere il testo dell'*Hom* 2,3-4 riportato sopra [2.1.2] per evidenziare le tematiche della vera Maternità e Verginità prodigiosa che, pur essendo presenti in tutto il *corpus*, nell'omelia *De Natale Domini II*, cioè l'*Hom* 2,3-4, trovano una mirabile sintesi mediante il ricorso anche alle figure retoriche, ai parallelismi, alle antitesi, all'auxesis, all'apostrofe, ecc. [115].

Ivi la tematica della verginale Maternità e della maternale Verginità di Maria è evidenziata con le seguenti accentuazioni che ruotano attorno alla verità: « *Nativitas* dominica, *novitas* » perché è connessa con quest'altra: « Virgo *procreat sobolem*, nullum *procreandae sobolis* experta consortem ». Così:

« *Creator* ex *creatura* sua nascITUR,
et fructus uteri sui *mater innupta* mirATUR,
ac femina *auctoris* sui *auctor* efficITUR ».

Le antitesi si fanno serrate e si accavallano l'una sull'altra:

« Sine *conce*ptu est *co*llata fe*cu*ndITAS,
p*er* p*ar*tum est gl*or*ificata v*ir*ginITAS ».

Allora vale proprio il detto:

---

[110] Cfr. *Hom* 76,7,813: « ut, quod de fecunditate virginis in fide credimus, ex aliquo etiam in rerum specie videre possimus ».

[111] Cfr. *Hom* 76,1,809: « Ecce virgo in utero accipiet, id est: a foris initium non suscipit, et fructus intus acquirit. Ecce virgo, id est: nullum quaerit iugali societate commercium nihilque ei de pignore confertur per corpus alienum »; *Hom* 76,6,812: « Nihil autem ex matre violare potuit natus, qui etiam violatam naturam venerat reparare nascendo ».

[112] Oltre a quanto si dirà qui sotto [2.4], nel presente contesto ricordo solamente: *Hom* 76,6,812: « Conceptus ergo est de spiritu sancto. Vides, quia concipientis dignitas, parientis integritas est: honorem matris quem abstulit dum concipitur, non aufert dum nascitur: pudorem feminae gemitus non solvit filius, quem ignoratus non violavit maritus ».

[113] L'espressione su cui ritornerò più innanzi è dell'*Hom* 15,3,177.

[114] Cfr. sopra alla nota 103: *Hom* 23,2,268; e alla nota 107: *Hom* 2,3,24; ed anche *Hom* 1,5,18: « illic natura stupente compositus ... ».

[115] Per ragioni di comodità evidenzieremo graficamente alcuni accorgimenti retorico-letterari (rime, antitesi, parallelismi, anafore, chiasmi, rotacismi, ecc.) vettori di contenuti specifici.

« quid noviTATEM stupEMUS,
ubi cernIMUS maiesTATEM? »

Infatti:

« Videamus ergo an simplicem nobis hominem nasci indicat ordo ipse nascendi:
filius virgini AB ANGELO promitt*ITUR*,
AB SPIRITU SANCTO don*ATUR*
et quasi vere *deus* credendo concip*ITUR*.
Non ergo usquequaque miremur, si is, qui fidei semine acquir*ITUR*,
salva mat*er*ni pud*o*ris fide inviolabilit*er* proc*re*ATUR* ».

La partecipazione dei fedeli al mistero che si celebra si traduce in fede, in atteggiamento di meraviglia, di consapevolezza:

« Miramur dominum nostrum absque illius viri semine intra virginea viscera hominem *CON*summ*ASSE*
quem scimus caeli terraeque immensitatem ex nihilo *CON*did*ISSE* ».

La fede dei fedeli deve, perché può, consolidarsi, poiché:

« Secundum hanc (= conditoris) ergo potentiam
CRED*AMUS* dominum nostrum
absque ullo sexus *initio ex sola* femina *virum* creASSE,
SC*IMUS* inter ipsa *initia* generis humani
ex solo viro feminam condidISSE ».

La conclusione è categorica: « Recedat ergo omnis infidelitas ».

Dopo un argomentare così cogente, il *corpus* è testimone di un'apostrofe idillica a Maria Madre perché è sempre Vergine:

« Agnosce, o vere beata Maria, glor*iam tuam!*
Exulta, mater salutis humanae!
Habitaculum immensae maiestatis efficeris...
Parum *ta*men *ti*bi *cum* *ce*teris *co*mmune matribus est...
Ecce *uno* par*tu tuo universorum* nascitur vita saecul*orum!* ».

Nell'esaltare Maria-Madre l'omileta rimarca di nuovo, e in modo nuovo, che:

(*) Maria Madre è *Madre sempre Vergine*:

« Parum TAmen TIbi CU*m* CEteris CO*m*mune *ma*tribus est:
*medic*UM* enim *dolorum* nostrorum
sine *dolore* pariENS,
sanatorEM depravati saeculi atque *corrupti*
sine ulla pudoris *corrupti*one progenerANS
nec enim decebat ut, qui ad hoc venerat
ut VIOLAta in *integrum* restitu*ERET?*
aliquid de materna *integri*tate VIOL*ARET* ».

(*) Maria *è veramente Madre.* Come Madre dà al Verbo di Dio un corpo. Suo figlio è Dio.

Cristo è l'*immensa maiestas* di cui Maria è l'*habitaculum*. Il Cristo: « spes terrarum, decus saeculorum (medicus dolorum nostrorum; sanator depravati saeculi), redemptor, commune omnium gaudium, initiator omnium rerum, vita saeculorum » è da Maria posseduto « peculiari munere, novem mensibus ».

L'omileta gioca sull'antitesi e ribadisce ricorrendo anche al chiasmo e ai parallelismi come:

> « INITIA*TOR* omnium rerum *abs te* INITIA*TUR*
> et profundendum *pro* mundi *vita* sanguinem *de corpore tuo* ACCEP*IT*
> ac *de te* SUMPS*IT* unde etiam *pro te* solvAT ».

(*) Maria, essendo Madre del Cristo: « redemptor decus saeculorum, vita saeculorum » ecc., *è Madre di tutti i salvi in Cristo*:

> « *Exulta, maTEr saluTIs humanae!*
> Ecce, *uno par*TU TUo *universorum* nasciTUr viTA saeculo*rum*.
> Profers in *luc*em, *luc*is parentem;
> et salvatorEM hominUM,
> angelorUM patrEM
> vocare mereris filiUM tuUM ».

Nel Cristo Salvatore sono, in certo modo, presenti i salvati. La duplice e inscindibile verità della vera Maternità verginale e della prodigiosa Verginità materna [116] di Maria, su cui ci siamo soffermati, è testimoniata dall'*humus* presente in tutto il *corpus homileticum gallicanum*. Ci preme richiamare che le affermazioni riportate qui sopra costituiscono un *unicum* che non ha riscontro in omelie precedenti al *corpus*. Dunque il loro valore è di notevole spessore documentario.

Tanto più che l'autore è cosciente del momento celebrativo per il quale stila l'omelia. Ciò significa che quanto abbiamo detto sopra [1.2.2] circa il valore probante del *corpus homileticum*, in quanto è anche un *corpus liturgicum*, porta a coinvolgere la partecipazione dei fedeli alle verità che, in quanto proclamate nella celebrazione, si attualizzano, tanto da coinvolgere la vita dei fedeli.

2.2.3. *Le verità « celebrate » e la vita dei fedeli*

Di questa realtà il *corpus* è pervaso dall'inizio alla fine. Come esemplificazione che comprovi le nostre asserzioni citiamo solo alcuni *loci* che riteniamo interessanti per pregnanza di contenuto.

---

[116] Non intendiamo discutere l'affermazione dell'*Hom* 2,4,26: « A peccati enim veteris nexu non est immunis nec ipsa genetrix redemptoris; solus ille, licet ex debitore nascatur, lege tamen veteris debiti non tenetur », affermazione che sarebbe contraria al dogma dell'Immacolata Concezione della Vergine Maria. Si sa che per molte idee ogni autore è debitore alle coordinate proprie del tempo in cui vive. Tra l'altro, l'affermazione si trova formulata nell'insieme della *mens* dell'omelia più come frutto dell'artificio letterario dell'antitesi che di rigorosa argomentazione.

Se « parvulus natus est nobis » [117] e « quod enim induit, hoc liberavit; quod deo iunxit, hoc specialiter et redemit » [118], ne segue che

> « Quae cum ita sint, dirig*amus* conversationem nostram sub deo, qui et in caelo et in terra est testis vivens.
> Iracundiam, crudelitatem, inhonestos actus refugi*amus;* pectora a malitia, a luxuria et iniquitate munde*mus* » [119].

Queste considerazioni finali dell'Omelia I per il Natale del Signore si muovono nella scia, si direbbe, di un certo moralismo o dell'esortativo parenetico. Effettivamente l'omileta conclude che

> « QUI *vi*tia exstinguIT *in car*ne,
> QUI Christi *vi*rtutibus habitaculum procurAT *in cor*de,
> Christum portAT *in cor*pore » [120].

Il passaggio a una conclusione così incisiva è in diretto rapporto con quanto si celebra nella liturgia. Ivi si fa anamnesi liturgica del concepimento del Verbo in Maria, della sua gestazione, della sua nascita, del suo nutrirsi come bambino bisognoso di Madre. Tra la prima esortazione moralistica, citata sopra, e quella conclusiva, esiste il passo chiave nel quale si asserisce che anche il fedele deve imitare Maria Madre:

> « Christum CONCIP*IAMUS* fide,
> PAR*IAMUS* confessione,
> et spe NUTR*IAMUS*.
> Caritate PORT*EMUS* quem etiam corpore GESTARE
> PRAECIP*IMUR*: Glorificate, inquit, et portate
> deum in corpore vestro » [121].

Le stesse fasi materne: « concipere, gestare, portare, parere, nutrire », proprie di Maria, diventano realtà nel fedele.

Se Cristo dal Padre celeste ha la *divina substantia* e da Maria Vergine l'*humana,* tanto da possedere *duplex natura* « sed tamen dei et hominis *una persona,* ita coniunctus deus homini sicut anima corpori », allora ne segue che « ita est pro nostra salute misericors humiliata maiestas, ut tamen non adimeret dignatio dignitatem: assumpta est enim humanitas, non absumpta divinitas; ad nos quidem per matrem venit, sed tamen cum patre regnavit » [122].

Il fedele è coinvolto nel mistero che si celebra. La sua *humanitas* è con quella del Cristo «qui ante reges et principes pia pro impiis stetit victima; qui et sacerdotem egit semetipsum offerendo et sacrificium

---

[117] Cfr *Is* 9,6.
[118] *Hom* 1,7,20.
[119] *Hom* 1,8,20.
[120] *Ibidem.*
[121] Cfr. *1Cor* 6,20; *Hom* 1,8,20.
[122] *Hom* 2,5,27.

moriendo »[123]. La fede del cristiano è ravvivata dal mistero che l'Eucaristia celebra. L'Omelia II termina infatti con l'acme dottrinale che è una *professio fidei* nella celebrazione eucaristica.

Ivi la proclamazione della parola di Dio è una *eruditio* per la comprensione della *dignitas ineffabilis* inerente alla *vita fidelium*[124], la quale può avvantaggiarsi di un principio ascetico lapidariamente formulato nel *corpus* con il detto: « De nostri etiam vitiis scalam nobis facimus, si vitia ipsa calcamus »[125].

Alla proclamazione della Parola di Dio fa seguito l'omelia che, come parte della *celebratio fidei*, inculca la *professio fidei* nella realtà: « Illa, inquam, potentia et virtute, cum stupore nostro, per sacram matrem Mariam, nostram salutem operatus est »[126]. La *professio fidei* nella verginale Maternità e nella maternale Verginità di Maria durante la *celebratio fidei* è importante in vista del culto: « ita ergo *fidelium cordibus* disponendus est dei cultus »[127]. Infatti: « Ecce, veniente ad terras domino, nihil ex intacta matre violatur et filium intra matrem, natura ignorante, perficitur: ex deo homo infusione divinitatis impletur atque ex homine deus nascitur; et ipse sui auctor, corporalem nativitatem spiritaliter conceptus operatur; generationem acquirit fecunditas, cuius orginem nescit integritas »[128].

Il *cor fidelium* deve disporsi al culto perché « cultus dei disponendus fidelium cordibus ». Effettivamente le verità che, in quanto celebrate, sono professate dalla e nella fede, coinvolgono la vita dei fedeli dall'intimo con la loro forza cogente, tanto che ciascuno deve « dirigere conversationem propriam sub deo »[129], alla sequela di Cristo via, verità e vita. Anzi, « *certum est* enim *quia* Christi carpimus vias, *certum est quod* relicto itinere terreno iter spiritale conficimus »[130]. Per conseguire un tal fine il fedele attinge vigore alla *salubritas* e alla *virtus* delle Scritture sacre[131] e ogni fedele fa parte dell'*ecclesia*[132]. Il *corpus homileticum gallicanum* avvicina a Maria nella sua Maternità verginale la Chiesa tutta che del Cristo è Corpo[133].

[123] *Ibidem.*

[124] Cfr. *Hom* 22,4,259: « Cuius ineffabilem ad erudiendos nos dignitatem etiam praesens evangelii lectio declaravit ... ».

[125] *Hom* 27,9,320.

[126] *Hom* 76,11,814.

[127] *Hom* 76,5,811.

[128] *Hom* 76,4,811.

[129] Cfr. *Hom* 1,8,20.

[130] Il principio è enunciato nell'*Hom* 4,5,50.

[131] Cfr. *Hom* 5,3,58: « Vinum multis locis accipimus: sacrarum scripturarum salubritatem atque virtutem meracissimum in se vigorem caelestis sapientiae continentem, quo ad timorem repletus atque inebriatus fidelium concalescet affectus ».

[132] Circa la Chiesa il *corpus homileticum gallicanum* possiede alcune incisive espressioni, come per esempio: *Hom* 13,2,155: « Itaque in domini nostri persona, dum ex Adae primi hominis costa, mater cunctorum viventium Eva producitur, ex huius sacro latere ac salutari vulnere ecclesia omnium fidelium parens reparanda monstratur ». All'*Hom* 17,4,200 si ha un parallelo prezioso tra l'Eucaristia e la Chiesa; ecc.

[133] Cfr. *Hom* 35,11,409: « ... supra hanc ecclesiam, quae est corpus eius, effudit.

2.3. Universale maternità della Chiesa in forza della verginale sua sponsalità

In una delle tre omelie per la *dedicatio ecclesiae,* ovvero *in natale ecclesiae,* presenti nel *corpus homileticum gallicanum* [134] si afferma perentoriamente che l'« ecclesia est universarum gentium multitudo » [135]. Infatti « ecclesia ex gentibus congregata » [136] è anche simultaneamente diffusa « per universum orbem, gratia coruscante » [137]. Importante è sottolineare, con la *mens* del *corpus homileticum gallicanum,* che l'universalità della Chiesa è in stretto rapporto con la sua maternità: una maternità, a sua volta, speciale, in forza della sua verginale sponsalità.

2.3.1. *Universale maternità della Chiesa*

Per sintetizzare chi è la Chiesa, nell'omiletica in analisi, si potrebbe ricorrere al binomio « Ecclesia *mater sponsa* » specifico della IV Omelia di Pasqua [138].

Inoltre, per comprendere la fecondità della sposa Chiesa che diventa madre universale il *corpus homileticum* gioca su due antitesi: una è il frutto della contrapposizione della sinagoga con la Chiesa; l'altra ruota attorno alla primeva sterilità della Chiesa e alla sua ulteriore e perenne fecondità. La primeva sterilità della Chiesa però è ancora da rapportarsi alla sinagoga o, meglio, all'*aetas senescentis mundi* in cui era posta la sinagoga.

Si vedano, per esempio, i due quadri che si ottengono da questi passi:

> « Quod autem evangelista commemorat: Et uxor tua Elisabeth concipiet: hinc non solum suscipere miraculum, sed mysterium debemus agnoscere; nam, dum sterili nascitur filius, *de ecclesia, quae ante sterilis erat,* gentium populus intellegitur procreandus » [139].
>
> « Iohannes nascitur de patre sene, Christus ex matre *mundi senescentis aetate - aetate,* inquam, *illa, quae erat fide et operibus infecunda* » [140].

La sterilità, anteriore all'attuale epoca, è legata all'infecondità della fede e delle opere. E' l'epoca che caratterizza la sinagoga. Infatti

---

(...) Ipse condidit ecclesiam in montis huius vertice, inaestimabili labore fundavit ».

[134] Si tratta delle *Homiliae* 57-58-59, in: CCL 101A, 551-578.

[135] *Hom* 59,3,574.

[136] *Hom* 57,4,558. Si veda anche *Hom* 5,1,57: « Itaque tamquam sponsus procedens de thalamo suo descendit ad terras, ecclesiae ex gentibus congregandae suscepta incarnatione iungendus ... »; *Hom* 57,3,555: « ecclesia venit ex gentibus et a finibus terrae ».

[137] *Hom* 10,11,122.

[138] Cfr. *Hom* 15,3,177.

[139] *Hom* 3,4,359.

[140] *Hom* 30,3,351. Cfr. anche *Hom* 47,1,556.

la Chiesa soppianta la sinagoga e realizza in verità ciò che essa significava. Basti riflettere sulle seguenti affermazioni che sono disseminate nel *corpus homileticum gallicanum* per comprendere anche da dove provenga l'universale maternità della Chiesa, e cioè dal rapportarsi al Cristo e allo Spirito suo.

> « Diligit *dominus* portas Sion super omnia tabernacula Iacob, id est: respuit synagogam et *praeelegit ecclesiam* » [141].
>
> « Velum templi scinditur. Velum, ornamentum habitaculi est. *Coruscante igitur gratia, ecclesia aedificatur,* synagoga destruitur » [142].
>
> « Haec (ecclesia) est post synagogam quidem vocata, sed *ante* synagogam *promissa* » [143].

La Chiesa è prescelta dal Signore, anteposta alla sinagoga [144], perché edificata dalla grazia. Si può comprendere « *quae et quanta* sit inter utramque *distantia* ».

SYNAGOGA	ECCLESIA
— est nationis *unius congregatio*	— est *universarum gentium multitudo*
— illic *tabernacula* in iudaeis	— hic *fundamenta* in christianis
— *umbra* intellegitur in tabernaculis	— virtutum vero *soliditas* in montium fundamentis
— illius templi ... super bases argenteas et eminentes columnas ... recumbebat	— hic vero bases prophetae, columnae apostoli, *caput aureum Christus est*
— in templo etiam illo, quadratis lapidibus et politis compaginata et unita erat iunctura parietum	— hic in vobis, aedificium spiritale, concordiae vinculum, fidei sacramentum, et caritas connectit animorum [145].

La vera contrapposizione tra la sinagoga e la Chiesa è da ricercarsi nell'infecondità dell'una e nella maternità universale e perennemente feconda dell'altra. La Chiesa, infatti, è « omnium credentium mater »: « quae natos ad mortem, regenerat ad salutem » [146] ed è madre di un popolo, l'unico che è più che diletto da Dio [147], per cui

[141] *Hom* 49,3,574. D'ora innanzi i *corsivi* saranno sempre nostri.

[142] *Hom* 16,5,190.

[143] *Hom* 47,1,555.

[144] Cfr. *Hom* 17,5,201: « Nam de Melchisedech in genesi legimus: Et Melchisedech rex Salem protulit panem et vinum, et benedixit Abrahae (fuit autem sacerdos dei summi). Dum a praeputio, id est a gentili, circumcisio futura benedicitur: ecclesiae gloria praedicatur, et synagogae infideli plebs ex gentibus acquisita praeponitur ».

[145] Cfr. *Hom* 49,3,4,574-575.

[146] *Hom* 47,1,555.

[147] Cfr. *Hom* 47,1,556: « Ecclesia enim unicum, id est dilectissimum deo populum, saeculo iam senescente progenuit ».

« non iam cum una tantum gente iudaeorum sicut prius synagoga solos habuit hebraeos, sed totius mundi gentibus diversisque nationibus » [148].

La fecondità le viene dal suo Fondatore che essa contempla guardandolo con intelligenza d'amore e di fede [149] e verso il quale si dirige [150].

L'arida *vetustas* della sinagoga è soppiantata dell'*auctor ac reparator* della Chiesa stessa [151]: Cristo che, quale sposo, porta alla sposa la caparra e la dote di cui l'adorna: il suo sangue, per il regno dei cieli [152]. In tal modo l'universale maternità della Chiesa è poliedrica, perché essa è madre di tutte le genti ed è madre nel decorso dei secoli ripetutamente, ogni volta cioè che dal suo grembo (il fonte battesimale) genera innumerevoli moltitudini di figli in ogni parte della terra:

> « Ecce nunc, peregrinantibus naturae legibus, innumerae per omnem terram multitudines de solo sinu fontis tamquam partu virginis procreantur » [153].

2.3.2. *Feconda sponsalità verginale della Chiesa*

La Chiesa è simultaneamente madre di moltitudini e vergine. Infatti, « de solo sinu fontis tamquam partu virginis » vengono alla luce i suoi figli. La sua maternità è verginale e la sua verginità è feconda di prole per il fatto che la « generazione » della Chiesa è più propriamente una « regeneratio », per giunta « sacra ».

---

[148] *Hom* 47,3,557.

[149] Cfr. *Hom* 47,4,558-559: « Vidit ergo ecclesia, ex gentibus congregata, *sapientiam Christi,* id est (...) accepit *intellectum salutis et vitae;* inspexit spiritalium mirabilia bonorum, agnovit generis conditorem (...). Et obstupuit, ubi vidit inaestimabiles divitias domini sui ».

[150] Cfr. *Hom* 47,2-3,556-557: « Venit ecclesia ad redemptorem et eruditorem suum: ut, de stultitia erroris, doctrinam perciperet veritatis (...) Venit (...) audire et discere de fidei illuminatione et iudicio futuro, de animae immortalitate, de spe resurrectionis et gloria (...) Venit, exhibens munera digna Christo ... ».

[151] Cfr. *Hom* 49,5,575: « Videamus: Sion quomodo plus diligit quam Iacob. utique genere: quia *ecclesiae novellam auctor ac reparator inservit,* synagogae *aridam vetustatem* impietate offensus reliquit, ita, dei vel iustitia dispensante vel gratia: ut, cum illius infructuosam ficum succiderit, huius oleam fecundaret: ut, cum illa conversa in spina aruisset, haec vino salutaris uvae irrigata pinguesceret ».

[152] Cfr. *Hom* 6,1,67: « Dies tertius, trinitatis est sacramentum; miracula nuptiarum, mysteria sunt caelestium gaudiorum. Dies ergo erat nuptialis et festa, quia *adveniente sponso redempta iungebatur ecclesia;* illi, inquam, sponso, quem omnia ab initio mundi saecula spoponderunt, qui discendit ad terras ut *dilectam suam* ad celsitudinis suae thalamos invitaret, dans ei in praesenti *arrham sanguinis* sui, daturus postmodum *dotem regni sui* ». Stessi concetti anche nell'*Hom* 5,1,57 e, in parte, nell'*Hom* 17,6,205. Si veda: A.M. TRIACCA, « *Christi Sanguis arrha Ecclesiae* ». *Significativa testimonianza da Eusebio "Gallicano"*, in: F. VATTIONI (ed.), *Sangue e antropologia nella teologia* (Roma 1988) [sotto stampa].

[153] *Hom* 15,3,176-177.

Rammenta un'omelia sul simbolo che noi fedeli:

> « in deum haec [= *verità di fede*] quidem commemoramus; non tamen in ea credimus, sed ipsa in deo credimus: haec, inquam, non quasi deum, sed quasi dei beneficia confitemur. Ecclesiam *catholicam,* id est *per universum orbem* gratia coruscante *diffusam.* Ecclesiam *quasi regenerationis matrem,* non tamen quasi salutis auctorem, quia non ex ecclesia homo, sed ecclesia coepit ex homine » [154].

Anzi: « ecclesia totum mundum fructu *sacrae regenerationis* implevit » [155].

D'altra parte il fonte battesimale, « sinus Ecclesiae », è un « sinus integritatis » [156], « sinus castus » [157], un « sinus aquarum » [158] da cui in acqua e Spirito [159], per virtù dello Spirito [160], si opera una rinascita [161], una rigenerazione [162].

La Chiesa non è *salutis auctrix,* bensì *regenerationis mater,* perché è vergine nella sua sponsalità con il Cristo sposo che le dona con lo Spirito e con il suo sangue [163] la possibilità di essere la partoriente di tutti i fedeli [164].

Quella della Chiesa è una verginità sponsale e feconda in ragione del Cristo sposo e dello Spirito presente, con la sua azione, nel grembo della madre Chiesa: il fonte battesimale. In questo senso si comprende l'esultanza della Chiesa per la sua verginale fecondità *ex Spiritu,* così

---

[154] *Hom* 10,11,122. Questo passo — che può anche essere stato in parte adattato da FAUSTUS Reiensis, *De Spiritu Sancto lib. I,* II [= *CSEL* 21,104] — riflette però una *mens* propria al *corpus homilectium gallicanum.* Si veda *Hom* 15,3,179; *Hom* 34,5,391; *Hom* 49,6,576.

[155] *Hom* 31,4,359.

[156] *Hom* 15,3,177: « Ecce quantos et quantorum fratres sub una nocte nobis edidit fecunda *de sinu integritatis* ecclesia mater sponsa ». Altrove, a proposito del convivere *in unum* di disparate nazioni nella Chiesa, si dice che queste « intra *sinus innocentiae* continentur »: cfr. *Hom* 64,5,729.

[157] Cfr. *Hom* 34,5,391: « Castos ecclesiae sinus maritat ... ».

[158] Cfr. *Hom* 15,2,176: « Uno momento, operante velociter deo, intra aquarum sinus, flammarum pabula consumuntur ».

[159] Cfr. *Hom* 17,2,207: « ... ac per *aquam baptismi vel per ignem Spiritus sancti* ... ».

[160] Cfr. *Hom* 29,2,338: « Ergo *spiritus sanctus, qui super aquas baptismi salutifero descendit illapsu;* in fonte plenitudinem tribuit ad innocentiam; in confirmatione augmentum praestat ad gratiam, ... ».

[161] Cfr. *Hom* 19,4,226: « ut, qui per originis debitum diabolo nascebatur, *per baptismatis institutum deo renascatur* ».

[162] Cfr. *Hom* 5,2,58: « Si enim bene respicimus, quodammodo in aquis ipsis *similitudo baptismatis et regenerationis* exponitur ... ». Stesso concetto nell'*Hom* 19,4,226: « dumque *regeneratur* spiritu operante per gratiam, nil inimico debeat per naturam »; ecc.

[163] Cfr. sopra, nota 152. Si veda anche *Hom* 17,6,205: « Quando dominus nuptiali tempore, id est: quando sponsus ecclesiae suae paschali exultatione iungendus, aquas in vinum convertit, manifeste praefigurat multitudines gentium de sanguinis sui gratia esse venturas ».

[164] Cfr. *Hom* 13,2,155: « Itaque in domini nostri persona, dum ex Adae primi hominis costa, mater cunctorum viventium Eva producitur, ex huius sacro latere ac salutari vulnere ecclesia omnium fidelium parens reparanda monstratur ».

come è messa in risalto dall'Omelia III *In dedicatione ecclesiae*[165], dove, riprendendo il filone dell'antitesi tra sinagoga e Chiesa, l'omileta asserisce[166]:

Synagoga	Ecclesia
— Illa, *virum* habens,	— haec, *sponsum* habens ac crescente sobole,
antiquum nomen matris amisit;	novum semper acquirit:
	— haec virgo permanet et parere non desistit,
	— populis *de se* nascentibus *integra*, et *deo maritante fecunda*.
— Illa *suos* novercali impietate dispersit;	— haec *etiam alienos* gremio materno sacra regeneratione concludit.
— Illa vitam suam, quae Christus est, etiam in resurrectione *denegavit;*	— haec confessa redimentem dominum *promeruit* ac secuta morientem.
— Librum repudii illa suscepit;	— ius thalami et regni ista promeruit: ne mirum, si praeparari caelo discit, cum magister eius de coelo venit.
— Illius desideriis amica nubes manna mellifluum dulci imbre roravit;	— in huius cibum deus ipse descendit - sicut dicit: Ego sum panis qui de caelo descendi.
— Pro illa, taurorum et hircorum cruor funditur;	— pro hac, dei filius immolatur.

L'integrità della Chiesa Madre è di tale fecondità che, mentre la sinagoga è *unius mater populi,* la Chiesa è *mater mundi.* E « cum illa filios amiserit in necem patris armatos, haec patri obtulit adoptandos »[167].

La maternità della Chiesa è di natura verginale tale che « cesset ergo infidelium caecus error asserere: quod "femina, quae sine viro filium potuerit parere", virgo non potuerit permanere ». La motivazione è da ricercarsi nell'« ecce quantos et quantorum fratres sub una nocte nobis edidit fecunda de sinu integritatis ecclesia mater sponsa »[168]. La liturgia battesimale diventa evento di nascita per i figli, di maternità verginale per la madre Chiesa. Si comprende così quanto vorremmo richiamare nel paragrafo seguente.

[165] Cfr. *Hom* 49,6,576-577.

[166] Riportiamo il testo su due colonne perché il lettore possa — tra l'altro — rendersi conto *de visu* delle brachilogie a cui ricorre l'omelia per concentrare in poco spazio molti contenuti.

[167] Cfr. *Hom* 49,5,576.

[168] *Hom* 15,3,177.

2.3.3. *Il culto nella Chiesa è sorgente di salvezza*

Quanto abbiamo esposto ricorrendo alla *mens* teologica presente nel *corpus homileticum gallicanum* sarebbe in un certo senso privo della sua vera portata e del suo valore fondante se da parte nostra non esistesse una viva attenzione a sottolineare, anche per questo settore, che le verità celebrate nella Chiesa e dalla Chiesa sono in stretto rapporto con la vita dei fedeli. Questo, unitamente a ciò che più sopra abbiamo detto [cfr. 1.2.2; 2.2], ci servirà in seguito per poter concludere circa la vera teologia di cui il *corpus* è vettore.

Infatti la maternità universale della Chiesa ha come scopo di procreare un popolo cultuale. Vale quindi il principio enunciato solennemente ed incisivamente: *Ecclesiae cultus, fidelium et salus est et profectus*[169]; ciò in conseguenza dell'asserto: *Honor matris, gloria filiorum est*[170]. La gloria dei credenti scaturisce dalla dignità della Madre, Sposa, Regina[171]: la Chiesa che, quanto più celebra, tanto più comprende i misteri di cui è depositaria. Il culto non solo è *salus*, ma è *profectus* nella salvezza, anche se si può asserire che quanto più l'*assiduitas venerationis* fa porre alla Chiesa atti di culto (*excolimus*) e quanto più si partecipa (*frequentamus*) alla vita della Chiesa con *pia studia*, cioè con religiosa attenzione, tanto più « si è all'inizio » (*incipere*) nel conoscere (*nosse*). L'esultanza della Chiesa nella celebrazione dei misteri[172] non è mai fine a sé stessa, ma tende ad incidere nella vita dei fedeli. Infatti la *celebratio fidei* è solo in funzione della *vita fidelium*, per i quali vale un altro principio solennemente enunciato in una delle omelie *in natale ecclesiae*: *Recte festa ecclesiae colunt, qui se ecclesiae filios esse cognoscunt*[173].

Essere parte viva della Chiesa per *colere*, per fare atti di culto in Spirito e Vita. In verità il culto che la Chiesa possiede è sorgente di salvezza. Ecco perché la vita del fedele deve essere in sintonia con quanto egli crede e professa. Le ragioni sono enunciate dallo stesso omileta quando ricorda:

> « Multum habent salubritatis et gaudii: conventus ecclesiastici et sacrificia, festa, concilia, qui, *per frequentiam devotionis*, ipsam fidelibus pollicentur praesentiam maiestatis ».

Effettivamente il fedele deve fare di tutto perché:

> « ad exorandum deum, non solum exteriore sed etiam interiore, sensibus et desideriis, fide et operibus, totus introeat. Nam si intra ecclesiam solo corpore quisquis ille teneatur, ex toto extra ecclesiam corde versetur: exterior a spiritu suo divisus ac separatus ingre-

[169] *Hom* 59,1,1673: « Ecclesiae cultus, fidelium et salus est et profectus; hanc *quanto magis assiduitate venerationis excolimus, quanto magis piis studiis frequentamus, tanto plus nosse incipimus* ».

[170] Cfr. *Eccli* 3,5; *Sirac.* 3,4 (LXX).

[171] Per la tematica *Chiesa-Regina* si veda, per esempio, *Hom* 47,1-2,556.

[172] Cfr. *Hom* 57,1,659: «... praesentia exsultantis ecclesiae festa concelebrant ...».

[173] *Hom* 47,1,555.

ditur; et quod est in homine pretiosius, hoc a divinis obsequiis peregrinatur, dum sola in praesenti terra tenetur, anima vero per passiva ludibria in multiplices discursus captiva distrahitur »[174]

Abbiamo voluto riportare il passo per esteso perché ci sembra interessante e capace di illuminare anche l'odierno problema della partecipazione alla celebrazione liturgica, che deve essere interna, attiva, completa. Ed è appunto questa coscienza liturgica autoriflessa propria del *corpus homileticum gallicanum* che impedisce di considerare le omelie come dei semplici *loci* per provare qualche verità o per tracciare le linee di un *sensus fidelium* creato dal dettato delle omelie. Invece spinge a prendere atto che l'omelia, parte della celebrazione, esige partecipazione vera. Questa, a sua volta, è connessa con i misteri che la liturgia celebra e di cui « si fa memoria » liturgicamente parlando. Ciò induce a raccordare in linearità di sviluppo e di approfondimento la *professio fidei*, che l'omelia suscita con lo spiegare la parola di Dio (*fides ex auditu*), con la *celebratio fidei* che la liturgia porta a compimento a bene della *vita fidelium*, mentre attua i *mysteria fidei*.

Il tutto poi, va visto come imprescindibile dalla presenza ed azione dello Spirito del Cristo risorto.

2.4. « Sancto Spiritu fecundante »: Maria e la Chiesa sono le due Madri-Vergini

Di recente l'Amato ha scritto che l'apofatismo eccessivo, cui si condanna lo Spirito Santo nella teologia, genera in particolare un eccesso di sviluppo nel discorso su Maria. Noi non riusciamo a comprendere asserzioni di questo tipo, né tanto meno le conseguenze che se ne ricavano, quali il caratterizzare la teologia cattolica da una parte poco pneumatologica e, dall'altra, troppo mariologica[175].

Se non altro, il *corpus homileticum gallicanum* non sembra proprio che possa ricadere sotto affermazioni che attribuiscono alla teologia cattolica atteggiamenti che non le si confanno. Infatti, teologia cattolica è anche quella che è testimoniata dal nostro *corpus*. Tutt'al più, l'oblio o la voluta dimenticanza dei teologi sta a testimoniare il livello del *sensus theologorum*, che non può venir genericamente confuso con la teologia cattolica. La *mens theologica* del *corpus homileticum gallicanum* rapporta « Maria alla Chiesa » e « Maria e Chiesa allo Spirito Santo » in modo così chiaro ed incisivo che val la spesa di riportare i testi, tra quelli più salienti e immediatamente pertinenti all'argomento, per frantumare ogni arzigogolamento inutile e dispersivo.

---

[174] *Hom* 52,1-2,609-610.

[175] Si veda il contributo di A. Amato, *Lo Spirito Santo e Maria nella ricerca teologica odierna delle varie confessioni cristiane in Occidente*, in: AA.VV., *Maria e lo Spirito Santo. Atti del 4° simposio mariologico internazionale. Roma 1982* (Roma 1984), specie p. 11.

Ovviamente non si intende qui trattare dell'azione dello Spirito Santo nel mistero della Redenzione o nel singolo fedele, né tanto meno tratteggiare le caratteristiche della Persona dello Spirito Santo, Paraclito, di cui il *corpus* si fa portavoce singolarmente attento e sensibile, specie in: *Hom*, 9,10,107; *Hom* 10,11-12,121-124; *Hom* 29,1-6, 337-340; *Hom* 34,3-6,388-393. Solo ci interessa sottolineare la sua azione in Maria e nella Chiesa, azione tale da rendere ambedue Madri e Vergini. Non si tratta però di ripetere quanto nei paragrafi precedenti [cfr. qui sopra] è stato illustrato sulle maternità verginali rispettivamente di Maria e della Chiesa, quanto piuttosto di mettere in luce la comune fonte di sì grandi prerogative: l'azione fecondante dello Spirito Santo.

Si riconsideri almeno il testo di *Hom* 15,3,177, riportato più sopra [cfr. 2.1.2]. Qui ci sia consentito di ritrascrivere l'ultima parte in modo che a colpo d'occhio si possa cogliere la densità concettuale, la pregnanza teologica, la profondità delle considerazioni che l'omileta trasmette veicolandole attraverso una ridda di artefizi retorici (parallelismi, antitesi, rime, ecc.). Arte del dire e teologia procedevano in una mirabile simbiosi a servizio della verità, via alla vita.

Ecco il testo che ci interessa:

> MIRAba*RI*s *paulo ante,* de incorruptione *NA*SCEN*TEM* homin*EM*
> MIRA*RE NUnc,* quod *NO*n minus *NO*vum est, etiam RE*NA*SCEN*TEM*
> c o n f e r a m u s , si placet, has duas matres
> et utriusque generatio
> fidEM nostrAM in alterutrAM corroborabit:
>
> 1 { MAR*IAM* secreto i m p l E V I T allapsu *sancti Spiritus* obumbratIO
> et
> ECCLES*IAM* fonte benedicto *sancti Spiritus* m a r i t A V I T inumbratIO }
>
> 2 { MAR*IA* filium sine peccato GENuIT
> et
> ECCLESIA in his quos GENeravIT peccata consumpsIT }
>
> 3 { PER MARI*AM natum est quod in principio ERAT*
> PER ECCLESI*AM renatum quod in principio* PERI*ERAT* }
>
> 4 { illa popul*is* GENeravIT,
> haec popul*os;* }
>
> 5 { illa, ut novimus, VIRGo *PER*manens SEMel pe*PER*IT filiuUM
> haec SEM*per par*IT *per* VIRGinEM sponsUM. }

Si noti quanto segue:

* 1 + 2: quasi « prolusio » all'argomentazione, si fa forza dapprima (1) sul parallelismo dell'intervento dello Spirito Santo: intervento similare che rende feconda Maria e la Chiesa in modo ver-

ginale (« secreto allapsu - fonte benedicto; obumbratio - infusio; implevit - maritavit »). Poi (2) l'argomentazione potenzia l'azione maternale (« generare ») della Chiesa e di Maria, ma in un'antitesi che si risolve in un parallelismo concettuale nei riguardi dell'innocenza assoluta del Cristo e di quella indotta nei fedeli.

* 4 + 5: quasi « inclusio » dell'argomentazione, si torna di nuovo sulla maternità prodigiosa e verginale di Maria e della Chiesa. Il tutto ottenuto con antitesi (« semel - semper ») e con parallelismi (« peperit ..., parit »).

* 3: stico « centrale » costruito con gli stessi elementi stilisticamente paralleli e concettualmente importanti per evidenziare il tipo di maternità di Maria e della Chiesa.

Adducendo anche altri *loci* del *corpus homileticum gallicanum* si può asserire che l'azione dello Spirito Santo nei riguardi di Maria e della Chiesa ottempera a due principi, mediante i quali si può cogliere il nesso profondo tra Maria e Spirito Santo, nesso che sospinge necessariamente alla Chiesa, la quale appunto *per Spiritum* è ravvicinabile nella sua azione materno-verginale a Maria.

2.4.1. *Principio del parallelismo d'azione dello Spirito Santo in Maria e nella Chiesa*

E' un principio enunciato con concisione dalla stessa *Hom* 15,3,177 con l'apostrofe: «Gaudeat Christi ecclesia quae ad similitudinem beatae Mariae *sancto spiritu fecundante* ditatur et mater divinae prolis efficitur ». Maria genera il Figlio divino e la Chiesa è madre di prole divina. La Chiesa si arricchisce in ragione dell'azione fecondatrice dello Spirito Santo così come, in merito alla stessa azione, Maria, sempre Vergine, genera il Figlio.

L'*obumbratio* dello Spirito Santo riempì Maria di fecondità.

L'*infusio* dello Spirito Santo è elemento sponsale fecondante la Chiesa.

Ecco perché nell'omelia *de Trinitate* [176] la *mens* del *corpus* enuncia, con cammino progressivo, l'azione dello Spirito che nel contesto dell'omelia è dimostrato essere Dio (« quomodo haec operari posset, nisi deus esset? »). La molteplice azione dello Spirito Santo vi è illustrata con un'argomentazione concentrata su un triplice nucleo.

Il *primo* verte sull'azione santificatrice e generativa dello Spirito Santo [177]. Il *terzo* verte di nuovo sull'azione dello Spirito nel Battesimo per argomentare che lo Spirito non è creatura ma Persona divina [178]. Il *secondo* nucleo è quello che più ci interessa ed è al centro dell'argomentazione. Eccone l'enunciato categorico:

---

[176] Cfr. *Hom* 34,5,390-391.
[177] Cfr. *Hom* 34,3-4,388-390.
[178] Cfr. *Hom* 34,5 [fine]-6,391-393.

« Ipse (= Spiritus Sanctus) ad regenerandas animas steriles benedicit aquas; ipse sacri fontis irriguum illa, qua dudum Mariam locupletavit, *virtute* fecundat. Castos ecclesiae sinus maritat, nubit integritas puritati, ut, ad similitudinem virginis generatricis etiam ecclesia matris fructu donanda, sine sexu de sanctificatione concipiat et sine corruptione parturiat, et regenerata pignora in filios dei felici mancipatione transcribat » [179].

Si comprende quindi che la Chiesa, come Maria, sia Vergine e Madre solamente in ragione dello Spirito, che è il suo sposo:

« Haec (= Ecclesia), sponsum habens ac crescente sobole, novum semper acquirit: haec virgo permanet et parere non desistit, populis de se nascentibus integra, et *deo maritante* fecunda » [180].

E come Maria « innupta mater », *fide maritante* genera Cristo; infatti:

« *Superveniente* in virgine *spiritu sancto,* hominem deo mirabiliter impletum, et deum in hominem misericorditer commutatum » [181],

così la Chiesa Cattolica, che è diffusa « per universum orbem *gratia coruscante* » [182], è per mezzo dello Spirito che può procreare figli alla Grazia: « sola *secreto munere* hominis culpa damnatur » [183].

E dunque:

« Videamus attentius: inter ipsa generationis sacrosancta mysteria, quid agat spiritus sanctus. Secretas *ineffabili potentia* lavat culpas (...) absolvit reas et purificat conscientias (...). Occidit peccatum et vivificat peccatorem (...) reus abluitur et reatus absolvitur (...) in fonte mors moritur »,

perché

« *agente spiritu sancto* in baptismo (...) homo, consumpta primae originis conditione, de occasu suo nascitur » [184].

Infatti « uno momento, *operante velociter deo,* intra aquarum sinus, flammarum pabula consumuntur » [185].

L'azione dello Spirito santo è quindi significata in modi diversi nel *corpus homileticum gallicanum* in rapporto alla maternità feconda e prodigiosa rispettivamente di Maria e della Chiesa.

L'enunciato dell'*Hom* 15,3,177: *Sancto spiritu fecundante* è diversamente espresso:

— per la CHIESA:

* *fonte benedicto sancti spiritus maritavit infusio*: *Hom* 15,3,177
* *virtute fecundat*: *Hom* 34,5,391

---

[179] *Hom* 34,5,391.
[180] *Hom* 49,6,576.
[181] *Hom* 76,3,810-811.
[182] Cfr. *Hom* 10,11,122.
[183] Cfr. *Hom* 15,2,176.
[184] Cfr. *Hom* 34,5,390-391 (passim).
[185] *Hom* 15,2,176.

* *deo maritante fecunda*: *Hom* 49,6,576
* *gratia coruscante*: *Hom* 10,11,122
* *secreto munere*: *Hom* 15,2,176
* *ineffabili potentia*: *Hom* 34,5,390
* *agente spiritu sancto*: *Hom* 34,5,391
* *operante velociter deo*: *Hom* 15,2,176
* super aquas baptismi *salutifero* descendit *illapsu*: *Hom* 29, 3,338[186].

— per MARIA:

* *secreto implevit allapsu sancti spiritus obumbratio*: *Hom* 15, 3,177
* *illa* (*virtute*) qua dudum Maria *locupletavit*: *Hom* 34,5,391
* *superveniente* in virgine *spiritu sancto*: *Hom* 76,3,811
* de innupta matre, *fide maritante*, progenitum: *Hom* 76,3,810
* conceptus ergo est *de spiritu sancto*: *Hom* 76,6,812; *Hom* 9,6,104.
* *illa*, inquam, *potentia et virtute*, cum stupore nostro, per sacram matrem Mariam, nostram salutem operatus est: *Hom* 76, 11,814
* *ab spiritu sancto* donatur, et quasi vere deus credendo concipitur: *Hom* 2,3,24
* spiritus (...) sanctus *superveniet in te* (...) si non est violata partu, quae *magis est sanctificata conceptu*: *Hom* 9,6,104.

La molteplicità di forme espressive sta a dire anche la sinonimia concettuale presente nel *corpus homileticum gallicanum* che, anche per questo settore, è testimone di una *mens theologica* tipica. Si aggiunga che l'importanza dell'azione dello Spirito Santo in rapporto alla maternità prodigiosa della Chiesa andrebbe ricercata anche in altri settori del *corpus*. E' certo, comunque, che lo Spirito Santo è la *benedictio*, la *benedictio gratiae septiformis*[187] che « in confirmandis neophytis manus impositio tribuit singulis » e che « tunc (= in Pentecoste) spiritus sancti descensio in credentium populo donavit universis »[188]. Egli, il « paracletus, *regeneratorum* in Christo custos et consolator et tutor est »[189]. Agisce nella Chiesa perché i fedeli vi possano trovare la vita nuova.

La *regeneratio* pone il Battesimo sulla linea della generazione e il fonte battesimale su quella del grembo materno[190]. Così la Chiesa è *regenerationis mater*[191] che « *totum mundum fructu* sacrae regenerationis implevit »[192].

---

[186] Interessante è l'*Hom* 17,7,206-207 per il parallelismo che il *corpus* instaura tra i cristiani e l'opera dello Spirito Santo nei sacramenti dell'iniziazione cristiana, specie Battesimo ed Eucaristia. Si veda anche *Hom* 34,5-6,390-393.

[187] Cfr. *Hom* 17,6,204.

[188] Cfr. *Hom* 29,1,337.

[189] *Hom* 29,2,338.

[190] Le prove delle affermazioni, si ricerchino nei *loci* più sopra riportati (*passim*).

[191] Espressione dall'*Hom* 10,11,122.

[192] Cfr. *Hom* 31,4,359.

Nell'ufficio maternale la Chiesa è assimilata a Maria che genera Cristo e che è *mater salutis humanae* [193]. Vale, infatti, un secondo basilare principio testimoniato nel *corpus* applicabile a Maria e alla Chiesa.

2.4.2. *Principio di correlazione tra Maria e Chiesa in forza dello Spirito Santo*

Per essere il più possibile oggettivi, ci piace richiamarci a due affermazioni del *corpus* già riportate più sopra, ma che qui vogliamo porre in risalto per sottolineare la correlazione tra Maria e la Chiesa in ragione della loro comune e similare missione nei riguardi dei *mysteria nostrae salutis* [194].

Secondo il dettato del *corpus,* deve essere tacitato ogni errore che intendesse asserire: « femina, quae sine viro filium potuerit parere, virgo non potuit permanere » perché « ecce quantos et quantorum fratres sub una nocte edidit fecunda de sinu integritatis ecclesia mater sponsa » [195].

La Verginità feconda di Maria corre di pari passo con quella della Chiesa. Similmente, le rispettive Maternità verginali sono l'una rapportabile all'altra. Tant'è vero che:

> « Ecclesiam quasi regenerationis matrem, non tamen quasi salutis auctorem, quia non ex ecclesia homo, sed ecclesia coepit ex homine » [196].

L'*auctor salutis* è Cristo, non la Chiesa, che è *regerationis Mater.* Cristo, che è nato da Maria vero uomo-Dio, è la salvezza. Non dunque l'umanità dalla Chiesa, ma la Chiesa dall'uomo-Dio. La Chiesa proviene, in un certo modo, da Maria *mater salutis humanae* perché Madre del Cristo, da cui la Chiesa.

Ora, secondo quanto dimostrato e ricordato sopra, ciò è stato reso possibile dall'opera e dalla presenza dello Spirito Santo.

E' in virtù dello Spirito che Maria concepisce anzitutto per mezzo della fede (*fide maritante*), dono dello stesso Spirito. Egli governa la vita di Maria e dà garanzia della « vita » che Ella porta in sé e che genera. L'azione mediatrice di Maria nei riguardi della salvezza è resa possibile dallo Spirito Santo. Analogamente avviene nella Chiesa, la cui liturgia battesimale la rapporta direttamente a Maria.

La correlazione tra Maria e la Chiesa è di tipo interdipendente. La liturgia della Chiesa (*Ecclesiae cultus*) è simultaneamente *salus et profectus* [197]. Ecco perché il *Dei cultus* deve penetrare l'intimo dei fedeli [198]. Esso è l'evento grandioso e generatore di salvezza che

---

[193] Cfr. *Hom* 2,4,26.
[194] Espressione presente nelle *Hom* 4,1,46; *Hom* 19,1,223.
[195] *Hom* 15,3,177.
[196] *Hom* 10,11,122.
[197] Cfr. *Hom* 59,1,673.
[198] Cfr. *Hom* 76,5,811.

assimila la Chiesa alla maternità verginale di Maria. Per questo il cristiano è un *regeneratus ex aqua et Spiritu Sancto* per poter accedere al regno dei cieli.

Per un notevole apporto sia alla storia del dogma sia alla liturgia — nella quale la *lex credendi* si fa *lex orandi* per la *lex vivendi*, come pure la *lex vivendi* culmina nella *lex orandi* perché la *lex credendi* sia sempre più potenziata e realizzata — ci sembra che sarebbe interessante paragonare le acquisizioni sul *corpus homileticum gallicanum* (dal sec. VII in seguito) con un'analoga indagine sul *Missale Gothicum*, libro liturgico in uso nella Gallia fino alla soppressione della liturgia gallicana ad opera di Carlo Magno, da noi già condotta altrove [199]. Lo stesso confronto andrebbe fatto con i risultati emersi da un'altra indagine sull'eucologia ambrosiana la cui deutero-redazione risale ai secoli VI-VII e il cui *corpus euchologicum* è tuttora presente nel rito ambrosiano [200]. Tuttavia, non possiamo fare a meno di concludere soffermandoci su alcuni dati sottesi alle testimonianze forniteci dal *corpus homileticum gallicanum* e che ci impongono, a ragione, un interrogativo.

3. « ECCLESIOLOGIA - MARIOLOGIA - PNEUMATOLOGIA » DAL « CORPUS HOMILETICUM GALLICANUM », O NON PIUTTOSTO « TEOLOGIA LITURGICA »?

Dalla prima parte del presente contributo [201] abbiamo ricavato qualcosa che è più di un'ipotesi di lavoro, ossia che il valore e la forza probante insiti nel *corpus homileticum gallicanum* sono da ricercarsi anche nel fatto che si tratta di un *corpus liturgicum*. Di questo, pur con i limiti che ci siamo imposti, abbiamo considerato tre aspetti teologici emersi dai dati che abbiamo fatto coagulare attorno a Maria, alla Chiesa, allo Spirito Santo presente ed agente sia in Maria che nella Chiesa [202].

Ora ci poniamo un ulteriore interrogativo con il quale intendiamo tornare sulle precedenti analisi, al solo scopo di arrivare a questa III parte, quale contributo alla teologia liturgica.

Di per sé l'analisi della II parte potrebbe portare il lettore ad un maggior approfondimento della *mens theologica* del compilatore del *corpus*, per giungere a sintetizzare il pensiero teologico su Maria, sulla Chiesa, sullo Spirito. Si tratterebbe eventualmente di evi-

---

[199] Si veda: A.M. TRIACCA, « *Ex Spiritu Sancto regeneratus* ». *La presenza e l'azione dello Spirito Santo testimoniate nel « Missale Gothicum ». (Da un sustrato patristico a una viva preghiera)*, in: S. FELICI (ed.), *Spirito Santo e catechesi patristica* (Roma 1983) 209-264, specie 244ss (= *Presenza e azione dello Spirito Santo in riferimento a Cristo, a Maria e ai Cristiani*).

[200] Cfr. A.M. TRIACCA, *La Vierge Marie, Mère de Dieu, dans la liturgie eucharistique ambrosienne. « Hinc egressa mysteria salvatoris »*, in: A.M. TRIACCA - A. PISTOIA (edd.), *La Mère de Jésus-Christ et la Communion des Saints dans la liturgie* (Roma 1986) 283-332.

[201] Si veda sopra [1], specialmente [1.2.2.].

[202] Cfr. [2.4.1/2.4.2].

denziare la Mariologia, l'Ecclesiologia, la Pneumatologia presenti nel suddetto *corpus*. In questo senso esso è testimone — e non più che testimone — di un modo di pensare di qualche teologo-scrittore esistito (o no) in un determinato luogo, tempo, « milieu ». Quanto più saranno note le coordinate relative al pensiero cristallizzato nel *corpus*, tanto più facilmente si potrà « far scattare la fotografia » dell'Ecclesiologia, della Mariologia e della Pneumatologia in causa.

Questo modo di procedere, *comune* alla maggior porte degli studiosi, riflette un *comune modo* di accostarsi alle fonti, quasi queste fossero statiche o sclerotiche.

Al contrario, la fonte è testimone di vitalità ecclesiale e di dinamismo tipico a un tessuto e a un vissuto da parte di comunità e di generazioni di fedeli. D'altro canto, l'attività del compositore (chiunque sia stato) del *corpus* — che, essendo un *corpus homileticum*, è un *corpus liturgicum* — era concentrata sul deposito della fede da far vivere celebrandolo e da celebrare vivendolo. Sarebbe assurdo e un controsenso pretendere di accostare questa fonte disattendendo la realtà della liturgia. Già altrove abbiamo ricordato che « purtroppo, a riguardo di non pochi studi di patrologi recenti e non recenti, ci si deve lamentare che non solo non dicono una parola di tutte le prospettive teologico-liturgiche che s'incontrano nella letteratura patristica, ma nemmeno sospettano, da un punto di vista metodologico, che sia necessaria la conoscenza della dimensione liturgica per la retta comprensione dei Padri » [203].

La fonte in questione non è da considerarsi solo come un *locus theologicus* che serve a provare delle verità di fede. Questa è una visuale statica nell'accostare le fonti interessate alla liturgia. Questa testimonia la *lex credendi*, ma anche la *lex orandi*. La teologia e la liturgia sono correlate l'una con l'altra. Ma anche qui si deve far caso che la correlazione non è da ricercarsi solo nel fatto che la teologia potenzia la « fides quae creditur » e la liturgia la « fides qua creditur ». La teologia è un ripensamento della fede che è portato alla sua pienezza solo sul piano dell'attuazione celebrativa [204].

In altri termini, la teologia è veramente tale quando è « in funzione » della liturgia. In questa è presente il rendimento di lode

---

[203] L'affermazione è a p. 65 del *nostro* contributo: *Liturgia e catechesi nei Padri*: *note metodologiche,* in: S. FELICI (ed.), *Valori attuali della catechesi patristica* (Roma 1979) 51-68. Avvertiamo che, per comprovare l'importanza e il valore dell'affermazione, abbiamo ripetutamente trattato temi concreti in una serie di otto (fino ad oggi) contributi che il lettore può trovare nei volumi della « Biblioteca di Scienze Religiose » (LAS - Roma 1980), nr. 31, 42, 46, 54, 60, 66, 75, 78 ...

[204] Anche per questo settore dobbiamo rimandare a due nostri contributi che si complementano a vicenda. Si veda: A.M. TRIACCA, *Le sens théologique de la Liturige et/ou le sens liturgique de la théologie. Esquisse initiale pour une synthèse,* in: AA.VV., *La liturgie*: *son sens, son esprit, sa méthode* (*liturgie et théologie*) (Roma 1982) 321-337; IDEM, « *Liturgia* » « *locus theologicus* » o « *theologia* » « *locus liturgicus* »? *Da un dilemma verso una sintesi,* in: *Paschale Mysterium. Studi in memoria dell'abate prof. Salvatore Marsili osb* (Roma 1986) 193-233.

(= dimensione *eulogica*), accompagnato dal rendimento di grazie (= dimensione *eucaristica*, in senso lato). A queste sono intimamente congiunte le dimensioni di domanda (= *aitesica*), di riparazione, (= *akesica*), mai disgiunte da quella dell'insegnamento (= *didattica*). Il tutto vivificato dalla celebrazione liturgica nella quale è sempre presente la dimensione di santificazione (= *agiasmica* o discendente) mediante la quale si rende alla Trinità culto in spirito e vita (= dimensione *cultica* o ascendente). Con queste ultime due dimensioni la celebrazione liturgica viene a porsi al centro della vita del singolo fedele per renderla quello che deve essere: una vita di oblazione spirituale.

Poiché la vita del fedele risulta *orientata*, in ogni sua attività e manifestazione, *alla* realtà « liturgica », si deve convenire che anche la teologia (che a sua volta è attività dei fedeli) deve essere « in funzione » della liturgia, e da questa deve prendere le mosse.

In altri termini, la teologia, quando è autentica *professio fidei* (= dimensione *omologetica*), deve sfociare in una dimensione non tanto né solo noetico-intellettiva, discorsiva, dialogica, logica, quanto piuttosto in quella di un « atto di fede-vita » che abbracci l'adorazione e il rendimento di lode. Si comprende come la dimensione omologetica propria della teologia debba tendere a *fondersi-con* (anche se non arriverà mai a *con*-fondersi) le dimensioni sopra accennate, specie quelle eulogica ed eucaristica. Se la teologia non diventa dossologia, essa vanifica sé stessa.

Detto con altri termini, la dimensione omologetica della teologia sarà vera e fruttuosa quando la sua teleologia giunge ad esplicitazione. La finalità, infatti, di ogni « professio fidei » come frutto di una definizione oggettiva di una verità rivelata non può arrestarsi all'esperienza riflessa della stessa « professio fidei », o alla semplice ripetuta affermazione della « professio », bensì deve arrivare alla « celebrazione » della medesima fede portando ad esplicitare le dimensioni eulogiche, eucaristiche, aitesiche, akesiche, didattiche, discendenti, ascendenti, ecc.

In questo senso la teologia si riscopre non disgiunta dalla vita perché essa è adorna della dimensione *dossologica* essendo (— *per* essere vera teologia, *se* vuole essere vera teologia —) orientata finalisticamente a « fare del fedele » (e il vero teologo è « fedele ») una persona che comprende e vive la Verità, se ne nutre e l'approfondisce vitalmente, perché con tutto il suo essere possa più speditamente dar gloria a Dio.

Sarebbe scientificamente più corretto parlare di teologia liturgica o di liturgia teologica presente e testimoniata nel *corpus homileticum gallicanum*, almeno per la tematica da noi presa in analisi, perché è tematica propria ad una celebrazione di misteri che l'omelia ricorda perché li spiega, che spiega perché di essi si fa memoria liturgica (= memoriale, *anamnesis*). Dunque, sono misteri compartecipati ai fedeli perché la celebrazione postula la partecipazione liturgica (= *methexis*) mediante la quale l'evento di salvezza, il « mysterium », è fatto presente in forza dello Spirito Santo, che è presente e che agisce in ogni celebrazione.

Di qui la necessità di prendere coscienza riflessa che dopo le nostre affermazioni della prima parte [specie 1.2.2], previa dimostrazione, e dopo l'analisi delle tematiche condotta nella seconda parte, vorremmo qui, come conclusione, puntualizzare in forma quasi schematica ma stimolante per ulteriori ricerche nel settore della teologia liturgica o della liturgia teologica, i seguenti punti chiave che altrove abbiamo sviluppato in modo analogo ma con accentuazioni diverse [205].

Parto dalla mirabile osmosi, ovvero dall'intercambio operativo tra la *lex orandi* e la *lex credendi,* in nome di un aspetto più interessante che è quello implicato nella *lex vivendi.*

Nell'alternanza e nell'intreccio delle tre leggi, or ora ricordate, ci sembra di non andare errati nel porre l'attenzione su alcuni passaggi ideali che distinguiamo per chiarezza di esposizione, ma che effettivamente costituiscono un'unitarietà nell'insieme della vita ecclesiale dei fedeli.

3.1. *La « professio fidei » del « corpus homileticum gallicanum » strettamente connessa con la « celebratio fidei »*

Le omelie del *corpus* prese in analisi sono primariamente commemorative dei misteri di Cristo. Questi costituiscono la matrice originaria ed autentica della *fides christiana.* I misteri del Salvatore, però, sono connessi con le prerogative della Madre Maria e a loro volta illuminano, non in astratto ma concretamente, l'esperienza religiosa dei fedeli. La celebrazione liturgica commemora soprattutto e anzitutto l'*hodie* della salvezza attuata dal Salvatore. L'*hodie* è perpetuo, dal concepimento del Verbo alla sua Pasqua e alla presenza sua nel decorso dei secoli, in ragione della sua promessa (« sarò con voi ») e del suo comando (« fate questo in memoria di me »). La fede nei misteri di Cristo postula la *professio fidei* che la liturgia celebra [206]. *Fides - professio fidei - celebratio fidei* si richiamano necessariamente e si rapportano intrinsecamente.

Credere, professare, festeggiare che Cristo è Uomo-Dio, celebrando il Mistero dell'Incarnazione del Verbo in Maria e della sua

---

[205] Ci riferiamo al *nostro* contributo frutto di una relazione tenuta presso la Facoltà Teologica Ortodossa - S. Sergio (Parigi) il 25 giugno 1985 in occasione della 32ª Settimana di Studi liturgici sul tema « La Mère de Jésus-Christ et la Communion des Saints dans la Liturgie ». Si veda *o.c.,* alla nota 200.

[206] Per questo settore sono utili i contributi contenuti in: A.M. Triacca - A. Pistoia (edd.), *La liturgie expression de la foi* (Roma 1979), specie il nostro « *Fides magistra omnium credentium* ». *Pédagogie liturgique: pédagogie « de la foi » ou « par la foi »? (Contribution des sources liturgico-eucologiques à l'intelligence d'un problème actuel*), in: *o.c.* 265-310.

nascita verginale da Maria, per opera dello Spirito Santo, è implicitamente potenziare la persona della Madre di Cristo. Una Maternità divina « del tutto particolare »: una Maternità Verginale. Ma questa Maternità Verginale corre in parallelo con quella « del tutto particolare » della Chiesa che per opera dello Spirito quotidianamente procrea figli a Dio.

La predicazione testimoniata dal *corpus homileticum gallicanum* sta a sottolineare che:

3.1.1. Dapprima si credeva da parte dei fedeli una determinata verità. Cioè: nel vissuto ecclesiale veniva a crearsi, tramite una ortodossa omiletica, un « sensus fidelium » *ortodosso* [207]. I passaggi che seguivano erano *dal* « sensus fidelium » *alla* « professio fidei », *che sfociava nella* « celebratio fidei ». *Prima si crede, poi si venera.*

3.1.2. La venerazione di Maria è in stretta connessione e correlazione con la sua missione tutta polarizzata attorno alla Persona del Cristo, alla di lui missione e alle prerogative connesse. Cristo e le sue membra ritrovano correlazione in Maria Madre e Vergine che è assimilata alla Chiesa, di cui Maria è parte e modello ad uno stesso tempo. Maria genera un Figlio in modo meraviglioso per virtù dello Spirito Santo. Similmente la Chiesa genera una moltitudine di figli come membra di un corpo unico, che è quello dell'Adamo nuovo, cioè il Corpo mistico del Cristo: Capo e Membra.

Perché si venera, si celebra. L'omelia, parte dell'azione liturgica, è pur essa celebrazione.

3.1.3. La celebrazione è in stretto rapporto con la « fides christiana ». A sua volta, questa si basa sulle azioni salvifiche del Cristo, alla cui Persona quella di Maria è in relazione e quindi in relazione con la Chiesa stessa.

La celebrazione diventa l'espressione della fede professata, cioè il luogo fondamentale dove la fede cristiana si sviluppa nell'intelligenza del mistero. Ivi l'approfondimento della fede si concretizza in una riformulazione sempre nuova. Il *corpus* è testimone dello sviluppo e della concretizzazione, almeno nelle accentuazioni più interessate al nostro tema e quali parti di azione liturgica. *Perché si celebra, si festeggia.*

3.1.4. Perché si festeggia, viene facilitata l'adesione vitale al mistero celebrato. Questo a volte è proclamato e sancito solennemente, come, per esempio in campo mariano, è avvenuto in antico per la

---

[207] Si tenga presente che l'*historia* è sempre *magistra vitae.* In antico precedeva una vera ortodossa catechesi. Seguiva il *sensus fidelium.* Da questo si procedeva ad argomentare. Simile via (= metodo) sarebbe ancor oggi giustificabile solo qualora precedesse una vera ortodossa catechesi. Purtroppo oggi certe frange di teologi (specie pastoralisti) applicano « inconsultamente » tale metodologia. « Inconsultamente » perché partono da un *sensus* che è informato da una *ignorantia* di notevole spessore. Ora, dal *sensus ignorantium* non si può dedurre altro che la necessità di istruzione (catechesi, ecc.) adeguata ed ortodossa.

Maternità verginale di Maria e, di recente, per la sua Immacolata Concezione e per l'Assunzione. *Perché c'è la festa, si proclama il dogma.*

La linea logica di quanto abbiamo fin qui sintetizzato corre *a lege credendi ad legem orandi,* ma in modo correlativo e reciprocamente influente, per cui vale anche l'inverso: *a lege orandi ad legem credendi.*

Le fonti prese in analisi testimoniano l'interscambio e la correlazione tra la reciprocità delle due sfumature or ora accennate, ma ci testimoniano anche un'altra costante:

3.2. *La « celebratio fidei » testimoniata dal « corpus homileticum gallicanum» è imprescindibile dal coinvolgimento della «vita fidelium»*

Il *corpus homileticum gallicanum* è esso pure teste di un tratto caratteristico della relazione che si trova presso i Padri *tra* catechesi, concentrata per la maggior parte nelle omelie, *e* liturgia. Ad essi sta a cuore il punto teologico della liturgia, presente nella liturgia stessa. Per cui la loro omiletica assume prevalentemente il tono di esposizione dei contenuti teologico-liturgici in rapporto alla concreta esistenza dei fedeli ed in sintonia con le loro capacità psicologiche e di apprendimento.

Si potrebbe così ricordare che il senso vitale della liturgia va di pari passo con la catechesi-omiletica, che dalla liturgia, in cui avviene e di cui è parte, mutua la sua vitalità. E come la liturgia segue la vita del fedele e ne scandisce i ritmi di crescita, così l'omelia non è concepita dai Padri come un « momento » della vita del cristiano, ma come realtà che la fascia e la permea interamente.

D'altro canto, i misteri che la liturgia celebra, come ispirano all'azione liturgica l'atteggiamento dell'umile e profonda adorazione, così donano all'omelia l'elemento di unitarietà di concetti e di nozioni particolari. Detto in modo schematico e riassuntivo:

3.2.1. *Siccome si celebra, si crede intensamente.* La celebrazione trova la sua fonte nei *mysteria* che lo Spirito Santo ha operato in Maria. La celebrazione si fa nella Chiesa di cui Maria è parte.

I *mysteria* sono stati dapprima accolti da Maria e da Lei fedelmente vissuti in ragione del Figlio. Dai *mysteria* del Figlio provengono consistenza a quelli realizzati nella Madre.

Si celebrano le risposte della *Virgo fidelis* alle iniziative delle Persone Divine nei suoi riguardi. Rifiutare una celebrazione mariana equivarrebbe a misconoscere che l'iniziativa delle Persone Divine fu accolta dall'*ancilla Domini* con tutta la sua dedizione e nella totalità della sua persona. L'omileta, nelle tonalità testimoniate dal *corpus homileticum gallicanum,* è riflessamente cosciente che il rifiuto di cui si è detto equivarrebbe a disattendere fin nelle sfumature e nelle intime implicanze l'ordine dell'Incarnazione e a cedere all'erronea illusione di credersi capaci di « auto-salvezza », senza passare dalle vie scelte da Dio.

Con gli accenni e con richiami omiletici l'Autore del *corpus* crede che la *vita fidelium* si debba « sostanziare », sulla scia di quella di Maria, di un'*oblatio spiritalis,* cioè dell'essere associata al Cristo.

Dalla celebrazione della « professio fidei » nei « mysteria Salvatoris » provenienti da Maria — la quale volontariamente ha accettato d'essere sorgente umana da cui essi potessero fluire — si passa alla vita.

3.2.2. *Siccome si crede intensamente,* fino ad arrivare a celebrare ciò che si crede, *si giunge ad imitare nella vita* le virtù di Maria, che la liturgia venera in diretta connessione col Cristo.

Nell'azione liturgica, è pur sempre e anzitutto la memoria dei misteri di Cristo che viene celebrata. Ma tali misteri non sono ripiegati su sé stessi, bensì sono in stretto rapporto con Colei che ha dato modo al Verbo di farsi carne e di realizzarli fino al suo Sacrificio in Croce. Il fedele è portato dalla capacità persuasiva delle omelie — che sono parte della celebrazione — a conformarsi al Cristo e a imitare le virtù di Colei che così da vicino ha prestato una « diakonia » insostituibile al Sommo ed Eterno Sacerdote, che, per opera dello Spirito Santo, costituisce una Chiesa per procreare a Dio figli innumerevoli.

3.2.3. *Siccome si imita, ci si sforza di vivere nel quotidiano le virtù di Maria.* Proprio perché il fedele sa di vivere in un mondo alla cui ricostruzione è chiamato a collaborare con Dio, come Maria deve collaborare al piano di Dio. Il fedele, seguace del Cristo, imita la *Virgo Humilis, Sancta et Fidelis* che più da vicino ha vissuto — come usiamo dire oggi — il discepolato del suo Signore, Figlio suo e del Padre: Figlio suo ad opera dello Spirito Santo.

La vita dei fedeli, vita della Chiesa, imita quella di Maria e ad essa si conforma, nello sforzo d'essere in sintonia con lo Spirito Santo. Questi è il principio di vita dei figli di Dio.

In altri termini: siccome si vive, si sente la necessità di essere devoti, cioè si prega imitando, e si imita pregando. Infatti *a lege orandi ad legem vivendi* è un moto che di nuovo risospinge *a lege vivendi ad legem orandi,* ma in una recircolarità proficua e vitale.

Di qui è comprensibile un terzo livello che induce a sottolineare come il *corpus homileticum gallicanum* sia testimone di una vitale teologia liturgica.

3.3. *La « vita fidelium » interagisce simultaneamente con la « professio fidei » e la « celebratio fidei »*

La *vita fidelium* non può che fondarsi sulla vera fede e da essa attingere alimento. Si comprende la preoccupazione dell'Autore del *corpus* che cerca di difendere la fede per via apologetica. Egli è più che convinto che la fede cristiana non è imponibile, ma proponibile sì. E' proponibile alla libertà che Dio vuole sempre salvaguardare nell'uomo. Il *corpus homileticum* conosce bene le dispute attorno alla grazia e alla libertà umana. Sa che alla dinamica della fede concorrono innanzitutto la grazia, ma anche la volontà e la ragione. La fede, cioè, non è certo « dimostrabile con » la sola ragione, ma questa non va esclusa, purché resti nel suo ambito. E alla ragione il compositore del *corpus* si accosta con argomenti suffragati da citazioni o da ispirazioni scritturistiche [208]. Infatti sa che per la fede è inderogabile fidarsi della Parola della Rivelazione. Invita però i credenti a mantenersi fedeli alla Chiesa che esercita la sua funzione materna nei riguardi dei fedeli, sempre sotto l'azione dello Spirito Santo. Dall'azione dello Spirito in Maria in vista dell'Incarnazione del Verbo e dall'azione del medesimo Spirito quale si ha nell'esordio della vita del fedele, ossia nel Battesimo, scaturiscono il culto liturgico, il dogma, la morale, l'ascesi personale ed ecclesiale, la testimonianza cristiana.

La *motio,* la *praesentia,* l'*actio* dello Spirito Santo presiedono fin dall'origine la vita dei fedeli e ne comandano lo sviluppo integrale ed armonico, fino alla crescita nell'età perfetta in Cristo [209].

Senza una vita veramente di fede (= vita *fidelium*), i *mysteria* del Cristo che provengono da Maria si celebrerebbero senza alcun profitto [210]. Essi — senza la *vita fidei* — sarebbero vanificati dalla volontà umana nel loro porsi a beneficio dei fedeli. Di qui la necessità che si parta da una vera vita di fede operativa e si giunga alla celebrazione dei divini misteri. Ecco perché il *corpus homileticum* ripetutamente durante la stessa celebrazione fa professare i misteri principali della fede. Con ciò non intende ridurre tutto a pura *confessio fidei* con le labbra e senza la vita, ma proclama ed inculca che il *fidelis* deve imitare l'atteggiamento di Maria, alla quale la Chiesa è conformata nell'associarsi al Cristo.

In ultima analisi, sembra che l'omileta gallicano sia più che convinto che *senza amore non si crede, perché senza fede non si ama.* L'amore alla Vergine-Madre è amore al Figlio Uomo-Dio e alla Chiesa come parte del suo Corpo.

La fede in Cristo sospinge ad amare la Chiesa e Maria, assimilate dall'azione dello Spirito a procreare il Cristo *ieri* ed *oggi.*

Avere fede in Cristo è esserne seguaci e discepoli fedeli.

---

[208] Non ci sentiamo affatto di condividere l'asserzione di M. Simonetti: « Sono scarsi gli sviluppi propriamente scritturistici: anche quando l'omelia muove da un passo della Scrittura, l'interesse prevalente non è esegetico ... » (M. SIMONETTI, *o.c.,* col. 1300-1301).

[209] Cfr. *Eph* 4,13.

[210] Ricordiamo che, a questo proposito, un prefazio della liturgia ambrosiana — prefazio risalente al sec. V — afferma che da Eva « egressa sunt venena discriminis », da Maria, invece, « egressa mysteria Salvatoris ». Si veda la nostra ricerca citata sopra alla nota 200.

Avere fede in Lui è crederlo *corde, mente, ore, opere.* Vale infatti il principio aureo enunciato da una fonte liturgica antica, principio il cui valore è indiscusso per ogni vita autenticamente cristiana: « vel opera nostra ornentur ex fide, vel fides nostra commendetur ex opere » [211].

Credere Cristo (= *credere Christum*), credere *a* Cristo (= *credere Christo*), credere *in* Cristo (= *credere in Christum*) comporta imitazione della sua vita, condotta adeguata ai suoi principi etici, affidamento alla sua vita misterica, cioè storico-salvifica. I suoi misteri sono dalla liturgia resi presenti e attuati. Leone Magno esclamerebbe: « Eodem Spiritu sanctificamur, eadem fide vivimus, ad eadem sacramenta concurrimus » [212].

In questo contesto è comprensibile il modo di intessere le omelie e il conseguente atteggiamento che l'omileta intende suscitare nei fedeli, cosciente che la loro spiritualità non sarebbe sufficientemente realizzabile a livello di solo impegno ascetico, dato che questo si nutre e sfocia in quello celebrativo.

Il *mysterium* è presente nella *celebratio* per la *vita fidelium,* la quale culmina nell'*actio liturgica* perché il *mysterium* si realizzi. La *celebratio* commemora, attua: appunto « celebra » [213].

Il fedele partecipa, si immedesima, imita ciò che celebra. Di qui l'importanza dell'omelia liturgica per ravvivare l'attenzione, rinnovare la fede, alimentare la tensione ai *mysteria* in coloro che vi partecipano.

La visuale del compositore del *corpus homileticum gallicanum* corrisponde alla seguente formulazione: « Perché la vita venga permeata da quanto scaturisce dall'azione liturgica (piano soprannaturale della più mirabile creazione: la Redenzione, cioè, Incarnazione, Passione, Morte, Risurrezione, Ascensione, Pentecoste), è necessario che l'azione liturgica stessa coinvolga nella celebrazione il vivere quotidiano della creatura (piano naturale della creazione) ». Con altre parole l'omileta attua l'assioma: « Il fedele può vivere ciò che celebra solo se prima (priorità di ordine logico) celebra ciò che vive ». Ciò va inteso nel senso che la priorità in ordine logico — e anche in ordine cronologico — spetta alla catechesi-omiletica; ma la preminenza ontologica e vitale spetta alla liturgia.

In verità, dunque, ciò che è sotteso al *corpus homileticum gallicanum* non è primariamente una serie di tematiche teologiche (al caso nostro: Mariologia, Ecclesiologia, Pneumatologia) ma una visuale teologico-liturgica del dato che, rivelato, si crede e si celebra.

---

[211] Cfr. J.P. GILSON (ed.), *The Mozarabic Psalter. (Ms. British Museum - Add. 30.851)* (London 1905) 51.

[212] (S.) LEO Magnus, *Tractatus* 41,3 (= CCL 139A, 236).

[213] Circa il significato di « celebrazione liturgica » si veda — per quanto riguarda l'antichità cristiana occidentale — ad esempio: B. DROSTE, « *Celebrare* » *in der römischen Liturgiesprachen* (München 1963); A. PERNIGOTTO-CEGO, *Cos'è la festa cristiana? Alle sorgenti liturgiche: il concetto e il valore teologico della solennità nel Sacramentario Veronese,* in: *Ephemerides Liturgicae* 87 (1973) 75-100.

La *celebratio*, di cui l'*homilia* è parte, serve ad evitare ogni separazione tra partecipazione all'*actio liturgica* e partecipazione alla *vita fidelium*. In tal modo non si rendono vani i *mysteria fidei*, perché in verità il fedele partecipa, si immedesima, imita ciò che celebra. Dunque *a lege vivendi ad legem orandi*, perché la *lex credendi* è già parte sia della *lex orandi* sia della *lex vivendi*. In tal modo si può di nuovo e ripetutamente passare *a lege orandi ad legem vivendi*. L'intento e lo scopo della teologia liturgica è conformarsi ai *mysteria* per mezzo dell'imitazione celebrata e della celebrazione vissuta.

In questo contesto si comprendono gli accenni che più sopra [2.2.3/2.3.3] abbiamo fatto a proposito della *mens* liturgica che emerge dal *corpus homileticum gallicanum* e che meritatamente ci piace sintetizzare con il duplice principio ivi enunciato, e cioè:

* *Ecclesiae cultus, fidelium et salus est et profectus.*

La liturgia è parte integrante della vita della Chiesa, in modo che:

quanto magis assiduitate venerationis excolimus,
quanto magis piis studiis frequentamus,
tanto plus nosse incipimus [214].

** Ne segue che:

recte festa ecclesiae colunt, qui se ecclesiae filios esse cognoscunt [215], perché *fidelium cordibus disponendus est Dei cultus* [216].

---

[214] *Hom* 59,1,673.
[215] *Hom* 47,1,555.
[216] *Hom* 76,5.811. Per questo si veda: A.M. TRIACCA, « *Cultus* » *in Eusebio* « *Gallicano* », in: *Ephemerides Liturgicae* 100 (1986) 96-110.

SEZIONE STORICO-TEOLOGICA

EL TITULO « AUXILIADORA DE LOS CRISTIANOS » EN LOS TEXTOS Y EN LAS ACTAS DEL CONCILIO VATICANO II

RAFAEL CASASNOVAS CORTÉS, S.D.B.

0. Antes de empezar mi trabajo quisiera decir una palabra sobre el título que le he puesto y el método que voy a seguir.

En el título hablo, en primer lugar, de un « título » mariano: AUXILIADORA DE LOS CRISTIANOS. Este título mariano aparece sólo una vez en el capítulo octavo de la *Lumen gentium* (n. 62), y aparece junto a otros títulos (*Advocata, Adiutrix, Mediatrix*). Esta sucesión la considero importante, porque me dará pie para detectar el objetivo que pretendo descubrir: encontrar el *sentido* que le da el Concilio.

En el título hablo, también, de « textos » y de « actas ». Los TEXTOS son los documentos de que dispusieron los Padres para la elaboración del capítulo octavo de la *Lumen gentium*, y las ACTAS son las *Acta Synodalia Sacrosancti Concilii Oecumenici Vaticani II* [1], en las que se encuentran « omnia ... quae ad conciliarem disceptationem pertinent, id est schemata, relationes, orationes ore scriptove prolatae, animadversiones, emendationes, modi et communicationes ». Esta duplicidad de fuentes (textos y actas) obedece sencillamente al método que pienso seguir: presentar los siete textos, pero iluminados por el material que se encuentra en las actas. Así se logrará un enriquecimiento mútuo.

Creo que esta forma de proceder es válida, es lógica, es nueva y es la más adecuada para encontrar el *sentido real* de los textos.

1. EL TITULO « AUXILIADORA DE LOS CRISTIANOS » EN EL TEXTO NUMERO 1 [2]

Se trata de un opúsculo de 122 páginas. La autorización pontificia es del 10 de noviembre de 1962. Se distribuyó a los Padres el día 23 del mismo mes, durante la 25 Congregación general [3].

---

[1] *Acta Synodalia Sacrosancti Concilii Oecumenici Vaticani II.* Cura et studio Archivi Concilii Oecumenici Vaticani II. Typis Polyglottis Vaticanis, 1970-1980 (AS).

[2] SACROSANCTUM OECUMENICUM CONCILIUM VATICANUM SECUNDUM: *Schemata Constitutionum et Decretorum de quibus disceptabitur in Concilii sessionibus.* Series secunda. De Ecclesia et de Beata Maria Virgine. Typis Polyglottis Vaticanis, 1962, 122p. (Tx 1) (AS I,4,92-121).

[3] Cf. AS I,3,373.

Contiene dos esquemas: el *de Ecclesia* (pp. 7-90) y el *de B. Maria Virgine* (pp. 93-122) [4]. Este último lleva como título « *Schema Constitutionis Dogmaticae de Beata Maria Virgine Matre Dei et Matre hominum* ».

Este esquema es el fruto de una larga elaboración [5]. Redactado fundamentalmente por el P. Baliç [6], retocado y corregido por la Subcomisión y Comisión Teológica [7], fue aprobado por la Comisión Central Preparatoria el día 20 de junio de 1962, durante la octava congregación de la sesión séptima [8].

Su contenido es muy simple: quiere ser un « clarum verbum ex quo pateat quid reapse Ecclesia Catholica qua talis, de munere, privilegiis et cultu mariali credit, *tenet* docetque » [9]. Aunque, dice en los prenotandos, « prae oculis habiti sunt fratres separati eorumque modus cogitandi » [10].

El título « Auxiliadora de los cristianos » no se encuentra explícito en el texto, pero su doctrina se halla implícita en los *títulos* de « Modelo » y « Madre » de la Iglesia [11], en su *función* « in oeco-

---

[4] *Textus, pp.* 93-98 (AS I,4,92-97); *praenotanda,* pp. 99-101 (AS I,4,98-100); *notae,* pp. 101-122 (AS I,4,100-121).

[5] « Sabido es que el esquema ha sido elaborado en varias sesiones, principalmente en la de Ariccia, en la Domus Mariae y también en las sesiones que tuvieron lugar en el Ateneo Antoniano, en la Pontificia Academia Mariana y en el Santo Oficio, en cuyas sesiones estuvieron presentes los socios de la Comisión y Subcomisión teológica, entre los cuales figuraban, además, otros muchos mariólogos » (Balić C.: *El capítulo VIII de la Const. « Lumen gentium » comparado con el primer esquema de la B. Virgen Madre de la Iglesia,* en « Est. Marianos », 27 (1966), 136; *La doctrine sur la bienheureuse Vierge Marie Mère de l'Eglise et la Constitution « Lumen gentium » du Concile Vatican II,* en « Divinitas », 9 (1965) 466; *Circa schema Constitutionis dogmaticae de Beata Maria Virgine Matre Ecclesiae. Votum Rev. P. Caroli Balić, Periti,* Typis Polyglottis Vaticanis, 1963, pp. 3-7; Besutti, G.M.: *Nuove note di cronaca sullo schema mariano al Concilio Vaticano II,* en « Marianum », 28 (1966), 14-15; Niño Picado, A.: *La intervención « Lumen gentium »*, en « Ephem. Mar. », 18 (1968), 18-26.

[6] Las tres primeras redacciones llevaban como título *De Maria, Matre Iesu et Matre Ecclesiae;* la cuarta, *De Maria, Matre Corporis Mystici,* y la quinta, *De Maria, Matre Capitis et Matre Corporis Mystici Christi membrorum* (cf. Besutti, G.M.: *Nove note di cronaca, o.c.,* 14; Balić, C.: *La doctrine sur la bienheureuse V.M., o.c.,* 466.

[7] Cf. *Acta et Documenta Concilio Vaticano II apparando.* Series secunda (praeparatoria). Vol. III: *Acta Commissionum et Secretariatuum praeparatoriorum Concilii Vaticani II,* pars prima, commissiones theologicae. Typis Polyglottis Vaticanis, 1969, pp. 205-231.

[8] Cf. *Acta et Documenta Concilio Vaticano II apparando.* Series secunda (praeparatoria). Vol. II: *Acta Pontificiae Commissionis Centralis Praeparatoriae Concilii Oecumenici Vaticani II,* pars quarta, sessio septima (12-20 iunii 1962). Typis Polyglottis Vaticanis, 1968, pp. 746-784.

[9] Tx 1,99 (AS I,4,98).

[10] Tx 1,100 (AS I,4,99).

[11] Cf. Tx 1,93 (AS I,4,92).

[12] Cf. Tx 1,93 (AS I,4,92). « 2. [*De munere beatissimae Virginis Mariae in oeconomia nostrae salutis* »].

nomia nostrae salutis »[12] y en los *títulos* « quibus consociatio B.V.M. cum Christo in oeconomia nostrae salutis exprimi solet »[13].

1. De los *títulos* de « Modelo » y « Madre » de la Iglesia:

> Si María es *Modelo* y *Madre* de la Iglesia, ayuda y auxilia a la Iglesia y a los cristianos[14].

Sobre esta deducción no voy a insistir más, por ahora, porque la considero evidente. Para una mayor información del título « Madre de la Iglesia » en el Concilio Vaticano II, remito a un estudio mio que apareció en « Ephemerides Mariologicae » del año 1982[15].

2. De su *función* « in oeconomia nostrae salutis »:

> Si María fue la « generosa *Socia* in gratia pro honiminibus acquirenda ... », es lógico que también « caelestium gratiarum *Administra* et *Dispensatrix* iure meritoque salutetur »[16]. Y por esto, « non, uti quidam aiunt, "in peripheria", sed in ipsomet "centro" Ecclesiae sub Christo collocari »[17].

Sobre esta deducción sí voy a insistir más, porque la considero fundamental para comprender el sentido de nuestro título.

3. De los *títulos* « quibus consociatio B.V.M. cum Christo in oeconomia nostrae salutis exprimi solet », el texto sólo explicita uno: el de « omnium gratiarum Mediatrix ». « Non inmerito ab Ecclesia beatissima Virgo gratiarum MEDIATRIX nuncupatur »[18].

> « Quod si hisce in terris S. Paulus Apostolus sine intermissione in orationibus memor erat fidelium (cf. Rom 1,10; Eph 1,15; Phil 1,3-4; Col 1,3 et 9; 1Thes 1,2-3; 2Tim 1,1), et instanter subsidium praecum eorum pro se poscebat (cf. Rom 15,30; 2Cor 1,11; Eph 6,18-19; 1Thes 5,25; 2Thes 3; Hebr 13,18), multo magis expedit iuvatque ut nosmetipsos commendemus praecibus seu intercessioni eiusdem beatissimae Virginis Mariae ». Pues ella, « strictius intimiusque quam alia quaelibet creatura, immo modo unice sibi proprio, Deo et Christo, Filio Dei et Filio suo, copulatur »[19].
>
> « Et quia eius *Intercessio* totam suam vim et efficaciam haruit ex sacrificio cruento Filii sui benedicti, haec eius *Mediatio* minime afficit ut unus Mediator Dei et hominum desinat esse homo Christus Iesus (cf. 1Tim 2,5), sicut ex eius bonitate non sequitur, ut solus

---

[13] Cf. Tx 1,94 (AS I,4,93). « 3. [*De titulis quibus consociatio Beatae Virginis Mariae cum Christo in oeconomia nostrae salutis exprimi solet* »].

[14] También se podría decir lo mismo del título « *Mater hominum* », que es el que encabeza el texto.

[15] Cf. CASASNOVAS, R.: *El título « Madre de la Iglesia » en los textos y en las actas del Concilio Vaticano II*, en « Ephem. Mar. », 32 (1982), 237-264.

[16] Tx 1,94 (AS I,4,93). El subrayado es nuestro.

[17] Tx 1,94 (AS I,4,93).

[18] Cf. Tx 1,94-95 (AS I,4,93-94).

[19] Tx 1,95 (AS I,4,94).

desinat esse fons bonorum omnium, ipse Deus (cf. Mt 19,17, coll. Rom 2,4) »[20].

Sobre esta deducción sí voy a insistir también, porque se trata de un título que, en la redacción definitiva del texto, viene equiparado con el nuestro. Para una mayor información del título « Mediatrix » en el Tx 1, remito al « Votum Rev. P. Caroli Baliç, Periti »[21].

4. De los otros *títulos* « quibus Magisterium Ecclesiae, veneranda Traditio fideliumque pius sensus Beatissimam Virginem salutare consueverunt », sólo se dice que « solido fundamento, radice ac principio nituntur », y que por lo mismo « nefas est dicere, vacuos inanesque esse, immo Sacris Litteris adversari »[22]. Pero en el cuerpo del texto no explicita a ninguno. Sólo en la nota 16 nombra a varios, entre los cuales está el nuestro[23]:

> « Praeter titulos allatos adsunt *quamplurimi alii,* quibus a christifidelibus Maria salutatur ». Y aquí cita un fragmento de una Encíclica de *Leon XIII*[24], en donde se dice: « Veteris et recentioris aevi historiae, ac sanctiores Ecclesiae fasti publicas privatasque ad Deiparam obsecrationes vota commemorant, ac vicissim praebita per Ipsam auxilia partamque divinitus tranquillitatem et pacem. Hinc insignes illi tituli, quibus Eam catholicae gentes *Christianorum Auxiliatricem,* Opiferam, Solatricem, bellorum Victricem, Paciferam consalutarunt »[25].

¿Cuál es el *sentido* que le da el Concilio?

5. En el apartado sexto del texto [« *Maria Sanctissima Fautrix unitatis christianae* »] aparece, en cierto sentido, nuestro título, pero va referido a los que « praeprimis... christiano nomine gloriatur » y tiene un caríz ecuménico:

---

[20] Tx 1,95 (AS I,4,94). El subrayado es nuestro. « Maria enim in Christo est *mediatrix,* eiusque *mediatio* non ex aliqua necessitate, sed ex beneplacito divino et superabundantia ac virtute meritorum Iesu provenit, mediatione Christi innititur, ab illo omnino dependet ex eademque totam vim obtinet » (Tx 1,95-96: AS I,4,94-95. El subrayado es nuestro.

[21] *Circa Schema Constitutionis Dogmaticae De Beata Maria Virgine Matre Ecclesiae. Votum Rev. P. Caroli Balić, Periti.* Typis Polyglottis Vaticanis, 1963, pp. 18-23.

[22] Cf. Tx 1,94-95 (AS I,4,93-94).

[23] « In antiquitate christiana Maria solet nuncupari EVA. Post Concilium Ephesinum ipsemet titulus *mediatricis* vel, ut graeci aiunt, *Mesítes* seu *Mesetría,* Maria attribuitur ... Qui titulus communior in dies evasit ... Neque desunt SS. Patres qui Mariam salutant ceu *adiutricem redemptoris,* vel *matrem viventium* ... Quae omnia evoluta sunt a theologis et a Summis Pontificibus, ea creata est nomenclatura, ubi Maria vocatur mox *Mater spiritualis hominum,* mox *Regina caeli et terrae,* alia vice *Nova Heva, mediatrix, dispensatrix omnium gratiarum,* immo *corredemptrix* ... Pius XII consulto vitare voluit hanc expressionem adhibendo frequenter formulas *"Socia redemptoris", "Generosa redemptoris socia", "Alma redemptoris socia", "Socia in divinis redemptoris opere"*... » (Tx 1,108-109: AS I,4,107-108).

« Quamobrem omnes prorsus christifideles hortatur, ut praeces supplicationesque ad hanc Fautricem unitatis, atque *Adiutricem Christianorum,* instanter effundant, ut, ipsa intercedente, divinus eius Filius cunctas familias Gentium, et praeprimis illos qui christiano nomine gloriantur, in unum Dei populum congreget, qui Christi Vicarium in terris, beati Petri Successorem ... tanquam communem Patrem amanter agnoscat » [26].

La primera sesión del Concilio se cerró el día de la Inmaculada (8.XII.1962). En su alocución final, Juan XXIII recordó cómo « prima Sessio Concilii Oecumenici Vaticani secundi, quae initium cepit cum liturgicum celebrabatur festum Divinae Maternitatis beatissimae Virginis Mariae, fauste concluditur sacratissimo hoc die, quo Immaculata Conceptio Deiparae celebratur ... ». Pero lo interesante es que « Decessorem Nostrum Pium IX Concilium Vaticanum primum hoc eodem die auspicatum esse ». ¿No será que « muchos grandes acontecimientos de la Iglesia se desarrollan bajo la luz y protección maternal de María »? [26bis].

« O Maria, Auxilium Christianorum, Auxilium Episcoporum, cuius amorem nuper in Lauretano templo tuo, ubi Incarnationis mysterium venerari placuit, peculiari modo experti sumus, omnia ad laetum, faustum, prosperum exitum tua ope dispone; tuque una Sancto Ioseph Sponso tuo, cum Sanctis Petro et Paulo Apostolis, Sanctis Ioanne Baptista et Evangelista, apud Deum intercede pro nobis » [26ter].

2. EL TITULO « AUXILIADORA DE LOS CRISTIANOS » EN EL TEXTO NUMERO 2 [27]

Es el mismo Texto número 1, pero con el título cambiado: Ahora se llama « *De Beata Maria Virgine Matre Ecclesiae* » [28]. La autorización pontificia lleva la fecha del 22 de abril de 1963, pero no fue entregado a los Padres hasta el mes de mayo [29].

---

[24] LEO XIII, Litt. Encycl. *Supremi Apostolatus,* 1 sept. 1883: Acta Leonis XIII, III, p. 282.

[25] Tx 1,109 (AS I,4,109). El subrayado es nuestro.

[26] Tx 1,98 (AS I,4,97). El subrayado es nuestro.

[26bis] AS I,4,643.

[26ter] AS I,1,175.

[27] SACROSANCTUM OECUMENICUM CONCILIUM VATICANUM SECUNDUM: *Schema Constitutionum et Decretorum de quibus disceptabitur in Concilii sessionibus. Schema Constitutionis Dogmaticae de Beata Maria Virgine Matre Ecclesiae.* Typis Polyglottis Vaticanis, 1963, 36 pp. (Tx 2) (AS II,3,299).

[28] « Textus oblatus non differt a textu distribuito in prima Concilii sessione (Schemata: series II), nisi quoad titulum ». Las « Acta » remiten al volumen primero, parte cuarta, pp. 92-121.

[29] Cf. AS II,3,306. « Schema, titulo excepto, licet identicum cum priore, mense maio, de novo missum fuit ad Patres Conciliares ».

El por qué del cambio del título se encuentra en las mismas « Actas »: « Titulus autem ille mutatus fuit a Commissione Cardinalium Coordinatrici »[30].

3. EL TITULO « AUXILIADORA DE LOS CRISTIANOS » EN EL TEXTO NUMERO 3[31]

Se trata de un fascículo de 44 páginas (38 en las AS) en el que se recogen las « emendationes a Concilii Patribus scripto exhibitae super schema Constitutionis dogmaticae de Beata Maria Virgine Matre Ecclesiae »[32].

Consta de dos partes: las observaciones enviadas « usque ad diem ultimum februari »[33] y las « scripto exhibitae a die 1 iunii ad diem 24 m. sept. 1963[34]. Las primeras se refieren al esquema que lleva por título « De B.M.V., Matre Dei et Matre hominum »[35] y las segundas al esquema reimpreso con el título « De B.M.V., Matre Ecclesiae »[36].

El título « Auxiliadora de los cristianos » no se encuentra en ninguna de las dos partes del texto; pero aparecen en las mismas una serie de observaciones, sobre la *función* de María en el misterio de Cristo y de la Iglesia y sobre el *título* de « Mediadora de todas las gracias », que las considero muy interesantes. También existen observaciones a los *títulos* de « Modelo » y « Madre de la Iglesia »;

---

[30] AS II,3,306. Cf. CASASNOVAS, R., *o.c.*, pp. 239-240.

[31] SACROSANCTUM OECUMENICUM CONCILIUM VATICANUM SECUNDUM: *Emendationes a Concilii Patribus scripto exhibitae super schema Constitutionis dogmaticae De Beata Maria Virgine Matre Ecclesiae.* Typis Polyglottis Vaticanis, 1963, 44 p. (Tx 3) (AS II,3,300-338).

[32] Fue distribuido a los Padres Conciliares el día 29 de octubre de 1963, durante la 57 Congregación general.

[33] Cf. Tx 3,5-10 (AS II,3,300-305). Mons. Felici, durante la 36 Congregación general (7 diciembre 1962), había dicho a los Padres Conciliares que, « omnes qui volunt exarare animadversioens circa capita singula Constitutionis *de Ecclesia,* illas mittant, quam primum, ut patet, sed non ultra diem *28 februari* anni proximi » (AS I,4,366); también les había dicho que sólo en atención a las indicaciones de un número relativamente grande de Padres se cambiaría el texto distribuido. Como este número no fue « sat magnus, ut iustificet conclusionem de iis quae sit mens totius Concilii vel partim eius maioris » (AS II,3,300: Tx 3,5), el texto no se cambió, aunque no se desperdiciaron las observaciones.

[34] Cf. Tx 3,11-44 (AS II,3,306-338).

[35] Cf. más arriba, Tx 1, nota 2. Sobre este esquema enviaron observaciones « circa 85 Patres, quorum 42 personaliter; si triplicas unum qui scripsit nomine duorum auxiliarium, ceteri vero collective fecerunt » (Tx 3,5: AS II,3,300).

[36] Cf. más arriba, Tx 2, nota 27. Sobre este esquema enviaron observaciones 51 Padres, que lo hicieron personalmente. « Collegialiter autem scripserunt Episcopi Africae Centro-Orientalis, Africae Orientalis, Argentinae, Galliae Occidentalis, linguae germanicae et Scandinaviae, Neerlandiae, qui omnes simul sumpti circa 150 Patres repraesentant ... Secunda igitur series Patrum respectu personarum notabiliter differt a priore » (Tx 3,11: AS II,3,306).

pero a éstas, como ya dije más arriba, no las voy a tener en cuenta en mi trabajo, por ahora.

1. En la primera parte del texto se observa una marcada preocupación *ecuménica*[37]. Y ésta, « maxime ... in lucem prodit, quando tangitur quaestio mediationis et corredemptionis: variis autem gradibus ».

— « Est Pater, qui existimat in schemate nimis extolli corredemptionem, etsi concedit explicationem datam §§ 3-4 esse optimam ».

— « Episcopi Iaponenses putant in mediationis gratiarum expositione non esse tantopere insistendum ».

— « Duo Patres rogant ut propter fratres separatos verba *mediatricis* et *corredemptricis expungantur* ».

— « Alius episcopus cum duobus suis auxiliaribus concedit quidem B.M. Virginem esse mediatricem, non autem ad hunc titulum stabiliendum ad id provocari debere, quod B.M. Virgo sub Cruce Deo obtulerit divinam victimam vel socia exsistat in gratiis acquirendis ». « Quod idem aliis verbis asserit alius Pater, quando vituperat in schemate plura exponi de cooperatione quam vocat activam ».

— « Est etiam Episcopus, qui post suam mutatam sententiam rogat ne in Constitutione dirimantur quaestiones disputatae, et in comprobandis assertionibus ex documentis ecclesiasticis distinguantur expositiones dogmaticae a piis exhortationibus » ...[38].

Pero esta preocupación ecuménica no aflora en todos los Padres[39]. « Immo unus est, qui ... lamentatur de oecumenismo crescente »; « alius ..., ut clarius appareat relatio inter Mariam et Ecclesiam, exoptat ut corredemptio et mediatio modo pleniore exponantur »; « tertius ... dolet se constitutionem non ex toto corde, sed *iuxta modum* dumtaxat probare posse »[40]. Además, « voces *corredemptricis* et alias huiusmodi nunc usu esse sancitas et ex iis clarius perspici posse cur B. Virgo sit omnium gratiarum mediatrix ». « Tandem est

---

[37] Cf. Tx 3,7-9 (AS III,3,303-304).

[38] Tx 3,8 (AS II,3,303). « Ex sollicitudine oecumenica procedit quoque schema reformatum, quod mense februario huius anni 1963 obtulerunt plures Episcopi Chileni ». En este esquema « mediationem et corredemptionem non in loco centrali esse positas ». « Quaestiones illae attinguntur in numeris 1,2,4 et 7. In numero primo Maria declaratur mater nostra facta, cum nativitas Capitis sit nativitas membrorum. In numero altero Maria dicitur stans iuxta Crucem, Filium suum tamquam oblationem acceptam Deo obtulisse. In numero quarto inter se comparantur antiqua et nova Eva, et exponitur quomodo Maria, credendo verbis ab Angelo prolatis, facta sit Mater omnium viventium. Tandem in numero septimo agitur de B. Virginis intercessione caelesti, qua nedum obscuretur, potius extollitur mediatio unius Mediatoris, Iesu Christi » (Tx 3,9-10: AS II,3,304-305).

[39] Tx 3,9 (AS II,3,304).

[40] Tx 3,9 (AS II,3,304).

Episcopus qui dicit fratres separatos a nobis nos expectare timiditatem et restrictionem sed mensuram »[41].

2. En la segunda parte del texto, la preocupación *ecuménica* continúa: « non est consensus », « qui ceteroquin non erat expectandus »[42]. Y sobre la mediación de María sucede lo mismo: « etiam de hac quaestione patet perdurare dissensum »[43].

Pero aquí hay que distinguir dos cosas: « *titulum* mediationis et *doctrinam* mediationis »[44]:

A. - « Quod ad *titulum* attinet, sunt nonnulli, sed pauci, qui eum magis minusve servare reiiciunt »[45]. « Episcopi linguae germanicae et Scandinaviae titulum simplicem *Mediatrix* non reiciunt, sed reprobant titulum longiorem *Mediatricem omnium gratiarum*: non enim Beatam Virginem dici posse mediatricem gratiarum sacramentalium »[46].

B. - En cuanto a la *doctrina* de la mediación, los Padres se dividen en tres grupos: « Sunt qui putant schema non satis asseruisse »[47]; « alii autem existimant schema exaggeratione deficere »[48]; y « sunt quoque qui proponunt emendationes »[49]. « *Fideles generatim non intelligere mediationem de dispensatione gratiarum, sed de intercessione* »[50].

---

[41] Tx 3,9 (AS II,3,304).

[42] Tx 3,13 (AS II,3,308).

[43] Tx 3,14 (AS II,3,309).

[44] Tx 3,14 (AS II,3,309).

[45] « Unus Pater asserit redeundum esse ad mediatorem Christum; alius expedire ut titulus evanescat; tertius potius loquendum esse de advocata vel titulo simili quam de mediatrice; quartus titulum esse aut dilucide explicandum aut ab eo abstinendum » (Tx 3,14: AS II,3,309).

[46] Tx 3,14 (AS II,3,309).

[47] « Duo Patres volunt sollemnem definitionem; tertius rogat ut saltem declaretur doctrinam esse catholicam; quartus autem notat, si 500 Patres reapse rogaverunt definitionem, de hac re non defensive sed affirmative esse loquendum » (Tx 3,14: AS II,3,309).

[48] « Duo sunt qui asserunt doctrinam de corredemptione et, de mediatione universali veluti larvate et furtive introduci, quibus consentit tertius dicens velate fieri definitionem mediationis universalis, quin constet de stricta probatione ex fontibus revelationis, de opportunitate et de maturitate doctrinae. Est quoque Episcopus qui vocet doctrinam schematis aequivocam et periculosam, et alius qui opinatur petitionem 600 Episcoporum de facienda definitione id solum probare esse multo plures qui eam non desiderent » (Tx 3,14-15: AS II,3,309).

[49] « Episcopi Africae Centro-Orientalis rogant ut mediatio Virginis ita clare explicetur, ut nitide distinguatur a mediatione Christi. Episcopi linguae germanicae et Scandinaviae idem sentiunt, addentes mediationem non extendi posse ad *omnes* gratias et eamdem etiam dilucide distingui debere a mediatione sacerdotali Ecclesiae. Suggerunt quoque potius *cum* Maria quam *per* Mariam adeundum esse Christum. Episcopi Neerlandiae dicunt B. Virginem potius *suo modo* quam *speciali modo* esse mediatricem. Alius autem Episcopus desiderat ut ob Protestantes mediatio B. Virginis dicatur secundaria et participata » (Tx 3,15: AS II,3,310).

[50] Tx 3,15 (AS II,3,310). El subrayado es nuestro.

3. En la segunda parte del texto hay también un apartado dedicado a los « *títulos* » [51]. « Episcopi Africae Orientalis rogant ut varii tituli ... (mediatrix, socia, corredemptrix, nova Eva, etc.) clare et authentice explicentur » [52]. Y un Padre pide que « omnes ii tituli omittantur, qui licet accepti sunt in Ecclesia per se sunt aequivoci » [53].

4. Todo esto se enceuntra en el texto. Y todo esto guarda relación con el título « Auxiliadora de los cristianos ».

Pero el texto no es más que un resumen (un intento de resumen) de todo lo que los Padres enviaron a la Secretaría General del Concilio hasta el día 24 de septiembre de 1963: « *Textus integri*, a Patribus ad Concilii secretariam generalem missi, referuntur in *Appendice* » [54].

Y este apéndice, muy extenso, es muy importante para nuestro trabajo. Es más, comprende también « una parte di quegli schemi che alla fine dell'ottobre 1963 circolarono negli ambienti conciliari a proposito di una nuova impostazione della trattazione mariana » [55].

Ahora bien, ¿es posible una síntesis un poco más completa de todo este material?

5. Reconozco que el resumen del texto es bueno. Pero ahora quisiera ampliarlo un poco más, presentando una serie de observaciones que hacen los Padres al título y al significado de « omnium gratiarum Mediatrix », para hacer ver hacia donde apuntan sus intenciones. Presentaré cinco ejemplos:

5.1. Card. Agustín Bea [56]:

> La nota 21 [57] muestra « quam parum clara et parum praecisa haec expressio sit. Notum est quantum theologi de ea disputent. B.M. Virginem nobis posse mediatricem esse aliquarum gratiarum,

---

[51] Cf. Tx 3,15 (AS II,3,310).

[52] Tx 3,15 (AS II,3,310).

[53] Tx 3,15 (AS II,3,310). « Unus Pater est qui exoptat ut latius evolvetur titulus *novae Evae* cum parallelismo ad novum Adamum; et alius ut latius dicatur de B.M.V. typo Ecclesiae » (Tx 3,15: AS II,3,310). « Episcopi linguae germanicae et Scandinaviae asserunt titulum « *sociam in acquirendis gratiis* » offendere posse protestantes nec placere orientales » (Tx 3,15: AS II,3,310).

[54] Cf. AS II,3,677-857. « Animadversiones scripto exhibitae quoad schema de B. Maria Virgine ». El subrayado es nuestro.

[55] Besutti, G.M.: *Il tema mariano negli Acta, o.c.*, 249. Así, el « *textus de Beata Maria Virgine propositus tamquam epilogus ad schema de Ecclesia loco schematis de Beata Maria Virgine* » (el esquema inglés o del abad Butler) (AS II,3,818-821) y la « *conflatio (ad modum experimenti) schematum Anglorum et Chiliensium capitis V de Ecclesia: De Beata Virgine in Ecclesia Matre* » (AS II,3,821-824); así también el « *De Beata Maria Virgine Matre Dei et Matre Christi fidelium* » (el esquema chileno) (AS II,3,825-829) y la « *harmonica conflatio ex schematibus episcoporum chilensium, abbatis Butler et canonici Laurentin, a Chiliensibus facta: De Beata Maria Virgine Matre Dei et Matre Christi fidelium* » (AS II,3,830-834).

[56] Cf. AS II,3,677-681.

[57] Cf. Tx 1,95, lin. 31 (AS I,4,94).

nemo facile negabit; sed quomodo ex S. Scriptura et antiqua traditione Ecclesiae probatur eam esse mediatricem *omnium* gratiarum? Unde non videtur convenire expressionem tam parum claram in constitutione dogmatica sine ulteriore explicatione et probatione poni » [58].

5.2. Mons. Pablo DALMAIS [59]:

« Haec explanatio de titulo *"Mediatrice"* [60] mihi non placet. Omnino assentio mediationem B. Mariae Virginis et ipsum titulum *"Mediatricis gratiarum"* verum habere et profundiorem sensum theologicum. Sed *modus exponendi* sensum huius mediationis non mihi videtur sat clarus et elaboratus ... » [61]. Ahora bien, « propter periculum intelligendi hanc mediationem modo univoco (et fratres separati sic eam intelligunt), propono ut: vel expressio "Mediatrix gratiarum" non adhibeatur, vel alio modo explicetur, ita ut res significata in titulo "Mediatricis" sit descripta positive occasione demonstrationis de titulo et munere "Matris Ecclesiae", antequam de ipso titulo disceptetur » [62].

5.3. P. Juan Bautista JANSSENS, S.I. [63]:

« Mihi non placet, quamquam iam apud multos est in longo usu, vox "mediatrix" B. Virgini tributa, idque ob causas ordinis pastoralis. Notio quidem "mediationis" B. Mariae Virginis rectissima est. Sed vox "mediatrix" nata est insuperabilem confusionem gignere in mente fidelium minus alte instructorum: Christus est Mediator, pari passu Maria mediatrix! Propterea vox "mediatrix" protestantes non paucos confirmabit in suo praeiudicio, catholicos Dominum eiusque Matrem pari honore colere. Ad quid adversarios irritare si id vitare potest? Si loco vocis "mediatrix" utatur Concilium voce "Advocata" vel simili, incommoda praeveniuntur » [64].

---

[58] AS II,3,680. « Expositio doctrinae de Maria utpote gratiarum administra et dispensatrice praematura est; igitur Concilium non debere in hac quaestione intrare. A fortiori, enixe precor ne fiat mentio quidem de Maria utpote socia in gratia acquirenda » (Mons. Mc Eleney: AS II,3,750). « Explicatio theologica de mediatione B. Mariae Virginis de qua praesertim in schema agitur, adhuc non est terminata. Remanent puncta obscura » (Mons. Satoshi: AS II,3,790); « non satis matura invenitur ut a Concilio Oecumenico proponatur » (Episcopi Galliae Meridionalis: AS II,3,834).

[59] Cf AS II,3,707.

[60] Cf. Explanatio data sub n. 3, pag. 8 (94) de titulo B.M.V. Mediatricis (AS II,3,707).

[61] « In schemate non sufficienter mostratur mediationem gratiae per Mariam non esse *operativam,* sed *transitivam* et *instrumentalem* » (AS II,3,707).

[62] AS II,3,707. « Timeo ne confusio oriatur tum inter catholicos quum inter christianos non-catholicos. Quaenam valorem adiudicare tenentur tali declarationi doctrinali a Concilio Oecumenico datae? Confusio eo magis praevidenda est quod Constitutio ex una parte characterem dogmaticum in titulo sibi vindicat, dum ex altera parte in praenot. III (pag. 14) dicitur, "nullum novum dogma" in ea proclamari » (Mons. Kramer: AS II,3,742). Cf. Mons. Lefèvre: AS II,3,744; Mons. Muldon: AS II,3,755.

[63] Cf. AS II,3,739-740.

[64] AS II,3,739.

5.4. Patres Conciliares linguae germanicae et Conferentia episcoporum Scandinaviae [65]:

Afirman que « maxime attendenda est inprimis doctrina schematis de *Mediatione B.M.V.* ». Pues aunque esta doctrina « non proponatur ut dogma fidei, sed ut doctrina inter catholicos communis », y aunque « fulciatur multis enuntiationibus magisterii ordinarii ... [66], *attamen* haec doctrina de novo sedulo perpenda est ... » [77]. En efecto:

1) « Describitur quidem aliquatenus haec mediatio, distinguitur etiam clare ab illa mediatione, quae Christo convenit, *attamen* clarior definitio huius conceptus fere necessaria dici potest ... » [68]. « *Praeterea* et quam maxime: indicari deberet clarius et fusius, quonam ex fonte ... hauriatur conceptus iste ... » [69].

Aliis verbis: iste conceptus non inmediate exhiberi debet ut *quasi-species* (etsi analoga et deficiens), quae in uno eodemque genere convenit cum illa mediatione, quae est Christi. Sed considerandus est *tamquam casus*, (etsi prorsus singularis et supereminens) illius mutuae interdependientiae, quae omnia membra Corporis mystici Christi inter se consociantur sibique coram Deo invicem *Auxilium* praestante » [70].

2) Luego la mediación de María « non est proprie inter nos et Christum, sed nobiscum ad Christum » [71]. Sería « tamquam momentum aliquod ipsius illius nostrae "ecclesialis" habitudinis, quam immediate habemus ad Christum, quaque fit ... non mere individualistice, sed in illa sacra et divinitus condita societate ..., quam Ecclesiam vocamus, cuiusque membrum praecipuum est Virgo Dei Genitrix » [72].

---

[65] Cf. *Propositiones circa schema de Beata Maria Virgine Matre Ecclesiae a Patribus Conciliaribus linguae germanicae et Conferentiae Episcoporum Scandinaviae exaratae* (Quas Secretariatui Generali Concilii Oecumenici Vaticani II transmittendas decreverunt Patres iidem in Conferentia Fuldensi diebus 26 et 27 Augusti 1963) (Cf. AS II,3,837-849).

[66] « Praesertim in Litteris Encyclicis recentium Summorum Pontificum » (AS II,3,838).

[67] « Quia agitur hoc in schemate de documento magisterii satis solemni, quod maximum influxum habebit in Mariologiam et cultum marialem inter fideles » (AS II,3,838).

[68] « Distingui enim debet non solum a mediatione Christi unica, quatenus dicitur eam dependere plane a Christo eique esse subordinatam, sed insuper distinguenda esset v.gr. ab illa "mediatione", quae fit a ministris Ecclesiae in persona et auctoritate Christi agentibus per collationem sacramentorum etc. » (AS II,3,838).

[69] AS II,3,838.

[70] « Haec si clarius in lucem ponerentur, sperari posset fore, ut etiam acatholici intelligant hanc doctrinam esse genuinamm et homogeneam applicationem illius veritatis, quam et ipsi profitentur per Sacram Scripturam edocti » (AS II,3,838).

[71] « Virginis enim mediatio (aliter ac mediatio Christi ad Deum) non nos primo coniungit Christo nec tollit immedietatem nostram ad Christum, sed potius consistit in eo, quod nos numquam aliter Deo in Christo coniungimur ac inter ipsos coniuncti, in qua unitate sociali-ecclesiali omnium redemptorum Beata Maria Virgo specialem obtinet locum, qui est effectus et perennitas functionis singularis Virginis in oeconomia salutis » (AS II,3,839).

[72] AS II,3,839.

3) Ahora bien, todo esto « in schema non negantur, immo insinuantur. Sed fortius efferri deberent, ne doctrina huius mediationis noceat illi necessitudini obiectivae et subiectivae, qua Christo im mediate coniungimur et ad Deum ut Patrem nostrum referimur » [73].

5.5. Conferentia Episcoporum Indonesiae [74]:

« Rogamus ergo, motivo tam pastorali quam oecumenico, ut hic titulus Mediatricis non assumatur in hac constitutione, quae ut documentum supremi magisterii magnum influxum habebit in theologia et devotione Ecclesiae ».

« Concilium non debet docere, quod nondum est clarum nec maturum pro definitioni solemni. In textu schematis significatio praecisa huius tituli non apparet. Quomodo haec mediatio intelligenda est? Estne mediatio inter nos et Deum? Sed haec mediatio uni Christo adscribenda est. Estne mediatio inter nos et Christum? Sed Christus Ipse nobis personaliter praesens est ».

« Functio salutaris B. Virginis nobis melius indicanda est. Hoc fiat in structura Ecclesiae, prout in schemate de Ecclesia optime fit: omnia membra Corporis mystici inter se consociantur sibique coram Deo invicem *auxilium* praebent. *B. Virgo ut Mater Christi et Mater et exemplar* (*typus*) *fidelium supremo et prorsus unico modo nobis* auxilium *praebet* » [75].

« Nobis autem videtur, non necessarium, immo nec *bonum* esse, hanc doctrinam exprimi titulo « *Mediatricis* ». Hic titulus non est necessarius pro nostra fide de B. Virgine. Nobis vitandus videtur in Constitutione Concilii, quia confusionem parit » [76].

6. De la lectura de estos cinco ejemplos creo que se pueden sacar estas dos conclusiones:

Para algunos Padres

1) el *título* « omnium gratiarum Mediatrix » debe evitarse y buscar otro;

2) el *significado* del título debe deducirse, preferentemente, de la función que María tiene (hoy) en el misterio de la Iglesia (de la que es Madre y Modelo).

6.1. « Pag. 9, n. 3, linn. 2-3: loco « gratiarum mediatrix » dicatur « *Auxilium Christianorum* », vel « *Mater Omnium Fidelium* » [77]. « Pag. 9, n. 3, lin. 18: loco « mediatio » dicatur, « eius materna *Intercessio* ». « Ratio est supra allata » [78]. « Si loco vocis « mediatrix » utatur Con-

---

[73] AS II,3,839. « Sedulo insuper ponderari deberent ea, quae a Roberto Lieber, Professore Universitatis Gregorianae, qui a Pio XII a secretis fuit, narratur » (AS II,3,839). Cf. también « *Adnotationes ad schema de Beata Maria Virgine Matre Ecclesiae ab Exc.mo D.no Hermanno Volk Episcopo Moguntino confectae* » (cf. AS II,3,3849-853).

[74] Cf. AS II,3,853-855.

[75] AS II,3,854-855. El subrayado es nuestro.

[76] AS II,3,854-855.

[77] Mons. Rusch: AS II,3,783. El subrayado es nuestro.

[78] Mons. Rusch: AS II,3,783. El subrayado es nuestro.

cilium voce « *Advocata* » vel *simili,* incommoda praeveniuntur »[79]; « non oportet vocem sacratam "Mediator" quae de Christo Domino adhibetur, adhibere etiam de aliis ... »[80]. Yo propongo que: « vel expressio "Mediatrix gratiarum" non adhibeatur, vel alio modo explicetur, ita ut res significata in titulo "Mediatricis" sit descripta positive occasione demonstrationis de titulo et munere "Matris Ecclesiae", antequam de ipso titulo disceptetur »[81].

6.2. « Quam saepe ... memoria vel recordatio Virginis Matris, absentes disponit, negantes commovet, dubitantes adauget! Nonne in cenaculo, in die Pentecoste, Mater Domini erat cum discipulis, ut eorum fidem sustineret? Cur, praecipue decursu praesentis saeculi, B. Virgo variis multisque modis misericordiam ac praesentiam suam tam sedulo manifestavit, nisi ad momentum suae intercessionis significandum? »[82].

« Quoad mediationem ... retinenda est omnino *"Mediatio intercessionis"*, quae inde a saeculo III vel saltem IV, in cunctis ecclesiis tam orientalibus quam occidentalibus profitetur, praesertim in documentis liturgicis. Testis antiquior videtur esse deprecatio "Sub tuum praesidium" quae forsan sub fine saec. III in usu erat »[83].

¿Estamos ante un *cambio* en la mente de los Padres? Yo diría, más bien, que éstos, además de su recelo por el título, están acentuando, de una forma cada vez más clara, el especto *eclesial* de la mediación. María, porque es Madre y Modelo de la Iglesia, auxilia e intercede por todos los cristianos.

7. Pero no quiero terminar este apartado sin reseñar otras aportaciones que confirman este cambio. Se trata de afirmaciones que se encuentran en las observaciones enviadas por escrito al esquema *de Ecclesia*[84]:

---

[79] P. Janssens: AS II,3,739.

[80] Card. Bea: AS II,3,680.

[81] Mons. Dalmais: AS II,3,707.

[82] Mons. Barneschi: AS II,3,691. « Historia populi polonici testatur fideles B. Mariae Virginis fervido cultu animatos in fide orthodoxa perseverare ... Maria, Mater Ecclesiae, Vexilla fidei, et Summus Pontifex, Pater christianitatis, via tutissima merito habentur ad errores repellendos et ad veritatem revelatam firmiter perseveranterque tuendam » (Mons. Barela: AS II,3,689). « Omnes status christianorum moderatione spirituali indigent; parentes, iuvenes, medici, praeceptores, sacerdotes et religiosae. Omnes in eodem spiritu, videlicet fidelitatis erga gratiam Dei, Maria invitante et auxiliante, instituantur oportet » (Mons. Barela: AS II,3,689; cf. Mons. Kowalski: AS II,3,740.

[83] Mons. Rousseau: AS 55,3,781. « Maria, amore gladio probato, sine intermissione apud Deum et Christum pro nobis intercedit » (Episcopi Chilenses: AS II,3,827); cf. *Conflatio (ad modum experimenti) schematum Anglorum et Chilensium capitis V de Ecclesia: De Beata Maria Virgine in Ecclesia Matre* (AS II,3,823). « (Maria) quia Mater Dei ..., est tandem Mater omnium christianorum, et pro omnibus intercedit » (Mons. Doumith: AS II,3,710). « Mater relate ad filios non est exemplar tantum; sed potius tutela. Tutela materna Mariae Virginis includit mediationem apud eum qui redemptione est unicus Mediator iure proprio » (Mons. Rodríguez y Olmos: AS II,3,779).

[84] El Card. Tatsou Doi (AS I,4,397-405) afirma: « Suadendum videtur ut non tantopere insistatur in titulo et munere *Mediatricis omnium gratiarum,*

7.1. « Credimus expressionem "Maria Mediatrix" *sedulo vitari* non eo quod doctrinam erroneam exprimeret, sed una parte propter fratres nondum unitos pro quibus macula apparebit relate ad unicam Christi mediationem; ex altera parte propter fratres ipsos catholicos quorum fides de hoc puncto debilis evadat » [85]. Por eso « optamus, secundum desideria undique profecta quod exploretur thema « *Maria Ecclesiae figura* » [86].

7.2. « Suadendum est ut non tantopere insistatur in titulo et munere *mediatricis omnium gratiarum,* sicut fit in schemate. Praesertim quia explicatio de mediatione Mariae, diversa ab illa Christi et ab illa ministrorum Christi, non est satis clara. Videtur totam argumentationem causare confusionem doctrinalem inter catholicos simpliciores et reddere difficiliorem intellectu mariologiam » [87]. « Unde melius esset si Concilium haec vocabula omitteret ... Certe *Intercedit* pro nobis ... ». Ciertamente tiene un « locum omnino specialem ... *sed intra limites humanitatis* » [88].

La segunda sesión del Concilio se cerró con una sesión pública (4.XII.1963). En ella Pablo VI, en su alocución final, dijo: « Speramus denique eandem Synodum quaestionem de schemate circa B.M. Virginem, optimam quae possit, habituram esse enodationem: ita ut uno consensu et summa cum pietate agnoscatur locus longe praestantissimus, qui Matris Dei est proprius in Sancta Ecclesia, de qua praecipuus est sermo in Concilio; locum dicimus, post Christum, altissimum, nobisque maxime proprinquum, ita ut nomine « Matris Ecclesiae » eam possimus ornare; idque in eius honorem cedat in nostrumque solatium » [89].

¿Influyó este « *speramus denique* » de Pablo VI en los sucesivos desarrollos del esquema mariano?

---

sicut fit in schemate ... praesertim quia explicatio positiva ibi data non satis clara videtur » (AS I,4,404): « Hanc doctrinam non credimus nunc ita esse maturam ut praecise iam definiatur. Videtur etiam aliquibus optabile fore, si non adhibeatur vox Mediatrix ... » (Mons. Provenchères: AS I,4,487). Nosotros creemos, escribe Mons. Guano, que « inter membra ... Ecclesiae potissimum locum obtinet B.V.M. ..., imago et Mater Ecclesiae ». Y que el ejercicio de este « materni muneris, unice sane in specie sua », que « in hac vita degens incepit, in altera etiam vita per saecula pergit » (AS I,4,505). Cf. también Mons. Guiller (AS I,4,508) y Mons. Wojtyla (AS I,4,598).

[85] Mons. Bougon: AS I,4,484.

[86] Mons. Bougon: AS I,4,484. El subrayado es nuestro.

[87] Mons. Satoshi Nagae: AS II,1,566-567.

[88] Mons. Ancel: AS II,1,792. El subrayado es nuestro.

[89] AS II,6,567 [AAS 56 (1964), 37]. Ya el 11 de octubre del mismo año, conmemorando el primer aniversario del comienzo del Concilio, había dicho: « Mira María a la Iglesia, mira a los miembros más responsables del Cuerpo Místico de Cristo, reunidos en torno a Tí para reconocerte y celebrarte como a su mística Madre ». « ... Haz, María, que esta Iglesia que es suya y tuya, al definirse a sí misma, te reconozca por su madre, hija y hermana predilecta, incomparable modelo, su gloria, su gozo y su esperanza » [AAS 55 (1963) 872-874].

4. EL TITULO « AUXILIADORA DE LOS CRISTIANOS » EN EL TEXTO NUMERO 4 [90]

Se trata del « schema de Ecclesia », « de quo in Concilio Oecumenico Vaticano Secundo deliberabitur ». La autorización pontificia para su envío a los Padres lleva la fecha del 3 de junio de 1964 [91].

Consta de ocho capítulos. El octavo [92] se titula así: « *De Beata Maria Virgine Deipara in mysterio Christi et Ecclesiae* » [93]. Comprende: textus prior et textus emendatus [94], notae [95], relationes de singulis numeris [96], relatio generalis [97].

En el capítulo octavo no aparece para nada el título « Auxiliadora de los cristianos ». El de « *Mediatricis* » sólo se encuentra una vez, y ésta en la columna del *textus emendatus* [98]. Corresponde al n. 54 (olim n. 50): *De Beata Virgine et Ecclesia.* Pero todo esto tiene su historia.

> 1. « Postquam Concilium, die 29 oct. 1963, cum parva maioritate statuit caput *de Beata Maria V.*, in Constitutione *De Ecclesia* incorporandum esse [99], Commissio Doctrinalis Subcommissionem erexit ad parandum textum, praedictae decisioni adaptatum [100]. Subcommissio, composita ex membris Em.mis Santos et König, Exc. Doumith et Theas, opus huiusmodi redactionis concredidit duobus peritis, qui utriusque "tendentiae" Patrum rationem servarent, ut quantum possibile esset, omnibus vel fere omnibus satisfactio praeberetur » [101].
>
> « Hi periti non minus quam quinque successivas redactiones confecerunt ad finem praestitutum obtinendum. Ultima redactio typis impressa est in fasciculo *De Ecclesia. Textus propositus post discussiones mart. 1964,* p. 52 sqq. et nunc de novo proponitur ut *Textus prior* [102]. Discussione facta et pluribus emendationibus admissis, hic textus denique, die 6 iunii 1964, a Commissione Doctrinali approbatus est, nunc Patribus Concilii submittitur sub titulo: Textus emendatus » [103].

---

[90] SACROSANCTUM OECUMENICUM CONCILIUM VATICANUM SECUNDUM: *Schema Constitutionis De Ecclesia,* Typis Polyglottis Vaticanis, 1964. 217 p. (Tx 4).

[91] Cf. Tx 4,5.

[92] Vel cap. VII.

[93] Cf. Tx 4,197-218 (AS III,1,353-374).

[94] Cf. Tx 4,197-207 (AS III,1,353-364).

[95] Cf. Tx 4,208-209 (AS III,1,364-366).

[96] Cf. Tx 4,210-217 (AS III,1,366-373).

[97] Cf. Tx 4,218 (AS III,1,374).

[98] Cf. Tx 4,203 (AS III,1,359).

[99] Cf. AS II,3,627; cf. AS II,3,298-299 (anuncio de la decisión de los cardenales moderadores); AS III,3,338.342 (relatio Em.mi ac Rev.mi Domini Card. Ruffini, J. Santos); AS II,3,342-345 (relatio Em.mi ac Rev.mi Domini Card. Francisci König); AS II,3,345 (pregunta que debe votarse) y AS II,3,627 (votación).

[100] Tx 4,218 (AS III,1,374).

[101] Tx 4,218 (AS III,1,374).

[102] SACROSANCTUM OECUMENICUM CONCILIUM VATICANUM SECUNDUM. COMMISSIO DE DOCTRINA FIDEI ET MORUM. *De Ecclesia.* Textus propositus post discussiones Mart., 1964. Typis Polyglottis Vaticanis, 1964, 64 p.

[103] Tx 4,218 (AS III,1,374).

2. Esta breve reseña histórica, que trae la *relatio generalis*, no refleja todo lo que significaron estas cinco redacciones por los dos peritos y para nuestro tema [104].

2.1. El P. Baliç, en el esquema del 27 de noviembre de 1963 [105], redactado sobre el « tentamen elementarium » del Dr. Philips del día 12 del mismo mes [106], intenta introducir de nuevo los títulos « *gratiae Mediatrix et Avocata nostra* »:

> « Cum itaque Beata *Dei Genitrix* ab aeterno tamquam Dei et hominum mater praedestinata, divinae providentiae consilio, hisce in terris Christi fuerit generosa Socia *in opere redemptionis, atque* hanc ob causam gratiae *quoque* Mediatrix *et* Advocata *nostra salutatur* a Filio ne in coelesti Ierusalem quidem umquam divulsa est, *nec desinit intercessione sua aeternae nobis salutis dona conciliare.* Nam Virgo regnum beatitudinis ingressa, munus suum in mysterio salutis hominum non deposuit. *Ita* eius in ordine gratiae *Mediatio* indesinenter perdurat, inde a consensu ... usque ad perpetuam omnium electorum consummationem » [107].

2.2. El doctor Philips, en el esquema del 9 de enero de 1964, llamado « textus correctus » [108], elimina los títulos « *gratiae Mediatrix et Advocata nostra* », y lo deja de esta forma:

> « Cum itaque Beata *Virgo,* ab aeterno tamquam mater Dei et *mater* hominum praedestinata, divinae providentiae consilio, his in terris Christi *Redemptoris* fuerit generosa Socia, hanc ob causam *mater* gratiae nobis exstitit *et* a Filio suo ne in coelesti Ierusalem umquam divulsa est, *nec desinit intercessione sua aeternae nobis salutis dona conciliare.* Nam Virgo regnum beatitudinis ingressa, munus suum in mysterio salutis hominum non deposuit. *Sic* eius in ordine gratiae *cooperatio et mediatio* indesinenter perdurat, inde a consensu ... usque ad perpetuam omnium electorum consummationem » [109].

---

[104] Cf. *Caput VI seu epilogus de loco et munere B. Virginis Deiparae in mysterio Christi et Ecclesiae* (texto llamado « *tentamen elementarium* », del Dr. Philips, redactado el 12 de noviembre de 1963: 1ª redacción).

Cf. *Caput VI seu epilogus*: « *De loco et munere B. Virginis Deiparae in mysterio Christi et Ecclesiae* ». P.C. Balić, Romae, 27 nov. 1963. 8 + 2 pp. en holandesa a ciclostïl (observaciones al texto anterior: 2ª redacción).

Cf. *Caput VII*: « *De loco et munere B.V. Deiparae in mysterio Christi et Ecclesiae* »: Textus correctus, Balić - Philips, 9 ian. 1964 (3ª redacción). Iustificatio emendationum quae in textu a P. Balić proposito introductae sunt.

Cf. *Caput VII seu epilogus*: « *De B. Maria V. Deipara in mysterio Christi et Ecclesiae* ». Testus a Rev.mo G. Philips et a P.C. Balić, compositus, 20 febr. 1964 (5ª redacción).

Cf. Balić, C., « Est. Marianos », 27 (1966), 137-138, nota 5; Niño Picado, A., *o.c.*, 218-222; 254-262; 262-271; 286-292.

[105] Cf. más arriba, nota 104 (2ª redacción).

[106] Cf. más arriba, nota 104 (1ª redacción).

[107] « II. *De munere Beatissimae Virginis in oeconomia salutis, 8* ». Cf. Niño Picado, A., *o.c.*, 258-259.

[108] Cf. más arriba, nota 104 (3ª redacción).

[109] « II. *De munere B. Virginis in oeconomia salutis, 8* », Cf. Niño Picado, A., *o.c.*, 265.

Y justifica sus enmiendas con estas palabras:

— « Dicitur *Mater Dei et mater hominum,* quia non agitur de eadem ratione maternitatis ».

— « Dicitur *Christi Redemptoris* propter rationem quae iam sub I, n. 2 indicata est ».

— « Dicitur *cooperatio* et mediatio, ut appareat *modus mediationis* » [110].

2.3. El P. Baliç formuló una cuarta redacción [111], en la que insistió, según él mismo, « sobre algunos puntos fundamentales, como los títulos de « Madre de la Iglesia » y « Mediadora ».

> « Pero ante nuevas dificultades — confiesa el padre Baliç —, y con objeto de presentar un texto concordado, como era el deseo de la Subcomisión — si bien era cierto que el texto compuesto de aquella forma no sería del agrado de los padres —, acepté la quinta y última redacción de Mons. Philips, que fue presentada a la Subcomisión como texto compuesto o concordado el 20 de febrero » [112].

3. Esta quinta redacción no contiene ni el título de « Madre de la Iglesia » ni el de « Mediadora » [113]. Tampoco el texto revisado por la Subcomisión, conocido como el « textus propositus post discussiones mart. 1964 » [114]. En el texto aprobado por la Comisión Doctrinal [115], aparece un cambio: se admite, « praeter alios titulos, etiam appellatio *Mediatricis,* quod tamen pluribus membris Commissionis non placuit » [116].

> « (C) Eius autem in gratiae *oeconomia maternitas* indesinenter perdurat, inde a consensu quem in Annuntiatione praebuit, ... usque ad perpetuam omnium electorum consummationem ... *Propterea B. Maria Virgo in Ecclesia, praeterquam aliis, etiam titulo* Mediatricis *condecorari consuevit.* Quod tamen ita intelligendum est, ut *dignitati et efficacitati Christi* unius Mediatoris nihil *deroget,* nihil *superaddat* » [117].

La « *relatio* de n. 54, olim 50: De Beata Virgine et Ecclesia » explica el cambio de esta manera: « (C) In tertia alinea: *Eius autem* — asseritur hoc munus maternum Mariae erga homines post

---

[110] « *Iustificatio emendationum quae in textu a* P. Balić *proposito introducta sunt* ». « II. *De munere B. Virginis in oeconomia salutis, 8* ». Cf. Niño Picado, A., *o.c.,* 270.

[111] Esta redacción no ha llegado a mis manos.

[112] Balić, C., *El cap. VIII de la Constitución « Lumen gentium » comparado con el primer esquema de la B. Virgen Madre de la Iglesia,* en « Est. Marianos », 27 (1966), 137-138, nota 5.

[113] Cf. más arriba, nota 104 (5ª redacción).

[114] Cf. más arriba, nota 102.

[115] Cf. más arriba, nota 90.

[116] Mons. Roy: *Relatio super caput VIII schematis De Ecclesia. De Beata Maria Virgine Deipara in mysterio Christi et Ecclesiae.* Typis Polyglottis Vaticanis, 1964, 6 p.

[117] Tx 4,202-203 (AS III,1,359).

eius assumptionem *perdurare,* quia perdurat eius caritas. Inde est multiplex intercessio, sive formalis sive aequivalens, B. Virginis in coelo pro fratribus Filii sui adhuc peregrinantibus ... ». Y es por eso que « concluditur », « quod B. Virgo iure titulo *Mediatricis* honoratur, ita tamen intellecto ut dignitati el muneri unici Mediatoris nihil detrahatur, nihil superaddatur » [118].

« Ut patet, dijo la Comisión Central, Concilium, secundum intentionem in initio capitis enuntiatam, in quaestiones *intrincatiores* nullo modo intrat, neque verbum facit de cooperatione mediata vel immediata B. Virginis ad redemptionem obiectivam vel subiectivam, de gratia sacramentali, etc.; de quibus agunt theologi » [119].

El Texto número 4 fue enviado a los Padres Conciliares durante el mes de julio. Mons. Felici les recuerda, en una carta adjunta, las nuevas disposiciones del reglamento: « los que deseen intervenir sobre los capítulos 7° y 8° del *de Ecclesia,* deben avisar al Secretariado General la solicitud, junto con el resumen de su intervención, antes del 9 de septiembre » [120].

5. EL TITULO « AUXILIADORA DE LOS CRISTIANOS » EN EL TEXTO NUMERO 5 [121]

Se trata de un fascículo de 29 páginas (25 en las AS) [122], distribuído a los Padres el 27 de octubre de 1964 [123].

Consta de tres partes: del *textus* del « schema constitutionis De Ecclesia. Caput VIII (vel caput VII) » [124], de una *relatio* (pars generalis et de particularibus) [125] y de una *relatio super emendationes* de Mons. Roy [126].

El título « *Auxiliadora de los cristianos* » se encuentra en las tres partes del texto y en las notas. Y siempre relacionado con el título de *Mediadora.*

1. En el *Textus emendatus* se dice que María, « materna sua caritate de fratribus Filii sui adhuc peregrinantibus et contra pecca-

---

[118] Tx 4,214 (AS III,1,370-371).

[119] Tx 4,214 (AS III,1,371).

[120] AS III,1,14-15.

[121] SACROSANCTUM OECUMENICUM CONCILIUM VATICANUM SECUNDUM. *Textus emendatus capitis VIII schematis constitutionis De Ecclesia et relationes.* Typis Polyglottis Vaticanis, 1964, 29 p. (Tx 5).

[122] Cf. AS III,6,10-35.

[123] « Hic fasciculus Patribus distributus est in CG 110 » (27 oct. 1964) (AS III,1,107).

[124] El texto lo encontramos a dos columnas: el *Textus prior* (el que se llamaba *Textus emendatus,* en el Tx 4) y el *Textus emendatus,* que recoge las enmiendas aceptadas en el seno de la Comisión (cf. Tx 5,3-13: AS III,6,10-21). Las notas se hallan recogidas en Tx 5,13-14 (AS III,6,21-23).

[125] Cf. Tx 5,15-26 (AS III,6,23-35).

[126] Cf. Tx 5,27-29 (AS III,6,35-38).

tum luctantibus curat, donec ad felicem patriam perducatur. Propterea B. Maria Virgo in Ecclesia, *titulis Advocatae, Auxiliatricis, Adiutricis, Mediatricis invocatur* (16). Quod tamen ita *intelligitur*, ut dignitati et efficacitati Christi unius Mediatoris nihil deroget, nihil superaddat »[127].

2. En la *relatio super emendationes*, Mons. Roy escribe: « 2) Sub numero 54[128], doctrina de hac *maternitate Mariae in ordine gratiae* modo aptiore et magis ordinato explanatur »[129]. « 3) In eadem paragrapho, commissio fere unanimi consensu statuit edicere: "Propterea B. Virgo in Ecclesia titulis *Advocatae, Auxiliatricis, Adiutricis, Mediatricis invocatur*", et longe maior pars membrorum Commissionis in eodem contextu explicationem theologicam inserendam decrevit, de sensu quo haec cooperatio Virginis in ordine salutis ab Ecclesia intelligitur, in perfecta scilicet fidelitate erga affirmationes Sacrae Scripturae »[130].

Y añade la *relatio*:

> « In problemata inter theologos disputata non intramus, sed factum latissime diffusum asserimus invocationis, qua populus noster sub variis titulis *Auxilium* et *Protectionem* Beatae Virginis in ordine ad salutem implorat. Ita sane unica mediatio Christi Redemptoris non offuscatur, sed virtutem suam peculiariter ostendit »[131].

3. En la *relatio de particularibus, ad num. 54,* se dice:

> « Pag. 203, lin. 4-5: plures advertuntur tendentiae[132]: *Prima* vult ut retineatur *affirmatio de Mediatrice,* vel imo fortius enuntietur: E/2721[133], 2723 (+ 82 vel 70 P.)[134], 2727[135], 2728[136], 2742[137], 2771 (+ 1 P.)[138], 2777[139], 2780[140], 2814[141], 2817 (+ 5 P.)[142], 2830 (+ 16

[127] Tx 5,8-9 (AS III,6,16). En la nota 16 del texto se lee: « Cf. LEO XIII, Litt. Encycl. *Adiutricem populi,* 5 sept. 1895: ASS 15 (1895-1896), p. 303. S. PIUS X, Litt. Encycl. *Ad diem illum,* 2 febr. 1904: Acta, I, p. 154; DENZ. 1978a (3370). PIUS XI, Litt. Encycl. *Miserentissimus,* 8 maii 1928: AAS 20 (1928), p. 178. (Tx 5,14: AS III,6,22). Es la misma nota que encontramos en el Texto anterior, pero que lleva el número 18 (cf. Tx 4,209: AS III,1,365). Lo subrayado es lo añadido al « textus prior ».

[128] « 54. De Beata Virgine et Ecclesia » (Tx 5,8-10: AS III,6,15-18).

[129] Tx 5,27 (AS III,6,36).

[130] Tx 5,27-28 (AS III,6,36).

[131] Tx 5,28 (AS III,6,36). El subrayado es nuestro.

[132] « E / ... Huiusmodi sigla significant tabellas (Protocollo) secretariae generalis Concilii Vaticani II, quae Patrum animadversiones, ore prolatas vel scripto exhibitas, collegebat et ad singulas commissiones conciliares mittebant » (*Acta Synodalia Sacrosancti Concilii Oecumenici Vaticani II.* Indices. Typis Polyglottis Vaticanis 1980, p. 107.

[133] Card. Ruffini: AS III,1,441.

[134] Mons. Rendeiro: AS III,1,507.

[135] Mons. De Castro Mayer: AS III,2,109-111.

[136] Mons. Fady: AS III,2,116.

[137] Mons. Malanczuk: AS III,2,141.

[138] Mons. Olazar Muruaga: AS III,2,145.

[139] Mons. Blecharczyk: AS III,2,104-105.

[140] Mons. Doumith: AS III,2,113.

[141] Mons. Temiño Saiz: AS III,2,166-168.

[142] Mons. Battistelli: AS III,2,104.

P.) [143] et praesertim 2611 [144] et 2870 [145]. Duo volunt loqui de mediatione omnium gratiarum: E/2623 [146] et 2797 [147]. Immo E/2737 [148] petit "definitionem". Alius vult titulum "distributrix gratiarum", nempe E/2797 [149].

Secunda sententia vult *auferre titulum Mediatricis*: E/2518 [150], 2581 [151], 2620 [152], 2697 [153], 2698 [154], 2725 [155], 2778 [156], 2780 [157], 2791 [158], 2839 (+ 10 P.) [159], 3041 [160], E/2935 [161] et 3130 (40 Episc. Bras. et plures alii) [162]. Similiter: 2884 (+ 124 P.) [163], 2936 [164], 3107 [165], 3113 [166].

Tertia sententia vult servare titulum Mediatricis, sed eum ponere simul cum aliis titulis Advocatae, Auxiliatricis, Adiutricis, Mediatricis, cum expressione "condecoratur" (E/2668) [167]): ita i.a. 2782 [168], 2816 [169], 2822 (+ 30 P.) [170], et forsan etiam 2620 [171]. E/2519 [172] vult dicere: mediatricem in Christo per intercessionem ... [173].

Prima sententia invocat usum tituli in pietate et in documentis ecclesiasticis (non tantum apud Pium XII et postea). Plures Patres ablationem tituli aegre ferrent et putant exinde exorituram mirationem populi [174].

Secunda sententia nititur in hoc quod titulus in usu communi est satis recens (inde a saeculo XX° incipiente), — quod involvit

---

[143] Mons. Niccolai: AS III,2,142.
[144] Mons. Dubois: AS III,2,114-115.
[145] Mons. Pronti: AS III,1,748.
[146] Mons. Gasbarri: AS III,1,529-530.
[147] Mons. Anaya y Díez De Bonilla: AS III,2,103.
[148] Mons. Gasbarri: AS III,1,529-530.
[149] Mons. Anaya y Díez De Bonilla: AS III,2,102-104.
[150] Mons. Durrieu (debe tratarse de un número equivocado; el nombre de ese Padre no aparece en ninguna relación mariana de AS III).
[151] Mons. Mazè (debe tratarse de otro número equivocado, como el anterior).
[152] P. Janssens: AS III,1,719.
[153] Mons. Anaya y Diez De Bonilla: AS III,2,103.
[154] Card. Dopfner: AS III,1,449.
[155] Mons. Schoiswohl: AS III,2,161.
[156] Mons. Fady: AS III,2,116.
[157] Mons. Doumith: AS III,2,113.
[158] Card. Bea: AS III,1,456.
[159] Mons. Van Dodewaard: AS III,1,493-494.
[160] -Mons. Tschudy: AS III,2,171.
[161] Mons. Volk: AS III,2,174.
[162] Mons. Da Mota e Albuquerque: AS III,2,180-181.
[163] Card. Alfrink: AS III,2,15.
[164] Mons. Willebrands: AS III,2,177.
[165] Mons. Rusch: AS III,2,158.
[166] Mons. Olcomendy: AS III,2,145.
[167] Mons. Aldegunde Dorrego: AS III,2,102.
[168] Mons. Pourchet: AS III,2,150.
[169] Mons. Doumith: AS III,2,113.
[170] Card. Silva Henríquez: AS III,1,452.
[171] P. Janssens: AS III,1,719.
[172] Mons. Dulac: AS III,1,634.
[173] Tx 5,22 (AS III,6,30-31).
[174] Tx 5,22 (AS III,6,31).

systema theologicum — et quod non oportet difficultatem oecumenicam adhuc augere ...[175].

Tertia sententia servat titulum, sed in sensu systematizationis theologicae. Quod exinde patet quod titulus simul enuntiatur cum aliis invocationibus, de quibus non datur controversia. Hoc modo titulus etiam apud Orientales adhibetur, qui in orationibus liturgicis B. Mariam Adiutricem, vel immo Mediatricem appellant, quia nobis dedit Christum et omnia beneficia cum Eo, nosque protegit etc. Non tamen exinde construunt systema theologicum. Neque censent talia placita conciliariter esse docenda[176].

Cum tertia sententia vitatur incommodum quod timet sententia prima, et videtur etiam satisfieri secundae sententiae, quae praesertim timet technicum usum vocabuli, cum adnexis disputationibus »[177].

Por eso, « Commissio, disceptatione instituita, fere unanimiter elegit *tertiam propositionem,* quae scilicet enumerat varios titulos sub quibus B. Virgo invocatur. Haec autem ultima expressio *"invocatur",* ab omnibus libenter accipitur loco vocabuli *"condecoratur",* quod nimis ad decorationem exteriorem videtur alludere. Similiter longe maior pars Commissionis statuit inserendam explicationem: "Nulla enim creatura ... ex unico fonte cooperationem". Ita autem, ut patet, in materiam inter theologos controversam non intratur, sed simpliciter clarificatur idea secundum analogiam fidei, scilicet comparatione facta cum uno sacerdotio Christi et una bonitate Dei »[178].

4. Pero toda esta *relatio* tiene su larga historia. « In hac relatione, dice el Texto, considerantur plura *documenta* iam ante Sessione III Concilii ad Secretariam transmissa[179], tum *Orationes Patrum,* numero circiter 70, sive pronuntiatae in Aula[180] sive scriptis traditae in hac sessione[181], quae 266 magnas paginas implent. Sedulo omnia elementa consignata sunt in schedulis quae ad 400 ascendunt »[182].

---

[175] Tx 5,22 (AS III,6,31).

[176] Tx 5,22 (AS III,6,31).

[177] Tx 5,23 (AS III,6,31). « Patres qui iuxta 2ª sententiam vocabulum "Mediatrix" auferre volunt, timent ne apud fideles minus excultos confusio oriatur inter munus Christi et munus B. Virginis. Talis autem confusio non tam ab usu vocabuli "Mediatrix" videtur proficere quam ex deficientia accuratae et clarae instructionis populi de munere Mariae. Cui deficientiae obviandum est per aptiorem praedicationem doctrinalem et meliorem institutionem pietatis et cultus » (Tx 5,23: AS III,6,31).

[178] Tx 5,23 (AS III,6,31-32).

[179] En AS III,1, encontramos dos Apéndices en los que se recogen (a) las « animadversiones scripto exhibitae quoad schema de Ecclesiae post Periodum II usque ad 10 julii 1964 » (AS III,1,547-628) y (b) las « animadversiones scripto exhibitae quoad schema de Ecclesia post diem 10 julii 1964 » (AS III,1, 629-796).

[180] Cf. AS III,1,438-466; 468-478; 504-505; 509-510; 511-516; 517-525; 526-527; 528-544; cf. III,2,10-21.

[181] Cf. Animadversiones scripto exhibitae quoad cap. VIII Schematis de Ecclesia. (Huiusmodi textus lecti non sunt quia Patres vel, scripto exhibito, loqui non petierunt vel iuri loquendi renuntiaverunt ») (AS III,2,99-188).

[182] Tx ,15 (AS III,6,23).

5. Reconozco que la elaboración de estas 400 fichas no debió ser una tarea fácil para los componentes de la Comisión. Por eso el resumen de la *relatio de particularibus* tiene sus deficiencias e inexactitudes [183]. Yo ahora quisiera exponer y presentar tres ejemplos de estas fichas, pero las voy a completar con aportaciones de otros Padres. Puede que el resultado sea positivo y esclarecedor para nuestro tema.

5.1. Card. Ernesto RUFFINI [184]:

(a) « Titulus autem Mediatricis ... ut legimus initio pag. 203 ... summo gaudio animum meum et plurimorum Patrum replet » [185].

(b) « Profecto hic titulus est quam maxime divulgatus inter catholicos et acceptissimus ubique terrarum [186]. Propterea censeo rationem qua haec Mariae appellatio comprobatur et firmum fundamentum quo innititur explicanda esse [187], ne acatholici non pauci, praesertim Protestantes, nos reprobent quasi nihili facimus monitum S. Pauli ... » [188].

(c) « Maria igitur, utpote Mater Dei et mater nostra, dignissima est quae habeatur et vocetur *ad Mediatorem Mediatrix*: Christus est Mediator absolute necessarius, Maria est mediatrix dependenter a Christo, et id ex peculiari Dei voluntate » [189].

5.2. Card. Agustín BEA [190]:

(a) « Omnino admitto doctrinam de B. Virgine Mediatrice, prout ipsa in documentis Magisterii Ecclesiae inde a Leone XIII proponitur ... Sed omnino alia est quaestio utrum haec doctrina hucusque in Ecclesia, *uti postulatur* [191], "ad plenam lucem perducta sit", i.e. utrum impleatur illa condicio, quae ... egregie in introductione schematis ponitur, ut ... (aliqua) doctrina a Concilio proponi possit » [192].

---

[183] Cf. más arriba, notas 150 y 151.

[184] Congregación general 81 (16 septiembre 1964): AS III,1,438-441.

[185] Cf. Malanczuk: AS III,2,139; Mons. Marquez Toriz: AS III,1,461-462; Mons. Mingo: AS III,1,464-465; Mons. Gasbarri: AS III,1,529; Mons. García y García De Castro: AS III,1,537; Mons. Dubois: AS III,1,684; Mons. Pronti: AS III,1,748; Mons. Bastistelli: AS III,2,104; Mons. Culé: AS III,2,108; Mons. De Castro Mayer: AS III,2,111; Mons. Forer: AS III,2,119.

[186] Cf. Mons. Cambiaghi: AS III,1,470-471; Quidam Patres Conciliares (5): AS III,1,622; Mons. Melendro: AS III,1,727; Quidam Patres Conciliares Africae Centro-Orientalis: AS III,1,795; Mons. Moro Briz: AS III,2,141; Mons. Perantoni: AS III,2,149; Mons. Pirolley: AS III,2,150; Mons. Quint: AS III,2,155; Mons. Tortolo: AS III,2,170; Mons. Socche: AS III,1,513; Mons. Díez De Bonilla: AS II,2,103.

[187] Cf. Mons. Van Lierde: AS III,1,513; Mons. Llopis Ivorra: AS III,2,137; Mons. Niccolai: AS III,2,142; Mons. Olazar Muruaga: AS III,2,143-144.

[188] Cf. Mons. Temiño Sáiz: AS III,2,166-168.

[189] AS III,1,440-441.

[190] Congregación general 81 (16 septiembre 1964): AS III,1,454-458.

[191] Deest in textu scripto tradito.

[192] « Item alia est quaestio quo modo, quibus argumentis, e Sacra Scriptura, ex Patribus, haec doctrina fulciatur vel fulciri debeat, ut a Concilio digno modo proponi possit. Puto hanc distinctionem tum pro recta intelligentia eorum quae dicam, tum pro tota discussione huius capitis, *summi esse momenti* » (AS III,1,455).

(b) Ahora bien, « his positis, de schema haec animadvertenda censeo: ... "In pluribus punctis non observatur intentio, quae initio schematis exprimitur ...". "En exempla" »:

(c) ... « Nequaquam dubium est, quin Beata Maria Virgo, utpote Mater nostra, paratior sit ad intercedendum pro ... filiis suis, *paratior quam omnes alii, et quod eiusdem*[193] intercessio, devote et cum fiducia invocata, efficacior sit omni alia *intercessione* ... »[194].

(d) Y sin embargo, « consultius videtur in documento conciliari omittere vocem "Mediatricis", quippe quae periculum creet ne ab ipsis fidelibus *catholicis*[195] non recte intelligatur et christianis a nobis seiunctis serias, *vere serias*[196] difficultates paret. Haec salvo meliore iudicio »[197].

5.3. Mons. Djajasepoetra[198]:

« Nobis placet hoc caput de B. Maria Virgine. Tamen, plura minoris momenti scriptis tantum tradens, duo nunc maioris momenti nomine 24 episcoporum Indonesiae proponimus ».

« *De Beata Virgine Mediatrice. Sunt* ... in hac aula qui vellent doctrinam de Maria Mediatrice expressius enuntiari et sanciri. Sunt alii qui malent hanc vocem non adhiberi. Cum his ultimis sentimus.

a) « Credimus et nos, B. Virginem partes activas habere, tum in opere redemptionis peragendo, tum in divina gratia nobis impertienda ».

(b) « Sed nobis vocabulum *Mediatrix* minus felix videtur:

1. quia B. Virgo non stricto et proprio sensu media est et agit inter Deum et nos, sicut Christus, qui simul verus Filius Dei et verus filius Adami est;

2. quia vocabulum hoc difficiliorem reddit praedicationem unius Mediatoris. Hoc, ut nobis videtur, valet pro tota Ecclesia et pro omnibus nobis ... ».

---

[193] Deest in textu scripto tradito.

[194] Deest in textu scripto tradito.

[195] Deest in textu scripto tradito.

[196] Deest in textu scripto tradito.

[197] AS III,1,455-456. Cf. Mons. Tschudy: AS III,2,171; Plures Patres Conciliares (40): AS III,2,180-181; Card. Alfrink (más 124 P,): AS III,2,12-13; P. Janssens: AS III,1,719; Conferentia Episcoporum Neerlandiae: AS III,2,188; Card. Leger: AS III,1,446; Mons. Le Couèdic: AS III,1,540; Mons. Malanczuk: AS III,2,141; Mons. Volk: AS III,2,174; Mons. Olcomendy: AS III,2,145-146; Mons. Rusch: AS III,2,160. Es interesante la posición de Mons. Ancel, que nos dará pie al tercer ejemplo: « Fateor, Patres venerabiles, quod in hoc puncto mutavi sententiam meam. Quondam enim putavi hanc doctrinam posse ab Ecclesia doceri, sed studio attentius peracto, mihi visum est hanc doctrinam adhuc nimis difficultatibus obnoxiam esse ut possit a Concilio doceri. Personaliter maluissem neque de hoc nomine agi et hoc propter rationes a pluribus et specialiter ab em.mo card. Bea propositas. Sed acquiesco nostro textui pro bono unitatis. Unice petam ut alii tituli explicite nominentur ne forte unica designatione, quasi canonizaretur hic titulus mediatricis, quod certe non conveniret » (AS III,1,520).

[198] Congregación general 81 (16 septiembre 1964): AS III,1,459-460.

(c) « Quadropter mallemus doctrinam et vocabulum Mariae Mediatricis non a Concilio extolli vel sanciri »[199].

(d) Y « si titulus evitari non potest, simpliciter numeretur inter plures titulos, quibus pietas catholica Matrem suam honorat, et quorum plures multo magis sueti sunt[200]. Scribatur: « Titulis mediatricis, advocatae, auxiliatricis, matris misericordiae condecorari consuevi »[201].

6. Como puede observarse, el problema está en el título « *Mediatrix* », en sí mismo y en su inclusión o no en el texto conciliar mariano. Sobre su contenido o significado, parece que éste se orienta más hacia la *intercesión,* que hacia la *distribución* de gracias[200]. La sugerencia de que « bonum esset alios titulos citare, qui sunt magis et antiquius traditionales », parece que fue la que movió a la Comi-

---

[199] « Nam non videtur opportunum ut hoc Concilium nimis immoretur in extollenda ac definienda ista voce, quae abhinc aliquot annos una tantum erat inter alias uti *"Patrocinium", "Advocata", "Auxilium christianorum", "Mater misericordiae",* etc. » (Card. Silva Henríquez: AS III,1,453). « Loquor non tantum nomine meo, sed etiam nomine em.mi P. Card. H. Quintero, arch. Caracensis in Venezuela, et *quadraginta tria* aliorum Patrum ex America Latina » (AS III,1,452).

[200] « Ut hoc inconveniens vitetur, bonum esset alios titulos citare, qui sunt magis et antiquius traditionales. Sic textus ordinari posset: « Propterea BMV in Ecclesia saepe appellatur Advocata, Auxilium christianorum, Mater misericordiae, Mediatrix. Sed melius est hunc titulum 'Mediatrix" non adhibere » (Mons. Pourchet: AS III,2,151). Pues, « quamquam vox "Mediatrix" B. Mariae applicata, cum recte declaratur in nullam reprehensionem incurrit ... semper timui et adhuc timeo ne apud fideles multos nata sit confusionem gignere. Non possumus omittere factum, longe maiorem partem catholicorum esse homines vix cultos, ne dicam incultos, ideoque summopere oportunum esse monitum eiusdem huius schematis, pag. 206, linn. 1-3 ... Crediderim proinde expedire aliud verbum ac "Mediatrix" praeponere, ut puta "Advocata" vel quid simile, ita ut vox "Mediatoris" soli Christo reservetur » (P. JANSSENS: AS III,1,719).

[201] AS III,1,459-460.

[202] Pag. 203, lin. 3 legimus Virginem « etiam titulo Mediatricis condecorari ... ». « Utile esset praecisionem afferre hanc Mediationem Mariae exerceri eius *"pia intercessione",* et quidem "in Christo" ("Mittlerschaft in Christus") admittitur a quibus fratribus dissidentibus (e.gr. a theologo lutherano Asmussen in suo opere: *Maria, die Mutter Gottes,* pag. 51). Haec mediatio Mariae parallelum habet, quamquam in valde minore aspectu, in mediatione fidelium Christi, qui pro invicem orare possunt ad Dominum ... Haec animadversiones proponuntur ad causam oecumenicam fovendam » (Mons. Weber: AS III,1,783-784). « In proxima III sessione conciliriter, proclametur B. Mariam V. *esse Ecclesiae Matrem,* eo saltem sensu quod ... eadem B. Virgo eadem vere materna caritate *incessanter intercedit* sive pro Ecclesia universa, sive pro singulis fidelibus, immo pro omnibus hominibus quos Deus vult salvos fieri, ita ut tamquam vera Mater sit veneranda, laudanda, deprecanda, ab Ecclesia et in Ecclesia » (Mons. De Proenca Sigaud: AS III,1,679). Mejor sería hablar de « *interceditrix* » potius quam « mediatrix » (cf. Mons. Schoiswohl: AS III,2,161). Pero este tipo de *mediación* no agradó a algunos Padres: « Verbum *intercessione* videtur dicere tantum illa forma mediationis quae per orationem exercetur. Sic dicimus in letaniis: "ora pro nobis, intercede pro nobis". Mea humili sententia adhibendum esse vocabulum *actione,* vel potius *interventu,* ne videatur excludi alia forma mediationis magis activae quam simplex intercessio orationis » (Mons. Rendeiro: AS III,1,507).

sión a que eligiera, « fere unanimiter », la tercera y definitiva propuesta: la del *textus emendatus*[203].

7. No quiero terminar este apartado sin presentar la opinión de algunos Padres Orientales, sin citar un escrito del Card. Wyszynski y sin hacer referencia a algunas frases en las que María aparece como la defensora de la fe de la Iglesia en ciertas circunstancias y tiempos difíciles.

7.1a. Mons. SAPELAK dijo[204]:

> « Dum in capite VIII schematis *de Ecclesia* sermo fit "de B. Maria Virgine Deipara in mysterio Christi et Ecclesiae", ne quidem consideratur praecipuum munus B. Virginis relate ad Ecclesiam peregrinantem: eius nempe *patrocinium* ac *auxilium* »[205].
>
> — « *Historia teste,* B. Maria Virgo semper Ecclesiam Christi contra hostes protexit ac adiuvit, eique victorias tribuit »[206].
>
> — « *Patres* hoc praecipuum munus Deiparae Virginis in Ecclesia Christi praeclare extollunt »[207].
>
> « In doctrina istorum ac aliorum orientis Patrum: Maria Virgo salus populi christiani exstat, Ecclesias ad unitatem cogit,eas ab haeresi praeservat, fideles in recta fide confirmat, fidem inconcussam custodit » [208].
>
> — « Mariam ut patrocinium ac auxilium *Liturgia* praesertim *Byzantina* innumeris laudis honorat ... »[209].
>
> « Doctrina Patrum de patrocinio ac auxilio B. Mariae Virginis, monumenta liturgica, ac facta historica interventuum Deiparae Virginis in defensionem populi christiani causa fuerunt *institutionis festivitatis Patrocinii Deiparae Virgins* in variis Ecclesiis byzantini ritus, quae die prima octobris celebratur. Similis festivitas etiam in Ecclesia latina sub titulo « Auxilium Christianorum » habetur »[210].
>
> — Ahora bien, « his argumentis brevissimae expositis, *humiliter propono ut doctrina marialis de Patrocinio ac Auxilio Ecclesiae populique christiani ad hoc Sacrosancto Concilio speciali modo illustretur* »[211].

---

[203] Cf. más arriba, nota 178.

[204] Cf. CG 82 (17 septiembre 1964): AS III,1,509-510.

[205] AS III,1,509.

[206] AS III,1,509.

[207] Aquí cita tres textos de S. Efrén: « *Oratio ad SS. Dei Genitricem* »: Assemani, III, 577B; « *Oratio ad Dei Genitricem* »: Assemani, III, 543C; « *Oratio ad Deiparam* »: Assemani, III,532A. Y dos textos de S. Germán: « *Sermo in Praesentatione SS. Deiparae* »: MG 98, col. 307D; « *Sermo in Dormitionem B. Mariae* »: MG 98, col. 307D.

[208] AS III,1,509.

[209] AS III,1,509.

[210] AS III,1,509.

[211] AS III,1,503. « Haec doctrina specialissimam actualitatem nostris temporibus habet, quando — sicut S.mus Papa Paulus VI in Encyclica *Ecclesiam suam* scribit — Hominum opiniones... doctrinae philosophicae ac politicae « veluti maris fluctus Ecclesiam ipsam obvolvunt et commovent »... « quod ipsam ecclesiasticae compaginis firmitatem in discrimen adducere possit »... (AS III, 1,510).

7.1b. Mons. DOUMITH escribió[212]:

« Totus capitis de Beata cardo est in affirmatione tituli « Mediatrix ». Ahora bien, « si ageretur de pietate erga Virginime manifestanda aut de laudibus Mariae celebrandis, non Oriens contradiceret: has enim laudes « multifariam multisque modis » celebrat, ipsum titulum « mediatrix » aliquando usurpans in « hymnis et canticis ». In his autem testibus vox « mediatrix » occurrit coniuncta cum vocibus advocatae, auxiliatricis, patronae, et certe in eodem sensu intercessionis, exclusa omni cura dogmatizandi »[213].

« In hac autem dogmatizandi cura latet novitas, ex qua fit ut significatio vocabuli mutatur et evadit, non clarior sed obscurior et aequivoca »[214].

Ahora bien, « ad vitandam... aequivocationem, immo ad vitandum scandalum non sine fundamento fratrum separatorum, optandum est ut ab usu huius vocabuli in constitutione dogmatica abstineamus: non est revera nisi abusus vocabuli; et si admitti debeat, coniungatur vocibus « *advocatae, auxiliatricis, patronae* » ut sensu *intercessionis* clare intelligatur »[215].

7.2. El Card. WYSZYNSKI, en su texto « scripto tradito »[216], llevaba esta nota:

« Memoriale quod episcopi Poloni B.mo Patri miserunt, summa per capita exponit, quam auctoritatem theologi ac praesules in defendenda fide catholica necnon in moribus christianis custodiendis et denique in colenda virtute spei carpere potuerint, ex constanti et immutato cultu B. Mariae Virgini tributo in decursu saeculorum. *Velim saltem indicare aliquos modos cultus Mariae, qui in sinu Ecclesiae nati sunt ad fovendam pietatem in populo Dei: ut adducam formam et titulum cultus a Societate Salesiana in Ecclesia instituti, qui laudat B. Mariam Virginem « Auxilium Christianorum ...* »[217].

Mons. Sapelak, durante la CG 27 (26 noviembre 1962), cuando se discutía el « *Schema decreti: De Ecclesiae unitate " ut omnes unum sint"* » (cf. AS I,3,528-545), dijo, refiriéndose al n. 16: « Ideo humiliter proponere audeo ut Beata Virgo Maria sub titulo « Adiutricis vel *auxilii* (deest in textu scripto tradito) christianorum tamquam patrocinium ac patrona unionis christianorum ab hoc Sacrosancto Concilio solemniter proclametur » (AS I,3,631).

[212] Cf. AS III,2,113-114.

[213] AS III,2,113.

[214] Y aquí estaría el defecto de los latinos: « In theologia latina, mediatio supponit meritum et quidem strictum seu de condigno » (AS III,2,113).

[215] AS III,2,114. El subrayado es nuestro.

[216] Cf. CG 81 (16 septiembre 1964): AS III,1,441-444.

[217] AS III,1,444, nota 2. El subrayado es nuestro. El Card. Wyszinski en su « Memorial » dice: « Ab immemorabili tempore christifideles Beatam Mariam uti "Auxilium Christianorum", Consolatricem afflictorum et "Refugium peccatorum" devote invocant eiusque patrocinium in omnibus necessitatibus suis implorant, et hoc faciunt non solum, quia eam Matrem Salvatoris agnoscunt, sed etiam propterea quod eam spiritualem Matrem uniuscuiusque hominis fidenter credunt » [BESUTTI, G., *Nuove note di cronaca sullo schema mariano al Concilio Vaticano II*, en « Marianum » 28 (1966) 4].

7.3. Existen frases, en las aportaciones de algunos Padres, en las que se hace referencia a María como *defensora* y *auxilio* de la fe de la Iglesia y de los cristianos.

— « Materialismus tum practicus, tum theoricus, fidei principia fundamentalia subvertere conatur. Et in pugna contra hunc periculosum errorem modernum, Ecclesia optimam habet *fautricem* in sua Matre, B.ma Virgine. Ipsa est exemplar fidei vere heroicae, et decursu saeculorum in magnis discriminibus religionis christianae ipsa erat eius *fautrix, adiutrix* et *victrix.* Etiam hodiernis in adiunctis religioni christianae tam infaustis, ipsa est spes nostra, et teste experientia constat, ubicumque devotio Mariana est viva et vera, ibi fides populi firmiter stat et omnia obstacula superat »[218]. Y es por eso que, « nomine meorum confratrum, Patrum conciliarium e Cecoslovachia, reverenter propono ut, n. 56 sub littera (A), addantur haec verba « Mater Iesu peregrinanti populo Dei etiam ut signum vitae et gratiae praelucet, et ideo in luctu pro fide christiana ipsam habeamus et exemplar fidei vere heroicae et protectricem firmissimam »[219].

— « Secundum mirabilem imaginem tum Mariae cum Ecclesiae, utraque sunt « Ierusalem »: vigilantes cum sollicitudine non tantum in fidelibus qui in interioribus Civitatis habitant, sed etiam in omnibus hominibus qui sanguine Filii Mariae redempti in eiusdem Civitatis suburbiis incolunt, i.e., et in fidelibus baptizatis (catholicis et non catholicis) et in hominibus, omnis nationis, generis, coloris, quos omnes, in Populum suum, Deus in Civitatem Suam vult intrare »[220].

— Maria, « quia Ecclesiae est Mater, et qua Mater, est etiam eius exemplar, adiutorium, regina ... »[221].

La votación del Texto número 5, que tuvo lugar el día 29 de octubre de 1964, arrojó este resultado:

Patres votantes	2.091
Placet	1.559.
Non placet	10.
Placet iuxta modum	521.
Votum nullum	1.[222].

« Textus igitur est in Congregatione Generali probatus, attamen modi, ut moris est, examinabuntur »[223].

---

[218] Mons. Nécsey: AS III,1,476.
[219] Mons. Nécsey: AS III,1,476. Cf. Mons. Ruotolo: AS III,1,468-469.
[220] Mons. Dubois: AS III,1,685-686.
[221] P. Prou: AS III,1,153.
[222] Cf. AS III,1,109-110.
[223] AS III,6,49.

6. EL TITULO « AUXILIADORA DE LOS CRISTIANOS » EN EL TEXTO 6 [224]

Se trata de un fascículo de 24 páginas (21 en las AS) [225], distribuido a los Padres el día 14 de noviembre de 1964 [226], en el que se recogen (en 95 proposiciones) los *modos* propuestos por los Padres al texto anterior y las *respuestas* dadas por la Comisión técnica [227].

Consta de tres partes: *Modi generales* (4) [228], *Relatio de particularibus* (91) [229], *Correctiones admissae in capite octavo* (25 más una nota) [230].

1. Nuestro tema se encuentra en la segunda parte del texto: concretamente en los *modos* al número 62.

> Modo 67 - « Pag. 9, lin. 3-6: Sequuntur plurimi modi postulantes *magis completam et fortem affirmationem mediationis* (« *secunda Eva* », « *Mater Ecclesiae* », « *Mundi Regina* »), vel, e contra postulantes *suppressionem* vocis « Mediatrix », vel *substitutionem* eius per aliam (sicut « Sequestra »), vel denique proponentes formulationes novas, quae melius in tuto ponerent unicam mediationem Christi.
>
> In particulari:
>
> 1) In sensu affirmationis *fortioris*: Proponunt 132 Patres ut, loco « Propterea B. Maria Virgo *in* Ecclesia », dicatur: « Propterea B. Maria Virgo *ab* Ecclesia », quia tituli isti, aiunt, frequentissime, etiam in documentis pontificiis occurrunt ». Ex illis 132,121 Patres proponunt insuper insistentiam: « Propterea B. M.V. *ab* Ecclesia *nedum* titulis Advocatae, Auxiliatricis et Adiutricis, *sed etiam titulo* Mediatricis *merito* (vel *iuste* et *pie*) invocatur ».
>
> Iidem Patres proponunt *amplificationem*: « *Sancta* Ecclesia, *Dei genitricis gloriam ac Evae secundae munus considerans, Beatam Virginem Matrem Ecclesiae, auxilium christianorum, veram sub Christo mundi Reginam agnoscit* », ne textus immerito condescendat irenismo, et nimis timide procedat.
>
> Occurrunt locutiones variantes: « necnon *et Ecclesiae, seu totius populi Dei, Matris* », etc.
>
> 2) In sensu affirmativo pro mediatione, sed attendendo magis ad servandam unicam mediationem Christi, insimul considerando problema oecumenicum et exprimendo clarius quod intendebatur

---

[224] SACROSANCTUM OECUMENICUM CONCILIUM VATICANUM SECUNDUM. *Schema Constitutionis Dogmaticae de Ecclesia. Modi a Patribus conciliaribus propositi a Commissione doctrinali examinati.* Caput VIII. *De Beata Maria Virgine Deipara in mysterio Christi et Ecclesiae.* Typis Polyglottis Vaticanis, 1964, 24 p. (Tx 6).

[225] Cf. AS III,8,151-171.

[226] « Huiusmodi fasciculus Patribus distributus fuit in CG 122, die 14 novembris 1964 » (AS III,8,151).

[227] « Omnes Modi, a Patribus introducti, praevie examinati sunt a Commissione technica, praeside Exc.mo Charue, a Praeside Commissionis Doctrinalis delegato, ab Exc.mo Roy, Relatore huius Capitis, a Secretariis Commissionis Doctrinalis et a R.P. Balić » (Tx 6,3: AS III,8,151).

[228] Cf. Tx 6,3-4 (AS III,8,151-152).

[229] Cf. Tx 6,4-21 (AS III,8,152-168).

[230] Cf. Tx 6,22-24 (AS III,8,168-171).

in « tertia solutione » (de qua in Relatione, pag. 32) [231], proponunt 15 Patres: « *Quando* B. Virgo in Ecclesia titulis Advocatae, Auxiliatricis, Mediatricis invocatur, *hoc* ita intelligitur ut dignitati ... ».

3) In sensu solutionis secundae rogant 61 Patres ut vox « *Mediatrix* » *deleatur*, quia ansam praebet aequivocationi circa unicam mediationem Christi et est lapis offensionis pro separatis ex Oriente et Occidente. Ab illo termino disputato, aiunt, in Concilio abstinendum omnino est. Proponunt 8 Patres, ex sua parte, ut loco « Mediatricis », dicatur: « *sequestre* », quem terminum dicunt a Pio XII mutatum » [232].

Respuesta — « Quia ex utraque parte moventur difficultates, apparet quod textus probatus revera *viam mediam* sequitur, et concludendum videtur solum textum illum solidam spem praebere, ut obtineatur concordia quae ab omnibus desideratur » [233].

Este juicio de la Comisión hizo que la redacción del texto quedase inmutada.

2. Pero hay cuatro modos, cuyas respuestas considero muy interesantes:

Modo 62 — « Pag. 8, lin. 35ss.: In Modo aliquo generali, 10 Patres dicunt mediationem B.M. Virginis *ad solam intercessionem* reduci non debere; via aperta manere debet pro ampliori explicatione. Tres alii Patres dicunt quod non sufficit in Schemate « devotionem populi non reprobare » et aestimant restrictum modum loquendi provenire ex falso oecumenismo » [234].

Respuesta — « Modus loquendi non est restrictivus. Quae dicuntur, *assertive*, non exclusive proponuntur » [235].

Modo 63 — « Pag. 8, lin. 37-38: Proponunt duo Patres ut, loco: « *multiplici intercessione* », dicatur: multiplici « *interventu* », quia « interventus » latius patet quam « intercessio » [226].

Respuesta — « Textus *assertive* intelligendus est, et consulto sermo fit de *moltiplici intercessione* » [237].

Modo 64 — « Pag. 8, lin. 37-38: Proponunt 37 Patres ut post verba: « donis nobis conciliandis » addatur: « *omnium gratiarum administra et dispensatrix, eo quod Christo sociata fuit in illis acquirendis* » (35 P.); haec dicunt pertinere ad communem doctrinam » [238].

Respuesta — « Implicant tamen explicationes theologicas, de quibus textus non iudicat » [239].

Modo 65 — « Pag. 9, lin. 2: Proponit unus Pater ut loco: « contra peccatum luctantibus », dicatur: « *paregrinantibus necnon in periculis et angustiis laborantibus* », vel: « *in periculo aeternae salutis adhuc versantibus* », quia B. Virgo etiam de illis qui non luctant contra peccatum curat » [240].

[231] Cf. Tx 5,22 (AS III,6,31). Cf. más arriba, notas 176-177.
[232] Tx 6,16 (AS III,8,163-164).
[233] Tx 6,17 (AS III,8,164).
[234] Tx 6,15 (AS III,8,162). El subrayado es nuestro.
[235] Tx 6,15 (AS III,8,162).
[236] Tx 6,15 (AS III,8,162). El subrayado es nuestro.
[237] Tx 6,15 (AS III,8,162).
[238] Tx 6,15 (AS III,8,162).
[239] Tx 6,15 (AS III,8,162).
[240] Tx 6,15 (AS III,8,162-163).

Respuesta — « Scribatur: « peregrinantibus *necnon in periculis et angustiis versantibus* »[241].

3. Según estas respuestas, María « in Ecclesia, titulis Advocatae, Auxiliatricis, Adiutricis, Mediatricis invocatur », porque « in coelis assumpta salutiferum hoc munus non deposuit, sed *multiplici intercessione sua* pergit in aeternae salutis donis *nobis conciliandis* ». Esto es lo que afirma el Concilio. María es « Mediatrix », porque « continúa alcanzándonos, por su multiple intercesión, los done de la salvación eterna ». Pero, ¿sólo por esto? ¿Sólo en esto consiste su mediación? « Quae dicuntur, *assertive,* non exclusive proponuntur ». Otras añadiduras implicarían « explicationes theologicas, de quibus textus non iudicat ». Además, « consulto sermo fit de *multiplici* intercessione ». El sentido del Concilio es claro.

4. También se dice que María « cuida, con amor materno, de los hermanos de su Hijo que todavía peregrinan *y se debaten entre peligros y angustias* (¿tiempos difíciles?) hasta que sean llevados a la patria feliz »[242].

Durante la Congregación general 125 (18 noviembre 1964, miércoles) se « indixit suffragationem super expensionem modorum circa cap. VIII schematis de Ecclesia »[243]. La pregunta era: « An placeat expensio facta a Commissione doctrinali circa Modos, cap. VIII respicientes, cum correctionibus supra indicatis? Placet an non placet »[244].

Patres votantes	2.120.
Dixerunt placet	2.096.
Dixerunt non placet	23.
Suffragium nullum	1.[245].

7. EL TITULO « AUXILIADORA DE LOS CRISTIANOS » EN EL TEXTO NUMERO 7[246]

Se trata del texto definitivo propuesto para la aprobación final. El capítulo octavo se encuentra en las páginas 58-64 y las notas, en las páginas 65-66.

---

[241] Tx 6,15 (AS III,8,163).

[242] Esta fue la añadidura que se hizo al número 62: « Pag. 9, lin. 21: Materna sua caritate de fratribus Filii sui adhuc peregrinantibus *necnon in periculis et angustiis versantibus curat* ... » (Tx 6,23: AS III,8,170). También se añadió una cita a la nota 16: « *Ad notam 16* [addendum] PIUS XII, Nuntius Radioph., 13 maii 1946: ASS 38 (1946) pag. 266 » (Tx 6,24 = AS III,8,171).

[243] AS III,1,129.

[244] AS III,8, 370 (Tx 6,24).

[245] Cf. AS III,8,370.374.375.

[246] SACROSANCTUM OECUMENICUM CONCILIUM VATICANUM SECUNDUM. *Schema Constitutionis Dogmaticae De Ecclesia de qua agetur in sessione publica diei 21 novembris 1964.* Typis Polyglottis Vaticanis, 1964, 66 p. (Tx 7).

Nuestro título mariano se halla en el n. 62, que, junto con los nn. 61.63.64 y 65, constituyen el apartado tercero del capítulo: *De Beata Virgine et Ecclesia* [« De Maria,, ancilla Domini, in opere redemptionis et sanctificationis »]. Se trata de un título que especifica el papel de María « *in opere sanctificationis* ».

Según el Concilio

1. (*Maria*),
   «Christum concipiens, generans, alens, in templo Patri sistens,
   Filioque suo in cruce morienti compatiens,
   operi salvatoris singulari prorsus modo *cooperata est* [247],
   (et cooperata est) obedientia, fide, spe et flagante caritate,
   ad vitam animarum supernaturalem restaurandam »
   (fue su munus « in opere redemptionis »).

2. « Quam ob causam
   (porque « cooperata est ... ad vitam animarum supernaturalem restaurandam »)
   Mater nobis in ordine gratiae exstitit » [248].

3. (Pero esta *cooperación* de María « ad vitam animarum supernaturalem restaurandam),
   « Haec autem in gratiae oeconomia *maternitas* Mariae,
   indesinenter *perdurat*,
   (y perdura sin cesar)
   — inde a consensu
   quem in Annuntiatione fideliter praebuit,
   quemque sub cruce incunctanter sustinuit,
   — usque ad perpetuam omnium electorum consummationem ».
   (es su munus « in opere sanctificationis »).

4. (En efecto),
   « In coelis enim *Assumpta*,
   hoc munus (esta cooperación) *non deposuit*,
   4.1. *sed multiplici intercessione sua* [249]
   pergit in aeternae salutis donis nobis conciliandis [250]
   4.2. *materna sua caritate*
   curat de fratribus Filii sui
   adhuc peregrinantibus
   necnon in periculis et angustiis versantibus,
   donec ad felicem patriam perducantur » [251].

5. (Y por esto): « Propterea,
   B. Virgo in Ecclesia,

---

[247] Cf. la respeusta al Modo 59 (Tx 6,14 = AS III,8,162).

[248] Cf. el Modo 61 con su respuesta: « Proponit unus Pater ut, loco Mater nobis in ordine gratiae exstitit », dicatur: « Mater *est nostra* », quia textus indicare debet cooperationem Mariae ad Redemptionem non tantum *subiectivam* sed etiam *obiectivam* ». R. - In explicationes theologicas non intramus » (Tx 6,15: AS III,8,162).

[249] Cf. más arriba, Modos 62 (y 63 (Tx 6,15: AS III,8,162).

[250] Cf. más arriba, Modo 64 (Tx 6,15: AS III,8,162).

[251] Cf. más arriba, Modo 65 (Tx 6,15: AS III,8,162-163).

titulis Advocatae, Auxiliatricis, Adiutricis, Mediatricis [252] *invocatur* » [253].

Como puede observarse, los cuatro títulos marianos obedecen al « munus » que tiene María hoy como Madre nuestra y Asunta al cielo, y que es doble: *continuar alcanzándonos,* « multiplici intercessiones sua », los dones de la salvación eterna y *cuidar,* « materna sua caritate », de los hermanos de su Hijo (de los cristianos), que todavía peregrinan y se debaten entre peligros y angustias hasta que sean llevados a la patria feliz. Se trata, pues, de un « munus » de cara a Dios (de *intercesión*) y de cara a nosotros mismos (de *amor* materno). Nos alcanza los dones de la salvación y cuida de nosotros mientras peregrinamos y nos debatimos entre angustias y peligros.

Ahora bien, según mi modo de ver, el sentido del título « *Auxiliadora de los cristianos* », lo mismo que el de « *Socorro* », se refiere, principalmente, al *cuidado* que María tiene hoy de los « hermanos de su Hijo »; mientras que el sentido de los tiítulos « *Abogada* » y « *Mediadora* », se refieren más bien a la concesión de las gracias y a la relación con Dios.

Digo según mi modo de ver. Porque una distinción tan radical no puede ser nunca exacta, y más tratándose, come se trata, de la economía de la gracia. Pero lo que sí es cierto es que el Concilio acentúa este doble oficio de María, como Madre nuestra, en el orden de la gracia. Se preocupa para que alcancemos la gracia (para que seamos alcanzados por la gracia), y se preocupa, también, para que, una vez alcanzados por la gracia, no la perdamos nunca. Se preocupa para que *seamos* y *vivamos lo que somos*: « hermanos de su Hijo ».

> « Quod tamen ita intelligitur, ut dignitati et efficacitati Christi unius Mediatoris nihil deroget, nihil superaddat ».
>
> Y este « munus subordinatum Mariae Ecclesiae profiteri non dubitat, iugiter experitur et fidelium cordi commendat, ut *hoc materno fulti praesidio* Mediatori ac Salvatori intimius adhaereant » [254].

Pero el Texto número siete tuvo su complemento y su comentario en el *discurso de clausura* de la tercera sesión [255]. En él Pablo VI, ante la presencia de 2.156 Padres, declaró solemnemente a María « *Madre de la Iglesia* ».

---

[252] Cf. más arriba, Modos 67.68.69.70.71.72 (Tx 6,16-18: AS III,8,163-165).

[253] Aquí el texto trae la nota 16: « Cf. LEO XIII, Litt. Encycl. *Adiutricem populi,* 5 sept. 1895: ASS 15 (1895), p. 303; S. PIUS X, Litt. Encycl. *Ad diem illum,* 2 febr. 1904: Acta I, p. 154; DENZ. 1978a (3370); PIUS XI, Litt. Encycl. *Miserentissimus,* 8 maii 1928: AAS 20 (1928) p. 178; PIUS XII, Nuntius Radioph., 13 maii 1946: AAS 38 (1946), p. 266 ».

[254] Conclusión del número 62.

[255] Sessio Publica V, 21 novembris 1964. Allocutio Summi Pontificis (AS III,8,909-918: AAS 56 (1964), pp. 1007-1018).

« Ad Beatae Virginis gloriam ad nostrumque solatium, Mariam Sanctissimam declaramus Matrem Ecclesiae, hoc est totius populi christiani, tam fidelium quam Pastorum, qui eam Matrem amatissimam appellant; ac statuimus ut suavissimo hoc nomine iam nunc universus christianus populus magis adhuc honorem Deiparae tribuat eique supplicationes adhibeat » [256].

« Se trata de un *título ... que no es nuevo* para la piedad de los cristianos; antes bien, con este nombre de Madre y con preferencia a cualquier otro, los fieles y la Iglesia entera acostumbran a dirigirse a María. *Hoc revera nomen ad germanam Marianae pietatis rationem pertinet, cum in dignitate ipsa, qua Maria utpote Mater Verbi Dei Incarnati praedita est, firmiter innitatur* » [257].

« La divina maternidad es el fundamento de su especial relación con Cristo y de su presencia en la economía de la salvación operada por Cristo, y también el *fundamento principal* de las relaciones de María con la Iglesia; por ser Madre de Aquel que desde el primer instante de la Encarnaciòn en su seno virginal se constituyó en cabeza de su Cuerpo Místico, que es la Iglesia ». « *Maria igitur, utpote Mater Christi, Mater etiam fidelium et Pastorum omnium, scilicet Ecclesiae, habenda est* » [258].

Ahora bien, en la ferviente invocación final, se recoge el sentido global de los cuatro títulos:

— « O Deipara Virgo Maria, Ecclesiae Mater ..., *te recomendamos* toda la Iglesia, *nuestro Concilio ecuménico* ».

— « Episcoporum auxilium », « *protege y asiste* a los obispos en su misión apostólica y a todos aquellos, sacerdotes, religiosos y seglares que con ellos colaboran en su arduo trabajo ».

— « Tú, que por tu mismo divino Hijo, en el momento de su muerte redentora, fuiste presentada como Madre al discípulo predilecto, *acuérdate del pueblo cristiano* que en tí confía ».

— « *Acuérdate de todos tus hijos;* avala sus preces ante Dios; conserva sólida su fe; fortifica su esperanza; aumenta su caridad ».

— « *Acuérdate de aquellos que viven en la tribulación, en las necesidades, en los peligros, especialmente de aquellos que sufren persecución y se encuentran en la cárcel por la fe* ». « Ipsis, Virgo Mater, animi fortitudinem impetra atque expectatum iustae libertatis depropera diem » [259].

Lo que nosotros deseamos, dice Pablo VI, es que, con la promulgación de la constitución sobre la Iglesia, sellada por la procla-

---

[256] AS III,8,916.
[257] AS III,8,916. El subrayado es nuestro.
[258] AS III,8,916. El subrayado esnuestro.
[259] AS III,8,918. El subrayado es nuestro.

mación de María Madre de la Iglesia, es decir, de todos los fieles y Pastores, el pueblo cristiano « maiore spe ac ferventiore studio invocet Beatissimam Virginem, eique cultum et honorem debitum exhibeat »[260].

8. CONCLUSIONES

1. El título « *Auxiliadora de los cristianos* » se encuentra en una nota (la 16) del Texto número 1 (y del Texto número 2). Se trata de uno de aquellos títulos, « quamplurimi alii, quibus a christifidelibus Maria salutatur » (« Hinc insignes illi tituli, dice León XIII[261], quibus Eam catholicae gentes christianorum Auxiliatricem, Opiferam, Solatricem, bellorum potentem Victricem, Paciferam consalutarunt »[262]. Su sentido es de ayuda, defensa, vencedora de batallas, portadora de paz.

2. En el Texto número 4, ha desaparecido la cita de León XIII[263] que se encontraba en los Textos número 1 y 2. Pero en el cuerpo del texto se dice ahora: « *Propterea B. Maria Virgo in Ecclesia, praeterquam aliis, etiam titulo Mediatricis condecorari consuevit* »[264]. Y en la Relatio de singulis numeris: « relatio de n. 54, olim n. 50: De Beata Virgo et Ecclesia », se afirma que el « munus maternum Mariae erga homines post eius assumptionem *perdurare,* quia perdurat eius caritas. Inde est multiplex intercessio, sive formalis sive aequivalens, B. Virginis in coelo pro fratribus Filii sui adhuc peregrinantibus »[265]. Son títulos que obedecen al « munus maternum Mariae ... », y que éste lo lleva a cabo a través de una « multiplex intercessio, sive formalis sive aequivalens ». En el Texto número 4 ha aparecido ahora una nota nueva (la 18), que es, en cierto sentido, una sustitución de la 16 de los Textos 1 y 2[266].

3. En el Texto número 5, el título « *Auxiliadora de los cristianos* » se encuentra explícito en el núm. 62. « Propterea B. Maria Virgo in Ecclesia, *titulis Advocatae, Auxiliatricis, Adiutricis, Mediatricis invocatur* »[267]. La nota 18 del Tx 4, es ahora la nota 16. El contenido es exactamente el mismo[268]. Mons. Roy, en la Relatio super emendationes, dijo que con los títulos aducidos (« fere unanimi consensu »),

---

[260] AS III,8,916-917.

[261] Cf. LEO XIII, Litt. Encycl. *Supremi Apostolatus,* 1 sept. 1883: Acta Leonis XIII, III, p. 282.

[262] Tx 1,109 (AS I,4,108).

[263] Cf. más arriba, nota 261.

[264] Tx 3,203 (AS III,1,359). El subrayado es nuestro.

[265] Tx 3,214 (AS III,1,370).

[266] Cf. LEO XIII, Litt. Encycl. *Adiutricem populi,* 5 sept. 1895: ASS 15 (1895-1896), pag. 303. - S. PIUS X, Litt. Encycl. *Ad diem illum,* 2 febr. 1904: Acta I, p. 154 - PIUS XI, Litt. Encycl. *Miserentissimus,* 8 maii 1928: AAS 20 (1928), p. 178.

[267] Tx 5,9 (AS III,6,16).

[268] Cf. Tx 5,14 (AS III,6,22).

in problemata inter theologos disputata non intramus », solamente « factum latissime diffusum asserimus invocationis, qua populus noster sub variis titulis *Auxilium* et *Protectionem* Beatae Virginis in ordine ad salutem implorat »[269]. El por qué de los cuatro títulos, y no el de « Mediatrix » sólo, es para que este título no conserve su sentido de sistematización teológica. « Quod exinde patet quod titulus (Mediatrix) simul enuntiatur cum aliis invocationibus, *de quibus non datur controversia* »[270]. Luego se trata de un título *unánimemente aceptado.*

4. En el Texto número 6, el título « *Auxiliadora de los cristianos* » aparece como un título que se funda, al menos, en la « multiplici » intercesión de María[271]. Como el de « *Mediadora* ». Y esto para que aparezca que el « textus probatus revera *viam mediam* sequitur, et concludendum videtur solum textum illum solidam spem praebere, ut obtineatur concordia quae ab omnibus desideratur »[272]. La nota 16 permanecerá en el texto definitivo, pero con una añadidura: « *Pius XII*, Nuntius Radioph., 13 mai 1946: AAS 38 (1946), pag. 266 »[273].

5. En el Texto número 7, el que será aprobado por los Padres en la sesión pública del 21 de noviembre de 1964[274], el título « *Auxiliadora de los cristianos* » aparece como un título que se funda, al menos, en la « *multiplici intercessione sua* »[275] y en la « *materna sua caritate* » con la cual « curat de fratribus Filii sui adhuc peregrinantibus necnon in periculis et angustiis versantibus, donec ad felicem patriam perducantur »[256]. Se trata de un título de intercesión y de ayuda. Pero, ¿en qué sentido?

— María, « *Auxiliadora de los cristianos* », *intercede* ante Dios y ante su Hijo; pero su intercesión se caracteriza, fundamentalmente, en un *Auxilio,* en una *Ayuda,* en un *Cuidado* de los hermanos de su Hijo (los cristianos) « que todavía peregrinan y se debaten entre peligros y angustias hasta que sean llevados a la patria felíz ». Se trataría de un título que expresaría *un aspecto* de su múltiple intercesión en el cielo.

— María, en el cielo, *cuida* de los hermanos de su Hijo, con el mismo amor y celo con que cuidó, en la tierra, de su Hijo, nacido de ella y concebido en ella por obra del Espíritu Santo.

— María, en el cielo, y movida por el Espíritu (con amor materno), *Auxilia a los cristianos.* ¿Implica una *presencia* de María entre los hermanos de su Hijo?

— ¿Y a la *Iglesia?*

---

[269] Tx 5,28 (AS III,6,36). El subrayado es nuestro.
[270] Tx 5,22 (AS III,6,31). El subrayado es nuestro.
[271] Cf. Tx 6,15 (AS III,8,162).
[272] Tx 6,17 (AS III,8,164).
[273] Tx 6,24 (AS III,8,171). « *Ad Notam 16* (addendum)... ».
[274] La votación final arrojó el siguiente resultado: Patres votantes, 2.156; 2.151 placet y 5 non placet.
[275] LG 62. El subrayado es nuestro.
[276] LG 62. El subrayado es nuestro.

6. En las *Actas Synodalia,* el título « *Auxiliadora de los cristianos* », o su contenido, aparece de diversos modos y en varias ocasiones.

6.1. Cuando se discutió el *Schema Decreti de Unitate « Ut omnes unum sint »* [277].

En su intervención oral, Mons. Sapelac [278] dijo: « ... humiliter proponere audeo ut Beata Virgo Maria sub titulo « *Adiutricis* vel *auxilii* (deest in textu scripto tradito) *Christianorum* » tamquam patrocinium et patronam unionis christianorum ab hoc Sacrosancto Concilio solemniter proclametur » [279]. Y Mons. Heiser presentó a María como « *christianorum omnium Adiutrice atque christianae unitatis fautrice et auspice* » [280]. « Ad hanc adiutricem populi christiani potentem et clementissimam, Virginem et Dei et hominum viatorum Matrem maiore cum fiducia oportet occurratur » [281]. Se trata de un título que habla de ayuda, protección y presagio de unión y de paz.

6.2. Cuando se discutió el esquema *De Ecclesia.*

El Card. Lercaro, en su intervención del 6 de diciembre de 1962 [282], aseguró que « si dociles nos praebebimus consilio divinae Providentiae, in affirmando et persequendo *primatu evangelizationis pauperum,* difficile non erit, Spiritu Domini *afflante* (adiuvante: in textu scripto tradito), et Maria Matre Dei *adiuvante* (protegente), invenire pro omnibus problematis: tam doctrinalibus quam practicis, *authenticam methodum* praesentandi integre, absque ulla reticentia aut attenuatione, aeternum et immutabile Evangelium Dei » [283]. Pues creemos, escribió, Mons. Wojtyla, que « Mariam esse Matrem totius Ecclesiae ut societatis, praesertim ante earum eiusdem partium, quae maxime dolent, *ipsae enim etiam indigent cura materna.* Credimus deinde eam esse Matrem cuislibet animae humanae, cuiuslibet personae » [284]. Se trata de un título que remarca, fundamentalmente, la vocación singular que tiene María dentro de la Iglesia [285]. « Quaestio est tantum *de loco et modo,* dijo el Card. Rufino J. Santos en su famosa *Relatio* del 24 de octubre de 1963 [286], *quo aptius tractari debeat doctrinam de ipsa Beata Virgine,* Dei et Ecclesiae Matre, *quam Concilium agnoscit* Filiam Patris, Matrem Filii, Sponsam Spiritus Sancti, salutem Populi Dei, Apostolorum Reginam et Magistram, exemplar perfectionis et *christianorum auxilium ad*

---

[277] Cf. AS I,3,528-548.

[278] CG 27, 26 novembris 1962 (AS I,630-631).

[279] AS I,3,631. El subrayado es nuestro.

[280] AS I,3,792. El subrayado es nuestro.

[281] AS I,3,533. En el Tx 1 se decía: « quamobrem omnes prorsus christifideles hortatur, ut praeces supplicationesque ad hanc Fautricem unitatis, atque adiutricem christianorum, instanter effundant » (Tx 1,98: AS I,4,97).

[282] CG 35 (AS I,4,327-330).

[283] AS I,4,330. El subrayado es nuestro.

[284] AS I,4,598. El subrayado es nuestro.

[285] « Vocatio enim singularis Mariae ei datur in populo Dei, qui est Ecclesia, et omnes aspectus essentiales mysterii Ecclesiae inveniuntur in ista personali vocatione B. Mariae » (Mons. Elchinger: AS II,1,379).

[286] CG 55 (AS II,3,338-342).

sanctitatem vocatorum »[287]. « Mater relate ad filios, escribió Mons. Rodriguez y Olmos, non est exemplar tantum *sed potius tutela* »[288].

6.3. Cuando se discutió el título de « *Mediadora* » (Mediatrix). Aquí se ha centrado, prácticamente, todo mi trabajo[289]. « Si titulus (Mediatrix) evitari non potest, simpliciter *numeretur inter plures titulos,* quibus pietas catholica Matrem suam honorat, et quorum plures multo magis sueti sunt ... »[290]. Se trata de unos títulos (de un título) « qui sunt magis et antiquius traditionales ... »[291], « de quibus non datur controversia ... »[292] y que poseen un claro sentido de intercesión[293].

6.4. Cuando se habló de la necesidad de la *Devoción a Maria* en la Iglesia de hoy.

« Materialismus tum practicus, tum theoricus, fidei principia fundamentalia subvertere conatur. Et in pugna contra hunc periculosum errorem modernum, Ecclesia optimam habet *fautricem* in sua Matre, B.ma Virgine. Ipsa est exemplar fidei vere heroicae, et decursu saeculorum in magnis discriminibus religionis christianae ipsa erat eius *Fautrix, Adiutrix* et *Victrix.* Etiam hodiernis in adiunctis religioni christianae tam infaustis, ipsa est spes nostra, et teste experientia constans, ubicumque *devotio mariana* est viva et vera, ibi fides populi firmiter stat et omnia obstacula superat ... »[294]. Maria, « quia Ecclesiae est Mater, et qua mater, est etiam eius exemplar, *adiutorium,* regina ... »[295]. Se trata de un título para « los tiempos difíciles ». María, hoy, *Auxilia* a la *Iglesia.*

Y termino con dos pequeñas observaciones:

(a) « Ab immemorabili tempore, dijo el Card. Wyszinski, christifideles Beatam Mariam uti *"Auxilium christianorum* ... devote invocant eiusque patrocinium in omnibus necessitatibus suis implorant, et hoc faciunt non solum, quia eam Matrem Salvatoris agnoscunt, sed etiam propterea quod eam spiritualem Matrem uniuscuiusque hominis fidenter credunt »[296].

Ahora bien, « vellim saltem indicare aliquos modos cultus Mariae, qui in sinu Ecclesiae nati sunt ad fovendam pietatem in populo Dei »: y así « adducam formam et titulum cultus a *Societate*

---

[287] AS II,3,338. El subrayado es nuestro.
[288] AS II,3,779. El subrayado es nuestro.
[289] Cf. más arriba, apartados tres, cuatro y cinco.
[290] Mons. Djajasepoetra: AS III,1,460.
[291] AS III,2,151.
[292] AS III,6,31.
[293] AS III,2,114.
[294] Mons. Nécsey: AS III,1,476. Cf. también Mons. Barneschi: AS II,3,691; Mons. Barela: AS II,689; Mons. Dubois: AS III,1,685-686.
[295] P. Prou: AS III,1,153.
[296] Cf. « Memoriale quod episcopi Poloni B.mo Patri miserunt », en BESUTTI, G., *Nuove note di cronaca sullo schema mariano al Concilio Vaticano II,* en « Marianum » 28 (1966), 4.

Salesiana in Ecclesia instituti, qui laudat B. Mariam Virginem, « *Auxilium christianorum* » [297].

(b) Mons. A. Sapelak, salesiano, en su intervención del 17 de septiembre de 1964, durante la CG 82, hizo esta petición a los Padres: « his argumentis brevissime expositis, humiliter propono ut doctrina marialis de Patrocinio ac Auxilio Ecclesiae populique christiani ab hoc Sacrosancto Concilio *speciali modo illustretur* » [298].

Y yo creo que, en cierto modo, el deseo de Mons. Sapelak no quedó defraudado.

> « Quam saepe ... memoria vel recordatio Virginis Matris, *absentes* disponit, *negantes* commovet, *dubitantes* adauget! Nonne in Coenaculo, in die Pentecoste, Mater Domini erat cum discipulis, *ut eorum fidem sustineret?*. Cur, praecipue decursu praesentis saeculi, B. Virgo variis multisque modis *misericordiam* ac *praesentiam* suam tam sedulo manifestavit, nisi ad momentum suae *intercessionis* significandum? » [299]. Maria, « *materna sua caritate,* de fratribus Filii sui adhuc peregrinantibus necnon in periculis et angustiis versantibus *curat,* donec ad felicem patriam perducantur ».
>
> Y por eso, « *B. Virgo in Ecclesia,* hoy, *titulis* ... (titulo) *Auxiliatricis* ... *invocatur* » [300].

---

[297] Card. Wyszinski: AS III,1,444, nota 2. El subrayado es nuestro.

[298] AS III,1,509. El subrayado es nuestro.

[299] Mons. Barneschi: AS III,3,691. El subrayado es nuestro.

[300] LG 62. El subrayado es nuestro. Hay un Padre, Mons. Gómez Tamayo, que pidió en su escrito: « reponantur in calendario Ecclesiae universalis, cum Officio semifestivo et Missa propria, Festivitates B. Mariae Virginis nuper sublatae: scilicet festivitas B.M.V. Dolorosae ...; festivitas B.M.V. de Monte Carmelo ...; festivitas B.M.V. de Mercede ...; festivitas Mariae Auxiliatricis, 24 maii » (AS II,3,717).

SANTA TERESA DI GESU' E LA VERGINE MARIA
Deviazione, imitazione, esperienza mistica

JESÚS CASTELLANO CERVERA, OCD

0. Nella vasta produzione di studi dottrinali su Santa Teresa di Gesù non abbondano, almeno in lingua italiana, opere che mettano in risalto il rapporto fra Teresa di Gesù e la Vergine Maria. Anzi, esiste il sospetto che questo tema sia poco emergente nell'insieme dell'esperienza e della dottrina teresiana, se non addirittura inesistente. La centralità dell'Umanità di Cristo, il senso di Dio, l'esperienza della preghiera avrebbero, tutto sommato, lasciato poco spazio al mistero di Maria nell'esperienza mistica e nella dottrina spirituale di Santa Teresa [1].

Il sospetto può essere valido se è un invito a compiere una ricerca sull'argomento. E' vero: a prima vista il tema mariano non sembra emergere nelle opere teresiane. Non vi si trova dedicata alcuna apposita trattazione. Si sa che al commento del Padre Nostro fatto da Teresa nel Cammino di Perfezione avrebbe dovuto seguirne uno sull'Ave Maria [2]; Teresa espresse questo desiderio che ci avrebbe forse fornito quelle pagine di devozione vissuta che le rimasero in cuore. Ma purtroppo il commento dell'Ave Maria non venne mai fatto nelle successive redazioni e correzioni del Cammino di Perfezione.

Ci resta quindi un rammarico ed un impegno. Il rammarico di non avere una trattazione sistematica sull'argomento e l'impegno di raccogliere tutti i frammenti di esperienza e di dottrina sulla Vergine che ci aiutano a comporre, con l'aiuto di tanti tasselli, il mosaico della spiritualità mariana di Teresa di Gesù.

Ma la ricerca non è vana. Senza entrare in un'analisi esaustiva di tutti i testi mariani delle opere teresiane, è facile cogliere alcuni elementi fondamentali: la devozione personale verso Maria, l'imma-

---

[1] Sull'argomento mancano monografie in lingua italiana. In spagnolo hanno trattato recentemente il tema: M. BOYERO, *María en la experiencia mística teresiana,* in « Ephemerides Mariologicae » 31 (1981) 9-33; E. LLAMAS, *La Virgen María en la vida y en la experiencia mística de Santa Teresa de Jesús,* in « Marianum » 44 (1982) 48-87.

[2] « Avevo pensato di dirvi qualche cosa anche sul modo di recitare l'Ave Maria, ma vi rinuncio per essermi molto estesa sul Pater »: *Cammino di Perfezione,* 42,4 nota 7; il testo della prima redazione viene riportato in nota. Citiamo le opere di Santa Teresa in italiano secondo l'edizione della Postulazione Generale OCD, Roma 1981, 7ª ed. Ci permettiamo di apportare dei ritocchi alla traduzione italiana per fedeltà al testo originale spagnolo.

gine ideale delle sue virtù che Teresa presenta per l'imitazione della Vergine, la consapevolezza che Maria accompagna tutto il cammino del cristiano verso la perfezione, come modello e madre. Ma soprattutto — ed è questo forse l'aspetto più originale della spiritualità mariana di Santa Teresa — il fatto che ci offre la testimonianza di un'autentica esperienza mistica della Vergine Maria su due versanti caratteristici: presenza di Maria nel mistero di Cristo e partecipazione che Maria offre a Santa Teresa nei suoi stessi sentimenti per rivivere il mistero di Cristo e della Chiesa.

Ecco in sintesi i dati più eloquenti che emergono dalla ricerca. Ed ecco, pertanto, l'interesse che il tema può avere sia nel campo generale della spiritualità mariana sia in quello più specifico di una esperienza mistica mariana.

Se, come è stato rilevato, la mistica di Santa Teresa di Gesù è una *mistica misterica*[3], cioè un'esperienza mistica del mistero e dei misteri della salvezza, certamente non manca, accanto alla specifica esperienza del mistero di Cristo, quella del mistero della Vergine di Nazaret, con risvolti ed accenti che hanno una singolare originalità nel vasto campo della mistica mariana.

1. UNA VITA SOTTO IL SEGNO DELLA VERGINE MARIA

Tutta la vita di Teresa ha un timbro mariano. E' radicata in un'epoca nella quale gli elementi della religiosità popolare — dalle immagini alle devozioni, dai santuari ai pellegrinaggi — riservano un posto speciale alla Madonna. Sarebbe qui lungo esplicitare questa tematica che costituisce l'*humus* di una devozione mariana ampiamente radicata nello spirito di Teresa. Ricordiamo che sono innumerevoli le immagini, « di buona fattura », della Vergine Maria legate alla devozione di Teresa o i titoli mariani dei monasteri da lei fondati. Non manca nella sua biografia il ricordo di un pellegrinaggio al celebre monastero di Nostra Signora di Guadalupe nelle terre di Extremadura. Tra le devozioni mariane emergono, come si dirà subito, il rosario e la devozione per lo Scapolare del Carmine, l'abito dell'Ordine e, quindi, l'abito di Nostra Signora, come dice Teresa[4].

1.1. *Il primo ricordo dell'infanzia*

La prima pagina dell'autobiografia teresiana è segnata dalla presenza di Maria. Due ricordi fondamentali emergono nella coscienza

[3] Per una presentazione attuale dell'esperienza mistica di Santa Teresa ci permettiamo di rimandare al nostro contributo: *Teresa di Gesù*, in AA.VV., *La mistica. Fenomenologia e riflessione teologica*, I, Città Nuova, Roma 1984, pp. 495-546.

[4] In proposito cfr. l'articolo sopra citato di E. LLAMAS assieme ad un altro contributo dello stesso autore: *Santa Teresa de Jesús y la religiosidad popular*, in « Revista de Espiritualidad » 40 (1981) 215-252.

di Teresa nel rivisitare la propria infanzia come una storia di salvezza nella quale Dio era già all'opera.

Il primo ricordo è legato alle devozioni imparate dalla madre, Donna Beatrice di Ahumada: « Mia madre aveva cura di insegnarci a pregare, e ci raccomandava di essere devoti della Madonna ... » [5]. Si tratta in concreto della devozione a Maria che si esprime con la recita del rosario: « Cercavo la solitudine per recitare le mie preghiere che erano molte, specialmente il rosario di cui mia madre era molto devota e procurava che lo fossimo pure noi » [6]. Così la devozione alla Madonna ed il rosario rimangono come eredità di Donna Beatrice per la figlia in quel periodo dell'infanzia del quale Teresa ricorda con nostalgia « le verità di quando ero bambina », prima di sprofondare nella crisi dell'adolescenza.

Alla morte della mamma, Teresa ha ormai 13 anni compiuti — anche se lei dice che aveva poco meno di dodici anni — ed esprime la consapevolezza di rimanere orfana con il ricorso alla Vergine, alla quale si affida totalmente: « Ricordo che, quando morì mia madre, avevo poco meno di dodici anni. Appena ne compresi la grande perdita, mi portai afflitta ai piedi di una statua della Madonna e la supplicai con molte lacrime di volermi fare da madre. Mi sembra che questa preghiera, fatta con tanta semplicità, sia stata accolta favorevolmente, perché non vi fu cosa in cui mi sia raccomandata a questa Vergine sovrana senza che ne venissi subito esaudita. Ella in fine mi fece ritornare a lei » [7]. Il ricordo è importante. E' rimasto incancellabile nella memoria di Teresa il momento in cui era andata ad inginocchiarsi presso l'immagine della Madonna della Carità, che in quel tempo era nella cappella-romitorio di San Lazzaro ed oggi si trova nella Cattedrale di Avila. Quando, in piena maturità, scrive queste pagine, Teresa è consapevole non tanto della sua fedeltà a quell'atto spontaneo quanto dell'impegno di fedeltà di Maria nei suoi confronti, fino a suggerire che il suo « ritorno » a Dio, la sua « conversione » è, come tante altre grazie, un dono della Vergine diventata sul serio « sua Madre ».

1.2. *Nel focolare della Vergine: il Carmelo dell'Incarnazione*

Fin dall'età di vent'anni Teresa visse in una casa religiosa che per un duplice titolo poteva essere chiamata il focolare della Vergine: il convento dell'Incarnazione ad Avila. Il Carmelo, genuinamente mariano, le offriva ad ogni passo, nell'iconografia conventuale, nelle devozioni carmelitane, nella liturgia gerosolimitana seguita allora nell'Ordine con molti riferimenti alla Vergine, una densa presenza mariana. Inoltre, la casa era dedicata al mistero dell'Incarna-

[5] *Vita,* 1,1.
[6] *Ivi,* 1,6.
[7] *Ivi,* 1,7.

zione, come altri Carmeli dell'epoca, e sulla pala dell'altare maggiore era ben visibile il mistero dell'Annunziazione.

La grande tradizione mariana del Carmelo ha segnato Teresa fin dai primi anni della sua vita religiosa con gli ovvi riferimenti alle verità storiche e alle leggende che allora si intrecciavano con ingenuità per sottolineare la speciale predilezione della Vergine Maria per il Carmelo. In questa nota mariana, che è forse la più caratteristica dell'Ordine nei primi secoli di vita, si fonda l'amore di Teresa per il suo Ordine con le sue tradizioni e la sua storia. Nel momento in cui intraprenderà la riforma del Carmelo troverà ovvio il riferimento mariano in tutto quello che costituisce la vita religiosa — la casa, l'abito, la regola — e vedrà il suo lavoro come un particolare servizio della Vergine.

Del lungo periodo di vita trascorso all'Incarnazione, prima di intraprendere la riforma del Carmelo, ci restano, nell'autobiografia teresiana che racconta le vicissitudini di questo periodo, alcuni riferimenti specifici.

Prima di tutto rimane immutato il suo attaccamento alla devozione del rosario, imparata dalla mamma Beatrice [8]. Ed inoltre Teresa rimane segnata particolarmente dalla devozione all'Assunzione di Maria — la festa più solenne della Vergine in quel tempo —, fra l'altro perché a quella data è legato il ricordo della malattia misteriosa che la portò a rimanere come morta per tre giorni, qualche anno dopo l'ingresso in monastero [9].

E' appunto di questo periodo il duplice riferimento mariano che troviamo nei capitoli autobiografici che riferiscono la sua esperienza di vita prima della grande crisi e della successiva « conversione ». Di quel prete peccatore di Becedas, con cui entra in contatto e che porta a conversione, ricorda: « Nostra Signora doveva aiutarlo molto, perché era molto devoto della sua Concezione e in quel giorno faceva grande festa ... » [10]. L'altra allusione riguarda la sua devozione personale a San Giuseppe, al quale attribuisce la propria guarigione e, in qualche modo, il progresso nella vita di preghiera: « Non so come si possa pensare alla Regina degli Angeli e al molto da lei sofferto con il Bambino Gesù, senza ringraziare San Giuseppe, che fu loro di tanto aiuto » [11].

1.3. *Dalla conversione al servizio*

Seguendo passo passo l'esperienza di Teresa, dobbiamo subito notare il passaggio dalla conversione al servizio ecclesiale che si realizza sotto il patrocinio della Vergine.

---

[8] Altri riferimenti al rosario in *Vita* 29,7; 38,1.
[9] Cfr. *Vita*, 5,9.
[10] *Ivi*, 5,6.
[11] *Ivi*, 6,8.

Abbiamo già citato la testimonianza di Teresa che attribuisce a Maria la sua « conversione », il suo « ritorno a lei ». Tratteggiando le tappe ideali della conversione e della perseveranza, Teresa farà allusione a questa indispensabile devozione mariana: « il momento in cui si fa devota della Regina del cielo perché vi plachi » [12].

Il fatto è che alla fine di questo travagliato periodo, quando ormai il Cristo ha preso possesso della vita di Teresa e l'ha arricchita con innumerevoli grazie mistiche, nel momento in cui si tratta di passare dalla vita in Cristo al servizio ecclesiale per Cristo, appare con tutta chiarezza la presenza di Maria nella vita di Teresa e assistiamo alla prima grazia mistica tipicamente mariana dell'Autobiografia.

Siamo ad Avila, nella chiesa dei Domenicani del convento di San Tommaso. E' la festa dell'Assunzione di Maria dell'anno 1561 o 1562. Teresa ormai è alle prese con la fondazione di San Giuseppe, il piccolo monastero che il Signore stesso ha voluto fosse fondato e per il quale, fra l'altro, ha promesso: « Ad una porta ci avrebbe protetto San Giuseppe e Nostra Signora dall'altra, ed egli (Cristo) avrebbe camminato in mezzo a noi » [13]. Questa grazia mariana del giorno dell'Assunta conferma queste promesse e ne aggiunge altre.

Si tratta prima di tutto di una grazia personale che Teresa riceve come una « investitura » di grazia, una comunicazione di purezza mediante un segno visibile. Ecco il racconto:

> « Stando così, mi vidi coprire di una veste molto bianca e splendente. Da principio non vedevo chi me ne copriva, ma poi scorsi alla mia destra la Madonna e alla sinistra il mio Padre San Giuseppe, i quali, mentre così mi vestivano, mi facevano comprendere che ero purificata dalle mie colpe. Vestita che fui e ripiena di grandissima gioia e diletto, mi parve che Nostra Signora mi prendesse per le mani, dicendomi che la mia devozione al glorioso San Giuseppe le faceva molto piacere, che la fondazione si sarebbe fatta, che nostro Signore, Ella e San Giuseppe vi sarebbero fedelmente serviti, che il fervore non vi sarebbe venuto mai meno, per cui non dovevo temere se la giurisdizione sotto cui mi mettevo non era di mio gusto, perché essi ci avrebbero protette, tanto più che suo Figlio ci aveva già promesso di stare in mezzo a noi; e come pegno che tutto ciò si sarebbe avverato mi dava un gioiello. E mi parve che mi mettesse al collo una bellissima collana d'oro da cui pendeva una croce di gran prezzo » [14].

Questa grazia mariana, che inaugura una serie di esperienze mistiche mariane connesse con la fondazione del primo Carmelo teresiano, è interessante per la data ed il contenuto. Abbiamo già visto che accadde nel giorno dell'Assunzione, in un periodo carico di

[12] *Ivi,* 19,5; un testo simile in *Castello Interiore,* I,2,12.
[13] *Vita,* 32,11.
[14] *Ivi,* 33,14.

esperienze mistiche cristologiche ormai orientate verso il servizio ecclesiale di Teresa con la fondazione di San Giuseppe d'Avila.

Un primo aspetto che riguarda l'*esperienza salvifica della grazia* è appunto il riferimento alla « purezza » che riceve nel segno di quella veste bianca e splendente che ordinariamente viene interpretata come il mantello bianco dell'Ordine del quale viene rivestita. In secondo luogo, si tratta di una conferma della grazia ricevuta da Cristo riguardo alla fondazione del primo Carmelo, alla quale Maria stessa si associa ripetendo le promesse del Figlio e ratificando un'intesa che fa dell'opera di Cristo anche un'opera della Vergine Maria.

Questa narrazione si conclude con un momento di contemplazione — che potremmo chiamare liturgica — del mistero di Maria nella sua gloria:

> « Delle fattezze di nostra Signora non potei discernere nulla. La vidi solo nel suo complesso, ed era di una bellezza incantevole, vestita di bianco con grandissimo splendore, non abbagliante ma soave ... Nostra Signora mi sembrava molto giovane (« muy niña »). ... Poi mi parve di vederli salire al cielo fra un numero grande di angeli, mentre io me ne stavo sola ... Rimasi con grandi desideri di sacrificarmi per Iddio, con effetti così meravigliosi che non potei mai dubitare, per quanto lo procurassi, che la cosa non fosse stata da Dio. Mi sentii molto consolata e ripiena di pace » [15].

In queste parole, oltre al contenuto misterioso della visione abbiamo un semplice discernimento degli effetti. Da una parte, i doni della consolazione e della pace; dall'altra, i desideri del servizio del Signore e di Santa Maria. E tutto questo con una grande certezza, analoga a quella da lei stessa altre volte sperimentata quando le grazie vengono dal Signore.

Troviamo qui una linea specifica delle esperienze mistiche mariane di Santa Teresa che in seguito avremo modo di illustrare: la contemplazione dei misteri della Vergine Maria con la stessa sobrietà con cui ci vengono presentati dalla fede della Chiesa e celebrati dalla liturgia.

Le promesse della Madonna si compiono. La fondazione di San Giuseppe si realizza; non mancano però difficoltà a partire dallo stesso giorno della fondazione. Quel giorno, 24 agosto 1562, non finisce per Teresa nel piccolo conventino di San Giuseppe ma nella sua cella del monastero dell'Incarnazione, dove viene richiamata bruscamente per dare spiegazioni dell'accaduto. Passeranno ancora alcuni mesi prima che possa ritornare. Ma al ritorno troverà la conferma da parte di Cristo e della Madre sua. Mentre si reca al convento, passando dalla chiesa, si ferma in preghiera. Allora: « men-

---

[15] *Ivi,* 33,15.

tre facevo orazione nella Chiesa prima di entrare nel monastero ... vidi Cristo che con grande amore mi parve mi accogliesse e mi ponesse una corona e mi ringraziasse per quanto avevo fatto per la sua Madre »[16]. In un altro momento sarà ancora la Vergine a fare gli onori di casa e a sottolineare la sua presenza in mezzo alla comunità in preghiera: « Un'altra volta, mentre tutte eravamo in coro in orazione dopo compieta, vidi Nostra Signora con grandissima gloria, con un manto bianco e sotto di questo sembrava proteggerci tutte; capii quale alto grado di gloria il Signore avrebbe dato alle monache di questa casa »[17].

Quest'ultima visione si ispira alla tradizionale iconografia dell'Ordine: Maria accoglie e protegge maternamente sotto il suo mantello bianco tutti i figli e le figlie dell'Ordine. E' manifestazione di una presenza e di una protezione. Ed è una grazia che Teresa rivivrà in altre occasioni.

Quando ormai l'esperienza del Carmelo di San Giuseppe è iniziata, Teresa vi riconosce una grazia ed un servizio di Maria: « Per me fu come trovarmi in una gloria il vedere ... attuata un'opera che avevo capito che era per il servizio del Signore e a onore dell'abito della sua gloriosa Madre ... »[18]. Nel fare il bilancio delle grazie e dell'impegno della prima fondazione esclama: « Piaccia al Signore che tutto sia a onore e lode sua e della gloriosa Vergine Madre, il cui abito portiamo ... »[19].

Sarebbe lungo seguire Teresa nella descrizione della presenza di Maria lungo tutto il suo servizio alla Vergine nelle fondazioni che si susseguiranno fino alla sua morte ad Alba di Tormes, nel monastero dedicato all'Annunziazione di Maria. Avremo ancora modo di documentare molte esperienze mistiche mariane. Basti ora citare alcuni testi dei suoi ultimi anni di vita, quando ricorda con immutata fedeltà che tutte le sue fatiche erano state al servizio di Cristo e della Madre sua: « Noi ci rallegriamo di poter servire in qualche cosa la Nostra Madre e Signora e Patrona »[20]. La stessa desiderata separazione della Provincia degli Scalzi è vista dalla Madre Teresa come una grazia della Vergine: « Nostro Signore portò a termine una cosa tanto importante ... a onore e gloria della sua gloriosa Madre, poiché è cosa del suo Ordine, come nostra Signora e Patrona ... »[21].

Un servizio reso fino alla fine; una risposta ad una grazia materna che copre tutta la vita di Teresa.

---

[16] *Ivi,* 36,24.
[17] *Ivi.*
[18] *Ivi,* 36,6.
[19] *Ivi,* 36,28.
[20] *Fondazioni,* 29,23; 29,28.
[21] *Ivi,* 29,31.

2. MODELLO DI OGNI VIRTU'

Negli scritti di carattere pedagogico, come nel Cammino di Perfezione ed in certe pagine ascetiche del Castello Interiore, Teresa richiama specialmente le virtù di Maria e le propone per essere imitate.

Imitazione, quindi, è la parola d'ordine di quella spiritualità mariana che prima si fa contemplazione e poi diventa identificazione in quegli atteggiamenti caratteristici che Teresa sa mettere in risalto nella vita di Maria.

2.1. *Esemplare nella sequela di Cristo*

E' noto che nella prima redazione del *Cammino di Perfezione* Teresa di Gesù scrisse una pagina focosa e polemica, venata di femminismo cristiano, che il censore cancellò indispettito[22]. Quella pagina aveva un riferimento a Maria; come dire: alla base di quella rivendicazione di femminismo cristiano fatta da Santa Teresa, per una libertà nel servizio di Cristo da parte delle donne, c'era l'allusione alla Nuova Eva. La tesi di quel paragrafo incriminato era molto semplice: oggi i teologi — e gli uomini in genere — si fidano poco delle donne cristiane, « non c'è virtù di donne che non susciti sospetto »[23]. Eppure Gesù non la pensava così; un'attenta lettura del Vangelo conferma che, se Gesù prese la difesa delle donne del suo tempo ..., anche le donne furono più fedeli degli uomini nella sequela del Maestro. Si capisce allora l'impennata teresiana:

> « Non aborriste, Signore, quando eravate nel mondo, le donne, anzi le favoriste sempre con molta pietà e trovaste in loro tanto amore e più fede che non negli uomini, poiché c'era la vostra santissima Madre dei cui meriti meritiamo quando demeritiamo per la nostra colpa ... »[24].

In Maria, Nuova Eva, prima cristiana, Teresa ritrova il vanto di essere donna e di seguire Cristo in un servizio reso alla Chiesa con la preghiera e con la testimonianza, in un momento in cui altre strade per altri servizi apostolici erano precluse alle donne consacrate di quel tempo.

Sequela fino ai piedi della Croce, fatta di fortezza e di fedeltà, come rileva altrove[25]. Compassione verso il Figlio in un momento

---

[22] Sulle vicissitudini ed il contesto di questa celebre pagina teresiana cfr. *Santa Teresa y las mujeres en la Iglesia. Glosa al texto teresiano de « Camino 3 »*, in « El Monte Carmelo » 89 (1981) 121-132.

[23] *Cammino di Perfezione* 3,7 nota 4.

[24] *Ivi.*

[25] *Ivi,* 26,8: « Che cosa dovette passare la gloriosa Vergine ai piedi della Croce ».

in cui « stava in piedi e non dormiva, ma soffriva nella sua santissima anima e moriva di una dura morte » [26].

2.2. *Vergine umile e povera, immagine del contemplativo*

Due sono le virtù che Teresa fa risaltare nella Madonna: la povertà e l'umiltà.

Povera è la Vergine Maria che accompagna il Figlio al tempio di Gerusalemme: « Anche il giusto Simeone non vedeva più del glorioso Bambino poverello, dai panni che lo avvolgevano e dalla poca gente che con lui andava in processione; più si sarebbe potuto giudicare un piccolo pellegrino, figlio di poveri genitori che non il Figlio del Padre celeste » [27]. Così graziosamente commenta Teresa l'episodio della presentazione al tempio.

Umile è Maria con una virtù schietta che attirò l'amore del Signore e lo incantò, come la dama è capace di dare scacco al re nel gioco degli scacchi: « Non c'è dama che lo faccia arrendere come l'umiltà; questa lo attrasse dal cielo nel grembo della Vergine » [28]. Per attirarsi l'amore di Dio non c'è altra strada che l'imitazione della Vergine: « Assomigliamo in qualche cosa all'umiltà della Santissima Vergine » [29].

Umile e sapiente è Maria di Nazaret nel suo comportamento al momento dell'Annunzio dell'Angelo. Una pagina del libretto *Pensieri sull'Amore di Dio* sottolinea questo aspetto mettendo in risalto il comportamento di Maria davanti al mistero:

> « Qui proprio a proposito ci ricordiamo di come si comportò la Vergine, nostra Signora, con tutta la sapienza che ebbe e come chiese all'angelo: Come avverrà questo? Quando le disse: "Lo Spirito Santo verrà sopra di te e la virtù dell'Altissimo ti adombrerà", non badò più a discutere. Come chi possedeva una grande fede e una grande sapienza, capì subito che, intervenendo queste due cose, non c'era di più da sapere né da dubitare ... » [30].

E qui Teresa aggiunge una frase alquanto polemica contro coloro che a forza di ragionare non sono capaci di accogliere le meraviglie di Dio: « Non come certi "letrados" che pare debbano, con le loro lettere, comprendere tutte le grandezze di Dio. Ah se imparassero qualche cosa dall'umiltà della Vergine Santissima! » [31].

E' ancora l'umiltà quella via regale dalla quale il Signore penetra nelle anime; è il cammino dell'esaltazione degli umili in quella

[26] *Pensieri sull'Amore di Dio,* 3,11.
[27] *Cammino di Perfezione,* 31,2.
[28] *Ivi,* 16,2.
[29] *Ivi* 13,3.
[30] *Pensieri sull'Amore di Dio,* 6,7.
[31] *Ivi* 13,3.

beatitudine nella quale sono concordi il Cristo e Maria: « la vera sapienza e la Regina degli Angeli »[32].

Dell'atteggiamento orante di Maria Santa Teresa ricorda spesso il suo canto del Magnificat, a proposito del quale, come vedremo, ha una certa esperienza di identificazione mistica con i sentimenti della Vergine di Nazaret. C'è però un riferimento illuminante della prima redazione del *Cammino di Perfezione* a proposito della preghiera di raccoglimento che fa di Maria l'immagine, l'icona dell'orante cristiano. La tesi di Teresa, e quindi la sua pedagogia dell'orazione, si basa sulla convinzione che Dio vive dentro di noi e che è necessario raccogliersi per ritrovare la sua presenza nel cuore dell'uomo diventato tempio e palazzo del Re[33]. Il cristiano si sente abitato: « Nulla di più meraviglioso che vedere colui, che può riempire della sua grandezza mille e più mondi, rinchiudersi in una cosa tanto piccola ... *come gli piacque rinchiudersi nel seno della sua santissima Madre!* Egli è il Signore del mondo e porta con sé la libertà e per ciò nell'amore che ha per noi si accomoda alla nostra misura »[34]. Il riferimento mariano è importante. Maria è il modello dell'orante cristiano. Dio abita in noi perché in lei ha preso la sua dimora; il cristiano è tempio vivente di Dio ad immagine e somiglianza di Maria, tempio vivente ed arca dell'Alleanza. Nella Vergine di Nazaret il cristiano trova il modello di quella interiorità contemplativa con la quale ritrova Dio dentro di sé nella preghiera e lo porta con sé nella vita.

2.3. *La Sposa dei Cantici*

Il Cantico dei Cantici è familiare a Teresa. Malgrado fosse un libro pericoloso al suo tempo, la nostra Santa azzardò un commento spirituale ad alcuni versetti. Scrisse così i *Pensieri sull'Amore di Dio* che oggi gli autori preferiscono chiamare *Meditazioni sul Cantico dei Cantici.* Pochi ma significativi i riferimenti mariani. Maria è la Sposa dei Cantici. Lo intuisce Teresa e lo prova a modo suo con l'uso che la liturgia ne faceva in quel tempo nell'ufficio della Madonna. « Oh, Signora mia — esclama Teresa in una rara preghiera rivolta direttamente a Maria —, come si può perfettamente capire da voi ciò che avviene fra Dio e la Sposa, stando a ciò che dice il Cantico! Così lo potete costatare, figlie, nell'ufficio di Nostra Signora che recitiamo ogni settimana per l'abbondanza di citazioni che abbiamo del Cantico nelle antifone e nelle lezioni »[35].

---

[32] *Cammino di Perfezione,* 19,3, prima redazione.

[33] Su questo tema cfr. il nostro contributo: *Teresa di Gesù ci insegna a pregare,* in AA.VV., *Alla ricerca di Dio. Le tecniche della preghiera,* Teresianum, Roma 1978, pp. 234-273.

[34] Cfr. *Cammino di Perfezione,* 28,11; il testo in *corsivo* è della prima redazione.

[35] *Pensieri sull'Amore di Dio,* 6,7. Il riferimento liturgico all'ufficio della Madonna nel sabato è evidente.

Questa allusione è importante. Nella tipologia della vita spirituale la Sposa del Cantico è l'immagine dell'anima Sposa che percorre le ultime tappe della vita spirituale fino al matrimonio mistico. In Maria tutto si è compiuto alla perfezione [36].

Difatti, commentando il versetto « Mi assisi all'ombra di Colui che avevo desiderato » (Ct 2,3), Teresa offre una interpretazione tipicamente mariana riferita all'Incarnazione; mistero che aiuta a capire analogicamente lo stato di un'anima sotto l'ombra dello Spirito Santo. Ecco il commento teresiano: « Che ombra celeste è mai questa! Come esprimere ciò che il Signore fa qui intendere all'anima? Mi vengono in mente le parole che l'Angelo disse alla santissima Vergine, Signora nostra: *La virtù dell'Altissimo ti adombrerà*. Oh, come l'anima deve sentirsi protetta quando Dio l'innalza a quest'altezza! Può giustamente sedersi e ritenersi sicura » [37].

2.4. *Nel vertice della santità, unita al mistero di Cristo*

C'è un altro aspetto caratteristico della presentazione del mistero di Maria nella dottrina teresiana. Aspetto legato a due convinzioni profonde, a due cardini della spiritualità teresiana. Il primo è la sua tesi, difesa ad oltranza, dell'assoluta necessità di essere in profonda comunione con l'Umanità di Cristo in tutti gli stati della vita cristiana, ivi compresi i più alti gradi dell'unione con Dio. Il secondo tema è la convinzione profonda che la santità cristiana attinge il suo vertice nella identificazione con Cristo, nell'amore e nel servizio, nella croce che rappresenta il dono totale di sé. In tutti e due i casi il riferimento a Maria è illuminante.

Per quanto riguarda il primo tema, bisogna ricordare che la Santa ha esposto la sua tesi in due testi paralleli del *Libro della Vita* (cap. 22) e nel *Castello Interiore* (Mansioni VI, cap. 7). Nei due testi ricorre puntuale l'esempio di Maria che Teresa ritiene assoluto criterio di discernimento, malgrado le interpretazioni date da alcuni con tanto di citazione di testi. La tesi è chiara: Maria, modello di santità e di comunione con Cristo, non conosce assolutamente un grado di santità nel quale debba fare a meno della comunione con il suo Figlio. Quindi è lei il vero modello della santità vissuta attraverso la contemplazione dei misteri dell'Umanità di Cristo.

Ecco il primo testo teresiano, scritto in una nota marginale nella redazione definitiva del *Libro della Vita*: « Mi pare che se gli apostoli avessero avuto la fede come l'ebbero dopo la venuta dello Spirito Santo credendo che Egli era Dio e Uomo, l'Umanità di Cristo non sarebbe stata loro di ostacolo. Infatti questo (= "conviene che io me ne vada": Gv 16,7) non lo disse alla Madre di Dio, eppure l'amava più di tutti » [38].

---

[36] La tipologia della Sposa dei Cantici ricorre spesso nel *Castello Interiore* dalla IV alla VII Mansione.

[37] *Pensieri sull'Amore di Dio,* 5,2.

[38] *Vita,* 22,1.

Il secondo testo è simile: « Adducono quanto il Signore disse ai suoi discepoli: conviene che io me ne vada. Ma io non posso tollerare tale interpretazione! Di sicuro non lo disse alla sua Santissima Madre, perché era ferma nella fede. Ella sapeva che era Dio e Uomo e, anche se lo amava più di tutti loro, lo faceva con tanta perfezione che la stessa Umanità l'aiutava ... » [39].

Così, con questi tratti vigorosi, la Santa rivendica per il cristiano quanto visse Maria: non staccarsi mai dalla contemplazione del mistero del Verbo Incarnato, Crocifisso, Glorificato. Nella pienezza dell'amore e della fede Maria è immersa nel mistero di quel Figlio che ha generato e rimane modello di una santità cristiana che non può mai fare a meno del riferimento all'Umanità sacratissima del Cristo, fonte di ogni bene.

Anzi questo principio, di cui Teresa offre una valida conferma attraverso la propria esperienza in quanto le altezze della vita mistica sono segnate dalla presenza e dalla compagnia del Risorto, si allarga pure alla presenza del mistero di Maria nel vertice della vita spirituale. Lo sottolinea la Santa in questo testo: « E' un'ottima compagnia quella del buon Gesù per non allontanarci mai da essa, come pure quella della sua Sacratissima Madre ... » [40]. Con finezza Teresa vi aggiunge un argomento ecclesiale: non si può fare a meno della comunione con questi misteri « soprattutto quando la Chiesa Cattolica (li) celebra » [41]. E' un fine argomento che si richiama alla fede e alla liturgia della Chiesa.

L'altro aspetto della santità cristiana nel suo vertice è la convinzione teresiana espressa in una luminosa pagina densa di teologia e di spiritualità alla fine del *Castello Interiore* (Mansioni VII, cap. 4,4 e ss.). Il messaggio fondamentale è questo: la santità consiste nella conformazione a Cristo e questa si misura specialmente nella conformazione al suo amore ed al suo servizio che risplendono nel sacrificio della croce. Il riferimento mariano risulta, in questo caso, una illustrazione esemplare: « Abbiamo sempre costatato che coloro che furono più vicini a Cristo Nostro Signore sono stati anche coloro che hanno dovuto sopportare maggiori travagli: osserviamo ciò che soffrì la sua gloriosa Madre ed i gloriosi apostoli ... » [42].

La maggiore identificazione con Cristo è la suprema santità. Essere « spirituali davvero » significa essere come Cristo, il Servo che dà la vita per amore ... E non bisogna dimenticare che accanto a Cristo ai piedi della croce era presente Maria, al culmine della sua conformazione con il Signore, « non addormentata ma soffrendo nella sua anima e morente di una dura morte » [43].

---

[39] *Castello Interiore,* VI,7,14 e nel titolo del capitolo.

[40] *Ivi,* VI,8,6.

[41] *Ivi,* VI,7,11.

[42] *Castello Interiore,* VII,4,4. Per una comprensione dell'intero capitolo cfr. il nostro commento: *Servire la Chiesa con la preghiera e l'azione apostolica. Testamento dottrinale di Santa Teresa,* in AA.VV., *Teresa d'Avila. Introduzione storico-teologica,* Torino 1982, pp. 233-255.

[43] *Pensieri sull'Amore di Dio,* 2,11.

Maria è quindi modello di ogni virtù, ma anche impareggiabile modello del cristiano che vuole percorrere tutte le tappe della vita spirituale con gli occhi fissi sull'Umanità di Cristo fino all'identificazione con il suo amore ed il suo dolore.

3. ESPERIENZE MISTICHE MARIANE

La devozione verso la Vergine e l'imitazione delle virtù della Madre di Cristo toccano vertici di esperienza mistica in Santa Teresa. Come abbiamo rilevato, nell'arco di esperienze del mistero della salvezza che sono caratteristiche della mistica teresiana, a torto accusata di soggettivismo mistico, ha un suo discreto fascino la comunione con il mistero ed i misteri di Maria.

Anche se in queste esperienze non mancano parole rivolte a Teresa, non sono le parole il contenuto mistico specifico. Oltre alla conoscenza o contemplazione del mistero di Maria in se stesso, in queste esperienze mistiche possiamo cogliere una grazia particolare di partecipazione, di identificazione, di trasmissione dei sentimenti di Maria affinché Teresa possa sperimentare qualcosa del mistero della Vergine. Quest'ultima osservazione mi sembra possa caratterizzare l'originalità della mistica mariana di Santa Teresa.

3.1. *Con Maria nei misteri dell'infanzia di Cristo*

Dei misteri della Vergine vissuti da Teresa con una penetrazione che possiamo qualificare come mistica, rileviamo tre momenti fondamentali.

Abbiamo già ricordato l'intuizione mistica del mistero dell'Incarnazione quando l'ombra dello Spirito copre Maria; da questa esperienza che Teresa ha della pace donata dallo Spirito Santo scaturisce una conoscenza del mistero della Vergine di Nazaret diventata dimora di Dio, tempio dello Spirito.

Per ben due volte, invece, Teresa ricorda di aver avuto un'esperienza delle parole del Magnificat: « Un giorno, mentre mi trovavo in orazione, sentii che l'anima era così immersa in Dio che mi pareva non ci fosse più il mondo, ma, imbevuta in Lui, mi si fece comprendere quel versetto del Magnificat *et exultavit spiritus* in modo da non poterlo più dimenticare »[44]. In un'altra occasione ebbe una comprensione di queste parole di Maria e poté capire « che lo spirito era la parte superiore della volontà »[45]. A ragione, quindi, Santa Teresa aveva una predilezione per le parole del Magnificat che ripeteva spesso in lingua volgare, come ci ricorda la sua com-

[44] *Relazioni Spirituali,* 61.

[45] *Ivi,* 29,1; cfr. un'appropriata citazione del Magnificat nella *Esclamazione,* n. 7.

pagna Maria di San Giuseppe: « Vide questa teste molte volte la detta Madre Teresa che con voce molto bassa e molto devota lodava nostro Signore ripetendo il primo versetto del cantico del Magnificat in lingua castigliana » [46].

La contemplazione del mistero del Natale è stata cantata da Teresa con ingenue poesie di circostanza, i « villancicos », che accompagnava con le naccchere e con qualche danza conventuale. Queste poesie portano spesso l'attenzione sulla Vergine Madre, ma non possediamo alcuna testimonianza di esperienza mistica vera e propria di questo mistero.

E' invece più ricorrente il mistero della presentazione di Gesù al tempio. In un'occasione il Signore stesso le offre queste parole di rivelazione: « Non pensare, quando vedi mia Madre che mi stringe fra le braccia, che ella goda di quelle gioie senza un penoso tormento. Da quando Simeone le disse quelle parole, mio Padre le donò una chiara luce per capire quanto io avrei dovuto soffrire » [47].

La stessa fuga in Egitto consola Teresa come punto di riferimento del suo vagabondare all'inizio delle fondazioni [48].

3.2. *Nel mistero pasquale con Maria, la Madre di Gesù*

Più sentito è da Teresa il mistero di Maria nella sua desolazione ai piedi della Croce. Ne partecipa in una maniera speciale nella Settimana Santa del 1571 a Salamanca. Sente la propria desolazione come una lontananza da Dio e le viene spontaneo il ricordo del dolore di Maria ai piedi della Croce: « Questo essere trapassati è giunto all'estremo; ora comprendo meglio quello che soffrì la Vergine nostra Signora perché, fino ad oggi, come dico, non avevo capito cosa fosse questa *trafittura* ... » [49].

Eppure questo dolore della Vergine, pur straziante, lo intuisce vissuto da Maria in un'esperienza serena e nobile. Per questo non gradiva la devozione, tutta barocca, di P. Girolamo Graziano che spesso amava celebrare la messa votiva dello « spasimo » della Vergine Maria ai piedi della Croce.

Nel 1575, quando più intensa si fa la persecuzione e l'Inquisizione spagnola interviene nella vicenda di Teresa chiedendo informazioni, ella riceve ancora una grazia in accordo con il mistero della desolazione di Maria. Questa volta è narrata così: « Lo stesso Signore si mise fra le mie braccia, come si dipinge il quinto dolore della Vergine » [50]. Ci troviamo chiaramente di fronte a una partecipazione ai misteri della Madre di Cristo.

---

[46] Lo riferisce Maria di San Giuseppe nelle testimonianze dei Processi di Beatificazione e Canonizzazione: *Biblioteca Mística Carmelitana*, vol. 18, p. 491.

[47] *Relazioni spirituali*, 36,1.

[48] « Si ricordi di come camminava nostra Signora quando fuggì in Egitto e del nostro Padre San Giuseppe », scrive a Donna Luisa de la Cerda in una lettera del 27 maggio 1568.

[49] *Relazioni spirituali*, 15,1.

[50] *Ivi*, 38.

Eppure in questo stesso contesto, nella Pasqua del 1571, Teresa riceve una luce speciale su un mistero che a noi rimane nascosto e del quale non parlano gli evangelisti: l'apparizione di Cristo a sua Madre, che gli autori medievali volentieri immaginavano nelle diverse « Vite » di Cristo. Ecco le parole di Gesù su questo fatto: « Mi disse che dopo la risurrezione aveva fatto visita a nostra Signora, perché ne aveva estremo bisogno, poiché la pena la teneva tanto assorta e addolorata che non riuscì a ritornare subito in sé per godere di quella gioia. Così ho potuto capire quel mio essere trafitta, molto differente da quello della Vergine! Mi disse pure che era rimasto a lungo con lei perché era stato necessario per consolarla » [51].

Non mancano ingenuità e realismo in questa narrazione che Teresa fa del mistero di Maria nel dolore della sua desolazione e nella gloria della Risurrezione del Figlio; misteri che lei intuisce con il cuore della Madre.

3.3. *Esaltata in cielo e presente nella comunità orante*

Un altro sprazzo di luce ci viene offerto nell'esperienza mistica di Santa Teresa a proposito della gloria di Maria in cielo e della sua presenza nella Chiesa orante.

Del primo aspetto, cioè la gloria di Maria nella sua Assunzione gloriosa, abbiamo già offerto una testimonianza, che viene ora confermata con quest'altra grazia ricevuta in un giorno dell'Assunzione di Maria in cielo. Si tratta di una contemplazione mistica di quanto la Chiesa celebra in questo giorno. Eccone la descrizione sobria ed efficace:

> « Un giorno dell'Assunzione della Regina degli Angeli e Signora nostra ... mi si rappresentò la sua salita al cielo e la gioia e la solennità con cui fu accolta ed il posto dove si trova ... Fu grandissima la gioia che il mio spirito ebbe nel vedere tanta gloria ... Mi fu di grande profitto per desiderare di soffrire di più e mi rimase un grande desiderio di servire questa Signora che tanto meritò ... » [52].

La gloria di Maria non la rende lontana, anzi le permette di essere sempre vicina a tutti nella Chiesa. Teresa ha avuto almeno due esperienze mistiche di questa presenza di Maria in mezzo alla comunità orante. Una l'abbiamo già ricordata parlando della fondazione di San Giuseppe d'Avila. L'altra ebbe luogo nel gennaio del 1572 al monastero dell'Incarnazione di cui Teresa era stata nominata Priora e dove le monache l'avevano accolta di malavoglia. Lì, in quel piccolo coro presieduto dalla Madonna della Clemenza che Teresa aveva posto come Priora, ebbe questa visione:

---

[51] *Ivi,* 15,6.
[52] *Vita,* 39,26.

> « La vigilia di San Sebastiano, il primo anno in cui venni per essere Priora dell'Incarnazione, iniziando la Salve, vidi sullo stallo della Priora, in cui è posta nostra Signora, scendere la Madre di Dio circondata da una grande moltitudine di Angeli e rimanervi ... Vi stette per quasi tutto il canto della Salve e mi disse: "Hai fatto bene a mettermi qui. Io sarò presente alle lodi che innalzerete al mio Figlio e gliele presenterò" »[53].

In questa maniera Maria si rende presente nella comunità orante e manifesta la sua intercessione vivente per noi. Anche questa grazia ha un chiaro contenuto teologico.

Ricordiamo finalmente una grazia mistica nella quale Maria appare molto vicina al mistero trinitario. Sappiamo che la mistica teresiana è cristocentrica e trinitaria e che il culmine delle esperienze mistiche è appunto la rivelazione di questo mistero di Dio, al quale Teresa ha accesso per contemplare Dio Uno e Trino. In una di queste esperienze trinitarie ella accoglie la parola del Padre che le fa capire i doni ricevuti quasi mostrandole una a una le realtà presenti: « Io ti ho dato mio Figlio, lo Spirito Santo e questa Vergine. E tu, cosa mi puoi dare? »[54]. « Questa Vergine »: accanto al dono trinitario ecco il dono di Maria vicina allo stesso mistero trinitario, dono del Padre per Teresa, mistero del quale ella ha contemplato la profondità e la tenerezza.

4. Conclusione

Abbiamo tratteggiato i punti fondamentali dell'esperienza spirituale mariana di Santa Teresa di Gesù.

Da essi emerge la figura evangelica di Maria nelle sue virtù caratteristiche, negli episodi della sua vita accanto a Cristo Signore.

L'esperienza teresiana è sobria, ma è ricca di significato poiché offre la testimonianza dell'esperienza stessa del mistero, di una sobria mistica mariana legata fondamentalmente alla contemplazione dei misteri della Vergine.

Il cammino spirituale di Teresa è segnato dalla presenza di Maria come Madre spirituale. La nota forse più bella di questa esperienza è l'indissolubile nesso che lega Maria al mistero di Cristo e che fa sì che l'esperienza mistica cristocentrica diventi, per logica conseguenza, esperienza mistica mariana.

Così, anche se nell'ambito della mistica mariana non è stata messa in particolare risalto questa nota, si può ritenere che il contributo di Santa Teresa alla comprensione del mistero di Maria è limpido, sobrio, evangelico; è radicato nel mistero di Cristo e porta ad una esperienza della presenza di Maria nel mistero di Cristo e di una vita *con Maria* là dove più intensa si rende la vita *in Cristo* con la partecipazione ai suoi misteri.

---

[53] *Relazioni spirituali,* 25; un testo simile, già citato, in *Vita* 36,24.
[54] *Relazioni spirituali,* 25.

RICORDI E MONUMENTI MARIANI DI TERRA SANTA NEGLI SCRITTI DEI PELLEGRINI DELL'EPOCA CROCIATA

SABINO DE SANDOLI, OFM

0. Le stesse parole del soggetto enunciato precisano bene l'ambito di questa ricerca. Si tratta anzitutto dei ricordi mariani, di quelli cioè che riguardano la vita storica di Maria SS., e anche di altri aggiunti dall'immaginazione (mi riferisco ai libri apocrifi) e dalla pietà dei fedeli cristiani (alludo ai Santuari mariani di devozione). I monumenti comprendono, oltre le chiese e le cappelle, anche gli altari a Lei dedicati, le pitture, i mosaici, le statue, i quadri, le iscrizioni e i sigilli: ricordi e monumenti che sono principalmente della Terra Santa; alla fine si accennerà alle chiese o santuari di devozione sia della Palestina come dell'Egitto e della Siria, che i pellegrini nominano o per la loro fama nel mondo cristiano o perché essi stessi ebbero la fortunata possibilità di visitarli [1].

I testimoni della devozione dei Crociati alla Madonna e i suoi naturali propagatori in Europa furono quei pellegrini che vennero dal 1099 al 1291, cioè nell'epoca cosiddetta crociata. Quando si parla di chiese costruite dai Crociati, s'intendono quelle costruite dal 1100 al 1187, quando tutta la Palestina era governata dai re franchi di Gerusalemme. Dopo il 1187 la possibilità di costruire chiese era limitata allo stretto territorio che si estendeva lungo la costa mediterranea da Giaffa a Beirut, e non sempre.

L'esposizione, molto compendiosa, procederà secondo le date principali della vita della Madonna. Altre notizie secondarie sono sparse nelle note [2].

---

[1] Per informazioni storico-archeologiche di prima mano sui santuari mariani, si vedano: BAGATTI Bellarmino, *Gli scavi di Nazaret,* Gerusalemme, v. I, 1967; v. II, 1984; ID., *Il Santuario della Visitazione ad Ain-Karem,* Gerusalemme 1948; ID., *Gli antichi edifici sacri di Betlemme,* Gerusalemme 1957; ID., *Antichi villaggi cristiani di Galilea,* Gerusalemme, v. I, 1971; v. II, *di Samaria,* 1979; v. III, *di Giudea e Neghev,* 1983; ID., *Nuove scoperte alla tomba della Vergine a Getsemani,* in *Liber Annuus,* 1972, pp. 236-290; OLIVAN Antonio, *Santuari Mariani di Palestina,* Gerusalemme 1954; ID., *Maria nella sua terra,* Milano 1958; PICCIRILLO Michele, *L'edicola crociata sulla tomba della Madonna,* in *Liber Annuus,* 1972, pp. 291-314.

[2] Le citazioni delle seguenti note si riferiscono alla raccolta dei viaggi di pellegrini crociati stampata in quattro volumi a cura di DE SANDOLI Sabino, *Itinera Hierosolymitana Crucesignatorum,* in latino e francese medievale con traduzione italiana, Gerusalemme, v. I, 1978; v. II, 1980; v. III, 1983; v. IV, 1984.

I

Nell'estate del 1099 i Crociati occuparono i posti principali della Terra Santa; l'occupazione totale avvenne negli anni successivi. Dai cronisti della Prima Crociata sappiamo che in Palestina due sole chiese mariane potevano dirsi intatte: la chiesa di S. Maria Latina (la Grande) a Gerusalemme, costruita una trentina d'anni prima dagli Amalfitani, e la basilica di Betlemme, dedicata alla Maternità della Madonna; le rimanenti erano state guastate dai musulmani o giacevano sotto un mucchio di rovine. I Crociati quindi restaurarono o ricostruirono le chiese mariane nell'arco di 87 anni; però, con nostro dispiacere, osserviamo che nessuno degli Istituti religiosi, custodi dei santuari in quegli anni, ci ha tramandato qualche relazione sui lavori compiuti; anche i pellegrini si limitarono a dire solo qualcosa delle chiese che vedevano, e non sempre l'hanno fatto. Perciò, in proporzione dei lavori eseguiti dai Crociati e dei resti giunti fino a noi, le notizie sono molto scarse.

1. Nel Vangelo non è scritto dove e quando nacque la Madonna. Le guide locali riferivano le tradizioni antiche che Maria SS. era nata a Sèforis, a Nazaret e a Gerusalemme. A quel tempo non si facevano speciali studi sull'autenticità d'un santuario a preferenza d'un altro; si accettavano tutte le proposte senza discuterle. Per i pellegrini ciò che importava maggiormente non era l'autenticità d'un luogo biblico, quanto piuttosto lo stesso fatto biblico; e in mancanza di questo era sufficiente la tradizione locale col relativo insegnamento religioso e la conclusione morale e spirituale. Con questo

---

I pellegrini scrittori citati (in ordine alfabetico) sono:

Acardo di Arroasia, 1112-1113.
Aimaro il Monaco, 1199.
Alberto di Aquisgrana, 1120.
Anonimo (= An.. del 1095)
Anonimo del 1108.
Anonimo del 1130.
Anonimo del 1147.
Anonimo ante 1187.
Anonimo del 1231.
Anonimo ante 1265.
Anonimo del 1280.
Anonimo I e II del secolo XIII.
Belardo d'Ascoli, 1112-1160.
Breviario del S. Sepolcro, sec. XII-XIII.
Burcardo di Monte Sion, 1283.
Burcardo di Strasburgo, 1175.
Cartolario del S. Sepolcro, sec. XII.
Ernoul, 1228.
Filippo Busserio, 1285.
Fretello, 1130-1148.
Giacomo da Vitry, 1226.
Giovanni di Wirzburg, 1165.
Goffredo di Beaulieu, 1272.
Guglielmo di Tiro, 1127-1184.
Innominato (= Inn.) 1° del 1098.
Innominato 2° del 1170.
Innominato 3° del 1187-1229.
Innominato 4° del 1270.
Innominato 5° del 1180.
Innominato 6° del 1148.
Innominato 7° del 1145.
Innominato 10° post 1250.
Manoscritto di Rothelin, del 1229-1261.
Maurizio di Norvegia, 1271.
Olivero, 1215.
Pietro Diacono, 1137.
Riccardo di Londra, ante 1192.
Ricoldo di Montecroce, 1288.
Roberto il Monaco, 1099.
Sevulfo, 1102-1103.
Teodorico, 1172.
Tetmaro, 1217.
Wilbrand di Oldenburg, 1211-1212.

Abbreviazioni: n = numero; p = pagina; r = rigo; v. = volume.

criterio i Crociati eressero tre chiese su altrettante « case di Sant'Anna ».

Cominciamo da *Seforis*. Là i pellegrini indicavano una casa di S. Anna, dove essa stessa era nata [3]; altri pellegrini aggiunsero che là nacque pure Maria SS. [4]. Nonostante la visita di tanti pellegrini sul luogo, nessuno dice che lì vi era una grande chiesa costruita dai Crociati sopra un'altra chiesa bizantina! Eppure noi oggi vediamo i resti di quest'ultima. Strano fenomeno che si ripete per altri santuari, i quali pertanto hanno la loro prima storia avvolta nel mistero.

La Madonna viveva a *Nazaret* non sola, ma insieme a S. Anna e nella sua casa. Là quindi, dicono alcuni pellegrini, nacque la Madonna; e ne additavano il luogo preciso in quella stessa grotta dove poi ricevette l'annuncio dell'angelo Gabriele. Sia qui come in altri santuari, il fatto biblico più importante sopraffece il secondario; di conseguenza, la chiesa veniva chiamata col titolo dell'Annunciazione, e non della Nascita della Madonna [5].

L'altra casa di S. Anna, cantata a gran coro da tutti i pellegrini, era quella di *Gerusalemme*. Doveva esistere una chiesetta all'arrivo dei Crociati, perché alcuni pellegrini la ricordano al principio del sec. XII. Ma dovette sembrare troppo piccola, o troppo malandata, se i Crociati decisero abbastanza presto di sostituirla con un'altra più grande, che oggi tutti conosciamo. Nella grotta i pellegrini ricordavano la nascita di S. Anna, di S. Gioacchino e della Madonna; quasi non bastasse, vi aggiunsero anche i sepolcri dei due poveri vecchi! [6]. Le pitture che si vedevano nel catino delle absidi riproducevano fatti relativi alle credenze localizzate nel santuario.

2. Connessa alla nascita della Madonna a *Gerusalemme* era la sua Presentazione al Tempio. I Crociati credevano che la Moschea della roccia o di Omar fosse il Tempio costruito da Salomone. Siccome in quell'antico Tempio venivano offerti i neonati a Dio, i nostri Crociati pensavano che in detta moschea, convertita in chiesa, fosse avvenuta la Presentazione della Madonna e di Gesù Bambino; e per

---

[3] *Casa di Sant'Anna a Sèforis*. Vicino a Sèforis passava la strada che da Acri giungeva a Nazaret. Molti pellegrini e cronisti nominano questa località, ma non tutti ricordano che lì è nata S. Anna. Tra i pellegrini che ammettono la nascita di S. Anna a Sèforis sono: Fretello, II,131-133; Inn. 5°, II,33,12; Inn. 6°, III,63,6; Ernoul, III,433,19; An 1231,III,467; Tetmaro, III,255,1; An. 1280,IV, 115,10; Burcardo di M.S., IV,157; Filippo B., IV,223,4; Olivero, IV,387,6; Riccardo di L. dice che è nata presso Ebron, III,149,44.

[4] *Maria SS. nata a Sèforis*. Giovanni di W., II,231; Giacomo di V. scrive che alcuni dicono che la Madonna è nata a Sèforis, III,331,59.

[5] *Maria SS. nata a Nazaret*. Fretello, II,131,3; Giovanni di W., II,231,1; Inn. 6°, III,63,6; Teodorico, II,381,47; Olivero, IV,387,6.

[6] *Maria SS. nata a Gerusalemme*. Sevulfo, II,19,16; An. 1108, I,151; Guglielmo di T., I,63; Ricoldo di M., IV,271; An. s. XIII, IV,337,5; Filippo B., IV,235,34; Pietro D., II,179; An. 1130, II,75,3 e 103; 38; Giovanni di W., II,247,6 e 269-271; Teodorico, II,319,4, e 355,26; Inn. 10°, III, 103; Inn. 4°, 25,4.

questa ragione dedicarono il « nuovo Tempio » ad ambedue [7]. Infatti coprirono la roccia con un pavimento di marmo e sopra vi eressero tre altari e il coro per i canonici. Accanto agli altari misero dei quadri che raffiguravano i fatti ivi avvenuti con le relative iscrizioni.

Accettata la leggenda che Maria-Bambina fu portata in quell'ambiente per essere offerta al Signore, dicevano che Lei all'età di tre anni, con una sorprendente sveltezza, superiore alla sua infanzia, salì per una di quelle gradinate che dal cortile inferiore conducevano a quello superiore; e che in quella casa, che si vede ancor oggi nell'angolo sud-ovest del cortile superiore, andava a scuola per apprendere la legge di Mosè, le profezie sul Messia e la storia d'Israele. I pellegrini credevano che la Madonna fosse vissuta là giorno e notte come una monachella, fino ai dodici anni, attendendo allo studio della Sacra Scrittura, alla preghiera e alla confezione dei paramenti sacri. La Presentazione della Madonna, indicata sulla roccia dov'era un altare dedicato a quest'avvenimento, era ricordata da un'iscrizione latina: « La Vergine Maria, accompagnata da sette fanciulle vergini, all'età di tre anni fu offerta qui a Dio per servirlo ». E accanto si leggeva quest'altra iscrizione: « La Vergine SS. si diletta nell'angelico ministero ». Allora, come oggi, la Presentazione della Madonna si festeggiava il 22 novembre. Al Tempio fu localizzato anche lo sposalizio di Maria SS. con S. Giuseppe.

3. Maria entra nella storia della salvezza coll'annuncio dell'angelo Gabriele, a *Nazaret*. Per onorare degnamente questo mistero, i Crociati costruirono in detta città una chiesa grandiosa. E' storia conosciuta che Tancredi, principe di Taranto, per i suoi meriti guerreschi della Prima Crociata, ricevette da Goffredo di Buglione il principato della Galilea. Egli ordinò subito di costruire diverse chiese, delle quali la più grande (72,75 × 30) era appunto la chiesa dell'Annunciazione. Nel 1109-1110 doveva essere già terminata con gli annessi edifici, se l'arcivescovo di Galilea lasciò per sempre l'antica sede di Scitòpoli (Beisan), che si trovava al margine del territorio di sua giurisdizione, per abitare nel nuovo episcopio, costruito vicino alla nuova e monumentale chiesa dell'Annunciazione, e stare così in una posizione più centrale [8].

I pellegrini elogiano la grandezza e la bellezza della nuova costruzione [9], primo fra tutti l'abate russo Daniele che venne in Terra Santa

[7] *Il Tempio dedicato al Signore e alla Madonna. Teodorico,* II,343, r. 11 e 45; An. s. XIII, IV,355,19. Scuola di Maria-Bambina: An. sec. XIII, IV,337; Teodorico II,337,14.

[8] *Episcopio di Nazaret.* Guglielmo di T., I,91,16; 37,13. I vescovi e gli abati dei santuari avevano impresso sui propri sigilli l'immagine della Madonna con una breve iscrizione. Al riguardo cfr. De Sandoli Sabino, *Corpus Inscriptionum Crucesignatorum Terrae Sanctae,* Ierusalem 1974: per Nazaret pp. 289-290.

[9] *Basilica di Nazaret*: *l'Annunciazione.* Sevulfo, II,27,27; Pietro D., II,193,23; Teodorico dice che nel luogo dove nacque la Madonna vi era un altare con una crocetta in basso e che i musulmani bestemmiatori della Madonna venivano colpiti da cecità: II,381,47; An. 1231, III,21,7; Ricoldo di M. trovò la chiesa distrutta (da Baibars nel 1263), IV,263,2; Goffredo di B., IV,105. Per le iscrizioni su pietre vedi il *Corpus Inscriptionum,* pp. 283-284.

nel 1113-1115. Non sappiamo con quale decorazione fosse ornata; ma da alcuni capitelli, da cornici e fregi di marmo comprendiamo che l'epiteto di « bella » dato dai pellegrini si confaceva pienamente alla basilica-cattedrale di Nazaret.

4. La visita della Madonna alla parente S. Elisabetta in *Ain-Karem* è ricordata dalla maggior parte dei pellegrini. Sembra che i Crociati al loro arrivo trovassero la chiesa inferiore in uno stato pietoso e troppo piccola per ricordare un fatto evangelico così importante. Perciò rifecero o restaurarono la chiesa inferiore, e sopra vi costruirono una chiesa più grande con un monastero da un lato. Di tutti questi edifici abbiamo ancora oggi interessanti avanzi. I muri dell'abside della chiesa superiore erano coperti da pitture; in basso alcune pietre erano segnate da crocette: la firma della fede e della devozione dei pellegrini verso la Madonna; si vedono anche incise parecchie lettere dell'alfabeto, di cui la più frequente è la lettera « A » maiuscola, che io interpreto per « Ave ». L'anno preciso di queste costruzioni non lo sappiamo; però molte chiese nuove erano note ai pellegrini del primo cinquantennio [10]. La sorgente di Ain-Karem, che si trova presso una moschea abbandonata, faceva immaginare ai pellegrini che la futura madre del Signore si fosse recata spesso a prendere l'acqua per i suoi anziani parenti. Più tardi altri pellegrini la chiameranno « Fontana della Madonna ».

5. A causa del censimento Maria parte da Nazaret e va a *Betlemme* e là, in una grotta, dà alla luce Gesù Bambino. I Crociati, quando giunsero a Emmaus-Nicopolis, ricevettero una delegazione di cristiani betlemitani, i quali dicevano che la grande chiesa della Natività costruita da Costantino e Giustiniano si trovava in pericolo di essere distrutta dai musulmani per rappresaglia contro i cristiani occidentali. Goffredo di Buglione vi mandò Tancredi con cento cavalieri. Occupata Gerusalemme dai Crociati e pacificato il territorio, vi furono messi i monaci agostiniani e, pochi anni dopo, anche un vescovo latino, affinché quel grande santuario dedicato alla nascita di Gesù e alla sua SS. Madre avesse una dignità e un'importanza pari alla sua celebrità [11]. Per questo motivo fu costruito un episcopio con un monastero e si cinse il piazzale antistante la basilica con un forte muro di difesa. L'attuale convento degli Armeni ortodossi, il chiostro di S. Girolamo e altre costruzioni nascoste dentro il convento francescano ci dicono l'importanza dei lavori fatti dai Crociati.

Nella seconda metà del sec. XII, durante gli anni di buona amicizia e di stretta parentela tra i reali di Gerusalemme e quelli di Costantinopoli, si fecero — a spese delle due case regnanti — quei mosaici

[10] *Ain-Karem*: *La Visitazione*. Belardo d'A., II,47,4; Fretello, II, 145,2; An. 1130, II,105,42; Giovanni di W., II,285,23; Teodorico, II,369,38; Ricoldo di M., IV,271; Burcardo di M.S., IV,201; Olivero, IV,399,14; An. s. XIII, IV,357,23.

[11] *Vescovo di Betlemme*. Guglielmo di T., I,153.

che coprivano tutte le pareti della basilica, delle absidi e della grotta [12]. Si rappresentarono i Concili della Chiesa, fatti biblici, Profeti, Apostoli, Angeli, la parentela di Gesù e candelabri. La parte inferiore delle pareti fu coperta da marmi; sulle colonne furono dipinte, a spese di privati, Santi d'Oriente e d'Occidente. Tra quest'ultime pitture è rappresentata Sant'Anna con Maria Bambina, una Madonna allattante e Maria Mediatrice. Quest'ultima è raffigurata seduta sopra un trono con Gesù Bambino; in basso, a destra, sono in ginocchio due donne, a sinistra un uomo: sono i committenti della pittura. Sopra e sotto si leggono queste parole: « Vergine celeste, consola noi afflitti! Figlio, che sei vero Dio, ti prego di aver misericordia di questi (devoti)! Santa Maria! Nell'anno 1130 dell'Incarnazione, nell'indizione ottava, il 15 maggio ». Nell'angolo nord-est della chiesa il campanile, costruito dai Crociati, aveva a pianterreno una cappella dipinta che nel 1950 fu restaurata da C. Vagarini. Con questo nuovo volto la basilica, dedicata alla Maternità della Madonna, non appariva soltanto grandiosa ma anche splendida, più corrispondente alla fede e alla devozione dei Crociati verso la Madonna [13].

Nelle vicinanze di Betlemme i pellegrini annotavano altri due luoghi dedicati alla Madonna: la *Grotta del Latte,* antico santuario mariano del V-VI sec., dove si conservava il ricordo che la Madonna, prima d'intraprendere il lungo cammino verso l'Egitto, vi si fosse riposata per allattare Gesù-Bambino. I Crociati stimavano assai le reliquie di questo santuario [14].

Il secondo luogo era una cisterna vicino a *Bet-Sahùr.* Secondo una leggenda, la Madonna, passando lì accanto, si fermò per dissetarsi; ma non avendo come attingere l'acqua dalla cisterna, l'acqua da sé stessa, in ossequio, si elevò fino all'orlo perché Maria potesse comodamente bere [15].

6. Dopo 40 giorni la Madonna si recò da Betlemme a *Gerusalemme* per offrire Gesù al Tempio. Una pia matrona cristiana del sec. V, Icelia, pensò di erigere una chiesetta a mezza strada e di scavare nell'atrio una cisterna, dedicando quel sacro edificio al riposo della Ma-

---

[12] *Chiesa della Maternità a Betlemme.* Sevulfo, II,23,22; An. 1230, 77; Giovanni di W., II,277-278,19; Teodorico, II,365,33; Inn. 7° dice che vi era un quadro nel quale era dipinta la Madonna coi Magi: III,81,6; Aimaro, III,187,11. Nell'absidiola della grotta si leggevano due iscrizioni in mosaico: *Gloria in excelsis Deo et in terra pax hominibus; Hic natus vere Deus est de Virgine Matre;* cfr. il *Corpus Inscriptionum,* p. 196.

[13] *Decorazione della basilica di Betlemme.* Vedi nella rivista « La Terra Santa »: De Sandoli Sabino, *La decorazione della basilica della Natività simbolo d'unione,* 1965 luglio-agosto, p. 217.

[14] *La Grotta del Latte.* An. 1231, III,459,13; Inn. 7°, III,81,6; An. s. XIII, IV,337,7; 359,25; Filippo B., IV,235,35; Ricoldo di M., IV,273,5; Ms di Rothelin, IV,49; An. 1265,IV,65; una nicchia pitturata di Madonna allattante si trovava presso l'arco dell'Ecce Homo a Gerusalemme, ricordava un riposo della Madonna quando andò al Tempio: Giovanni di W. II,271,16.

[15] *Cisterna del riposo presso Bet-Sahùr.* Ricoldo di M., IV,271.

donna. Durante l'epoca crociata i pellegrini associarono a questo ricordo anche la sosta dei Magi e la riapparizione della stella [16].

Giunta la Madonna al Tempio, offrì il suo diletto Figliuolo a Dio. La Presentazione di Gesù al Tempio era ricordata da un'iscrizione che si leggeva nella parte frontale d'un altare eretto dai Crociati sulla roccia: « Qui fu presentato a Dio il Re dei re, nato da una Vergine: per questo fatto il luogo è abbellito e giustamente viene chiamato santo ». Il Tempio, come la chiesa di Betlemme, era dedicato a Gesù e a Maria [17].

Per i pellegrini crociati S. Simeone il Vecchio, o il Giusto, ebbe la gentilezza di ospitare (da pochi giorni a tre anni!) la Sacra Famiglia in un suo appartamento che si trovava sotto il pavimento nell'angolo sud-ovest della spianata del Tempio o delle mura della città. I Crociati ornarono quell'ambiente come una chiesa e vi mostravano la culla, il bagno di Gesù Bambino, il letto della Madonna e, più tardi, anche il sepolcro di S. Simeone [18]! Questa chiesa sotterranea era dedicata alla Madonna.

7. A seguito dell'avviso dato dall'angelo in sogno a S. Giuseppe, la Sacra Famiglia fuggì in *Egitto*. La prima fermata, dopo quella della Grotta del Latte, avvenne presso una sorgente d'acqua a Ebron, chiamata « Fontana della Madonna »; la seconda ad alcuni km a sud di Ebron, in una località chiamata Belfaroel [19]; quindi la S. Famiglia arrivò in Egitto. Qui oggi una sessantina di città e villaggi si contendono l'onore di aver ospitato la Madonna e Gesù-Bambino all'ombra d'una palma e presso un pozzo [20]. Però il luogo più conosciuto dai pellegrini fu Matarìe, santuario che si trova nella periferia del Cairo, verso nord.

8. Ebbe pure una certa notorietà un'icone della Madonna venerata dai monaci del *Sinai* per il seguente fatto. Un giorno venne a mancare nel monastero l'olio che alimentava le lampade di quel santuario,

---

[16] *Chiesa e cisterna del riposo tra Gerusalemme e Betlemme.* I Greci la chiamavano « Katisma » (= riposo); gli Arabi « Bir el Qadismu » (= cisterna del Qadismu). Prima dei Crociati ne parlarono Teodosio (530) e Antonino di Piacenza (570); durante le crociate Teodorico, II,363,32 e Inn. 7°, III,81,6.

[17] *Maria SS. presenta Gesù-Bambino al Tempio.* Acardo di A., II,57,304-313; Sevulfo, II,17-19,15; An. 1130, II,103,37; Giovanni di W., II,237,4; Teodorico, II,341,15; Inn. 10°,III,103; Inn. 2°, III,13,5; Inn. 7°, III,79,3; An. a. 1265, IV,73,10; An. s. XIII, IV,371,1.

[18] *Chiesa della Madonna al Pinnacolo del Tempio.* An. 1130, II,75,3; Sevulfo, II,19,15; Pietro D., II,179,3; Giovanni di W., II,245,247; Teodorico, II,347,18; Inn. 2°, III,13,5; Inn. 7°, 79,3; Ernoul, III,405,14; An. a. 1265, IV,73,11; Ms di Rothelin, IV,35,5; An. s. XIII, IV,371,1; An. 1280, IV,113,3. *I bagni della Madonna a Tiberiade.* An. 1231, III,469, c. 5.

[19] *Riposo della Madonna presso Ebron e a Belfaroel.* An. 1130, II,81,14; An. s. XIII trova presso Ebron una sorgente della Madonna dove Ella bevve e lavò i panni: IV,361. *Sorgenti dedicate alla Madonna,* oltre a quella di Nazaret, di Ain-Karem e di Ebron, nella valle di Giosafat: An. sec. XIII, IV,337, r. 1.

[20] *Maria SS. in Egitto.* Burcardo di S., II,403,3; Pietro D., II,197,30; Ms di Rothelin, IV,51; Filippo B., IV,245,53.

ed era impossibile procurarselo. I monaci decisero di abbandonare il monastero. L'ultima notte la Vergine SS. apparve in sogno al superiore invitandolo a restare, perché da quel giorno in poi non sarebbe mancato olio nel monastero [21].

9. Morto Erode, la Madonna ritornò a Nazaret camminando lungo la costa mediterranea. Ai pellegrini non sfuggì questo fatto; perciò indicavano presso *Cesarea Marittima* una chiesetta chiamata « del riposo della Madonna », con una « mensa della Madonna » e « una grotta » dove Lei con Gesù Bambino si era rifugiata « per timore dei Giudei » [22].

10. Quando Gesù ebbe dodici anni, il Vangelo ci dice che la Sacra Famiglia andò in pellegrinaggio al Tempio di Gerusalemme. Al ritorno, Maria e Giuseppe si accorsero di aver smarrito Gesù adolescente. Allora tornarono indietro e lo ritrovarono nel Tempio. I Crociati, a ricordo dell'angoscia provata dalla Madonna, costruirono a *El-Bire,* a 18 km a nord di Gerusalemme, una chiesa a tre navate; i resti di questa chiesa esistono ancor oggi e appartengono ai Greci ortodossi [23]. Il ritrovamento di Gesù adolescente veniva ricordato nel Tempio riportando le parole dette da Gesù e dalla Madonna, come si leggono nel Vangelo.

11. A *Cana* di Galilea e a *Cafarnao* la presenza della Madonna viene accennata da pochi pellegrini, ma non aveva — a quanto pare — chiese o altari dedicati. L'attenzione dei pellegrini si fermava sui miracoli operati da Gesù.

12. Invece più frequentemente è ricordata la presenza della Madonna nella Passione e Morte del Signore a Gerusalemme. Il Vangelo ci dice che Maria SS. incontrò suo Figlio quando questi portava la croce sulla via del Calvario. Quest'incontro veniva fissato dai Crociati presso l'uscita del Pretorio, tra l'arco dell'Ecce Homo e la stradetta che sta a tergo della chiesa e delle case degli Armeni cattolici. In quel posto i Crociati dedicarono una chiesetta allo svenimento della Madonna, chiesetta che sparì coll'occupazione dei musulmani nel 1187; però il ricordo fu trasferito in quella chiesa che prima era dedicata alla sosta (o riposo) del Signore e che poi fu chiamata dello « Spasimo della Madonna »: è l'attuale chiesa degli Armeni cattolici [24].

I pellegrini immaginarono che la Madonna, nell'ansia di rivedere il suo diletto Figlio sofferente, si fosse affrettata, per vie secondarie,

---

[21] *La Madonna dell'olio al Sinai.* Tetmaro, III,275,281.

[22] *Chiesetta, mensa e grotta della Madonna presso Cesarea Marittima.* An. s. XIII, IV,367 chiama quella chiesetta la « Madonna Maggiore ».

[23] *Chiesa della Madonna a El-Bire.* Teodorico II,373,41; Inn. 5°, III,31; per Ernoul la chiesa dello Spasimo della Madonna è la chiesa del riposo del Signore: III,413.

[24] *Spasimo della Madonna presso l'arco dell'Ecce Homo.* Ricoldo di M., IV,273; An. s. XIII, IV,357; Filippo B., IV,235.

ad uscire innanzi al tumultuoso corteo presso il Calvario, nel luogo dove poi sorse la chiesa di S. Maria Latina la Piccola [25]. A S. Maria Latina la Grande si indicava il posto da dove Maria SS. e le pie donne videro la crocifissione di Gesù. Di là esse si avvicinarono al Calvario: alcuni pellegrini ne fissavano il luogo o nella chiesa del S. Sepolcro, dove al presente vi è una gabbia di ferro degli Armeni ortodossi, o fuori in una delle tre cappelle dei Greci ortodossi; altri invece, sulla scalinata esterna del Calvario, che appartiene ai PP. Francescani [26]. Infine la Madonna e le pie donne poterono giungere sotto la croce [27]. Quando il Calvario fu ingrandito dai Crociati nel 1149, vi fu dedicato alla Madonna Addolorata un piccolo altare che stava sulla sinistra di chi guardava l'altare centrale della crocifissione, ma che non veniva molto notato dai pellegrini.

13. La presenza della Madonna sul *Monte Oliveto* al momento dell'Ascensione di Gesù al cielo è ricordata rare volte dai pellegrini, attratti di più dal fatto principale narrato negli Atti degli Apostoli.

14. Uno dei santuari mariani più venerati dai pellegrini era la chiesa del *Monte Sion*. Là, dopo la Cena del Signore e le sue apparizioni da risorto, dopo la discesa dello Spirito Santo, veniva commemorata la presenza della Madonna e si indicava la stanza dove Lei visse per molti anni [28], dove ascoltava la Messa celebrata da S. Giovanni Evangelista e dove avvenne il suo beato transito. In quel posto fu eretto un altare sormontato da un baldacchino, mentre nel catino dell'abside era raffigurato, in mosaico, Gesù attorniato dagli Apostoli nell'atto di ricevere l'anima della sua SS. Madre. Da lì la Madonna fu portata dagli Apostoli al sepolcro che si trovava presso la grotta del Getsemani. A quanto dicono i pellegrini, la chiesa del Monte Sion era

---

[25] *Svenimento della Madonna presso il Calvario.* Sevulfo, I,17; An. 1130, 75,2; 105,40; Guglielmo di T., I,83; Giovanni di W., II,267; Teodorico, II,335; Inn. 1° dice che, dove la Madonna assistette alla crocifissione di Gesù, vi era un altare: III,3; Inn. 5°, III,31,2; Giacomo di V., III,341,64; Inn. 10°, III,103; An. 1231, III,473,11.

[26] *Cappella di S. Maria degli Armeni tra il Calvario e il S. Sepolcro.* Sevulfo, I,15,12; Teodorico, II,329,9; sotto il Calvario altare dedicato alla Madonna: An. 1130,75,2; Burcardo di M.S., IV,187; Cappella presso la porta di S. Sepolcro: Inn. 10°, III,103; Inn. 5°, III,33,7 e 9. E dei Latini, Sevulfo, II,15,12. *Cappella presso la porta del S. Sepolcro* (forse quella dei Franchi): Inn. 10°, III, p. 103; Inn. 5°, III, p. 33, n. 7 e 9.

[27] *Altare sul Calvario.* Inn. 1°, III,2; la Madonna è ricordata sul Calvario da Fretello, II,143,3; Giovanni di W. II,143,3.

[28] *Chiesa di S. Maria sul Monte Sion.* Sevulfo, II,21; Guglielmo di T., I,31; Alberto di Aquisgrana e Roberto il Monaco la chiamano « chiesa di S. Maria »; An. 1108, I,153; An. 1142, II,155,3; An. a. 1187, II,417,1-2; Giovanni di W., II,267; Teodorico, II,349,22; An. 1130. II,75,1 e 4; Ugo di S.V., II,161,2; Inn. 4°, III,25,3; Inn. 7°, III,81,4; Inn., 3°, III,21,8; An. 1231, III,475,14; An. s. XIII, IV,347; 349; quest'An. dice che al transito della Madonna un angelo portò una palma da sotto la Quarantena al Monte Sion: V,365; Ms di Rothelin, IV,29,1; 47,10; Burcardo di M.S., IV,189,24. Per la presenza della Madonna al momento dell'Ascensione di Gesù: Giovanni di W., II,265,14.

dedicata alla Madonna e al Signore. I Crociati trovarono la chiesa rovinata dai musulmani; la rifecero e l'abbellirono con marmi, pitture e mosaici. Nel luogo dedicato al suo trapasso vi era la seguente iscrizione: « La S. Madre di Dio è stata esaltata al di sopra dei cori angelici ».

A poche decine di metri fuori del Cenacolo, rimase tenacemente legato per secoli a un punto della strada l'ignominioso attentato fatto da uno o più ebrei al suo feretro [29].

15. L'ultimo grande santuario mariano visitato da tutti i pellegrini è il suo santo Sepolcro al Getsemani. La chiesa fu trovata dai Crociati molto rovinata. Essi la restaurarono e ne ingrandirono la scalinata d'ingresso, dandole quindi una nuova facciata; ornarono il sepolcro con un baldacchino di marmo; le volte della chiesa e della scalinata furono decorate con pitture e iscrizioni; accanto fu costruito un monastero per i Benedettini [30]. Nel medesimo luogo i pellegrini ricordano pure l'Assunzione di Maria SS., di cui parlano varie iscrizioni: « Venite, o eredi della vita eterna, a lodare la Madonna! Per Lei a noi è data la vita, al mondo è ridata la salvezza. Qui è la Valle di Giosafat, da qui parte un sentiero verso il cielo. Qui Maria, fidente nel Signore, fu sepolta. Da qui innalzata, entrò inviolata nel cielo. Lei è speranza, via, luce e madre di noi prigionieri di questo mondo. Maria è assunta in cielo, gioiscono gli angeli e, cantando insieme le lodi, glorificano la Madonna. La S. Madre di Dio è stata innalzata al di sopra dei cori angelici nel celeste regno » [31]. « La Vergine Maria è stata portata alla dimora celeste, ecc. ... La vidi graziosa come una colomba. Il giglio delle convalli. La videro le figlie di Sion. Certamente da qui la gloriosa Vergine salì al cielo: v'invito a gioire, perché Ella, indicibilmente onorata, regna eternamente con Cristo. Maria fu assunta in cielo. Una moltitudine di angeli fa corona attorno alla Beata Vergine Maria assisa sul trono: per aver aperto la via del cielo è acclamata regina » [32].

Per confermare la loro fede nell'Assunzione della Madonna i cristiani piamente immaginarono, a carico dell'eterno esitante S. Tommaso, un episodio analogo a quello del Cenacolo, e cioè che la Madonna, mentre s'innalzava verso il cielo, lasciò cadere sopra la roccia

[29] *Attentato al feretro della Madonna.* Filippo B., IV,231,6; An. s. XIII, 335, 351,14.

[30] *Sepolcro della Madonna nella Valle di Giosafat.* Sevulfo, II,19,5; An. 1108, I,153; An. 1095,I,3; AN. 1130, II,77,2 e 6; Ugo di S.V., II,163,3; Pietro D., II,181,7; Giovanni di W., II,275,18; 277; Teodorico, II,316; 319; 351,23; An. a. 1187, II,417,1. Ernoul dice che portarono via le pietre del monastero (i Saraceni), ma non quelle della chiesa, III,413,24; Inn. 3° dice che al sepolcro della Madonna vi è un grande altare tagliato d'un solo pezzo, fatto dagli angeli, e là si sente un odore soave da chi è vergine e devoto, e nel giorno dell'Assunta vi è un'indulgenza straordinaria: III,21.

[31] *Iscrizioni* di Giovanni di Wirzburg, II,275-277.

[32] *Iscrizioni* di Teodorico, II,351.

della salita del Monte Oliveto la sua cintura accanto all'apostolo, che se ne andava via incredulo! [33].

II

In Terra Santa, oltre a questi santuari biblici o a quelli sorti vicini ad essi, si costruirono altre chiese o santuari di devozione dedicati alla Madonna, che furono in parte distrutti o dimenticati, oppure ebbero la buona sorte di sopravvivere ad ogni avversità.

15.1. Cominciamo da *Gerusalemme.* Il coro dei canonici del S. Sepolcro, inaugurato nel 1149, era considerato una chiesa a sé stante dedicata alla Madonna. Sulla parete dell'abside era rappresentata una grande immagine di Maria SS. tra S. Giovanni Battista e S. Gabriele [34]. Anche nel soffitto della grande cupola dell'Anastasis, in direzione verticale sul coro dei PP. Francescani, era riprodotta in mosaico una grande immagine della Madonna e di Gesù-Bambino, e da un lato S. Gabriele [35]. A nord della cupola si additava una cappella dedicata alla Beata Vergine. All'entrata della chiesa del S. Sepolcro i pellegrini vedevano un quadro della Madonna che dicevano essere quella che convertì S. Maria Egiziaca [36].

Oltre alle due chiese di S. Maria Latina, di cui la seconda fu costruita nei primi anni del sec. XII, verso il 1160 fu costruita da due pii cristiani tedeschi una chiesa chiamata « S. Maria degli Alemanni », di cui si vedono i resti, da pochi anni scoperti, insieme all'annesso ospizio-ospedale per i pellegrini [37].

15.2. Nella città di *Ascalona* al tempo dei Crociati vi erano due chiese, di cui una dedicata alla Madonna. Nel 1813 un pellegrino francese, Forbin, leggeva nel soffitto colorato d'azzurro due invocazioni delle litanie mariane che ricordavano i viaggi, lieti o tristi, fatti sul mare dai pellegrini che venivano dall'Europa: « Stella matutina, Advocata navigantium, ora pro nobis ». Se si pensa che fu al principio di quel secolo che si abbozzarono le prime litanie mariane, il trovarle scritte in Terra Santa e la loro durata per oltre 650 anni sono fatti che non possono lasciare insensibili [38]!

15.3. Presso *Cesarea Marittima* esisteva una palude: là vicino — non si sa il motivo — fu costruita una chiesa in onore della Ma-

---

[33] *Cintura della Madonna Assunta.* An. s. XIII, IV,337,3.

[34] *Coro dei canonici del S. Sepolcro.* Sevulfo, II,15,11; Teodorico, II,325,7; l'immagine della Madonna che convertì S. Maria Egiziaca: An. 1231, III,455; all'ingresso del S. Sepolcro cappella di S. Giovanni, della Madonna e di S. Michele: An. s. XIII, IV,337. *Altare maggiore del coro dei canonici nella Chiesa del S. Sepolcro.* Inn. 2°, III, p. 11,2; Ms di Rothelin, IV, p. 43, c. 8; Ricoldo di M., IV, p. 271.

[35] *Mosaico nella cupola dell'Anastasis.* Teodorico, II,325.

[36] Cfr. nota 33.

[37] *Chiesa di S. Maria degli Alemanni.* Giovanni di W., II,269,15.

[38] *Ascalona: invocazioni mariane.* Cfr. DE SANDOLI Sabino, *Corpus Inscriptionum,* p. 255.

donna che i pellegrini chiamarono «la Madonna della Palude». Da ogni punto della Terra Santa vi affluivano devotamente i cristiani, e anche i pellegrini occidentali di passaggio si fermavano a venerarla [39].

15.4 I Crociati che abitavano a *Nàblus* onorarono la Madonna in un modo speciale. Nel 1181 un certo Roger Desmoulins, Gran Maestro dell'Ospedale di Gerusalemme, dedicò alla Madonna un ospizio dei pellegrini con questa iscrizione: « Nell'anno 1181 dell'Incarnazione del Signore questa casa fu costruita a onore di Dio, della B.V. Maria e di S. Giovanni Battista... » [40].

15.5 Una menzione speciale merita il santuario della Madonna del *Monte Carmelo*. All'inizio fu una chiesetta costruita in una valle a nord-ovest del monte da un gruppo di eremiti nel sec. XII. Solo nel 1766-7 i frati Carmelitani poterono costruire una chiesa sulla cima del monte; però fin dal principio del sec. XIII essi diffusero per tutto il mondo cristiano quella grande devozione che va sotto il nome di « la Madonna del Monte Carmelo ». E' una devozione puramente terrasantina e dell'epoca crociata [41]!

15.6 Quando i pellegrini giungevano dall'Europa ai porti della Palestina, a volte erano impediti dalle guerre in corso di visitare i Luoghi Santi di Gerusalemme. Per soddisfare in qualche maniera la loro devozione, gli Istituti religiosi rifugiatisi ad *Acri* eressero molte chiese ed altari che recavano gli stessi titoli dei santuari perduti; otto chiese e cappelle erano dedicate alla Madonna ed erano dotate di abbondanti indulgenze [42].

15.7. Capitava pure che alcuni pellegrini, invece di venire o ritornare via mare, venivano o ritornavano lungo la costa mediterranea del Libano e della Siria. A nord di Tripoli si fermavano al celebre santuario mariano di *Tortosa*. L'antica leggenda dice che là fu costruita una chiesetta dalle stesse mani di S. Pietro e S. Paolo e da essi dedicata a Maria SS.! I Crociati la protessero con un'altra grande

---

[39] *Chiesa della Madonna della Palude*. An. 1231, III,453,3; 471,8; An. a. 1265, IV,61,2; 71; cfr. nota 21. *Riposo della Madonna sopra una pietra del ponte di Safed*. An. 1231, III, 463, c. 20; 469, c. 5.

[40] *Ospizio di Nàblus dedicato alla Madonna*. Cfr. DE SANDOLI Sabino, *Corpus Inscriptionum*, p. 271.

[41] *Chiesa della Madonna del Carmelo*. An. 1231, III,451,1; 471,8; An. a. 1265, IV,59, e 69.

[42] *Chiese della Madonna in Acri*. Wilbrand di O., III,201,1; in Acri vi erano 59 chiese e cappelle, delle quali almeno otto erano dedicate alla Madonna. Cfr. DICHTER Bernard, *The Orders and Churches of Crusader Acre*, Acre 1979. Il lettore potrà notare i sigilli mariani dei vescovi e degli abati. In Acri furono fondati i Cavalieri Teutonici; la bolla del capitolo dei Teutonici rappresentava la Madonna col Bambino in braccio (*Corpus Inscriptionum*, p. 328). Il patriarca latino Aimaro diceva che si venerava in una chiesa il sudario confezionato dalla Madonna, sul quale erano raffigurati i 12 Apostoli attorno al Signore e che da un lato era rosso e dall'altro verde: III,185. Madonna dei Cavalieri, Madonna di Tiro, ambedue in Acri: An. 1280, IV,117.

chiesa. A quel santuario affluivano pellegrini da ogni parte del mondo cristiano orientale ed occidentale [43].

15.8. Qualche pellegrino crociato ebbe l'occasione di visitare una « chiesa rotonda di *Antiochia* ». Là si venerava una statua marmorea della Madonna che, al sopraggiungere di qualche grave pericolo, cominciava a lacrimare.

Il suo volto era così bello che la gente locale lo diceva fatto non da mani d'uomo, ma da mani d'angeli [44].

15.9. Nella Siria meridionale i pellegrini occidentali salivano sul *Monte Kalamun,* alto 1400 metri, che s'innalza a 44 km a nord di Damasco, per venerare un'icone di Madonna allattante, di circa 50 cm per 30, chiamata la « Madonna di Sidnaia ». Si narra che una badessa del luogo nell'anno 870 si recò a Gerusalemme e, prima di ritornare al suo monastero, volle congedarsi dal Patriarca. Tra le iconi che ornavano la stanza del Patriarca, le piacque assai quella Madonna, e la chiese con insistenza al prelato che da poco l'aveva portata da Costantinopoli. Alla fine il Patriarca gliela donò, e la badessa, contenta, la portò a Sidnaia, dove quell'immagine cominciò a fare numerosi miracoli. Subito la sua fama si sparse in tutte le contrade orientali da dove partivano pellegrini cristiani e musulmani [45].

15.10 Dal rituale del S. Sepolcro, che si conserva a Barletta, sappiamo che nei sec. XII e XIII si solennizzavano le feste mariane quasi con le stesse preghiere che si leggevano nel Messale latino prima del Concilio Vaticano II. Inoltre dal 1100 al 1187 la comunità dei canonici del S. Sepolcro, in alcuni giorni dell'anno, si attribuivano l'onore di andare a celebrare certe feste in determinati santuari, recandovisi processionalmente. All'Assunzione, per es., si recavano in processione, cantando inni e salmi, fino alla chiesa del *Monte Sion;* commemorato là il transito della Madonna, continuavano la processione fino alla chiesa di S. Salvatore nell'*Orto degli Ulivi,* dove, insieme ai vescovi e sacerdoti pellegrini e di altri Istituti religiosi, si vestivano coi paramenti sacri e, sempre processionalmente, si recavano alla chiesa del Sepolcro della Madonna per la celebrazione della S. Messa [46].

---

[43] *Chiesa della Madonna a Tortosa.* Inn. 5°, III,33,12; An. 1231 dice che la grande chiesa fu fatta dai Crociati a somiglianza di quella di Nazaret: III,463,20; Wilbrand di O., III,211,10; Maurizio, IV,91,2; Filippo B. dice che l'altare fu fatto da S. Pietro e S. Giovanni, IV,253,65; Ms di Rothelin, IV,51; An. a. 1265, IV,67.

[44] *Statua della Madonna in Antiochia.* Wilgrand di O., III,221,19.

[45] *Chiesa della Madonna di Sidnaia.* Burcardo di S., II,407,6; An. 1231, III, 463,21; Ms di Rothelin, IV,51 chiama la Madonna di Sidnaia « S. Maria della Roccia ».

[46] *Culto Mariano in Terra Santa.* Dal Cartolario del S. Sepolcro, IV,407,66; dal Breviario del S. Sepolcro, IV,419, nn. 4 e 7; 412,8; 437,27; Goffredo di B. descrive come S. Luigi IX festeggiò la solennità dell'Annunciazione a Nazaret: IV,105. Non va dimenticato che nei sec. XII e XIII si recitava in Terra Santa l'Ufficio della Madonna: Breviario del S. Sep.: IV, pp. 417 e 439 nota 48.

15.11. Durante l'epoca crociata ci fu un incremento delle devozioni mariane e ne nacquero anche delle nuove: come, per es., la recita della prima metà dell'Ave Maria [47], il Rosario [48], l'Angelus Domini [49], le sacre rappresentazioni mariane (chiamate in Italia « Misteri »), l'istituzione di Ordini religiosi mariani (Mercedari, Serviti ...). Inoltre, tutto ciò che l'arte letteraria, pittorica, scultorea ha saputo creare sul tema mariano, nella maggior parte dei casi ricevette un impulso o addirittura nacque dalla devozione a Maria SS. che si sviluppò nei santuari di Terra Santa al tempo delle Crociate e da qui si diffuse in tutto il mondo cristiano.

[47] *L'Ave, Maria,* come formula abituale di preghiera, fu raccomandata nel 1198 da Oddone di Soliac, vescovo di Parigi, insieme al Pater e al Credo breve. Nel sec. XIII la recita si generalizza per esortazione dei vari Concili nazionali.

[48] « *Il Rosario* » s'inserisce in quel rigoglioso fiorire di manifestazioni nuove della devozione verso la Vergine nei suoi aspetti più popolari che è caratteristico sul finire del sec. XII. Contribuirono largamente alla sua diffusione i Cistercensi prima e gli Ordini Mendicanti poi.

[49] Gregorio IX nel 1226 ordinò ai fedeli di recitare l'*Angelus Domini* al suono della campana del tramonto.

EL DIOS DEL MAGNIFICAT: UNA RELECTURA DESDE LA SITUACION LATINOAMERICANA

LUIS A. GALLO, S.D.B.

0. Hace algunos años J. Dupont publicaba un denso y estimulante artículo en el que abordaba el Magnificat como « discurso sobre Dios » [1]. Apoyado en los estudios exegéticos mas recientes sobre el cántico de María [2], y en su propria competencia bíblica [3], exploraba con meticulosidad el texto de *Lc* 1,46-55 con el objeto de evidenciar la imagen de Dios que se delineaba en él. Llegaba así a conclusiones muy significantivas, que de algún modo anticipaba ya en la introducción: el Magnificat — sostenía — describe « a Dios tal como se manifiesta en su acción; dibuja de este modo una imagen de Dios, aquella que el Nuevo Testamento recibe del Antiguo. Una imagen cuya semejanza con la que se desprende de las Bienaventuranzas (*Lc* 6,20-26; *Mt* 5,3-12) o del Himmo de júbilo (*Lc* 10,21; *Mt* 11,25-26) no es difícil de percibir » [4].

Al final del examen exegético realizado, cerraba el artículo augurándose que el trabajo del biblista no fuera un punto final, sino que fuera retomado por algún teologo dogmático que elaborara un discurso sobre Dios según el Magnificat. Y presentaba la siguiente pregunta: « ¿No es acaso del Dios Salvador cantado en este poema que nosotros tenemos que ser los testigos hoy, en nuestro mundo? » [5]. Añadía, en nota, una observación metodológica importante, que es la que da pie al intento que nos proponemos realizar en estas páginas. La observación es la siguiente: superando ciertas tomas de posición anteriores, debidas a reacciones contra situaciones precedentes, la exégesis bíblica moderna se ha ido dando cuenta de que la investigación sobre los acontecimientos fundadores de la fe (campo propio de la ciencia bíblica) y la reflexión sobre las realidades de la misma fe (campo

[1] DUPONT J., *Le Magnificat comme discours sur Dieu,* en *Nouvelle Revue Théologique* 102,3 (1980) 321-343.

[2] Especialmente: TANNEHILL R.C., *The Magnificat as Poem,* en *Journal Biblique et Liturgique* 93 (1974) 263-275; MONLOUBOU L., *Une prière lucanienne type: le Magnificat,* en ID., *La prière selon saint Luc. Recherche d'une structure* = Lectio divina 89, París 1976, 219-239; BROWN R.E., *The Magnificat* (*1*: 46-55), en ID., *The Birth of the Messiah. A Commentary in the Infancy Narratives in Matthew and Luc,* N. York 1977, 355-366.

[3] Cf DUPONT J., *Note complémentaire sur le Magnificat,* en ID., *Les Béatitudes,* París 1973, 186-193.

[4] DUPONT, *Le Magnificat, o.c.,* 322 (traducción mía).

[5] *Ibid* 342 (traducción mía).

proprio de al ciencia teológica), no se pueden ignorar mutuamente; actualmente se va tomando conciencia de que es necesario dar aún un paso más, « *haciendo intervenir ese tercer término que constituyen las realidades concretas de la vida de la gente, y especialmente de los cristianos, en el mundo de hoy* » [6].

Según esto, pues, el sentido cabal y vivo de un texto bíblico es dado por una « triangulación » en la cual « las realidades concretas de la vida de la gente » juegan un papel indispensable. A la luz de este criterio abordaremos ahora el tema de la imagen de Dios en el Magnificat, teniendo en cuenta la situación concreta de la gente del Continente latinoamericano, un continente, como es sabido, mayoritariamente cristiano.

1. EXPLICITACION DE UN PRESUPUESTO: EL PROCESO DE LAS RE-LECTURAS

El criterio recién recordado merece una mayor aclaración y una más explícita fundamentación. Se trata, en el fondo, de evidenciar la dinámica de la revelación divina en el seno de la economía de la salvación. Justamente porque lo que llamamos Palabra de Dios tiene como destinatario al hombre concreto a cuya salvación tiende, no puede lograr su objetivo si no tiene en cuenta la condición real en la que ese su destinatario se encuentra. Es una ley elemental de comunicación que vige también en el ámbito de la revelación divina, desde el momento que Dios, al hablar, lo hace en modo humano [7].

Ahora bien, el hombre es un ser histórico. Lo cual quiere decir no solo que está en el tiempo, sino además que evoluciona en el tiempo. La cultura [8], en su sentido más original de actividad humana sobre la realidad que lo envuelve y en la que está sumergido, es el factor que va decidiendo tal evolución. Porque en la medida en que el hombre con su actuar modifica su entorno, se modifica también a sí mismo [9]. Es un proceso constante de dar y recibir. Y, dando y recibiendo, se van originando las culturas, esta vez en sentido derivado, que tienen un componente sujetivo constituido por los modos

---

[6] *Ibid* 343, nota 29 (traducción y subrayados míos).

[7] Lo evidencia la Constitución *Dei Verbum* (*DV*) en su n. 12a, citando a S. Agustin, *De Civitate Dei* XVII, 6,2: *PL* 41, 537.

[8] Sobre el concepto de cultura ha tratado la Constitución pastoral *Gaudium et Spes* (*GS*) en su n. 53. Lo ha retomado y explicitado, en vista de sus objetivos propios, el *Documento de Puebla* (*DP*) en el capítulo segundo de su segunda parte (nn. 285-287).

[9] Dice la *GS*: « La humanidad se halla hoy en un período nuevo de su historia, caracterizado por cambios profundos y acelerados, que progresivamente se extienden al universo entero. Los provoca el hombre con su inteligencia y su dinamismo creador; pero recaen luego sobre el hombre, sobre sus juicios y deseos individuales y colectivos, sobre sus modos de pensar y sobre su comportamiento para con las realidades y los hombres con quienes convive » (n. 4b).

globales de concebir y de relacionarse con la realidad, y un componente objetivo que son los diversos instrumentos, organizaciones y estructuras que el hombre se va dando a sí mismo en orden a su existencia en el mundo.

Naturalmente, este proceso cultural no es homogéneo ni en el espacio ni en el tiempo. La diversidad espacial da origen a culturas, en sentido derivado, profundamente diferentes entre los pueblos de distintas regiones geográficas. Su modo de pensar la realidad, total o parcial, se diversifica en razón de una multiplicidad de factores que inciden en él en medida y forma diversa. Pero también el tiempo va dando lugar a modificaciones y novedades en el ámbito cultural, modificaciones que pueden llegar a acercar o a alejar grupos humanos de los más variados aspacios geográficos.

Los que acabamos de decir, que por cierto ha sido apenas enunciado, tiene que ver con la acogida de la Palabra revelada de parte del hombre. Para expresarlo sintéticamente: da origen al proceso de sus re-lecturas. Re-leer la Palabra de Dios quiere decir abrirse a ella a partir de la propria condición cultural. Un abrirse que significa, por una parte, acoger plenamente el mensaje de salvación que ella quiere comunicar y, por otra, acogerla con una cierta « selectividad » en el seno de su globalidad, que obedece precisamente a la condición histórico-cultural que se está viviendo.

Nos explicamos brevemente. Ante todo, se hace necesario recordar que la actitud fundamental del hombre ante la Palabra de Dios es la de « la obediencia de la fe » [10]. Esa Palabra, en efecto, no viene « de abajo », sino « de arriba »; no la inventa el hombre sino que le es dada, ragalada por el amor salvador de Dios. Obediencia significa entonces, como lo sugiere la misma etimología de la palabra, aceptar con oído abierto lo que El dice, con-sentir, abrirse para acoger el don que viene desde afuera. En ese sentido, consiguientemente, el hombre se somete a una propuesta que le es hecha por Otro y, dado que ese Otro es Dios, acepta que sea El quien decida sobre la verdad de su propia salvación.

Pero el hombre que se encuentra ante la Palabra no es una esencia inmutable y eterna sino, como ya se dijo más arriba, un ser histórico. Ese su devenir culturalmente en el tiempo le va creando sensibilidades y exigencias diversas. Y es con ellas como el hombre creyente se va poniendo ante la Palabra que le viene « de arriba ».

Esto produce un juego doble. Por una parte, la Palabra somete a juicio esas mismas condiciones creadas por el hombre y en el hombre, dado que no siempre ni todas son homogéneas con lo que ella misma propone. Basta pensar, por ejemplo, en las denuncias proféticas del A. Testamento contra los pueblos paganos y contra el mismo pueblo de Israel, o en las que Jesús hace contra diversos grupos de su tiempo. En ese caso, la Palabra pone en tela de juicio ciertas expresiones

---

[10] Cf *Rom* 16,26 y también *DV* 5, donde la Constitución expone su concepción de la fe como respuesta a la revelación.

histórico-culturales que no están en sintonía con su propuesta de salvación, tanto a nivel de concepción de las cosas cuanto a nivel de conducta. Tal crítica continúa después, cuando la revelación ya objetivamente terminada camina en la historia con la Iglesia. Un caso típico y ejemplar lo constituye el que se refiere a la imagen de Dios en el momento de producirse, en los primeros siglos, el encuentro cultural entre cristianismo y helenismo [11].

Por otra parte, las condiciones histórico-culturales de los destinatarios de la Palabra influyen en su acercamiento a la misma, produciendo un fenómeno que podríamos llamar de « captación en perspectiva ». La condición en que se encuentran hace que, aún sin negar la totalidad del contenido de la revelación, concentren su atención sobre aquellos aspectos a los cuales están más sensibilizados. Es como un proyectar sobre el conjunto de los contenidos de la revelación la luz de un foco que pone en evidencia y hace resaltar algunos aspectos de la misma dejando otros en la penumbra. De este modo, la sensibilidad acentuada hace que se descubran aspectos de la fe que en otros momentos culturales habían pasado inadvertidos y, viceversa, que aspectos fuertemente presentes en otras circunstancias pasen a la zona de segundo plano.

Este fenómeno no es nuevo en el ámbito de la comunidad creyente. Ha existido siempre en su seno, tanto en el Antiguo cuanto en el Nuevo Testamento. Quien considera con detención la experiencia de fe del pueblo de Israel descubre facilmente la presencia ininterrumpida de diversas re-lecturas del mensaje salvífico a partir de las nuevas circunstancias históricas en que el mismo publo se va encontrando [12]. Algo análogo sucede, a pesar de la brevedad del tiempo en que se verifica su experiencia de fe pascual, con la comunidad creyente de los escritos neotestamentarios. La pluralidad de cristologías que ellos transmiten son una prueba irrefutable de ello. Y, como es también fácil comprobar, el proceso no concluye allí, sino que se prolonga en la historia milenaria de la Iglesia. Un ejemplo sumamente claro lo tenemos en la definición dogmática sobre Jesucristo elaborada por los grandes concilios de los siglos IV-V, que no han querido hacer otra cosa sino anunciar el Cristo de siempre a partir de las nuevas circunstancias histórico-culturales surgidas, en las cuales ciertos tentativos de re-lecturas habían desembocado en la herejía. El estudio de la elaboración de tales enunciados desde el punto de vista que nos interesa ofrece elementos muy iluminadores sobre lo que estamos exponiendo. En ellos, en efecto, se puede percibir con claridad el primer aspecto que hemos puesto de relieve, el de la Palabra como juicio definitivo sobre las exigencias y expecta-

[11] Véase al respecto cuanto dice Ch. DUQUOC en su obra *Dios diferente. Ensayo sobre la simbólica trinitaria,* Salamanca 1982², en las pp. 27-38.

[12] C. MESTERS, biblista latinoamericano, en su volumen *El misterioso mundo de la Biblia,* Buenos Aires 1977, analiza hasta once re-lecturas sucesivas presentes en los escritos del A. Testamento.

tivas culturales de una época, al mismo tiempo que el segundo, el de la adecuación a tales exigencias en lo que tienen de legítimo. Mientras que por el primero se hizo frente a las herejías, declarándolas heterogéneas a la fe, por el segundo se llevó a cabo una re-lectura que privilegió ciertos aspetos y ciertas perspectivas de la cristología, dejando otros en la penumbra, aún sin negarlos [13].

El proceso de re-lectura de la Palabra es, pues, congénito a la fe misma, dada la naturaleza del hombre. Y exige seriedad desde dos vertientes: desde la del mensaje de salvación, que debe ser mantenido sustancialmente intacto para la salvación del hombre [14], y desde la condición histórico-cultural de su destinatario, que tiene que ser debidamente atendida [15]. En concreto, ello quiere decir que tal proceso debe llevarse a cabo leyendo la Palabra desde la perspectiva o sensibilidad de quienes la abordan, con derecho a las acentuaciones que su condición concreta les crea, pero manteniéndose siempre en el horizonte global del mensaje de salvación transmitido. Operación no fácil, pero indispensable para la vida de la fe.

2. EL MAGNIFICAT EN EL DOCUMENTO DE PUEBLA

2.1. *El contexto global*

La Tercera Conferencia General del Episcopado Latinoamericano reunida en Puebla de los Angeles (Messico 1979) [16], fue un intento

[13] No hay duda de que la cristología asumida como pauta para la elaboración del estatuto cristológico en Calcedonia es la juánica, condensada en el versículo 14 del prólogo de su evangelio: « Y el Verbo se hizo carne ». Ello se explica por la presencia de la categoría « logos » en dicho evangelio y en el mundo helénico, que se prestaba para mediar la reflexión de la fe en ese contexto histórico-cultural (cf GRILLMEIER A., *Gesù il Cristo nella fede della Chiesa, I. Dall'età apostolica al concilio di Calcedonia* = Biblioteca teologica 18, Brescia 1982, p. 179).

[14] Dice la Exhortación Apostólica *Evangelii Nuntiandi* (*EN*) en su n. 5b: « La presentación del mensaje evangélico no es para la Iglesia una contribución facultativa: es el deber que le incumbe por mandato del Señor Jesús, a fin de que todos los hombres puedan creer y ser salvados. Sí, este mensaje es necesario. Es único. Es insustituible. No soporta ni indiferencia ni sincretismos ni arreglos. Está en juego la salvación de los hombres ».

[15] La misma Exhortación Apostólica afirma: « Esta fidelidad a un mensaje, del cual somos servidores, y a las personas, a las que debemos transmitirlo intacto y vivo, es el eje central de la evangelización » (n. 4a). Y, especificando, añade en su n. 20b: « El Evangelio, y consiguientemente la evangelización, no se identiifcan por cierto con la cultura, y son independientes de todas las culturas. Con todo el Reino, que el Evangelio anuncia, es vivido por hombres profundamente vinculados a una cultura y la contrucción del Reino no puede no servirse de los elementos de la cultura y de las culturas humanas. Independientes frente a las culturas, el Evangelio y la evangelización no son necesariamente incompatibles con ellas, sino capaces de impregnarlas todas sin hacerse esclavas de ninguna de ellas ».

[16] El Documento elaborado por dicha Conferencia Episcopal lleva como título: *Puebla. La evangelización en el presente y en el futuro de América Latina.*

eclesial[17] de repensamiento de la tarea evangelizadora para el hoy del Continente. Se llevó a cabo a los diez años de la Segunda, celebrada en Medellín (Colombia 1968)[18] que, como es sabido, marcó profundamente la conciencia y el dinamismo de la Iglesia en América Latina. Se puede decir que en ella el objetivo principal fue la relectura del Vaticano II desde la situación latinoamericana y que su hilo conductor fue el tema de la liberación. De la de Puebla se puede afirmar, en cambio, que su finalidad primera fue la re-lectura de aquel magistral documento de Pablo VI que fue la Exhortación Apostólica *Evangelii Nuntiandi* y que, por consiguiente, su hilo conductor fue el tema de la evangelización. Es de notar que, acostumbrada ya desde el impulso dado por Medellín a un determinado modo de proceder, la Asamblea de Puebla abordó ese tema desde una perspectiva sumamente concreta, partiendo de una visión realista de la situación humano-eclesial del Continente[19] y repensando la evangelización en vista de ella.

De un análisis de su documento[20] se llega a la conclusión de que Puebla no solo ha asumido la rica y ya ampliada concepción de la evangelizacion propuesta por la *EN*[21], sino que la ha dilatado aún mayormente. En pocas palabras, para esta Conferencia Episcopal

---

[17] La eclesialidad fue asegurada no solo por la representatividad de los participantes, sino también por el hecho de que, en general, los documentos previos fueron hechos objeto de amplias consultas a las bases eclesiales (cf IDAI [Información Documental de América Latina], «*Puebla 79*». *Bibliografía. Documentación sobre CELAM III*: *Preparación y Realización*, Quebec 1980; LOPEZ TRUJILLO A., *Preparación de la III Conferencia General del Episcopado Latinoamericano*, en *Medellín* 17-18 [1979] 181-189).

[18] Esta Segunda Conferencia había elaborado dieciséis pequeños documentos publicados bajo el título: *La Iglesia en la actual transformación de América Latina a la luz del Concilio.*

[19] La situación histórico-eclesial es abordada en el primer capítulo de la primera parte titulado: *Visión histórica de la realidad latinoamericana* (nn. 3-14); la situación socio-político-económica lo es en el segundo capítulo de esa misma parte con el título: *Visión socio-cultural de la realidad latinoamericana* (nn. 15-71).

[20] He realizado dicho análisis en mi volumen: *Evangelizzare i poveri. La proposta del Documento di Puebla* = Biblioteca di Scienze religiose 55, Roma 1983.

[21] Pablo VI había ensanchado la concepción de la evangelización abandonando una concepción corriente, puramente verbal, de la misma. Decía, en efecto: « Ninguna definición parcial y fragmentaria puede dar razón de la realidad rica, compleja y dinámica que es la evangelización, sin correr el riesgo de empobrecerla y mutilarla. Es imposible entenderla si no se trata de abrazar con la mirada todos sus elementos esenciales ». Y añadía: « Evangelizar es, para la Iglesia, llevar la Buena Noticia a todos los estratos de la humanidad y, con su influjo, transformar desde adentro, hacer nueva la humanidad misma [...]. El objetivo de la evangelización es precisamente este cambio interior y, si es necesario traducirlo en una palabra, sería más justo decir que la Iglesia evangeliza cuando, en fuerza de la sola potencia divina del Mensaje que ella proclama, trata de convertir la conciencia personal y al mismo tiempo colectiva de los hombres, la actividad en la que están empeñados, la vida y el ambiente concretos que les son propios » (n. 18).

evangelizar consiste no solo en proclamar, vivir y testimoniar el mensaje-propuesta de Jesucristo, sino principalmente en realizarlo, en ponerlo por obra concretamente [22]. Y, dado que la condición global del Continente es una condición de extrema e inhumana pobreza generalizada, fruto principalmente de una situación de dependencia neocolonialista de tipo económico-socio-político-cultural, el poner por obra el mensaje-propuesta de Jesucristo implica, necesariamente, un compromiso por la liberación. Una liberación que tiene ciertamente implicaciones interiores y espirituales, que pasa indiscutiblemente por el corazón de los hombres, pero que en este momento reclama urgentemente también y prioritariamente transformaciones de orden estructural en los diversos ámbitos mencionados. Es por eso que Puebla, siguiendo la línea iniciada ya por Medellín, usa con frecuencia la expresión « evangelización liberadora » [23].

En el marco de referencia de este proyecto global adquieren fisonomía propia los tres ejes centrales en torno a los cuales giran todos los contenidos de la evangelización-anuncio. Son las tres grandes « verdades » focalizadas por Juan Pablo II en su discurso de apertura de la Asamblea [24]: Cristo (*DP* 170-219), la Iglesia (*DP* 220-303), el hombre (*DP* 304-339). No es el caso de detenernos aquí a analizar el modo en el que son abordadas y la homogeneidad que su tratación guarda con el proyecto total de la Conferencia [25]. Hacemos observar, solamente, dos cosas dignas de atención. Ante todo, que el tema sobre Dios no es afrontado expresamente en el Documento. No se ha creído oportuno, tal vez por aternerse más ceñidamente a la indicación del Papa, introducirlo como « verdad » fundamental a anunciar en la evangelización. Lo cual no significa que no esté presente. Sería un absurdo. Será necesario por lo tanto recogerlo en el ámbito de los otros temas tratados, si se quiere llegar a evidenciarlo. Es lo que, al menos en parte, trataremos de hacer nosotros, concentrándonos principalmente en uno de los textos del Documento, el que se refiere al Magnificat.

En segundo lugar, que tampoco el tema sobre María ha entrado a constituir separadamente una de las « verdades » a proclamar. Forma parte, casi como un apéndice, del tema eclesiológico (nn. 282-303). No hay duda de que en esto ha incidido la línea asumida por el Vaticano II que, después de no pocas discusiones [26], decidió incluir el tema dedicado a María en la Constitución dogmática sobre la Iglesia

[22] Es lo que he tratado de evidenciar en el capítulo VI de la obra arriba citada (nota 20), especialmente en las pp. 97-100.

[23] Cf *DP* 487.488.489.491.562.

[24] Cf *Discurso inaugural pronunciado en el Seminario Palafoxiano de Puebla de los Angeles. México* (28 de enero de 1979), en *AAS* 71 (1979) 187-205.

[25] Sobre este punto se puede ver cuanto he expuesto en la obra antes citada (nota 20), en las pp. 52-54.76.90-92.

[26] Cf BARAUNA G. (ed.), *La Santísima Virgen al servicio de la economía de la salvación,* en ID., *La Iglesia del Vaticano II,* Barcelona 1966, 1165.

como su capítulo octavo. La novedad de Puebla consiste, en este punto, en haber hablado de María en relación con una Iglesia vista desde la perspectiva de la evangelización liberadora.

2.2. *El esquema mariológico de Puebla*

Acabada su exposición sobre « la Iglesia, el Pueblo de Dios, signo y servicio de comunión » (n. 220), el Documento introduce el tema de « María, madre y modelo de la Iglesia » (n. 282). Evidentemente, no entiende hacer una exposición íntegra — tanto menos dogmática — de la mariología, sino solo una focalización de la figura de María en el contexto ya señalado. Quien buscara en esta exposición un elenco completo de las afirmaciones tradicionales sobre la Madre de Jesús y nuestra, erraría, pues, el camino.

El tema se introduce, como es usual a lo largo de todo el Documento, con una referencia a la realidad. No a la realidad desde el punto de vista humano-histórico de los pueblos latinoamericanos, de la cual ha hecho ya una descripción en su primera parte a modo de plataforma sobre la cual construir todo el resto, sino de la situación mariana del Continente. Se trata de unos pocos trazos, con los cuales deja constancia de un dato irrefutable: la devoción a María es « una experiencia vital e histórica en América Latina » (n. 283) y « el pueblo creyente reconoce en la Iglesia la familia que tiene por madre a la Madre de Dios, y en la Iglesia confirma su instinto evangélico segun el cual María es el modelo perfecto del cristiano, la imagen ideal del cristiano » (n. 285).

Es esta última constatación, hecha en la conciencia del pueblo latinoamericano, la que le da pie para organizar toda la pequeña tratación en dos puntos: María, Madre de la Iglesia (nn. 286-291); María, modelo de la Iglesia (nn. 292-303). En el primero de ellos la maternidad de María es vista en la línea de la fecundidad espiritual, gracias a la cual ella es Madre de Cristo, de la Iglesia y de los hombres, ejercida esta última maternidad sobre todo a través de la evangelización de la Iglesia (n. 287); y en la línea de la educación de la fe. Al referirse a este último aspecto el Documento utiliza una expresión densa de significado: « Ella (María) tiene que ser cada vez más la pedagoga del Evangelio en América Latina » (n. 290). Se trata, como se ve, más de una proposición programática que de una constatación.

El segundo punto, el de María modelo de la Iglesia, es más complejo puesto que tal función es vista en orden a la relación con Cristo (nn. 292-293), a la vida de la Iglesia y de los hombres (nn. 293-297), a la existencia de la mujer (nn. 298-299) y, finalmente, al servicio eclesial en el Continente (nn. 300-302).

Una breve conclusión recoge sinteticamente todo lo expuesto, condensándolo en una aspiración que es expresada con las palabras de la *EN* en su n. 81: que María sea, en este camino, la estrella de la evangelización renovada (n. 303).

2.3. *La re-lectura del Magnificat*

Es al hablar de María como modelo de la vida de la Iglesia y de los hombres (nn. 294-299) cuando el Documento hace una explícita alusión al Magnificat. He aquí el texto: « El *Magnificat* es espejo del alma de María. En ese poema logra su culminación la espiritualidad de los pobres de Jahvé y el profetismo de la Antigua Alianza. Es el cántico que anuncia el nuevo Evangelio de Cristo; es el preludio del Sermón de la Montaña. Allí María se nos manifiesta vacía de sí misma y poniendo toda su confianza en la misericordia del Padre. En el *Magnificat* se manifiesta como modelo "para quienes no aceptan pasivamente las circunstancias adversas de la vida personal y social, ni son víctimas de la "alienación", como hoy se dice, sino que proclaman con Ella que Dios "ensalza a los humildes" y, si es el caso, "derriba a los potentados de sus tronos" ... » (n. 297).

Se trata de una auténtica re-lectura del cántico de María. Ante todo en su globalidad, pero, además, en algunos de sus versículos. El modo en que es interpretado y presentado está en plena sintonía con las líneas de fondo de la sensibilidad cultural prevalente de los pueblos latinoamericanos en este momento de su historia. Es lo que trataremos de hacer ver a continuación.

1) Una de las columnas de Puebla es, indudablemente, la opción preferencial por los pobres en el proyecto de evangelización. A ella la Asamblea ha dedicado uno de sus capítulos decisivos (el primero de la cuarta parte de su Documento), con el que se abre el momento dedicado al « actuar ». Con una solemnidad digna de un manifiesto dice: « Volvemos a tomar, con renovada esperanza en la fuerza vivificante del Espíritu, la posición de la II Conferencia General, que hizo una clara y profética opción preferencial y solidaria por los pobres [...]. Afirmamos la necesidad de conversión de toda la Iglesia para una opción preferencial por los pobres, con miras a su liberación integral » (n. 1134).

No se trata, como lo deja ver claramente el texto, de una opción de matriz socio-política; se trata de una opción pastoral fundada en la certeza de la fe. Pero de una fe que lee el mensaje revelado desde la sensibilidad que le crean las circunstancias históricas en que está viviendo. Es por eso que descubre, en la lectura del Evangelio y de la entera Biblia, la imagen de un Jesús y de un Dios que, al actuar por la salvación de los hombres, lo hacen con una neta preferencia: la de los más pobres (nn. 1142-1143).

Es una opción que no entiende excluir a nadie de la intencionalidad salvífica (n. 1156), pero que, al tener que actuarse en un mundo asimétrico y conflictivo, se orienta a afrontar la totalidad desde la perspectiva de los últimos. Hay que tener en cuenta que esta decisión de evangelizar a todos desde la perspectiva de los más pobres está presente en todo el Documento, en diversas formas. Basta una lectura aún superficial del mismo para percibirlo. No es por lo tanto de extrañar que, al focalizar el cántico de la Virgen, lo considere como la culminación de la espiritualidad de los pobres de Jahvé. Se trata de una espiritualidad nacida y crecida sobre el humus de una condición concreta de pobreza y marginación, como lo evidencian los Profetas[27]. A ello hace alusión también el n. 1144 que dice: « De María, quien en su canto de *Magnificat* proclama que la salvación de Dios tiene que ver con la justicia hacia los pobres, "parte también el compromiso auténtico con los demás hombres, nuestros hermanos, especialmente por los más pobres y necesitados y por la necesaria transformación de la sociedad" (Juan Pablo II, *Homilía Zapopan* 4: AAS 71 p. 230) ».

2) El hecho de haber optado de nuevo en Puebla por ser una Iglesia al servicio preferencial de los más pobres, como lo había hecho ya en Medellín[28], ha influído también en el desplazamiento del acento puesto sobre las dimensiones carasterísticas de la vida eclesial. En efecto, mientras en otros tiempos tal acento había sido colocado sobre su dimensión cultual, ahora se lo pone sobre su dimensión profética. Un servicio de evangelización liberadora a los más pobres exige una capacidad de discernimiento histórico, aquel discernimiento que había sido ya auspiciado precisamente por el documento del Vaticano II que se planteó la eclesiología en clave de servicio a la humanidad: la Constitución pastoral *Gaudium et Spes*[29].

La Asamblea de Puebla fue ya en sí misma un gran acto profético. Hizo el esfuerzo de discernir, en las circunstancias históricas presentes de los pueblos del Continente, « los signos verdaderos de la presencia o del plan de Dios (*GS* 11a). Pero, además, señaló certamente en qué debía consistir la función profética de los miembros de la Iglesia. Sostiene, en efecto, que al Pueblo de Dios « sen le envía como pueblo profético que enuncia el Evangelio o discierne las voces del Señor en la historia. Anuncia dónde se manifiesta la presencia de su Espíritu. Denuncia dónde opera el misterio de la iniquidad, mediante hechos y estructuras que impiden una participación más fraterna en la construcción de la sociedad y en el goce de los bienes que Dios creó para todos » (n. 267).

Es esta la línea anticipada ya en el A. Testamento, sea a nivel individual de los grandes Profetas, sea a nivel colectivo del entero pueblo de Dios[30]. Y es también esta la línea que, segun el Documento, llega a culminación en el poema de María. En él, efectivamente, se lleva a cabo un lúcido discernimiento sobre el acontecimiento histórico por excelencia: la presencia y la acción de Jesús de Nazaret en el mundo. Y se descubre en dicho acontecimiento la manifesta-

---

[27] Cf por ejemplo *Sof* 3,11-13.

[28] Ver especialmente el documento *Pobreza de la Iglesia* 7-10; también *DP* 1134.

[29] Sobre este asunto remito a mi artículo *Puebla: ¿una propuesta eclesiológica con futuro?*, en *Salesianum* 44 (1982) 433-439.

[30] Cf Von Rad G., *Teología del Antiguo Testamento, II. Teología de las tradiciones proféticas en Israel,* Salamanca 1976.

ción mesiánica del Dios salvador, su intervención salvífica plena y definitiva en la historia, una intervención que, cabalmente, se realiza a partir de los humildes y los hambrientos, es decir de los últimos [31]. María aparece así, en este cántico, como le gran Profetisa de la historia.

3) Pero el discernimiento profético no es nunca fin a sí mismo; es solo un medio. El fin lo constituye el compromiso que el pueblo profético tiene que asumir tras el discernimiento y en consonancia con él. Se puede decir que este es el punto fundamental y más característico de todo el programa evangelizador de Puebla: llevar a cabo una evangelización que sea acción de transformación histórica en la línea liberadora. Lo dice expresamente al tratar el tema de la Iglesia como escuela de forjadores de la historia: « Del modo más urgente, [la Iglesia] debería ser la escuela donde se eduquen hombres capaces de hacer historia, para impulsar eficazmente con Cristo la historia de nuestros pueblos hacia el Reino » (n. 274). Y, con mayor realismo aún, añade: « Para que América Latina sea capaz de convertir sus dolores en crecimiento hacia una sociedad verdaderamente participada y fraternal, necesita educar hombres capaces de forjar la historia segun la "praxis" de Jesús, entendida como la hemos precisado a partir de la teología de la historia » (n. 279).

Ese forjar la historia según la praxis de Jesús implica, como lo sostiene el ya citado de la opción prefencial por los pobres, un compromiso concreto por la liberación integral de los mismos (n. 1134). La tarea evangelizadora no puede, según Puebla, apuntar solo a la transformación de los corazones y de las mentes, reduciéndose así a un ámbito intimista. Sin duda tal transformación es indispensable y tiene una enorme importancia porque sin ella todo otro cambio resulta artificial, efímero y hasta violento (n. 534, citando *EN* 36). Es por ello que la Asamblea ha dado tanta importancia al tema de la evangelización de la cultura, entendida como « el modo particular como, en un pueblo, los hombres cultivan su relación con la naturaleza, entre sí y con Dios » (n. 386). Pero el hombre no es solo corazón y mente; o, mejor, su corazón y su mente se expresan en relaciones que a su vez cristalizan en estructuras. Es del corazón y de la mente malvados del hombre de donde brotan relaciones injustas (cf. *Mc* 7,23), que cobran corporalidad y perdurabilidad en la historia a través de determinadas estructuras de injusticia de diverso alcance. De allí la necesidad urgente de transformar dichas estructuras, de evangelizarlas (nn. 388.437-438). Tanto más urgente cuanto más antievangélicas son.

Puebla ha dado un gran peso a este compromiso de los cristianos en orden a una transformación de las estructuras de injusticia institucionalizada vigentes en el Continente, que considera a la luz

[31] Cf Dupont, *Le Magnificat, o.c.,* 337.342.

de la fe como « una situación de pecado social » (nn. 28-30). Aún más, se puede decir que es esa la característica peculiar de la evangelización liberadora propuesta por la Asamblea, dada la concretez con que ha procedido. Abriendo bien los ojos a la realidad ha percibido, en efecto, que en la jerarquía de urgencias ésta ocupaba el primer lugar, al reconocer como « el más devastador y humillante flagelo la situación de inhumana pobreza en que viven millones de latinoamericanos » (n. 29), y al descubrir, en un análisis más hondo de la situación, que « esta pobreza no es una etapa casual, sino el producto de mecanismos y estructuras económicos, sociales y políticos » principalmente (n. 30). No es de extrañar, pues, que haya instado, a lo largo de todo el Documento, a no reducir la fe cristiana a una pasiva resignación ante la situación socio-estructural y en consecuencia también personal del presente, cual si fuera una manifestación de la voluntad de Dios, ni a un compromiso puramente interior y espiritual, sino a abrirlo a un serio trabajo de liberación integral que se proyecte sobre las estructuras de injusticia contrarias a las exigencias del Evangelio (n. 1257), sin excluir el orden nacional (nn. 1268-1274) y nì siquiera el internacional (nn. 1275-1282).

En este contexto suenan lógicas las palabras con que el Documento, citando la homilía de Juan Pablo II en el Santuario mariano de Zapopan (Messico)[32], se refiere al cántico de María. En él, dice, la Virgen se manifiesta como modelo « para quienes no aceptan pasivamente las circunstancias adversas de la vida personal y social, ni son víctimas de la "alienación", como hoy se dice » (n. 297). Son dignas de atención las palabras que siguen en el texto de dicha homilía que continúa citando el mismo Documento: « sino que proclaman con Ella que Dios "ensalza a los humildes" y, si es el caso, "derriba a los potentados de sus tronos" ». Es el inciso « si es el caso », añadido entre las palabras textuales del Magnificat, el que permite entrever a la luz del contexto del párrafo en que son colocadas, una re-lectura muy concreta de las mismas. Una re-lectura de alcance claramente socio-político, en la cual se concibe la intervención de Dios como una auténtica « desestabilización » del poder injusto. El Papa, en efecto, había dicho unos renglones más arriba: « De aquí también parte, como de su verdadera fuente, el compromiso auténtico por los demás hombres, especialmente con los más pobres y necesitados, *y por la transformación de la sociedad*. Porque esto es lo que Dios quiere de nosotros y a esto nos envía, con la voz y la fuerza del Evangelio, al hacernos responsables los unos de los otros »[33]. Una sociedad como la latinoamericana, en la que impera un régimen de injusticia institucionalizada (n. 509), generador de una pobreza inhumana que se extiende a las grandes mayorías pisoteando su dignidad (n. 316), no puede ser transforma-

---

[32] Cf *AAS* 71 (1979) 230, que a su vez remite a la *Marialis cultus* de Pablo VI en su n. 37.
[33] *L.c.* (subrayado mío).

da en favor de estas grandes mayorías de pobres sin « deponer a los potentados de sus tronos ». La exigencia aparece clara y lógica, aunque deje abierta toda la problemática referente a los modos y métodos de su realización. Naturalmente, en cuanto a este último aspecto Puebla ha puesto en evidencia la línea tipicamente evangélica que lleva a « promover de todas maneras los medios no violentos para restablecer la justicia en las relaciones socio-políticas y económicas » (n. 533).

Hemos tratado de evidenciar brevemente tres aspectos (la opción preferencial por los pobres, la función profética de la vida cristiana, el compromiso socio-estructural de la evangelización), que dan la tónica en la cual la Asamblea de Puebla ha releído, desde la situación lationamericana, el cántico de María. Es, a nuestro juicio, un caso palpable de interpretación de un texto revelado a partir de una determinada perspectiva histórico-cultural. El hecho de que haya sido llevada a cabo por la Conferencia Episcopal de un entero continente, apoyada a su vez en las palabras mismas del Papa, supremo Pastor de la Iglesia universal, y estimulada por ellas, le confieren una garantía de seriedad y de validez eclesial consistente [34].

3. LA IMAGEN DEL DIOS DEL MAGNIFICAT

El camino hasta aquí recorrido ha ido preparando el terreno para lo que constituye el objetivo central de nuestra búsqueda: la imagen de Dios que revela el cántico de Maria releído por la Conferencia de Puebla.

Concluyendo su exploración exegética en el ya citado artículo, J. Dupont sintetiza el resultado de la misma en tres afirmaciones en las que recoge los rasgos principales del Dios del Magnificat. Es interesante notar que, mientras en las dos primeras siente la necesidad de precisar que el rasgo recogido (« el Dios que sirven los que le temen » y « el Dios de Israel », respectivamente), será ulteriormente ampliado en el resto del evangelio, en la tercera no sucede lo mismo, ya que la enuncia simplemente, sin indicaciones de ulteriores « correcciones ». Suena así: « El Dios del Magnificat no es un Dios que planea por encima de la realidad socio-política: El se embandera decididamente de parte de los más pobres y de los sin poder » [35].

[34] La publicación del Documento de Puebla iba precedida por una carta del Papa Juan Pablo II al Consejo de Presidencia del CELAM datada el 23 de marzo de 1979, memoria de S. Toribio de Mogrovejo.

[35] Esta observación resulta tanto más interesante en cuanto que el A. había dicho anteriormente: « Inutile de se le cacher, si le Magnificat soulève un problème d'interprétation, c'est avant tout en raison des affirmations "revolutionnaires" des vv. 52-53 [...]. Il n'est pas étonnant que ces propos réjouissent certains et en chagrinent d'autres: en fonction naturellement des résonances

Es indudablemente esta tercera línea la que, por los motivos ya analizados, asume claramente la Asamblea de Puebla. En ese contexto y desde esa perspectiva enfoca y relee la imagen de Dios revelada a lo largo de la historia de la salvación que culmina en el acontecimiento de Jesucristo. Creemos que dicha re-lectura se puede concentrar en algunos rasgos que pasamos a exponer.

3.1. *El Dios del Magnificat leído desde la situación latinoamericana es, ante todo, un Dios « histórico »*

No es, indudablemente, el dios de la religiosidad cósmica, un dios que coincide basicamente con la naturaleza y que se manifiesta principalmente a través de sus fenómenos, sobre todo extraordinarios y asombrosos[36]. Ni tampoco el dios de las religiones griegas, un dios lejano e indiferente ante las vicisitudes de los hombres[37]. Es el Dios de la Biblia, un Dios que siendo santo y por lo tanto trascendente, ha decidido libremente entrar en la historia y manifestarse en sus acontecimientos, con el objeto de hacerla caminar hacia un desenlace positivo para el hombre.

Naturalmente, esto implica una concepción del tiempo humano diversa de aquella que encontró en al antigüedad su poética expresión en el « mito del eterno retorno »[38]. El tiempo para el Biblia es historia, e historia significa marcha hacia un futuro nuevo e inédito. El hecho de que Dios haya querido entrar en ella en orden a hacer de tal futuro un futuro de plenitud para el hombre, la convierte en « potencia obediencial » de tal proyecto. Ella puede, en efecto, convertirse en signo de su plan salvífico[39] o, viceversa, en signo del « misterio de la iniquidad » (*DP* 267).

Lo que decide sobre la valencia de su signo es la libertad del hombre, que es al alma de la historia misma. Dios y hombre son « socios » en esta gigantesca empresa, en una asociación que no es competitiva sino que compromete a ambos totalmente, cada uno a su nivel: Dios como Dios y el hombre como hombre.

Subrayar esta característica del Dios del Magnificat, que ha alcanzado su máxima expresión en el acontecimiento-cumbre de Cristo, es de suma importancia en la América Latina de hoy, en la cual coexisten una religiosidad popular cargada de valores y promesas (*DP* 448-450) pero impregnada también de tendencias cósmicas

---

socio-politiques qu'ils reçoivent de la situation actuelle des uns et des autres. *La question se pose à nous dans une perspective différente* [...] » (*Le Magnificat, o.c.*, 331, subreyado mío).

[36] Véase el interesante artículo de J.P. Audet, *Fe y expresión cultual*, en Congar Y. - Jossua J.M. (ed.), *La liturgia después del Vaticano II*, Madrid 1969, 385-437.

[37] Cf Festugière A.J., *L'idéal religieux des Grecs et de l'Evangile*, París 1932.

[38] Cf Eliade M., *El mito del eterno retorno*, Madrid 1974.

[39] Cf *DV* 2, confontada con *GS* 11a.

(*DP* 456), y una siempre más acentuada sensibilidad histórica provocada por la toma de conciencia de la situación de injusticia y el consiguiente deseo de eliminarla radicalmente. El componente cósmico de la religiosidad popular, en efecto, la inclina a ver en Dios el garante de un cierto estado de cosas, a acatar resignada y pasivamente no solo un cierto orden natural, sino también el orden social vigente que es, concretamente, un auténtico « desorden constituído » en el que imperan « estructuras de pecado » (*DP* 425). Por su parte, la creciente conciencia histórica urge a una transformación de dicho desorden y apunta a la creación de un orden nuevo, en el que se dé al menos un poco más de justicia.

Se puede entender así la relevancia que tiene el redescubrimiento de la imagen de un Dios que, lejos de ser el garante de ese desorden constituído, se revela como su gan « subvertidor », el « gran transgresor » del presente en vista da un futuro diverso y mejor. Un Dios anti-statu-quo. Al fin y al cabo, es así como el Dios de la fe cristiana se manifestó desde su primera intervención en la historia del pueblo de Israel en el acontecimiento del éxodo. Medellín lo había tenido también claramente presente cuando había afirmado, al interpretar lo que estaba pasando en el Continente: « Así como otrora Israel, el primer Pueblo, experimentaba la presencia salvífica de Dios cuando lo liberaba de la opresión de Egipto, cuando lo hacía pasar el mar y lo conducía hacia la tierra de la promesa, así también nosotros, nuevo Pueblo de Dios, no podemos dejar de sentir su paso que salva, cuando se da "el verdadero desarrollo, que es el paso, para cada uno y para todos, de condiciones de vida menos humanas a condiciones más humanas" [...]. Menos humanas: las estructuras opresoras, que provienen del abuso del tener y del abuso del poder, de las explotaciones de los trabajadores o de las injusticias de las transacciones [...] »[40]. También el Documento de Puebla se hacía eco de ello cuando decía, por ejemplo, que « Israel había encontrado a Dios en medio de su historia. Dios lo invitó a forjarla juntos, en alianza. El señalaba el camino y la meta, y exigía la colaboración libre y creyente de su Pueblo » (n. 276).

3.2. *El Dios del Magnificat leído desde la situación latinoamericana es un Dios que hace de los pobres de este mundo los predilectos de su solicitud y de su acción*

Que Dios sea amor, y que su amor sea universal porque abraza a todos y a cada uno de los hombres de todos los tiempos, es una de las certezas más firmes y consoladoras del N. Testamento (cf *1 Jn* 4,8.16). Con ella ha sido superada no solo la visión de las reli-

---

[40] *Medellín, Introducción* 6.

giones antiguas, sino también la del mismo A. Testamento, al menos en ciertos estadios de su evolución [41].

Este primer dato no es anulado sino solo espicificado por otro, por momentos un tanto olvidado en la conciencia eclesial: ese amor universal es ejercido por Dios a partir de los más pobres. Se trata de un tema ya presente en diversos modos en el A. Testamento [42], pero que adquiere su plena expresión en el Nuevo, con el modo de actuar de Jesús de Nazaret, la Palabra definitiva de Dios sobre la historia, ante todo sobre Sí mismo. Los evangelios son testigos elocuentes de tal modo de actuar que expresan en forma programática [43]. Es indudable que, en el seno de una sociedad como la suya, atravesada por diversos conflictos entre grupos fuertes y poderosos y grupos débiles y marginados (justos-pecadores, potentados-pobres, varón-mujer, etc.), Jesús propone la realización de una fraternidad para la vida de todos pero a partir de los segundos [44]. En este sentido se puede decir que, en la alternativa, opta por ellos, hace suya su causa, pero siempre en vistas a una recomposición fraterna y en consecuencia vivificante de la convivencia de todos. Mientras su amor y su solicitud por los pobres y marginados se manifiesta en la decidida asunción de su defensa y de su promoción, su amor por los ricos marginadores se expresa en al urgente invitación — hecha dura denuncia, si es el caso — a abandonar su posición y a convertirse a la verdadera fraternidad hacia los otros. El caso de Zaqueo es emblemático al respecto (cf *Lc* 19,1-10).

No se trata, pues, de un amor ingenuo que se ejerce sin tener en cuenta las concretas circunstancias que crean rupturas e injusticias entre los hombres, ni de un amor « aséptico » que se actúa por encima de los condicionamientos reales de las relaciones entre los hombres y los grupos humanos. Pero tampoco de un amor excluyente que se realiza dejando fuera de sí a los que son la causa de la situación de antifraternidad. Se trata más bien de un amor universal sí, pero sumamente realista que, al actuar, parte de las condiciones concretas de aquellos que constiyen sus destinatarios y se adecúa a ellas.

Es importante notar que, si Jesús de Nazaret actúa de este modo, es porque está profundamente convencido de que Dios mismo actúa así o, si se quiere, porque ha aprendido de Dios mismo a

[41] Como se sabido, el pueblo de Israel llegó solo poco a poco a una purifición de la imagen de su Dios, atribuyéndole entre otras cosas siempre mas abiertamente un carácter de universalidad.

[42] Por ejemplo, a través del tema de la elección de los más pequeños, como se puede ver en el caso de Jacob (*Gén* 25,19-23), de David (*1 Sam* 16,1-13); del mismo pueblo de Israel (*Dt* 7,7-8), etc.

[43] Un caso evidente es el del discurso en la sinagoga de Nazaret según *Lc* 4,18-21.

[44] Ver, por ejemplo, para el conflicto entre justos y pecadores: *Mc* 2,15-17; *Mt* 9,10-13; *Lc* 5,29-32; entre ricos y pobres: *Mt* 5,3; *Lc* 6,20-26; entre varón y mujer: *Mc* 10,1-9.

actuar de esa manera. En realidad, obrando de tal modo, Jesús es la transparencia del Dios-agape en el mundo [45].

Redescubrir este rasgo tan característico de la imagen del Dios revelado en la historia de Israel y de Jesús de Nazaret es, sin duda, de indiscutible importancia para los pueblos del Continente latinoamericano en la actualidad. A ellos, que están sumergidos en una situación de conflicto estructural grave, pues la riqueza creciente de unos pocos sigue paralela a la creciente miseria de las masas [46], el Evangelio les ha llegado en una interpretación que ha tendido a subrayar más bien otros rasgos del rostro de Dios: los de un Dios omnipotente que ama a todos igualmente o, peor aún, que ama más a « los que cuentan » [47]. Frecuentemente ese Dios ha acabado por ser el Dios de los patrones, el que justifica la sumisión y la obediencia a su voluntad y castiga todo tentativo de sustraerse a ella. La misma devoción al Cristo paciente y muerto, tan fuertemente presente en la piedad popular (*DP* 912), ha contribuido en más de un caso a la reafirmación de tal imagen. El pueblo pobre y dominado se ha identificado con él, viendo en él un modelo de paciencia y resignación y encontrando en él su consuelo.

En Puebla este rasgo del Dios que toma la defensa de los pobres y los ama viene a constituir el fundamento último de la opción preferencial por los pobres en orden a su liberación integral (n. 1142). No es ya, por consiguiente, un Dios que canoniza la situación de pobreza injusta, infligida a millones de hijos suyos, o un Dios que simplemente está con estos pobres para consolarlos de su condición, sino un Dios que se pone de su parte para defenderlos. Y defenderlos significa, ante todo, reconocer que son agredidos injustamente, como lo reconoce a cada paso el Documento de Puebla. Significa, en segundo lugar, denunciar esa agresión sin encubrirla. Dios lo hace por medio de sus profetas en el A. Testamento, por medio de Jesús en el Nuevo, y quiere seguir haciéndolo por medio de su Iglesia en el presente, conviertiéndola de este modo en « voz de los que no tienen voz » (*DP* 1268). Significa, por último, actuar para cambiar su suerte. Así lo hizo Dios con el pobre y esclavizado pueblo de Israel, con los pobres, « primeros destinatarios de la misión » (*DP* 1142) de su Hijo, y así quiere sin duda continuar haciéndolo con los pobres de hoy.

---

[45] Es sobre todo el evangelio de Juan el que mayormente insiste sobre esta idea: « El que me ha visto a mí, ha visto al Padre » (*Jn* 14,9b).

[46] Cf *DP* 1209, citando a Juan Pablo II en su *Discurso inaugural* III,4, en *AAS* 71 (1979) 200.

[47] Un eco de ello se puede entrever en la autoacusación de Puebla de haber mantenido « alianzas con los poderes terrenos » (n. 10). Una encuesta, a la cual hace referencia un artículo de la revista *Christus* de México, hace ver que una idea difusa entre los pobres es precisamente la de que Dios ama a todos por igual, o de que ama más a los que son ricos (cf MAGAÑA J., *Los pobres de Dios y el Dios de los pobres*, en *Christus* 519 [1979] 49).

3.3. *El Dios del Magnificat leído desde la situación latinoamericana es un Dios que compromete a una acción transformadora en orden a la creación de una convivencia humana más digna y fraterna y a la construcción de una sociedad más justa y libre*

Indudablemente el destinatario de la solicitud y de la acción salvífica de Dios es cada uno de los hombres y, teniendo en cuenta lo dicho en el punto anterior, cada uno de los pobres del Continente. Cabalmente porque cada uno de ellos es portador de una dignidad (*DP* 316) y de una nobleza inviolables (*DP* 317). Es, en cierto sentido, un absoluto. A su plenitud de vida está ordenado todo, porque todo es solo un medio para ese fin.

Pero cada uno de estos hombres y de estos pobres vive sumergido en una red de relaciones de las que depeden en gran parte su vida y su muerte, y la consecución de su dignidad y de su nobleza: relaciones con Dios, con los otros hombres y con el mundo (*DP* 322). Los tres órdenes de relaciones están en múltiples formas enlazados entre sí, de tal modo que no se puede tocar ninguno de ellos sin tocar los otros dos (*DP* 327).

Por lo que nos interesa en este momento es importante hacer notar que las relaciones de las personas entre sí están hondamente marcadas por sus relaciones con las cosas. El poseer bienes naturales o producidos por el trabajo del hombre influye, en efecto, en gran medida, sobre la fraternidad. Puede crear — y de hecho crea — situaciones de acaparamiento que se convierten automaticamente en situaciones de exclusión y marginación de aquellos que no son admitidos a compartir dichos bienes. Este acaparamiento de bienes materiales va ordinariamente acompañado de un acaparamiento de poder y de cultura, que se convierte en una fuente de marginación. La vida, la dignidad y la nobleza resultan entonces comprometidas desde ambos lados, dado que la fraternidad lo resulta igualmente: desde el lado de los acaparadores, en cuanto son víctimas de su egoísmo que los cierra a las necesidades de los que son excluidos; del lado de estos, en cuanto resultan víctimas del egoísmo de aquellos. Y, en todo ello, queda afectada negativamente la relación con Dios, « cuya gloria es el hombre viviente » [48].

De hecho, la plenitud de vida, de dignidad y de nobleza de los pueblos latinoamericanos no existe. Antes bien, se halla profundamente mermada porque están sometidos a una multitud de privaciones de tipo ecónomico, desde el momento que carecen de los medios materiales más elementales de la existencia [49]; de tipo sociopolítico, puesto que son víctimas de manipulaciones de centros de poder nacionales (*DP* 1260-1263) e internacionales (n. 1264-1265);

---

[48] S. IRENEO, *Adversus haereses* IV,XX,7: *PG* 7,255.

[49] El *DP* describe con crudo realismo los rostros de esta pobreza en sus nn. 32-39.

de tipo cultural, ya que además de ser despojados de su propia cultura son sometidos a una verdadera colonización cultural (*DP* 1069-1072). Se trata de una situación colectiva, pero que afecta en mayor o menor medida a cada uno de los que en ella están comprendidos. Afirmando esto no se quiere negar la existencia de otros tipos de problemas de índole personal que radiquen en causas de diferente tipo; lo que se quiere evidenciar es que una gran parte de las violaciones de la dignidad y de la nobleza de estos pobres tiene su raíz en esta situación económico-socio-político-cultural que afecta también los otros aspectos de índole personal. Una situación que se expresa en estructuras forjadas por la libertad egoísta de los hombres, y que siguen en pie a veces aún independientemente de la voluntad de las personas que en ellas están envueltas. Mientras sigan en vigencia, continuarán produciendo los efectos deletéreos arriba mencionados. Se podrá recurrir a paliativos y a soluciones parciales y momentáneas, pero no se podrá contrarrestar su sustancial y negativa eficacia. Es esta situación la que exige una praxis de liberación que transforme radical y globalmente el orden estructural existente, en vista de la implantación de otro que sea más respetuoso de la dignidad de los pobres y les abra una posibilidad de vida más humana. En este sentido se habla, en América Latina, de la necesidad de una revolución, en contraposición a un simple reformismo [50]. Teniendo en cuenta que « revolución » no implica, de por sí, violencia o uso de las armas — Ghandi hizo una auténtica revolución en la India colonizada sin recurrir para ello al uso de las armas —, sino simplemente el cambio global y posiblemente rápido de un sistema social injusto.

No se el caso, por otra parte, de invertir las cosas de modo que los que antes eran pobres, marginados y esclavizados pasen ahora a ser ricos, marginadores y dominadores, y viceversa, sino de construir un tipo de convivencia en el que prevalga siempre más la fraternidad que es, como lo repite a cada paso la Asamblea de Puebla, « comunión y participación ». Y, para ello, una sociedad organizada a partir de los más necesitados. En pocas palabras, para utilizar la expresión de Pablo VI citada varias veces por la misma Asamblea, crear « la civilización del amor » [51]. Pero, hay que repetirlo una vez más ante el peligro de una mistificación, de un amor que sea como el que Dios ha manifestado en la historia, especialmente a través del actuar de su Hijo Jesucristo.

No se puede, por lo tanto, relacionarse con ese Dios sin entrar en comunión con su preocupación. Amarlo es, sobre todo, « hacer su voluntad » (cf *Mt* 7,21). Y su voluntad es, concretamente, la posibilidad de mayor vida de los hombres, muy particularmente de los más

[50] Cf GUTIERREZ G., *La fuerza histórica de los pobres* = Verdad e Imagen 72, Salamanca 1982, 40-43.241-248.

[51] Cf *DP* 642.1188, y *Mensaje a los pueblos de América Latina* (que precede el Documento) 8.

privados de ella, de los más pobres. Por eso, el amor hacia ese Dios se concretizará, principalmente, en este momento del Continente, en un compromiso liberador que lleve a colaborar, con todos los medios que se tengan a disposición, en la transformación de la situación global en la que está envuelto.

Ello no quiere decir que se deberán eliminar o descuidar otros tipos de acción de orden personal o asistencial, especialmente allí donde las necesidades son urgentes e impostergables. Tales servicios a Dios en los hombres mantienen siempre su vigencia. Quiere decir, en cambio, que dada la magnitud del influjo de las estructuras antes citadas, la acción orientada a su cambio insumirá la mayor parte de las energías de todo tipo de que se dispone, y hará de piedra de toque también de otros compromisos.

Si es verdad que el Dios del Magnificat es el Dios que « depone a los potentados de sus tronos y exalta a los humildes », que « llena de bienes a los hambrientos y despide a los ricos con las manos vacías » (*Lc* 1,53), entonces no se podrá estar en comunión con El si con El no se participa activamente en esta « revolución » cuyo objetivo final es la instauración de una convivencia humana en la que la sociedad llegue a ser más humana, justa y fraterna (*DP* 1128).

Es fácil entrever la importancia que encierra el redescubrimiento de una imagen de Dios como ésta en la América Latina que hemos descrito. Sobre todo si se tiene en cuenta lo que, apenas germinalmente, enuncia el Documento de Puebla: el protagonismo de los mismos pobres en esta evangelización liberadora que implica necesariamente una acción transformadora de la sociedad. Dice, en efecto, introduciendo su cuarta parte: « Así aparece palpable en América Latina la pobreza como sello que marca a las inmensas mayorías, las cuales al mismo tiempo están abiertas, no solo a las Bienaventuranzas y a la predilección del Padre, sino a la posibilidad de ser los verdaderos protagonistas de su propio desarrollo » (n. 1129).

La liberación no les debe venir a los pobres desde afuera; la deben hacer ellos mismos. No tienen que ser simples objetos, sino verdaderos sujetos de su propria historia. Es una perspectiva a la cual ellos mismos no están muy acostumbrados, habituados como están desde hace siglos a ser dominados y manipulados por los sujetos del poder de turno. Una perspectiva a cuya consolidación no es ajena la imagen de Dios, que contribuía a introyectar en ellos las estructuras de dominación. De aquí que una imagen como la del Dios del Magnificat, sobre todo en los versículos citados por Juan Pablo II en su homilía del Santuario de Zapopan en el modo que hemos recordado, puede ser un poderoso estímulo al despertar de un auténtico protagonismo liberador de estos pobres y, al mismo tiempo, a mantenerlo en su orientación evangélica, evitando que se degrade en formas de lucha antifraterna. Pero, sobre todo, a fundar la perseverancia en la esperanza de quien espera contra toda esperanza porque está convencido de que « el protagonista principal » de la historia es el Padre (*DP* 277), ese Dios que desde el comienzo hizo pasar la creación del caos al cosmos (*Gén* 1), que en los orígenes del pueblo de Israel lo hizo experimentar el cambio radical de una novedad humanamente imposible (*Ex* 1-14), que en la plenitud de los tiempos arrancó a su Hijo Jesús de las garras de la Muerte y lo hizo entrar en la plenitud de la Vida (*Act* 2,24) y que, sentado en la majestuosa serenidad de su trono es, con el Cordero inmolado, el Señor de la historia [52], el Dios « que es, que era y que va a venir » (*Ap* 1,8).

[52] Es un tema dominante en el libro del *Apocalipsis* que Puebla hace suyo en los nn. 174.178.195.

LA VOCAZIONE-MISSIONE DI MARIA

PIETRO GIANOLA, S.D.B.

0. La vita di Maria risponde perfettamente al concetto e al modello sostanziale della *vocazione-missione,* anzi la realizza ad altissimo livello.

Maria è *soggetto di vocazione,* destinataria e protagonista. La sua vita ha il *contenuto della missione* conseguente ad ogni vocazione. E' un autentico *cammino, itinerario, processo di vocazione* iniziale e preparatorio, formato, culminante, continuato, consumato.

Possiamo ricavarne un eccellente *prototipo di modello vocazionale,* strutturale e dinamico, da proporre allo studio e anche all'ispirazione sia dei formatori di vocazioni, sia dei giovani chiamati, in stato di dialogo e di risposta con Dio.

1. STRUTTURA DEI RACCONTI DI VOCAZIONI

Come introduzione al racconto della *vocazione di Mari*a dobbiamo richiamare la struttura abituale dei racconti di vocazione presentati nella S. Scrittura, per ricostruirla poi in Lei, nel suo caso [1].

Il Signore ha un disegno. Entro l'esecuzione di questo include una persona. Il Signore le parla. L'iniziativa è di Dio, l'intervento di Dio è legato alla sua parola.

La sua parola è comunicata in diverse maniere: dal Signore stesso, dalla sua « voce », da « una voce », da un angelo, da un'altra persona visibile, da una comunità.

Quando è per un inizio, l'appello si fa senza che dei terzi ne siano testimoni.

Ogni vocazione si struttura in un modo secondo il quale può essere « raccontata »: il luogo, precisato o solo ambientato; il tempo, precisato o lasciato dentro più fluidi contesti; i personaggi (chi parla, a chi); il dialogo d'appello ad assumere e a svolgere una funzione; una qualificazione; la missione (contestata o accettata); a

---

[1] C. LENOIR, « Des récits de vocation comparés », in *Foi et Vie,* Cahier biblique 23, 83 (1984) 5,11-15.

volte una visione-sparizione con la parola che fa credere, capire; i segni che attestano il valore della parola, che velano e rivelano la presenza del Signore, che confermano l'interpellato rassicurandolo che è Dio che lo manda e che Dio gli darà la capacità di compiere la missione domandata ...

Nello sfondo c'è sempre il popolo di Dio, ci sono gli uomini implicati nel progetto di Dio, oggetto della sua misericordia, cura, salvezza, destinatari della missione.

La parola di Dio qualifica il destinatario e, accolta, è efficace.

Essa è un messaggio che invita chi la riceve a sua volta a parlare, ad agire, a dialogare, a pensare, a consentire, a prepararsi.

Il racconto di vocazione con i suoi elementi diversi sembra costituire una specie di condensato della «missione» di coloro cui si indirizza la chiamata.

1.1. Il caso di Maria

Colpisce per la sua linearità, ma soprattutto per la sua *eccezionalità* rispetto a tutte le altre vocazioni: chiamata-risposta per generare in sé Cristo e donarlo al mondo. Ogni altra vocazione cristiana precedente e susseguente vi si riferisce e in un certo modo vi si fonda e riconosce.

Maria è *la prima credente vocazionale* attorno al Cristo: uditrice della Parola, conservatrice della Parola, meditatrice della Parola, consenziente alla Parola, consacrante la totalità della vita per la sequela radicale dell'evento di Cristo.

In Lei *la Grazia* di Dio si presenta come una *vera vocazione che richiede una risposta personale* di piena disponibilità e consacrazione. Dio parla e chiama. Segue la risposta personale e attiva di Maria. Ella riflette sul significato e sulle condizioni del saluto-annuncio dell'angelo. Ricerca una chiarificazione sul messaggio. Ne percepisce l'origine trascendente. Accetta e manifesta fiducia totale e confidente nel piano divino: un atto di fede. Offre se stessa in mutua consacrazione: Dio la riserva a sé e Lei si riserva a Lui. Non è pura espressione di ubbidienza, ma un SI' «ottativo» (*genoito*), un *fiat* (consento, amo e voglio attivamente) gioioso e anelante all'attuazione, al compimento pieno del piano divino annunciato. Fecondata dallo Spirito Santo in condizione di maternità verginale, concepisce e dentro la propria intimità fisica e spirituale matura il Cristo, lo dona al mondo incarnato e nato. Poi la chiamata-risposta di Maria prosegue la sua fecondità materna nella fase dell'infanzia, fino ai dodici anni. Medita gli eventi e comprende più pienamente il riferimento di una precisa volontà di Dio. Accompagna il Figlio nella ulteriore formazione degli anni del silenzio e finalmente negli anni della missione pubblica, fino ai Misteri conclusivi e alla nascita della Chiesa. Poi va oltre.

Realtà e modello

La vocazione-missione di Maria è *originale, fontale, universale* accanto alla Grazia di Cristo. La storia vocazionale di Maria ha validità teologico-metodologica: paradigma teologico-spirituale e modello di itinerario formativo e attuante.

Si comprende come nella storia della Chiesa Maria sia stata costantemente l'ispiratrice ed anche il modello vissuto e proposto da fondatori e fondatrici per motivare fondazioni, definire tradizioni, avviare missioni apostoliche (con ispirazione diretta generale o a qualche particolare titolo o mistero mariano).

Ne seguono anche per oggi la validità e l'efficacia del riferimento alla vocazione di Maria per la Pastorale delle Vocazioni. Nella storia è sempre stato così. Nel secolo passato la spiritualità mariana s'è associata alla devozione eucaristica e alla tensione missionaria per provocare l'espansione straordinaria delle vocazioni. Anche nel nostro secolo, anche oggi, il riferimento è perfettamente valido, sebbene abbiamo potuto constatare passaggi tra ascesa, crisi, declino e ripresa. Il futuro non può che essere promettente, pieno di speranza e, anzi, di certezza già crescente.

Maria, con la sua vocazione-missione ancora oggi in via di compimento, appartiene alla dottrina e storia delle vocazioni nei diversi momenti della meditazione biblica, della devozione ispiratrice e imitatrice, dell'esemplarità, dell'intercessione e protezione.

Pur non essendo specialisti nel campo, l'amore, la lunga pratica, qualche buona lettura ci permettono di ripresentare alcuni elementi preziosi sul tema della *vocazione di Maria,* di « questa donna povera, parte integrante della storia della salvezza, come la presentano Luca e Giovanni » [2]. Speriamo anche con qualche vantaggio per altri.

1.2. La preparazione

Le fasi dell'attuazione vocazionale di Maria, in Maria, sono le fasi di un'*esperienza religiosa* che riempie la sua vita di significato, senso, valore, impegno. Esperienza tutta personale, tutta divina, tutta « cristiana », tutta umana. Non « un'immagine di passività, bensì di libertà, autonomia, anticipazione, creatività; una figura carismatica » [3].

L'*origine* remota della vocazione di Maria affonda nei disegni eterni della Trinità che nel suo amore vuole, progetta e prepara la storia della salvezza. Se così è per ogni vocazione nel Regno e nel Popolo di Dio, lo è eminentemente per Colei che è pensata e voluta per il momento cruciale dell'attuazione iniziale e decisiva, fontale e universale di quella storia.

[2] R. Laurentin, « Maria », in *Dizionario Teologico Interdisciplinare,* Marietti, Torino 1977, vol. II, p. 464.

[3] *Ibidem.*

In questa luce la *preparazione remota* della vocazione di Maria si iscrive dentro un ampio orizzonte storico, nell'universo di attesa che è l'universo della Alleanza e della Rivelazione maturante dalla Creazione a Cristo. E' presente dentro il disegno storico di Dio che conduce le vicende e gli eventi di un popolo, dentro il procedere e maturare della pienezza dei tempi scelti da Dio per elevare, amare, salvare. Si concentra attorno al tempo e all'evento di Cristo. Fa tutt'uno con il disegno e la preparazione del Popolo nuovo, della Chiesa in sé e per il mondo.

La *preparazione prossima personale* della vocazione di Maria si colloca dentro la storia non scritta, non documentata, ma solo intravedibile, della *crescita della personalità* umana, religiosa, biblica di Maria dalla sua nascita all'Annunciazione. E' crescita di una *personalità « disponibile »* all'annuncio, alla proposta, alla risposta, pronta *per* assumere la chiamata con la comprensione e con l'adesione voluta da Dio.

Dobbiamo pensare a una *vita giovanile* sempre più chiaramente e profondamente orientata a Dio, dischiusa in Dio. Consapevole e disponibile verso i piani di Dio al livello massimo possibile per ogni fanciulla d'Israele. Però anche in rapporto al mistero di Grazia nascosta, ma emergente, dentro il mistero della predestinazione di Dio (Concezione Immacolata, crescita privilegiata nelle migliori condizioni di Grazia e perciò anche di natura).

E tuttavia la « piena di grazia » dell'Ave si incammina conoscendo l'amore come *sposa di un uomo* di nome Giuseppe. Forse aderendo alla speranza di ogni fanciulla d'Israele di essere la madre del Salvatore? Quale comprensione? Quale preparazione? Quale disponibilità? Quali intuizioni per la pienezza della Grazia? Quale progressiva intimità al mistero di attesa della speranza d'Israele?

Certamente Maria non può essere esclusa dall'attesa del Salvatore. Il *come* compatibile con le sue scelte lo lasciava al mistero di Dio. « Non conosco Uomo ».

Anche per Lei l'origine della vocazione è l'elezione nel mistero, nel « già » di Dio. La prima maturazione è la progressiva introduzione, la collocazione personale dentro il mistero di salvezza e di gloria dello stesso Signore.

La sobrietà e l'essenzialità del racconto di Luca sono state integrate con la fantasia degli apocrifi e con la lettura approfondita della prima e progressiva tradizione. Tentativi di penetrare la bellezza di una formazione.

1.3. La chiamata

Per Dio « chiamare » è « amare », « educare », « accompagnare », « dialogare ».

Per Maria è il momento della *rivelazione interpersonale.* Il progetto di Dio si fa volontà espressa e chiara, progetto comunicato, trasmesso. La volontà di elezione si fa parola, messaggio, proposta, dono a Lei. L'angelo di Dio la chiamerà per nome (Lc 1,30).

Dio *appare* in modo eccezionale nella vita cosciente di Maria, anche se meditando la sua Parola con « l'angelo Gabriele » (Lc 1,26) di complessa, ma sempre realistica interpretazione.

La *comunicazione vocazionale* di Dio ha due aspetti: chiarifica la mente per la comprensione e libera l'amore e la volontà per l'adesione. E' grazia completa, efficace. Così in Maria.

All'inizio l'angelo non la chiama subito per nome, ma le si rivolge con una qualificazione che è già piena di elezione: « Salve, piena di Grazia, il Signore è con te » (Lc 1,28).

Non è chiamata isolata, ma chiamata ad entrare dentro i piani di amore e di salvezza di Dio. La chiamata di Dio non è mai fatto privato, ma sempre di comunione. Per Maria è invito a *collocarsi all'origine* del piano universale: Madre di Cristo, Madre dell'Incarnazione, Madre delle realtà di vita che ne seguiranno: Madre *per* Cristo, *per* l'Incarnazione, *per* la Salvezza.

Il dialogo interpersonale tra Maria e Dio, già avviato e maturato nell'esperienza precedente di riflessione e di preghiera, nella bontà della vita di prima, ora si precisa: « Egli ti ha colmata di Grazia » (Lc 1,28). Ora l'amore di Dio ti chiama e ti incarica, ti chiede amore di risposta disponibile alla missione che ti affida. Proprio in tempo di matura adolescenza il Sì esistenziale di sempre di Maria a Dio si concretizza in una ben determinata vocazione-missione: Madre del Salvatore, Madre per il Salvatore, per la Salvezza.

E' un'esperienza di esodo piena di misteri. Ma condurrà alla terra della benedizione. « Dio ti ha benedetta più di tutte le donne » (Lc 1,42).

Questa è *la dinamica della chiamata di Maria*: *un imperativo, un vocativo, un'asserzione.*

Essa entra in una più profonda comunicazione, in comunione di Spirito, per iniziativa, per grazia di Dio medesimo. « Dio mandò l'angelo Gabriele a Nazaret » (Lc 1,26). « Io saluto Te », io *angelo* del Signore tuo Dio, nel nome del Signore, facendoti sentire e sperimentare la presenza diretta del Signore, la visita del Signore, la diretta comunicazione del Signore. Ma altri leggono: « Salve », o meglio, « Gioisci », *imperativo significativo* (saluto efficace) [4].

Dio resta invisibile agli occhi del tuo corpo, ma non a quelli del tuo spirito sorretto dall'amore, dalla fede, dalla speranza, dalla connaturalità. Questa è la tua condizione. Perciò ti denomina (*vocativo dichiarativo*) « Piena di Grazia ». Aggiunge (*asserzione garante*) « Il Signore è con Te » (Lc 1,28). Non è solo un saluto. E' l'affermazione garante di una speciale assistenza per tutto il contenuto del dialogo [5].

---

[4] K. Stock, « La vocazione di Maria: Lc. 1,26-38 », in *Marianum* 45 (1983) 1/2, 105-108.

[5] Id., *l.c.*, p. 103.

Per la sua buona preparazione israelitica, l'entrata in comunione con Dio era già stata carica di risonanze profonde anche in ordine alle Sue benedizioni di amore tese a un grande compimento, alla pienezza messianica. La « pienezza di grazia », di amore, di compiacimento, di dono ed elezione è come il nuovo nome rivelato a Maria, carico di significato, preludio di pieno compimento.

La chiarificazione della proposta produce la *costruzione del carisma*. La missione che si delinea diventa il cuore e il motivo della stessa chiamata, della stessa vocazione: « Avrai un figlio, lo darai alla luce e gli metterai nome Gesù » (Lc 1,31).

Il motivo della tua forza di adesione a un così grande compito? « Tu hai trovato grazia presso Dio » (Lc 1,31). Grazia per la purezza necessaria, grazia per il compito da attuare.

L'intuizione del Dio che si rivela diventa carisma originale e personale in Maria. Dio le rivela l'incarico, la chiamata a un ben determinato *compito*, con un modo, con un itinerario. Si delinea a Maria il suo carisma vocazionale. La manifestazione dello Spirito mediante Lei è *a beneficio di tutti*: « Avrai un figlio ... Egli sarà grande, e Dio l'onnipotente lo chiamerà suo Figlio ... Il Signore lo farà re... » (Lc 1,31-33).

Ora la vocazione di Maria entra nella *fase del dialogo*. In Lei non può essere dialogo di resistenza, di fuga, di diffidenza. E' dialogo di grazia, ma anche di libertà. Con la consapevolezza della sproporzione dei piani, ma con la fiducia nella parola di Dio, è domanda di chiarificazione chiesta e (a sufficienza) ricevuta dall'angelo autorizzato a ciò da Dio (Lc 1,34), per la piena ricezione della comunicazione dentro la propria profondità di grazia e di natura. Però è anche dialogo di emozione e riflessione razionale.

Gli atteggiamenti espressi nelle parole sembrano far trapelare il timore, la perplessità, la domanda di qualche spiegazione riguardo ai modi: « Come può avvenire questo, dal momento che io sono vergine? » (Lc 1,34). Fin dall'inizio la vocazione di Maria è ricca di meditazione riflessiva attorno ad elementi precisi.

Per questa via la *ricerca* della volontà di Dio si fa *possesso* di essa.

La forza dell'Altissimo entrerà in Te e tu genererai ... « Lo Spirito Santo verrà su di Te » (Lc 1,35). La grazia della chiamata e della proposta si traduce nel *dono delle grazie* per l'abilitazione alla risposta e all'attuazione, per la libertà e della libertà d'amore generoso e fecondo della risposta.

L'angelo del Signore, nel racconto calmo e sereno di Luca, sembra restare per un tempo come in attesa, non nel dubbio della risposta, non per insistere oltre, ma solo per prolungare una presenza, il messaggio dello Spirito, per rispettare il processo che avviene in Maria: il diffondersi dell'illuminazione, la maturazione del desiderio di rispondere acconsentendo, la diffusione e la risoluzione dello stupore (« Maria fu molto impressionata da queste parole e si domandava che significato potesse avere quel saluto » [Lc 1,29]), della sorpresa per la grandezza del mistero (« Come è possibile ...? »), l'apertura dell'amore verso il Dio che invita e verso gli uomini che attendono la salvezza.

« Dopo il silenzio riflessivo (1,29) e la domanda che richiedeva ulteriori chiarificazioni (1,34), la terza e ultima reazione di Maria comprende il suo consenso (1,38) »[6].

L'esperienza di sentirsi chiamata, interpellata, scelta, impegnata a lasciarsi condurre dallo Spirito creatore, diventa capacità di fidarsi e di rispondere con continuità allo Spirito.

Con l'angelo aspetta Dio, aspetta Cristo, aspetta la Chiesa, aspetta il mondo, aspetta lo Spirito. « Totus mundus exspectat ... ». Maria matura il *consenso* e lo esprime a sé e all'angelo, perciò a Dio: « Allora Maria disse: Eccomi, sono la serva del Signore. Dio faccia con me come tu hai detto » (Lc 1,38). « Serva del Signore » subalterna, appartenente, perciò sicura e fiduciosa.

La consacrazione è compiuta, da ambedue le parti. Dio riserva per sé Maria, Maria si riserva a Dio. Può incominciare l'attuazione: la Maternità *di* Gesù, la Maternità *per* Gesù, e sarà l'*inizio della missione* di subito e di sempre per Maria.

1.4. La realizzazione

Vocazione è designazione per un compito nell'ordine della salvezza in un contesto di preghiera. La vocazione di Maria non è per un'opera esterna, è l'antecedente di ogni opera esterna: generare il Cristo, operarne l'Incarnazione, avviare la crescita maturante della sua umanità divina. « Chiamata a dare carne a Dio »[7]. Non solo generazione di un corpo, ma piena relazione con una Persona e il suo avvenire: del Figlio di Dio fatto uomo per salvare[8].

E' opera di Maria, ma non solo di Maria. E' opera principalmente dello Spirito in Lei, opera nella carne di Lei e opera attraverso la comprensione, l'amore, il consenso, la cooperazione di Lei. Così è concepito, gestato, fatto nascere il Cristo, il Figlio di Dio fatto Uomo, l'Uomo Figlio di Dio (Lc 2, Mt 1).

La vocazione specifica di Maria è fontalmente vocazione a donare all'azione dello Spirito un corpo vergine e materno: un corpo verginale « chiamato » ad essere materno; un corpo materno « chiamato » ad essere vergine.

Il consenso alla Parola ha permesso le modificazioni necessarie perché tale azione si attuasse secondo il disegno di Dio[9].

[6] Id., *l.c.*, p. 120.

[7] A. Sicari, *Chiamati per nome. La vocazione nella Scrittura*, Jaca Book, Milano 1980, p. 211.

[8] R. Laurentin, *l. c.*, p. 466.

[9] Cfr. A. Sicari, *o.c.*, pp. 213-214.

Il frutto del consenso vocazionale alla missione è la gioia di una donna lieta nel servizio del Signore (Lc 1,38 e 46-48), benedetta da Dio (Lc 1,42), donna esultante nel Signore (Lc 1,46-55).

La *missione dei nove mesi* è la preparazione materna del Cristo da donare maturo per la nascita a sé (maternità *per Cristo*), al Padre, al mondo degli uomini.

Così in modo sempre maggiormente consapevole, amoroso, partecipante, vivendo lo sviluppo degli eventi, coltivando la meditazione, si svolge la *missione esterna* della nascita (Lc 2,1), della epifania ai pastori (Lc 2,8-20), ai magi (Mt 2,1-12), ai vicini in attesa in Israele (Lc 2,22-38). Ed è già *missione di dono.* E' anche missione di comprensione, di una maturazione personale, di un'adesione da prima cristiana. « Maria, da parte sua, custodiva gelosamente il ricordo di tutti questi fatti, e li meditava dentro di sé » (Lc 2,19). E' *missione di autoformazione* progressiva accanto ai misteri di Cristo, prima dell'infanzia, poi della vita nascosta, poi della vita pubblica, fino alla consumazione. « Simeone poi li benedisse e parlò a Maria, la madre di Gesù ... Quanto a Te, Maria, il dolore ti colpirà come colpisce una madre » (Lc 2,34 e 35).

Un momento di passaggio decisivo nella missione di Maria è certamente l'*evento dei dodici anni.* Giuseppe e Maria « organizzano » l'andata, ma non più il ritorno. La *missione di maternità* fino a quel momento era stata sicuramente *molto influente* nella condotta e nella guida della crescita umana di Gesù, accompagnata dalla comprensione e dalla collaborazione non solo legale, ma anche spirituale, verginalmente maritale, putativamente paterna, maschile secondo la tradizione e i costumi del tempo e i suggerimenti dell'affetto, di Giuseppe.

I genitori di Gesù erano ritornati con Lui in Galilea, nel loro villaggio di Nazaret. « Intanto il bambino cresceva e diventava sempre più robusto. Era pieno di esperienza e la benedizione di Dio era su di Lui » (Lc 2,39-40).

La domanda di Maria al ritrovamento a Gerusalemme è un po' ansiosa, certamente molto interrogativa: « Ti abbiamo cercato e siamo stati molto preoccupati per causa tua » (Lc 2,48).

La risposta di Gesù è decisa anche per la madre. La sua missione sarà d'ora in poi di assistere, comprendendo e consentendo, al maturare della volontà del Padre: « Devo stare nella casa del Padre mio » (Lc 2,49). « Essi non capirono il significato di quelle parole. Gesù poi tornò a Nazaret con i genitori e ubbidì loro volentieri ». *Missione di dialogo materno* con un figlio che percorre la sua strada guidato dallo Spirito. « Sua madre custodiva gelosamente dentro di sé il ricordo di tutti questi fatti » (Lc 2,50 e 51).

La convivenza e la meditazione maturano Maria per la *nuova missione a Cana,* al primo miracolo di Gesù. E' missione intessuta di profonda comprensione, di matura interpretazione e di rispetto dell'autonomia degli atti del figlio. » La madre dice ai servi: fate tutto quello che vi dirà » (Giov 2,5).

La missione di Maria riprenderà a manifestarsi sia nel *momento della Croce,* sia nei tempi della *nascita della Chiesa,* formazione nella preghiera e nello Spirito del Corpo di Cristo. La « vocazione » di Maria col Figlio presso il Padre inizia la sua *missione attuatrice della Redenzione.*

1.5. La comunità di Maria

La vocazione e la missione non sono mai fatti solitari.

Per Maria la prima comunità di condivisione e di comprensione, di aiuto e sostegno rispettoso e prossimo, è con Giuseppe. Anch'egli è dotato di una sua vocazione-missione, che si specifica proprio nell'essere accanto a Maria e, per Lei, accanto all'avvio di Cristo.

Maria ha vissuto in comunità con Giuseppe anche una vocazione di sposa, dentro la pienezza della condotta israelitica.

Ma quando per Lei è cominciata la nuova vocazione-missione, la stessa vocazione di sposa si è meglio determinata: sposa-vergine che comunica e condivide entro un originale dialogo di amore il proprio nuovo mistero a Giuseppe. Egli a sua volta se ne fa collaboratore secondo la volontà di Dio che gli si manifesta.

Elisabetta è la cugina confidente e profeticante ispirata che riconosce e conosce per prima la vocazione di Maria. Ma presso di lei Maria ha già anche una missione: portarle il Cristo che santifichi Giovanni già nel seno di sua madre. Il loro canto di reciproco saluto è condivisione della grazia di Dio.

La prima comunità presso la quale Maria svolge ancora la sua missione sono i pastori e i magi e, con loro, i vicini del tempo dell'infanzia. Soprattutto, tra i resti credenti di Israele, Simeone e Anna diventano i primi testimoni del mistero sia del Figlio che della vocazione-missione della Madre. Ella, esercitando la missione e vivendo la vocazione, medita e comprende sempre di più, prepara i tempi e le prestazioni successive.

Dopo Cana fa comunità con i « fratelli » e i discepoli di Gesù a Cafarnao (Giov 2,12).

Poi Maria si immergerà nelle folle di coloro che ascoltano la Parola del Figlio e la mettono in pratica (Lc 8-21). « Una che fa la volontà del Padre mio che è in cielo » (Mt 12,49, Mc 3,35, Lc 8). Riemerge un momento all'inizio, a Cana, per una missione di mediazione in una piccola comunità, carica di contenuti: giudizio e benedizione dell'amore umano, lo scoccare dell'ora di Gesù (scoccata per la sua intercessione), preparazioni delle condizioni del segno, lettura del segno da parte degli apostoli e disponibilità alla sequela.

Dopo il dono materno e filiale della Madre a Giovanni e di Giovanni alla Madre (Giov 19,26 e 27), la comunità della missione di

Maria diventa *la Chiesa nascente*. Questa si radica nella fede e nella testimonianza. Perciò si raduna intorno agli apostoli, ma anche alla Madre, testimone fin dal principio dell'evento di Gesù e del suo mistero; con lei prega, fa memoria eucaristica, si ama e ama, si diffonde (Atti 1,14). La missione di presenza e di testimonianza di Maria si consuma nei tempi dello Spirito quando la comunità della Chiesa nascente consolida la fede, matura l'amore, rafforza l'impegno della continuazione.

I racconti dell'infanzia di Luca e di Matteo documentano quanto nelle prime comunità la sua missione si è compiuta come testimonianza unica di colei che sola poteva risalire fino al principio e fondare dagli inizi i cammini della fede.

L'insistenza di Luca sulla *memoria* meditativa e piena di amorosa partecipazione di Maria prova la verità della preparazione e poi dell'attuazione decisiva della vocazione-missione di testimonianza di Lei nella Chiesa nascente.

1.6. La purificazione

La via della Croce è la via della missione di Cristo. Lo è per ogni seguace di Lui. Lo è stato per Maria: vocazione e missione per un mistero di grazia in lotta con il peccato, di luce e di vita in conflitto con le tenebre e con la morte. La morte è vinta attraverso la Morte-Risurrezione redentrice di Cristo e di chi lo segue.

Gesù ha coinvolto Maria nel proprio cammino di redenzione, perciò di Croce. Così l'ha « chiamata » ed « educata » vocazionalmente alla pienezza della maternità redentrice.

La comprensione iniziale non è stata priva di oscurità, anche se dentro brillava, vincente, la luminosità della prospettiva. Il significato si è manifestato solo dentro la meditazione del corso degli eventi. La verginità, pur apprezzata e amata, doveva aprirsi mediante un'assoluta fiducia. Giuseppe è amore aperto e sincero, ma anche termine di qualche ansia, fino a quando la reciproca chiarificazione non è piena.

Non sono mancati momenti difficili nella comprensione del Figlio e del modo di restare accanto a lui: le profezie di Simeone e di Anna, la risposta dei dodici anni, Cana (« non è ancora giunto il mio tempo »), « chi è mia madre? », « donna, ecco tuo figlio ... ». Poi c'è stato anche l'odio attorno a Gesù, da capire, da motivare, da tollerare, da vincere: Erode e la persecuzione dell'infanzia, i saggi, i capi, i puri e le guide del popolo, i tutori della salvezza attraverso la legge, gli accusatori, i crocifissori. Anche la folla e tanti beneficiati, fino alla fine, non hanno capito, hanno abbandonato. Giuda ha tradito. Pietro ha rinnegato. Gli apostoli erano fuggiti, eccetto Giovanni, anch'esso misterioso. Quale vocazione-missione era dunque la sua? Capire, amare, rispettare, attendere, maturare le vie definitive vincenti del Figlio.

Gesù non ha chiamato sua madre a una missione di predicazione, di testimonianza pubblica esplicita, di ruoli privilegiati e distinti nella comunità. Soprattutto le ha assegnato la missione della comprensione e dell'amore, della condivisione e dell'accompagnamento nascosto, accanto a lui, accanto alla Chiesa nascente.

La missione di Maria accanto alla Croce è quella della partecipazione fontale, profonda, d'amore e morte, alla morte del Figlio davanti al Padre per gli uomini. Missione attiva, qualcuno dice « corredentrice ».

Missione destinata ad avere un futuro nella redenzione e nella salvezza che vi si consumavano.

E' il momento vocazionale della purificazione suprema, della pienezza dell'adesione alla volontà del Padre, della partecipazione alla preghiera del Figlio: « Padre, non la mia, ma la tua volontà sia compiuta » (Mt 14,35). Eppure, anche della regalità e glorificazione somma: « stava » (Giov 18,25). Costituzione della maternità universale: « Ecco tuo Figlio, ecco tua madre » (Giov 18,26 e 27). La massima maturazione, la partecipazione massima al Mistero della salvezza. Scuola somma di dolore e di amore. Vocazione di partecipazione alla *exinanitio,* alla glorificazione, alla gloria, missione di partecipazione alla salvezza che ne deriva. « Padre, perdona loro... » (Lc 23,24).

E' il momento vocazionale della purificazione piena di una vita per Dio: di povertà, di ubbidienza, di verginità, di fede come virtù dell'adesione e della risposta, di amore che la rende operante, di esperienza che la sostiene e la orienta al termine.

In questa vocazione si può affermare che « Maria ha preceduto la Chiesa accanto al Cristo sofferente, accanto al Cristo morente, accanto al Cristo in Gloria », coronando una vocazione-comunione con Dio « che è addirittura più radicale, profonda, fondamentale di ogni altro (Pietro, i dodici, ministri e pastori della Chiesa) » [10].

La vocazione di Maria, con la sua missione ministeriale presso Dio e per gli uomini, non è terminata in terra. Oggi in Dio è nel suo massimo splendore d'esercizio.

Accanto al Cristo Maria vive una *gloria operativa* per il compimento della missione iniziata in terra. L'Assunzione l'ha « chiamata » alla pienezza della sua « missione » nel tempo dello Spirito che dilata il Regno, guida la Chiesa, salva il mondo: intercessione, mediazione, corredenzione, maternità spirituale, testimonianza esemplare ...

Il premio ha coronato già una fase, ma l'ha coinvolta in un'altra.

La missione di Maria in cielo è insieme chiara e misteriosa. La conosceremo pienamente alla fine, quando vi giungeremo noi stessi.

Nella Chiesa visibile e pellegrina in terra essa continua.

---

[10] R. LAURENTIN, *l.c.,* p. 467.

E' ancora *missione di maternità,* proseguita in ogni compimento del piano di Dio. Esplicitamente la missione di Maria ha brillato più evidente quando altre vocazioni nella storia si sono avviate e definite, sia nei momenti interiori che nei momenti apostolici, nel nome e sull'esempio di Lei, seguendo e prendendo ispirazione da Lei. Non diciamo che essa sia la causa prima di tali vocazioni-missioni. Ma è evidente sul piano spirituale una *concausa* da meditare e definire.

La vocazione è discepolato del Signore. E Maria brilla perciò per molti chiamati di *luce esemplare.*

I consacrati l'hanno percepito e riconosciuto fin dal principio e vi hanno scorto una missione vocazionale unica.

La missione di Maria è stata nella storia delle vocazioni individuali *missione di prototipo,* agli inizi specialmente attorno al *carisma della verginità e del celibato,* poi in *riferimento all'interiorità* con lo sviluppo della vocazione monastica.

Non si tratta di un riferimento esteriore, quasi passivo. S. Ambrogio presenta Maria come modello e « maestra ». Dunque, riferimento esemplare vivo e operante.

Dio prolunga alcuni aspetti della vocazione di Maria nella vocazione delle vergini e dei religiosi. *Prolungamento* che è una *presenza operante.*

Per le vocazioni del monachesimo orientale Maria è *via* che continua a introdurre al mistero di Cristo cui è essenzialmente congiunta.

In occidente una missione viva di Maria nel mondo delle vocazioni consacrate si sviluppa progressivamente (anche se all'inizio lentamente) insieme al formarsi della spiritualità benedettina, unendo devozione, liturgia, celebrazione e festa popolare.

Attorno al 1000 inizia il patrocinio di Maria e gli istituti religiosi dedicano molte loro chiese alla Madonna. Poi il nome di Maria entra sempre più spesso nella formula di professione. Presenza viva, riferimento operante.

Le *denominazioni* di Ordini e più tardi di Congregazioni ispirate a Maria, a titoli e misteri mariani, ecc., è assai più che un riferimento esteriore e celebrativo. E' convinzione di una missione di presenza e di assistenza di Maria nel vivo dell'evento vocazionale e missionario delle comunità, delle persone, dell'azione di evangelizzazione e di apostolato.

Viene sentito un *legame spirituale diretto* tra la terra e Maria, tra Maria e la storia quotidiana dei chiamati e mandati da Dio, per coinvolgervi poi anche l'intero popolo di Dio (Ordini mendicanti).

La coscienza di una missione d'intervento di Maria convince e appassiona sia le famiglie religiose maschili, sia, com'è naturale, ancor più gli Ordini e le Congregazioni femminili.

Maria è stata *via del Cristo a noi.* Ora è *via di noi al Cristo.* Vi sono state esagerazioni pie o pietose. Ma la linea comune e crescente ha sentito semplicemente la necessità di collegare e congiungere nel sentimento, nella dottrina, nella ispirazione ciò che Dio stesso aveva congiunto: Maria è l'opera sua iniziale e perciò permanente [11].

Oggi, dopo il Concilio Vaticano II, i gruppi religiosi più maturi hanno raggiunto e consolidato una fase di innegabile maturità: « In generale, i frati recuperano la figura di Maria come *ispiratrice* dei valori evangelici e progettano la sua presenza mistica — al di là dei "titoli" storici di *regina* e di *madre* — come quelli di una *guida spirituale* nell'itinerario religioso (*sorella* nel discepolato di Cristo)... Rapporto vitale tra il frate (e la sua fraternità, di frequente intitolazione mariana) e la S. Vergine, da perseguire nella memoria orante e nell'*imitazione esistenziale* » [12].

2. CONTENUTI OGGI PIU' VIVI DELLA VOCAZIONE-MISSIONE DI MARIA

Non è facile definirli. Ogni elenco è incompleto, perché la materia è fluida e creatrice, come lo spirito e come la profondità dei misteri.

E' possibile solo tentare di richiamare qualche nota.

a) *Il discepolo di Cristo.* La sua accentuazione risale ai primi secoli della storia della vita religiosa, subito quando i consacrati e le consacrate andarono in cerca, più che di dottrina, di modelli, e subito individuarono nella verginità materna di Maria un elemento essenziale e prioritario: *la sua intimità totale e profonda con Cristo, con Dio.*

Oggi non sembra sconveniente sostituire la onniscienza privilegiata di Maria e la sua totale perfezione iniziale con una concezione meditativa e progressiva della sua stessa coscienza « cristiana », *discepola* degli eventi della infanzia di Gesù prima, poi della sua azione evangelizzatrice e preparatoria degli apostoli e dei discepoli, della rivelazione del disegno del Padre e delle condizioni della sequela sponsale totale e perfetta, *discepola* dei Misteri Pasquali di Morte e Risurrezione, del dono dello Spirito. Il discepolato fedele e crescente è sembrato e sembra trovare in Maria la testimonianza più credibile e imitabile.

b) La divina maternità di Maria consente la *generazione in sé del Cristo per donarlo al Mondo.* Fu l'intuizione splendida di S. Francesco di Assisi. Era già stata presente nel monachesimo orientale,

---

[11] Cfr. GIOVANNI PAOLO II in molti luoghi, soprattutto nella Lettera Enciclica *Redemptor Hominis,* n. 22, e nell'Esortazione Apostolica ai Religiosi e alle Religiose *Redemptionis Donum,* n. 17.

[12] D.-M. MONTAGNA, « Maria » n. 5: *Orientamenti Attuali,* in G. ROCCA, *Dizionario degli Istituti di Perfezione,* Edizioni Paoline, Roma 1978, vol. V, col. 935.

decisamente cristocentrico e aperto all'azione dello Spirito. Oggi diventa il *programma della vita interiore,* ma anche la via regale di *preparazione per ogni dono apostolico* autentico, caritativo, missionario, educativo ... Condizione perché questo accada: « Accada davvero a me *secondo la tua parola* » (Lc 1,38).

c) *La vocazione « femminile » di Maria.* Non è aspetto che riguardi e interessi solo le vocazioni femminili. Proprio nella vocazione-missione che associa strettamente Maria-Donna dentro l'evento della Salvezza, dei rapporti di Dio con gli Uomini, si può facilmente scorgere un *disegno di integrazione originale e universale della « femminilità »* nel rapporto tra Dio e gli uomini, tra gli uomini e Dio.

Dio è tanto Padre quanto Madre. Ma l'immagine della devozione ha sempre accentuato un volto maschile. Cristo possiede la pienezza dei tratti umani nell'amore e nel dialogo. Ma la considerazione immediata ne ha accentuato i tratti maschili. Maria, intima al Padre e al Cristo, può apportare ed esplicitare quella integrazione di cui i semplici e i poveri hanno bisogno.

Maria può essere detta perciò « il volto materno di Dio e della Chiesa Pastorale » [13]. La vocazioni religiose hanno bisogno di questa integrazione.

Con ciò siamo vicini alla lezione di Don Alberione che vede le sue Suore Pastorelle donne religiose associate organicamente alla pastoralità maschile dei parroci per la equilibrata conduzione della comunità cristiana, sia femminile che maschile. Più autorevoli sono le lezioni di Paolo VI e di Giovanni Paolo II che hanno visto e sottolineato pubblicamente questa funzione « femminile » di Maria.

Per noi sono possibili, dunque, le conseguenze di vedere nella elezione-missione di Maria-Donna una rivelazione integratrice della femminilità di Dio Padre, dello Spirito, una via esemplare e legittimante della pienezza esistenziale « femminile » delle anime femminili chiamate e consacrate, una integrazione della maschilità di Cristo (Cana, Croce, Cenacolo di Pentecoste), un'apertura alla integrazione femminile delle vocazioni-missioni maschili nella Chiesa e per la Chiesa: fondatori, pastori, guide spirituali, operatori apostolici e caritativi.

E' una via voluta da Dio, già maturata o in maturazione ancora feconda per la espansione della femminilità nella Chiesa, risalendo alle origini con Maria.

La verginità protesa alla maternità-paternità è il modello dinamico profondo di ogni vocazione. E' relativa e varia la forma concreta di tale maternità-paternità, fisica o spirituale. Purché sia feconda. Nella vocazione-missione ogni fecondità è dono diretto di Dio per i suoi disegni (dello Spirito), come in Maria, come, in altro modo, in Gesù.

---

[13] Cfr. L. BOFF, *Il volto materno di Dio*: *saggio interdisciplinare sul femminile e le sue forme religiose,* Queriniana (trad.), Brescia 1981.

NOTA BIBLIOGRAFICA

CASTAGNETTI Carlo, *Maria nel sì a Dio: sorella e modello nostro,* C.N.V., Roma 1974.

GARCIA PAREDES José Cristo Rey, *María, la mujer consacrada,* Instituto Teológico de Vida Religiosa, Madrid 1985.

GARCIA PAREDES José Cristo Rey, *María, seducida por el Reino de Dios,* Instituto Teológico de Vida Religiosa, Madrid, 1985.

ITURRIAGA Tomas P., « María y la vida consagrada », in *Vida Religiosa* 56 (1984) 2, 110-122.

LANOIR Corine, « Des récits de vocation comparés », in *Foi et Vie.* Cahier biblique 23, 83 (1984) 5, 11-15.

LAURENTIN René, « Maria », in *Dizionario Teologico Interdisciplinare,* Marietti, Torino, 1977, vol. II, pp. 455-468.

MONTAGNA D.-M., « Maria », in G. Rossa (a cura di), *Dizionario degli Istituti di Perfezione,* Edizioni Paoline, Roma 1978, vol. V, n. 5: Orientamenti Attuali, coll. 935-937.

SICARI Antonio, *Chiamati per nome. La vocazione nella scrittura,* Jaca Book, Milano 1980 (II ed.).

STOCK Klemens sj, « Die Berufung Marias: Lk. 1,26-38 », in *Biblica* 61 (1970) 457-491. (Trad. it.: « La vocazione di Maria: Lc. 1,26-28 », in *Marianum* 45 [1983] 1/2 94-126).

MARY THE SERVANT OF REDEMPTION

SEBASTIAN KAROTEMPREL, S.D.B.

0. INTRODUCTION

From New Testament times onwards, various titles were given to Mary the mother of Jesus. These titles reveal the Church's changing and growing understanding of the person of Mary and her role in the history of salvation as worked out in the life of Jesus of Nazareth and its continuation in the life of the Church. They reveal also the theological pre-occupations of successive periods in the history of the Church, its controversies, and its doctrinal developments. They reflect also the evolution of social milieu in which the Marian titles surfaced and the consequent renewed understanding and expression of religious truths about Mary. Thus the litany of Loreto is also a litany of the changing theology on the person of Mary and her role in the history of salvation and in the history of the Church.

We may refer to such titles as the « Madonna, Our Lady, Our Lady of Ransom » and others which were coined by the age of knights and cavaliers or in age of sea pirates and slaves to be set free. During the period of Turkish threats to Christian Europe, titles like « the Help of Christians » became popular.

Titles such as the « New Eve, the Mother of God » and others remind us of the biblical and theological understanding about Mary or the Christological controversies of the times in which these titles emerged.

Thus titles given to the Mother of Jesus are Marian or Mariological: Marian in so far as they see in Mary some virtue to be highlighted for the people who use the title; Mariological in so far as they reflect the Church's understanding of the person or the role of Mary in the history of salvation and in the history of the Church.

1. NEW TITLES OF AND DEVOTIONS TO MARY

While every title which adds to the growing understanding of Mary and supports the life and apostolate of the faithful in a given age and expresses some permanent value, every age is free to seek a fresh understanding of Mary and see in her support for new forms of ministry and apostolate. This is all the more true since Mary is given as the mother and exemplar of perfect discipleship to every follower of Jesus Christ in every age. Hence we in our own age must seek a fresh meaning of Mary and express it with appropriate titles.

2. Mary the Servant of Redemption

The title that I would like to give to Mary and one that accords well with the contemporary Vatican II and post-conciliar theology and with ecumenical climate prevalent today is « Mary the Servant of Redemption ». Before I begin to explain this title, I would like to show its biblical foundations.

The inspiration for this title is biblical. The Old Testament title of « Servant of Yahweh » was applied to Jesus by the New Testament writers since they saw how well the theological content of this title accorded with the life and mission of Jesus. They saw how perfectly the mysterious Servant-of-Yahweh songs somehow found fulfilment in the redemptive passion, death and resurrection of Jesus. Thus Peter in one of his post-pentecostal sermons calls Jesus the servant of Yahweh: « The God of Abraham, Isaac and Jacob, the God of our fathers, has glorified his servant Jesus »[1].

For the New Testament writers Jesus of Nazareth is one who suffers for the many and brings salvation to the nations. Jesus is the Servant of Redemption. Through his death, many are « justified », which is biblical language for salvation: « After the suffering of his soul, he will see the light (of life) and be satisfied; by his knowledge my righteous servant will justify many »[2].

Jesus is called the Servant of our Redemption. If this is true, Mary who was chosen by God to be the mother of the redeemer and who cooperated in the work of redemption cannot but be also the servant of redemption.

The title « Mary the Servant of Redemption » is, therefore, not without biblical and theological foundation. The contemporary Magisterium of the Church too sees Mary within the context of the redemptive work of Jesus Christ and calls Mary the servant of redemption: « By thus consenting to the divine utterance, Mary, a daughter of Adam, became the mother of Jesus. Embracing God's saving will with a full heart and impeded by no sin, she devoted herself totally as a handmaid of the Lord to the person and work of her Son. In subordination to Him and along with Him, by the grace of almighty God she served the mystery of redemption »[3].

3. Mary's self-understanding as the Servant of Redemption

3.1. *The Annunciation-incident*

Mary's own self-awareness was of being the servant of the Lord in the work of redemption. At the very announcement of our salvation Mary called herself the servant of the Lord. She understood herself

[1] Acts 3: 13.
[2] Is. 53:11.
[3] *Lumen Gentium,* 56.

as one who accepts and one who puts herself totally at the service of the redemption of mankind. Hence when the angel Gabriel brought her the news of the redemption of mankind and told her that she was to conceive a son by the power of the Holy Spirit who would be named Jesus for he was to be the Saviour of the world, Mary's reply was most significant: « I am the Lord's servant. May it happen to me as you have said »[4]. From this reply of Mary we may conclude that primarily and essentially she understood herself to be the servant of the mystery of redemption. It was not clear to her yet how the redemption of mankind would be worked out. But she put herself at the service of the mystery of our redemption.

It is because she was willing to be the servant of the mystery of the redemption that she became the mother of the Lord or the mother of Jesus and hence the Mother of God. The foundation of all other biblical titles and prerogatives of Mary is the fact that she is the Lord's servant, the servant of the mystery of redemption. In the New Testament she is simply called the mother of the Lord, the mother of Jesus and the mother of the disciple. These are the New Testament titles of Mary. But these titles rest upon the fact that she was ready to be the « servant of the Lord », the servant of the mystery of redemption. Thus Elizabeth calls Mary « the mother of my Lord »[5]. John calls her the « mother of Jesus »[6] and the mother of the disciple: « When Jesus saw his mother there, and the disciple whom he loved standing near by, he said to his mother, "Dear woman, here is your son", and to the disciple, "Here is your mother" »[7]. The Acts of the Apostles call her simply « the mother of Jesus »[8].

All her later appearances and interventions in the written record of the New Testament point to the same truth that Mary is the servant of redemption. Wherever Mary appears in the Infancy narratives, we see that she does not understand the turns and twists of the mystery of redemption taking place around her and yet submits herself to the unfolding of the mystery of man's redemption. All her immediate plans, aspirations, ambitions, and satisfactions were subordinated to the mystery of redemption and its unfolding in her own life and in the life of Jesus.

3.2. *The Presentation-incident*

At the presentation of Jesus in the temple, Mary was given an inkling into the kind of involvement in the mystery of redemption. It was symbolically expressed by Simeon, the prophet, when he said

---

[4] Lk. 1: 38.
[5] Lk. 1: 48.
[6] Jn. 19: 25.
[7] Jn. 19: 26-27.
[8] Acts. 1: 14.

to Mary: « This child is destined to cause the falling and rising of many in Israel, and to be a sign that will be spoken against, so that the thoughts of many hearts will be revealed. And a sword will pierce your own soul too » [9]. But Mary, though puzzled at the words of Simeon, did not withdraw her commitment to the mystery of redemption: « When she presented Him to the Lord in the temple, making the offering of the poor, she heard Simeon foretelling at the same time that her Son would be a sign of contradiction and that a sword would pierce the mother's soul, that out of many hearts thoughts might be revealed » [10].

3.3. *Mary at the Temple-incident*

At the temple-incident, Mary (and Joseph) did not understand the conduct and the mysterious words of Jesus. Yet she accepted in faith what Jesus did and said and submitted herself to the mystery of redemption. « They did not understand what he was saying to them » [11]. But there was no doubt in Mary's mind about her service to the mystery of our redemption.

3.4. *Mary at the Cana-incident*

The same readiness to serve the cause of redemption is shown by Mary at the marriage feast of Cana. Even though the hour of the final revelation and manifestation of Jesus had not arrived, Mary tells the servants to have an attitude of service: « Do whatever he tells you » [12]. These words are indicative of her own constant attitude of being the servant of the Lord, the servant of the mystery of our redemption.

3.5. *The public ministry-incident*

During the public ministry of Jesus' preaching the kingdom of God and healing, when Mary could not have immediate access to Him, she was happy to be told of the new relationship with Jesus in faith, beyond the physical relationship: « "Who are my mother and my brothers?" he asked. Then he looked at those seated in a circle around him and said, "Here are my mother and my brothers! Whoever does God's will is my brother and sister and mother" » [13]. And her self-commitment to the mystery of redemption was so perfect that she seemed once again to vanish into silence, accepting

[9] Lk. 2: 33-35.
[10] *Lumen Gentium,* 57.
[11] Lk. 2: 50.
[12] Jn. 2: 5.
[13] Mk. 3: 33-34.

without a whimper or remonstrance, the mysterious ways of man's redemption being worked out by Jesus.

3.6. *Mary at Calvary-incident*

The supreme act of Mary's obedient service to the mystery of redemption was on Calvary. The very words that John used to indicate Mary's total self-commitment to the mystery of redemption: « Near the cross of Jesus stood his mother, his mother's sister, Mary the wife of Clopas, and Mary of Magdala. When Jesus saw his mother there, and the disciple whom he loved standing near by, he said to his mother, "Dear woman, here is your son" » [14]. There was no self-pitying, no expression of anger, complaint or indignation at the travesty of all justice. Rather, Mary stood beside the cross of Jesus as a valiant woman consenting to the sacrificial death of her son. Mary stood not only physically but also spiritually by the cross of Jesus, symbolizing her full participation in the final act of the mystery of redemption, the sacrifical, redemptive death of Jesus.

3.7. *Mary in the history of the Church*

Even after the death and resurrection of her son, Mary continued to exercise her service to the cause of redemption to the nascent Church. She was with the first disciples of Christ to implore the Holy Spirit upon herself and them. Thus Vatican II says: « But since it pleased God not to manifest solemnly the mystery of the salvation of the human race until He poured forth the Spirit promised by Christ, we see the apostles before the day of Pentecost "continuing with one mind in prayer with the women and Mary, the Mother of Jesus, and with his brethren" (Act 1: 14). We see Mary prayerfully imploring the gift of the Spirit, who had already overshadowed her in the Annunciation » [15].

As a devout Jewish woman Mary must have often longed for the fullness of redemption and prayed for it. Often she must have made her own the psalmist's longing for redemption:

> O Israel, put your hope in the Lord,
> for with the Lord is unfailing love
> and with him is full redemption [16].

Such longing in Mary was no sentimental devotion to the God of Israel's salvation. It was a personal choice and commitment to accept it and be at its service. In fact when it came in a most unexpected and mysterious way, Mary was prepared to sacrifice her-

[14] Jn. 19: 25-26.
[15] *Lumen Gentium,* 59.
[16] Ps. 130: 7.

self and all her future for it so that the mystery of redemption might unfold itself. She wanted and worked only for its realization in herself and in others, and that is why she was able to say: « I am the Lord's servant. May it be done to me as you have said ».

4. Magisterium on Mary as the Servant of Redemption

Mary may, then, with all justification, be called the greatest servant of redemption in all salvation history for she more than anyone else had to walk the pilgrimage of faith, hope and love with no historical precedent, assurance or evidence to lean upon: « By decree of divine Providence, she served on earth as the loving mother of the divine Redeemer, an associate of unique nobility, and the Lord's humble handmaid. She conceived, brought forth, and nourished Christ. She presented Him to the Father in the temple, and was united with Him in suffering as He died on the cross. In an utterly singular way she cooperated by her obedience, faith, hope, and burning charity in the Savior's work of restoring supernatural life to souls. For this reason she is a mother to us in the order of grace »[17].

Mary's service to the mystery of redemption began at the annunciation and continued uninterrupted up to the day of Pentecost when the Church was visibly born. But her involvement in the mysteries of Christ will continue to the end of time since the saving work of Christ must continue to the end of the ages: « This maternity of Mary in the order of grace began with the consent which she gave in faith at the Annunciation and which she sustained without wavering beneath the cross. This maternity will last without interruption until the eternal fulfilment of all the elects. For, taken up to heaven, she did not lay aside this saving role, but by her manifold acts of intercession continues to win for us gifts of eternal salvation » [18].

5. A renewed devotion to Mary

5.1. *An authentic devotion*

The era of sentimental Marian devotions and Marian titles expressing them is fortunately on its way out. Both Vatican II and *Marialis Cultus* call for a renewal of Marian devotion in accordance with contemporary theological trends, avoiding falsifications, exaggerations, distortions and partial misplaced or isolated emphasis: « But this Synod earnestly exhorts theologians and preachers of the divine word that in treating of the unique dignity of the Mother of God,

[17] *Lumen Gentium,* 61.
[18] Ibidem, 62.

they carefully and equally avoid the falsity of exaggeration on the hand, and the excess of narrow-mindedness on the other »[19].

5.2. *An ecumenical devotion*

Theology and Marian devotion should also take into account the ecumenical climate in which we live and avoid giving a false image of Catholic doctrine on Mary: « Let them painstakingly guard against any word or deed which could lead separated brethren or anyone else into error regarding the true doctrine of the Church »[20].

5.3. *A Christ-centred devotion*

Marian devotion should reflect Mary's attitudes as seen in the New Testament. Mary's attitudes were Christ-centered and redemption-oriented. This is a contemporary trend supported by the official teaching of the Church: « Yet it seems to us particularly in conformity with the spiritual orientation of our time, which is dominated and absorbed by the "question of Christ", that in the expression of devotion to the Virgin the Christological aspect should have particular prominence »[21].

5.4. *A contemporary devotion*

Again, another important dimension to a renewed Marian devotion is that yesterday's devotions and their forms may not suit today's problems nor answer them. This is clearly stated by Paul VI: « Devotion to the Blessed Virgin must also pay close attention to certain findings of the human sciences. This will help to eliminate one of the causes of the difficulties experienced in devotion to the Mother of the Lord, namely, the discrepancy existing between some aspects of this devotion and modern anthropological discoveries and the profound changes which have occurred in the psycho-sociological field in which modern man lives and works »[22].

Marialis Cultus goes on to say that Mary as presented in the traditional devotional literature cannot be reconciled to today's lifestyles, especially of women and the youth. Hence today's devotions and titles of devotions should retain and project those permanent elements of our redemption that Mary lived in a most eminent manner: « She is held up as an example to the faithful rather for the way in which, in her own particular life, she fully and responsibly accepted the will of God because she heard the word of God and acted on it and because charity and a spirit of service were the

[19] Ibidem, 67.
[20] Ibidem, 67.
[21] *Marialis Cultus*, 25.
[22] Ibidem, 34.

driving force of her actions. She is worthy of imitation because she was the first and the most perfect of Christ's disciples. All of this has a permanent and universal exemplary value »[23].

Mary's permanent significance lies in the fact she accepted fully the offer of redemption for herself and became its servant for others in every age. Hence the title Mary the Servant of Redemption is extremely appropriate and intelligible and reflective of the Christ-centred, redemption-oriented, ecumenical, conciliar theology of our times.

5.5. *A personal and communitarian devotion*

The title « Mary the Servant of Redemption » has something real and personal to communicate to the Christian and Christian communities of today. The Christian, as also the Christian community, like Mary, is one who accepts God's offer of redemption fully and is at its service that others may be brought to share in it. In Mary he sees a perfect exemplar of such acceptance of and service to the mystery of redemption. In Mary we see that there is no divergence between her declared aim and her actual life; there is no opposition between her commitment to redemption and her actual commitments. In Mary there was a perfect harmony, integration and identity of her personal longings and the demands of the mystery of salvation. She was in actual fact what she declared herself to be and she could boldly say: I am the servant of the Lord, may it happen to me as you have announced to me, namely, may the mystery of redemtpion take its full course in my life so that it may overflow into the lives of others.

Unfortunately, often there is no such harmony between our personal, operative, even if unconscious, ideals, goals and motivations and the radical demands of the mystery of redemption for ourselves and others. Often we find that there are unresolved and conflicting tensions between our commitment and service to the mystery of redemption and our personal aspirations, ambitions, etc. Sometimes the radical demands of the mystery of redemption are subordinated to our passions, ambitions, prejudices and selfishness in some obvious or subtle ways.

This is what we see in the history of the Church too which should in reality be called the history of redemption. But in reality like the Old Testament, it is often the record of the clash of human passions with the divine offer of redemption and its demands. It is a sign, in some measure, of our inability, individually and collectively, to commit ourselves fully to the mystery of our own redemption by assimilating into our personal lives its meaning and demands and serving it in others.

---

[23] Ibidem, 35.

6. Conclusion

An authentic devotion to Mary should focus our attention beyond the receiving of some temporal favours to what Mary stood for and what she did. It should lead us to the re-dedication of ourselves to the mystery of redemption in ourselves and others. In this task Mary becomes the perfect exemplar and inspiration to every Christian. Mary becomes also the Help of Christians who intercedes for them before God. She is united with the disciples of Christ at all times praying that the Holy Spirit may come down on all the disciples of Christ and be guided by the Spirit in the same way as the Spirit foreshadowed her and filled her both at the beginning of our redemption at the annunciation and at its completion in the cenacle when the Holy Spirit came down on her and on the assembled disciples. This is precisely the teaching of the Church today: « This devotion takes into account the part she played at decisive moments in the history of the salvation which her Son accomplished, and her holiness, already full at her Immaculate Conception yet increasing all the time as she obyed the will of the Father and accepted the path of suffering growing constanly in faith, hope and charity. Devotion to Mary recalls too her mission and the special position she holds within the People of God, of which she is the preeminent member, a shining example and the loving Mother; it recalls her unceasing and efficacious intercession which, although she is assumed into heaven, draws her close to those who ask her help, including those who do not realize that they are her children » [24].

Mary, servant of the mystery of redemption, pray for us!

[24] Ibidem, 56.

« POUR LE PRÉSENTER AU TEMPLE »
(Lc 2,22)

THEODORE KÖHLER, S.M.

0. Les mystères joyeux sont-ils des mystères mineurs?

La catéchèse a renouvelé sa synthèse doctrinale en retournant au kérygme apostolique par une présentation de l'Histoire du salut, centrée sur le mystère pascal. Mais la faiblesse humaine va toujours d'un extrême à l'autre. D'une catéchèse analytique qui ne dégageait pas suffisamment le sens pascal du message chrétien, on a passé dans certaines présentations catéchétiques à une soi-disante simplification qui prend parfois l'allure d'une réduction du message. C'est alors une mutilation de l'Alliance que le Seigneur a établie avec nous.

Le mystère du salut, c'est Jésus-Christ tel qu'il s'est révélé, tel que l'Eglise le proclame. Par suite, réduire la vie du Sauveur à ses années (ou à son année) de vie publique, c'est amputer le message que l'Eglise primitive nous a légué.

Certes dans les Actes des Apôtres et dans les lettres de saint Paul, on ne lit rien des récits concernant l'enfance du Christ. Mais très tôt, deux évangélistes, saint Matthieu et saint Luc, ont trouvé nécessaire de proclamer d'abord le mystère de l'Incarnation du Fils de Dieu, pour ensuite aborder la vie publique du Seigneur à partir de la proclamation de saint Jean-Baptiste, comme le fait saint Marc.

Les Pères de l'Eglise ont été de fervents prédicateurs des mystères de l'enfance de Jésus. On a même dit que leur doctrine était une christologie de l'Incarnation; tandis que celle du Moyen Age serait une christologie de la Rédemption: au sens de doctrine centrée sur le Serviteur souffrant. Notre prédication moderne, surtout après la récente réforme liturgique, met l'accent, comme déjà dit, sur une histoire du salut dominée par le mystère de la mort et de la résurrection du Christ.

L'importance des mystères de l'enfance, saisie par deux évangélistes, a de suite influé sur la prédication. Déjà en 107, saint Ignace, évêque d'Antioche, mené en captivité à Rome où il subit le martyre, écrivait aux Ephésiens: « La virginité de Marie, son accouchement, et de même, la mort du Seigneur, sont demeurés cachés au prince de ce monde: trois mystères à proclamer, qui furent accomplis dans le silence primitif de Dieu » [1]. Ce texte devint célèbre à cause de

[1] IGNACE d'Antioche, *Eph.* 19, 1, PG 5, 660A; *Lettres* ..., Ed. trad. Th. CAMELOT, 3e ed., Paris 1958: SC 10, 88.

l'affirmation concernant le prince de ce monde: Satan. Sans doute inspiré par saint Paul écrivant aux Corinthiens (I Co 2,8) que les puissances n'avaient pas compris qu'elles crucifiaient le Fils de Dieu, saint Ignace affirme une ignorance plus générale encore chez Satan: il a ignoré l'Incarnation; il n'a pas compris ses signes: la virginité de Marie, le mystère de la naissance (virginale? la virginité « in partu » expliquerait le texte). Constantino Vona [2] a etudié la fortune de ce texte dans la tradition tant orientale qu'occidentale. Il remarque l'importance d'Origène qui, le premier, utilisa l'affirmation d'Ignace. On peut rectifier sa liste de textes grâce à la thèse de Luigi Gambero [3], qui restitue à saint Basile le Grand l'homélie « Sur la génération du Christ ». Le Pseudo-Grégoire le Thaumaturge cité par Vona a été étudié par Roberto Caro dans sa thèse de doctorat sur l'homilétique grecque du 5ᵉ siècle [4]; cette homélie est peut-être de Chrysippe de Jérusalem (c. 405-479); en tout cas, c'est un panégyrique du 5ᵉ siècle. Vona cite d'autres homélies qui utilisent le texte de saint Ignace; en Orient, on le retrouve chez Saint Grégoire de Naziance, dans un Ps. Epiphane: plus tard chez saint André de Crète, Sévère d'Antioche, ... Du côté latin, le premier qui emploie le texte est saint Ambroise.

L'importance accordée aux mystères de l'enfance se concrétisa dans la création du cycle liturgique de Noël-Epiphanie. Elle peut aussi être analysée dans la prédication du mystère de la Présentation de Jésus au Temple [5]. Pour apprécier l'importance des mystères de l'enfance du Christ, cette fête est même un exemple ancien et précis.

A quand remonte l'origine de la fête? Le récit du « Pèlerinage d'Etherie » qui date de la fin du 4ᵉ siècle, décrit la liturgie de cette célébration à Jérusalem, en détail [6]:

> « Le quarantième jour après l'Epiphanie se célèbre vraiment ici avec une très grande solennité. Ce jour-là, il y a une procession à l'Anastasis, tout le monde la suit, et tout se passe dans l'ordre habituel, avec une grande pompe, comme pour Pâques. Il y a aussi des prédications de tous les prêtres ainsi que de l'évêque, commentant toujours le passage de l'évangile où il est dit que le quarantième jour, Joseph et Marie portèrent le Seigneur au temple ».

Les calendriers les plus anciens que nous possédons indiquent — comme le montre le Pere Aubineau [7] pour le temps d'Hésychius

---

[2] VONA Costantino, « Il testo cristologico di S. Ignazio di Antiochia *Eph.* 19,1 nella tradizione di alcuni scrittori ecclesiastici », dans *Euntes Docete,* 9 1956 (Miscellanea in honorem Petri Parente), 64-92.

[3] GAMBERO Luigi, « Omelia sulla generazione di Cristo », dans *Marian Library Studies* 13-14 (1981-82): 110-111, note 3.

[4] CARO Roberto, « La Homilética Mariana Griega en el Siglo V », dans *Marian Library Studies* 4 (1972): 511s. - PG 10, 1172-1177, Clavis PG II, 4519.

[5] CAPELLE B. (Dom), « Chapitre 4. Les fêtes mariales », dans *L'Eglise en prière,* Ed. A.G. MARTIMORT, 3ᵉ éd., Tournai 1965, 772-3.

[6] *Peregrinatio Aetheriae. Journal de voyage,* Ed. trad. H. PÉTRÉ, Paris 1948, SC 21. 206.

[7] HESYCHIUS, *Hom. I, De Hypapante,* et *Hom. II, De Hypapante,* in *Les*

(début 5e siècle) — que la fête faisait partie du cycle de l'Epiphanie, la grande fête de l'Incarnation en Orient: à la date du 14 février, donc 40 jours après cette solennité. C'est sans doute de Jérusalem qu'elle s'étendit aux autres églises.

Trois homélies du prêtre Hésychius célèbrent la fête [8] selon la liturgie de Jérusalem, au début du 5e siècle: deux en grec, une en traduction géorgienne. Ce sont sans doute les plus anciennes que nous possédons pour la Présentation du Seigneur au Temple. Dans la première, l'homéliste commence par proclamer l'importance de la célébration:

> « Cette fête est appelée fête des purifications, mais on ne se tromperait pas en disant qu'elle est la fête des fêtes, en l'appelant le sabbat des sabbats, la fête sainte entre les fêtes saintes: elle récapitule en effet tout le mystère de l'Incarnation du Christ, elle décrit toute la présentation du Fils unique » [9].

La fête est de première importance, car elle célèbre l'Incarnation, la manifestation du Fils unique de Dieu comme notre Sauveur. L'homéliste suit le texte de Luc pour en dégager le message par un commentaire de la Bible par la Bible [10]. Luc révèle l'œuvre de Dieu: « Ton salut que tu as préparé à la face de tous les peuples, lumière pour éclairer les nations et gloire de ton peuple Israël (Lc 2,30-32) ». Et Marie admire « comment un sein de femme a contenu Dieu, comment elle, la servante, a enfanté le libérateur de la création » [11]. Mais cette libération est « purification ». Or ni Joseph, ni Marie, ni le nouveau-né n'avaient à être purifiés; mais « c'est pour nous que sont accomplies les purifications de la Loi ». Hésychius commente la prophétie de Siméon en ce sens: « Le destin de cet enfant est de provoquer la chute et le relèvement d'un grand nombre en Israël, d'être un signe de contradiction »; et Siméon ajoutait pour la mère de l'enfant: « Un glaive transpercera ton âme pour que soient manifestées les pensées d'un grand nombre (Lc 2,34-35) ». L'homéliste suit Origène en interprétant le glaive comme l'épreuve du doute lors de la Passion. Mais cette considération reste secondaire. Hésychius veut surtout expliquer la prophétie par le texte de la première lettre de Pierre 2,6-8: « Voici que je place en Sion la première pierre, précieuse, choisie; ... Pour vous qui croyez, elle est précieuse; mais pour ceux qui ne croient pas, elle est la pierre rejetée par les constructeurs, et devenue la pierre de

---

homélies festales d'Hésychius de Jérusalem, Ed. Michel AUBINEAU, Bruxelles 1978, v. I, 1-75. Pour l'ancienne liturgie de Jérusalem, cf. ERNOUX Ch., *Le codex arménien Jérusalem 121,* dans PO 35,1-215; 36,139-388.

[8] HESYCHIUS, éd. M. AUBINEAU, *o.c.,* p. 5.

[9] ID., trad. M. AUBINEAU, p. 25.

[10] ID., p. 6. Pour cette exégèse patristique, voir BUBY B., *Research on the biblical approach and the method of Exegesis appearing in the Greek homiletic texts of the late 4th and early 5th centuries* ... [Incarnation-Mary], dans *Marian Library Studies,* 13-14, 1981-82, 222ss.

[11] ID., I, *De Hypapante,* 7, p. 38, 39.

fondation, pierre d'achoppement, roc de chute (cf. Is. 8,14) »[12]. Ainsi Siméon proclame le Christ, notre libérateur, la pierre de fondation dans le plan de Dieu. Nos réponses à Dieu sont figurées en Pierre et Judas. Pierre a trouvé par sa foi, le Libérateur; Judas, par son manque de foi, a buté contre la pierre angulaire et s'est perdu.

Le mystère de la Présentation de Jésus au temple a suscité bien d'autres commentaires. En Orient, il a continué à inspirer les prédicateurs de la fête de l'Hypapante. En Occident, la fête est plus tardive. Elle se répandit progressivement, avec d'autres célébrations mariales, à partir du décret du pape Serge I (687-701) qui étendit le rite de la procession de cette fête à trois autres fêtes de Marie[13]. L'Hypapante reçut le nom de « Purification de la Vierge Marie »: un changement peu heureux puisqu'il reposait sur un rite sans objet (car la Vierge n'avait pas eu besoin de purification).

Du point de vue de la signification de la fête, il faut surtout noter le développement de la tradition dans l'interprétation du glaive prédit par Siméon à Marie. Le glaive n'est plus celui du doute, mais celui de la douleur de Marie au pied de la croix; il symbolise sa compassion et, par suite, son rôle dans notre salut[14].

1. EXÉGÈSE MODERNE

M.J. Lagrange, dans son commentaire de l'évangile selon saint Luc, publié après la première guerre mondiale[15], résumait l'exégèse catholique. Tout en faisant remarquer que l'auteur sacré téléscopait deux rites de la Loi juive, celui du sacrifice de deux tourterelles pour la purification imposée à la mère (cf. Lév 12,1-8) et celui du rachat du premier-né qui coûtait 5 sicles (Nb 18,15-16), il indiquait que pour Luc, ce qui importait, c'était la venue de Jésus au Temple pour y être reconnu comme le Messie.

En 1957, R. Laurentin, dans *Structure et théologie de Luc I-II*, rassemblait une immense bibliographie et en dégageait la recherche biblique contemporaine concernant les récits lucaniens de l'enfance du Christ. Il étudia ainsi l'importante question des thèmes lucaniens qui permettent de comprendre la révélation que l'auteur sacré voulait proclamer dans le récit de la présentation de Jésus au Temple[16].

La prophétie des 70 semaines de Daniel 9,24s. et celle de Malachie 3 concernant la venue eschatologique du Messie-Seigneur ont inspiré Luc dans sa théologie explicative de la présentation de Jésus au Tem-

---

[12] *Ibid.* Cette explication est reprise dans II, *De Hypapante*, 9, 10, p. 68-71.

[13] Frénaud G., « Le culte de Notre Dame dans l'ancienne liturgie latine », dans *Maria* (Du Manoir), VI,159-211. Deug-Su I., « La festa della Purificazione in Occidente », dans *Studi Medievali* 15 (1974) 143-216.

[14] Groot A. de, *Die schmerzhafte Mutter und Gefährtin des göttlichen Erlösers in der Weissagung Simeons*, Kaldenkirchen 1956.

[15] Lagrange J.M., *Evangile selon saint Luc*, 3e éd., Paris 1927.

[16] Laurentin R., *Structure et théologie de Luc I-II*, Paris, 1957.

ple. A la suite de l'étude de E. Burrows [17], publiée en 1940, on peut voir que Luc, dans sa présentation des origines de Jean-Baptiste et de Jésus, s'était inspiré de Daniel 9,24 pour montrer l'accomplissement des 70 semaines prédites par le prophète: Luc les compte à partir de l'apparition de Gabriel (l'ange de la vision de Daniel) à Zacharie jusqu'à la présentation de Jésus au Temple.

Laurentin [18] analyse à son tour la comparaison entre les deux textes (Daniel et Luc). Les noms donnés à Jésus dans les prophéties de Siméon et d'Anne révèlent sa mission, son identité. Il est « le saint des saints » annoncé par Daniel (9,24). Ainsi « (Luc) décrit la montée de Jésus au Temple de Jérusalem ... comme manifestation eschatologique de la Gloire ». La formule lucanienne: « les temps furent accomplis » indique l'accomplissement des temps messianiques. La manifestation de Jésus au Temple est un événement sauveur, rédempteur: le retour de Dieu parmi son peuple.

La prophétie de Malachie permet à saint Luc de compléter cette révélation. « Voici que je vais envoyer mon messager pour ouvrir le chemin devant moi. Et soudain le Seigneur que vous cherchez entrera dans le sanctuaire ... » (Mal 3,1). Jean-Baptiste est le messager qui annonce la venue du Seigneur. Et Jésus est le Dieu Sauveur qui se manifeste en son Temple: il est reconnu par Siméon et Anne. Ainsi Laurentin déjà commençait l'exégèse qu'il allait compléter plus tard par son étude « Jésus au Temple: Mystère de Pâques et Foi de Marie en Lc 2,48-50 », l'episode complémentaire de la présentation: Jésus perdu et retrouvé au Temple [19].

En 1963, P. Benoît [20], étudiant la prophétie de Siméon au sujet du glaive prédit à Marie, renouvela l'interprétation, en montrant comment Luc avait utilisé Ez 14,17: « Si je faisais venir le glaive contre ce pays, si je disais: Que le glaive passe dans ce pays ... », où le glaive symbolise la guerre comme jugement de Dieu qui punit les coupables, mais sauve les justes. J. McHugh [21] et d'autres ont adopté cette exégèse. En effet, elle permet de mieux comprendre le lien entre Jésus, signe de contradicton, le glaive prédit à la mère et la manifestation des pensées de bien des cœurs (cf. Lc 2,34-35). Marie souffre non seulement par compassion pour son Fils, crucifié, mais son cœur est encore transpercé par le glaive de la douleur parce qu'elle est déchirée par les divisions d'Israël, par l'opposition, le refus que le Christ recontre et qui le crucifient. P. Benoît va plus loin:

---

[17] BURROWS E., *The Gospel of the Infancy and other Biblical Essay*. Ed. E.F. SUTCLIFFE, London 1940, 1-58.

[18] LAURENTIN R. *Structure* ..., 64.

[19] LAURENTIN R., *Jésus au Temple*: *Mystère de Pâques et Foi de Marie en Lc 2,48-50*, Paris 1966.

[20] BENOÎT P., « Et toi-même, un glaive te transpercera l'âme (Luc 2,35) », dans *Catholic Biblical Quarterly* 25, 1963, 251-267.

[21] MCHUGH J., *The Mother of Jesus in the New Testament*, London, New York 1975.

> « Et cette douleur n'est plus limitée au drame du calvaire; elle est celle de toute une vie, dont le Calvaire représente assurément le sommet, mais commencée dès la scène de la Présentation, et durant laquelle, marchant sur les traces de son Fils, dans sa voie d'abjection et d'insuccès, Marie a vécu jour après jour la crise où devait succomber la majorité d'Israël » [22].

L'exégète américain bien connu, R. Brown, a publié, en 1977, une étude minutieuse des récits de l'enfance: *The Birth of the Messiah* [23], avec une bibliographie tant générale que particulière à chaque péricope évangélique. Dans l'analyse de Lc 2,22-40, l'auteur montre que l'intention de Luc est surtout de montrer en Jésus l'accomplissement de la Loi et des prophètes. D'autre part, si Mathieu montre avec l'épisode des mages que Jésus apporte le salut aux païens aussi, on peut dire que par le cantique de Siméon, Luc proclame la même vocation de la gentilité au salut: Jésus « est lumière pour les nations ». Il y a des difficultés dans le texte; par exemple l'unification de deux rites juifs fort différents (cités plus haut, avec Lagrange). En somme, Luc évoque le rite de la purification de la mère parce que cela demandait le voyage à Jérusalem. Mais la présentation de l'enfant, sa consécration à Dieu correspondent à la rencontre avec Siméon et Anne, avec leurs prophéties. Parmi les textes bibliques que Luc utilise, c'est I Samuel 1,24-28 qui convient le mieux pour ce dernier épisode. Les parents du jeune Samuel apportent leur enfant au temple de Siloh et l'offrent pour le service du Seigneur ... Le vieux prêtre Eli les bénit. Puis ils retournent chez eux et le petit Samuel grandit en présence de Dieu. On voit le parallélisme avec Marie et Joseph amenant Jésus au Temple, puis la bénédiction donnée par Siméon; enfin leur retour et la conclusion: Jésus « grandissait en force et en sagesse (Lc 2,40) ».

En 1982, R. Laurentin publiait une syntèse que ses précédents ouvrages faisaient espérer [24]: *Les Evangiles de l'enfance du Christ;* avec un sous-titre significatif: *Vérité de Noël au-delà des mythes.* Après l'analyse littéraire des textes, l'auteur utilise une méthode plus récente, issue de la linguistique et fait l'analyse sémiotique des récits évangéliques. Les 640 numéros de la bibliographie indiquent l'extension de l'enquête.

Pour l'analyse littéraire de Luc I-II, l'auteur conclut qu'il s'agit « d'une mosaïque de genres littéraires étonnamment variés »; mais cet ensemble n'est ni « hétéroclite, ni composite » [25]. Cela tient à « la dynamique de ces deux chapitres » [26]: la progression que la tradition

---

[22] Benoît P., *art. c.*, p. 261.

[23] Brown R.E., *The Birth of the Messiah. A Commentary on the Infancy Narratives in Mt and Lk,* New York 1977. Id., « The Presentation of Jesus (Lk 2,22-40) », dans *Worship* 51 (1977) 2-11.

[24] Laurentin R., *Les Evangiles de l'enfance du Christ. Vérité de Noël au-delà des mythes - Exégèse et sémiotique. Historicité et théologie,* Paris 1982.

[25] Id., p. 132.

[26] Id., p. 80.

a exprimée, par exemple dans le rosaire: mystères joyeux, douloureux, glorieux.

Mais d'abord, conformément à l'histoire qu'il trouvait dans ses sources, Luc commence par Jean-Baptiste, le messager annonciateur du Seigneur qui vient. Jean nous conduit au Christ Jésus; et en celui-ci nous rencontrons Dieu: c'est la manifestation finale du recouvrement au temple: il est le Fils du Père. D'autre part, les récits de l'enfance préfigurent, annoncent l'avenir: en particulier la contradiction, la passion, la résurrection, la Pentecôte.

L'analyse du récit de la présentation au Temple relève des anomalies, comme déjà dit [27]. A qui se réfère le pluriel: « leur purification », alors que la Loi ne parle que de la purification de la mère seule? Pourquoi Luc semble-t-il mentionner le sacrifice de deux tourterelles ou colombes prévu pour la purification, comme offert por l'enfant en vue de sa consécration au Seigneur, selon la Loi expressément citée: « tout premier-né sera consacré au Seigneur »? Il s'agissait d'un rachat, non par un sacrifice, mais par l'offrande de 5 sicles (et cela en dehors du temple); selon la Loi, la tribu de Lévi remplaçait les premiers-nés, au service du Seigneur. Laurentin pense que Luc pouvait avoir en vue un rite qui effectivement prévoyait le sacrifice de deux tourterelles ou pigeons (Nb 6,10), pour la purification d'un nazir (personne consacrée à Dieu par vœu). Mais Luc opère une transformation encore plus importante. Il s'agit bien d'une purification et d'un rachat; mais non pour la mère ou l'enfant. Il le dit en conclusion (2,39): il s'agit de la délivrance, de la rédemption de Jérusalem, la ville qui symbolise le peuple [28]. Comme le dit la Bible de Jérusalem, à cette occasion: «Jérusalem est pour Luc le centre prédestiné de l'œuvre du salut» [29]. Laurentin insiste donc avec raison sur le sens typologique des textes [30]. Dans l'épisode de la présentation, l'enfant Jésus est le premier-né par excellence, absolument saint: il est le Seigneur lui-même qui entre en son temple et accomplit Ml 3; en particulier, il purifie les fils de Lévi qui remplacent les premiers-nés: ainsi il purifie, rachète tout son peuple. Nous passons de la Loi et de ses préparations à un avenir décisif. Cet avenir est annoncé par Siméon et Anne: l'œuvre de Dieu par son Christ et son Esprit; cet Esprit étant à l'œuvre en Siméon et Anne déjà. Jésus est à la fois Dieu et son peuple; mais cette union de Gloire va connaître l'heure du glaive: la Passion, la mort du Messie, de cet enfant que Marie confie à Siméon ... Ainsi Luc fait converger les thèmes de la révélation, de la Parole de Dieu selon leurs deux axes [31]: l'axe humain indiqué par le nom de Jésus (circoncision); l'autre, divin: indiqué par les titres donnés: lumière, gloire ... Ils se croisent au temple lors de la venue du Christ qui s'identifie.

[27] Id., p. 91.
[28] Id., p. 95.
[29] *La Bible de Jérusalem*, éd. 1973, p. 1485 note 9.
[30] Laurentin R., *o.c.*, p. 97.
[31] Id., 255.

2. CONCLUSION

Le calendrier Romain restauré nomme la fête « Présentation du Seigneur ». L'Exhortation apostolique *Marialis Cultus* — datée du 2 février 1974 — explique par deux fois l'importance de ce mystère. Dans la liste des fêtes de la Vierge, on lit:

> « La fête du 2 février, à laquelle a été restituée l'appellation "Présentation du Seigneur", doit également être présente à l'esprit, afin d'en recueillir la grande richesse. C'est une mémoire conjuguée du Fils et de la Mère, c'est-à-dire la célébration d'un mystère du salut opéré par le Christ, auquel la Vierge fut intimement unie en tant que Mère du Serviteur souffrant de Yahveh, en tant qu'exécutrice d'une mission qui appartenait à l'ancien Israël et en tant que figure du nouveau Peuple de Dieu, continuellement éprouvé dans sa foi et dans son espérance, par la souffrance et par la persécution (cf Lc 2,21-35) » (*Marialis cultus,* n. 7).

Ce résumé de la tradition est complété par l'explication du titre donné à Marie: *Virgo offerens,* Vierge qui offre:

> « Dans l'épisode de la présentation de Jésus au Temple (cf. 2,22-35) l'Eglise, guidée par l'Esprit Saint, a entrevu, au-delà de l'accomplissement des lois concernant l'oblation du premier-né (cf. Ex 13,11-16) et la purification de la Mère (cf. Lv 12,6-8), un mystère du salut relatif à l'histoire du salut. Autrement dit, elle a noté la continuité de l'offrande fondamentale que le Verbe incarné fit au Père en entrant dans le monde (cf. 10,5-7). Elle a vu la proclamation de l'universalité du salut, puisque Siméon, en saluant dans l'enfant la lumière destinée à eclairer les peuples et la gloire d'Israël (cf. Lc 2,23), a reconnu en lui le Messie, le Sauveur de tous » (*Marialis cultus,* n. 20).

L'Exhortation précise le lien entre la prophétie de Siméon et le mystère du Calvaire:

> « (L'Eglise) a compris la référence prophétique à la Passion du Christ: les paroles de Siméon, unissant dans une même prophétie le Fils "signe de contradiction" (Lc 2,34) et la Mère dont l'âme serait transpercée par un glaive (cf. Lc 2,35), trouvèrent leur réalisation sur le Calvaire. Mystère de salut, oui, qui, sous divers aspects, oriente l'épisode de la Présentation au Temple vers l'événement salvifique de la Croix » (*Marialis cultus,* n. 20).

Ce texte du *Marialis cultus* s'achève sur une analyse de la tradition qui a vu l'union du cœur immaculé de la Mère à la volonté de Jésus, victime et prêtre:

> « L'Eglise elle-même, surtout à partir du Moyen Age, a entrevu dans le cœur de la Vierge, qui porte son Fils à Jérusalem pour le présenter au Seigneur (cf. Lc 2,22), une volonté d'oblation, qui dépasse le sens ordinaire du rite qu'elle accomplissait. De cette intuition, nous avons un témoignage dans l'affectueuse interpella-

tion de saint Bernard: "Offre ton Fils, Vierge sainte, et présente au Seigneur le fruit béni de tes entrailles. Offre pour notre commune réconciliation la victime sainte qui plaît à Dieu" ».

Si nous ajoutons à Lc I-II la généalogie du Christ du chap. 3, qui fait le lien avec la vie publique, nous découvrons un nouveau thème de l'évangéliste: le Christ récapitule en Lui toutes les générations: Il est la descendance ultime d'Adam en qui tout est recréé. Il est le second Adam, le nouveau Chef de la race en qui se vérifie pleinement l'identité, la vocation, la dignité de l'homme: « Fils de Dieu » (Lc 3,38). En Lui, le Fils du Père, enfant de la Vierge, race d'Adam, opère notre retour au Père.

Les mystères joyeux sont en réalité les mystères de l'enfance du Christ. En eux, se manifeste le Fils de Dieu fait chair pour réaliser la rencontre nouvelle de Dieu avec l'homme, la nouvelle rencontre de l'humanité avec Dieu. L'Eglise célèbre ces mystères en pleine conscience, en pleine foi en leur valeur. La Lumière de la Parole née de la Vierge, faite chair, est indispensable pour la régénération pascale.

LA IMAGEN DE MARIA ANTE LAS INTERPELACIONES MODERNAS

ENRIQUE LLAMAS, O.C.D.

0. PRESENTACION Y PLANTEAMIENTO

0.1. EL TEMA

Quiero ofrecer una serie de reflexiones sobre la imagen teológica y espiritual de la V. María, con el deseo de colaborar al conocimiento de sus rasgos esenciales y característicos, y a una comprensión más profunda de su misterio.

La importancia de este tema es obvia y patente. Se trata en el fondo de un problema de autenticidad: conocer y definir la *auténtica imagen* de María, que no siempre aparece reflejada con esa nitidez en algunos escritos modernos.

Desde el punto de vista positivo esto equivale a conocer y aceptar en síntesis la doctrina mariana del Conc. Vaticano II [1], el Concilio de nuestros días, que nos ha ofrecido una « vasta síntesis — en frase de Pablo VI — de la doctrina católica, sobre el puesto que María Santísima ocupa en el misterio de Cristo y de la Iglesia » [2]; lo cual equivale a decir, que el Concilio nos presenta su imagen auténtica, tal como la Iglesia la conoce y la ofrece al mundo de hoy.

Desde el punto de vista negativo, han surgido en algunos ambientes eclesiales ciertas interpelaciones frente a la imagen de María que ofrece al mundo la Iglesia. Se propagan hoy *representaciones parciales*, según la expresión de Pablo VI, y no pocas *deformaciones* de esa imagen sagrada y venerada, que desfiguran su rostro y lo privan de su irradiación e influencia salvífica. Tales *deformaciones* revisten muchas modalidades; pero, todas convergen en un mismo objetivo: en desfigurar la imagen de María y privarla de su autenticidad sobrenatural [3].

---

[1] Conc. Vaticano II, Const. Dogmática *Lumen Gentium* = LG., cap. VIII, nn. 52-69.

[2] PABLO VI, *Discurso en la clausura de la 3ª sesión conciliar*, 21. XI, 1964, n. 21.

[3] Me refiero aquí a las deformaciones que han surgido y se fomentan dentro del mundo católico. En otros ambientes, ateos o protestantes, las deformaciones han llegado a ser burdas caricaturas, profanaciones de la imagen amable y sobrenatural de Nuestra Señora. Así, por citar dos casos, en el movimiento feminista protagonizado por Denise Boucher en Québec (Cfr. R. LAURENTIN, *Bulletin sur la Vierge Marie*, en *RSPhTh* 65 [1981] 310-313), y en la película de J.L. Godard: *Je vous salue, Marie*, que a pesar de las sor-

Esta situación es grave y preocupante; tanto, que el Papa Pablo VI, atento siempre a las necesidades espirituales de la Iglesia, no dudó en aludir a ella en la Exhort. Apostólica *Marialis Cultus* (1974). El Papa, que se esforzó por hacer viva y efectiva en la Iglesia la enseñanza mariana del Vaticano II, comenta que en muchos ambientes se ofrece a los cristianos una imagen deformada de la V. María; lo cual, aparte de ser un error y una lamentable equivocación, representa un movimiento que puede impedir, dificultar y reducir la irradiación de la verdad. Intenta por lo mismo corregir esos fallos, ofreciendo los verdaderos criterios para descubrir y conocer la auténtica imagen de María, y presentarla a los demás [4].

0.2. Razón del tema

He escogido este tema para mis reflexiones en parte por su actualidad e importancia, en parte por una razón circunstancial.

1. Ofrezco estas reflexiones como homenaje de gratitud y de amistad al querido amigo y meritísimo mariólogo Domenico Bertetto. El es uno de los teólogos que más han contribuido en nuestros días al conocimiento de la auténtica imagen de la V. María. Mis reflexiones se centran, pues, en torno a lo que es más nuclear en su doctrina mariológica: la imagen de María.

Por una parte, D. Bertetto nos ha ofrecido en bellos volúmenes desde hace más de veinte años los documentos marianos de los últimos Papas (Pio XII - J. Pablo II), que contienen las líneas maestras y los datos seguros y precisos, que configuran la imagen de la V. María.

Ha publicado también y comentado ampliamente el texto mariano del Conc. Vaticano II, que podemos definir, como una *fotografia* teológica y espiritual de María, que irradia el resplandor de su maternidad divina-soteriológica sobre toda la Iglesia.

Ha sistematizado, finalmente, en varias y meritísimas obras, la doctrina mariana, situando la imagen de la V. María en el dintel, en el centro y en el punto de partida de todas sus consideraciones. ¿Qué otra cosa significan, si no, estas frases, con las que abre la presentación de su ensayo: *Maria con Cristo e con la Chiesa?*

> « ¿Cuáles son — escribe — las líneas esenciales de la mariología posconciliar, en coherencia con las aportaciones del Magisterio mariano del Vaticano II? ¿Cuáles son las orientaciones seguras, asignadas por el Concilio a la pastoral mariana, para presentar a María Santísima a la fe y al culto del pueblo cristiano? » [5].

---

prendentes condescendencias de algunos críticos, ha sido rechazada en el mundo católico, como ofensiva a la santidad de Nuestra Señora.

[4] Pablo VI, *Marialis Cultus* (1975), nn. 35-38. Más adelante tendremos ocasión de reflexionar sobre algunos puntos concretos.

[5] D. Bertetto, *Maria con Cristo e con la Chiesa,* Ed. L.E.A., Roma 1969, p. 9.

Esas líneas maestras y esenciales son las que definen la figura auténtica de María, como realización histórica y como misterio de salvación, objeto de la fe de la Iglesia y de la piedad de los fieles. Hay que tenerlas siempre en cuenta para hacer una presentación objetiva de María. Nos lo ha recordado el Vaticano II y lo han puesto de relieve los Papas Pablo VI y Juan Pablo II en sus documentos marianos.

2. En sus obras mayores de caracter mariológico, D. Bertetto ha logrado una magnífica síntesis histórico-doctrinal de la enseñanza de la Iglesia sobre la Virgen María, el *sacramentum Mariae,* que dicen los Padres. En esa síntesis aparece maravillosamente dibujada su imagen sobrenatural, humana y divina, personal y eclesial, según los designios de la divina Providencia[6].

D. Bertetto nos ofrece en estas obras, y en otros escritos suyos, no solo una simple exposición consciente y reflexiva, armoniosa y coherente, viva y actual de la doctrina mariana. Ha definido también en sus propios términos la imagen de María, su ser y su misterio.

Las líneas esenciales de su mariología convergen en esta *idea luminosa* del Vaticano II — que resume el sentir de la Iglesia —, que preside el tratado teológico sobre la Virgen María, sintetiza su contenido e ilumina su figura asociada íntimamente a la persona y a la obra del Redentor[7]. El mismo ha definido esa imagen sobrenatural de María, como resultante de su síntesis doctrinal: « *María* — escribe en el frontis de una de sus obras — *es la Madre universal en la historia de la salvación*[8].

Imagen de María en su realidad concreta, histórica y transcendente. María, persona no divina ni angélica, sino humana; pero, que goza de una excelencia única y singular en los planes salvíficos de Dios en armonía con su misión también única y singular. Y como consecuencia de esto, toda santa, llena de gracia, y como « plasmada por el Espíritu Santo », en la frase del Conc. Vaticano II, que traduce expresiones de los Padres antiguos[9].

María es Madre universal: de Jesucristo, el Hijo de Dios-Redentor en su ser físico; y madre de los redimidos en el plano espiritual de la salvación. Por lo mismo, Madre-Virgen perpetua, y perfecto modelo y ejemplar de la Iglesia. Porque esta imagen de María no es algo pasivo e inerte. Es lo más ajeno al estatismo y a la inercia. Es una imagen viva y esencialmente dinámica; porque tal es la prerrogativa de su maternidad divina y espiritual, y porque está inserta en la historia siempre en movimiento de la salvación.

---

[6] Me refiero principalmente a sus obras más importantes de carácter doctrinal y sistemático: *Maria, Madre universale nella Storia della salvezza* (Libreria Editrice Fiorentina, Firenze 1969), y *La Madonna oggi,* LAS, Roma 1975.

[7] Cfr. *Maria con Cristo e con la Chiesa* ..., p. 26.

[8] D. BERTETTO, *La Madonna oggi* ..., p. 9.

[9] CONC. VATICANO II, *LG.,* 56.

La imagen de María queda configurada de esta forma por sus rasgos característicos esenciales, y situada en su puesto propio y singular: el que le asignó el Padre de las misericordias, cuando la escogió y la predestinó para Madre de su Hijo Redentor: « ... el puesto más alto después de Cristo y el más cercano a nosotros », según la expresión de Pablo VI, recogida por el Concilio Vaticano II [10].

En esta presentación María aparece, no como una figura arcaica o como un icono de la arquelogía religiosa; sino como una imagen viva, del pasado, del presente y del futuro de la Iglesia; porque actuó en el plan salvífico de la redención no solamente mientras vivió en este mundo [11], sino también, asunta en cuerpo y alma a los cielos, actua y seguirá actuando de múltiples maneras en beneficio de sus hijos, obteniéndoles los dones de la salvación eterna [12].

3. Domenico Bertetto llegó a esta síntesis doctrinal y a esta presentación de la imagen de la V. María mediante una escucha atenta de la palabra de Dios, en una lectura reposada e integradora de la doctrina de la revelación y tras una reflexión profunda sobre la enseñanza del Conc. Vaticano II, en el que el Espíritu Santo ha hecho patente y más manifiesta para la Iglesia la doctrina de la revelación divina sobre el misterio de María.

Así llegó a descubrir ese *primer principio* de la teología mariana conciliar, o principio fundamental, que formuló en estos términos: « María Santísima está indisolublemente unida a Cristo Salvador en toda la obra de la redención del género humano, en virtud de su maternidad universal » [13].

Este principio articula, por una parte, toda la mariología actual; por otra, nos ayuda a definir con sus rasgos característicos la auténtica imagen de María, tal como nos la ofrece la Iglesia y tal como deben ofrecerla o transmitirla los teólogos y los pastoralistas al pueblo de Dios y al mundo.

Yo mismo reflexioné en otras ocasiones sobre este mismo tema y propuse ese mismo principio como base, o hilo conductor de la mariología actual, renovada y progresiva, como vía de acceso a la auténtica imagen de María [14]. Se trata de un problema básico — hay

---

[10] PABLO VI, *Alocución en el aula conciliar*, 4, XII, 1963; AAS., 56 (1964) 37; CONC. VATICANO II, *LG.*, 54.

[11] CONC. VATICANO II, *LG.*, 57: « Esta unión de la Madre con el Hijo en la obra de la salvación se manifiesta desde el momento de la concepción virginal de Cristo hasta su muerte ».

[12] Cfr. D. BERTETTO, *La Madonna oggi* ..., pp. 9-10; CONC. VATICANO II, *LG.*, 62: « Esta maternidad de María en la economía de la gracia perdura sin cesar ... Asunta a los cielos ... con su múltiple intercesión continúa obteniéndonos los dones de la eterna salvación ».

[13] Cfr. D. BERTETTO, *La Madonna oggi* ..., p. 30.

[14] Ver mis estudios: « *La cooperación de María a la salvación. Nueva perspectiva después del Vaticano II* », en *Scripta de María* 2 (1979) 423-447; « *El primer principio de la mariología conciliar. El ayer y el hoy de este problema* », en *Marianum* 41 (1979) 333-372.

que recalcarlo una vez más — sin el cual no es posible llegar a la comprensión ni inteligencia del misterio de María.

Los mariólogos actuales se manifiestan cada vez con mayor insistencia y radicalidad sobre esta dimensión salvífica de la figura de María, como elemento esencial de su misterio sobrenatural. Si se suprime dicha dimensión, ni puede entenderse ese misterio, ni es posible entender ni articular la mariología, como tratado teológico [15]. Sin esa dimensión salvífica, o si no se salvan sus mínimos esenciales, la figura de María quedará notablemente mutilada, deformada, privata de su irradiación en orden a la salvación, en cualquier aspecto que se la considere.

0.3. Mi intento

Mi intento en estas reflexiones no es presentar una síntesis mariológica, ni describir siquiera o dibujar de forma pormenorizada las lineas fundamentales concretas de la imagen de María. Esta labor ha sido realizada ya satisfactoriamente por mariólogos competentes. Es la síntesis que nos ha ofrecido el Conc. Vaticano II. D. Bertetto y C. Pozo, en los escritos ya citados, y otros mariólogos han trazado con precisión las líneas directrices de esa imagen sobrenatural de María, basados en la enseñanza conciliar.

1. Algunos autores modernos, después de algunas consideraciones generales, de caracter doctrinal, han hecho algunas aplicaciones a *aspectos concretos* de la imagen de María. Así, por citar un ejemplo, R. Spiazzi se refiere a su *imagen imitable* en una visión preferentemente evangélica [16], y propone en particular a la Virgen María como la *immagine* della Chiesa para el mundo de hoy, describiendo sus rasgos característicos [17].

Tampoco voy a referirme a *algunas parcelas* concretas del campo teológico o sociológico, ni intento situar o proyectar sobre ellas la imagen de María. Algunos autores lo han hecho así, en particular con relación a los Evangelios de la Infancia y a la tradición de la Iglesia. Gracias a esos estudios conocemos cada día mejor cómo los testigos de la antigua tradición bíblica y apostólica miraron y pensaron la imagen de María [18].

[15] Cfr. C. Pozo, *María en la obra de la salvación,* B.A.C., Madrid, 1978, pp. 5 ss.; Id., « *La asociación de María a la obra de la salvación* », en *Scripta de Maria* 2 (1979) 464-465.

[16] R. Spiazzi, « *Maria è via di salvezza* », en *Sacra Doctrina* (1982) 76-79.

[17] Id., « *Maria Icona della Chiesa nel mondo d'oggi* », en *ibid.,* pp. 525-535. Algunos autores, en su intento de acercar la imagen de María al pueblo cristiano, se han esforzado por definir algunos de los aspectos fundamentales de su imagen, soslayando, u omitiendo otros también esenciales.

[18] En esta línea: A. Barucq, « *La Figura di Maria, Madre del Salvatore, nella S. Scrittura* », en *La Madonna nella nostra vita,* PAS-Verlag, Roma 1971, 29 ss.; A. Salas, « *La figura de María en los Evangelios de la Infancia* », en *La Ciudad de Dios* (1979) 337-354. La presentación de la imagen de María no

Otros autores se han ocupado en proyectar la imagen de María en las *diversas parcelas* del mundo social y religioso de hoy, y de presentarla a algunos *sectores concretos* de personas, con una preocupación tanto teológica como pastoral. A. Martínez Sierra lo ha hecho para la juventud, y J. Luis Idigoras, en una visión más amplia, para la Iglesia de América [19].

Con una intención similar a la nuestra, pero en forma más reducida y con un ángulo de visión menos dilatado, M. Rubio ha escrito recientemente unas páginas sobre la figura cristiana de María ante la interpelación del movimiento feminista [20]. El marco de desarrollo es solo parcialmente parecido al nuestro; los presupuestos y la orientación son notablemente distintos.

Yo pienso, que toda presentación de la figura de la V. María, para que sea correcta y adecuada, y para que goce al mismo tiempo de eficacia e influjo, debe transmitir con fidelidad la que nos ofrece la Iglesia en sus rasgos esenciales. Incluso diría, en su procedimiento y metodología, aunque estos quedan supeditados a la finalidad y a los sectores de personas para quienes se hace esa presentación. En este sentido, creo que las orientaciones del Papa Pablo VI a este respecto en la Exhort. *Marialis Cultus* han de ser tenidas siempre en cuenta y aplicadas en nuestros esquemas. De lo contrario, corremos el riesgo de la deformación, o de quedarnos a medio camino de nuestro intento.

2. Algunos teólogos, en ese justo y legítimo deseo de conocer el misterio de la Virgen María y de descubrir su imagen sobrenatural, se han formulado esta pregunta: *¿Quién es la Virgen María?*

Esto no ha sido un recurso metodológico; ha sido también un planteamiento de ese problema, al que se ha dado respuesta, por lo general, con una síntesis doctrinal. En esta línea, la Sociedad Mariológica Española publicó un librito, a modo de catecismo mariano, que intenta reflejar la auténtica imagen de María [21].

---

siempre aparece correcta. Si se pone en duda la historicidad de unos datos, nada impide que se extienda a todos los demás, si no se valora la Tradición de la Iglesia. Cfr. A. GEORGE, *Etudes sur l'œuvre de Lucas*, Gabalda, Paris 1978, pp. 430-432. Me parece menos afortunada la presentación que hace de la Virgen María, aun en la línea histórica, M. GOMEZ GUTIERREZ, «*Con su Sí en la Encarnación ¿ firmó María su sentencia de muerte?*», en *Nova et Vetera* X (1985) 89-102.

[19] A. MARTINEZ SIERRA, «*Cómo hablar de la Virgen María a la juventud actual*», en *Ephem. Mariologicae* (1980) 285-315, y *Estudios Marianos* 46 (1981) 377-410. J. LUIS IDIGORAS, «*María y la Iglesia. María, Mujer y Pobre, Arquétipo de la Iglesia femenina y pobre*», en *Medellin* (diciembre, 1982) 466-488. El autor dibuja los rasgos de la figura de María más aleccionadores para los cristianos de América, siguiendo las líneas del mensaje de Puebla y las orientaciones del Vaticano II.

[20] M. RUBIO, «*La figura cristiana de María ante la interpelación de los feminismos*», en *Razón y Fe* (junio, 1985) 639-652.

[21] SOCIEDAD MARIOLÓGICA ESPAÑOLA, *¿Quién es la Virgen María? Síntesis doctrinal para una devoción consciente*, 4ª edic., Salamanca, 1982, 111 pp. Edic. italiana: *Chi è la Vergine Maria? Sintesi dottrinale per una devozione illuminata*,

Quiero aludir, finalmente, al folleto publicado por J. Polo Carrasco, con el título: *La Imagen de María*[22]. El autor, después de un planteamiento clarificador del problema, y metodológicamente orientador, hace una síntesis de los rasgos, o elementos que configuran la imagen sobrenatural de María. Comienza con la predestinación de María y concluye con su acción e intercesión celeste en favor de los hombres, como dispensadora de gracias.

3. No es este mi propósito. Estos autores, y otros que se mueven en ese mismo ambiente teológico y pastoral, han presentado la imagen de la V. María y la han acercado a los hombres de hoy, a los cristianos en nuestras actuales circunstancias, abriendo así el camino a su influencia ejemplarizante sobre ellos y sobre la Iglesia.

Esta es una labor sumamente meritoria, como es obvio, que secunda los deseos y los esfuerzos del Magisterio vivo de la Iglesia en todos los tiempos, por hacer cada vez más próxima a nostros la imagen de María nuestra Madre.

Pero ahora, más que individualizar problemas y definir los rasgos esenciales de esa imagen entrañable de María, quiero reflexionar sobre su realidad en general, sobre la importancia que tiene su conocimiento preciso, sobre lo urgente que es presentar y mantener la auténtica imagen de María en toda labor teológica y pastoral, como un medio para superar las crisis de la piedad mariana y preparar su aceptación aun en los espíritus más críticos y exigentes. Tengo para mí, y lo ha insinuado el Papa Juan Pablo II, que el rechazo de la imagen de María en muchos sectores del pueblo cristiano ha sido provocado por la mala y defectuosa presentación que se ha hecho de la misma.

Al hacer esta reducción temática no estoy soslayando los problemas. Marco simplemente la orientación de mi pensamiento y las pautas de su desarrollo. En otras ocasiones he reflexionado sobre este mismo tema, si bien a otro propósito y en un marco ambiental distinto[23].

1. DESARROLLO

1.1. Retorno de la « imagen de María »

El Papa Juan Pablo II ha situado con precisión y clarividencia la imagen de la Virgen María, cercana a nostros, bajo el signo de

Ed. Elle di Ci, Torino 1984, 79 pp. Mons. Arialdo Beni en su estudio: « *Maria nel mistero di Cristo e della Chiesa* », en *Rivista di Ascetica e Mistica* (1982) 13-26, se pregunta también: *¿Quien es María?* Y responde con la exposición de estos aspectos: Madre predestinada, voluntaria, Santa, Virgen, Madre verdadera, Madre de Dios (*Theotokos*).

[22] J. Polo Carrasco, *La imagen de María*, Cuadernos de Pastoral y catequesis, n. 10, Universidad de Navarra, Pamplona 1978, 34 pp.

[23] Ver, E. Llamas, *La figura de María en la Iglesia de hoy*, en *La figura de María*, I Simposio de Teología y Evangelización, Salamanca, 1985, pp. 253-261; Id., *La Imagen de la Virgen María en la Iglesia de hoy*, Folletos « Mundo Cristiano », N° 411, Madrid 1985, 46 pp.

su Asunción gloriosa, en medio de las inquietudes y avatares del mundo de hoy. Es la imagen que la Iglesia ofrece a ese mundo que camina hacia el año dos mil, falto de orientación en amplios sectores y sacudido por el azote del mal y la mentira.

> « La Iglesia, mirando hacia su futuro — dice el Papa — medita sobre el mismo a la luz de María asunta, partiendo del propio pasado ... ¿Quien es esta mujer? Es Aquella que con todo su ser humano dice: "Eh aquí la esclava del Señor" (Lc. 1,38). Y se expresa así, porque su ser humano, desde la misma concepción, ha sido plasmado por la gracia de Aquel que fue preanunciado por el profeta, como "el Siervo de Jahve" ...
>
> En la mentalidad moderna, la tentación de rechazar a Dios y todo lo que es divino, se presenta en una forma particularmente aguda ... Frente a todo esto, la Iglesia mira a la "mujer", como una señal grande, puesto que Ella (María) jamás ha cedido al espíritu de la mentira ... Justamente, Ella tiene el poder de guiar al hombre en el Espíritu de la verdad en medio de esta época de inmensa mentira en la que él vive » [24].

No es difícil descubrir la orientación del pensamiento del Papa y su proyección pastoral. Alude a la imagen de María, tendiendo su mirada desde el momento de su concepción hasta su asunción. Imagen sobrenatural, adornada de gracia y de la maternidad salvífica; como « mujer » y « señal » proyectada por Dios en el horizonte de la historia, con poder para guiar al hombre en el espíritu de la verdad.

Imagen al mismo tiempo sometida a la interpelación de los hombres, que ofuscados por el « espíritu de la mentira, que domina al mundo », no siempre logran descubrir las luces y los destellos de su irradiación.

Esta situación y este planteamiento, que hace el Papa, confieren plena actualidad al tema de la imagen de María en el mundo de hoy. Es frecuente el recurso al mismo en los más diversos ambientes, a veces inevitable. Los movimientos de acción pastoral y eclesial, de renovación de vida cristiana, bíblicos y litúrgicos, los movimientos de renovación de los Institutos de carácter mariano, sitúan en primer plano la definición de la imagen de María, que es para todos ellos como un estímulo y un paradigma. Los promotores del movimento feminista, en el terreno socio-religioso, consideran a la Virgen María como un punto focal y un centro de convergencia de sus reflexiones.

Todo esto es un signo que hay que valorar muy positivamente. La literatura mariológica, fruto de esas y otras inquietudes, ha hecho en cierto modo que la imagen de María no se haya distanciado del todo de nuestro mundo, ni alejado de nuestro entorno: incluso de

---

[24] JUAN PABLO II, *Homilía en la fiesta de la Asunción,* en Castelgandolfo, 15, VIII, 1984 (En *Ecclesia,* n. 2.187, p. 1.051).

ese mundo que camina un poco, o un mucho al margen del Evangelio y del influjo y dirección de la Iglesia. « Se puede decir que retorna la figura de María », escribió Tina Leonzi, dentro del movimiento feminista; un retorno a nuestra reflexión y a la devoción de los fieles, después de años de alejamiento[25].

Este retorno es debido, a mi modo de ver, a una mejor y más adecuada comprensión del misterio de María, a una presentación más fiel y luminosa de su imagen, atendiendo a los signos de los tiempos y a la categoría de las personas. Este retorno hay que entenderlo también como un mayor influjo de la Virgen María en la vida cristiana. Todo esto es inicialmente fruto de la labor del Magisterio mariano del Vaticano II y de la acción y del mensaje de los últimos Papas, traducido en fórmulas llenas de contenido por los profesionales de la mariología y los promotores de la piedad y la devoción marianas.

1.2. « La imagen de María », fruto de la revelación

1. Cuando hablamos aquí de la figura, o imagen de María no nos referimos, como es obvio, a su imagen y figura humana, a su configuración física y biológica.

Los cristianos de todos los tiempos han alimentado el deseo y la curiosidad de conocer esa imagen de María, lo mismo que la imagen de Jesús. Se llevan a cabo con celo y entusiasmo trabajos minuciosos, como el análisis de los más mínimos detalles de la Sábana Santa de Turín, para descubrir a través de ellos los rasgos de lo que podríamos llamar un retrato de Jesucristo, el Hijo de María.

Con relación a la Madre no contamos con ningún elemento, que pueda ser sometido a análisis en este sentido. Pero, a pesar de todo, y precisamente por eso, como dice Polo Carrasco, « ... nuestros ojos y nuestro corazón siguen buscando la *imagen de María*, y nos acercamos a la pintura, a la escultura, a la literatura, a cualquier arte de todos los tiempos con un afán de búsqueda, que nunca acaba de saciarse »[26].

Este afán y este deseo encendido, alimentado de amor y de piedad, creó y dió fundamento a la leyenda del cuadro de María, que habría pintado el Evangelista Lucas, y del que andan repartidas

---

[25] T. Leonzi, « *Maria alle radici del femminismo cristiano* », en « *Maria e la condizione femminile* », nº 12 (1984) 366. R. Laurentin habla también de un « retour de Marie, après un temps de marginalisation » (*Bulletin sur la Vierge Marie, l.c.*, p. 333 - ver nota 3). Es un hecho ya constatado. Este retorno de María es paralelo al *retorno de la mariología*. Creo que hoy no se puede afirmar, sin más, que « *l'éclipse de la mariologie dogmatique se prolonge* » (R. Laurentin, *l.c.*, p. 124). Hay otro estilo de hacer mariología; no en manuales, sino en ensayos, sólidos y bien elaborados.

[26] J. Polo Carrasco, *l.c.*, p. 1-2.

muchas copias en muchos centros de devoción[27]. Los poetas y los literatos, lo mismo que los autores de *Vidas de María,* han descrito y dibujado, con poco o ningún fundamento, los rasgos de su fisonomía, sus facciones, sus caracteres, hasta presentarnos como su *ficha de identidad.* Una exageración que hay que desterrar de la literatura mariana.

2. No nos interesa esta imagen material y humana de María. No porque no ofrezca interés para un conocimiento más adecuado y cabal — si es posible adquirirlo por esa vía — de su figura; sino porque tal aspecto está fuera de nuestro propósito.

Nos interesa conocer la imagen espiritual y sobrenatural de la V. María, que tiene — es verdad — un soporte humano; pero, que es totalmente distinta de lo que la historia, con sus propios medios, puede llegar a conocer. Nos interesa conocer la *gracia,* que supone y se apoya en la naturaleza; pero, que la transciende. Porque María en sí es *toda gracia,* toda *gratuidad,* toda manifestación del amor misericordioso de Dios Salvador, y reflejo de su plan de salvación del género humano.

Esta imagen no es fruto de la naturaleza, sino de la gracia — estoy simplemente planteando el problema —. Por lo mismo, no son suficientes los criterios meramente humanos para conocerla e identificarla. Hay que acudir a los criterios y a la luz de la revelación. Enlazo aquí una vez más con Polo Carrasco, por citar un testimonio: « ¿ Quién puede preciarse de tener la imagen auténtica y completa de María? Solo Dios que la predestinó y la hizo como El quiso y la vinculó a su Hijo divino, no solo para que fuera su Madre, sino a la vez la cooperadora en todo el plan de la redención »[28].

En efecto: en María todo es fruto de su predestinación singular y única para Madre de Dios, realizada por el Padre de las misericordias « juntamente con el misterio de la Encarnación » (LG., 61). En esa predestinación, que fué un acto de amor, de la elección divina, Dios mismo delineó y determinó desde toda la eternidad los rasgos fundamentales de la imagen de María. Muchos y autorizados teólogos han hecho esta consideración, como punto de partida de sus consideraciones y reflexiones. Basten estas referencias.

Pablo VI en *Marialis Cultus* expresó esta idea de fondo en estas frases: « En la Virgen María todo es referido a Cristo, y todo depende de El. En vistas a El Dios Padre la eligió desde toda la eter-

---

[27] De esta leyenda se hace eco en una forma plástica el gran pintor Domenico Theotokopulos, el Greco (1541-1614), en el lienzo que pintó del evangelista San Lucas, que exhibe en sus manos un libro de los evangelios, que muestra en una hoja un retrato de la Virgen María. El cuadro se conserva en la sacristía de la Catedral metropolitana de Toledo, y forma parte del conjunto de óleos de los Apóstoles y Evangelistas, pintados por el mismo pintor.

[28] J. POLO CARRASCO, *l.c.,* p. 2.

nidad como Madre toda Santa, y la adornó con los dones del Espíritu Santo, que no fueron concedidos a ningun otro »[29].

El Papa Juan Pablo II, resaltando un aspecto particular de la ejemplaridad de María, hace una afirmación parecida. María, en su realidad sobrenatural y en su dimensión salvífica, es « la imagen de la mujer perfecta », porque « ... para responder a la imagen de la mujer, que había cometido el pecado, Dios hace que surja una imagen de la mujer perfecta, que recibe una maternidad divina: María »[30].

Es Dios mismo quien ha configurado esa imagen espiritual de María, como réplica a la imagen deformada de la mujer, que cometió el pecado. J. Delicado Baeza, arzobispo de Valladolid (España), ratífica y desarrolla esta misma idea: « A golpe de predilecciones infinitas, en virtud de los méritos de su Hijo, fue el Padre el que talló esa imagen de mujer, de la que había de nacer su Hijo, llenándola de la plenitud de su espíritu. Todo lo que es María se lo debe, pues, a su Hijo »[31].

La imagen de María, lo mismo que la imagen y la obra de Jesús, al igual que cuanto es y significa, pertenecen a la historia de la salvación; manifiestan y nos dan a conocer la voluntad salvífica del Padre de las misericordias. El conoció, dibujó y *talló* (J. Delicado Baeza) esa imagen auténtica de María, a la que no podemos tener acceso sino a través de la palabra y la revelación divinas.

> « La imagen auténtica, el ejemplar exacto de lo que Ella (María) ha sido y sigue siendo en el cielo, solo la posee Dios. Y Dios ha querido manifestárnosla en la revelaciòn, para que conociéramos las maravillas de su plan de salvación »[32].

3. Demos un paso más. Es preciso acudir a la revelación divina, como norma indispensable de metodología teológica, para conocer los designios de Dios, también y precisamente en este tema que nos ocupa. Las páginas de los libros sagrados contienen las líneas maestras del plan salvífico de Dios, del que la imagen de María *forma parte esencial*[33].

La Biblia no nos presenta ni nos ofrece un retrato de la Virgen María, tan completo y detallado como el que San Pablo hizo de la

---

[29] PABLO VI, *Marialis Cultus*, 25.

[30] JUAN PABLO II, *Audiencia general*, 4, I, 1984 (en *Ecclesia*, n. 2.157, p. 3).

[31] J. DELICADO BAEZA, *Vivir hoy en la Iglesia*, Edit. Narcea, Madrid 1982; cap. 10: « María, Madre de Dios, Mujer creyente », p. 205.

[32] J. POLO CARRASCO, *l.c.*, p. 3.

[33] Así lo afirmó el Papa Pablo VI, comentando el texto de San Pablo, Gal. 4,4, en esta forma: « *Cuando llegó la plenitud de los tiempos, envió Dios al mundo a su Hijo, nacido de una mujer, nacido bajo la ley* ... Puede deducirse de aquí que María entra a formar parte esencial del misterio de la salvación » (Alocución al VII Congreso Mariológico Internacional, Roma, 16 de mayo, 1975; *AAS.* 67 [1975] 335-336).

imagen de Jesús. En varios lugares de sus Cartas el Apóstol dibujó esa imagen sobrenatural con unos trazos nítidos, precisos, luminosos, como si su mano hubiera sido guiada por el Espíritu Santo [34].

Con todo, no podemos decir que el Nuevo Testamento no contenga unas líneas fundamentales, suficientes para configurar la imagen de María. Sus páginas nos la presentan como la *elegida* por Dios para Madre de su Hijo; como Madre virginal del Verbo de Dios, que se hizo carne en su seno; como presente y actuante en los misterios y en los *signos* del Redentor (Caná y Calvario).

Yo creo que en este terreno se han superado felizmente muchos minimismos y recelos después del Vaticano II. Guiados sabia y acertadamente por el Magisterio Eclesiástico se ha superado en nuestros días, con relación a nuestro tema, lo mismo que acerca de las raíces bíblicas de la piedad mariana, aquel minimismo bíblico que manifestaba hace quince años A. Barucq [35]. Aunque no haya en la Biblia un himno a la gloria de María, incluso aunque no aparezcan ampliamente definidos los rasgos de su imagen sobrenatural, en ella está recogido en germen el sentimiento devocional de la Iglesia primitiva hacia nuestra Señora y en sus páginas está dibujada la *vera efigies* de su rostro, como Madre Virgen, colaboradora a la salvación.

4. Porque la revelación bíblica no es puramente estática e inerte, sino dinámica; se desarrolla, se clarifica y llega a su plenitud de irradiación y manifestación a través de la tradición viva de la Iglesia [36].

En este sentido, y es un dato consignado por el Conc. Vaticano II, y por lo mismo válido y normativo para el teólogo, ya los primeros documentos de la Sagrada Escritura,

> «... tal como se leen en la Iglesia, y tal como se interpretan a la luz de una revelación ulterior y plena, evidencian poco a poco

---

[34] Así en el himno cristológico de Col. 1,13-19: «El Padre nos libró del poder de las tinieblas y nos trasladó al Reino del Hijo de su amor ... que es la imagen del Dios invisible, primogénito de toda criatura; porque en El fueron creadas todas las cosas ...; todo fue creado por El y para El. El es anterior a todo y todo subsiste en El. El es la Cabeza del cuerpo de la Iglesia. El es el principio, el primogénito de los muertos ... Y plugo al Padre que en El habitase toda la plenitud de la divinidad» (cfr. también Ef. 7,21; Fil. 2,5-11).

[35] A. BARUCQ escribía, que: «... querer descubrir rasgos de la devoción mariana en la Escritura es entrar en un callejón sin salida. Hay en ella, en los escritos de Pablo, himnos a la gloria de Cristo (Ef. 1,3-14; Fil. 1, 2.6-11; Col. 1, 15-20); pero, no hay ninguno a la gloria de María» (A. BARUCQ, *l.c.*, p. 29). Esta afirmación está superada hoy, como consta principalmente de los trabajos llevados a cabo en los Congresos Internacionales de Mariología de Santo Domingo y Fátima-Lisboa (1965 y 1967), organizados por la Pontificia Academia Mariana Internacional de Roma, y de otros estudios recientes. Ver, a modo de ejemplo, J. Mc HUGH, *La Mère de Jésus dans le Nouveau Testament*, Les Editions du Cerf, Paris 1977.

[36] CONC. VATICANO II, Const. *Dei Verbum* = *DV*., 8.9.

y de una forma cada vez más clara, la figura de la mujer, Madre del Redentor » [37].

Esto que el Concilio afirma de los documentos de caracter mariológico del A.T. tiene *a fortiori* idéntica aplicación a los textos marianos y soteriológicos del Testamento Nuevo, que la Iglesia ha leido y proclamado siempre a la luz de la plenitud de la revelación. Así, a lo largo de los siglos, « ... reflexionando piadosamente sobre Ella (María), dice el Vaticano II, y contemplándola a la luz del Verbo hecho hombre » [38], ha ido penetrando más y más en el profundo misterio de la Encarnación redentora — la *obra de los siglos,* como la llamó Pablo VI, tomando la frase de la Tradición patrística — [39]; ha ido comprendiendo también en su dilatada dimensión los planes salvíficos de Dios. Solo así ha podido trazar los caminos que llevan a los hombres a la salvación, y delinear los rasgos esenciales que configuran la imagen perfecta de Jesús y de su Madre María.

Pablo VI ha resaltado esta labor de esclarecimiento de los misterios de la revelación, que la Iglesia ha ido realizando a través de los siglos, precisamente con relación a la imagen de la V. María. Sin atarse a ninguna de las culturas ni a sus condicionamientos históricos y ambientales, antes bien: superando las categorías de tiempo y de lugar, a través de muchas y valiosas adquisiciones positivas y perennes, ha transmitido en cada época el mensaje auténtico de la revelación, con moldes y conceptos apropiados. La imagen que la Iglesia ha ofrecido de la V. María ha sido siempre válida y auténtica.

Es el camino, que ha seguido la Iglesia, fijos sus ojos siempre en la « figura de la Virgen, tal como nos es presentada por el Evangelio » [40]. Con ella ha comparado y contrastado todas las demás imágenes, presentadas por personas particulares o por comunidades cristianas, para descubrir o conocer su autenticidad o su falsía.

> « La lectura de las Sagradas Escrituras — dice Pablo VI — hecha (por la Iglesia) bajo el influjo del Espíritu Santo, y teniendo en cuenta las adquisiciones de las ciencias humanas y las variadas situaciones del mundo contemporaneo » [41],

le ha ayudado a la Iglesia a descubrir esa imagen de María, dibujada en los planes salvíficos de Dios, « que no defrauda esperanza alguna profunda de los hombres » [42].

---

[37] CONC. VATICANO II, LG., 55. En virtud de esta clave de interpretación, podemos decir que la imagen de María recorre la historia de la salvación, desde Gen. 3,15 hasta el Apocalipsis, al lado de la imagen de Jesús, que preside esa historia. Esta es la tesis que desarrolla Ch. HAURET, « *Eve transfigurée, De la Genèse à l'Apocalypse* », en *RHPhR* 59 (1979) 327-339.

[38] CONC. VATICANO II, *LG.,* 65.

[39] PABLO VI, *Marialis Cultus,* 37.

[40] *Ibid.*

[41] *Ibid.*

[42] *Ibid.*

Los datos doctrinales, que la Iglesia ha ido acumulando y clarificando a lo largo de los siglos, « en el lento y serio trabajo de hacer explícita la palabra revelada » [43], no deforman ni adulteran la imagen de María, ni forman una realidad distinta de su *imagen evangélica,* según el testimonio de Pablo VI; antes por el contrario, forman parte de su autenticidad, y manifiestan la unidad y la continuidad substancial, lo mismo en este punto que en el hecho cultual y devocional, con relación a la Virgen María [44].

5. Este proceso de desarrollo unitario — en línea de continuidad substancial — bajo la acción del Espíritu Santo, que tiene como centro la palabra de Dios, ha culminado en el Conc. Vaticano II. En él la Iglesia ha presentado al mundo la imagen de María en la doble vertiente esencial de su misterio: Madre de Dios y Madre de los hombres, en cuanto colaboradora eficiente, con su Hijo y bajo El, a nuestra redención; o si se quiere — en una visión integradora de todo el misterio — en su único y singular puesto pluridimensional: Madre universal de la salvación. Esto es suficiente para definir su imagen sobrenatural [45].

El Vaticano II ha delineado los contornos del misterio de María, y ha llenado el marco con el contenido de los dogmas y de las verdades marianas. D. Bertetto llama al capítulo mariano del Vaticano II, el « templo doctrinal y devocional más solemne y gradioso, erigido hasta el presente por un Concilio ecuménico a la Madre de Dios » [46]. Yo lo definiría como el cuadro, o el marco más grandioso en el que la Iglesia ha enmarcado la imagen radiante de María, dibujada con sus tonalidades propias y con sus rasgos esenciales: « Los rasgos absolutamente seguros y unánimemente recibidos de la fe y de la devoción marianas de la Iglesia católica » [47].

---

[43] *Ibid.,* 36.

[44] *Ibid.*

[45] Los mariólogos insisten, cada vez con mayor énfasis, en esta idea clave de la enseñanza mariana del Vaticano II. « El mérito mariano del Vaticano II — dice el P. D. Bertetto — es el de haber presentado a María no aislada, estante en sí misma, en la riqueza de sus privilegios, como admirable, sino en su inserción en la historia de la salvación humana, por voluntad de Dios, como asociada con vínculo indisoluble al misterio de Cristo Redentor y de la Iglesia; y por lo tanto, y sobre todo, como imitable.

María siempre con Cristo; María siempre con la Iglesia. He ahí las líneas orientadoras de toda la doctrina mariana del Magisterio de la Iglesia conciliar y posconciliar » (D. BERTETTO, *Maria nel Concilio Vaticano II,* en *Palestra del Clero* [1985)] 706). Cfr. también G. BARAÚNA, *La très Sainte Vierge Marie au service de l'Economie du Salut,* en *Vatican II: La Const. Dogmatique sul l'Eglise,* III (Unam Sanctam, nº 51c), Les Editions du Cerf, Paris 1966, pp. 1224-1240.

[46] D. BERTETTO, « *Il rapporto di efficienza tra Maria e la Chiesa secondo gli Atti del Conc. Vaticano II* », en *Salesianum* XLIII (1981) 254.

[47] M. SALES, S.J., *La Bienheureuse Vierge Marie au Concile œcuménique de Vatican II,* en *NRTh* 107 (1985) 501. El autor reafirma y explicita su pensamiento con estas frases precisas: « Se trata de lo esencial de la fe de la Iglesia en materia mariana, fundada en la Escritura, desarrollada por la Tradición Apostólica, que incluye en particular las afirmaciones de la maternidad divina,

Hay que valorar en toda su dimensión esta actitud y esta aportación del Concilio Vaticano II a la mariología y a la piedad mariana actuales. Se trata de un Concilio universal, sensible a las exigencias del momento de la Iglesia y del ecumenismo, preocupado por lo mismo de satisfacer las exigencias teológicas y devocionales de la misma Iglesia y del mundo de hoy; en plena actualidad, según los signos de los tiempos. No nos ofrece ni una doctrina arcaica, ni una imagen meramente arqueológica de María, sino la imagen radiante de luz, en la línea de continuidad viva y renovada y de apertura al futuro de la Iglesia de siempre.

Estos aspectos de continuidad y de renovación son fundamentales. Me complace transcribir un texto de Gozzelino a este propósito para cerrar este apartado. En él podemos sustituir la expresión *contenido doctrinal* por *imagen de María,* para situarnos plenamente dentro de nuestro terreno. Dice así:

> « ... encontramos facilmente (en el texto conciliar) la copresencia de una singular apertura de espíritu con la màs estrecha continuidad con relación a la Tradición.
>
> El texto conciliar enlaza con la doctrina de los documentos pontificios anteriores. Y expone las líneas maestras de una visión teológica ya abundantemente propuesta por los Papas en la primera mitad del siglo.
>
> Todas las propiedades de María han sido decididamente retomadas, según el orden histórico de su constitución: Inmaculada Concepción, santidad total, virginidad perpetua, maternidad divina, asociación a Cristo tanto durante la vida terrena como en la actual condición de glorificación; asunción, relación de ejemplaridad y de eficiencia en orden a la Iglesia. No hay ampliaciones, ni tampoco reducciones ... El capítulo VIII no es ni una revolución ni una evolución en el sentido estricto del término. Su originalidad consiste, más bien, en el esfuerzo de retraducir la doctrina (la imagen) tradicional en un lenguaje más cercano a las fuentes y más ajustado al signo teológico » [48].

1.3. Las interpelaciones modernas

1. Después de la celebración del Conc. Vaticano II se abrió una aguda crisis, que afectó a todos los sectores de la vida de la Iglesia: crisis en el terreno de la doctrina, en la práctica disciplinar, en la espiritualidad y en la disciplina sacramentaria; en la vida sacerdotal y religiosa. Las crisis no son provocadas directamente por la acción eclesial ni por la doctrina de la Iglesia. Son fenómenos natu-

---

de la concepción virginal del Mesias, de la Inmaculada Concepción y de la Asunción » (*ibid.*).

[48] G. Gozzelino, « *Le sensibilità e i contenuti teologici della "Lumen Gentium" e della "Marialis Cultus"* », en *RivLit* XLIII (1976) 18. Otros autores hablan de un *progreso notable* en el Vaticano II, que califican de *cualitativo* (Cfr. G. Baraúna, *l.c.*, p. 1223). De cualquier modo, es el progreso y el desarrollo homogeneo, en linea de continuidad, de la vida y enseñanza auténtica de la Iglesia.

rales ante la presencia de lo nuevo, o las exigencias de renovación, que unos rechazan y otros llevan más allá de los justos límites. Las manifestaciones de la crisis posconciliar, su amplitud y sus causas han sido estudiadas desde todos sus ángulos.

La crisis afectó también a la mariología y a la piedad mariana. Algunos autores aventuraron una nueva formulación de los dogmas marianos, insatisfechos con las formulaciones y explicaciones que había hecho la Iglesia, incluso con la misma enseñanza del Vaticano II. Se propuso también la reinterpretación de algunos dogmas, como el de la virginidad de María. En amplios sectores de sacerdotes, religiosos y cristianos en general, en comunidades e Instituciones la piedad y la devoción mariana fueron perdiendo terreno y fuerza, hasta casi extinguirse. En la década de los años 70 se apreció un notable retroceso.

Muchos abandonaron el rezo del rosario, que antes practicaban a diario. Cayó en desuso el rezo del *Angelus* y se perdió la devoción a las tres *Ave María*. Se abandonó en muchos casos — cuando no se despreció — la práctica de llevar escapularios y medallas e insignias de la Virgen María, a pesar de las orientaciones y recomendaciones del Magisterio de la Iglesia. El mismo culto mariano y la dedicación del sábado y del mes de mayo a la Virgen María sufrió un retroceso.

El gran esfuerzo realizado por el Papa Pablo VI, para la renovación del culto y de la piedad hacia la Virgen María, con la publicación de la Exhortación Apostólica *Marialis Cultus* (1974) y otros documentos, y la actitud testimonial del Papa Juan Pablo II con su consagración personal y más tarde con la consagración de la Iglesia y del mundo a la Virgen María, han contribuido y están contribuyendo poderosamente al desvanecimiento y a la superación de esa crisis. Porque, aparte de clarificar la doctrina sobre la Virgen María, han promovido y promueven la renovación de la auténtica piedad mariana, que encuentra su mejor y más claro testimonio en la enseñanza del mismo Concilio Vaticano II, a la que apelan frecuentemente los Papas.

2. Esta crisis ha tenido una doble manifestación fundamental, o ha discurrido por una doble vía: la doctrinal y la de la piedad, o devocional.

Algunos teólogos han cuestionado la doctrina mariana y la mariología misma como tratado teológico. Otros, más bien en la vía devocional, han cuestionado la imagen de María, que nos presenta la Iglesia, haciendo una clamorosa interpelación sobre su objetividad y su realidad evangélica. Dos movimientos generales, provocados por un mismo fenómeno: la crisis mariológica.

Pasando por alto otros aspectos, en la crisis mariológica descubrimos una interpelación de fondo frente a la imagen de la V. María, y una manipulación más o menos directa y clara de esa imagen, por parte de quienes alientan y promueven esa crisis. Esta es la conclusión a que he llegado después de muchas reflexiones sobre este tema a lo largo de varios años. Porque la crisis no está ni en la doctrina ni en la piedad de la Iglesia, sino en quienes desoyen su voz y se apartan de su Magisterio, pensando que siguen el camino de la verdad.

Más adelante, señalaré algunas interpelaciones y deformaciones de la imagen de María, o presentaciones parciales y defectuosas de la misma. Podría resultar interesante en este momento reflexionar sobre su origen y dependencia. La pregunta podría formularse en estos términos: ¿Dichas interpelaciones son producto, o efecto de la crisis mariológica, o las falsas y defectuosas presentaciones de la imagen de María han producido en muchos espíritus la crisis y la desafección hacia la imagen de María, llegando en algunos casos hasta su rechazo ...?

No he logrado descubrir con claridad dónde hay que situar el punto de dependencia. Pienso que tampoco es lícito generalizar. Cada persona es un caso particular, que habría que analizar en sí mismo. No hay leyes generales y universales que expliquen, a mi modo de ver, este problema de las dependencias. Pienso que existe una ambivalencia en la mayor parte de los casos, y que no ofrece mucho interés para nosotros determinar aquí el problema de la prioridad o del origen de los fenómenos. La fenomenología religiosa obedece muchas veces a situaciones y razones de caracter personal.

Por lo demás, es indudable que la deformación de la imagen de María, y más aún su rechazo han obedecido en muchas ocasiones a ignorancia o a desconocimiento de la auténtica doctrina mariana de la Iglesia, y a un desconocimiento en consecuencia de los rasgos esenciales de esa imagen, que la misma Iglesia ha ido poniendo de relieve a lo largo de los siglos. No es fácilmente explicable que quien conoce la auténtica imagen de la V. María, « que no defrauda esperanza alguna profunda de los hombres », en frase de Pablo VI, la abandone o la rechace.

3. Algunos autores, movidos y alentados por un afán de acercar la figura de María a los hombres y mujeres de hoy, la han rebajado y naturalizado de tal manera, que la han deformado, privándola de sus rasgos sobrenaturales. Han hecho una lectura meramente histórica y temporal de los Evangelios, y han reducido la figura de María a lo que malamente han llamado la *sencillez evangélica*, cayendo en una lamentable paradoja. Han pretendido *despojarla de ese ropaje* — es su misma expresión — con que la Iglesia ha ido recubriéndola a lo largo de los siglos; ropaje, a juicio de estos autores, postizo y superfluo, contrario a la sobriedad de los Evangelios, y a su pobreza de datos sobre nuestra Señora [49].

Este ropaje, según estos autores, son los dogmas y las verdades marianas. Es la singularidad del culto, que la Iglesia tributa a la Madre de Dios; son las oraciones de alabanza y petición que a diario

[49] J.M. De Llanos, *María en los Evangelios*, Ed. PPC, Madrid 1978, es un exponente de eso.

le dirige. Fruto de su intento ha sido darnos una *imagen popular* de María, empobrecida, inerte y anti-eclesial, insuficiente para la vida de fe de los cristianos. El Papa Pablo VI rechazó directamente esta imagen, que es objeto de una pseudo-piedad, y que queda privada totalmente de los rasgos de su ejemplaridad sobrenatural [50]. El método mismo seguido por estos autores y sus criterios son contrarios a lo que el Magisterio de la Iglesia nos propone en este terreno de la metodología y criteriología mariológica [51].

El resultado de esta actitud e interpelación no ha podido ser más negativo. La imagen de María, pintada por este procedimiento, no puede entusiasmar a nadie. Un hijo no puede descubrir ahí la imagen de su Madre. Es demasiado pobre y anodina. Esa imagen, dibujada por estos aurores no tiene caracter eclesial. Y esto es definitivo [52].

4. El Papa Pablo VI, en *Marialis Cultus,* no solamente ofrece algunas orientaciones precisas, encaminadas a la renovación del culto cristiano dirigido a la Madre de Dios, sino que también ha delineado su imagen sobrenatural y ha corregido las deformaciones presentadas en un sector de la literatura moderna. El Papa quiere favorecer la máxima eficacia del influjo de la V. María en la vida de los cristianos. Y esto no puede conseguirse si no es mediante la presentación de su imagen auténtica. Por eso, él mismo sale al paso de esas interpelaciones y presentaciones defectuosas.

El Papa habla con precisión y con una intención muy concreta. El conocía al detalle las dificultades que entrañaba « encuadrar la imagen de la Virgen » en el marco y ambiente de la vida contemporánea. Todos somos igualmente conscientes de esto. Pero, estas dificultades no son tantas ni tan grandes cuando se ofrece al mundo la *auténtica imagen* de María, tal como nos la presentan los Evangelios, y como la conoce y la venera la Iglesia.

Las dificultades surgen cuando se ofrece una imagen de María deformada, « tal como es presentada por cierta literatura devocio-

---

[50] PABLO VI, *Marialis Cultus,* 36-38.

[51] PABLO VI, *Marialis Cultus,* 35.

[52] Con demasiada frecuencia y con cierta ligereza se ofrecen imagenes insuficientes y unilaterales, de manera particular en este contexto. En este sentido, pienso que habría que completar con algún otro rasgo sobrenatural la imagen de María que dibuja M. Rubio en este texto, para *identificar* su realidad: « La singularidad de la persona de María — dice — comienza precisamente en este dato de su identidad: su existencia se desarrolla dentro del cauce absolutamente normal de una mujer del pueblo; desde esta normalidad acontece su inconmensurable respuesta religiosa, rasgo que con su pobreza constituye probablemente la más acertada y escueta descripción de su imagen femenina » (M. RUBIO, *La figura cristiana de María ..., l.c.,* p. 65). La maternidad divina de María rompe el *cauce absolutamente normal,* sin violentarlo ... Pablo VI rechazó expresamente las *representaciones unilaterales,* que comprometen el conjunto de la imagen evangélica de María, y se oponen a su caracter eclesial (PABLO *VI, Marialis Cultus,* 38).

nal »[53]. ¿Qué imagen es esta? Una imagen, fruto de un mero sentimentalismo exaltado, privada de la fuerza de su ejemplaridad peculiar y privada también de su participación activa y comprometida en la obra de la salvación. Es como una *imagen literaria* de María, recortada y limitada por el puro historicismo, carente de valores sobrenaturales, que muy poco tiene que decir al hombre de hoy. Esta imagen de María no se corresponde con la imagen de nuestra fe ni de nuestra devoción.

5. A esto hay que añadir esa otra imagen novedosa de María, que nos ofrecen algunos estudiosos, fruto de sus críticas y de sus re-formulaciones de algunos dogmas marianos, como: la Inmaculada Concepción, la virginidad perpetua, la maternidad virginal, la misma Asunción a los cielos, etc.

Para algunos teólogos, María Inmaculada lo es solamente en el sentido en que Ella estuvo siempre asistida del Espíritu, y no cometió pecado ninguno en su vida. Negar la virginidad en la concepción, en el parto y después del parto, o entenderla como un mero *signo*, no como una prerrogativa, lleva consigo privar a la imagen eclesial de María de unos matices y unos coloridos personales, que equivale a deformarla en sí misma.

Lo mismo cabe decir de la imagen de María que nos presentan algunos defensores del *mitologismo*. Al interpretar el sentimiento religioso de los pueblos y al valorar los objetos principales de sus creencias, vienen a reducirlos a un *mito*, algo irreal y producto del sentimentalismo.

Para esos autores, la imagen de María, que veneran la Iglesia y los cristianos, se enmarca dentro de esa tendencia y dentro de sus esquemas. María es una figura exaltada, dicen los mitologistas, para ser admirada, no para ser imitada, por lo que tiene de irreal. Es fruto de un sentimiento popular, no de la razón teológica y menos aún de la razón natural. En el fondo de esto está la distinción entre la realidad histórica y el producto de la fe; el Cristo de la historia y el Cristo de la fe; María, como realidad histórica, y María, como objeto y producto de la fe y de la piedad de la Iglesia.

6. La interpelación más fuerte a la figura de María proviene del movimiento feminista, que entre los católicos toma su punto de partida de los mismos Evangelios. El Papa Pablo VI se ha hecho eco de esta interpelación en *Marialis Cultus*, y ha establecido las normas y los criterios clarificadores, delimitando las areas de lo aceptable y de lo que no es válido para la Iglesia.

El movimiento feminista, por lo que se refiere a su incidencia sobre la figura de María, ha tenido muchas manifestaciones. No es posible recojerlas todas; tampoco es necesario. Ofreceré solamente algunos apuntes. Recientemente el doctor J. McKenzie publicó un

[53] PABLO VI, *Marialis Cultus*, 34.

estudio sobre *La Madre de Jesús en el Nuevo Testamento* [54]. No se trata de un estudio de carácter propiamente exegético. Es más bien un balance somero y superficial del estado en que se encuentran en la actualidad algunos problemas bíblico-marianos.

Dedica un apartado al *futuro de la mariología,* o lo que es lo mismo: a la imagen de María que la mariología debe ofrecer a las futuras generaciones de creyentes, como elemento renovador del culto y de la piedad mariana, y como estímulo para la vida cristiana [55]. Sus afirmaciones en este punto no tienen profundidad, son más bien superficiales, pero graves por su radicalismo.

McKenzie manifiesta desagrado, desafección y desconfianza ante la mariología tradicional de la Iglesia, incluso ante la doctrina del Vaticano II, a la vez que hace gala de sus preferencias por la imagen de una « María histórica y real », la que nos presenta la Biblia, según él, interpretada solamente con las leyes y normas de la crítica histórica naturalista. La imagen de María que nos ofrece la « devoción tradicional de la Iglesia », para este autor, es una adulteración de la imagen real, porque « ha sido pensada para responder a las necesidades de los siglos en que fué creada y floreció » [56].

Desde estos presupuestos McKenzie hace una seria, pero desorientada interpelación a la mariología y a la piedad mariana tradicionales, mirando al futuro. Sugiere la necesidad de crear hoy una *nueva imagen de María,* distinta radicalmente y en todo de la que nos ha ofrecido y ofrece la Iglesia; ya que esta, a su juicio, no puede satisfacer las exigencias de la devoción mariana moderna [57].

En correspondencia con esta *nueva imagen,* la « devoción a María », si quiere subsistir a la acción corrosiva de los tiempos, tiene que adoptar también *una forma totalmente nueva* [58].

¿Quién podrá crear esa *nueva* y deseada imagen de María? ¿Quién debe construir y estructurar la *nueva mariología,* que determine los principios y los criterios para crear la *nueva imagen* de María? La respuesta de McKenzie es una sorpresa. Esto no debe hacerlo la Iglesia; ni el Magisterio Eclesiástico; ni pueden asumir esta tarea los obispos, ni siquiera los teólogos. « Si hay que construir — dice — una nueva mariología, habrán de construirla las mujeres ... Si no

[54] J. MCKENZIE, « *La Madre de Jesús en el Nuevo Testamento* », en *Conc* (E), nº 188, sept. oct., 1983, 186-200. Después de la publicación de la obra de J. Mc Hugh, antes citada (ver nota 35), sorprende que el autor de este estudio aparezca como poco informado en temas capitales de mariología bíblica neotestamentaria.

[55] ID., *l.c.*, pp. 198-200.

[56] ID., *l.c.*, p. 199. Esta afirmación me parece contraria a lo que enseña el Papa Pablo VI en *Marialis Cultus,* 36-37, a la valoración que hace de la Tradición de la Iglesia, y la continuidad del hecho cultual. Es contraria también al mismo espíritu de la Iglesia.

[57] La afirmación de J. Mckenzie se enfrenta a la enseñanza de Pablo VI en *Marialis Cultus,* que afirma que la imagen evangélica de María, y por tanto su auténtica imagen, la que presenta y ofrece la Iglesia, « no defrauda esperanza alguna profunda de los hombres » (*Marialis Cultus,* 37).

[58] J. MCKENZIE, *l.c.*, p. 199.

lo hacen, resulta una locura confiar esta tarea a los teólogos varones »[59].

La interpelación a la figura de María desde el feminismo ha tenido recientemente muchas manifestaciones, algunas fuertemente radicalizadas. Una de las más importantes ha sido la personalizada por Denise Boucher en Québec, entre 1978-1979, y resumida en su escrito: *Les fées ont soif*[60].

Se trata de una obra, para ser escenificada, que fue calificada como *blasfema* en los ambientes católicos. La representación que la autora hace de la figura de María no tiene nada que ver con su imagen evangélica. La idea de la autora sobre esto se condensa en una respuesta que dió al Arzobispo de Québec, en la que hay que atender sobre todo a la ideología subyacente[61].

Entre los promotores del movimiento feminista ocurren muchas afirmaciones imprecisas y unilaterales, con relación a la imagen de la V. María. Ocurren también muchas inexactitudes y representaciones parciales. A veces la falsa y defectuosa presentación de esa imagen ha contribuido a apartarse de ella.

G. Blaquière quiere ver en María, no un ejemplo a imitar, lo que sería una manifestación de infantilismo. Desecha este aspecto para fijarse en otros condicionamientos[62]. Otras feministas rechazan la imagen tradicional, porque no estiman ni valoran la maternidad virginal, o la virginidad, de que está adornada la imagen evangélica

[59] *Ibid.* A pesar de su singularidad, esta respuesta no debe ser juzgada a la ligera. No es aceptable la exclusión del Magisterio, ni de los teólogos en la construcción de la mariología del futuro, y es rechazable la pretensión de *crear una nueva imagen de María* y una *nueva mariología.* Pero, es claro que hay que dar mayor participación a las mujeres en las tareas teológicas, de modo particular en la mariología, incluso incorporar a la ciencia mariológica intuiciones de Mujeres Santas. Creo que Santa Teresa de Jesús y Santa Catalina de Siena, que son Doctoras de la Iglesia, y otras místicas tienen mucho que decir en este terreno, aunque no sea más que como actitud testimonial. Actualmente existe un grupo de mujeres teólogas, entre las que destaca K. Borresen, que están llamadas a participar en estas tareas.

[60] La obra fue publicada en Editions Intermèdes, Québec, 1978; 2ª ed. 1979, 160 pp.

[61] « ¿Por qué la Edad Media — dice — hizo una Virgen de la Madre de un revolucionario, que ofrece un mensaje de amor y de libertad? ¿Por qué se ha necesitado hasta nuestros días destruir las entrañas de esta mujer? ¿Por qué se ha necesitado impulsar lo virginal? Este es un insulto a todas las mujeres de parte de los Padres de la Iglesia, que eran viejos solteros, obsesionados por el celibato ... Eran célibes » (en *Le Journal de Montreal* 29, XI [1978] 56) Sobre todo este *affaire,* cfr. R. LAURENTIN, *Bulletin sur la Vierge Marie,* en *RSPhTh* 65 (1981) 310-13.

[62] « Es preciso volver a María — dice —, a sí misma; pues Ella no es para nosotras un *modelo* a imitar, sino una palabra dicha por Dios a la mujer ... Es así como debemos mirarla, no como una mujer sobre-humana, o inhumana a fuerza de perfección, sino como la mujer más totalmente humana que ha existido » (G. BLAQUIÈRE, *La grâce d'être femme,* Edit. Saint Paul, París 1981, p. 179). El problema está en guardar el equilibrio entre la *singularidad* de María, Madre de Dios, y su comportamiento y su ser perfectamente humano.

de María, porque tienen un concepto puramente negativo de la misma. El mismo concepto que expresaba Simone de Beauvoir, influenciada por J. Sartre, cuando decía: « que la virginidad de María tiene un caracter esencialmente negativo ».

A veces no hay un rechazo directo de la imagen de María. No se llega a tanta deformación. Pero, en su representación se silencia y se suprime de propio intento la prerrogativa de la virginidad, aun en algunos movimientos católicos. Esto equivale a hacer una representación unilateral y gravemente defectuosa; actitud que rechazó de forma directa el Papa Pablo VI en *Marialis Cultus*[63].

En fin: « La teología feminista tiene planteado un serio desafío: rescatar la figura de María de la lectura teológica tradicional, formulada en clave androcéntrica »[64]. Al mismo tiempo, abriga la pretensión de presentar una *imagen nueva,* con nuevos signos y rasgos de identidad, distinta de la imagen tradicional de la Iglesia.

Es el reto lanzado por J. McKenzie. ¿Es esto factible? ¿Es teológicamente aceptable y viable? Pienso que tal pretensión es una audacia irrealizable desde el punto de vista teológico y eclesial, por no decir una negación de la fe, de la Tradición y del valor de la vida de la Iglesia.

La auténtica imagen de María nos la ofrece el Padre de las misericordias en la revelación, y la ha presentado a lo largo de los siglos y la presenta la Iglesia al mundo de hoy, sin alteraciones ni deformaciones. Es una imagen radiante de luz de ejemplaridad, que brota de la imagen de Jesús. La Iglesia la ofrece y la presenta a los fieles y al mundo en su doctrina, en su culto y en su vida de piedad.

2. CONCLUSION

1. El Magisterio de la Iglesia ha tenido un conocimiento lúcido y preciso de las interpelaciones del mundo moderno frente a la imagen de María y a la piedad mariana. Es un problema que a nadie puede causar sorpresa. Está dentro del desarrollo normal de las doctrinas y de los cambios de estilo en el pensar y en el vivir. El mismo Pablo VI invitó a los estudiosos a confrontar las « nuevas concepciones antropológicas, así como los problemas que se derivan de ellas con la figura de la Virgen María, tal como nos es presentada en el Evangelio »[65].

Ante un problema de incidencia tan profunda en la teología y en la piedad, Pablo VI dió unas orientaciones precisas, y fijó los

[63] Ver Pablo, *VI, Marialis Cultus,* 35-37. « En la catequesis de hoy — dice R. Laurentin — la figura de María queda a menudo desdibujada. Se silencia su virginidad. María es una silueta común, sin rostro espiritual. En la catequesis moderna apenas se expone el dogma de su santidad » (R. Laurentin, *Santa María,* en *Conc.* (E), n° 149 (1979) 399-400.

[64] M. Rubio, *l.c.,* p. 650, citando a K.E. Borresen.

[65] Pablo VI, *Marialis Cultus,* 37.

criterios para descubrir la auténtica imagen sobrenatural y eclesial de la V. María, no siempre tenidos en cuenta por algunos ensayistas de nuestros días. La norma fundamental es, que no hay que atender tanto al ambiente socio-religioso en que se desarrolló su vida, « hoy día superado casi en todas sus partes » [66], cuanto a sus actitudes sobrenaturales de fe, amor comprometido, obediencia, docilidad y servicio a la obra de la salvación [67].

2. Ante el reto y las interpelaciones de la modernidad, ante la crisis de la doctrina y de la piedad mariana, es urgente presentar al mundo la *auténtica imagen de María.* Muchas interpelaciones, así como situaciones de crisis han tenido su origen en un desconocimiento de esa imagen, que por sí misma — en frase de Pablo VI — « no defrauda nunca esperanza alguna profunda de los hombres » [68], como hemos recordado más arriba.

3. En este terreno, como en el de los dogmas, la Iglesia ha mantenido siempre la *continuidad* progresiva, no estática; y, por lo mismo, la *unidad substancial,* tanto del hecho cultual, como en la aceptación y representación de la imagen de Jesús Redentor y de la Virgen María, Madre universal en la historia de la salvación. Al fin y al cabo, es la profesión de fe en la continuidad, desarrollo y unidad de una misma Iglesia, de la que la V. María es modelo e imagen perfecta [69].

Solo así, con esta clave y en esta dimensión salvífica y eclesiológica, en esta línea de progreso homogéneo, ascendente y unitario, podemos « leer y comprender en toda su extensión y profundidad el misterio de María » [70], y descubrir su auténtica imagen evangélica.

---

[66] *Ibid.,* 36, y CONC. VATICANO II, *Apostolicam actuositatem,* 4.

[67] PABLO VI, *ibid.*

[68] *Ibid.,* 37.

[69] Esta relación es tan estrecha e íntima, que el Papa Juan Pablo II llega a hablar de *unidad,* en virtud de la maternidad virginal: « La Maternidad virginal — dice — que María y la Iglesia tienen en común hace de ellas una unidad indivisible e indisoluble, como en el único sacramento de salvación para todos los hombres » (JUAN PABLO II, Angelus del domingo, 8, I, 1984; en *Ecc.,* n° 2.158, p. 70).

[70] JUAN PABLO II, Angelus del domingo, 11, XII, 1983 (en *Ecc.,* n° 2.155, p. 1616).

LA DEVOZIONE MARIANA NELL'AUTOBIOGRAFIA DI S. MARGHERITA MARIA ALACOQUE (1647-1690)

ARNALDO PEDRINI, S.D.B.

0. INTRODUZIONE

Per gran parte del pubblico, anche non specializzato, senza dubbio tornano conosciutissime la figura e l'opera dell'umile Visitandina di Paray-le-Monial, S. *Margherita Maria Alacoque* [1], come apostola della devozione al S. Cuore di Gesù. Il suo nome infatti è legato alle celebri apparizioni e rivelazioni avvenute nella cappella di quel monastero, quasi sullo scorcio del secolo XVII. Da quel *tempo* e da quel *luogo* il culto al Cuore SS. di Gesù si diffuse e si andò intensificando in maniera sorprendente, non senza però il frapporsi di numerosi ostacoli e di varie contrarietà. A favorire e ad incrementare tale progetto divino, che aveva sapore di forte novità, merito straordinario deve ascriversi, tra gli altri [2], nella sua saggia intraprendenza, al Beato Claudio La Colombière [3], che fu il direttore spirituale e insieme il confidente della santa veggente.

Ma d'altra parte bisognerà ammettere che una discreta letteratura, sia pure di certo valore, e poi una vera colluvie di opuscoli hanno contribuito a fissare un cliché della fisionomia spirituale della prediletta del S. Cuore soltanto in questa linea e sotto questo an-

---

[1] M.M. Alacoque nasce il 22 luglio 1647 a Lauthecour: viene battezzata il 25 seguente; fa il suo voto di castità nel 1651, e riceve la S. Comunione nel 1656. In famiglia vive la sua giovinezza fatta di stenti e di umiliazioni. Entra nel monastero di Paray-le-Monial nel 1671, facendovi la professione l'anno dopo. Qui il 27 dicembre 1673 riceve le prime rivelazioni e, finalmente, nell'ottava del Corpus Domini 1679 la grande rivelazione. Mentre conduce una vita semplice ed esemplare, ricopre pure diverse cariche, come Maestra delle Novizie e Assistente. Riuscirà a diffondere la devozione al Cuore SS. di Gesù, sia pure attraverso mille difficoltà, aiutata dal Beato La Colombière. Muore il 17 ottobre 1690; viene beatificata da Pio IX nel 1864, e canonizzata da Benedetto XV nel 1920.

Per la parte bibliografica, si veda P. SANNAZZARO, *M.M. Alacoque,* in *Enciclopedia Cattolica* (= *EC*), vol. VIII, col. 73-74; e R. DARRICAU, *M.M. Alacoque,* in *Bibliotheca Sanctorum* (= *BSS*), vol. VIII, col. 804-809.

[2] Gran merito spetterà ai padri gesuiti, Rolin e Croiset in particolare.

[3] Claude la Colombière: 1641-1682: cf. C. TESTORE, *La Colombière Claude,* in *EC,* vol. VII, col. 791-792; e in *BSS,* vol. VII, col. 1065-1067. Per le relazioni spirituali tra il Beato e la Santa si veda: G. GUITTON, *Le bienheureux Claude La Colombière,* ed. Vitte, Lyon 1960, pp. 324. Inoltre: *Claudio La Colombière, Maestro di vita cristiana* (= Testimoni dell'Amore 1), Ed. Apostolato della Preghiera, Roma 1982, pp. 166.

golo di visuale, privilegiando, se non accentuando al massimo, il lato puramente devozionale. Oggi comunque possiamo dirci maggiormente favoriti ed informati, in quanto siamo in possesso di una pregevole e rinnovata autobiografia [4], rifatta sull'edizione critica del Gauthey [5].

In questa nostra ricerca intendiamo appunto mettere in risalto un lato specifico della Santa, una situazione spirituale del resto forse piuttosto trascurata per l'addietro. Vorremmo presentare cioè S. Margherita Maria nella sua qualità di « devota » della Vergine, rifacendoci *fondamentalmente* al sopraccitato scritto autobiografico [6]. In una parola, dovrebbe emergere questa caratteristica quale disposizione essenziale ed ancora quale momento antecedente, come di preparazione, alla stessa grande devozione al Cuore di Gesù. Anche qui e in modo del tutto convincente e veridico si potrà constatare la validità dell'assioma « ad Jesum per Mariam » [7]. Se ci si domandasse infatti come Margherita Maria sia riuscita a mettersi a completa disposizione del volere di Cristo nelle intime effusioni d'amore del suo Cuore, non potremmo trovare altra risposta che questa: ella fu devota di Maria SS., e per ciò stesso degnamente preparata a tale sublime missione attraverso le materne cure della Vergine. Sull'imitazione di Lei, a somiglianza cioè dell'umile Ancella di Nazareth, anch'essa si disporrà a pronunciare a suo tempo quel mirabile *Fiat*, al fine di accogliere e quindi svelare il grande messaggio del Dio misericordioso. Pare intenda volerlo bene esprimere uno dei più attenti conoscitori della spiritualità della Santa. Infatti per ciò che spetta il tenore di vita dei Santi il Ladame dirà: « La devozione a Maria non può arrestarsi semplicemente a Lei, alla Vergine: essa è solamente il mezzo d'una fedeltà più grande dovuta al Cristo, e di una obbedienza totale più amorosa e disponibile alla sua volontà » [8].

---

[4] L. FILOSOMI (ed.), *S. Margherita M. Alacoque. Autobiografia* (= Testimoni dell'Amore 2), Ed. Apostolato della Preghiera, Roma 1983, pp. 207. Nella presente trattazione l'*abbreviazione* del testo è: M.M. ALACOQUE, *Autobiografia.*

[5] *Vie et Oeuvres de Sainte Marguerite-Marie Alacoque,* 3 Tomes, par Mgr F.L. GAUTHEY, J. de Gigord Ed., Paris 1920, pp. 644 + 860 + 830. L'*Autobiographie* è nel vol. II, pp. 29-119; al presente e per l'abbreviazione: GAUTHEY II, e numero della pagina.

Altre buone fonti biografiche: A. HAMON, *Histoire de la dévotion au Sacré Cœur*: I. *Vie de la Bienheureuse M.M. Alacoque,* 1923, pp. 504; J. LANGUET, *Vita di S. Margherita Maria Alacoque,* Tip. Barbera, Firenze 1920, pp. 549.

Per la spiritualità e la dottrina si vedano: P. BLANCHARD, *S. M. Marie Alacoque, expérience et doctrine,* Ed. Alsatia, Paris 1961, pp. 227; H. MARDUEL, *Ste. M. Marie Alacoque, sa physionomie spirituelle,* 1964; J. LADAME, *M.M. Alacoque (1647-1690)*, in *Les Saints de France et Notre Dame,* Ed. S.O.S., Paris 1983, pp. 153-158; J. DECREAU, *Aperçu sur la vie mystique, la mission et la dévotion de M.M. Alacoque,* in *L'Ami du Clergé* 60 (1950) 577-586.

[6] Oltre l'Autobiografia, « le texte le plus important », esistono infatti 149 *Lettere,* gli *Avvisi,* i *Riti,* le *Istruzioni,* le *Preghiere,* i *Cantici,* i *Frammenti*: cf. edizione del Gauthey, voll. II, III. Saranno citati, al caso, soltanto in nota.

[7] Cf. P.M. KOLBE, *Scritti,* Ed. Città di Vita, Firenze 1978; p. 702. Cf., inoltre, A. ROCCO, *Maria Madre della chiesa e vita dell'anima,* Ed. Domenicane Ital., Napoli, p. 209.

[8] J. LADAME, *M.M. Alacoque,* p. 157.

1. SOTTO IL MANTO DI MARIA

1.1. *Anticipata consacrazione*

È sintomatico il fatto che una specie di mirabile *ouverture* nello scritto dell'anima privilegiata sia contrassegnata dalla notizia del suo voto di castità; eppure non sembra fosse stato ancora raggiunto l'uso di ragione: si risalirebbe, forse, circa l'anno 1651. Questo il contenuto nel suo lineare tenore:

> « Ô mon Dieu, je vous consacre ma pureté, et je vous fais vœu de perpétuelle chasteté » [9].

Un voto: la Santa ha tosto premura di illuminarci sul fatto: « senza sapere il perché, mi sentivo continuamente spinta a pronunciare queste parole » [10]; dunque precisamente un'interiore ispirazione che muove l'intelletto e riscalda il cuore. Infatti « la petite Marie, inspirée par l'Esprit d'en haut fit ce vœu à l'âge bien tendre » [11]. Pertanto pare ce ne voglia apportare lei stessa la spiegazione con le parole del paragrafo che immediatamente segue:

> « La très Sainte Vierge a toujours pris très grand soin de moi, qui [y] avais mon recours en tous mes besoins, et elle m'a retirée de très grands périls. Je n'osais point du tout m'adresser à son divin Fils, mais toujours à elle, à laquelle je présentais la petite couronne du rosaire, les genoux nus en terre, ou en faisant autant de génuflexions, en baisant terre, que d'*Ave Maria* » [12].

Potrà forse sorprendere in certo qual senso il linguaggio piuttosto immediato, che sa di istintivo, con cui la santa trascrive queste note: del perché si fosse determinata o avesse preferito rivolgegrsi prima e più direttamente alla Vergine che non al Signore Gesù. Ma certamente il fatto sarà maggiormente comprensibile nel venir a sapere che ella è *figlia unica* tra i fratelli e per di più *orfana* di padre; ella stessa dirà: « perdetti il padre in età giovanissima » [13]. Praticamente per necessità e per circostanze fortuite essa sarà costretta a vivere lontana dalla propria madre, prima presso una parente, poi nell'educandato delle Clarisse di Charolles [14]. La privazione degli affetti familiari e la nostalgia della propria genitrice le avevano in certo qual senso facilitato il cammino e l'orientamento verso la devozione mariana.

---

[9] GAUTHEY II, p. 30.

[10] Cf. M.M. ALACOQUE, *Autobiografia,* p. 70.

[11] *Vie et Oeuvres,* Gauthey, vol. I, p. 572, n. 1. Infatti, « à lire ces pages (...) on reconnaît aisément que M. Marie était, tandis qu'elle écrivait, sous l'influence d'une inspiration supérieure »: GAUTHEY II, p. 24.

[12] GAUTHEY II, p. 30.

[13] M.M. ALACOQUE, *Autobiografia,* p. 71.

[14] Cf. GAUTHEY II, p. 30-31.

1.2. *Un raggio di speranza nelle tenebre*

In simili circostanze di ristrettezze materiali e quasi di abbandono morale, la ragazzetta non poteva rivolgersi più sicuramente che ad un'altra Madre, quella del cielo; e « la Vergine non si faceva certo vincere in amore da questa sua devota fanciulla, alla quale anzi dispensò segnalate grazie fin dai più teneri anni » [15].

La protezione del cielo non tardò a delinearsi nel momento della prova e della malattia; così ella stessa racconta:

> « Mais je tombai dans un état de maladie si pitoyable que je fus environ quatre ans sans pouvoir marcher. Les os me perçaient la peau de tous côtés; ce qui fut la cause qu'on ne me laissa que deux ans dans ce couvent (des Sœurs) et on ne put jamais trouver aucun remède à mes maux que de *me vouer à la Sainte* (*Vierge*), lui promettant que si elle me guérissait, je serais un jour de ses filles. Je n'eus pas plus tôt fait ce vœu que je reçus la guérison, avec une nouvelle protection de la très Sainte Vierge, laquelle se rendit tellement *maîtresse de mon cœur*, qu'en me regardant *comme sienne*, elle me gouvernait comme lui étant dediée, me reprenant de mes fautes, et m'enseignant à faire la volonté de mon Dieu » [16].

Pagina di stupenda intonazione mariana, veramente rivelatrice di una profonda connotazione interiore: Maria SS. prenderà pieno possesso di lei, fino a diventare « padrona del suo cuore »: guida spirituale, e persino ammonitrice delle piccole mancanze. Anche questo altro ufficio materno è delicato; infatti:

> « il m'arriva une fois que m'étant assise en disant notre rosaire, elle se présenta devant moi, et me fit cette réprimande qui ne (s'est) jamais effacée de mon esprit, quoique je fusse encore bien jeune: — Je m'étonne, ma fille, que tu me serves si négligentement! — Ces paroles laissèrent une telle impression dans mon âme qu'elles m'ont servi toute ma vie » [17].

Si iniziava così un nuovo periodo della adolescenza e della giovinezza della Santa, in cui appariva un confortante raggio di speranza. Prima ancora di essere religiosa, monaca di clausura, nella sua congeniale aspirazione allo stato di oblazione, ella si qualificava come un'anima « visitata dalla Vergine SS. ». C'era dunque come una provvidenziale preparazione [18]: infatti « in seguito a questo caso

[15] E. Bougaud, *Storia della B. Margherita Maria Alacoque*, Bologna 1923. pp. 33-34.

[16] Gauthey II, p. 31.

[17] Gauthey II, p. 31.

[18] Era, questa, una convinzione del santo Fondatore: che cioè ogni Visitandina avrebbe dovuto essere in possesso di qualche indizio di vocazione attraverso un « richiamo mariano ». Proprio nel monastero di Digione così egli si esprimeva il 2 luglio 1615, festa della Visitazione della Vergine S., e così veniva documentato: « ... egli pronunciò in tal occasione, con grande vivacità e con il volto acceso, questa espressione, assai ben rimarcata sul momento: che giammai alcuna figlia sarebbe entrata nell'Ordine della Visitazione Santa-Maria

di malattia la devozione di lei per questa Madre di bontà andrà crescendo sempre più e Dio, per grazia e dono del suo amore, le fece gustare più frequentemente la dolcezza della sua divina presenza, che ella non perdeva nemmeno fuori dell'orazione »[19].

1.3. *Intervento materno*

Da tutto questo contesto di protezione e di benevolenza celeste si poteva arguire che la giovane dovesse essere un'anima favorita e privilegiata: c'era già un sicuro presupposto alle future rivelazioni. Quale pegno di veridicità e nel contempo di piena verifica, tutto si intonava e si armonizzava all'insegna della croce. Tremenda prova dovette essere la malattia della madre; così ella stessa affermerà:

> « La plus rude de mes croix était de ne pouvoir adoucir celles de ma mère, qui m'étaient cent fois plus dures à supporter que les miennes, quoique je ne lui donnais pas la consolation de m'en dire un mot, crainte que nous n'offensassions Dieu prenant plaisir à parler de nos peines (...), sans que personne s'en affligeât, ni mît en peine que moi, qui ne savais où recourir ni à qui m'adresser, sinon à mon *asile ordinaire,* la très *Sainte Vierge,* et mon souverain Maître (...). Ne recevant parmi tout cela que de moqueries, injures et accusations, je ne savais où me refugier! »[20].

Ma ben più gravi avrebbero dovuto essere le difficoltà e le prove di ordine spirituale, non ultimo il mondo con le sue seduzioni: il vero ed unico riparo per lei doveva essere il ricorso alla sua guida e maestra. Infatti « se voyant prête à succomber par de nouveaux combats, qui lui furent livrés pour l'engager dans le monde, elle se sentait soutenir par cette divine Reine d'Amour »[21]. Lo stesso Signore interviene a consolarla e ad affidarla alla SS. Vergine, sua madre:

> « C'est que j'ai envie de te faire comme un composé de mon amour et de mes misericordes. Et une autre fois, il me dit: — Je t'ai choisie pour mon épouse et nous nous sommes promis la fidélité, lorsque tu m'as fait *vœu de chasteté* (...). Et puis je te mis en dépôt au soin de *ma sainte Mère,* afin qu'elle te façonnât selon mes desseins.
>
> Aussi m'a-t-elle toujours servi d'une *bonne mère,* et j'y avais tout mon secours, dans toutes mes peines et besoins, et avec tant de confiance qu'il me semblait n'avoir rien à craindre sous sa *protection maternelle.* Aussi, lui (fis-)je vœu dans ce temps-là de

che prima non avesse fatta elezione in cuor suo ed avesse fatto esperienza di una visita da parte della Vergine Santa »: cf. E. BOUGAUD, *Histoire de Sainte de Chantal et des origines de la Visitation,* Libr. Poussielgue, Paris 1884, pp. 150-151.

[19] *Vie et Oeuvres de S.M.M.,* GAUTHEY I, p. 59.

[20] GAUTHEY II, p. 36.

[21] *Vie et Oeuvres de S.M.M.,* GAUTHEY I, p. 71.

jeûner tous les samedis, et de lui dire l'*office* de son Immaculée Conception quand je saurais lire et sept génuflexions tous les jours de ma vie, avec sept *Ave Maria* pour honorer ses sept douleurs, et me mis pour être toujours *son esclave*, lui demandant de ne me pas refuser cette qualité; mais comme une enfant, en parlais sans respect, tout comme à *ma bonne mère* pour laquelle je me sentais dès lors un amour vraiment tendre ... »[22].

Tra le tante e varie pagine autobiografiche questa è una delle più significative: la giovane aspirante alla vita religiosa avverte di essere oramai *sotto il manto* della Vergine Santa. Pertanto « Nostra Signora ancora la incoraggia e la consola: un giorno, per esempio, le dice amorosamente: — Non temere. Tu sarai una *vera mia figlia*, e io sarò per te sempre la tua buona madre! »[23].

È il momento in cui si precisa la determinazione di entrare nell'Ordine dedicato a Maria, onorata sotto il titolo di Vergine della Visitazione.

2. NEL NOME E CON IL NOME DI MARIA

2.1. *Una scelta predeterminata*

Oltre a superare le difficoltà nei confronti dei propri parenti e della stessa madre che l'avrebbe desiderata nel mondo o almeno in altro istituto religioso, la santa riceve inviti e pressioni pure per entrare tra le Suore che l'avevano ospitata e guidata[24]. Anche la cugina Sr. Santa Colomba, della Congregazione delle Orsoline, non ometteva le sue delicate pressioni ed insistenze per averla con sé. Ma altrettanta sicura la risposta di lei:

> « et ne me sentant point de penchant à la vie des Ursules, je lui disait: — Voyez, que si j'entre en votre couvent ce ne sera que pour l'amour de vous, et je veux aller dans un où je n'aurais ni parente ni connaissance, afin d'être religieuse pour l'amour de Dieu ... — D'autant que, plus l'on m'en pressait, jusqu'à me vouloir

---

[22] GAUTHEY II, p. 46. Mentre è Gesù stesso che si incarica di affidarla alla sua SS. Madre, la devozione così tenera e concreta non fa che avvicinarla sempre di più alla conoscenza del suo Diletto. Infatti, « ne sachant ce que c'était que la vie (religieuse) spirituelle, pour n'en avoir été instruite ni ouï parler, et n'en savais que ce que mon divin Maître m'enseignait et me faisait faire avec son amoureuse violence ... Ayant passé plusieurs années parmi toutes ces peines et combats et beaucoup d'autres souffrances, sans autre consolation que de mon Seigneur Jésus-Christ, qui s'était rendu mon maître et mon gouverneur, le désir de la vie religieuse se ralluma si ardemment dans mon cœur, que je me résolus de l'être à quel prix que ce fût »: GAUTHEY II, pp. 42.43.

[23] J. LADAME, *M.M. Alacoque*, p. 157. *Ibidem*, p. 53.

[24] Cf. GAUTHEY, II, pp. 48-49.

faire entrer, plus j'en sentais de degoût. Et une secrète voix me disait: — Je ne te veux point là; mais à Sainte Marie! »[25].

Se il luogo era di per sé già determinato, lo era solo per un richiamo dolce ed intimo: il richiamo della SS. Madre del cielo, sotto la cui protezione e denominazione si trovava l'Istituto della Visitazione. Anch'ella sarebbe divenuta una « Santa-Maria »: infatti nel secolo XVII le suore della Visitazione venivano chiamate dal popolo « le religiose di Santa-Maria » o semplicemente « le Sante-Marie »[26].

Così ella stessa annoterà:

> « Cependant on ne me permettait pas de les voir ... mais plus l'on tâchait de m'en détourner, et plus je les aimais et sentais accroître mon désir d'y entrer, à cause de ce *nom* tant aimable *de Sainte-Marie,* lequel me faisait comprendre que c'était là ce que je cherchais. Et une fois regardant un tableau du grand saint François de Sales, il sembla me jeter un regard si paternellement amoureux en m'appellant *sa fille,* que je ne le regardais plus que comme mon bon Père. Mais je n'osais rien dire de tout cela, et ne savais comme me dégager de ma cousine et de toute sa Communauté, laquelle me témoignait tant d'amitié, que je ne m'en pouvais plus défendre »[27].

Rintracciata finalmente la congregazione religiosa e in particolare la casa della Visitazione, bisognava abbandonare il mondo definitivamente. Il monastero di Paray-le-Monial l'attendeva « pour entrer dans la maison de son Epoux »:

> « ... C'était ce qu'il disait à mon cœur, qui en était tout hors de lui-même. Et je ne savais rendre autre raison de *ma vocation pour Sainte-Marie,* sinon que je voulais *être fille* de la Sainte Vierge. Mais j'avoue que, dans le moment qu'il fallut entrer, qui était *un samedi,* toutes les peines que j'avais eues, et plusieurs autres,

---

[25] *Ibidem,* pp. 48.49.

[26] Quanto alla denominazione del nascente Istituto, così troviamo trascritto: « C'est donc de très bonne heure et de le Ier Juillet 1610 que le Bienheureux Fondateur voulut que sa petite Congrégation s'appellât La *Visitation de Notre-Dame.* Le titre de Filles de S. Marthe, puis celui des Oblates de la sacrée Vierge lui avaient souri d'abord, mais il fut détourné de ce dessein par des clartés particulières que Dieu lui donna, et il adopta l'appellation définitive des Religieuses de la *Visitation Sainte-Marie,* parce qu'il trouvait dans ce mystère — disait-il — mil particularités spirituelles qui lui donnaient une lumière spéciale de l'esprit qu'il désiderait établir dans son Institut. La voix publique nomma les premières Mères "les *Saintes Maries*", à cause de la grande modestie qui paraissait en elles »: *Oeuvres d'Annecy,* t. XIV, p. 349, n. 1.

[27] GAUTHEY II, p. 49. Interessante notare che la giovane, così fortemente bersagliata, non trova di meglio che ricorrere alla S. Vergine, interponendo la mediazione di S. Giacinto. Infatti dirà: « Je ne savais donc plus comme m'en défendre; mais (...) je m'adressai à la *très sainte Vierge,* ma bonne maîtresse, par l'entremise de saint Hyacinthe, auquel je fis plusieurs prières, et dire beaucoup de messes à l'honneur de *ma sainte Mère,* laquelle me dit amoureusement en me consolant: Ne crains rien, tu seras ma *vraie fille,* et je te serai toujours ta bonne Mère »: *ibidem,* p. 53.

me vinrent assaillir si violemment, qu'il me semblait que mon esprit allait se séparer de mon corps en entrant. Mais aussitôt ... la joie me transportait tellement que je criais: — C'est ici où Dieu me veut! —. Je sentis d'abord gravé dans mon esprit que *cette maison* de Dieu était un lieu saint, et que toutes celles qui l'habitaient devaient être *saintes,* et que *ce nom* de Sainte-Marie me signifiait qu'il là fallait être à quel prix que ce fût, et que c'était pourquoi il fallait s'abandonner et sacrifier à tout, sans aucune réserve ni ménagement. Cela m'adoucissait tout ce qui me paraissait le plus rude dans ces commencements ... »[28].

2.2. *Un nome nuovo e un sentiero non comune*

Se per ogni monastero visitandino la Madonna doveva essere — secondo il pensiero dei Fondatori — l'Abbadessa e la padrona dell'ambiente[29], per l'Alacoque ella era peraltro la Madre e la Guida. A ratificare con maggior evidenza la sua inclinazione mariana, la giovane novizia approfitterà della grazia della vestizione per rendere omaggio alla sua veneratissima Patrona. Assumerà infatti un nome nuovo, quello di « Maria », in modo ufficiale: non faceva che rifarsi al poc'anzi ricevuto sacramento della S. Cresima, in cui aveva inteso fregiarsi pure del nome della Santa Vergine Maria[30]. « Era il 25 agosto 1671. A Paray si conserva ancora gelosamente l'atto di Vestizione, scritto di proprio pugno della Santa (...) »[31].

Con il nome di Maria, la forza e la virtù pure della Vergine Santa, sembrava che la Madonna l'andasse preparando ai mistici sponsali. Infatti ella dirà:

> « Ayant passé mon essai avec un ardent désir de me voir tout à Dieu (...), mon divin Maître me fit voir que c'était là le temps de nos fiançailles ... »[32].

Ma a questo punto le cose parevano che si avessero a complicare dinanzi agli occhi della Maestra delle Novizie e della stessa Superiora. Esse non si capacitavano che si potessero dare cose straordinarie nell'andamento di una vita estremamente semplice e comune come la loro. In una parola, sembrava che si imboccasse un sentiero non comune: e ciò era in netta antitesi con la vita e lo stile della Visitazione. Un tale comportamento non avrebbe deter-

---

[28] GAUTNEY II, p. 55-56.

[29] Cf. *Oeuvres d'Annecy,* t. XIII, pp. 46-47. Ci permettiamo di rimandare alla nostra specifica trattazione: *Il culto e la devozione a Maria nella vita e negli scritti di Giovanna Francesca Frémyot de Chantal,* Roma 1984, pp. 32-38.

[30] « Eravamo nel 1669, e sugli ultimi di agosto o i primi di settembre, Margherita ricevette il Sacramento della Cresima in età di ventidue anni ... Ottenne in quest'occasione d'aggiungere al suo nome quello di *Maria,* per avere un motivo nuovo di onorare più particolarmente la Santissima Vergine sua buona e cara Madre »: G. LANGUET, *Vita di Santa Margherita Maria Alacoque,* Tip. Barbera, Firenze 1920, p. 39.

[31] M.M. ALACOQUE, *Autobiografia,* p. 111.

[32] GAUTHEY II, p. 57.

minato altro che l'allontanamento della postulante dall'Istituto; ella stessa lo riferirà:

«... de quoi l'on me reprit, en me faisant entendre que cela n'était pas l'esprit des filles (de) Sainte-Marie, qui ne voulait rien d'extraordinaire, et que si je ne me retirais de tout cela, qu'on ne me recevrait ... Sur quoi l'on m'attaqua encore, proche le temps de ma profession, me disant que l'on voyait bien que je n'étais pas propre à prendre l'esprit de la Visitation, qui craignait toutes ces sortes de voies sujettes à la tromperie et illusion» [33].

La Santa, che avrebbe amato condurre una vita semplice e del tutto comune, non esita a lamentarsene con il suo adorato Maestro, il quale peraltro sembrava che ignorasse, quasi se ne volesse divertire:

«Ce que je représentais d'abord à mon Souverain, en lui faisant mes plaintes: — Hélas! mon Seigneur, vous serez donc la cause que l'on me renverra? — Sur quoi il me fut répondu: — Dis à ta Supérieure qu'il n'y a rien à craindre pour te recevoir, que je réponds pour toi, et que si elle me trouve solvable, je serai ta caution!» [34].

2.3. *Al Cuore di Gesù per mezzo di Maria*

Non mancarono comunque le prove più dure e umilianti: non ultima quella di dover accudire a un'asina e al suo puledro, là nell'orto, per tutto il santo giorno: bell'ufficio per una suora ricevuta e già in attesa di essere professa come corista! In tale impresa estenuante ella dirà:

«Je ne me souciais plus ni du temps ni du lieu, depuis que que mon Souverain m'accompagnait partout. Je me trouvais indifférente à toutes les dispositions que l'on pût faire de moi ... Ce que j'expérimentai lorsque l'on me fit faire la retraite de ma profession, en gardant une ânesse avec son petit ânon dans le jardin, laquelle ne me donnait pas peu d'exercice, car on ne me permettait pas de l'attacher ... Je n'avais point de repos *jusqu'aux Angelus du soir* ...
Et je me trouvais si contente dans cette occupation et ce fut là que je reçus de si grandes grâces, que jamais je n'en avais expérimenté de semblables (...)» [35].

Oltre alle apparizioni ed estasi provate alla presenza del divino Maestro, anche le grazie e le visite della Vergine Santa le tornavano assai di conforto. Infatti:

---

[33] *Ibidem,* pp. 58.61. Anche quanto alle eccessive forme di penitenza, fuori della regola e dell'obbedienza, la Santa aveva ricevuto un severo rimprovero da parte dello stesso Santo Fondatore, in un'estasi o visione: «Eh quoi, ma fille, penses-tu pouvoir plaire à Dieu en passant les limites de l'obéissance, qui est le principal soutien et fondement de cette Congrégation et non pas les austerités?»: *ibidem,* p. 57.

[34] GAUTHEY, II, p. 61.

[35] *Ibidem,* pp. 66-67.

« Dans une retraite, ma *sainte Libératrice* m'honora de sa visite, tenant son divin Fils entre ses bras, qu'elle mit entre les miens, me disant: — Voilà Celui qui vient t'apprendre ce qu'il faut que tu fasses. — Je me sentis pénétrée d'une si grande joie et d'un désir ardent de le bien caresser, ce qu'il me laissa faire tant que je voulus. Et m'étant lassée à mon pouvoir plus, il me dit: — Es-tu contente maintenant? ... Soit que je te caresse ou que je te tourmente, tu ne dois avoir de mouvements que ceux que je te donnerai. — Depuis, je me trouvais dans une heureuse impuissance de lui résister.

Un jour de la *fête* du *Cœur de la Sainte Vierge,* après la sainte communion, Notre Seigneur me fit voir trois cœurs, dont celui qui était au milieu était très petit et quasi imperceptible. Les deux autres étaient tout lumineux et éclatants, dont l'un surpassait l'autre incomparablement, j'entendis ces paroles: — C'est ainsi que mon pur amour unit ce trois cœurs pour toujours. — Les trois n'en firent qu'un. Cette vue me dura assez longtemps, qui m'imprima des sentiments d'amour et de reconnaissance qu'il me serait difficile d'exprimer » [36].

L'umile monaca, oltre che per dissetarsene, s'associava così direttamente alle più pure sorgenti dell'amore: sarebbe stata in grado, in seguito, di poterle comunicare alle sue stesse consorelle, specie a quelle cui l'ufficio di maestra e responsabile la portava a rendersene interprete o rassicurante latrice e messaggera. Margherita Maria insegnava infatti alle novizie a sapersi unire di vero cuore e strettamente alla vita e alle intenzioni della Vergine SS. [37].

3. MARIA COME PROTETTRICE E MODELLO

3.1. *Una guarigione miracolosa come garanzia delle rivelazioni*

Il Signore Gesù andava sempre più prendendo possesso del cuore della santa monaca; anzi si poteva dire che si era inserito totalmente nella vita di lei, quasi a viva forza, come ella stessa non esitava a dichiarare:

« ... Il me répondait que c'était à moi de me soumettre indifféremment à toutes ses différentes dispositions, et non point à lui donner des lois, et je te ferai comprendre à la suite que je suis un sage et savant directeur, qui sais conduire les âmes sans danger, lorsqu'elles s'abandonnent à moi en s'oubliant d'ellesmêmes » [38].

L'abbandono richiesto alla discepola prediletta doveva effettuarsi in modo tipico e ineludibile nelle varie apparizioni e in quelle ri-

[36] *Ibidem,* p. 166.
[37] Cf. J. Ladame, *Marguerite Marie Alacoque enseigne à ses Novices à s'unir à Marie,* in *Les Saints de France et Notre Dame,* pp. 156-157.
[38] Gauthey II, p. 69.

velazioni che avevano avuto già il loro travagliato inizio: a cominciare dalle prime due, e precisamente in quella del 27 dicembre 1673 e in quella del 2 luglio 1674, festa della Vergine della Visitazione [39]. A valido presidio e sicuro rifugio da parte della celeste protettrice si poneva un garanzia: infatti a prova della veridicità di questi interventi del cielo si richiedeva e veniva ottenuta la guarigione stessa della Santa, colpita da improvvisa e seria malattia. Del resto lo stato degli animi e l'ambiente stesso sembravano fortemente compromessi. Ed allora:

> « (...) comme l'on m'ordonnait de demander la santé à Notre Seigneur, je le faisais, mais avec crainte d'être exaucée. Mais l'on me dit que l'on connaîtrait bien si tout ce qui se passait en moi venait *de l'Esprit de Dieu*, par le rétablissement de ma santé; après quoi l'on me permettrait ce qu'il m'avait commandé, tant au sujet de la communion des premiers vendredis, que pour veiller l'heure qu'il souhaitait la nuit de jeudi au vendredi. Ayant représenté toutes ces choses à Notre Seigneur par obéissance, je ne manquai pas de recouvrer aussitôt la santé. Car la *très sainte Vierge*, ma bonne Mère, m'ayant gratifié de sa présence, me fit de grandes caresses, et me dit après un assez long entretien: "Prends courage, ma chère fille, dans la santé que je te donne de la part de mon divin Fils, car tu as encore un long et pénible chemin à faire, toujours dessus la croix, percée de clous et d'épines, et dechirée de fouets; mais ne crains rien, je ne t'abandonnerai et te promets ma *protection*". — Promesse qu'elle m'a bien fait sentir depuis dans le grand besoin que j'en ai eu » [40].

Per le più svariate circostanze il fatto si ripeté altre volte, pressappoco nella stessa maniera: è il caso ancora del prodigioso risanamento che si estenderà per un anno intero, come da richiesta e da desiderio espresso dalla superiora, madre Greffié: 21 dicembre 1682. Infatti:

> « nostre Mère me vint trouver le matin ..., et elle avait besoin de s'assurer si tout ce qui se passait en moi était *de l'Esprit de Dieu*. Que ce cela était, qu'il me mettait dans une parfaite santé sans que j'eusse besoin d'aucun soulagement pendant tout ce temps là ... Et il (mon Souverain) me répondit: — Je te promets, ma fille, que *pour preuve du bon Esprit qui te conduit*, je lui aurais bien accordé autant d'années de santé qu'elle m'a demandé, et même toutes les autres assurances qu'elle m'aurait voulu demander » [41].

In queste situazioni, per così dire, di emergenza e in simili manifestazioni generalmente si avvertiva la presenza della Vergine Santa: secondo la sua assicurazione, oltre che *protettrice*, ella si mostrava anche *modello* nel rivivere i misteri del Cristo suo Figlio.

---

[39] Per la *Prima*, la *Seconda* e per la *Grande Rivelazione*: cf. GAUTHEY II, pp. 69-70; 71-72; 103.
[40] *Ibidem*, p. 75.
[41] *Ibidem*, p. 112.

3.2. *Maria come modello nel mistero dell'Incarnazione*

Sempre in rapporto alle rivelazioni, che si intensificavano nella frequenza e nelle richieste e che sembravano ottenere maggiore convalida anche attraverso l'operato intelligente e valido dell'inviato speciale del Signore, « il suo servo » Beato La Colombière [42], la Santa viene invitata dal suo stesso Sposo divino ad associarsi al principale dei misteri della nostra fede: il mistero dell'Incarnazione. E questo, notiamo, avveniva secondo il preciso desiderio di Gesù: doveva effettuarsi sull'imitazione della sua santissima Madre. Capita peraltro il fatto proprio nella festa della Presentazione di Maria SS. al tempio:

> « ... C'était la veille de la Présentation ... Ma Supérieure, qui savait qu'il n'y avait que la seule obéissance, qui avait tout pouvoir sur cet Esprit, qui me tenait en ce état, m'ordonna de lui dire ma peine ... Cette nuit s'étant passée dans les tourments que Dieu connaît et sans repos, jusqu'environ la sainte messe (de matin), où il me semble que j'entendis cette parole: — Enfin la paix est faite, et ma sainteté de justice est satisfaite par le sacrifice que tu m'a fait, pour rendre hommage à celui que je fis au moment de *mon Incarnation dans le sein de ma Mère;* le mérite duquel j'ai voulu *joindre* et *renouveler* par celui que tu m'a fait, afin de l'appliquer à faveur de la charité, comme je te l'ai fait voir. C'est pourquoi tu ne dois plus rien prétendre en tout ce que pourras faire ou souffrir, ni pour accroissement de mérite, pour satisfaction de pénitence ou autrement, tout étant sacrifié à ma disposition pour la charité. C'est pourquoi, à mon imitation, tu agiras et souffriras en silence, sans autre intérêt que la gloire de Dieu dans l'établissement du *règne de mon Cœur* sacré dans celui des hommes, auxquels je le veux manifester par ton moyen » [43].

Il fenomeno spirituale di partecipazione al mistero del Verbo Incarnato, sempre sul modello mariano, verrà indicato e quindi suggerito alle stesse sue Novizie, in modo da avviarsi più sicuramente alla conoscenza dei favori e delle grazie che sarebbero stati concessi attraverso la nuova devozione. Infatti, « pendant l'Avent del 1685, elle leur conseille de *s'unir d'esprit* et de cœur *à la très sainte Vierge* pour rendre hommage au Verbe incarné, ce Dieu fait enfant en son sein. Et elle précise: — Vous offrirez au Père éternel les sacrifices que le *sacré Cœur* de son Fils lui offre par son ardente charité *sur l'autel du Cœur de sa Mère* ... Vous ferez cette aspiration autant de fois que vous pourrez: — Je vous adore et je vous aime ô divin Cœur de Jésus *vivant dans le Cœur de Marie* »! [44].

---

[42] S. Margherita M. stessa dirà: « La Sainte Vierge sera ma bonne Mère, et pour protecteurs saint Joseph et mon saint Fondateur. Le bon Père La Colombière m'est donné pour directeur, pour m'apprendre à accomplir les desseins de ce Cœur adorable, conformément à ses maximes »: GAUTHEY II, p. 204.

[43] *Ibidem,* pp. 85.86.87.

[44] J. LADAME, *M.M. Alacoque...,* p. 157.

3.3. *L'atto di consacrazione e di affidamento alla Madonna*

Osserva giustamente il Languet, uno dei migliori e più antichi biografi della Santa: « D'altronde, lo stesso Nostro Signore eccitava Suor Margherita Maria a professare una devozione filiale verso la Santa sua Madre, e le insegnava il miglior mezzo di profittare per la sua perfezione. Le suggeriva perciò di studiare le sante disposizioni del Cuore Immacolato di Maria, e rendere le sue ad esse conformi » [45].

A tradurre in forma concreta questi avvisi o desideri di Gesù, la Santa si dispone a stendere pure un atto di consacrazione o di affidamento alla Vergine SS. Lo troviamo nel *manoscritto sesto*, e segue immediatamente l'atto di consacrazione al Sacro Cuore di Nostro Signore [46]: nella sua stesura « al plurale », può suggerire l'idea che sia stato composto « en faveur de ses novices ». Sebbene appartenga agli scritti o Preghiere varie della Santa più che non alla stessa Autobiografia, intendiamo riportarla integralmente e quasi a conclusione dell'argomento sulla devozione mariana:

> « Prière à la Sainte Vierge ».
>
> « Ô très sainte, très aimable et très glorieuse Vierge Mère de Dieu, notre chère Mère, Maîtresse et Advocate, à laquelle nous sommes toutes dévouées et consacrées, faisant gloire de vous appartenir en qualité de filles, de servantes et d'esclaves pour le temps et l'éternité; — voici que d'un commun accord nous nous jetons à vos pieds pour renouveler les vœux de notre fidélité et servitude envers vous et pour vous prier qu'en qualité de chose votre, nous vous offriez, dédiez, consacriez et immoliez au sacré Cœur de l'adorable Jésus, — nous et tout ce que nous sommes, tout ce que nous ferons et souffrirons, sans nous rien réserver, ne voulant avoir d'autre liberté que celle de l'aimer, d'autre gloire que celle de lui appartenir en qualité d'esclaves et de victimes de son pur amour, plus d'autre volonté ni pouvoir que celui de lui plaire et le contenter en tout, aux dépens de nos vies. Et puisque vous avez tout pouvoir sur cet aimable Cœur, faites donc, ô notre charitable Mère, qu'il reçoive et accepte cette consécration que nous faisons aujourd'hui en votre présence et par entremise, avec les protestations de notre fidélité, si nous sommes soutenues de sa

[45] J. Languet, *Vita di S. Margherita Maria Alacoque*, p. 145. « Una volta tra le altre, Gesù le prescrisse d'imitare, in tre differenti esercizi, tre di queste disposizioni tratte dai misteri della sua vita. Il primo di tali esercizi era quello della santa messa; e Gesù le insegnò ad assistervi con le stesse disposizioni che aveva la santissima Vergine sul Calvario ai piedi della croce (...). In secondo luogo le insegnò come doveva presentarsi alla sacra Mensa, offrendogli cioè le interne disposizioni della santissima Vergine, nel momento in cui si incarnò nel suo seno (...). Le insegnò finalmente a fare orazione a somiglianza della Santissima Vergine, allorché, fanciulletta di tre anni, fu presentata al tempio, e in ciò doveva unirsi alle intime disposizioni di lei al momento della sua consacrazione, e chiedere che le venissero comunicate » (*ibidem*).

[46] Cf. Gauthey II, pp. 777-781.

grâce et de votre secours, que nous vous supplions de nous pas refuser.

Ô notre douce espérance, faites-nous sentir votre pouvoir envers cet aimable Cœur de Jésus, et employez votre crédit pour nous y loger pour toujours! Priez-le d'exercer son souverain empire sur nos âmes en faisant régner son amour dans nos cœurs, afin qu'il nous consomme et transforme toutes en lui-même. Qu'il soit notre Père, notre Epoux, notre garde, notre trésor, nos délices, notre amour et notre tout en toutes choses; détruisant et anéantissant en nous tout ce qu'il y a de nous-mêmes pour mettre en place tout ce qui est de lui, afin que nous lui puissons être agréables! Qu'il soit le soutien de notre impuissance, la force de notre faiblesse, la joie de toutes nos tristesses.

Ô sacrés Cœurs de Jésus et de Marie, réparez tous les manquements des nôtres; suppliez à tout ce qui nous manque; brûlez nos cœurs dans vos saintes ardeurs; consommez toutes nos froideurs et lâchetés à vous aimer et servir, puisque nous voulons faire consister tout notre bonheur et notre félicité de vivre et de mourir en qualité d'esclaves de l'adorable Cœur de Jésus et de filles et servantes de sa sainte Mère »[47].

4. ANNOTAZIONI CONCLUSIVE

Anche da questa semplice panoramica, che si restringe volutamente entro limiti ben precisi, si può desumere e in certo qual modo giungere ad una visione di piccola *summa mariana*, relativa alla vita di S. Margherita M. Alacoque. Comunque, niente di decisamente sistematico, per cui ne possa risultare una vera e propria « teologia mariologica ». Intendiamo peraltro enucleare qui le note e le prospettive più salienti di tale disamina, su questa particolare devozione.

4.1. *Le denominazioni e l'espressione devota*

Innanzitutto deve essere tenuta presente la varia terminologia (e relativa aggettivazione) che S. Margherita Maria preferisce utilizzare per invocare la Vergine SS. Per la giovane « figlia » di Lauthecour prima, e poi per la monaca di Paray-le-Monial, Maria è la Madre per eccellenza[48]: « Madre di Dio » (II, 344), « la Vergine SS. mia buona Madre » (II, 60). Le vengono applicati, in riferimento ai privilegi, gli aggettivi più singolari: « Madre amorosa », « dolce », « sollecita » (II, 32) »; piena di carità » (II, 782); « in tutto potente » (II, 562). Tale potenza viene esplicata nella protezione e nella sua premurosa guida: « la SS. Vergine nostra buona Madre e avvocata » (II, 376); « buona Maestra » (II, 32): titoli che compaiono come riuniti insieme fin dall'inizio dell'Invocazione o consacrazione: « O Santissima, amabilissima e gloriosissima Vergine Maria, Madre di

[47] *Ibidem*, pp. 781-782.

[48] Per una maggior scorrevolezza di presentazione e quindi di lettura, le citazioni verranno fatte di seguito nel corpo del testo.

Dio, nostra cara Madre, Maestra ed Avvocata » (II, 781). Come titolo, ancora, che abbia a riflettere un mistero, in particolare: « la Vergine, Immacolata Concezione » (II, 22); ovvero l'Addolorata (cf. II, 22), la Madonna onorata nei misteri della Presentazione al tempio, della Visitazione o infine della sua Glorificazione al cielo: « la Regina di bontà, d'un amore più che materno » (II, 172).

4.2. *Pratiche di culto: modalità e spirito*

In onore della Vergine SS. — sotto l'aspetto pratico — la Santa s'atteneva in genere all'andamento delle Regole, soprattutto per quanto poteva riguardare la recita del Piccolo Ufficio. Inoltre, accanto all'impegno delle devozioni comunitarie ci poteva essere, senza eccessivi sovraccarichi, la recita semplice del S. Rosario, come da consiglio ricevuto dal Beato La Colombière (II, 93). Prediligendo poi alcune feste o ricorrenze mariane, ella si farà però obbligo di renderle più solenni o più religiosamente concrete, mediante la pratica di qualche penitenza. Ad esempio, oltre la recita dell'Ufficio della Immacolata Concezione, intende digiunare tutti i sabati, ovvero recitare preghiere per unirsi ad onorare i sette Dolori della Vergine (II, 46). Al fine di ricevere grazie speciali per sé o per altri, farà celebrare delle SS. Messe in onore di Lei (II, 32); e talora, occasionalmente, non esiterà a raccomandare a conoscenti o al fratello stesso di lucrarsi le indulgenze plenarie nella festività della Visitazione, con la frequenza dei santi Sacramenti (II, 444). Le era poi tanto abituale il pensiero della Madonna come sua dolce Patrona che lo stesso tempo di « disciplina » doveva o poteva essere misurato o regolato per lo spazio di un *Ave, maris Stella* (II, 32,318).

Ma, al di là di quelle modalità che potevano essere suggerite dalla Regola, dall'obbedienza, ovvero anche riprese per personale devozione, ella si immetteva nel clima della devozione filiale o si instaurava in lei il vero spirito della pietà mariana: del resto, il culto alla Vergine sembrava che lo avesse a respirare nello stesso ambito della Visitazione, sull'imitazione dei Santi Fondatori. L'intervento materno di Maria, come Patrona dell'Istituto, si farà talora avvertire anche in modo vivace e pressante, laddove — per le circostanze — ce ne fosse stato di bisogno o se ne desse motivo. In tutte le Figlie di Santa-Maria avrebbe dovuto esserci quello spirito di aspirazione alla santità e di costante conseguimento del puro Amore di Dio: in definitiva vere Figlie Sue, solo se vere Spose del Figlio suo diletto (II, 173).

La Santa si studiava appunto di essere degna di questo glorioso nome: del resto, era stato questo lo scopo unico per cui aveva varcato le soglie della Visitazione. Lo attesterà infatti con semplicità e con altrettanta chiarezza di non saper « dare altro motivo della [sua] vocazione per l'Ordine Santa-Maria, se non quello di essere *Figlia della Vergine* » (II, 35).

DER STANDORT DER MARIOLOGIE IN DER DOGMATIK

GEORG SÖLL, S.D.B.

0. In der Zeit vor dem II. Vatikanischen Konzil wurde die Mariologie zum beherrschenden Thema innerhalb der katholischen Theologie. Die bevorzugten Fragen waren das Fundamentalprinzip der Marienlehre, der Anteil Mariens am Erlösungswerk und ihre Gnadenmittlerschaft, die Beziehung Maria-Kirche und naturgemäß die Diskussion um das 1950 verkündete Dogma von der Himmelaufnahme der Gottesmutter. Die mariologischen Publikationen nahmen einen Umfang an, der es einem einzelnen kaum noch ermöglichte, alles zu verfolgen, und der zu besorgter Kritik auch innerhalb der Kirche Anlaß gab. Es war zu erwarten, daß diese Gewichtsverteilung einer Korrektur unterworfen wurde. Das geschah zunächst durch das II. Vat. Konzil.

1. DIE NEUBESINNUNG AUF DEM KONZIL

Die von Papst Johannes XXIII. einberufene allgemeine Kirchenversammlung sollte nicht so sehr mit Glaubensfragen beschäftigt sein, sondern pastoralen Zielen und dem aggiornamento der Kirche an die Erfordernisse der Zeit dienen. Gleichwohl kam das Konzil nicht darum herum, auch ein dogmatisches Thema anzugehen, das auf dem I. Vatikanum wegen der vorzeitigen Unterbrechung nicht mehr zur Behandlung kam und das durch die Enzyklika Pius XII. « Über den Geheimnisvollen Leib Christi » (29.6.1943) eine Neubelebung erfahren hatte: Die Kirche. Inzwischen war die Ekklesiologie aber auch von der Mariologie her thematisiert und inhaltich bereichert worden [1]. Dementsprechend wurde für beide Lehrstücke, Maria und Kirche, durch die theologische Vorbereitungskommission ein Schema vorbereitet, mit der Absicht, das marianische Dokument sogar als erstes zu verabschieden. Für das hier zu behandelnde Thema

---

[1] Für die Intensität der Behandlung dieses Themas vgl. z. B.O. SEMMELROTH, *Urbild der Kirche. Organischer Aufbau des Mariengeheimnisses,* Würzburg 1950; die 3 Jahresberichte der französischen Mariologischen Gesellschaft: *Marie et l'Eglise,* Etudes Mariales 9-11 (1951-1953); Alois MÜLLER, *Ecclesia-Maria. Die Einheit Marias und der Kirche,* Freiburg/Schweiz ²1955; das Thema « Maria et Ecclesia », Akten des 3. Internationalen Mariologisch-Marianischen Kongresses, in Lourdes 1958, Rom 1959, 16 Bde. Weitere Literatur bei G. BESUTTI, *Bibliografia Mariana,* I-VI, Rom 1950-1980.

soll nun nicht das später veröffentlichte marianische Teilstück der dogmatischen Konstitution über die Kirche (Lumen Gentium Kapitel VIII) inhaltlich analysiert, sondern lediglich aufgezeigt werden, inwiefern sich auf dem Konzil für die Mariologie und ihre Position in der kath. Dogmatik eine Wende vollzog [2].

Erstes Anzeichen dafür war die Ablehnung des Antrags, das Marienschema in der ersten Konzilssitzungperiode bis zum 8. Dez. abschließend zu behandeln. Damit kündigte sich bereits an, daß die Konzilsmehrheit nicht gewillt war, der Mariologie ein eigenes Schema einzuräumen. Das wurde vollends klar, als durch eine Kampfabstimmung entschieden wurde, dieses Schema mit der Konstitution über die Kirche zu verbinden. Dieser Vorgang wurde von vielen begreiflicherweise in dem Sinn gedeutet, daß die Mariologie künftig überhaupt nicht mehr als gesonderter dogmatischer Traktat behandelt werden sollte. Das bedeutete zugleich eine Standortsveränderung gegenüber der bischerigen Praxis, dieses Lehrstück im Ansclūß an die Christologie bzw. Soteriologie zur Darstellung zu bringen. Es zeichneten sich aber auch noch andere Tendenzen ab, die darauf abzielten, der Marienlehre innerhalb der Dogmatik und der theologischen Literatur und Diskussion ihr Übergewicht zu nehmen.

Zum einem wurde die Marienlehre — nun eingegliedert als Schlußkapitel in « Lumen Gentium » — mehr als vordem auf biblische Grundlagen gestellt und mit einer besonnenen Exegese konfrontiert. Die Typologie und Allegorese wurde zugunsten des Wortsinns der Schrift zurückgedrängt. Zum andern wurde bewußt darauf verzichtet theologischen Spekulationen über die verschiedenen Gnadenvorzüge der Gottesmutter nachzugehen, wie sie seit dem Mittelalter üblich geworden waren [3]. Zum dritten hat das Konzil seine Marienlehre in die neu entdeckten ekklesiologischen Perspektiven hineingestellt und den tiefen inneren Zusammenhang zwischen der Mariengestalt und der Kirche aufgewiesen. Schließlich wurde die Frage der Mittlerschaft Mariens auf das ihr zukommende Maß zurückgeführt [4] und der Titel « Miterlöserin » bewußt abgelehnt. Man versuchte spürbar einen geistigen Brückenschlag zu den anderen christlichen Konfessionen, deren Konzilsbeobachter die Dokumente mit einsehen konnten.

---

[2] Zu Ablauf und Ergebnis der Verhandlungen siehe R. LAURENTIN, *La Vierge au Concile*, Paris 1965.

[3] Ein illustratives Beispiel bietet die « Theologia Mariana » des Virgil Sedlmayr, OSB, von Wessobrunn (1690-1772), dargestellt und kritisch gewürdigt auf dem Internationalen Mariologischen Kongreß auf Malta 1983 (noch im Druck) vom Verfasser dieser Abhandlung.

[4] Das zeigte sich z.B. bei der Diskussion um den Titel « Mutter der Kirche », in deren Verlauf Kardinal Augustin BEA erklärte: « Wie ist in der Hl. Schrift und den alten Traditionen zu beweisen, daß Maria die Mittlerin aller Gnaden ist? », und auch Bischof H. Volk im Namen der deutschen und skandinavischen Bischöfe sich dagegen wandte. Vgl. *Acta Synodalia Sacrosancti Concilii Oecumenici Vaticani II*, vol. II, pars III, Congregationes Generales L-LVIII, Vatikan 1972 S. 280 und 849.851.

Im ganzen gesehen war das alles auch eine thematische Begrenzung der vorkonziliaren Mariologie auf das Wesentliche und durch die Offenbarungsquellen Bezeugte, sodaß auch von da her die Notwendigkeit eines eigenen dogmatischen Traktats für die Marienlehre in Zweifel geriet. Jedoch dachten auch die fortschrittlichsten Konzilsväter und ihre Berater nicht daran, diesem Lehrstück seine Berechtigung abzusprechen. Die weitere Entwicklung verlief aber nicht ganz gemäß den Erwartungen der Kirchenversammlung.

2. Die nachkonziliare Situation

Sie wurde von Bischof Rudolf Graber als « Marianische Eiszeit » charakterisiert. Auch wer geneigt ist, optimistischer zu urteilen, konnte feststellen, daß Marianisches in Lehre und Frömmigkeit nach dem Konzil erheblich zurückgedrängt wurde. Durch die besonnene Haltung der Konzilsväter fühlten sich die Kritiker der katholischen Mariologie zu Reduktionen ermutigt, die unter dem Motto « Christozentrik » [5] die theologischen Gewichte innerhalb der Dogmatik wiederherstellen und folgerichtig auch in Liturgie und Volksfrömmigkeit wirksam werden sollten. Dabei wurde, wie so oft bei Re-Aktionen, zuweilen über das Ziel hinausgeschossen. Im akadamischen Lehrbereich wurde Mariologie an manchen Universitäten und Hochschulen überhaupt nicht mehr gelesen, und aus manchen Kirchen wurde sogar die Marienstatue entfernt oder in den Vorraum verwiesen. Eine der Folgen war, daß viele Theologiestudenten bezüglich der Kenntnis der Marienlehre in ein Vakuum geführt wurden und wenig Voraussetzungen für die Verkündigung marianischer Wahrheiten mitbekamen. Natürlich mußten sich notwendig vor allem die Horizontalisierungstendenzen in der Christologie negativ auf die Mariologie auswirken. Denn wenn Jesus nur ein hochbegnadeter Prophet und Repräsentant Gottes war oder erst durch die Auferstehung vergöttlicht wurde, dann ist Maria nicht Gottesgebärerin gewesen, und alle ihr deshalb zuteil gewordenen Privilegien z. B. die 1854 und 1950 verkündeten, werden damit gegenstandslos. Der christologische Bezug der Mariologie zur Christologie bekundet sich im Werdegang sämtlicher Mariendogmen und ist unaufhebbar [6].

Andere Lehrer der kath. Dogmatik zogen es vor, die Mariologie im Rahmen der Gnadenlehre zu behandeln mit Betonung der Un-

---

[5] Wie es mit dieser Christozentrik 15 Jahre nach dem Konzil bestellt ist, illustriert des Ergebnis einer Meinungsumfrage des Sozialinstituts in Traunstein. Demzufolge « ist die Zahl der Deutschen, die an Jesus als Gottessohn und Erlöser glauben, seit 1967 von 42 auf 33 Prozent zurückgegangen. Für 21 Prozent ist Jesus "ein großer Mensch und ein Vorbild", für 38 Prozent hat er "keine Bedeutung", und sieben Prozent meinen, daß er gar nicht gelebt hat. Bericht in Münchner Merkur vom 22.12.1979.

[6] Vgl. G. Söll, *Die Gegenwart Christi im Werdegang der Mariendogmen*, in: « Praesentia Christi, Festschrift Joh. Betz zum 70. Geburtstag », hrsg. von L. Lies, Düsseldorf 1984 S. 474-485.

befleckten Empfängnis Mariens, wieder andere nahmen das Dogma von der Himmelaufnahme Mariens zum Anlaß, die Mariologie der Eschatologie zuzuordnen. Wenn man aber bedenkt, welchem Schicksal die beiden jüngsten Mariendogmen dort ausgesetzt sind, wo Ur- und Erbsünde geleugnet werden, und die Auferweckung der Toten in den Augenblick des Todes verlegt wird, kann man für eine sachgerechte Darstellung der Wahrheiten über die Mutter des Erlösers nicht mehr viel erwarten.

Sinnvoller und ertragreicher erscheint daher die Zuordnung der Mariologie zur Ekklesiologie, wofür das Konzil den Weg gewiesen hat, wie weithin angenommen wird.

Josef Kardinal Ratzinger hat in seinem mit Urs von Balthasar herausgegebenen Büchlein « Maria-Kirche im Ursprung » nach einem wohlwollenden Urteil über den Faszikel « Mariologie » im Herderschen Handbuch der Dogmengeschichte der Feststellung des Verfassers widersprochen, daß die Einordnung der Mariologie in das Kirchenschema « nicht als eine lehramtlich bestätigte Zuweisung der Marienlehre an die Ekklesiologie verstanden werden » dürfe [7]. Er hält vielmehr den anders angelegten Entscheid der Väter des Vatikanum II für richtig « und zwar sowohl aus einer systematischen wie aus einer gesamtgeschichtlichen Perspektive » [8]. Dann heißt es in seinem Kapitel über « Der Ort Mariologie im Ganzen der Theologie »: « Zwar ist der dogmengeschichtliche Befund unbestreitbar, daß die Aussagen über Maria zunächst von der Christologie her notwendig wurden und sich in ihrem Gefüge entwickelt haben. Aber es muß hinzugefügt werden, daß alles Gesagte keine eigene Mariologie bildete und bilden konnte, sondern Explikation der Christologie blieb. Dagegen wurde in der Zeit der Väter in der Ekklesiologie die ganze Mariologie vorentworfen, freilich ohne den Namen der Mutter des Herrn zu nennen: Die Virgo Ecclesia, die Mater Ecclesia, die Ecclesia immaculata, die Ecclesia assumpta, alles was später Mariologie sein wird, ist zunächst als Ekklesiologie vorgedacht worden ». Der Kardinal betont dann: « Erst das Zusammenströmen dieser vorerst namenlosen, aber personal gestalteten Ekklesiologie mit den von der Christologie vorbereiteten Aussagen über Maria, das seit Bernhard von Clairvaux einsetzte, ergab die Mariologie als eigene Ganzheit in der Theologie. So kann man sie weder allein der Christologie noch auch allein der Ekklesiologie zuordnen » [9].

Die Argumentation ist bedenkenswert, regt aber zu weiteren Überlegungen an. Zum einen ist nachweisbar, daß bei der theologischen Beweisführung nicht nur für die beiden biblisch bezeugten Mariendogmen, sondern auch für die beiden in der Neuzeit definierten, weniger von der Ekklesiologie aus auf die Mariologie geschlos-

---

[7] G. SÖLL, *Mariologie,* Freiburg 1978, Leipzig 1982 S. 238. Note 15a.
[8] Maria-Kirche im Ursprung S. 26.
[9] Ebd. 26 f.

sen wurde, sondern von den beiden ersten Dogmen und, von Konvenienzgründen abgesehen, vom inneren Zusammenhang der Mariendogmen aus argumentiert wurde, die « Praesentia Christi » also stets gewahrt blieb. Die Typologie « Maria-Kirche » wurde zwar immer mehr entfaltet, doch für die theologische Beweisführung wurden, wie der Text der beiden päpstlichen Bullen « Ineffabilis Deus » und « Municentissimus Deus » deutlich erkennen läßt, die traditionellen theol. Fundorte bemüht. Für die Väterzeit ist der Zusammenhang zwischen Christologie und den mariologischen Wahrheiten ohnehin ausführlich dokumentiert.

Man kann natürlich auch fragen, ob dann, wenn das Konzil nicht nur über die Ekklesiologie, sondern auch über die Christologie gehandelt hätte, die Mariologie demnach ihren traditionellen Standort nicht doch behauptet hätte. Bei Aufgabe ihres Charakters als eigener Traktat ergab sich für die Konzilsväter gemäß ihrer Thematik keine andere Alternative als die Zuordnung zur Ekklesiologie.

3. Die Möglichkeit einer mittleren Lösung

Die Mariologie ist ohne Zweifel kein in sich isolierter theologischer Bereich, sondern ein Kristallisationspunkt für grundlegende Wahrheiten der Ekklesiologie, der Charitologie, der theol. Anthropologie und der Eschatologie. Daraus erklärt sich ja auch ihre Zuordnung zu einem der genannten dogmatischen Traktate in der Lehrpraxis an verschiedenen Hochschulen.

Zunächst kann bezweifelt werden, ob jeder der Konzilsväter in der knappen bei der Abstimmung erreichten Mehrheit für die Zuordnung des Marienschemas zum Kirchenschema (1114 zu 1074 Stimmen), zugleich die Preisgabe der Eigenständigkeit der Mariologie als eigener dogmatischer Traktat mitgewollt hat oder doch nur ihrer vorkonziliaren Übergewichtigkeit Grenzen setzen wollte. Man sprach ja, nicht sehr glücklich, von den auf dem Konzil vertretenen Minimalisten und Maximalisten.

Auf der Basis der obigen Überlegungen und des eben genannten Zweifels darf versucht werden, zwischen der christologisch und der ekklesiologisch orientierten und plazierten Mariologie für sie eine mittlere Lösung in Vorschlag zu bringen. Dies jedoch nicht allein aus der Vorliebe für die traditionelle Standortsbestimmung dieses dogmatischen Lehrstücks seit der Hochscholastik [10], sondern aus sachlichen Erwägungen.

Der Vorschlag erfolgt jedoch unter der Voraussetzung, daß die Mariologie innerhalb der katholischer Dogmatik noch (oder wieder)

---

[10] Thomas von Aquin z.B. hat seine noch fragmentarischen Ausführungen über Maria zwischen seine Darlegungen über die Mittlerschaft Christi (*STh* III, q. 26) und die über seine Menschwerdung (q. 31) eingebaut.

den Status eines eigenen Traktates behält (bzw erhält). Sie ist ja trotz ihres Bezugs sowohl zur Christologie wie zur Ekklesiologie ein Lehrstück sui generis, weil hier, was manchen Nichtkatholiken als untragbar erscheint, gewiß von Gottes Werk geredet wird und somit der ureigene theo-logische Charakter des Traktats ausgewiesen ist, andereseits aber ein bloßer Mensch Gegenstand theologischer. Diskussionen und lehramtlicher Entscheidungen geworden ist, was sich vom Wesen der Theologie her nicht von selbst verstand. Nicht von ungefähr wird ja gegen die Mariologie auch mit dem Hinweis argumentiert, daß hier Vergötzung eines Menschen nach Art des Paganismus betrieben und Anthropologie in Theologie verwandelt werde.

Zum einen darf hier die Feststellung von Kardinal Ratzinger aufgegriffen werden, daß man die Mariologie « weder allein der Christologie noch auch allein der Ekklesiologie » zugeordnen könne (s.o.).

Dieser Empfehlung wird man am besten gerecht, wenn man die Mariologie als eigenes Lehrstück, zwischen Soteriologie und Ekklesiologie plaziert. Das entspräche übrigens genau dem Verständnis der Mariengestalt, das aus dem von Kardinal Ratzinger und Urs von Balthasar gewählten Buchtitel hervorgeht: « Maria-Kirche im Ursprung ». Es heißt ja auch nicht « Maria-Ursprung der Kirche », was einer unzureichenden Begründung des von Paul VI. am Ende der dritten Konzilsperiode (am 21, Nov. 1964) verkündeten Marientitels « Mutter der Kirche » Vorschub leisten würde [11].

Bei dieser Standortsbestimmung würde nämlich einerseits die unleugbare Verbindung von Christologie und Mariologie ebenso gewahrt wie ihr Bezug zur Ekklesiologie, die sachgerecht an der Eigenschaft der Gottesmutter als Ursprungsort und Urbild der Kirche anknüpfen und dann von ihrer Heilsbedeutung sprechen könnte. Keine andere Plazierung der Marienlehre etwa als Anhang zur Gnadenlehre oder zur Eschatologie könnte dem theologischen und dogmengeschichtlichen Sachverhalt in ähnlicher Weise gerecht werden.

Dazu kommt aber noch ein anderer Umstand, der den Konzilsvätern bei ihrer Abstimmung über den Ort des Marienschemas nicht unbedingt präsent war: der ökumenische Aspekt der Standortsbestimmung der Mariologie. Wenn man nämlich einerseits einwenden könnte, daß eine Mariologie als eigener dogmatischer Traktat ohnehin für viele nichtkatholische Christen als ungerechtfertigt erscheint, dann müßte andererseits die Zuordnung dieses nicht mehr aus der Welt zu schaffenden Lehrstücks zur Ekklesiologie den interkonfessionellen Dialog mit Sicherheit erschweren; denn die evangelische Theologie würde eine von der Christologie abgekoppelte

[11] Über die rechte Begründung dieses Titels vgl. G. Söll, « Maria als Urbild und Mutter der Kirche », in: *Maria im Glauben der Kirche*, hrsg. v. M. Seybold, Eichstätt 1985, S. 86-107.

Marienlehre noch weniger akzeptieren können als eine auf sie bezogene. Dann aber würden nicht nur die bis jetzt erreichten bzw. bestehenden Gemeinsamkeiten in Fragen « Maria » gefährdet, sondern zu den oben genannten Vorwürfen der Verdacht einer Mystifizierung der Mariologie erhoben werden.

Auf den Internationalen Mariologenkongressen wird seit 20 Jahren jeweils eine konfessionell gemischte Kommission gebildet, die über die Möglichkeit einer Annäherung der Standpunkte berät und am Ende eine gemeinsame Mitteilung veröffentlicht. Dabei zeigt sich jedesmal, daß in der Anerkennung der beiden biblisch begründeten Mariendogmen Übereinstimmung festgestellt wird, indes für die beiden definierten Wahrheiten der Immakulata und Assumpta kein Konsens zustande kommt. Es ist nicht zu erwarten, daß die Einbeziehung der Mariologie in die Ekklesiologie die Annäherung der Positionen begünstigen wird.

Noch aufschlußreicher ist für diese Frage das marianische Dokument, das die Vereinigte Evangelisch-Lutherische Kirche Deutschlands (VELKD) durch ihren Catholica-Arbeitskreis 1982 unter dem Titel « Maria. Evangelische Fragen und Gesichtspunkte. Eine Einladung zum Gespräch » veröffentlich hat. Nach den Kapiteln: Evangelische Christen vor der Frage nach der Mutter Jesu — Maria im Neuen Testament — Das gemeinsame christliche Erbe: Jungfrau und Gottesmutter, wird über « Die Hauptmotive und Entwicklungslinien der Mariologie » gesprochen. Nachdem festgestelt ist, daß es durchaus berechtigt sei, Maria « als Urbild der Kirche » zu verstehen, gleichzeitig aber die « Parallelisierung Jesus-Maria » beanstandet wird, heißt es unter dem Titel: « Folge für das Kirchenverständnis » wörtlich: « Bei dieser zunehmenden Vergöttlichung Marias ist nie zu vergessen, daß Maria grundlegend als Typus der Kirche verstanden wurde. So blieb es nicht aus, daß mit Maria auch die Kirche zunehmend vergöttlicht wurde » [12].

In Kapitel 5 werden die « Besonderheiten der römisch-katholischen Mariologie « aufgezeigt, darunter auch zum Thema « Maria und die Kirche », wobei der Zusammenhang zwischen den Dogmen von 1854 und 1870 unterstrichen wird. In der darauffolgenden « Evangelischen Kritik » heißt es dann unter 3. « Auch die katholische Kirche will festhalten, daß Maria Geschöpf ist. Wird sie aber nicht doch in den beiden Dogmen von 1854 und 1950 in die göttliche Dimension erhoben? Dabei geht es nicht nur um Maria selbst, sondern zugleich um die Kirche, deren Urbild Maria darstellt. In Maria wird die in der Kirche versammelte Menschheit verherrlicht. Der sündelosen Maria entspricht die im Ernstfall unfehlbare Kirche. Der mit Leib und Seele in den Himmel aufgenommenen Maria entspricht die über die Fülle der Gnadenmittel verfügende Heilsanstalt der

[12] Hannover 1982 S. 7-8.

Kirche, in der das "göttliche Heilsmysterium" zugleich "offenbart und fortgesetzt" wird »[13].

Sodann wird gesagt: « Marienverständnis und Kirchenverständnis bedingen sich gegenseitig. Die evangelische Kritik an der römisch-katholischen Mariologie ist schließlich in erster Linie eine Kritik an der römisch-katholischen Ekklesiologie: "So sehr eine marianische Verherrlichung der Kirche menschlichem Sicherheitsbedürfnis in Glaubensfragen entsprechen kann, so sehr widerspricht sie dem Grundzeugnis der ganzen Heiligen Schrift von der Sünde des Volkes und der unverdienten Gnade Gottes. Ein solches Bild der Kirche mit ihren Runzeln und Flecken entspricht auch der Erfahrung von viel Untreue und Verrat. Nicht um Verherrlichung dieser Kirche, auch nicht in ihrem Symbol Maria, kann es also gehen, es geht um ihre Vermenschlichung. Nur wenn sie um ihr Sündersein weiß, muß sie nicht ihre eigene Freundlichkeit rühmen, sondern kann allein Gottes Treue verkünden und preisen und aus seiner Gnade leben"[14] ».

Man sieht deutlich wie weit eine mit der Ekklesiologie verknüpfte Mariologie dem protestantischen Denken fernliegt. Auch aus diesem Grund erscheint der hier vorgelegte Lösungsversuch als angemessen.

Die neue Standortsbestimmung der Mariologie ist keineswegs eine belanglose Frage. Es geht hier nicht darum, nur ihre traditionelle Position im Gesamt der kath. Dogmatik zu verteidigen, sondern der sachgerechtesten Lösung das Wort zu reden, und zugleich der theologischen Entwicklung der letzten Jahrzehnte sowie der mens des II. Vatikanischen Konzils zu entsprechen. Kardinal Ratzinger hat in zwei Gesprächen, die der Verfasser dieser Darlegungen mit ihm am 11.3.1983 und am 18.3.1985 führen konnte, dem hier entfalteten Vorschlag dankenswerterweise zugestimmt und zeigte sich damit einverstanden, daß dies hier vermerkt wird. Es bleibt zu wünschen, daß für die vielerorts wirksame Rehabilitation der Mariologie innerhalb des akademischen Lehrbetriebs, näherhin im Rahmen der Dogmatik, die hier empfohlene Standortsbestimmung der katholischen Marienlehre als förderlich angesehen und dementsprechend verwirklicht wird.

---

[13] Ebd. 12

[14] S. 12 f, Zitat aus Joachim Lell, *Das männliche und weibliche Prinzip der Kirche. Begibt sich Neues in der Mariologie?*, in: « Der Evangelische Bund » 3/1979 S. 6/7.

LA MEDIAZIONE DI MARIA VERGINE NELLA DISPENSAZIONE DI TUTTE LE GRAZIE IN ALCUNE PREDICHE DEL B. GIACOMO DA VARAZZE

RAIMONDO SPIAZZI, O.P.

0. Secondo la dottrina sobria, ma esplicita e precisa del Concilio Vaticano II sulla funzione di Maria Vergine nella dispensazione di tutte le grazie, fondata sull'unica mediazione di Cristo, dalla quale dipende e attinge tutta la sua efficacia [1], essa consiste in una « molteplice intercessione » con la quale ci ottiene « i doni della salvezza eterna ». Con questa prosecuzione della sua « missione di salvezza », dopo la sua assunzione al cielo, Maria « nella sua materna carità si prende cura dei fratelli del Figlio suo ancora pellegrinanti e posti in mezzo a pericoli e affanni, fino a che non siano condotti nella patria beata. Per questo la Beata Vergine è invocata nella Chiesa con i titoli di Avvocata, Ausiliatrice, Soccorritrice, Mediatrice » [2].

Tale dotrina appartiene non solo al magistero pontificio che si è espresso in encicliche citate dal Concilio — da Leone XIII a Pio XII —, ma anche alla più antica tradizione patristica, teologica e pastorale (alla quale attinge e fa appello lo stesso magistero pontificio), solitamente citata o riportata nei trattati di mariologia o negli studi specifici sulla Mediazione, come ha fatto anche il nostro Don Domenico Bertetto.

Tra gli autori da prendere in considerazione come testimoni di questa tradizione, particolarmente fiorente nel medioevo di Sant'Anselmo, di San Bernardo e dei loro successori, vi è il Beato Giacomo da Varazze, domenicano ligure del sec. XIII (nato tra il 1228 e il 1230), che fu arcivescovo di Genova dal 1292 al 1298, anno della sua morte.

1. NOTA BIOGRAFICA

Si tratta di un personaggio assai noto per la sua *Legenda Sanctorum,* passata alla storia come *Legenda Aurea,* tradotta in molte lingue, esaltatissima nei secoli XIV e XV, criticata e spregiata a partire dal sec. XVI, e in parte rivalutata nel nostro secolo almeno per

---

[1] Cost. « *Lumen gentium* », n. 60.

[2] *Ib.* n. 62. Vedremo che proprio questi titoli, con altri, vengono attribuiti a Maria dal B. Giacomo da Varazze.

quello che doveva essere il suo testo originario, che, ricopiato e diffuso prima della invenzione della stampa, subì molte interpolazioni e amplificazioni con aggiunte, appunto, di carattere « leggendario » [3].

Il Beato Giacomo è conosciuto come un uomo di grande rettitudine e saggezza, zelo apostolico, spirito di pace. Entrato giovanissimo nell'Ordine di San Domenico, vi compì studi molto severi, e vi insegnò scienze sacre, occupandosi pure diffusamente del ministero apostolico. Fu eletto due volte Provinciale di Lombardia, ed ebbe importantissime mansioni nell'Ordine, specialmente in parecchi Capitoli provinciali e generali, e nella Chiesa. Già nel 1288 venne eletto dal Capitolo di Genova per reggere la diocesi, ma egli rifiutò di accettare. Ma cedette nel 1292, alla morte di Obizzone Fieschi, patriarca di Antiochia, che scacciato dalla sua sede dai Saraceni, era diventato amministratore apostolico di Genova. In questa città il Beato Giacomo svolse la sua opera di evangelizzazione, di carità verso i poveri e di pacificazione tra Guelfi e Ghibellini, aiutato anche dalla forza persuasiva della sua eloquenza.

La sua produzione letteraria fu grande ed estesa a diversi campi, dall'agiografia alla teologia, alla pastorale, alla storia; e tra le altre numerose opere ci ha lasciato anche quattro raccolte di discorsi [4]:

1. *Sermones aurei de tempore per totum annum;*
2. *Sermones aurei de praecipuis Sanctorum festis;*
3. *Sermones in Dominicas et Ferias Quadragesimae* (*Quadragesimale aureum*);
4. *Sermones aurei de B.M. Virgine, Mariale nuncupati* (*De laudibus deiparae Virginis*).

Ci resta pure un bellissimo *Sermo de planctu B.M. Virginis*, pubblicato a parte, e assai più esteso degli altri discorsi, almeno nella trascrizione.

Queste raccolte non contengono generalmente che degli *schemi* di discorsi, che il Beato Giacomo tracciò a richiesta dei suoi confratelli, senza dubbio servendosi dei suoi stessi discorsi, composti e pronunciati sui pulpiti d'Italia nei lunghi anni della sua predicazione. E' significativo come la posterità abbia affibbiato anche a queste raccolte l'appellativo onorifico di libri « aurei ». Essi sono veramente una miniera di citazioni scritturali, patristiche, letterarie, un tesoro di pensiero teologico e di narrazione agiografica, un'opera organica e splendida di oratoria sacra: pur non andando esenti da difetti, specialmente di forma. Come scrive J. Baudet [5], « queste istruzioni denotano una semplicità e una bonomia originali che commuovono. E' però spiacevole che il metodo scolastico vi occupi un posto troppo considerevole, con divisioni, sottodivisioni, punti ripartiti in altri

---

[3] Cfr. *DThC* t. VIII/1, *ad vocem*, 311-312.

[4] Tradotti in latino, le edizioni principali sono quelle di Brescia 1483, Augsburg 1484, Venezia 1497 e 1544.

[5] *DThC, l. c.*, 310.

punti che a loro volta lo sono in altri punti ancora... Il discorso sulle stigmate di San Francesco è veramente curioso; le spiegazioni che ne vengono date sembrano supporre le teorie psicologiche che si trovano negli autori moderni... ».

Sulla figura del Beato Giacomo come scrittore, e sul valore della sua opera letteraria in genere, riportiamo e in parte riassumiamo qui qualche pagina della monumentale opera del Monleone[6], che nel pubblicare con apparato critico di prim'ordine la *Cronaca della città di Genova dalle origini al 1279,* scritta dal nostro Beato, premette nel primo dei tre volumi un interessantissimo studio sull'Autore e sulla sua opera. Nelle citazioni che seguono, tralasciamo il corredo di note che arricchisce l'originale.

> « Fu nel convento dei Frati Predicatori, dotato di scuole ricordate negli atti, che il Da Varagine ci dice di essere stato *maternis uberibus nutritus et educatus.* Egli non racconta come e da chi ricevesse gli ammaestramenti alle Lettere. Ma ebbe a confratello, forse più anziano, nello stesso convento quel Giovanni Baldi autore del *Catholicon,* cioè del primo grande vocabolario latino, che fu celebre nel medioevo e che fece testo nei secoli seguenti; e non è improbabile che la dottrina filologica del Baldi non sia rimasta estranea all'educazione letteraria di frate Iacopo, ed anche a quella conoscenza, almeno rudimentale, della lingua greca che molti vogliono negargli, sebbene sia pur da ammettersi ch'egli l'avesse appresa anche dalle fonti medesime a cui attinse particolarmente per la *Legenda aurea.* E così per la parte storica riguardante Genova, non è da escludere che siano stati proprio gli *Annali* del D'Oria ad invogliare frate Iacopo a scrivere con la *Cronaca* una storia sintetica della sua città.
>
> « Ma in qual modo il Da Varagine sia divenuto scrittore, vale a dire quale possa essere la genesi della sua prima opera, la *Legenda aurea,* non è certamente possibile indagare. L'esempio di altri *Legendari* di santi (*Vite dei santi di tutto l'anno* di Fr. Bartolomeo da Trento, composte nel 1224) deve averlo avviato e incitato al grande lavoro (...) lodato, interpolato, deriso (...).
>
> « *La Cronaca* è (...) opera didascalica, politica e morale, piuttosto che di pura storia ad uso dei suoi concittadini. I quattro libri dei *Sermones* ... sollevarono, invece, minor contrasto di opinioni. Ed è naturale. Con essi l'Autore si rivolge in modo speciale a una sola classe di persone, tra le quali era universalmente riconosciuto maestro. Le fonti sacre, poi, su cui i *Sermones* erano costruiti, l'abilità dialettica dell'Autore, la precisa esposizione della materia li rendevano ammirati tra i giovani che si avviavano alla predicazione; allo stesso modo che il popolo ascoltava nelle chiese d'Italia le trascinanti parole del frate genovese. E così i codici dei *Sermoni* si ricercarono ovunque, le edizioni si andarono moltiplicando, ed anche nei secoli lontani da frate Iacopo si auspicò il ritorno alla sua scuola oratoria.
>
> « Quella che non incontrò asperità di giudizi, se non presso gli avversari più fanatici, fu la sua cultura veramente prodigiosa

[6] Giovanni MONLEONE, *Iacopo da Varagine e la sua Cronaca di Genova dalle origini al 1297,* R. Ist. Storico Italiano per il Medio Evo, Roma 1941, 3 voll.

per i suoi tempi. Oltre le sacre Scritture e le opere di S. Agostino (dice una leggenda avvalorata da Sisto Senese e raccolta da molti biografi ch'egli le sapesse tutte a memoria), l'abate Rose cita per la sola *Legenda aurea* cento scrittori dal primo al tredicesimo secolo dopo Cristo alle cui opere attinse il Da Varagine, oltre trentatré altre fonti non classificabili. Molti altri scrittori d'ogni secolo, non citati nella *Legenda aurea*, gli valsero quali fonti per la *Cronaca*. Materiale invero enorme, se si pensa alla vastità di molte fra le opere che lo componevano!

« Il Da Varagine, scrittore, va anch'esso considerato sotto due aspetti: nel contenuto e nella forma. Il contenuto di tutta l'opera varaginiana, dalla *Legenda aurea* alla *Cronaca*, è quello delle opere dei grandi eruditi, specialmente ecclesiastici e scolastici del suo tempo; aggiuntavi, per la *Cronaca*, una particolare conoscenza della storia della Repubblica Genovese. Cultura del mondo pagano e del mondo cristiano, nella quale primeggiano i sacri testi e i Padri della Chiesa, ma anche si ritrovano i massimi scrittori romani (Cicerone, Livio, Seneca) e i dotti del Medioevo (Boezio, Cassiodoro, Pietro Comestore, per citare i maggiori). Ma per frate Iacopo il mondo romano non fu solo un ricordo storico e un motivo retorico e culturale. Egli sentì fortemente la grandezza di Roma; vide negli impeti eroici del Medioevo un'aspirazione al ritorno della romanità, specialmente per la sua Genova lanciata alla conquista del Mediterraneo, nella quale voleva riconoscere una continuatrice di Roma (...). Il suo modo di argomentare è quello scolastico (...). Questo è il sistema ch'egli adoperava nei *Sermones* (...). Quanto al metodo storico egli lo fa poggiare su tre basi o, meglio, riconosce tre autorità: il documento, le fonti storiche scritte, la tradizione (...).

« Quanto alla forma letteraria, il Da Varagine ha una secchezza tutta sua e inconfondibile. Però si abbandona talvolta a voli e a fioriture d'immagini, talvolta a descrizioni e narrazioni sfaccettate di particolari. Vi è insomma in lui una triplice natura di scrittore. Da un lato lo scolastico schematizzante, tutto stretto nel rigore delle sue formule; da un altro il poeta che trova modo d'innalzarsi sulle ali di una appassionata fantasia; da un terzo lato l'artista, che si compiace del racconto vivo e pittoresco. Minuzioso dunque, talora quasi ossessionante, nelle suddivisioni dei concetti e nell'analisi; appassionato nelle digressioni; scarno e legnoso nella sintesi: segni questi di un carattere esuberante, tenuto a freno dalla disciplina monastica e da una costrizione che volontariamente egli s'imponeva.

« Da queste sue qualità peculiari nasce il suo stile, che si può facilmente dividere in tre forme ben distinte: stile scolastico, oratorio, descrittivo o narrativo.

« La prima forma la troviamo nei *Sermones*, dove le citazioni dei sacri testi sovrabbondano e lasciano poco respiro alla prosa originale, tutta appoggiata sulla rete del raziocinio irto di categorie e sottocategorie, ripartite a loro volta in divisioni e sudddivisioni, così rigide e geometriche, intricate e affaticanti, che un lettore moderno corre ogni riga il rischio di perdere il filo dell'argomentazione, anche per l'assenza completa di segni grafici che possono aiutarlo a ritrovarsi »[7].

---

[7] *Op. cit.*, pp. 181-191.

2. L'INTERESSE DEL MARIALE PER LA DOTTRINA DELLA MEDIAZIONE MARIANA

In molti discorsi di ciascuna delle sue opere oratorie il Beato Giacomo parla di Maria Vergine, e sempre con grande passione e tenerezza. Ma nel *Mariale,* opera della sua vecchiaia, egli raduna tutto quello che in lode della Benedetta ha sparso altrove, e vi aggiunge tutto quello che gli detta la mente e gli ispira il cuore.

E' commovente leggere il *Prologo* a questa raccolta di *Sermoni.*

Prologus in tabulam

Cogitavi dies antiquos et annos aeternos in mente habui ... Quoniam senili aetate confectus sum, et caelestis patriae desiderio anxius, ideo dies antiquos vitae meae saepe cogito, et annos aeternos vitae perpetuae frequenter in mente recolo vel revolvo, ut sic veraciter possim dicere cum Propheta: *Cogitavi dies antiquos etc.* Utraque autem cogitatio tam aetatis senilis quam vitae caelestis salubriter me inducit ne, in tempore praesenti quod restat, animus meus torpescat ignavia vel desidia resolvatur, sed potius *in Dei laudem et gloriosae Matris eius dies antiquos finiam*: ut sic annos aeternos feliciter apprehendam. Et quamvis pontificali infula insignitus, quamvis in episcopali speculo constitutus, tamen cito in cinerem resolvar et in ventrem communis matris ingrediar, ut ibidem me servum ad requiem, donec in beata resurrectione me pariat ad salutem ...

Quia igitur gloriosa Virgo Maria se operantes a peccato praeservat et se laudantes copiose remunerat (ipsa dicente: *Qui elucidant me vitam aeternam habebunt, et qui operantur in me non peccabunt*), ideo *suae commendationi operam dare et virgineas laudes ipsam depromere,* praesens opusculum *ipsa inspirante incepi et ad finem perduxi debitum ipsa adiuvante.* Volui autem librum hunc secundum ordinem litterarum alphabeti distinguere, ut quilibet possit quod voluerit invenire.

Su questo libro, che è davvero un intreccio di lodi alla Vergine, il Monleone esprime i seguenti giudizi:

« Questa raccolta di sermoni dedicati alla Vergine e ridotti, come gli altri, a schemi, e forse più brevi, dove, per usare un'espressione dello Spotorno, *i precetti morali s'intrecciano alle lodi della Madre di Dio,* ha una compilazione abbastanza curiosa.

« Il libro è diviso, come lo stesso Da Varagine avverte nell'elenco delle sue opere dato nella *Cronaca,* per ordine alfabetico, a seconda della prima parola con cui comincia ogni sermone. L'Autore ci dice anche che esso è preceduto da un prologo (*Iste liber post prologum incipit etc.*); ma questo in qualche codice e in certe edizioni tardive non esiste, mentre si trova in altri codici e nelle prime edizioni. L'opera si compone di centosessantuno sermoni, raccolti e numerati in gruppi aventi la stessa lettera iniziale, che procedono dal primo, cominciante con la parola *abstinentia,* e vanno fino all'ultimo che si inizia con la parola *vulnerata.* Di più la prima frase d'ogni sermone contiene sempre il nome di Maria (ad es. *Arbor caelestis est Virgo Maria; Aurora dicitur Virgo Maria etc.*), in una specie di invocazione litaniale che conferisce a questa serie di scritti una grazia ingenua e un senso di poesia tutto particolare. Anche qui le citazioni dei sacri testi e di tutta la serie degli scrittori noti al Da Varagine ricorrono con frequenza in mezzo ad osservazioni del mondo naturale e della vita pratica. Ma attraverso il procedimento scolastico del raziocinio e le sue divisioni e suddivisioni — sulle quali sono costruiti, del resto, tutti i sermoni varaginiani — l'Autore sa trovare il modo di aprire qualche volta quasi una piccola finestra claustrale sulla campagna, per lasciar penetrare aria e luce e profumi e armonie che abbelliscono la severità, talvolta arida, degli argomenti svolti.

« Dei quattro libri di *Sermoni ... soltanto quest'ultimo, il* Mariale, *fu composto negli anni in cui il Da Varagine era già Arcivescovo di Genova, come avverte egli stesso nel prologo ...* » [8].

Se dal punto di vista letterario valgono per il *Mariale* le osservazioni riportate [9], dal punto di vista teologico si deve subito dire che esso non è un libro dottrinale né in alcun modo *scientifico.* E' quello che è: ossia una raccolta di sermoni in onore di Maria Vergine, senza alcuna pretesa di svolgere i temi a rigore di dottrina. Tuttavia l'autore è un teologo, e alle sue elaborazioni pastorali, ascetiche, mistiche, poetiche è supposto un substrato solidamente dottrinale. Noi abbiamo cercato di rintracciarlo, ricostruendo il pensiero mariologico del Nostro su di un punto specifico: la mediazione di Maria Vergine nella dispensazione delle grazie.

Dobbiamo però avvertire che non intendiamo affatto attribuirgli una concezione scientifica e organica della dottrina della mediazione, che è cosa del tutto moderna. Le sue affermazioni hanno soprattutto il valore di testimonianze sulla dottrina della sua scuola e sull'insegnamento comune della Chiesa nel suo e nei secoli precedenti. Quando egli parla con facilità e naturalezza della mediazione di Maria Vergine e di altre verità con questa interdipendenti, indica abbastanza chiaramente, con le citazioni di testi, che dice cose non nuove, ma comunemente ammesse ed accolte nell'ambiente culturale in cui vive e risapute dalla comunità dei fedeli. La chiarificazione ed enucleazione scientifica verrà dopo, poiché la teologia ha un suo progresso e la Provvidenza un suo disegno; ma nel *deposito* quella verità è contenuta e insegnata.

---

[8] *Op. cit.*, pp. 120-125.

[9] Si vedano esempi di osservazioni e similitudini graziose in L = VI (*Lilium dicitur B.V.*), N = VI (*Nubes est B.V.*), ecc.; di osservazioni naturali in O = I; di spiegazioni scritturali artificiose in C = XIV, F = VIII, I = I, O = I, P = VI, ecc.; di descrizioni o immagini ingenue in L = I, L = VIII, ecc.; di tesi scolastiche bene impostate e svolte in S = IV, V = IX, ecc. Nelle citazioni del *Mariale* adottiamo il seguente sistema: la maiuscola divisa da doppia lineetta dal numero romano, vuol indicare la lettera sotto la quale si trova disposto il sermone, secondo l'ordine artificioso del Beato Giacomo, mentre il numero romano indica l'ordine dei sermoni contenuti sotto quella lettera. Per es., S = IV, indica il Sermone IV sotto la lettera S; N = X, indica il Sermone X sotto la lettera N, ecc.

Il Beato Giacomo, al pari degli altri autori di opere e testi mariani dell'epoca, dipende moltissimo da San Bernardo, da Sant'Anselmo e dagli altri scrittori medievali; risalendo più in alto, si scorge la sua relazione con Sant'Ambrogio, Sant'Agostino, San Gerolamo. Come San Bernardo ed altri autori, egli ricama i suoi sermoni sopra testi scritturali, particolarmente sulla Cantica, sul Libro di Siracide (cap. 24), su altri passi comunemente applicati alla Vergine. Si può dire che tutto ciò che nella S. Scrittura vi è di figurativo della Madre di Cristo, è da lui investigato, illustrato, svolto ampiamente. Di ogni immagine e di ogni concetto egli analizza tutte le particolarità, tutte le sfumature, per cogliervi il riflesso della realtà soprannaturale infinitamente ricca e inesauribile. Qualche volta egli sconcerta; ma spesso eleva in un clima di alta contemplazione, in una idealizzazione del reale quotidiano che sembra raggiungere quei vertici sublimi dove si è a contatto con Dio.

Il Beato Giacomo è soprattutto un mistico. Come tale è annoverato nella storia della teologia, o anche come scrittore di spiritualità [10].

Il suo stesso carattere era quello di un uomo eminentemente contemplativo, amante della pace del chiostro, rifuggente dalle preoccupazioni dell'attività di governo: due volte egli si fece dispensare dalla carica del provincialato.

Anche nel *Mariale* spiccano tali qualità, e le sue concezioni mistiche, specialmente riguardo ai rapporti di Maria Vergine con l'anima cristiana e alla sua importanza nella vita spirituale, in tutti i suoi gradi, dagli infimi ai più alti. Segno che anche per lui la vera scienza, o « conoscenza » di Maria Vergine, comportava, ed era, l'amore di Lei. Come la teologia in genere, così la teologia mariale deve essere più vissuta che pensata: o meglio, dev'essere pensata col viverla di quella suprema vita dello spirito, che ha radice nella fede alimentata dall'amore.

3. Le principali testimonianze

Le testimonianze del Beato Giacomo da Varazze sulla mediazione di Maria Vergine nella distribuzione di tutte le grazie sono assai numerose e importanti, e costituiscono uno dei filoni fondamentali e costanti del suo pensiero mariologico. Noi sceglieremo solo le principali, tra quelle contenute nel *Mariale*.

3.1. *La pienezza di grazia in Maria*

Si potrebbe dire che il nodo centrale della dottrina è contenuto in queste affermazioni generali:

---

[10] Cfr. M. Grabmann, *Storia della teologia cattolica*, trad. it. Milano 1937, pp. 86, 174; L. Allevi, *Disegno di storia della teologia*, Torino 1939, pp. 91, 163.

> Sicut in mare est congregatio omnium, *sic in Maria est congregatio omnium gratiarum* ... Sicut mare est origo omnium fontium et fluviorum, *sic Maria est origo et principium omnium gratiarum* ... [M = II].

La stessa pienezza di grazia personale, posseduta da Maria Vergine, è « per noi »:

> Sciendum quod non tantum propter se invenit gratiam, sed *propter nos, ut de eius plenitudine accipiant universi.* Bernardus: *Copiosissima charitate B.V. sapientibus et insipientibus debitricem se fecit, omnibus sinum misericordiae aperuit, ut de eius plenitudine accipiant universi, captivus redemptionem, aeger curationem, tristis consolationem, peccator veniam, iustus gratiam, angelus iustitiam, denique tota Trinitas gloriam, Filius carnis substantiam: ita ut non sit qui se abscondat a calore eius* ... [G = III].

Per tale pienezza Maria sorpassa tutti gli altri nella grazia, ed è in grado di poterne distribuire a tutti:

> Habuit [B.V.] gratiam plenam ... Magnum est habere *potentiam receptivam* gratiae [come i peccatori] ... Maius est habere *guttam* gratiae [come i buoni, ma ancora imperfetti] ... Maximum est habere *calicem* sive plenitudinem gratiae [come i perfetti] ... Permaximum est habere *fontem gratiae* [come i beati] ... Supermaximum (!) est habere non tantum potentiam receptivam gratiae, non tantum guttam ... calicem ... fontem gratiae, sed etiam *flumen omnium gratiarum. Et istam plenitudinem habet Virgo Maria* ...
>
> Habet *gratiam superplenam,* cum plena et larga diffusione ... Tam copiosa autem est, et tam plena, quod eius plenitudinem sensit infernus, qui per eam spoliatus fuit. Sensit terra, quia mortuos reddidit. Sensit coelum, quia se aperuit. Senserunt Angeli, quia fuerunt reparati. Senserunt Iusti, quia fuerunt beatificati ...

E conclude con San Bernardo:

> Totis ergo medullis cordis Mariam veneremur, quia sic est voluntas eius qui totum nos habere voluit per illam ... [G = V].

Questo *maximum* di grazia fu certo la presenza in Maria Vergine della Grazia sostanziale, il Figlio di Dio incarnatosi nel suo seno, *fiume* che porta la grazia nel mondo. Ma questo *fiume* comunica la sua pienezza alla Madre, che quindi partecipa alla diffusione della grazia di Cristo:

> Plenitudinem omnium gratiarum habuit Maria. Sed notandum quod quadruplex est plenitudo: plenitudo *sufficientiae* [propria di tutti i Santi, come Stefano: sufficiente personalmente: plenitudo *vasis,* secundum mensuram donationis Christi (Eph. IV)]; plenitudo *abundantiae* [propria degli Apostoli, più ricchi di Spirito Santo che gli altri Santi; plenitudo *rivi,* che illumina tutto il mondo con la dottrina]; plenitudo *excellentiae,* quam habuit B.V. (Lc. I: *Ave,*

gratia plena). Ipsa enim prae ceteris sanctis et omnibus apostolis excellentius Spiritus Sancti dona percepit ... [onde ha *universaliter* tutto quello che gli altri ebbero in misura determinata: plenitudo *fontis* ... *Ipsa fuit fons gratiarum*]; quarta est plenitudo *effluentiae, quam habuit Christus* ... Assimilatur plenitudini *fluminis,* quia a nullo accipit, sed semper fluit [*De plenitudine eius nos omnes accepimus* (Ioan. I)] ...

Questo *fiume* riempie il seno di Maria Vergine, e di lì (*deinde*) inonda gli Apostoli e gli altri Santi.

Istam plenitudinem superfluentiae Christus communicavit Matri suae, quia de eius plenitudine accipiunt universi [P = V] [11].

Tutto l'universo, dalla creazione alla glorificazione celeste degli eletti, è sotto l'influenza di questo fiume di grazia che da Cristo passa per Maria, irrigando le anime, spargendo ovunque la fecondità della virtù e del bene.

3.2. *Maria fonte di grazia*

Di questo fiume Maria Vergine è anzi la *fonte*:

Fons dicitur Virgo Maria

De quo sunt tria videnda:

1) *Qualis est iste fons*:

a) *est fons signatus.* Cant. IV: Hortus conclusus, fons signatus ... Intellectus quidem Virginis fuit hortus Dei, quia plenus erat fide et Dei cognitione. Affectus eius fuit hortus Dei, quia plenus erat Dei amore. Uterus eius fuit hortus Dei, *quia plenus est aqua caelestis gratiae.* Deus igitur clausit eius intellectum, ut nihil in ipsum intrare possit ignorantiae vel erroris. Clausit eius affectum, ut nihil in ipsum intrare possit mundani amoris. Signavit eius uterum sigillo virginalis pudoris.

b) fuit fons *apud Deum positus.* Ps.: Quoniam apud te est fons vitae. Est igitur fons, quia refrigerat ab aestu concupiscientiae. Et est fons vitae, quia *vivificat* a morte lethalis culpae. Et est luminosus, quia *infudit nobis lumen cognitionis divinae.* Et est apud Deum positus, ideo *potest nobis copiose effluere.*

c) est fons *in flumen conversus.* Esth. II: Parvus fons crevit in flumen maximum, et in aquas plurimas redundavit. Ipsa enim fuit fons parvus in humilitate et conversatione, sed crevit in flumen maximum in Filii Dei conceptione, et redundavit in aquas plurimas *in sua assumptione,* ubi *in tantum redundat, quod de eius plenitudine non cessat effluere,* et illis qui sunt foris, id est illis qui adhuc sunt in exilio, et illis qui sunt in plateis caelestis Hyerusalem (Prov. V) ... [Cfr. C = XVII].

---

[11] Cfr. S. TOM., *In Ioan. 10,1.*

d) est fons *perpetuus* ... cuius non deficient aquae (Is. 56).

e) est fons *dulcis et amoenus* ... [santificato e « dulcorato » dallo Spirito Santo] ita quod postmodum semper emisit dulcissimas aquas ...

2) *Quales aquas habet iste fons*:

Aquae enim istius fontis sunt valde *virtuosae*. Nam multiplicem habent virtutem:

a) virtutem *refrigerativam*, et valde sunt gratae sitienti ... B.V. in aestate prosperitatis dat aquam frigidam, id est gratiam refrigerantem, ne mens nimis terrenorum affectibus inardescat; in hieme vero adversitatis dat aquam calidam, id est gratiam inflammantem, ne mens adversitatibus pressa a Dei amore tepescat ...

b) virtutem *elevativam*. Ioan. IV: Aquam quam ego dabo ei, fiet fons aquae salientis in vitam aeternam ...

c) virtutem *vivificativam*. Num. XIII: Exaudi clamorem populi huius et aperi eis thesaurum aquae vivae ... Et dicit « aperi », quia desuper et a Deo est huius aquae effusio et emanatio ... In fonte materiali aqua scaturit et fluit ab inferiori et communicat se superioribus. In fonte autem caelesti aqua fluit a superiori et communicat se inferioribus. Isto modo *aqua gratiae fluit in hunc fontem caelestem*, id est in B.V. Nam *fluxit a superiori*, unde dixit ei Angelus: Spiritus Sanctus superveniet in te. *Communicat autem se inferioribus, ipsam aquam gratiae nobis de caelo infundendo*.

d) virtutem *irrigativam* et *germinativam* ... Dicitur autem quod terra primo germinavit herbam, deinde spicam, deinde plenum fructum in spica. Iste enim fons caelestis terram animae nostrae primo *facit germinare* herbam, id est Dei timorem, qui est *principium novae vitae;* deinde spicam, id est charitatem ...

e) virtutem *mundativam*: nam in isto fonte lavantur et *mundantur* activi et contemplativi, et etiam ipsi peccatores immundi ...

3) *Qualiter iste fons dividitur*:

Nam sicut dicitur (Gen. II): dividitur in quattuor capita, quia de Virgine B. effusus est Christus, qui in nos quattuor beneficia maxima influxit, scil. beneficium *creationis, recreationis, iustificationis* et *glorificationis*. Et ista dicuntur flumina, quia flumen civitati in quam fluit quattuor beneficia maxima inferre consuevit. Nam necessaria apportat, superflua asportat, sordes abluit et sitim extinguit. Beneficium igitur *creationis* omnia necessaria humano generi deportavit. Beneficium *recreationis* omnia superflua exportavit, scil. omnia peccata et opera diaboli. Beneficium *iustificationis* omnia immunda abluit. Beneficium *glorificationis* sitim extinguit ... [F = VII].

Come si è potuto notare, il « fiume » della grazia, passando *per Maria*, si riversa nel mondo e produce mirabili effetti nell'ordine della natura e della grazia, vivifica e santifica per mezzo di lei. Questo fiume, infatti, che è Cristo, sgorgando da Maria nella sua nascita, non si è separato da lei, ma continua a riempirla delle benedizioni celesti, che trasmette ovunque attraverso il suo seno. Anzi Maria stessa è un « fiume di grazia ».

3.3. *Maria fiume di grazia*

Fluvius caelestis est abundans emanatio Spiritus Sancti

Iste fluvius est duplex: unus qui manavit in B.V. Mariam; alius qui emanat ab ipsa in nos ...

Fluvius igitur, id est abundantia Spiritus Sancti, emanavit in Mariam in suo *initio* ... quia fuit in utero sanctificata ...; quando *Dei Filium generavit,* quia fuit lumine divinitatis illustrata ...; quando *ad caelestem gloriam fuit assumpta,* et facta quasi torrens qui non potest transvadari (Ezech. 47), quia fuit tunc claritate ineffabili illustrata, et tantae gloriae immensitate illustrata, quod nullus intellectus angelicus vel humanus hoc intendere posset; mirari quidem posset, intelligere autem minime valeret ...

Secundus fluvius est qui *ab ipsa in nos emanat,* de qua dicitur (Apoc. 22): Ostendit mihi Angelus fluvium aquae vivae, tamquam crystallum procedentem a sede Dei et Agni, in medio plateae eius. In quibus verbis ponuntur quinque laudabiles conditiones quas habet iste fluvius, id est *ista emanatio Spiritus Sancti quae a B.M. fluit et procedit*:

a) *abundantiam adimplentem,* ideo dicitur fluvius quia *semper* fluit et *abundanter fluit,* et numquam desinit; ex qua emanatione *oriuntur* in corda fidelium *germina virtutum et bonorum operum,* quae sunt cibus animarum ...

b) *emanationem indeficientem*: Eccl. 24: Ab initio et ante saecula etc. ... Emanavit quidem *ante saecula,* quia ipsa Trinitas, quae ipsam nascituram praevidit et praeordinavit, de ipsa producenda gaudium habuit. Angeli etiam quibus mysterium Christi revelatum erat gaudium habuerunt. Ipsa etiam emanavit *a principio* suae creationis, quia, mox ut nata fuit, eius merita non defuerunt. Et ideo bene dicit: *Ab initio et ante saecula creata sum.* Ipsa etiam in iudicio futuro non cessabit emanare, quia *non cessabit Filium suum orare,* ut suam severitatem dignetur temperare. Et ideo bene dicit: *Usque ad futurum saeculum non desinam.* Modo etiam in habitatione sancta consistens, non cessat emanare, quia *non cessat coram Deo pro nobis sua suffragia ministrare.* Et ideo bene dicit: *Et in habitatione sancta coram Ipso ministravi.*

c) *claritatem refulgentem* (tamquam crystallum). Ipsa enim aqua gratiae, quam Virgo non cessat in nos fundere sive fluere, dicitur splendida quasi crystallus, quia ad instar crystalli facit animam solidam per virtutem temperantiae, frigidam refrigerando ab aestu concupiscentiae, et lucidam per puritatem munditiae ...

d) *emanationem eminentem* (procedentem de sede Dei et Agni). Ipsa enim V.B. ab altitudine Sanctae Trinitatis aquam accepit gratiae, quam nobis infundit ...

e) *discussionem communem et patentem* (in medio plateae eius). Habet quidem duas civitates, scil. *triumphantem* et *militantem.* In medio istarum civitatum est ipsa *Virgo mediatrix et media mittens de isto fluvio Spiritus Sancti ad utramque civitatem.* Nam civitatem militantem potat, triumphantem inebriat. Militantem mundat, triumphantem laetificat. Militantem rigat et foecundat, triumphantem inebriat ... Eccli. 24: Rigabo hortum plantationum mearum et inebriabo partus mei fructus. Hortus sunt *corda iustorum, quae ipsa rigat et foecundat.* Fructus partus sunt *congregatio bea-*

> *torum, quos ipsa inebriat;* partus autem Virginis fuit Christus. Fructus istius partus sunt omnes Sancti et omnes Beati, *quos ipsa fecit fructificare per bona opera,* et modo fructum suorum operum receperunt in caelesti curia ... [F = V].

Bisogna qui sottolineare l'insistenza con cui il Beato Giacomo attribuisce alla Vergine gli effetti di « illuminazione », di « vivificazione » di « fecondazione », propri dello Spirito Santo che agisce nelle anime. Anzi, la stessa emanazione dello Spirito Santo, che dà la vita soprannaturale, non profluisce nel mondo senza passare attraverso di Lei. Dai primi effetti di giustificazione del peccato, al sommo e totale conseguimento della gloria celeste, lo Spirito Santo opera nelle anime per mezzo di Maria. E questo intervento della Madre nelle opere della grazia non cesserà mai, poiché sempre Essa *pregherà* al cospetto di Dio per i « frutti » del suo parto, che è Cristo, ossia per coloro che Essa ha generato insieme con Cristo suo Figlio e suo Sposo; e sempre *attraverso di Lei* continuerà ad essere *trasmessa* la grazia di Dio nella Chiesa. C'è dunque un duplice movimento: un movimento ascendente, di preghiera, da Maria Vergine a Dio; e un movimento discendente, di grazia, attraverso Maria, da Dio a noi. E' importante fissare questo duplice carattere dell'intervento di Maria Vergine nella distribuzione delle grazie.

Si può notare inoltre che gli effetti attribuiti a Maria Vergine dal Beato Giacomo sono quegli stessi effetti che producono i Sacramenti, e particolarmente il Battesimo, nell'incorporarci in Cristo e nella Passione: ossia il « senso spirituale », che consiste nella cognizione della verità di Cristo, e il « moto spirituale » che dal Capo alle membra trasmette quell'influsso di grazia che dà la fecondità delle buone opere [12]. Ma questa fecondità di buone opere è un « effetto » dipendente dalla fecondità della generazione « attiva » di chi dà la vita [13] in Cristo: *In Christo super Evangelium vos genui* (*I Cor.* 4, 5); e quindi il seno di Maria che ci fa fruttificare nelle opere sante è l'origine della nostra santità e della grazia che ci viene donata. Tutto ciò che la grazia opera in noi, proviene da Colei che generando Cristo ha generato anche noi come « frutti » di uno stesso parto.

Si vede quindi come la mediazione di Maria Vergine nella distribuzione delle grazie dipende (come la mediazione con Cristo nella Redenzione) dalla sua Maternità: essendo Essa nostra Madre (e lo è per il fatto stesso che ha generato Cristo, il Cristo « totale »), deve trasmetterci tutte quelle grazie che compiono in noi la piena rigenerazione, fino alla consumazione nella gloria.

3.4. *Maria acquedotto della grazia*

Questo intervento di Maria Vergine, e la sua reale « azione » nella dispensazione e produzione della grazia, sono messi in evidenza an-

[12] Cfr. III, q. 69, a. 5.
[13] Cfr. *ib.*, ad 3.

che più chiaramente in un altro discorso del Beato Giacomo, in cui applica alla Vergine, al seguito di San Bernardo [14], la classica similitudine dell'« acquedotto »:

Aquaeductus fuit Virgo Maria

Quae dicit: Ego quasi aquaeductus exivi de paradyso (Eccli. 24), id est: de deliciis misericordiarum Dei per istum aquaeductum fluunt aquae gratiarum in mundum. Unde sequitur: Rigabo hortum plantationum mearum. Et quia iste aquaeductus in tantum necessarius est quod diabolus ipsum frangere conatur ... Iste autem aquaeductus *commendabilis est*:

1) *ex parte sui*:

a) quia habet fluere et refluere. Nam aquae gratiarum per ipsum aquaeductum nobis *de caelo* effluunt (Sap. 5: Venerunt mihi omnia bona pariter cum illa et innumerabilis honestas per manus illius). Ipsae etiam aquae gratiarum *ad caelum* refluunt (Eccli. 1) dum Ipsa ad referendum Deo gratias nos inducit;

b) habet magnam longitudinem et sublimitatem. Eius autem longitudo tanta est ut attingat a caelo usque ad terram ... Latitudo autem istius aquaeductus tanta fuit ut etiam fontem divinum capere potuerit [e del fonte divino l'acquedotto distribuisce le grazie secondo diverse misure]. Altitudo vero istius aquaeductus tanta fuit ut *ad fontem usque totius divinitatis se erexit et illum attigit* ...

2) *ex parte nostri*:

nos enim aquas gratiarum de caelo haurire non poteramus propter nimiam caeli altitudinem et nimiam nostri depressionem. Et ideo oportuit quod *in medio esset aquaeductus* ... [e dice, con San Bernardo, che nella attuale economia del mondo, tutto deve venire nel mondo per mezzo di Maria, e tutto tornare al cielo per lo stesso *acquedotto*. Dio avrebbe potuto darci la grazia anche senza la mediazione di Maria; ma Egli volle che ogni grazia ci venisse *per mezzo di Lei*, e ogni nostra offerta, per essere accetta, fosse presentata *da Lei*].

3) *ex parte modi*:

iste autem modus duplex est:

a) quia *diversimode* se diffundit. Nam quibusdam se diffundit in modum aquae putei, quibusdam in modum aquae fontis, quibusdam in modum aquae fluminis. Cant. IV: Fons hortorum, puteus aquarum viventium quae fluunt impetu de Libano. Puteus habet aquas occultas et cum labore eductas: et quantum ad hoc Ipsa se diffundit *peccatoribus*, quia aqua gratiae est in eis occulta sed tamen per laborem poenitentiae potest hauriri. Aqua vero fontis sine labore eruitur et continue emanat. Et quantum ad hoc diffundit se *bonis et sibi devotis*, quia eis continue gratiam suam tribuit et sine ullo labore se eis diffundit. Aqua vero fluminis in magna abundantia emanat. Et quantum ad hoc diffundit se *beatis*, quibus largiter et abundanter aquam Spiritus Sancti tribuit ...

b) secundus modus est quia *abundanter et largiter* se diffundit. Aqua quidem largiter se diffundere et fluere consuevit multis de causis:

[14] Cfr. PL 183, 438.

— *ex nimia repletione,* sicut patet in flumine repleno quod in loca vicina se diffundit. Et quia B.V. nimium est repleta, ideo *de sua plenitudine in corda per devotionem sibi vicina se diffundit.* Eccli. 24: In plenitudine sanctorum detentio mea ...

— *ex violenta ventorum impressione,* sicut patet in mari quod, quando violentia ventorum impellitur, intumescit atque diffunditur. *Auster enim Spiritus Sancti sic eius mentem afflavit quod ad diffundendum spiritualiter impellit.* Cant. IV: Surge aquilo, et veni auster, et perflue hortum meum, et fluent aromata illius ...

— *ex nimia et violenta ebullitione.* Quando enim vas nimis ebullit, tunc aquam extra proicit. *Ignis quidem Spiritus Sancti sic eius mentem inflammavit et sic ... ebullire facit, quod ad spargendum nobis aquam suae gratiae Ipsa impellitur,* ut non sit qui se abscondat a calore eius ...

— *ex vasis concussione.* Si enim vas plenum aqua concutitur, mox aqua effunditur. *Ipsa autem est Dei situla et gratia Dei repleta, et ideo si quis eam cum devotione tetigerit, mox gratiam suam effundit.* Num. 24: Fluet aqua, id est gratiae abundantia, de situla eius, id est de Virgine Maria Matre eius ...

— *ex vallium depressione.* Sicut enim aqua se in valles diffundit et in loca depressa, sic et Ipsa aquam suae gratiae immittit in corda humilium. Ps.: Qui emittit fontes in convallibus ...

— *ex lunae virtuosa operatione,* ex qua fiunt fluxus et refluxus in mari. *Luna est Virgo Maria* [cfr. L = IX,X] *a qua procedit fluxus gratiarum, dum nobis gratiam effundit; procedunt et refluxus, dum omnia ad Deum per recognitionem gratiarum refundere nos inducit.* Eccli. 1: Ad loca unde exeunt flumina revertuntur ut iterum fluant ...

4) *ex parte aquae*:

quae habet aquas purissimas. Tunc autem secundum Aristotelem (!) aqua est pura quando nullum habet colorem, nullum saporem, nullum odorem. *Aqua igitur gratiae B.M. est pura quia aufert a nobis colorem, id est mundanam conversationem* [Rom. 12: Nolite conformari huic saeculo etc.]; *aufert odorem, id est mundi amorem, ut scil. amor mundi sibi despiciat, amor Dei sibi sapiat,* quia sicut dicit Crysostomus: Ver non habet super terram quod amet, qui donum caeleste in veritate gustaverit ... ([A = IX).

Il contenuto di questo discorso è notevole. Vi è ripetutamente affermata l'azione di Maria Vergine nella distribuzione delle grazie, l'universalità di questa distribuzione, e soprattutto, più chiaramente ancora che nei discorsi precedentemente riportati, la « causalità » di Maria Vergine nel conferimento della grazia. Secondo il Beato Giacomo, lo Spirito Santo « agisce » sulla mente di Maria Vergine affinché essa operi spiritualmente l'effusione della grazia; l'atto stesso dell'intelligenza e della volontà di Maria Vergine, i palpiti del suo cuore, infiammato dallo Spirito Santo, sono il « mezzo » con cui Dio agisce nelle anime. Vi è qui un accenno, anzi un chiaro riferimento, all'azione dello strumento nelle mani dell'agente principale, alla causalità strumentale degli agenti subordinati e dipendenti da una causa superiore. Le affermazioni del Beato Giacomo difficilmente sarebbero intelligibili fuori di questo senso. Tuttavia non ci fermiamo qui a trattare la natura della *causalità* (se solo *morale* o anche *fisica*) della Vergine nella distribuzione delle grazie. Riportiamo invece qualche altro discorso che, oltre ad affermare ancora il concetto, ci dà altre precisazioni di grande interesse.

Il Beato Giacomo, infatti, non svolge il tema della mediazione solo con l'illustrazione delle similitudini comunemente applicate a Maria Vergine, ma anche con l'analisi e la spiegazione dei titoli che la Tradizione dà alla Vergine e che spesso esprimono una profonda dottrina.

3.5. *Maria « ausiliatrice »*

Adiutrix nostra est Virgo Maria

Ipsa enim fuit adiutrix nostrae redemptionis et nostrae iustificationis:

1) *nostrae redemptionis,* quantum ad quattuor genera causarum:

a) quantum ad *causam efficientem,* quia illum genuit qui nostram salutem operatus est;

b) quantum ad *causam materialem,* quia de suis visceribus nostrae redemptionis materiam ministravit;

c) quantum ad *causam formalem,* quia per suam sanctam conversationem nobis exemplum bene vivendi praebuit;

d) quantum ad *causam finalem,* quia ad beatitudinem consequendam nobis a Deo data fuit. Unde dicitur (Apoc. 12): Quod in capite eius corona stellarum duodecim, quia omnes sancti per Ipsam sunt coronati.

2) *nostrae iustificationis.* Circa cuius adiutorium tria sunt videnda:

a) *quam efficaciter adiuvat* ... Ipsa habet adiuvandi *posse,* quia est *Mater omnipotentiae* (Eccli. 24: In Hyerusalem potestas mea); habet adiuvandi *nosse,* quia ipsa est *Mater sapientiae* (Prov. 14: Sapiens mulier aedificavit domum suam); habet adiuvandi *velle,* quia ipsa est *Mater misericordiae.* Ideo dicitur (Eccli. 24): Ego Mater pluchrae dilectionis et timoris et agnitionis et sanctae spei ... Ipsa est tantae potentiae, quia *daemonibus est ad terrorem,* ideo dicitur Mater timoris. Est tantae sapientiae, quia *errantibus est ad directionem,* ideo dicitur Mater agnitionis. Et est tantae pietatis, quia *desperantibus est ad spem et ad reductionem,* ideo dicitur Mater sanctae spei ...

b) *qualiter adiuvat.* Ipsa quidem adiuvat hominem *in omni statu,* scil. in vita, in morte et post mortem ... Adiuvat quidem *in vita,* tam bonos quam malos. Bonos in gratia *conservando,* ideo dicitur *Mater gratiae.* Malos vero ad misericordiam reducendo, ideo dicitur *Mater misericordiae.* Adiuvat et *in morte,* ab insidiis protegendo, ideo subditur: Tu nos ab hoste protege. Adiuvat *post mortem,* animam in suis manibus *suscipiendo* et eam *in caelum deducendo,* ideo subditur: In hora mortis suscipe ...

c) *propter quid adiuvat* ... Plura sunt propter quae tenetur iuvare nos:

1) *propter debitum.* Ipsa enim multum tenetur peccatoribus, sicut dicit Augustinus. Quia per eos habet quidquid habet,

quia si peccatores nos non fuissemus, Christus de ea carnem non suscepisset, et sic ipsa Mater Dei non fuisset. Nos igitur sibi tenemur, quia *per ipsam nos sumus reconciliati.* Et ipsa tenetur, quia *pro nobis ipsa est Mater.* [Cfr. G = IV].

2) *propter officium commissum.* Deus enim de ea confidens *omnes gratias sibi faciendas commisit,* et ipsa *officium suum diligenter facit* ...

3) *propter animum suum viscerosum.* Nam divina pietas in eius utero novem mensibus habitavit, et ideo ipsam totam pietate replevit ...

4) *propter divinae bonitatis beneficium.* Si enim Deus sibi intantum fuit liberalis non debet ipsa pro nobis esse avara, sed de plenitudine effundere, quam accepit ... [A = III].

Dunque, la stessa predestinazione di Maria Vergine include questo perpetuo soccorso che rende efficace per i singoli, nella loro giustificazione, la Redenzione di Cristo. La mediazione nella distribuzione delle grazie, attraverso l'associazione all'acquisizione, ha la sua radice nella stessa ragion d'essere della Vergine e di Cristo: il motivo di misericordia per cui Dio decretò l'Incarnazione per la nostra salvezza. Per questo Maria fu Madre del Figlio di Dio e Madre nostra; per questo, in forza della sua maternità, cooperò alla Redenzione e vi coopera continuamente col suo intervento nell'applicazione dei frutti.

3.6. *Maria « madre di misericordia »*

Facendo parte tanto intimamente di un disegno di misericordia, Maria partecipa in modo particolare, più di ogni altro, della misericordia divina (O=III; F=IV; E=V), tanto da essere « madre di misericordia »:

Misericordia Mariae

est omnibus misericordiis aliorum sanctorum execellentior, generalior, communior et maior ... Generalior, quia ubique generaliter invenitur, scil. in mundo, in iudicio et in caelo. In mundo, quia tota terra plena est sua misericordia ... *In iudicio*: *ipsa enim V.B.* cum Filio ad iudicium veniet, *et ibi in magno honore, quoad se, et* in magna utilitate, quoad nos ... *In regno, quia eius claritas in beatis est* causa gloriae, laetitiae et honorificentiae. *Gloriae quidem, quia eius claritas beatos illustrat ...; laetitiae, quia sancti sine magna laetitia non possunt videre* sororem suam *super omnes angelos exaltatam ...; honorificentiae, quia magnus honor est sanctis habere fratrem Christum et sororem B.V., quorum unus est rex et altera regina totius regni caelestis.* [N = VI].

L'ufficio peculiare che Maria Vergine ha ricevuto nel cielo è appunto quest'opera di misericordia perenne che tempera i rigori della divina giustizia:

Cancellaria Dei *est Maria in caelesti curia. Videmus enim quod in curia Domini Papae conceduntur tria genera litterarum. Quaedam sunt* simplicis iustitiae. *Aliae sunt* purae gratiae. *Tertiae sunt* mixtae, *scil. quae continent iustitiam et gratiam.*

Secundum istum modum Deus in curia caelesti tres habet cancellarios. Unus est ad quem spectat dare litteras simplicis iustitiae, et iste est Michaël arcangelus ... alius cancellarius est ad quem spectat dare litteras mixtas, et iste est beatus Petrus Apostolus ... Tertius cancellarius est ad quem spectat dare litteras purae gratiae et misericordiae, et ista est V.B., ideo dicitur Mater gratiae, Mater misericordiae ... [C = I].

La verità racchiusa nella singolare e curiosa analogia con la curia papale è che tutto ciò che Dio nella sua infinita misericordia vuol concedere alle creature passa attraverso le mani di Maria Vergine: essa ne è come la depositaria celeste. Tutta la Tradizione ecclesiastica è unanime nell'attribuire alla Vergine questo « ufficio » in cielo; non si tratta semplicemente di interventi particolari, in casi determinati, con l'intercessione e la supplica, come avviene anche per gli altri Santi; ma di un compito e di una incombenza ordinaria, *ex officio*, universale, e di una « vera » causalità in questa distribuzione.

Il Beato Giacomo afferma esplicitamente e ripetutamente questa dottrina. Ma aggiungiamo ancora due suoi « sermoni », che ripetono e completano quanto abbiamo precedentemente esposto.

3.7. *Maria « tesoriera della Trinità »*

La Vergine Maria, egli dice, è stata fatta « tesoriera » della SS. Trinità:

Thesauraria Dei est Virgo Maria

Habet enim Deus triplicem thesaurum, scil. potentia, sapientia et misericordia. Thesaurus potentiae est Patris, sapientiae est Filii, misericordiae est Spiritus Sancti. Istum triplicem thesaurum Deus *commisit dispensandum Virgini gloriosae*:

a) Pater commisit sibi thesaurum suae potentiae intantum quod ipsa ... *potenter* Deus traxit, quando virtute suae humilitatis, virginitatis et charitatis Deum in suum uterum venire fecit. Magna enim potentia est vincere invincibilem, vincere omnipotentem, superare illum quem caeli capere non poterant et in suo utero continere ... Cum esset rex in accubitu suo, id est in sinu Patris, nardus mea dedit odorem suum (Cant. 1). Nardus est herba parva, odorifera et virtuosa. In quantum est parva, signat humilitatem; in quantum est odorifera, signat virginitatem; in quantum est virtuosa, signat eius virtuosam operationem. His tribus virtutibus Christus electus ... in eius uterum descendit ... Secundo *potenter* diabolum contrivit ... Ipsa conteret caput tuum (Gen. 3). Tertio *potenter* nos in gloriam introducit. Magna potentia est hominem tam infimum ducere ad caelum. *Ista enim potestas data est Virgini Mariae ut in caelestem Hyerusalem animas introducat.* In Hyerusalem potestas mea (Eccli. 42) ...

b) Secundo Filius commisit sibi thesaurum suae sapientiae, in tantum quod ipsa: 1) *cognitionem Dei tribuit*, ideo vocatur Mater agnitionis ...; 2) per mare huius mundi *sapienter nos dirigit et ad portum nos deducit,* ideo vocatur Stella maris; 3) *actus nostros sapienter dirigit et disponit*: Sapiens mulier, id est Virgo Beata, aedificat domum suam, id est gubernat sanctam Ecclesiam. Insipiens, id est Eva, extructam quoque destruit manibus, quando scil. manus suas ad pomum vetitum porrexit (Prov. ult.).

c) Tertio Spiritus Sanctus commisit sibi thesaurum suae misericordiae et istum thesaurum *ipsa dispensat largiter* sine aliqua retentione ... *communiter* sine personarum acceptione ... *velociter* sine magna precum multiplicatione ... *sapienter,* quia in maiori subvenit necessitate. Tunc enim maior eius sentitur pietas quando maior sentitur necessitas, ideo vocatur luna. Nam luna vicina terrae, lucet in nocte et lucet absente sole. Ipsa enim est vicina peccatoribus, cito eis misericordiam impendendo. Ipsa lucet in nocte adversitatis patientiam tribuendo. Ipsa, quando sol, id est Deus, se abscondit alicui, lucet gratiam impendendo. [T = V].

La Trinità che abita in Maria come nel suo *tempio* o nel suo nobile *triclinio* (M=IX), si serve dunque di lei per le comunicazioni alle creature di tutti i suoi doni. Sembra che i Tre vadano a gara nel ricolmare la Vergine benedetta dei loro favori. Il linguaggio e l'immaginazione della devozione popolare possono sembrare imperfetti se presi superficialmente, ma in realtà possiedono l'intuizione profonda della verità. Poiché Maria Vergine è stata associata a Cristo nell'opera salvifica in tutta la sua estensione, tutto quello che l'umanità di Cristo opera come strumento di Dio è attribuito anche alla *socia* di Cristo; e poiché le operazioni di Dio si predicano per appropriazione dell'una o dell'altra delle tre divine persone secondo l'affinità con qualcuna delle loro proprietà personali, anche Maria Vergine è considerata in rapporto ora all'una ora all'altra Persona.

3.8. *Maria « ministra » della grazia*

Tuttavia Maria, nuova Eva accanto al nuovo Adamo, sua cooperatrice nelle operazioni della salvezza, assunta da Dio a collaboratrice nel suo piano universale di redenzione, è sempre un agente inferiore, subordinato e dipendente: è al servizio di Cristo e della Redenzione, è una *ministra,* sebbene in un rango immensamente più nobile di ogni altro ministro.

Anche quest'altro concetto della « ministerialità » di Maria nella distribuzione delle grazie è svolto dal Beato Giacomo in uno dei suoi discorsi, dove riassume, ponendola sotto questa luce, tutta la missione della Vergine in terra e in cielo, nel riguardo del Cristo personale e del Cristo mistico, nella sua maternità totale circa il Capo e circa le membra dell'unico Corpo:

Ministra Dei fuit Virgo Maria

sicut ipsa dicit: In habitatione sancta coram ipso ministravi (Eccl. 24).

Fuit autem ministra *respectu Filii,* quia sibi sedula ministravit [generandolo, nutrendolo col suo latte, salvandolo dai persecutori, assistendolo durante tutta la vita e seguendolo sempre, fino alla Croce] ...

Secundo dicitur ministra *respectu nostri.* Deus enim isti ministrae quinque *ministeria et officia* commisit:

a) quia ipsa *Eleemosynaria caeli,* quia omnes eleemosynas de caelo fiendas sibi commisit. Ipsa autem non est avara sed liberalis et larga. Prov. ult.: Manus suas extendit ad pauperes. [Cfr. E = IV).

b) quia ipsa est *Cellaria Spiritus Sancti.* Cant. 12: Introduxit me rex in cellam vinariam ... Bibite, amici, et inebriamini, carissimi ... Istud autem vinum copiose effundit, et tamen semper plena exstitit ... [Cfr. C = V].

c) quia ipsa est *Thesauraria Dei.* Deus triplicem thesaurum sibi dispensandum commisit, scil. thesaurum potentiae ... sapientiae ... misericordiae. Unde ad suas misericordias recipiendas omnes invitat dicens: Transite ad me omnes qui concupiscitis me et a generationibus meis adimplemini (Eccli. 24) ...

d) quia ipsa est *Advocata generis humani.* Unde clamamus ad eam: Eia ergo, Advocata nostra, illos tuos misericordes oculos ad nos converte. Et Iesum etc. ... Nos enim sumus in peregrinatione, sumus in lacrimatione, sumus in tenebrositate ignorantiae. Ideo clamamus ut ipsa Advocata nostra oculos misericordiae ad nos dirigat, de peregrinatione sive exsilio ducat ad caelestem patriam, de lacrimatione ducat nos ad aeternam laetitiam ..., de tenebrositate ignorantiae ducat nos ad claritatem visionis divinae ...

e) quia ipsa est *Ostiaria paradisi.* Ipsa enim est ostium per quod intramus (Tu Regis alti ianua et porta lucis fulgida); est etiam ostiaria, quae nos introducit. Unde ad ipsam est pulsandum et dicendum: Veni, aperi mihi, soror mea, amica mea (Cant. 5) ...

E conclude il sermone con Ugo di San Vittore:

Maria porta, Christus ostium Patri occultum. *Per Mariam igitur ad Christum, et per Christum pervenitur ad Deum* [M = XII].

* * *

Tutto ciò che Dio riversa nel mondo passa attraverso Cristo e attraverso sua Madre; tutto ciò che l'uomo fa risalire a Dio — suppliche e azioni di grazie — deve passare attraverso Maria e attraverso Cristo. L'unica via tra Dio e il genere umano è questa, secondo la scalarità che è stata stabilita da tutta l'eternità, quando Dio associava a Cristo sua Madre, come consorte della sua opera salvatrice dell'umanità. Ecco perché si dice comunemente che la Vergine è la *Mediatrix ad Mediatorem*: essendo associata a Cristo, sembra che Egli non voglia nulla intraprendere, nulla operare senza il consenso o la preghiera di Maria. Insieme a Cristo essa prega il Padre, ed opera nel mondo. Ed anche in ciò si manifesta il contrasto con la coppia dei progenitori, che insieme, di comune accordo peccarono, e con comune opera trasmisero ai figli il peccato che Cristo e Maria avrebbero distrutto.

INDICE

SEZIONE BIBLICO-PATRISTICA

SEZIONE LITURGICA

SEZIONE STORICO-TEOLOGICA

BIBLIOTHECA EPHEMERIDES LITURGICAE
COLLECTIO « SUBSIDIA »

C.L.V. - Edizioni Liturgiche — 00192 Roma
Via Pompeo Magno, 21
Tel. (06) 353.114 — C/CP. 56307002 Edizioni Liturgiche

LITURGIA ED ECUMENISMO

1. CONFÉRENCES ST. SERGE, 1974, *La maladie et la mort du chrétien dans la liturgie,* 1975. In 8°, 468 pp. L. 14.000

3. CONFÉRENCES ST. SERGE, 1973, *Liturgie et rémission des péchés,* 1975 In 8°, 294 pp. L. 14.000

7. CONFÉRENCES ST. SERGE, 1975, *Liturgie de l'Église particulière et liturgie de l'Église universelle,* 1976. In 8°, 410 pp. L. 22.000

8. CONFÉRENCES ST. SERGE, 1969, *Le Saint-Esprit dans la liturgie,* 1977. In 8°, 182 pp. L. 12.000

9. CONFÉRENCES ST. SERGE, 1976, *L'assemblée liturgique et les différents rôles dans l'assemblée,* 1977. In 8°, 350 pp. L. 16.000

14. CONFÉRENCES ST. SERGE, 1977, *Gestes et paroles dans les diverses familles liturgiques,* 1978. In 8°, 352 pp. 16.000

16. CONFÉRENCES ST. SERGE, 1978, *La liturgie expression de la foi.* 1979. In 8°, 378 pp. L. 19.000

18. CONFÉRENCES ST. SERGE, 1979, *L'Eglise dans la liturgie,* 1980. In 8°, 410 pp. L. 22.000

20. CONFÉRENCES ST. SERGE, 1980. *Le Christ dans la liturgie,* 1981. In 8°, 376 pp. L. 22.000

25. CONFÉRENCES ST. SERGE, 1970, *L'économie du salut dans la liturgie,* 1982. In 8°, 286 pp. L. 22.000

27. CONFÉRENCES ST. SERGE 1981, *La liturgie: son sens, son esprit, sa méthode.* 1982. In 8°, 386 pp. L. 30.000

29. CONFÉRENCES ST. SERGE 1982, *Liturgie, spiritualité, cultures,* 1983. In 8°, 420 pp. L. 35.000

32. CONFÉRENCES ST. SERGE, 1983, *Trinité et Liturgie,* 1984. In 8°, 457 pp. L. 40.000

35. CONFÉRENCES ST. SERGE 1984, *Eschatologie et liturgie.* 1985. In 8°, 383 pp. L. 40.000

37. CONFÉRENCES ST. SERGE 1985, *La Mère de Jésus-Christ et la Communion des Saints dans la liturgie.* 1986. In 8°, 370 pp. L. 40.000

40. CONFÉRENCES ST. SERGE 1986, *Saints et sainteté dans la liturgie.* 1987. In 8°, 374 pp. L. 40.000

BIBLIOTHECA EPHEMERIDES LITURGICAE

COLLECTIO « SUBSIDIA »

11. B. Neunheuser, O. S. B., *Storia della liturgia attraverso le epoche culturali,* 2ª ediz. riveduta e ampliata, 1983. In 8°, 160 pp. L. 12.000

13. E. Cattaneo, *Il culto cristiano in Occidente. Note storiche,* 2ª ediz. (con appendice di F. Brovelli, *L'eucologia*), 1984. In 8°, 658 pp. L. 32.000

15. E. Lodi, *Enchiridion euchologicum fontium liturgicorum.* 1979. In 8°, XXXII + 1866 pp. L. 120.000

22. F. Brovelli, *Per uno studio de « L'Année Liturgique » di P. Guéranger, Contributo alla storia del movimento liturgico,* 1981. In 8°, 81 pp. L. 5.000

23. P. Barberi, *La celebrazione del Matrimonio cristiano. Il tema negli ultimi decenni della teologia cattolica,* 1982. In 8°, LIV + 549 pp. L. 30.000

24. A.G. Martimort, *Les diaconesses. Essai historique,* 1982. In 8°, 277 pp. L. 23.000

26. R. Kaczynski - G. Pasqualetti - Ph. Jounel (edd.), *Liturgia, opera divina e umana. Studi sulla riforma liturgica offerti a S.E. Mons. Annibale Bugnini,* 1982. In 8°, 715 pp. L. 45.000

28. P.F. Beatrice, *La lavanda dei piedi. Contributo alla storia delle antiche liturgie cristiane.* 1983. In 8°, 250 pp. L. 30.000

30. A. Bugnini, *La riforma liturgica (1948-1975)*, 1983. In 8°, 930 pp. L. 65.000

33. B.D. Spinks, *From the Lord and « The Best Reformed Churches ». A Study of the Eucharistic Liturgy in the English Puritan and Separatist Traditions (1550-1633)*, Vol. I, 1984. In 8°, 212 pp. L. 20.000

    Il II Volume, con lo stesso titolo ma comprendente il periodo 1645-1974, edito dalle « Pikwich Publications », 4137 Timberlane Drive, Allison Park, Pennsylvania 15101 - U.S.A., si può acquistare anche presso le nostre Edizioni.

34. P. Tirot, *Histoire des prières d'offertoire dans la liturgie romaine du VIIè au XVIè siècle,* 1985. In 8°, 125 pp. L. 10.000

36. P. Jounel, *Le renouveau du culte des Saints dans la liturgie romaine,* 1986. In 8°, 274 pp. L. 40.000

38. Congregazione del culto divino, *Costituzione liturgica « Sacrosanctum Concilium ». Studi,* 1986. In 8°, pp. 660 pp. L. 56.000

39. Enrico Mazza, *Concordanze verbali delle collette e prefazi del Messale Romano italiano,* 1987. In 8°, 628 pp. L. 70.000

41. Dominic Jala, *Liturgy and Mission,* 1987. In 8°, XIII + 343 pp. L. 45.000

42. Salvatore Marsili, O.S.B., *I segni del Mistero di Cristo. Teologia liturgica dei sacramenti.* In 8°, 526 pp. L. 45.000

EPHEMERIDES LITURGICAE

COMMENTARIUM BIMESTRE DE RE LITURGICA INDE AB ANNO 1887 A PRESBYTERIS CONGR. MISSIONIS EDITUM

La Rivista, nata nel 1887, ha seguito negli anni l'evolversi del pensiero e della prassi liturgica nella Chiesa, soprattutto nei momenti di riforma e di rinnovamento.

Oggi si presenta come periodico scientifico di carattere internazionale, ed è uno strumento di lavoro particolarmente importante per conoscere il pensiero liturgico contemporaneo e il progresso degli studi.

Ogni anno appare in cinque fascicoli, per complessive 500 pagine, e si articola in diverse sezioni: *Studi, Riforma liturgica generale, Problemi pastorali, Recensioni, Notizie.*

Almeno una volta all'anno presenta una bibliografia esauriente con brevi note di commento.

La revue, née en 1887, a suivi au cours des ans l'évolution de la pensée et de la pratique liturgiques dans l'Église, surtout dans les moments de réforme et de renouvellement.

Actuellement, elle se présente comme un periodique scientifique, à caractère international, et est un instrument de travail particulièrement important pour connaître la pensée liturgique contemporaine et le progrès des études.

Chaque année, elle paraît en 5 fascicules, au total 500 pages, et s'articule autour de diverses sections: Etudes, Réforme liturgique générale, Problèmes pastoraux, Informations, Comptes-rendus.

Une fois par an au moins, elle présente une bibliografie exhaustive avec bref commentaire.

Since its inception in 1887. « Ephemerides Liturgicae » has followed the development of liturgical thought and practice in the Church, particularly during periods of liturgical reform and renewal.

It is a scientific periodical of international interest and standing and is a means particularly suited for a knowledge of contemporary liturgical studies and thought.

Each year five fascicles are published, making a total of some 500 pages. Each fascicle contains a section on: *Studies, General liturgical Reform, Pastoral problems, Notes, Book Reviews.*

An exhaustive bibliography with brief comments is presented at least once a year.

La Revista, nacida en el 1887, ha seguido con los anos la evolución del pensamiento y de la práctica litúrgicos en la Iglesia, sobre todo en los momentos de reforma y de renovación.

Hoy se presenta como publicación cientifica de carácter internacional y es un instrumento de trabajo de particular importancia para conocer el pensamiento litúrgico contempóraneo y el progreso de los estudios.

Cada ano aparecen cinco números con un total de 500 páginas, y se articulan en diversas secciones: Estudios, Reforma litúrgica general, Problemas patsorales, Noticias, Recensiones.

Al menos una vez al ano presenta una bibliografia exhaustiva con breves notas de comentario.

Die Zeitschrift, begonnen im Jahre 1887, hat in all den folgeden Jahren die Entfaltung der liturgischen Idee und der liturgischen Praxis der Kirche verfolgt, vor allem in den Zeiten der Reform und der Erneuerung.

Sie stellt sich heute dai als eine wissenschaftliche Zeitschrift von internationalen Charakter und ist ein wichtiges Arbeitsinstrument vor allem für dar Verständnis der liturgischen Idee in unserer Gegenwart und für die Einsicht in den Fortschrift der liturgischen Studien, der Liturgiewissenschaft.

Sie erscheint jährilch in fünf Heften, mit insgesamt 500 Seiten.

Sie bietet die folgenden Sektionen: *Studien (wissenschaftliche Untersuchungen), Allgemeine Liturgische Reform, Pastorale Probleme, Kunznachrichten, Besprechungen.*

Wenihstens einmal im Jahre bright sie eine erschöpfende Bibliographie mit kurzen kommentierended Bemerkungen.

Direzione e Amministrazione: 00192 ROMA
Via Pompeo Magno, 21 - Tel. 353114 - C/CP 56307002
EDIZIONI LITURGICHE